Michael Grüttner · Studenten im Dritten Reich

Sammlung Schöningh
zur Geschichte und Gegenwart

Herausgeber: Kurt Kluxen

Michael Grüttner

Studenten im Dritten Reich

Ferdinand Schöningh

Paderborn · München · Wien · Zürich

Der Autor: Michael Grüttner, Dr. phil., geb. 1953, ist Privatdozent für Neuere Geschichte an der Technischen Universität Berlin.

Titelbild: Bücherverbrennung am 10. Mai 1933. Nationalsozialistische Studenten transportieren „undeutsches Schrifttum" auf Lastwagen ab.

Photo: Ullstein Bilderdienst, Berlin.

Die Deutsche Bibliothek – CIP-Einheitsaufnahme

Grüttner, Michael:
Studenten im Dritten Reich / Michael Grüttner. –
Paderborn; München; Wien; Zürich: Schöningh, 1995
(Sammlung Schöningh zur Geschichte und Gegenwart)
Zugl.: Habil.-Schr.
ISBN 3-506-77492-1

Gedruckt auf umweltfreundlichem, chlorfrei gebleichtem
und alterungsbeständigem Papier ♾ ISO 9706

Printed in Germany. Herstellung: Ferdinand Schöningh, Paderborn

ISBN 3-506-77492-1

Inhaltsverzeichnis

Einleitung

In der deutschen Geschichte des 19. und 20. Jahrhunderts haben die Studenten an einer Reihe von Wendepunkten eine wichtige Schrittmacherrolle übernommen.[1] Nach den Befreiungskriegen von 1813/14 entwickelten sich die Burschenschaften und ihre Nachfolger (wie der studentische Progreß der 1840er Jahre) zur Avantgarde des liberalen Bürgertums.[2] Die Studentenrevolte von 1967/68 und die aus ihr hervorgegangenen neuen sozialen Bewegungen der 1970er Jahre haben das Gesicht der alten Bundesrepublik, vor allem ihr intellektuelles und kulturelles Profil (im weitesten Sinne), bis 1989 wesentlich geprägt. Zeitweise erwiesen sich die Studierenden jedoch auch als entschiedene Vorreiter neuer Bewegungen von rechts, eine Tatsache, die weniger bekannt, aber sicher nicht weniger bedeutsam ist: In den 1880er Jahren vollzog sich unter den deutschen Studenten erstmals eine radikale Abkehr vom Liberalismus, während die meisten Professoren zunächst weiterhin den alten Idealen verbunden blieben. Seit diesem Zeitpunkt gehörte die Mehrheit der Studentenschaft zu den Vorkämpfern eines neuen Nationalismus, der sein spezifisches Profil durch einen ausgeprägten Antisemitismus erhielt. Vermutlich verfügte der Antisemitismus während des Kaiserreichs in keinem anderen Sektor des deutschen Bürgertums über eine ähnlich entschiedene Anhängerschaft wie unter den Studenten.[3] Ähnliches wiederholte sich mit dem Aufstieg des Nationalsozialismus in der Endphase der Weimarer Republik: Wiederum zeichneten sich die Studenten zu einem sehr frühen Zeitpunkt durch eine ungewöhnlich große Aufnahmebereitschaft für die neue Bewegung aus.

Offenbar waren die Studenten in bestimmten historischen Situationen besonders dafür prädestiniert, dem Rest der deutschen Gesellschaft vorauszueilen. Drei Faktoren haben dazu beigetragen. Erstens: Die Studenten waren

[1] Zur Geschichte der deutschen Studenten liegen verschiedene Überblicksdarstellungen vor: Die Arbeit von F. Schulze u. P. Ssymank, Das deutsche Studententum von den ältesten Zeiten bis zur Gegenwart, München 1932[4], basiert auf reichhaltigem Material, ist aber veraltet. U. Schlicht, Vom Burschenschafter bis zum Sponti, Berlin 1980 konzentriert sich auf den Zeitraum nach 1945. Die weitaus beste Längsschnittanalyse liefert: K.H. Jarausch, Deutsche Studenten 1800-1970, Frankfurt/Main 1984.

[2] Vgl. Jarausch, Deutsche Studenten, S.35 ff.; P. Brandt, Studentische Lebensreform und Nationalismus. Vor- und Frühgeschichte der Allgemeinen Deutschen Burschenschaft (1771-1819/23), Habil.-Schrift, TU Berlin 1987 (MS).

[3] Vgl. dazu N. Kampe, Studenten und „Judenfrage" im Kaiserreich, Göttingen 1988.

jung, ihre Begeisterungsfähigkeit und ihre Bereitschaft, sich auf neue politische Ideen einzulassen, waren deshalb größer als in der Generation ihrer Eltern. Zweitens: Studenten lebten – früher weit stärker als heute – in dem Wissen, zu einer Elite zu gehören, mindestens zu einer zukünftigen Elite. Dieses Gefühl schuf das für eine Avantgarderolle unerläßliche Selbstbewußtsein. Und drittens: Die studentische Existenzweise ermöglichte in Deutschland stets ein relativ großes Maß an Selbstbestimmung. Mit dem Beginn des Studiums entschlüpften die Studierenden zumeist der Kontrolle ihrer Eltern, ohne bereits in Laufbahnhierarchien und berufliche oder familiäre Verantwortung eingebunden zu sein. Auch die Universitäten gewährten den Studierenden im 19. und 20. Jahrhundert zumeist relativ große Freiräume hinsichtlich der Organisation des Studiums, der Alltagsgestaltung und der Arbeitsanforderungen. Die Vermutung liegt nahe, daß diese spezifische Situation eine größere Bereitschaft zum politischen Engagement begünstigte.

Charakteristisch für die studentischen Bewegungen des 20. Jahrhundert war die Internationalität des studentischen Aktivismus. Es muß nicht näher ausgeführt werden, daß die Studentenbewegungen von 1967/68 mit ihren starken linksrevolutionären Strömungen über Ländergrenzen hinweg fast die gesamte westliche Welt in Unruhe versetzten. Dagegen ist über das innige Verhältnis, welches während der 1920er und 1930er Jahre in vielen europäischen Ländern zwischen den Studenten und der radikalen Rechten bestand, nur sehr wenig bekannt. In fast allen rechtsradikalen Bewegungen und Parteien, die sich während der Zwischenkriegszeit auf dem europäischen Kontinent bildeten, haben Studenten eine bedeutende, manchmal sogar eine dominante Rolle gespielt. Unter den Mitgliedern der faschistischen Partei Italiens hatten Studenten und Schüler 1921 mit 13,0 % einen Anteil, der von einem Historiker als „exzeptionell hoch“ bezeichnet worden ist. Auf einer Liste der „Märtyrer“ des italienischen Faschismus befanden sich unter 125 mit Berufsangaben versehenen Personen nicht weniger als 33 Studenten (26,4 %).[4] Auch die spanische Falange hatte, bevor sie 1936/37 den Sprung zur Massenpartei machte, die größte Gruppe ihrer Anhänger an den Universitäten; Schätzungen zufolge kam im Frühjahr 1936 etwa die Hälfte der Parteimitglieder aus der Studentenschaft.[5] Codreanus „Eiserne Garde“ in Rumänien zählte anfangs so viele jugendliche Akademiker in ihren Reihen, daß sie in der Literatur als „ausgesprochene ... Studentenvereinigung“ charakterisiert worden ist.[6] Der Blick auf andere, politisch weniger einflußreiche Parteien des rechtsradikalen Spektrums bietet ein ähnliches Bild: Der Schweizer Frontismus, Quislings „Nasjonal Samling“ in Norwegen und Boleslaws Piaseckis ONR-Falanga in Polen waren ebenfalls Bewegungen, die, zumindest in der

[4] Vgl. J. Petersen, Wählerverhalten und soziale Basis des Faschismus in Italien zwischen 1919 und 1928, in: W. Schieder (Hg.), Faschismus als soziale Bewegung, Göttingen 1983², S. 142, 145 ff.

[5] Vgl. St.G. Payne, Social Composition and Regional Strength of the Spanish Falange, in: Who were the Fascists. Hg. von St.U. Larsen u.a., Bergen 1980, S.423 ff.; B. Nellessen, Die verbotene Revolution, Hamburg 1963, S.99. Dort auch S.58, 63.

[6] Vgl. E. Nolte, Zur Typologie des Verhaltens der Hochschullehrer im Dritten Reich, in: ders., Marxismus, Faschismus, Kalter Krieg, Stuttgart 1977, S.138.

Anfangsphase, hauptsächlich aus der Studentenschaft Zulauf erhielten.[7] Auch die 1932 gegründete „Vaterländische Volksbewegung" (IKL) in Finnland konnte sich auf zahlreiche studentische Anhänger stützen.[8]

In der NSDAP der Weimarer Republik war die Studentenschaft gleichfalls überrepräsentiert.[9] Zwar läßt die NSDAP sich nicht als Bewegung studentischen Ursprungs beschreiben, auch nicht als Partei, in der Studenten einen wesentlichen Einfluß ausüben konnten. Doch gehörte die Studentenschaft ganz offensichtlich zu jenen Teilen der deutschen Gesellschaft, die sich vom Nationalsozialismus besonders angesprochen fühlten. Dies zeigte sich bereits beim Hitlerputsch von 1923 und mehr noch bei den Wahlen für die Allgemeinen Studentenausschüsse, die sich seit 1928/29 fast überall zu einem nationalsozialistischen Triumphzug entwickelten. Anfang der 1930er Jahre waren die Studenten eine der ersten gesellschaftlichen Gruppen, in denen die Nationalsozialisten auf demokratischem Wege die politische Hegemonie erringen konnten.

Wie aber ging die Entwicklung weiter? Während die Geschichte der Studenten in der Weimarer Republik durch die in den 1970er Jahren erschienenen Arbeiten von Schwarz, Kater und Faust sowie durch eine Reihe von Lokalstudien gut erforscht ist, war bis vor kurzem nur wenig über die Studentenschaft im Dritten Reich bekannt. Abgesehen von vereinzelten Pionierstudien[10] liegen erst seit den 1980er Jahren einige lokalhistorische Untersuchungen vor, die sich mit der Geschichte der Studentenschaft im NS-Staat beschäftigten, so die Studie von Norbert Giovannini über Heidelberg und vor allem die materialreiche Arbeit von Geoffrey J. Giles über Hamburg.[11] Daneben erschien eine Anzahl von Monographien und Sammelbänden zur Geschichte einzelner Universitäten während der NS-Zeit, in denen auch der Studentenschaft Aufmerksamkeit gewidmet wurde.[12] Außerdem liegen seit einigen Jahren zwei Spezialstudien über die Studentinnen im Dritten Reich vor.[13] Auch die Geschichte der Korporationen ist von verschiedenen Autoren genauer untersucht worden, wenngleich das Niveau dieser Arbeiten sehr unterschiedlich ist. Läßt man diese verschiedenen Publikationen Revue passieren, dann drängen sich zwei Schlußfolgerungen auf.

Erstens: Die Aussichten, Neues über die Studentengeschichte im Dritten Reich durch weitere Lokalstudien zu erfahren, sind ausgesprochen gering. Nur von zwei Universitäten (Hamburg, Würzburg) sind die Akten des Na-

---

[7] Vgl. W. Wippermann, Europäischer Faschismus im Vergleich 1922-1982, Frankfurt/M. 1983, S.165 (Schweiz), 168 f. (Norwegen), 178 (Polen).

[8] Vgl. Wippermann, Europäischer Faschismus, S.144 f.

[9] Vgl. M.H. Kater, The Nazi Party, Cambridge/Mass. 1983, S.27 f., 44, 67.

[10] M. Franze, Die Erlanger Studentenschaft 1918-1945, Würzburg 1972.

[11] Vgl. N. Giovannini, Zwischen Republik und Faschismus. Heidelberger Studentinnen und Studenten 1918-1945,Weinheim 1990; G.J.Giles, Students and National Socialism in Germany, Princeton 1985.

[12] Vgl. die Arbeiten von Uwe Dietrich Adam (über Tübingen), Uwe Jordan (über Gießen), Gerda Stuchlik (über Frankfurt) und Geoffrey Giles (über Freiburg) im Literaturverzeichnis.

[13] J.R. Pauwels, Women, Nazis, and Universities. Female University Students in the Third Reich, 1933-1945, Westport, Conn./London 1984; I. Weyrather, Numerus Clausus für Frauen – Studentinnen im Nationalsozialismus, in: Frauengruppe Faschismusforschung, Mutterkreuz und Arbeitsbuch, Frankfurt/M. 1981, S. 131-162.

tionalsozialistischen Deutschen Studentenbundes (NSDStB) und der Studentenführung zumindest in größeren Teilen erhalten geblieben.[14] Über diese beiden Universitäten liegen auch die materialreichsten Lokalstudien vor.[15] An den anderen Hochschulen wurden die Akten der Studentenführung entweder durch Kriegseinwirkung vernichtet oder bei Kriegsende verbrannt, um möglichst wenig Spuren zu hinterlassen. Bei der Arbeit in verschiedenen Hochschularchiven stellte sich zudem heraus, daß die Rektorats- und Fakultätsakten (soweit sie nicht vernichtet wurden) in der Regel zur Geschichte der Studenten nicht sehr ergiebig sind. Die Quellenbasis für weitere Lokalstudien ist daher ausgesprochen schlecht. So manche neuere Arbeit beschränkt sich denn auch darauf, die offizielle Politik der Studentenführer aus den veröffentlichten Quellen zu rekonstruieren und ihre Darstellung mit Spekulationen über die Reaktion der Studenten anzureichern.[16] Außerdem stoßen lokalhistorische Analysen zur Geschichte des nationalsozialistischen Deutschlands aufgrund der starken Zentralisierung politischer Entscheidungsprozesse ohnehin relativ früh an ihre Grenzen.

Zweitens: Es gibt mittlerweile genügend Detailstudien, um nunmehr eine Gesamtdarstellung zu wagen, die auf einer umfassenden Auswertung aller für dieses Thema zentralen Archive basiert. Als Quellen dienten hauptsächlich die Akten des NSDStB, der Deutschen Studentenschaft (DSt) und der Reichsstudentenführung, die überwiegend im Staatsarchiv Würzburg, teilweise auch im Bundesarchiv Koblenz lagern.[17] Da sie auch zahlreiche Lage- und Stimmungsberichte lokaler Studentenführer enthalten, läßt sich mit diesem Material nicht nur die Perspektive der Funktionäre rekonstruieren, sondern auch ein relativ differenziertes Bild von dem Verhalten der Studierenden gewinnen. Allerdings sind die Akten des NSDStB bzw. der Reichsstudentenführung über das Jahr 1940 hinaus offenbar weitgehend vernichtet worden. Aus den Jahren 1941-1945 liegen – neben offiziellen Rundschreiben oder Verordnungen – nur noch Restakten der Reichsstudentenführung vor, die in der Außenstelle Berlin-Zehlendorf des Bundesarchivs (ehemals Berlin Document Center) zu finden sind.[18] Die vorhandenen Lücken lassen sich jedoch teilweise durch die internen Berichte des Sicherheitsdienstes (SD) der SS ausgleichen, deren Relevanz als Quelle auch für das Hochschulwesen erheblich ist. Neben den „Meldungen aus dem Reich“[19] erwiesen sich einige unveröffentlichte Be-

[14] Vgl. die Übersicht in: Inventar archivalischer Quellen des NS-Staates. Die Überlieferung von Behörden und Einrichtungen des Reichs, der Länder und der NSDAP, Teil 1, München 1991, S.280 ff. u. S.505 ff.

[15] Vgl. Giles, Students and National Socialism sowie die Beiträge von P. Spitznagel und F. Golücke in: Studentenschaft und Korporationswesen an der Universität Würzburg. Hg. vom Institut für Hochschulkunde, Würzburg 1982.

[16] Besonders auffällig in der Studie von Giovannini, der allerdings auch darauf verzichtet hat, die in Würzburg lagernden Akten der Reichsstudentenführung einzusehen.

[17] Vgl. H.W. Strätz, Archiv der ehemaligen Reichsstudentenführung in Würzburg, in: VfZ 15, 1967, S.106 f.; Inventar archivalischer Quellen, Teil 1, S.503 ff.

[18] Diese Akten wurden einzelnen Studentenfunktionären zugeordnet und in den Bestand „Parteikorrespondenz“ eingegliedert.

[19] Meldungen aus dem Reich. Die geheimen Lageberichte des Sicherheitsdienstes der SS. Hg. von H. Boberach, Herrsching 1984/85, 17 Bde. u. 1 Registerband.

richte des SD-Abschnittes Frankfurt/M., die im Hessischen Hauptstaatsarchiv Wiesbaden lagern, als besonders aufschlußreich. Die „Deutschland-Berichte“ der Exil-SPD (Sopade), gewissermaßen das oppositionelle Gegenstück zu den SD-Meldungen, enthalten leider nur ganz vereinzelt Material über die Entwicklung an den Hochschulen.

Unverzichtbar für die Rekonstruktion der staatlichen Politik waren die für das Thema relevanten Akten des preußischen Kultusministeriums und des 1934 gegründeten Reichserziehungsministeriums (REM). Weiter wurden zahlreiche Studentenzeitungen und andere zeitgenössische Publikationen durchgesehen, die im Institut für Hochschulkunde (Würzburg) lagern. Besonders für die Zeit unmittelbar nach der nationalsozialistischen Machtübernahme ermöglichen sie einen aufschlußreichen Einblick in die Dynamik und die Zielvorstellungen der nationalsozialistischen Studentenbewegung. Einige Autobiographien ehemaliger Studenten sowie Interviews, die im Rahmen des Projektes zur Hamburger Universitätsgeschichte geführt wurden[20], waren insbesondere für die alltags- und mentalitätsgeschichtlichen Passagen dieser Arbeit von großem Nutzen. Material zum studentischen Widerstand fand sich hauptsächlich im Zwischenarchiv Dahlwitz-Hoppegarten des Bundesarchivs und in der „Stiftung Archiv der Parteien und Massenorganisation der DDR im Bundesarchiv“.[21] Exemplarisch habe ich außerdem die für das Thema relevanten Akten verschiedener Universitätsarchive (Jena, München, Hamburg, Berlin) ausgewertet.

Die vorliegende Untersuchung hat zwei Schwerpunkte, die hier kurz skizziert werden sollen.

Der *erste Schwerpunkt* beschäftigt sich mit der Hochschulpolitik des NS-Regimes, soweit sie sich auf die Studenten bezog. Zu den treibenden Kräften der nationalsozialistischen Hochschulpolitik gehörten das REM, der Stab von Rudolf Heß (später die Parteikanzlei), der NS-Dozentenbund, der NSDStB und die Deutsche Studentenschaft (DSt). Daneben gab es immer wieder Versuche anderer Parteistellen, etwa der SA oder des Amtes Rosenberg, Einfluß auf die Hochschulen zu nehmen. Auch hier stößt der Historiker auf das für die Innenpolitik des NS-Staates charakteristische Neben- und Gegeneinander unterschiedlicher Apparate, die in Konkurrenz zueinander um Macht und Einfluß kämpften. Dem entsprach an den einzelnen Hochschulen eine unklare und konfliktträchtige Verteilung der Kompetenzen zwischen Rektoren, Dozentenbundführern und Studentenführern. In diesem Zusammenhang wird die Frage gestellt, ob derartige Auseinandersetzungen auf inhaltlichen Differenzen basierten oder ob es sich um reine Machtkämpfe handelte. Da im studentischen Alltag vor allem der NSDStB mit seinem weiblichen Ableger,

[20] Es handelt sich um 24 transkribierte Interviews, die Astrid Dageförde 1984/85 mit ehemaligen Studentinnen geführt hat. Da den Befragten Anonymität zugesichert wurde, habe ich ihre Familiennamen stets auf den Anfangsbuchstaben reduziert. Die Texte befinden sich im Archiv des Hamburger Universitätsprojektes.

[21] Es handelt sich um Akten, die früher im Institut für Marxismus-Leninismus beim ZK der SED und im zweiten Zentralarchiv des Ministeriums für Staatssicherheit der DDR in Berlin-Hohenschönhausen lagerten. Dieses Material war westlichen Historikern bis 1989/90 nur in Ausnahmefällen zugänglich.

der Arbeitsgemeinschaft Nationalsozialistischer Studentinnen (ANSt), eine zentrale Rolle spielte, wird dieser Organisation besondere Aufmerksamkeit gewidmet. Im Vordergrund steht jedoch nicht die Organisationsgeschichte des NSDStB, sondern seine Wirkungsgeschichte. Inwieweit gelang dem NSDStB eine Mobilisierung und eine wirksame Kontrolle der Studentenschaft? Welche Machtpositionen erlangte er an den Hochschulen? Agierte der NSDStB als autonomer Machtfaktor oder war er lediglich ein von oben gelenktes Instrument der Partei?

Über die Rolle Hitlers im nationalsozialistischen Herrschaftssystem gibt es seit Jahren eine zeitweise mit großer Erbitterung geführte Debatte.[22] Läßt sich die Geschichte des Dritten Reiches im wesentlichen als Umsetzung von Hitlers persönlichen politisch-weltanschaulichen Intentionen verstehen? Oder war Hitler nur ein bedeutender Exponent dieses Regimes, dessen zerstörerische Dynamik sich einer personalisierenden Interpretation weitgehend entzieht? Selbstverständlich kann dieses Problem nicht durch eine Monographie über die Studentenschaft gelöst werden. Angesichts der Relevanz dieser Kontroverse für das Verständnis des Dritten Reiches ist es aber dennoch sinnvoll, im Rahmen dieser Arbeit gezielt nach der Bedeutung Hitlers für die Entwicklung der Hochschulen im Dritten Reich zu fragen. Inwieweit läßt sich die nationalsozialistische Hochschulpolitik auf Konzepte oder Befehle des „Führers" zurückführen? Hat Hitler der nationalsozialistischen Hochschulpolitik entscheidende Impulse gegeben?

Neben der Frage nach den treibenden Kräften der nationalsozialistischen Hochschulpolitik steht die Frage nach den hochschulpolitischen Zielen des Regimes. Verfügte die NSDAP über ein tragfähiges Konzept zur Nazifizierung der Hochschulausbildung, oder war ihre Hochschulpolitik weitgehend durch Improvisation bestimmt? Inwieweit konnten die Nationalsozialisten ihre Ziele durchsetzen? Um diese Frage zu beantworten, werden unter anderem die soziale Zusammensetzung der Studentenschaft, die Entwicklung des Frauenstudiums, die sozialpolitischen Maßnahmen des NS-Staates, die Veränderungen in der Ausbildung sowie die Maßnahmen und Pläne zur „politischen Auslese" der Studentenschaft genauer untersucht. Als ein zentraler Aspekt der Hochschulausbildung im NS-Staat wird das Verhältnis von politisch-ideologischen und fachlichen Zielen untersucht. Auf der einen Seite wurde der Ausbildung die Aufgabe zugewiesen, einen neuen nationalsozialistischen Menschentypus herauszubilden: Opferbereit und ideologisch sattelfest sollte dieser neue Student sein, rassenbewußt, kein Streber und Bücherwurm, sondern physisch abgehärtet und sportlich, ein nützliches und jederzeit einsatzbereites Mitglied der nationalsozialistischen Volksgemeinschaft. Auf der anderen Seite bestand die Notwendigkeit, an den Hochschulen einen wissenschaftlich qualifizierten Nachwuchs in ausreichender Zahl auszubilden. Daraus ergab sich in der Praxis ein grundsätzlicher Zielkon-

[22] Vgl. Der „Führerstaat": Mythos und Realität. Hg. von G. Hirschfeld u. L. Kettenacker, Stuttgart 1981. Ein ausgewogener und kompetenter Überblick über diese Debatte in: I. Kershaw, Der NS-Staat. Geschichtsinterpretationen und Kontroversen im Überblick, Reinbek/Hbg. 1988, S.125 ff.

flikt, der auch für andere Diktaturen charakteristisch war und ist: Eine Erziehung, die sich primär oder ausschließlich auf die politische Indoktrination konzentrierte, mußte auf Dauer die Effizienz des NS-Staates schwächen. Wie jeder andere Industriestaat konnte auch das Dritte Reich nicht auf gut ausgebildete Naturwissenschaftler, Techniker, Ärzte usw. verzichten, die in der Industrie, in der Wehrmacht, in der Verwaltung und anderswo dringend gebraucht wurden. Eine Konzentration auf die fachliche Ausbildung stand jedoch im Widerspruch zu den totalitären Ambitionen der Partei. Die Frage, wie die Nationalsozialisten mit diesem zentralen Problem umgegangen sind, gehört zu den wichtigsten Ausgangspunkten dieser Arbeit.

Der *zweite Schwerpunkt* beschäftigt sich mit der Mentalität, der politischen Einstellung und der sozialen Lage der Studenten. Wie sah das Verhältnis der Studierenden zum Nationalsozialismus aus? Konnte die Begeisterung zahlreicher Studenten für die Hitlerpartei nach 1933 aufrechterhalten werden? Woran entzündete sich Unzufriedenheit, und wie weit reichte sie? Eine Beantwortung dieser Fragen sollen vor allem die chronologischen Abschnitte dieser Arbeit (Kapitel VI-IX) ermöglichen. Ihr relativ großer Umfang erklärt sich hauptsächlich durch die zahlreichen Brüche und Kurswechsel in der nationalsozialistischen Studentenpolitik.

Inhaltlich hat sich das Bild von den Studenten der NS-Zeit in den letzten zwei Jahrzehnten erheblich verändert. Da die Studenten sich vor 1933 besonders anfällig gegenüber dem aufkommenden Nationalsozialismus gezeigt hatten, gingen die Historiker lange Zeit wie selbstverständlich davon aus, daß die Studierenden auch zwischen 1933 und 1945 zu den Stützen des Regimes gehörten. Nach Meinung von Richard Grunberger „entzog die Studentenschaft, die in der Machtergreifung sowohl das Deutschland von der Vorsehung bestimmte Schicksal als auch den Sieg der Jugend über das Alter erblickte, dem Regime nie ihre Treue". Diese „gefühlsmäßige Identifizierung mit dem Dritten Reich" sei auch durch gelegentliche Spannungen nicht ernsthaft in Frage gestellt worden.[23] Michael Kater vertrat 1975 ebenfalls die Auffassung, daß die Studentenschaft nach 1933 „im allgemeinen treu zum NS-Regime gehalten hat, jedenfalls bis die Niederlage von Stalingrad ihr eine plötzliche Ernüchterung vermittelte".[24]

Diese Einschätzungen sind jedoch durch die in den letzten 10-15 Jahren publizierten Lokalstudien grundsätzlich in Frage gestellt worden. Aus den neu erschlossenen Quellen ergab sich keineswegs der Eindruck vorbehaltloser Zustimmung zum NS-Regime. Vielmehr fanden sich in den internen Berichten von Studentenführern und anderen NS-Funktionären zahlreiche Beschwerden über die Widerspenstigkeit und die mangelnde Aktivität der Studierenden. In kaum einer neueren, aus den Quellen erarbeiteten Publikation wird die These aufrecht erhalten, die Studentenschaft sei dem Nationalsozialismus auch nach 1933 in besonderer Weise verbunden gewesen. Während Giles, der die bislang beste Arbeit zum Thema vorgelegt hat, in

[23] R. Grunberger, Das zwölfjährige Reich, Wien 1972, S.331.

[24] M.H. Kater, Studentenschaft und Rechtsradikalismus in Deutschland 1918-1933, Hamburg 1975, S.204.

seiner Studie über Hamburg ein Bild „allgemeiner Apathie" entwirft[25], ist Michael Kater, in Umkehrung früherer Urteile, noch einen Schritt weiter gegangen. In einem 1985 publizierten Aufsatz entwickelte er die These, die Studenten seien „zwischen 1933 und 1945 ... zu Hitlers kompromißlosesten Gegnern" geworden.[26] Diese Einschätzung ist auch in der jüngsten Monographie zum Thema von Norbert Giovannini zustimmend übernommen worden.[27]

Meine Arbeit ist geprägt durch eine grundsätzliche Skepsis gegenüber dem in solchen Einschätzungen sichtbar werdenden dichotomischen Bild von der deutschen Bevölkerung – in diesem Fall von den deutschen Studenten – im Dritten Reich. Es erscheint mir fraglich, ob eine Einteilung der Bevölkerung in Nationalsozialisten einerseits und Gegner der Regimes andererseits, ergänzt vielleicht noch durch die Kategorie des „Mitläufers", der realen Komplexität der Dinge gerecht werden kann. Wie die besseren Arbeiten zur Alltagsgeschichte des NS-Staates zeigen[28], lassen sich die meisten Deutschen im NS-Staat weder als eingefleischte Nationalsozialisten noch als überzeugte Gegner des Regimes charakterisieren.[29] Für den überwiegenden Teil der Bevölkerung war vielmehr eine Mischung von Konsens und Dissens, das „Neben- und Miteinander von Nonkonformität und Konformität" charakteristisch.[30] Eine weit verbreitete Unzufriedenheit über bestimmte Maßnahmen der Machthaber ließ sich durchaus mit einer Zustimmung zur grundsätzlichen Linie nationalsozialistischer Politik vereinbaren. Für eine Geschichte der Studentenschaft im Dritten Reich stellt sich daher die Aufgabe, präzise zu untersuchen, worauf Zustimmung und Ablehnung sich jeweils bezogen, wie Elemente von Konsens und Dissens sich miteinander vermischten, wie beides gewichtet werden kann. Dabei gilt es, sorgfältig zwischen verschiedenen Phasen in der Geschichte des NS-Regimes zu unterscheiden.

Diese beiden Schwerpunkte, Analyse der Hochschulpolitik und Untersuchung des politischen Verhaltens der Studenten, stehen jedoch nicht unverbunden nebeneinander. Vielmehr gehört es zu den Hauptzielen dieser Arbeit, gerade den Konflikt zwischen dem Totalitätsanspruch des NS-Regimes und den in der Studentenschaft sichtbar werdenden Gegenkräften möglichst differenziert und umfassend zu analysieren. Daran schließt sich die Frage an, ob diese Gegenkräfte, ob Unzufriedenheit und Dissens die Funktionsfähigkeit des NS-Staates ernsthaft beeinträchtigt haben oder nicht.

Die vorliegende Arbeit kombiniert also politikgeschichtliche mit sozial- und mentalitätsgeschichtlichen Passagen. Sie ist ein Baustein zur Analyse

---

[25] Giles, Students and National Socialism, S.326.

[26] M.H. Kater, Professoren und Studenten im Dritten Reich, in: Archiv für Kulturgeschichte, Bd.67, 1985, S.479.

[27] Giovannini, Republik, S.240 f.

[28] Ich denke hier vor allem an das Bayern-Projekt des Instituts für Zeitgeschichte sowie an das von Lutz Niethammer geleitete Projekt „Lebensgeschichte und Sozialkultur im Ruhrgebiet 1930 bis 1960".

[29] Vgl I. Kershaw, Alltägliches und Außeralltägliches: ihre Bedeutung für die Volksmeinung 1933-1939, in: D. Peukert / J. Reulecke (Hg.), Die Reihen fast geschlossen, Wuppertal 1981, S.273.

[30] Vgl. M. Broszat, Resistenz und Widerstand, in: Bayern in der NS-Zeit IV. Hg. von M. Broszat u.a., München/Wien 1981, S.699.

der innenpolitischen Entwicklung des NS-Staates und zu einer zukünftigen Geschichte der deutschen Gesellschaft im Dritten Reich, ein Beitrag zur deutschen Bildungsgeschichte ebenso wie zur Geschichte des deutschen Bürgertums im 20. Jahrhundert. Da sich aus der Studentenschaft des Dritten Reiches ein beträchtlicher Teil jener Eliten rekrutierte, die in den 1950er Jahren den Aufbau der Bundesrepublik getragen haben, ist die Studie in gewisser Hinsicht auch ein Beitrag zur Vorgeschichte der Nachkriegszeit.

Die Binnendifferenzierung der Studentenschaft wird in der vorliegenden Studie ebenfalls in vielfältiger Weise thematisiert. Dazu gehören die Unterschiede zwischen Universitäten und Technischen Hochschulen, zwischen verschiedenen Fakultäten und insbesondere Unterschiede konfessioneller Art. Auch geschlechtsspezifische Differenzierungen der Hochschulpolitik, des studentischen Verhaltens und studentischer Einstellungen werden, wo immer dies vom Material her möglich ist, sichtbar gemacht und analysiert. Dort, wo dieses versucht wird, ist stets von männlichen oder weiblichen Studenten bzw. von Studentinnen die Rede. Ansonsten beziehen sich Begriffe wie „Studentenschaft", „Studenten", „Studierende" oder „Hochschullehrer" der Einfachheit halber stets auf beide Geschlechter.

Geographisch beschränkt sich die Darstellung im wesentlichen auf das „Altreich", also auf das Reichsgebiet in den Grenzen von 1937. Jene Hochschulen, die dem deutschen Erziehungssystem erst im Zuge der Errichtung des „Großdeutschen Reiches", einverleibt wurden[31], bleiben schon wegen der schwierigen Quellenlage weitgehend unberücksichtigt. Im Zentrum der Untersuchung stehen also die 23 Universitäten und die 10 Technischen Hochschulen[32], die bereits vor der nationalsozialistischen Machtübernahme auf dem Territorium des Deutschen Reiches bestanden. Im Vergleich mit der Gegenwart handelte es sich durchweg um relativ kleine und überschaubare Institutionen. Um 1937 studierten an einer durchschnittlichen Universität nur etwa 2.000 Studenten, während eine Technische Hochschule zur selben Zeit im Durchschnitt noch nicht einmal 1.000 Studierende zählte.

[31] Es handelt sich um die Universitäten in Graz, Innsbruck, Posen, Prag, Straßburg, Wien, um die Technischen Hochschulen in Brünn, Danzig, Graz, Prag, Wien und noch einige kleinere Hochschulen.

[32] Eine Auflistung dieser 33 Hochschulen findet sich in verschiedenen Tabellen des Anhangs (Tabellen 24, 25 u.a.).

I. Studenten als nationalsozialistische Avantgarde 1928–1933

1. Der Aufstieg des NS-Studentenbundes (NSDStB)

Wenn Funktionäre des Nationalsozialistischen Studentenbundes (NSDStB) in den Jahren nach der „Machtergreifung“ auf die Weimarer Zeit zurückblickten, dann erzählten sie gern die Geschichte von dem erbitterten Kampf einer kleinen Handvoll nationalsozialistischer Studenten, die unbeirrbar ihren Weg gegangen seien, ohne sich um die Einwände einer feindseligen und gleichgültigen Professoren- oder Studentenschaft zu kümmern. Einem „verschwindend kleinen Häuflein von getreuen Verschworenen“ habe an den Hochschulen „eine ungeheure Masse von Gegnern, Lauen und Mitläufern“ gegenübergestanden, schrieb 1936 ein „alter Kämpfer“ unter den NS-Studenten in einer als Dissertation eingereichten Propagandabroschüre.[1]

Bei genauerem Hinsehen wird dieses liebevoll gepflegte Bild des einsamen Kämpfers, der einer Welt von Feinden gegenüber stand, allerdings sehr schnell brüchig. Statt dessen erweist sich die reale Entwicklung des Nationalsozialistischen Deutschen Studentenbundes (NSDStB) vor 1933 als eine ausgesprochene Erfolgsgeschichte. Tatsächlich konnten die Nationalsozialisten wohl in keinem anderen Bereich der deutschen Gesellschaft derart rasche und frühe Triumphe feiern wie in der Studentenschaft. Bereits nach fünfjähriger Tätigkeit avancierte der NSDStB an fast allen Hochschulen zur stärksten hochschulpolitischen Kraft, wie die Ergebnisse der Wahlen für die Allgemeinen Studentenausschüsse (AStA) zeigen.[2] Da die Beteiligung an den studentischen Wahlen in der Endphase der Weimarer Republik im Schnitt zwischen 60 und 80 % lag[3], erlauben diese Ergebnisse durchaus einen Rückschluß auf die politische Haltung von großen Teilen der Studentenschaft. Es war daher keine Überraschung, als die Deutsche Studentenschaft (DSt), der Dachverband der örtlichen Studentenschaften, im Juli 1931 mit Walter Lienau erst-

[1] H.J. Düning, Der SA-Student im Kampf um die Hochschule, Weimar 1936, S.47. Ähnlich auch: F. Schorer / H. Riecke, Nationalsozialismus als Geist und Organisation in der Hamburger Studentenschaft der Jahre 1930-33, in: Hamburger Universitäts-Zeitung, 15. Jg., 1933/34, S.113.

[2] Die Ergebnisse der AStA-Wahlen sind in Tabelle 25 (Anhang) zusammengefaßt.

[3] Vgl. Tabelle 1 (S. 54).

mals einen Nationalsozialisten als Vorsitzenden erhielt.[4] Unter den Mitgliedern der NSDAP waren die Studenten ebenfalls überrepräsentiert, obwohl sie zahlenmäßig keinen gewichtigen Faktor in der Partei bildeten. Aus dem vorliegenden Material ergibt sich der Eindruck, daß die Studenten unter den Mitgliedern der NSDAP vor 1933 einen Anteil von etwa 3-4 % stellten.[5] Nur in kleineren Universitätsstädten wie Marburg konnten die nationalsozialistischen Studenten eine dominierende Rolle in der NSDAP übernehmen.[6]

Nationalsozialistische Studentengruppen hatte es bereits 1922/23 an verschiedenen Hochschulen gegeben, vor allem an bayerischen Universitäten wie Erlangen oder München.[7] Der NSDStB als überregionale Organisation entstand im Februar 1926, etwa ein Jahr nach Neugründung der NSDAP.[8] Wilhelm Tempel, der Gründer und erste Vorsitzende[9], steuerte zunächst einen prononciert antikapitalistischen, pseudosozialistischen Kurs. In einem Brief an Hitler hatte er schon 1925 die Ansicht vertreten, der Nationalsozialismus müsse gegen die „Profitsucht unserer Unternehmer", hauptsächlich für die „Besserstellung der Arbeiter" eintreten und solle gegen monarchistische Tendenzen notfalls „Schulter an Schulter" mit der Sozialdemokratie kämpfen.[10] Diese Haltung schlug sich beispielsweise in der Forderung des NSDStB nieder, die deutschen Hochschulen „frei von den Einflüssen des Privatkapitals zu halten".[11] Auch sonst prägte ein starker antibürgerlicher Affekt das politische Profil des Studentenbundes: Der Kampf gegen bürgerlichen „Kastengeist", die Kritik an den Korporationen als Klassenorganisationen, die Öffnung der Universitäten für begabte Kinder aus der Arbeiterschaft – solche und andere Themen gehörten in dieser frühen Phase zu den bevorzugten Schwerpunkten nationalsozialistischer Propaganda unter den Studierenden.[12]

Ob eine solche Politik geeignet war, die Masse der Studierenden für die neue Organisation zu begeistern, ist durchaus fraglich. An den Universitäten war der NSDStB nach eigener Aussage schon bald als „sehr rot, proletarisch und unakademisch" abgestempelt.[13] Jedoch gelang es Tempel und seinen Mitstreitern, in diesen Anfangsjahren die institutionelle Infrastruktur zu schaffen, welche die Basis für den künftigen Expansionsprozeß bilden sollte.

---

[4] Vgl. A. Faust, Der Nationalsozialistische Deutsche Studentenbund, Düsseldorf 1973, Bd.2, S.17 ff. Zu Lienau siehe die Kurzbiographie im Anhang.

[5] Vgl. M.H. Kater, The Nazi Party, Cambridge, Mass. 1983, S.27 f., 44, 67, 242-250.

[6] Vgl. R. Mann, Entstehen und Entwickung der NSDAP in Marburg bis 1933, in: Hessisches Jahrbuch für Landesgeschichte, Bd.22, 1972, S.335.

[7] Vgl. M. Franze, Die Erlanger Studentenschaft 1918-1945, Würzburg 1972, S.78 ff.; Faust, Bd.1, S.26 ff.

[8] Zur Frühgeschichte der NSDAP vgl. Faust, Bd.1, S.36 ff.; M.H. Kater, Der NS-Studentenbund von 1926 bis 1928: Randgruppe zwischen Hitler und Strasser, in: VfZ, 22. Jg., 1974, S.148-190.

[9] Vgl. die Kurzbiographie im Anhang.

[10] Vgl. Tempel an Hitler, 28.6.1925. Abschr. in: StA WÜ RSF/NSDStB II* 17 α 471 Bl.217 f.

[11] Vgl. H. Glauning, „Was sind wir und was wollen wir", in: Der junge Revolutionär, Nr.3, Juli 1927 (unpaginiert).

[12] Vgl. M.St. Steinberg, Sabres, Books, and Brown Shirts: The German Students' Path to National Socialism 1918-1935, Ph.D., Johns Hopkins University (MS), 1971, S.453 ff.

[13] Bericht der Hochschulgruppe Kiel des NSDStB über das SS 1927, August 1927, S.7, in: BA Koblenz NS 22/421.

Ende 1926 verfügte die Organisation nach eigener Aussage über 20 Hochschulgruppen mit insgesamt 390 Mitgliedern.[14] 1927 kam es auf örtlicher Ebene hier und da schon zu spektakulären Erfolgen: In Kiel und Frankfurt avancierten mit Joachim Haupt und Gerd Rühle erstmals zwei Mitglieder des NSDStB zu Vorsitzenden der Allgemeinen Studentenausschüsse.[15]

Der eigentliche Durchbruch erfolgte ab 1928/29. Tempel, der durch das erste juristische Staatsexamen gefallen war und beträchtliche Mühe hatte, mit verschiedenen Oppositionsströmungen innerhalb des Studentenbundes fertig zu werden, legte im Juni 1928 sein Amt als Reichsleiter nieder.[16] An seine Stelle trat der Münchener Hochschulgruppenführer Baldur von Schirach.[17] Unter dessen Führung wurde die Politik des Studentenbundes nun, analog zur Entwicklung innerhalb der Partei, systematisch mehrheitsfähig gemacht. Die von Tempel bevorzugte antikapitalistische Rhetorik trat in den Hintergrund. Anders als sein Vorgänger verhielt sich Schirach gegenüber den Korporationen nicht mehr grundsätzlich kritisch, sondern lobte die schlagenden Verbindungen öffentlich als „Auslese ... der heutigen Studentenschaft“ und bemühte sich erfolgreich, Einfluß auf die Korporationsstudenten zu gewinnen.[18] Für den künftigen Aufstieg des NSDStB war dieser Kurswechsel eine unumgängliche Voraussetzung. Die Mitglieder der schlagenden Verbindungen bildeten die Kerngruppe der männlichen Studentenschaft. Gegen sie, das hatte Schirach rasch erkannt, konnte die Hegemonie an den Hochschulen nicht errungen werden. Eine starke Neigung zum antibürgerlichen Ressentiment blieb dem Studentenbund gleichwohl erhalten, und viele NSDStB-Aktivisten fühlten sich auch weiterhin eher dem „linken“ Flügel der NSDAP verbunden. Doch hatte die populistische Rhetorik des NSDStB natürlich auch taktische Gründe, wie das Reichsinnenministerium 1930 in einer unveröffentlichten Abhandlung vermutete:

> „Besonderen Wert legt der Studentenbund auf praktische Hervorkehrung seiner sozialistischen Einstellung durch betonte Verbundenheit mit der Arbeiterschaft. Man kann darin eine neue Anstrengung sehen, die nationalsozialistischen Lehren an die Arbeiterschaft heranzubringen und die Arbeiter für die Partei zu gewinnen, was nach den bisher gemachten Erfahrungen nicht genügend erfolgt zu sein scheint“.[19]

Die von Schirach veranlaßte Kurskorrektur sollte schon bald Früchte tragen. Ein Blick auf die Ergebnisse der AStA-Wahlen zeigt, daß der Stim-

[14] Vgl. W. Tempel, 3. Rundschreiben im WS 1926/27, o.D., in: BA Koblenz NS 22/421.

[15] Vgl. P. Kluke, Die Stiftungsuniversität Frankfurt am Main 1914-1932, Frankfurt/M. 1972, S.570; Bericht der Hochschulgruppe Kiel, August 1927 (Anm. 13), S.6. Kurzbiographien von Haupt und Rühle im Anhang.

[16] Vgl. Tempel an Hitler, 8.6.1928, in: StA WÜ RSF/NSDStB II* 17 α 471.

[17] Vgl. R. Heß, Rundbrief an die Hochschulgruppen des NSDStB, 11.7.1928, in: BA Koblenz Sammlung Schumacher 279 I Bl.155-157. Siehe auch die Kurzbiographie von Schirach im Anhang.

[18] Vgl. B. von Schirach, Wille und Weg des Nationalsozialistischen Deutschen Studentenbundes, München 1929, S.8. Siehe auch: ders., Ich glaubte an Hitler, Hamburg 1967, S.57 f. Schirachs Erinnerungen sind allerdings, insbesondere wenn es um die eigene Person geht, nicht immer zuverlässig.

[19] RdI Über den Nationalsozialistischen Deutschen Studentenbund [September 1930], S.15, in: GStAPK I Rep. 76 Va Sekt.1 Tit. XII Nr.42 Bd.I Bl.163 (M). Dort auch eine Reihe von Belegen für diese Haltung.

menanteil des NSDStB 1928 bereits bei 12 % lag – zu einem Zeitpunkt, als die NSDAP bei Reichstagswahlen noch nicht einmal 3 % der Wählerstimmen gewann.[20] Im folgenden Jahr konnte der Studentenbund schon fast ein Fünftel der Wähler hinter sich bringen. An der Universität Erlangen gewann die Organisation 1929 zum ersten Mal die absolute Mehrheit, ein Ereignis, das sich zwischen 1930 und 1932 an zahlreichen anderen Hochschulen wiederholte, wie aus Tabelle 25 (Anhang) hervorgeht. „Nichts gibt mir mehr Glauben an die Richtigkeit unserer Idee als die Siege des Nationalsozialismus auf der Hochschule", soll Hitler bereits 1930 gesagt haben.[21]

Programmatisch wich der NSDStB nicht von der Parteilinie ab. Der Studentenbund agitierte gegen den Vertrag von Versailles, gegen die „Kriegsschuldlüge" und den Young-Plan, für die Stärkung des Wehrwillens und gegen „fremdstämmige Elemente". Die hochschulpolitischen Äußerungen blieben dagegen auffallend vage. Dies ist nicht nur darauf zurückzuführen, daß im NSDStB, ebenso wie in der NSDAP, selten konzeptionelle Diskussionen geführt wurden. Darüber hinaus scheute die Führungsspitze des Studentenbundes aus guten Gründen davor zurück, bestimmte Dinge öffentlich auszusprechen. So bekannte sich der NSDStB in seinen Publikationen zur akademischen Freiheit[22], während im internen Führungszirkel offen darüber gesprochen wurde, daß eine Machtübernahme der Nationalsozialisten zu einer „Beschränkung der Lehrfreiheit" führen werde.[23]

Wer in den öffentlichen Verlautbarungen des NSDStB und seiner Führer nach programmatischen Äußerungen zur Hochschulpolitik sucht, stößt im wesentlichen auf drei immer wiederkehrende Punkte: 1. wissenschaftliche Forschung solle künftig nicht mehr als Selbstzweck betrieben werden, sondern müsse ausschließlich den Interessen des deutschen Volkes dienen. Damit verbunden war in der Regel heftige Kritik an der Lebensferne der Universitäten.[24] 2. wurde verlangt, neue Lehrstühle einzurichten, die dem ideologischen Weltbild der Nationalsozialisten entsprachen. Ganz besonders dringlich erschien dem Studentenbund die Einrichtung von Professuren für Rassenkunde und Wehrwissenschaft.[25] Den 3. Schwerpunkt der nationalsozialistischen Propaganda bildete die Forderung nach einem Numerus clausus für jüdische Studenten. Um diese Forderung zu begründen, schreckte der NSDStB auch vor gefälschten Statistiken nicht zurück, die den Eindruck erwecken sollten, daß die akademischen Berufe sich „in den Händen der Juden" befänden. Einen ganz besonders großzügigen Umgang mit statistischen Fakten demonstrierte der Würzburger NSDStB, der

[20] Vgl. Tabelle 1 (S.54).
[21] Zit. in: Die Bewegung Nr.16, 19.8.1930, S.4.
[22] Vgl. M.S. Steinberg, Sabers and Brown Shirts, Chicago/London 1977, S.80.
[23] Schirach gab die Anweisung, dieses solle „nicht offen gesagt, sondern umschrieben werden". Vgl. Prot. der 3. Führerringssitzung des NSDStB am 1.3.1931, S.4, in: BA Koblenz NS 22/421.
[24] Auch manche Hochschullehrer räumten ein, daß diese Kritik nicht völlig verfehlt war. Vgl. E. Spranger, Über Sinn und Grenzen einer Hochschulreform, in: Mitteilungen des Verbandes der Deutschen Hochschulen, 12. Jg., 1932, S.159 f. Siehe auch: K. Löwith, Mein Leben in Deutschland vor und nach 1933, Stuttgart 1986, S.68.
[25] Vgl. etwa Franze, Erlanger Studentenschaft, S.130.

1932 die Behauptung in die Welt setzte, 75 % der deutschen Ärzte und Rechtsanwälte sowie 40 % der Universitätsprofessoren seien Juden.[26]

Warum war gerade die Studentenschaft für eine derartige Propaganda besonders empfänglich? Wie läßt sich der rasche und weitgehend reibungslos verlaufende Vormarsch der Nationalsozialisten an den Hochschulen erklären? Auf der Suche nach einer Antwort ist es sinnvoll, den Blick zunächst auf die Überfüllungskrise in den akademischen Berufen zu werfen, die in der Endphase der Weimarer Republik das Bewußtsein der Studierenden verdüsterte. Gegenüber dem Kaiserreich hatte die Zahl der Studenten in den 1920er Jahren erheblich zugenommen. Während 1914, kurz vor Ausbruch des Ersten Weltkriegs, 79.304 Studenten an den deutschen wissenschaftlichen Hochschulen immatrikuliert gewesen waren, hatte sich die Zahl der Studierenden bis 1931 auf 138.010, also um etwa 74 %, erhöht, wie Tabelle 16 (Anhang) zeigt. Teilweise läßt sich dieser massive Zuwachs durch die demographische Entwicklung erklären.[27] Darüber hinaus spiegelte sich in der Immatrikulationsstatistik aber auch der Zustrom von Studierenden aus Bevölkerungsteilen, die bislang in den akademischen Berufen deutlich schwächer vertreten gewesen waren. Im wesentlichen handelte es sich um zwei Gruppen, deren Vordringen nach 1919 die Zahl und auch die Zusammensetzung der Studentenschaft veränderte:

1. Die Studenten aus den neuen Mittelschichten. Die Kinder von mittleren und unteren Beamten oder Angestellten stellten 1931 bereits 37,7 % der Studenten und übertrafen damit in quantitativer Hinsicht nicht nur den „alten Mittelstand“, das klassische Kleinbürgertum, sondern auch jene Studenten die aus dem Bürgertum stammten, wie aus Tabelle 21 (Anhang) hervorgeht.[28]

2. Die Studentinnen. Ihr Anteil wuchs an den Universitäten von 6,7 % (1914) auf 18,8 % (1931/32), hat sich also nahezu verdreifacht, wie Tabelle 17 (Anhang) verdeutlicht.

Während auf der einen Seite die politische Entwicklung nach 1918/19 eine Öffnung der Universitäten für bislang unterrepräsentierte Bevölkerungsteile begünstigte, hatte auf der anderen Seite die krisenhafte wirtschaftliche Entwicklung in den Weimarer Jahren zur Folge, daß der akademische Arbeitsmarkt immer weniger in der Lage war, die wachsende Zahl von Hochschulabsolventen zu absorbieren.

Eine Überfüllungskrise in den akademischen Berufen war an sich keineswegs ein historisch neuartiges Phänomen. Vielmehr handelte es sich um ein typisches Produkt der zyklischen Entwicklung des akademischen Arbeitsmarktes, zu dessen Merkmalen seit dem 18. Jahrhundert ein relativ regel-

[26] Vgl. P. Spitznagel, Studentenschaft und Nationalsozialismus in Würzburg 1927-1933, Würzburg, phil. Diss., 1974, S.215. Siehe auch W. Kreutzberger, Studenten und Politik 1918-1933, Göttingen 1972, S.112 f. Zum Wahrheitsgehalt derartiger Behauptungen vgl. M.H. Kater, Studentenschaft und Rechtsradikalismus in Deutschland 1918-1933, Hamburg 1975, S. 146 ff.

[27] Vgl. H. Titze, Der Akademikerzyklus, Göttingen 1990, S.468 f.

[28] Zur sozialen Zusammensetzung der Studentenschaft siehe auch (mit etwas anderer Kategorisierung) K.H. Jarausch, Deutsche Studenten 1800-1970, Frankfurt/M. 1984, S.134.

mäßiger Wechsel zwischen Phasen der Überfüllung und des Mangels gehört.[29] Jedoch erreichte die Überfüllungskrise Anfang der 1930er Jahre eine neue Qualität, weil sie mit einer tiefgreifenden Gesellschafts- und Wirtschaftskrise zusammenfiel. Anfang der 1930er Jahre gab es im Deutschen Reich Schätzungen zufolge etwa 350.000 berufstätige Akademiker.[30] Mithin kamen 1931 auf fünf Akademiker zwei Studierende, die sich Hoffnungen machten, im Laufe der folgenden Jahre eine freiwerdende Akademikerstelle zu besetzen. Zeitgenössische Schätzungen in der Endphase der Weimarer Republik gingen davon aus, daß die Zahl der Hochschulabsolventen etwa zwei- bis dreimal so hoch war wie der tatsächliche Bedarf an akademischen Berufsanfängern.[31] Eine präzisierende Überprüfung derartiger Prognosen ist allerdings nicht möglich. Exaktes Zahlenmaterial über den Umfang der Akademikerarbeitslosigkeit[32], über die Zahl der akademischen Abschlußprüfungen und über die Altersstruktur der berufstätigen Akademiker fehlt. Aber selbst wenn derartige Schätzungen möglicherweise etwas zu pessimistisch ausfielen, bestimmten sie doch die öffentliche Diskussion und trugen dazu bei, in der Studentenschaft ein Gefühl der existentiellen Unsicherheit zu schaffen, das die Bereitschaft zu einem radikalen Bruch mit den bestehenden Zuständen stärkte.

Überfüllungskrise und Existenzangst trafen eine Studentengeneration, die nicht mehr durchgängig aus gesicherten Verhältnissen stammte. Viele Studenteneltern aus dem Bürgertum hatten durch Krieg und Inflation beträchtliche materielle Einbußen erlitten, und die große Zahl von Studierenden aus mittelständischen Verhältnissen trug ebenfalls dazu bei, die traditionelle Verknüpfung von Bildung und Besitz zu lockern. Nach Schätzungen von Michael Kater war nur etwa ein Drittel der Eltern in der Lage, das Studium ihrer Kinder ohne größere Schwierigkeiten zu finanzieren.[33] Da Stipendien kaum zur Verfügung standen, blieb für viele Studenten nur die Möglichkeit, sich als „Werkstudenten“ (durch Jobs in der Fabrik und im Büro) oder als Nachhilfelehrer ihren Lebensunterhalt zu verdienen. Aber auch diese Möglichkeit der Existenzsicherung erwies sich während der Weltwirtschaftskrise nicht mehr als realistisch. Ein beträchtlicher Teil der Studierenden lebte daher an der Armutsgrenze, war unterernährt und litt unter Wohnungsnot.[34]

Jedoch kann der Blick auf die „akademische Berufsnot“ und auf die prekäre sozialökonomische Lage der Studierenden allein die Attraktivität des Nationalsozialismus in der Studentenschaft nicht erklären. Schließlich ist es keineswegs selbstverständlich, daß die Furcht zahlreicher Studenten vor der gesellschaftlichen Deklassierung gerade dem NSDStB bzw. der

[29] Diese Zyklustheorie wurde von der Göttinger Forschungsgruppe des Projektes „Qualifikationskrisen“ entwickelt. Knappe Zusammenfassung in: H. Titze, Die zyklische Überproduktion von Akademikern im 19. und 20. Jahrhundert, in: Geschichte und Gesellschaft 10, 1984, S.92 ff.

[30] Vgl. Titze, Akademikerzyklus, S.268 f.

[31] Vgl. Titze, Akademikerzyklus, S.268 ff.; Kater, Studentenschaft und Rechtsradikalismus, S.68 ff.

[32] In zeitgenössischen Schätzungen war von 70.000 arbeitslosen Akademikern die Rede. Vgl. F. Maetzel, „Doktoren ohne Brot“, in: Die Tat, 23, 1931/32, II, S.1004 ff.

[33] Vgl. Kater, Studentenschaft und Rechtsradikalismus, S.63 f.

[34] Vgl. Kater, ebd., S.43 ff. u. S.56 ff. Außerdem: H. Behnke, Semesterberichte, Göttingen 1978, S.114.

NSDAP zugute kam. Nachvollziehbar wird diese Entwicklung erst, wenn man sich eine zweite grundlegende Voraussetzung für den frühen Triumph des Nationalsozialismus in der Studentenschaft vor Augen hält: die Affinität zahlreicher Studenten zu Nationalismus, Antisemitismus und völkischen Ideologien lange vor der Gründung des NSDStB.

Zur Zeit der Reichsgründung von 1871 hatte die Studentenschaft noch als politische Bastion des Linksliberalismus gegolten. Die Legitimationskrise, die der Liberalismus unter dem Eindruck der „Großen Depression" erlebte, die innenpolitische Wende von 1878/79 und die Überfüllungsprobleme auf dem akademischen Arbeitsmarkt führten jedoch seit 1880 zu einem grundlegenden Einstellungswandel. Bereits in den beiden letzten Jahrzehnten des 19. Jahrhunderts wandten sich die Studierenden mehrheitlich einem aggressiven Nationalismus zu, der in aller Regel auch mit starken antisemitischen Ressentiments verknüpft war.[35] Anfang der 1920er Jahre erfolgte eine weitere Radikalisierung nach rechts. Die Erfahrungen des Krieges, der militärischen Niederlage und der Revolution, die als Demütigung und Zusammenbruch erlebt wurde, sowie der als Schmach empfundene Vertrag von Versailles verstärkten die Tendenz zu einem militanten Nationalismus, schufen Verbitterung, aber auch die Bereitschaft zum Aktivismus. Carl Zuckmayer, der nach der Rückkehr aus dem Krieg in Frankfurt und Heidelberg studierte, beschrieb die Masse der Studierenden als „einen dumpfen, verärgerten Haufen, der – in feindseliger Verachtung der neuen Republik und aller sozialen Entwicklung – dem verlorenen Nimbus seiner Kaste und der höher gehängten Futterkrippe nachtrauerte".[36]

Die militanten Republikgegner von rechts konnten denn auch in der Studentenschaft stets mit Sympathie und Unterstützung rechnen. Dies zeigte sich teilweise bereits 1920 beim Kapp-Putsch und mehr noch beim Hitler-Ludendorff-Putsch[37] von 1923, der vor allem in der bayerischen Studentenschaft auf leidenschaftliche Zustimmung stieß.[38] Ihr organisatorisches Zentrum fanden die rechtsradikalen Teile der Studentenschaft zunächst in den völkisch ausgerichteten Hochschulringen Deutscher Art (HDA), die sich 1920 zu einer überregionalen Dachorganisation, dem Deutschen Hochschulring (DHR) zusammenschlossen.[39] Dieser kämpfte nach eigener Aussage gegen Internationalismus und Pazifismus, gegen Marxismus, Demokratie und Judentum, für die „deutsche Volksgemeinschaft" und für ein „positives Bekenntnis zu eigenen Volkstum". Obwohl, oder gerade weil, die Zielvorstellungen auffallend vage waren, erwies sich der Hochschulring als

[35] Vgl. K.H. Jarausch, Students, Society and Politics in Imperial Germany, Princeton 1982, insbesondere S.345 ff.; N. Kampe, Studenten und „Judenfrage" im Deutschen Kaiserreich, Göttingen 1988.

[36] C. Zuckmayer, Als wär's ein Stück von mir, Frankfurt/M. 1966, S.274.

[37] Vgl. Schwarz, Studenten, S.224 ff.

[38] Vgl. K.D. Bracher, Die deutsche Diktatur, erw. Ausgabe, Köln 1980, S.128; Schwarz, Studenten, S.222 ff; Faust, Bd.1, S.25 ff.

[39] Vgl. U. Herbert, „Generation der Sachlichkeit". Die völkische Studentenbewegung der frühen zwanziger Jahre in Deutschland, in: Zivilisation und Barbarei. Hg. von F. Bajohr u.a., Hamburg 1991, S.115 ff.; Kreutzberger, Studenten, S.97 ff.; Steinberg, Sabers and Brown Shirts, 1977, S.51 ff.; Schwarz, Studenten, S.168 ff.; Franze, Erlanger Studentenschaft, S.61-66.

eine ungewöhnlich erfolgreiche Organisation. Nicht nur die meisten waffenstudentischen Verbände schlossen sich ihm an, sondern auch viele Unorganisierte (Freistudenten) sowie eine Reihe von katholischen Korporationen.[40] Schon bald erlangte die Hochschulringbewegung eine unangefochtene Dominanz unter den Studierenden. Auf dem Würzburger Studententag von 1922 übernahmen die völkischen Studentengruppen auch die Führung der Deutschen Studentenschaft.[41] Bei den AStA-Wahlen avancierte der Hochschulring bis 1924 überall, abgesehen von Münster, zur stärksten Kraft. An einigen Universitäten konnte er sogar sämtliche Sitze gewinnen (Königsberg, Greifswald, Rostock und Kiel).[42]

Seit etwa 1925 geriet die Hochschulringbewegung jedoch in die Krise. Nachdem der Weimarer Staat in die Stabilisierungsphase eingetreten war, schwächte eine Welle von internen Konflikten und Machtkämpfen die Organisation. Eine Reihe von lokalen Hochschulringen trat aus dem Dachverband aus oder löste sich auf.[43] Vor allem die katholischen Verbindungen kehrten der Hochschulringbewegung den Rücken und wandten sich wieder dem Einflußbereich des Zentrums zu.[44] Um 1926/27 schien es, als beginne auch die Studentenschaft, sich mit der Existenz der Republik abzufinden. Wer solche Hoffnungen hegte, wurde jedoch bereits Ende 1927 durch den sogenannten „Becker-Konflikt“ schwer enttäuscht.[45] Diese Auseinandersetzung zeigte in aller Deutlichkeit, daß die überwiegende Mehrheit der deutschen Studenten dem Weimarer Staat auch in der Phase der Stabilisierung weiterhin voller Ressentiments und Abneigung gegenüberstand.

Der Konflikt resultierte aus der eigentümlichen Struktur der Deutschen Studentenschaft (DSt), die 1919 als großdeutscher Zusammenschluß von Einzelstudentenschaften gegründet worden war. Angeschlossen waren nicht nur die Studentenschaften der deutschen, sondern auch der österreichischen Hochschulen, außerdem Studentenschaften aus Danzig und dem Sudetengebiet. Den Studentenschaften der deutschen Hochschulen gehörten alle immatrikulierten Studenten deutscher Staatsangehörigkeit an; die Aufnahme von „Auslandsdeutschen“, meist Österreichern und Sudetendeutschen, war in der Regel ebenfalls möglich. Demgegenüber verstanden sich die österreichischen und sudetendeutschen Studentenkammern als Zusammenschluß von „deutsch-arischen“ Studenten. Jüdischen Studenten, die vor allem an der Wiener Universität zahlreich vertreten waren[46], wurde die Mitgliedschaft untersagt. Auch republikanische und sozialistische Studenten, die den Ausschluß der Juden ablehnten, gehörten den Studentenkammern in Österreich nicht an.

---

[40] Vgl. P. Stitz, Der CV 1919-1938, München 1970, S.41 ff.

[41] Vgl. Schwarz, Studenten, S.258 ff.

[42] Vgl. W. Zorn, Die politische Entwicklung des deutschen Studententums 1918-1931, in: DuQ, Bd.5, 1965, S.283.

[43] Vgl. Kreutzberger, Studenten, S.101 f., 202.

[44] Vgl. Stitz, CV, S.48; R. Smend, Hochschule und Parteien, in: Das Akademische Deutschland. Hg. von M. Doeberl, u.a., Bd. III, Berlin 1930, S.160.

[45] Zum Becker-Konflikt vgl. E. Wende, C.H. Becker. Mensch und Politiker, Stuttgart 1959, S.257 ff.; Zorn, Entwicklung, insbesondere S.285 ff.; Steinberg, Sabers and Brown Shirts, 1977, S.66 ff.

[46] In Wien sollen 1927 knapp 24 % der Studierenden Juden gewesen sein. Vgl. Zorn, Entwicklung, S.291.

Gegen dieses eigenartige Konstruktionsprinzip der DSt wandte sich 1926, gemäß einem Beschluß des Landtages, der preußische Kultusminister Carl Heinrich Becker. Im Dezember 1926 forderte er die preußischen Studentenschaften auf, entweder die österreichischen und sudetendeutschen Studentenkammern aus der DSt auszuschließen oder dafür zu sorgen, daß diese künftig allen „auslandsdeutschen“ Studierenden (einschließlich der jüdischen) offenstünden. Bei Ablehnung beider Alternativen werde Preußen den Studentenschaften die staatliche Anerkennung entziehen. Die folgenden Verhandlungen erbrachten kein Ergebnis. Weder die österreichischen Studentenkammern noch die DSt zeigten sich ernsthaft bereit, Beckers Forderungen entgegenzukommen. Daraufhin erließ das preußische Kultusministerium im September 1927 eine Verordnung, die den preußischen Studentenschaften einen Zusammenschluß mit anderen Studentenschaften nur noch dann gestattete, sofern letztere „alle reichs- und auslandsdeutschen Studenten“ umfaßten und über Satzungen verfügten, die nicht im Widerspruch zur preußischen Studentenrechtsverordnung stünden.

In einer wenig später stattfindenden Urabstimmung wurde den Studierenden aller preußischen Hochschulen die Gelegenheit gegeben, selber über Annahme oder Ablehnung der Verordnung zu entscheiden. Das Resultat dieser Abstimmung offenbarte erstmals in präzisen Zahlen, wie weit die antirepublikanische Grundstimmung innerhalb der Studentenschaft verbreitet war.[47] Von 35.080 Studierenden an 27 preußischen Hochschulen, die an der Abstimmung teilnahmen, stimmten 27.238 (77,6 %) gegen Beckers Verordnung, 7.842 (22,4 %) sprachen sich dafür aus.[48] Die Wahlbeteiligung[49] lag trotz lokaler Boykottaufrufe bei 69,7 %. Daraufhin wurden die preußischen Studentenschaften im Dezember 1927 von Becker aufgelöst.

Die DSt blieb jedoch bestehen. Württemberg und Bayern schlossen sich der preußischen Entscheidung zunächst nicht an; die dortigen Studentenschaften konnten ihre Arbeit weiterhin durch Zwangsbeiträge aller immatrikulierten Studenten finanzieren. Da die DSt zudem von den meisten Korporationsverbänden durch größere Summen unterstützt wurde, war sie als Dachverband auch in Zukunft lebensfähig.[50] An den meisten preußischen Hochschulen bildeten sich zwischen 1928 und 1930 „freie Studentenschaften“, denen sich aber nicht alle studentischen Gruppierungen anschlossen. Nicht nur sozialdemokratische und republikanische Studentengruppen, sondern auch viele katholische Verbindungen blieben den Neugründungen fern.[51]

Die Analyse des Becker-Konflikts erlaubt nicht nur Schlußfolgerungen über die antirepublikanische Gesinnung vieler Studenten, sondern liefert auch Einblicke in den studentischen Antisemitismus. Dieser wurde seit dem

[47] Für nicht überzeugend halte ich die These von Jarausch, Deutsche Studenten, S.162, Beckers Studentenpolitik sei „ein entscheidender Grund zur Rechtswendung“ der Studenten gewesen.

[48] Zahlen (teilweise errechnet) nach: Steinberg, Sabers and Brown Shirts, 1977, S.69. Bei Steinberg fehlende Angaben ergänzt nach „Die Abstimmung über das neue Studentenrecht“, in: Hamburger Fremdenblatt, Nr.332, 1.12.1927.

[49] Errechnet nach den Angaben in: Statistisches Jahrbuch für das Deutsche Reich 1928, S.510 ff.

[50] Vgl. Steinberg, Sabres, Books and Brown Shirts, Ph.D., S.578 ff.

[51] Vgl. Zorn, Entwicklung, S.259 f.; U. Kersten, Das deutsche Studentenrecht, Berlin o.J., S.94 ff.

Ende des 19. Jahrhunderts hauptsächlich von den studentischen Verbindungen getragen. Schon im Kaiserreich war von vielen Verbänden und Korporationen beschlossen worden, keine jüdischen Studenten in ihre Reihen aufzunehmen, und nach dem Ende des Ersten Weltkriegs hatten auch die meisten anderen Verbände „Arierparagraphen" in ihre Satzungen aufgenommen.[52] Um 1930 gab es kaum noch eine Korporation, die zur Aufnahme jüdischer Studenten bereit war. Als durchaus typisch können die Verhältnisse in Hamburg angesehen werden, wo nur 2 von 25 Verbindungen Juden als Mitglieder akzeptierten.[53] 1931 faßte ein Leitartikel in den „Burschenschaftlichen Blättern" die Ressentiments eines großen Teils der Studentenschaft zusammen:

> „Der Antisemitismus ist keine Ausdrucksform persönlicher Feindschaften, sondern naturnotwendige Reaktion aller gesunden Völker, die durch das Schicksal zu einem Zusammenleben mit dem in der ganzen Welt verstreuten Judentum gezwungen sind. Seine tiefere Begründung findet er in der Artfremdheit, die das jüdische Volk von einem großen Teil der übrigen Völker trennt, verbunden mit jener merkwürdigen Eigenschaft, diese seine fremde Art überall in den Vordergrund zu stellen und so volkstümliches Geschehen zu unterdrücken. Was uns vor der Vernichtung unseres Volkstums bewahren kann, ist nicht gedankenloser Radauantisemitismus ..., sonder allein bewußte, unerbittliche, immerwährende Ablehnung des jüdischen Geistes in *allen* seinen Erscheinungsformen".[54]

Antisemitische Initiativen von nationalsozialistischer Seite konnten unter diesen Umständen mit einer beträchtlichen Resonanz rechnen. Anträge des NSDStB, die einen Numerus clausus für jüdische Studenten forderten, wurden denn auch seit 1928 von verschiedenen Studentenausschüssen bzw. Studentenkammern mit großer Mehrheit angenommen. In Rostock, wo der NSDStB 1930 lediglich 3 von 12 Sitzen hatte, nahm der AStA die Numerus-clausus-Resolution sogar einstimmig an. In Berlin stimmten lediglich die 4 Vertreter der Revolutionären Sozialisten gegen einen solchen Antrag, obwohl der NSDStB in der Studentenkammer nur 15 von 100 Sitzen innehatte. In Erlangen, wo die Nationalsozialisten 8 von 25 Mandaten gewonnen hatten, erhielt der NC-Antrag 24 Stimmen bei einer Enthaltung. Ein ähnliches Resultat ergab sich in Gießen. Dort verfügte der NSDStB über 9 von 25 AStA-Sitzen; seine Resolution gegen die „Fremdstämmigen, die den deutschen Volksgenossen Arbeit und Brot wegnehmen", wurde trotzdem mit 20 gegen 2 Stimmen angenommen. An der Universität Würzburg, wo die AStA-Fraktion des NSDStB aus 6 Personen bestand, sprachen sich 20 von 30 Abgeordneten für einen Numerus clausus aus. Auch an der TH München fand sich eine eindeutige Mehrheit im Sinne des NSDStB.[55] Lediglich aus Freiburg und Tübingen

---

[52] Vgl. H.P. Bleuel / E. Klinnert, Deutsche Studenten auf dem Weg ins Dritte Reich, Gütersloh 1967, S.144; Steinberg, Sabres, Books, and Brown Shirts, Ph.D., S. 162 ff.

[53] Vgl. M. Grüttner, „Ein stetes Sorgenkind für Partei und Staat". Die Studentenschaft 1930-1945, in: Hochschulalltag im „Dritten Reich". Die Hamburger Universität 1933-1945, Berlin 1991, Teil I, S.206.

[54] H. Rüdel, „Antisemitismus", in: BBl, 45. Jg., 1930/31, S.279. Hervorhebung im Original.

[55] Vgl. Rostocker Universitäts-Zeitung, Nr.2, 12.12.1930, S. 1; Faust, Bd. 1, S.89 ff. u. S.109; Steinberg, Sabres, Books, and Brown Shirts, Ph.D., S.515 ff.; Franze, Erlanger Studentenschaft, S.111; Spitznagel, Studentenschaft, phil. Diss., S.34 ff.; R. Fieberg, Die Durchsetzung des Nationalsozialismus in der Gießener Studentenschaft vor 1933, in: Frontabschnitt Hochschule, Gießen 1982, S.61.

ist ein Scheitern dieser Initiative bekannt geworden. In Freiburg wurde ein entsprechender Antrag der Nationalsozialisten als satzungswidrig von der Tagesordnung abgesetzt, während in Tübingen nicht nur der AStA, sondern auch eine studentische Vollversammlung sich gegen die Einführung des Numerus clausus für jüdische Studenten aussprachen.[56]

Eine wesentliche Ursache des studentischen Antisemitismus lag offensichtlich in der Furcht vor jüdischen Konkurrenten auf dem akademischen Arbeitsmarkt.[57] In diesem Zusammenhang verwies die nationalsozialistische Argumentation stets auf die jüdische Überrepräsentation an den Hochschulen: „Es geht nicht an, daß eine rassische Minderheit, die im Volke noch nicht 2 Prozent ausmacht, weit über 25 Prozent der deutschen Studentenschaft bildet“, schrieb der Gründer des NSDStB, Wilhelm Tempel, im Dezember 1926.[58] Tatsächlich handelte es sich bei solchen Zahlen um groteske Übertreibungen, wie ein Blick auf die nüchternen Daten der amtlichen Statistik zeigt. Aus ihnen geht hervor, daß die Juden um 1930 etwa 0,9 % der Bevölkerung des Deutschen Reiches bildeten[59], während an den Universitäten 4,3 % und an den Technischen Hochschulen 2,4 % der Studenten zur jüdischen Religionsgemeinschaft gehörten, wie sich der Tabelle 24 (Anhang) entnehmen läßt. Die Juden waren an den Hochschulen also tatsächlich überrepräsentiert, bildeten aber dennoch nur eine relativ kleine Gruppe innerhalb der Studentenschaft. Außerdem hatte der Prozentsatz jüdischer Studenten seit dem Ende des 19. Jahrhunderts rapide abgenommen. In Preußen waren 1894/95 noch 9,4 % aller Studierenden Juden gewesen. Bis zum Winter 1932/33 hatte ihr Anteil sich aber auf 4,7 % halbiert.[60] Kurz, als Sündenbock für die mit der Überfüllungskrise verknüpften Probleme eigneten sich die Juden eigentlich nicht besonders gut.

Studentische Judenfeindschaft war kein spezifisches Syndrom der deutschen Universitäten, sondern trat in einer Reihe von Ländern auf, beispielsweise in den USA[61] und in Schweden[62], vor allem aber in Osteuropa. Da die Intensität antisemitischer Einstellungen sich nicht exakt quantifizieren läßt, ist ein präziser Vergleich Deutschlands mit anderen Ländern allerdings schwierig. Aufschlußreich sind jedoch die Ergebnisse einer Internationalen Studentenkonferenz über Antisemitismus, die Ende 1928 in Bierville (Frankreich) stattfand. Unter dem Eindruck der Konferenzergebnisse resümierte Ernst Halitzki, ein jüdischer Teilnehmer aus Deutschland:

56 Zu Freiburg vgl. Kreutzberger, Studenten, S.113 u. 206. Zu Tübingen siehe die Berichte der Tübinger Hogruf H. Knoth u. I. Großmann an die Reichsleitung des NSDStB vom 18.7.1929 und vom 21.11.1929; beide in: StA WÜ RSF II* 11.

57 Vgl. Kater, Studentenschaft und Rechtsradikalismus, S.145 ff.

58 W. Tempel, „Wir und die Ergebnisse des Bonner Studententages“, in: Nationalsozialistische Hochschulbriefe, Folge 1, 15.12.1926 (unpaginiert). Zur propagandistischen Wirkung solcher Berechnungen vgl. auch: Schirach, Hitler, S.52.

59 Vgl. Sozialgeschichtliches Arbeitsbuch III. Materialien zur Statistik des Deutschen Reiches 1914-1945. Von D. Petzina u.a., München 1978, S.31.

60 Vgl. Datenhandbuch zur deutschen Bildungsgeschichte, Bd.I, 1. Teil, Göttingen 1987, S.226

61 Vgl. G. J. Giles, Students and National Socialism in Germany, Princeton 1985, S.16.

62 Vgl. W. Wippermann, Europäischer Faschismus im Vergleich 1922-1982, Frankfurt/M. 1983, S. 163 f.

„In einer großen Reihe von Ländern, so in allen Staaten Westeuropas und ... auch in Deutschland, gibt es ein jüdisches Problem weder im allgemeinen noch speziell an den Hochschulen. Das Problem konzentriert sich vornehmlich auf Rumänien, Polen und Ungarn".[63]

Es ist evident, daß diese Einschätzung, soweit sie sich auf Deutschland bezieht, nicht mit der Realität übereinstimmte. Dennoch war Halitzkis Urteil nicht völlig aus der Luft gegriffen. Verglichen mit einigen osteuropäischen Ländern, die einen Numerus clausus für Juden eingeführt hatten (Ungarn, Rumänien, Polen), wo es zudem wiederholt zu gewaltsamen Ausschreitungen gegen jüdische Studierende gekommen war (Rumänien, Ungarn), mochte die Situation im Deutschland der Weimarer Republik aus jüdischer Sicht tatsächlich vergleichsweise unproblematisch erscheinen. Zugangsbeschränkungen für jüdische Studenten gab es im Deutschen Reich vor 1933 nicht, und der „Radauantisemitismus" galt in der Studentenschaft als „unakademisch". Zwar lassen sich für die Jahre vor der nationalsozialistischen Machtübernahme zahlreiche Beispiele antisemitischer Diskriminierung nennen[64], aber Gewalttätigkeiten gegen jüdische Studierende hat es an den deutschen Universitäten offenbar nur selten gegeben.[65] Ausschreitungen der rechtsradikalen Studenten richteten sich Anfang der 1930er Jahre hauptsächlich gegen die studentische Linke. Gleichwohl bildete der akademisch gesittete Antisemitismus der Korporationen eine Basis, auf der die Nationalsozialisten mit ihren radikaleren Vorstellungen aufbauen und sich entfalten konnten.

Insgesamt ergibt sich der Eindruck, daß in der Studentenschaft ein relativ einheitliches Welt- und Feindbild existierte, auf das sich damals vermutlich etwa zwei Drittel der Studierenden ohne größere Mühen verständigen konnten. Ihren spektakulärsten Ausdruck fanden diese weltanschaulichen Präferenzen in einer Reihe von Kampagnen gegen unliebsame Hochschullehrer.[66] Zielscheibe des studentischen Protestes wurden in der Regel Wissenschaftler, die durch öffentliche Äußerungen oder Publikationen nationalistische Tabus verletzt hatten und die als Juden oder Republikaner, als Pazifisten oder Sozialisten innerhalb des akademischen Bürgertums ohnehin eine Außenseiterrolle einnahmen. Zu den Opfern dieser Kampagnen gehörten u.a. der jüdische Sozialdemokrat Theodor Lessing in Hannover, der durch einige sarkastische Bemerkungen über Hindenburg den Unwillen der Studenten auf sich gelenkt hatte, der Heidelberger Privatdozent und engagierte Pazifist Emil J. Gum-

[63] E. Halitzki, „Gegen Hochschulantisemitismus. Internationale Studentenkonferenz in Bierville", in: Berliner Tageblatt, 17.1.1929. Vgl. auch ders., „Gegen den Hochschulantisemitismus" in: Berliner Tageblatt, Nr.606, 23.12.1928. Siehe auch den Kommentar des DSt-Vorsitzenden Walter Schmadel in: Akademische Correspondenz, Nr.3, 31.1.1929, S.3.

[64] Vgl. beispielsweise Bleuel/Klinnert, Deutsche Studenten, S.164; Franze, Erlanger Studentenschaft, S.160.

[65] Einige Hinweise in: G. Stuchlik, Funktionäre, Mitläufer, Außenseiter und Ausgestoßene. Studentenschaft im Nationalsozialismus, in: Hochschule und Nationalsozialismus. Hg. von L. Siegele-Wenschkewitz u. G. Stuchlik, Frankfurt/M. 1990, S.50 ff.

[66] Zum folgenden vgl. H. Heiber, Universität unterm Hakenkreuz, Teil 1: Der Professor im Dritten Reich, München 1991, S.54-134; Steinberg, Sabres, Books and Brown Shirts, Ph.D., S.538 ff.; Faust, Bd.2, S.51-87.

bel[67], der evangelische Theologe Günther Dehn in Halle, der den religiösen Sozialisten nahestand, der Staatsrechtler Hans Nawiasky in München, der sich durch eine unorthodoxe Interpretation des Versailler Vertrages unbeliebt gemacht hatte, sowie der jüdische Jurist Ernst Cohn in Breslau.

2. Mitläufer, Gegner, Zuschauer: Das studentische Umfeld

Die wichtigste Sozialisationsinstanz des akademischen Milieus bildete im Kaiserreich und in der Weimarer Republik das studentische Verbindungswesen, die Korporationen. Sie beherrschten bis 1928/29 unangefochten die Selbstverwaltungsgremien der Studentenschaft, während parteipolitisch orientierte Studentengruppen vor dem Aufstieg des NSDStB kaum eine Rolle spielten.[68] Mit ihren rund 71.000 studentischen Mitgliedern waren die Korporationen zwar, relativ gesehen, nicht mehr so stark wie vor 1914, umfaßten aber 1929 immer noch 56,5 % der männlichen Studenten.[69]

Freilich war die Stärke der Korporationen an den einzelnen Hochschulen höchst unterschiedlich ausgeprägt.[70] Den größten Rückhalt besaßen die Verbindungen in südwestdeutschen Universitätsstädten wie Marburg, Tübingen und Freiburg, deren gesellschaftliches Leben weitgehend durch die Hochschulen geprägt wurde. Dort hatten sich fast alle männlichen Studenten einer Korporation angeschlossen. Unter den Technischen Hochschulen verfügte vor allem die TH Hannover über einen ungewöhnlich hohen Prozentsatz von korporierten Studenten. Vergleichsweise schwach war die Position der Korporationen dagegen zum einen in Großstädten wie Leipzig und Berlin, zum anderen in den „neuen" Universitäten (Hamburg, Frankfurt, Köln), die erst seit Beginn der Weimarer Republik bzw. seit der Endphase des Kaiserreichs existierten.

In der Weimarer Republik bestanden an den Hochschulen des Deutschen Reiches mehr als 1.300 Korporationen, die in 47 Verbänden zusammengeschlossen waren.[71] Im wesentlichen lassen sie sich in zwei große Gruppen aufteilen, die waffenstudentischen Verbände auf der einen Seite und diejenigen Verbände, die Duelle und Mensuren ablehnten, auf der anderen. Den zahlenmäßig stärksten Block bildeten die 29 waffenstudentischen Verbände,

---

[67] Zu Gumbel vgl. auch: W. Benz, Emil Julius Gumbel. Die Karriere eines deutschen Pazifisten, in: 10. Mai 1933. Bücherverbrennung in Deutschland und die Folgen, Frankfurt/M. 1983, S.160 ff.

[68] Vgl. Kreutzberger, Studenten und Politik, S.75.

[69] Die Mitgliederzahlen umfassen auch die den deutschen Verbänden angeschlossenen Korporationen Österreichs, der Tschechoslowakei und Danzigs. Vgl. H. Weber, Die studentischen Korporationsverbände, in: Wende und Schau, 1, 1930, S.222. Für das Deutsche Reich allein liegen keine präzisen Angaben vor.

[70] Die folgenden Ausführungen basieren auf den Berechnungen von Steinberg, Sabers and Brown Shirts, 1977, S.46.

[71] Etwa 70 % davon waren Universitätskorporationen. Diese und die folgenden Zahlen nach: H. Weber, Die studentischen Korporationsverbände, S.208 ff. und Webers Tabelle Ia. Ein umfassender Überblick über die verschiedenen Korporationsverbände und Korporationen in: Das Akademische Deutschland. Hg. von M. Doeberl u.a., Bd.II, Berlin 1931, S.257 ff.

die sich am Grundsatz der unbedingten Genugtuung orientierten. Ein besonderes Prestige unter den waffenstudentischen Verbindungen genossen die Corps, die sich (an den Universitäten) im Kösener SC und (an den Technischen Hochschulen) im Weinheimer SC zusammengeschlossen hatten. Den größten waffenstudentischen Verband bildete 1929 mit 8.678 studentischen Mitgliedern und 25.138 Alten Herren die Deutsche Burschenschaft. Andere bedeutende waffenstudentische Verbände waren die Deutsche Landsmannschaft, der Vertreter-Convent der Turnerschaften (VC), die Deutsche Sängerschaft, der Akademische Turnbund (ATB) und der Kyffhäuser-Verband der Vereine Deutscher Studenten (VDSt). Eine zweite große Gruppe bestand aus 13 Korporationsverbänden, die – meist aus religiösen Gründen – sowohl das Duell als auch die Mensur grundsätzlich ablehnten. Unter ihnen dominierten die drei großen katholischen Verbände: der Cartell-Verband der katholischen deutschen Studentenverbindungen (CV) mit 8.493 studentischen Mitgliedern im Jahre 1929, der Kartell-Verband der katholischen deutschen Studentenvereine (KV) mit 3.823 Studenten sowie der Verband der wissenschaftlichen katholischen Studentenvereine Unitas (UV), dem 1.808 Studenten (1929) angehörten. Zu den nichtschlagenden Vereinigungen gehörten außerdem zwei protestantische Verbände: der Wingolfbund und der Schwarzburgbund.

Vor allem die waffenstudentischen Verbindungen bildeten bis 1928/29 den Kern der rechtsgerichteten Studentenschaft. In ihren Reihen gedieh schon früh jene Mischung aus antidemokratischem Ressentiment und nationalistischer Rhetorik, aus emphatischer Verherrlichung des Frontsoldatentums und antisemitischen Vorurteilen, die es den Nationalsozialisten so leicht machte, unter den Studenten Anhänger für ihr Programm zu finden.[72] Viele Korporationsstudenten, die einer nationalsozialistischen Organisation beitraten oder nationalsozialistisch wählten, brauchten daher ihr Weltbild nicht zu verändern. Dies galt insbesondere für die Burschenschaften, deren Mitglieder der neuen Bewegung offenbar mit besonderem Enthusiasmus zuströmten.[73] Bereits 1930 erschien in den „Burschenschaftlichen Blättern" ein völlig kritikloser Aufsatz über Hitlers „Mein Kampf".[74] Bezeichnend für diesen und für andere Artikel war die Tendenz, den Nationalsozialismus umstandslos in die korporationsstudentische Tradition einzuordnen. In diesem Sinne forderte der Burschenschafter Friedel Schmitz 1931 seine Verbandsbrüder auf, anzuerkennen, „daß die Saat ihres Denkens und Erziehens im Nationalsozialismus aufgegangen ist".[75] In die gleiche Kerbe stieß auch ein Wiener Burschenschafter, der die Ansicht vertrat, daß „wir im Nationalsozialismus die Gedanken des deutschen Korporationsstudententums der ersten Hälfte des 19. Jahrhunderts auf breiterer Basis finden".[76] Allerdings

[72] Vgl. vor allem Faust, Bd.1, S.128 ff.; Kreutzberger, Studenten, S.83 ff.

[73] Vgl. Franze, Erlanger Studentenschaft, S.115 u. 126; Faust, Bd.1, S.145; Kater, Studentenschaft und Rechtsradikalismus, S.139.

[74] Vgl. M. Weiß, „Gedanken zum Hitlerbuch ‚Mein Kampf'", in: BBl, 45. Jg., 1930/31, S.3 f.

[75] F. Schmitz, „Nationalsozialismus und Waffenstudententum", in: BBl, 45. Jg., 1930/31, S.139.

[76] W. W. Reich, „Nationalsozialismus und Waffenstudententum", in: BBl, 45. Jg., 1930/31, S.189.

war ein großer Verband wie die Deutsche Burschenschaft mit seinen etwa 34.000 Mitgliedern (einschließlich der Alten Herren) parteipolitisch natürlich nicht einheitlich ausgerichtet. Neben begeisterter Zustimmung finden sich daher in den „Burschenschaftlichen Blättern" auch kritische Stimmen. In einem Artikel, der nach seiner Publikation eine lebhafte Debatte auslöste, formulierte Werner Zintarra die Befürchtungen der Skeptiker: War der Nationalsozialismus überhaupt dazu bereit, eine eigenständige Existenz der Korporationen zu tolerieren? Oder zielte die Politik des NSDStB auf eine „Unterwerfung" der Studierenden unter eine „Parteibonzokratie"? Ähnelten die politischen Ziele des NSDStB nicht in mancher Hinsicht dem sozialistischen Hochschulprogramm?[77]

Unvereinbar mit der nationalsozialistischen Ideologie war allerdings das elitäre Selbstverständnis der Korporationen. Denn der Korporationsstudent wollte „ein Herr sein und trat als solcher auf", wie es in den Erinnerungen eines ehemaligen Burschenschafters heißt. Wer Couleur trug, d.h. durch Mütze oder Band die Zugehörigkeit zu einer Verbindung signalisierte, konnte nur bestimmte Lokale besuchen, vornehmlich solche, die auch von Offizieren in Uniform frequentiert wurden. Die Mensa durfte nicht betreten werden, denn es war „mit dem Couleurstandpunkt nicht zu vereinbaren, in ein ‚Wohlfahrtslokal' zu gehen, in dem man nicht bedient wurde, sondern Schlange stehend sich selber versorgen mußte". In der Beziehung zum anderen Geschlecht wurde grundsätzlich zwischen „couleurfähigen" und „nicht couleurfähigen" Frauen unterschieden. „Couleurfähig" waren Frauen und Mädchen, die aus dem Bürgertum oder dem Adel stammten. Als „nicht couleurfähig" galten dagegen Kellnerinnen, Friseusen und Verkäuferinnen, die zwar für sexuelle Dienstleistungen benötigt wurden, es aber hinnehmen mußten, daß „ihr Freund, sobald er in Couleur war, sie wohl mit einem kurzen Gruß bedachte, es aber vermied, mit ihr in der Öffentlichkeit längere Zeit zusammen zu sein oder gar in einem Lokal sich mit ihr sehen zu lassen".[78]

Eine solche Haltung war nicht nur unter liberalen Studenten verpönt[79], sondern stand auch in einem schroffen Gegensatz zur Volksgemeinschaftsideologie des NSDStB, der stets die angebliche Interessengemeinschaft der „Arbeiter der Stirn und der Faust" hervorhob und in seiner Propaganda unermüdlich gegen den „Standesdünkel" der Akademiker polemisierte. So hieß es Anfang 1932 in einem Wahlaufruf des Bonner NSDStB:

> „Deutscher Student! Wenn Du das bestehende Interregnum endlich überwinden willst, wenn Du wieder mit Recht Führer des Volkes genannt werden willst, wirf Standesdünkel und Klassenhaß endgültig von Dir! Lerne Dein Volk kennen! Sieh die Werte, die im letzten Deiner Volksgenossen stecken! Jeder schaffende Deutsche Volksgenosse ist Dein blutsverwandter Bruder und steht Dir tausendmal näher als der Fürst eines fremden Volkes".[80]

[77] Vgl. W. Zintarra, „Nationalsozialismus und Waffenstudententum?" in: BBl, 45. Jg., 1930/31, S.89-91.

[78] Alle Zitate aus: O.Apffelstaedt, Wie lebte ein Münsterer Franke in den Jahren 1923 bis 1925? in: DuQ, Bd.11, 1981, S.69 f. Der Bericht gibt einen guten Einblick in das damalige Korporationsleben.

[79] Vgl. F. Gilbert, Lehrjahre im alten Europa, Berlin 1989, S.77.

[80] „Deutscher Student, her zu Adolf Hitler!" in: Der Bonner Student, Nr.3, 29.1.1932 (unpaginiert).

In der Praxis traten solche Differenzen zwischen einem waffenstudentischen und einem nationalsozialistischen Weltbild aber lange Zeit in den Hintergrund. Sofern in der Korporationspresse Bedenken gegenüber der nationalsozialistischen Politik geäußert wurden, kamen diese hauptsächlich von den Alten Herren.[81] In der Studentenschaft erwies sich das gemeinsame Feindbild – die Republik, der Marxismus, die Juden – als bedeutend wichtiger. Schließlich verstanden sich, trotz aller egalitären Rhetorik, auch viele nationalsozialistische Studenten als künftige Elite und registrierten den kleinbürgerlich-plebejischen Habitus der NSDAP-Funktionäre mit unverhohlener Antipathie.[82]

Es kann daher nicht überraschen, daß viele nationalsozialistische Studenten gleichzeitig auch einer Korporation angehörten. Genauere Zahlen liegen nur aus einzelnen Universitätsstädten vor.[83] In Erlangen und Würzburg gehörte die überwiegende Mehrheit aller NSDStB-Mitglieder einer Korporation an, in Erlangen zeitweise sogar mehr als drei Viertel. In Königsberg war nur etwa die Hälfte der Mitglieder des Studentenbundes korporiert. Demgegenüber bestanden die NSDStB-Gruppen in Göttingen und vor allem in Berlin mehrheitlich aus Freistudenten. Unter 178 Berliner Mitgliedern des NSDStB befanden sich im Mai 1932 nur 26 Verbindungsstudenten (14,6%).[84] Obwohl diese Angaben kein einheitliches Bild ergeben, wird man davon ausgehen können, daß ungefähr die Hälfte der nationalsozialistischen Studenten auch Mitglieder einer Korporation waren. Dabei handelte es sich ganz überwiegend um Angehörige von schlagenden Korporationen, während vor allem in den katholischen Verbänden nur wenige organisierte Nationalsozialisten zu finden waren. Auffällig ist außerdem die relativ geringe Zahl von Corpsstudenten unter den Mitgliedern des Studentenbundes. Die traditionelle Zurückhaltung der Corps gegenüber politischem Engagement mag dabei ebenso eine Rolle gespielt haben wie ihr besonders stark ausgeprägtes Elitebewußtsein.[85]

Insgesamt ergibt sich der Eindruck, daß die nationalsozialistische Propaganda in waffenstudentischen Kreisen offene Türen einrannte. Im wesentlichen artikulierte der NSDStB Ressentiments und Antipathien, die in dieser großen Gruppe von Studierenden schon seit langem geläufig waren, wenngleich die Nationalsozialisten dabei radikaler und militanter agierten als ihre stärker konservativ ausgerichteten Vorläufer wie der Hochschulring Deutscher Art. Forscht man nach den Gründen der nationalsozialistischen Wahlerfolge, dann stellt sich vor allem die Frage, was der NSDStB den waffen-

---

[81] Vgl. Faust, Bd.1, S.141 ff.; Kreutzberger, Studenten und Politik, S.85.

[82] Vgl. Kater, Studentenschaft und Rechtsradikalismus, S.178 ff.

[83] Vgl. Faust, Bd.2, S.148; Franze, Erlanger Studentenschaft, S.115; Spitznagel, Studentenschaft und Nationalsozialismus, phil. Diss., S.31, 107, 120; J. Sielaff, Zur Geschichte des Studentenbundes in Königsberg, in: Der Student der Ostmark, Nr.6, 17.6.1938, S.176.

[84] Vgl. die Mitglieder-Aufstellung der Hochschulgruppe Berlin des NSDStB, 30.5.1932, in: BA Koblenz NS 38/41 Bl.51. Andere, der Tendenz nach ähnliche Angaben in: Faust, Bd.2, S.148.

[85] Vgl. Kater, Studentenschaft und Rechtsradikalismus, S.141 ff.; Faust, Bd.1, S.145 u. Bd.2, S.149. Zum Selbstverständnis der Corps siehe auch: Kreutzberger, Studenten und Politik, S.86 ff.

studentischen Korporationen, also der traditionellen Kerngruppe der rechtsgerichteten Studentenschaft, voraus hatte. Im wesentlichen waren dies wohl zwei Dinge:

1. Die enge Verbindung mit einer Partei, deren Wahlerfolge erstmals seit vielen Jahren wieder die Möglichkeit eröffneten, der verhaßten Republik den Garaus zu machen. Der NSDStB betonte denn auch stets, die Hochschulpolitik sei nur „ein Angriffsabschnitt in der großen Front, auf der der Nationalsozialismus zum Einfluß, zur Macht strebt".[86]

2. Eine militante Dynamik und ein Aktivismus, die dem Krisenbewußtsein vieler Studenten besser entsprachen als das behäbige Auftreten der waffenstudentischen Korporationen, die sich nicht als Kampfverband verstanden, sondern ihre Hauptaufgabe in der Erziehung ihrer eigenen Mitglieder sahen.

Auch viele Korporationsstudenten gingen daher seit 1928 dazu über, bei AStA-Wahlen ihre Stimme dem NSDStB zu geben. Im Februar 1932 konnte ein NSDStB-Funktionär sogar öffentlich behaupten,

> „daß bei weitem die Mehrheit des jungen Korporationsstudententums sich zum Nationalsozialismus und seinem Führer bekennt. Nur ein verhältnismäßig kleiner Teil innerlich Vergreister und ein etwas größerer Teil der Altherrenschaften haben diesen Weg noch nicht finden können oder wollen".[87]

Diese Entwicklung läßt sich aber nur partiell als Bedeutungsverlust der studentischen Verbindungen interpretieren, deren Mitgliederzahlen am Ende der Weimarer Republik anscheinend noch weiter gestiegen sind.[88] Offenbar standen zahlreiche männliche Studenten in einem doppelten Loyalitätsverhältnis. Bei AStA-Wahlen entschieden sie sich für den NSDStB, während ihr Sozialleben weiterhin durch die Mitgliedschaft in einer Korporation geprägt wurde.

Im Wintersemester 1931/32 zeigten sich jedoch erstmals Risse in dem bislang recht harmonischen Verhältnis zwischen dem NSDStB und den Korporationsverbänden. Nachdem der NSDStB im Juli 1931 auf dem Studententag in Graz die Führung der DSt übernommen hatte[89], wurden die Verbände sich schmerzlich der Tatsache bewußt, daß sie zum ersten Mal seit Jahrzehnten zu einem zweitrangigen Faktor in der Hochschulpolitik geworden waren. Zum Unmut über diesen Machtverlust gesellte sich Verärgerung über die wachsende Selbstherrlichkeit des NSDStB. Dort fühlte man sich im Wintersemester 1931/32 stark genug, den bislang bestehenden Grundkonsens mit den studentischen Verbänden aufzukündigen. Baldur von Schirach erklärte seinen Unterführern, die Parole der kommenden Zeit laute: „Kampf den Verbandsleitungen". Dieser Kampf müsse geführt werden,

---

[86] Vgl. K. Krüger, „Nationalsozialistische Hochschulpolitik", in: Akademischer Beobachter, 1. Jg., 1929, S.14.

[87] F. Hippler, „Der Alte Herr greift an!", in: Die Deutsche Zukunft, H.9, Februar 1932, S. 13.

[88] Vgl. Steinberg, Sabers and Brown Shirts, 1977, S.45.

[89] Vgl. Faust, Bd.2, S.17 ff.

„durch den Aufbau einer Vertrauensleute-Organisation innerhalb jedes Verbandes, durch Unterhöhlung dieses Verbandes, durch Aufhetzen der Verbände gegeneinander und durch Desarmierung der Verbandsleitungen aus ihren eigenen Reihen heraus".[90]

Ganz im Sinne dieser neuen Linie polemisierte Walter Lienau, der erste nationalsozialistische Vorsitzende der DSt, im November 1931 gegen „freimaurerische Kreise" in den Korporationen und gegen die Politik „mancher ebenso eisgrauer wie überlebter Hochschulpolitiker" in den Verbänden.[91] Hans Glauning, ein Gründungsmitglied des NSDStB, stellte sogar öffentlich die Frage nach der Existenzberechtigung der Korporationen:

„Wenn der Nationalsozialismus einmal die Macht im Staate ergriffen hat, wird er vor die Frage gestellt werden, ob die Korporationen ihre völkische Erziehungsaufgabe zu erfüllen vermögen – oder ob er an die Stelle der Korporationen, die infolge ihrer Erstarrung die Aufgabe nicht erfüllen, neue Gebilde setzen muß".[92]

Im März 1932 kam es in der DSt-Spitze zum Bruch. Die vier Vertreter der Korporationsverbände zogen sich aus Protest gegen die machtpolitischen Ränkespiele des nationalsozialistischen DSt-Vorsitzenden Gerhard Krüger aus dem Vorstand der DSt zurück. Gleichzeitig betonten die studentischen Verbände aber, es sei keineswegs ihre Absicht, „den Protest gegen die von Herrn Krüger angewandten Methoden mit der Einstellung zur nationalsozialistischen Bewegung zu verquicken".[93] Unter der Führung des Burschenschafters Fritz Hilgenstock gründeten daraufhin Vertreter der wichtigsten Korporationsverbände einen „Studentischen Verbändedienst", der fortan eine effiziente Opposition gegen die Führung der DSt organisierte.[94] Es gelang jedoch nicht, das gesamte Korporationslager auf den neuen Kurs einzuschwören. Einige Verbände kritisierten öffentlich den Auszug der Korporationsvertreter aus dem DSt-Vorstand und arbeiteten weiter eng mit dem NSDStB zusammen.[95] Aus ihren Reihen bildete sich 1932 die „Mittelstelle studentischer Verbände".

In den folgenden Monaten verschärfte sich die Konfrontation. Anstatt eine Verständigung mit den Verbänden zu suchen, konzentrierte sich der NSDStB darauf, die Korporationen zu unterwandern und deren interne Entscheidungsprozesse zu manipulieren. Mancherorts war diese Politik durchaus erfolgreich. So konnte der Hochschulgruppenführer des NSDStB in Halle bereits Anfang 1932 melden, die Führung des örtlichen Zusammen-

90 Schirach an H. Börner, Hogruf Halle, 15.12.1931, Durchschr. in: StA WÜ RSF/NSDStB II* 5 .

91 L. Retlaw (Pseudonym), „Der Pfahl im Fleisch", in: Die Sturmfahne, 1. November-Nr., 1931 (unpaginiert). Zit. nach einem Exemplar in: StA WÜ RSF/NSDStB II* 5. Vgl. auch Faust, Bd.2, S.25.

92 H. Glauning, „Burschenschaft und Nationalsozialismus", in: BBl, 45. Jg., 1930/31, S.284.

93 Vgl. das Rundschreiben des Verhandlungsausschusses des Erlanger Verbändeabkommens, 5.4.1932, Abschr. in: GStAPK I Rep. 76 Va Sekt.1 Tit. XVIII Nr. 16 Bd.VIII (M).

94 Aus dem „Studentischen Verbändedienst" entwickelte sich im September 1932 die „Hochschulpolitische Arbeitsgemeinschaft studentischer Verbände".

95 Vgl. „Die Korporationen bekennen sich zur Deutschen Studentenschaft", in: Akademische Blätter, 47. Jg., 1932/33, S.25.

schlusses der Korporationen sei von zwei Parteigenossen übernommen worden.[96] Sofern der Studentenbund jedoch allzu plump vorging, waren herbe Rückschläge unvermeidlich. Auf dem Verbandstag der Deutschen Burschenschaft, Pfingsten 1932 in Eisenach, herrschte helle Empörung, nachdem bekannt geworden war, daß der NSDStB die nationalsozialistischen Delegierten mit detaillierten Anweisungen über die einzuschlagende Taktik und mit bereits ausformulierten Anträgen ausgestattet hatte.[97] In einer Erklärung des Verbandstages wurde diese „Anmaßung einer Befehlsgewalt über die Mitglieder eines studentischen Verbandes" einstimmig verurteilt. Selbst in manchen NSDStB-Hochschulgruppen sorgten die Eisenacher Vorgänge für beträchtlichen Aufruhr. So berichtete der Hochschulgruppenführer des Stuttgarter NSDStB:

> „Korporationsstudenten kommen schon gar nicht mehr in unsere Versammlungen, beantworten nicht einmal mehr die von mir herausgegebenen Fragebögen und behaupten immer, daß sie ... keine Lust hätten, am Studentenbund noch mitzuarbeiten. Dabei ist der größte Teil der Korporationsstudenten in der SA und zählt auch sonst zu dem besten Teil der Kameraden. Die Burschenschafter munkeln sogar, daß sie alle (über 50) austreten wollen ... Weiter sagen die Burschenschafter, daß sie ihren Alten Herren schon gar nicht mehr als Nationalsozialisten unter die Augen treten möchten".[98]

Trotz aller Empörung über die Einmischungsversuche des NSDStB legte die Deutsche Burschenschaft Wert darauf festzuhalten, daß die Bewahrung der Verbandsautonomie nicht als Ablehnung des Nationalsozialismus zu verstehen sei. Ein Beschluß des Burschentages stellte ausdrücklich fest:

> „Die Deutsche Burschenschaft bejaht den Nationalsozialismus als wesentlichen Teil der völkischen Freiheitsbewegung. Den Nationalsozialistischen Deutschen Studentenbund mit seiner gegenwärtigen Betätigung und unter seiner derzeitigen Führung kann die Deutsche Burschenschaft nicht als Faktor einer gedeihlichen Zusammenarbeit anerkennen".[99]

Auch der Burschenschafter Fritz Hilgenstock[100], der als Sprecher der Verbändeopposition 1932 zum einflußreichsten Gegenspieler des NSDStB avancierte, äußerte öffentlich sein Bedauern über den Konflikt, weil

> „es sich letzten Endes bei der Auseinandersetzung zwischen Korporationsverbänden und Studentenbund um einen Bruderkampf handelt, der bei entsprechender Einstellung der Führung des Studentenbundes ... hätte vermieden werden können. Man hätte gut daran getan, unsere bis zum Äußersten gehende Verständigungsbereitschaft nicht als ein Zeichen innerer Schwäche, sondern der Zustimmung zu den Grundgedanken des Nationalsozialismus zu sehen".[101]

[96] H. Börner an G. Krüger, 3.1.1932, in: BA Koblenz NS 38/42 Bl.47 ff.
[97] Die „Sonderanweisung" ist abgedruckt in: BBl, 46. Jg., 1931/32, S.201 f.
[98] R. Krüger an Kreisleiter O. Stäbel, 15.6.1932, in: StA WÜ RSF/NSDStB II* 147 α 80.
[99] „Burschentag 1932", in: BBl, 46. Jg., 1931/32, S.196.
[100] Zu Hilgenstock vgl. Faust, Bd.2, S.32.
[101] F. Hilgenstock, „Deutsche Burschenschaft und hochschulpolitische Lage", in: BBl, 46. Jg., 1931/32, S.202.

Ähnliche Positionen wurden damals von vielen Sprechern der Korporationen vertreten: Angesichts des gemeinsamen Feindbildes und der ähnlichen Ziele schien eine Partnerschaft zwischen dem NSDStB und den Korporationsverbänden nur natürlich zu sein. Wenn der NSDStB trotzdem wenig Bereitschaft zeigte, die innere Autonomie der Verbände zu respektieren und zu einer gleichberechtigten Zusammenarbeit zurückzukehren, dann handelte es sich aus der Sicht der meisten Korporationsstudenten um Konflikte, die eigentlich völlig überflüssig waren. Ganz in diesem Sinne erteilten die „Corpsstudentischen Monatsblätter" Anfang 1933 den wohlwollenden Rat: „Der NSDStB möge sich klar darüber sein, daß er die Ideen seines Führers Adolf Hitler weit besser in der Studentenschaft vertreten kann, wenn er keine Eingriffe in das bündische Leben der studentischen Verbände versucht".[102] Tatsächlich verrieten derartige Äußerungen aber ein fundamentales Mißverständnis. Ignorierten sie doch ein wesentliches Element der nationalsozialistischen Bewegung, den Totalitätsanspruch der Partei, dem die Existenz eigenständiger Organisationen auf die Dauer unerträglich sein mußte, auch wenn sie aus taktischen Gründen zeitweise akzeptiert wurde.

Allerdings war die Konfliktstrategie gegenüber den Verbänden für den NSDStB ein riskantes Spiel, denn ohne Unterstützung seitens der Waffenstudenten hatte er keine Chancen, seine hegemoniale Position in der Studentenschaft auf Dauer zu halten. Die Gefahren dieser Politik zeigten sich denn auch bei den AStA-Wahlen von 1932, als der Vormarsch der Nationalsozialisten an einigen Hochschulen erstmals ins Stocken geriet, wie Tabelle 25 (Anhang) zeigt. An den Universitäten Königsberg, München, Breslau und an der TH Braunschweig mußte der siegesgewohnte Studentenbund sogar größere Verluste hinnehmen.

Außerdem waren die Verbände mit Erfolg bemüht, sich neue Tätigkeitsfelder zu erschließen, insbesondere auf dem Gebiet des Wehrsports.[103] Wehrsportliche Aktivitäten, die in erster Linie als Ersatz für die durch den Versailler Vertrag verbotene allgemeine Wehrpflicht dienten, hatte es bereits in den 1920er Jahren gegeben. Nun wurden diese Aktivitäten von den studentischen Verbänden in enger Zusammenarbeit mit dem „Stahlhelm-Studentenring Langemarck" systematisch ausgebaut. Zu diesem Zweck gründeten fast alle Korporationsverbände im Februar 1931 unter der Tarnbezeichnung „Allgemeines Wissenschaftliches Arbeitsamt" ein „Allgemeines Wehramt" (AWA).[104] Die Tarnung war nötig, weil der Versailler Vertrag (Artikel 177) den Hochschulen ausdrücklich jede Beschäftigung mit militärischen Dingen untersagte.[105] Unter den wohlwollenden Blicken der

[102] Vgl. „NSDStB und WSC" in: Corpsstudentische Monatsblätter, 41. Jg., 1933, S.45.

[103] Zum Wehrsport finden sich in den Quellen und in der Literatur zahlreiche Hinweise. Vgl. insbesondere: W. Buss, Die Entwicklung des deutschen Hochschulsports vom Beginn der Weimarer Republik bis zum Ende des NS-Staates – Umbruch und Neuanfang oder Kontinuität? Göttingen, phil. Diss, 1975, S.93 ff.

[104] Vgl. H. Kaps, „Das Akademische Wissenschaftliche Arbeitsamt (AWA)", in: Deutsche Corpszeitung, 49, 1932/33, S.161 ff.

[105] RGBl. 1919 Nr.140, S.933 f.

Rektoren[106] und mit diskreter Unterstützung der Reichswehr organisierten das AWA und seine lokalen Untergliederungen zahlreiche Wehrsportlager für Studierende mit Geländeübungen, Ausmärschen und Kleinkaliberschießen, sowie Lehrgängen in Gasschutz, Fernmeldewesen und Erster Hilfe. Die Ausbildung übernahmen meist ausgediente Offiziere. 1932 gab es insgesamt 81 solcher Lager, die von 3.481 Studenten absolviert wurden.

Bei den AStA-Wahlen des Wintersemesters 1932/33 gerieten die Nationalsozialisten vollends auf die Verliererstraße. Der Popularitätsverlust, den der NSDStB durch seine Konflikte mit den Korporationsverbänden erlitten hatte, fiel mit einer allgemeinen Popularitätskrise der NSDAP zusammen, die bei den Reichstagswahlen im November erhebliche Stimmenverluste hinnehmen mußte. An den Hochschulen hielt dieser Abwärtstrend auch im Jahr der „Machtergreifung" weiter an. Abgesehen von den AStA-Wahlen in Gießen, Hamburg und Karlsruhe mußte der NSDStB 1933 überall Stimmenverluste hinnehmen (Tabelle 25 im Anhang). In einigen Fällen, so in Rostock[107], kam es zu einem regelrechten Erdrutsch.

Während die Übergänge zwischen den waffenstudentischen Verbindungen und dem NSDStB häufig fließend waren, gab es zwei Gruppierungen, die gegenüber dem aufkommenden Nationalsozialismus deutlich auf Distanz blieben: die republikanischen und sozialistischen Gruppen auf der einen Seite und das katholische Lager auf der anderen.

Genaue Angaben über den Einfluß der republikanischen und sozialdemokratischen Studentengruppen lassen sich nur schwer machen, weil sie sich in Preußen nicht mehr an den AStA-Wahlen beteiligten, seitdem die preußischen Studentenschaften die staatliche Anerkennung verloren hatten. Aus dem vorhandenen Material ergibt sich dennoch eindeutig das Bild chronischer Schwäche. Dort, wo die republikanischen Studenten sich an den AStA-Wahlen beteiligten, fielen die Ergebnisse fast immer enttäuschend aus. Der 1928 gestartete Versuch, mit dem „Deutschen Studentenverband" eine republikanische Alternative zur DSt zu gründen, stieß nur auf wenig Resonanz. Zwar verfügten die sozialdemokratischen Studentengruppen[108] an einigen Hochschulen (Berlin, Hamburg, Leipzig) über relativ viele Mitglieder, doch gelang es fast nie, über die eigenen Lagergrenzen hinaus Einfluß auf die Masse der Studenten zu gewinnen. Noch geringer war die Bedeutung der kommunistischen Studentengruppen – angesichts der sozialen Zusammensetzung der Studentenschaft sicher nicht verwunderlich. Die der KPD nahestehenden „Roten Studentengruppen", die seit 1929 in einem „Reichsverband freisozialistischer Studenten" zusammengeschlossen waren,

[106] Die Preußische Rektorenkonferenz bekundete ausdrücklich ihr Wohlwollen gegenüber den Aktivitäten des AWA. Vgl. Niederschrift über die 28. außeramtliche Preußische Rektorenkonferenz am 8.10.1932 in Zoppot, in: BA Potsdam RDH 235 Bl.46.

[107] Zum Hintergrund vgl. R. Carlsen, Der Kampf um die Verfassung der Rostocker Studentenschaft 1932/33, in: Wissenschaftliche Zeitschrift der Universität Rostock. Gesellschafts- und sprachwissenschaftliche Reihe, 13, 1964, S.251 ff.

[108] Vgl. F. Walter, Sozialistische Akademiker- und Intellektuellenorganisationen in der Weimarer Republik, Bonn 1990, S.27.

hatten 1932 etwa 500 Mitglieder, mit Schwerpunkten in Berlin und Frankfurt.[109]

Eine größere Aufnahmebereitschaft für republikanische oder sozialdemokratische Positionen zeigten allein jene Studenten, die den Beruf des Volksschullehrers anstrebten.[110] Die von den politischen Mehrheitspositionen abweichende Haltung dieser Studenten läßt sich durch ihre soziale Herkunft erklären. Der Beruf des Volksschullehrers wurde vielfach von sozialen Aufsteigern gewählt, die sich seit der Jahrhundertwende oft aus dem sozialdemokratischen Facharbeitermilieu rekrutierten. Doch spielte diese Teilgruppe der Studentenschaft quantitativ keine erhebliche Rolle, da sich nur vier Länder (Thüringen, Sachsen, Braunschweig, Hamburg) in den 1920er Jahren dazu entschlossen hatten, die Ausbildung der Volksschullehrer an die Universitäten bzw. an die Technischen Hochschulen zu verlagern.

Einige Wahlergebnisse machen deutlich, wie schwach die Wählerbasis von Republikanern und Sozialisten tatsächlich war. In der nationalsozialistischen Hochburg Erlangen kandidierte 1930 der Republikanische Studentenbund und erhielt 5,3 % der Stimmen.[111] Ähnliche Verhältnisse herrschten in Tübingen. Die dort bestehende sozialistische Studentengruppe war, wie sich ihr damaliger Vorsitzender erinnert, „unbedeutend, mit 8-10 Mitgliedern ... ein Stammtisch von theoretisierenden Marxisten, sonst nichts als verlacht von den Nazis und den Stahlhelmlern".[112] Eine „Linke Einheitsfront", die Anfang 1933 an den Tübinger AStA-Wahlen teilnahm, gewann denn auch nur 122 Stimmen (5,4 %). Bei den Würzburger AStA-Wahlen von 1930-1932 erhielten die republikanischen Grupppen nie mehr als 5-6 %, während eine kommunistisch inspirierte „Einheitsliste antifaschistischer Studenten", die 1932 kandidierte, sich mit 69 Stimmen (2,4 %) zufriedengeben mußte.[113] Nicht viel anders sah es an den Technischen Hochschulen in Stuttgart oder München aus. Eine größere Rolle spielte die republikanische Minderheit an Universitäten wie Freiburg, Heidelberg[114], Jena und Hamburg. An der Freiburger Universität erhielten Republikaner und Sozialisten im Sommer 1930 zusammen 17,7 % der Stimmen. Ein Jahr später war ihr Anteil aber bereits auf 10,6 % zusammengeschmolzen, während die 1931 erstmals kandidierende „Rote Studentengruppe" der Kommunisten 4,0 % gewann.[115] Die wich-

[109] Vgl. die glaubwürdigen Aussagen des ehemaligen kommunistischen Studentenfunktionärs Martin Hörz gegenüber der Polizei am 3.6.1935, in: BA Potsdam St 3/652 Bl.21. Siehe auch den Bericht des Preußischen Innenministeriums an den RdI, 4.2.1932, in: GStAPK I Rep. 76 Va Sekt.1 Tit. XII Nr.42 Bd.I Bl.298 ff. (M).

[110] Vgl. K. Saul, Lehrerbildung in Demokratie und Diktatur, in: Hochschulalltag im „Dritten Reich", Teil I, S.380 f.; H. Albrecht, Hochschule und Politik. Die TH Braunschweig in der Weimarer Republik, in: Moderne Braunschweigische Geschichte. Hg. von W. Pöls u. K.E. Pollmann, Hildesheim 1982, S.237 f. u. 245.

[111] Errechnet nach: Franze, Erlanger Studentenschaft, S.400.

[112] Zit. in: A. Lüdtke, Vom Elend der Professoren: „Ständische" Autonomie und Selbst-Gleichschaltung 1932/33 in Tübingen, in: M. Doehlemann (Hg.), Wem gehört die Universität? Lahn-Gießen 1977, S.104.

[113] Vgl. Spitznagel, Studentenschaft, phil. Diss., S.361.

[114] Vgl. N. Giovannini, Zwischen Republik und Faschismus, Weinheim 1990, S.162 ff.

[115] Vgl. Kreutzberger, Studenten und Politik, S.156.

tigste Hochburg der republikanischen und sozialistischen Minderheiten war die Hamburger Universität. Republikaner und Sozialdemokraten verfügten dort auch in der Endphase der Weimarer Republik stets über einen Wähleranteil von etwa 20-30 %. Sogar die der KPD nahestehenden „Revolutionären Sozialisten" besaßen in der Hansestadt mit einem Stimmenanteil von zuletzt 9,7 % (1933) einen gewissen Rückhalt unter den Studenten.[116]

Lokale Sonderentwicklungen dieser Art ändern jedoch nichts an der Tatsache, daß liberale Demokraten, Sozialisten und Kommunisten insgesamt unter den deutschen Studenten nur eine Quantité négligeable bildeten. Schon vor 1933 konnten Sozialdemokraten und Kommunisten an einer Reihe von Universitäten kaum noch öffentlich auftreten, weil sie, etwa bei der Verteilung von Flugblättern, stets mit gewalttätigen Übergriffen von rechts rechnen mußten.[117] Es war zudem kennzeichnend für die Außenseiterposition dieser Gruppen, daß ein großer Teil ihrer Mitglieder, oft sogar die Mehrheit, jüdischer Herkunft war[118], ein Sachverhalt, der sich trefflich in das Weltbild ihrer rechtsradikalen Gegner fügte. Wie die Auswertung der AStA-Wahlen zeigt, konnten in den letzten Jahren der Republik nur etwa 10-15 % der Studentenschaft für republikanische oder sozialistische Ideen gewonnen werden – bei rückläufiger Tendenz.[119] Läßt man die kommunistisch dominierten Listen unberücksichtigt, die mit einem Stimmenanteil von 2-5 % rechnen konnten, dann ergibt sich, daß nur etwa ein Zehntel der Studierenden dem demokratischen Lager zuzurechnen war. Entsprechend herablassend gebärdeten sich die Nationalsozialisten, sobald sie auf die studentische Linke zu sprechen kamen: „Es lohnt nicht, besonders ausführlich auf die sozialdemokratischen und kommunistischen Studenten einzugehen. Sie spielen an sämtlichen Hochschulen eine zu unbedeutende Rolle", hieß es 1931 in einem Artikel des „Völkischen Beobachters".[120]

Die zweite Gruppe von Studenten, die sich gegenüber dem Nationalsozialismus lange Zeit als weitgehend resistent erwies, gehörte zum Lager des organisierten Katholizismus. Allerdings war das katholische Milieu an den Hochschulen traditionell schwächer repräsentiert als in der deutschen Gesellschaft insgesamt.[121] Zum Katholizismus bekannte sich ein knappes Drittel der Reichsbevölkerung (32,5 %), während an den Universitäten um 1930 nur 27,4 % der Studenten katholisch waren, an den Technischen Hochschu-

[116] Zu den Ursachen vgl. Grüttner, „Ein stetes Sorgenkind", S.202.

[117] Vgl. E. Stolze, Die Martin-Luther-Universität Halle-Wittenberg während der Herrschaft des Faschismus (1933 bis 1945), Halle, phil. Diss., 1982, S.80 f.

[118] Vgl. Kreutzberger, Studenten und Politik, S.123; Spitznagel, Studentenschaft, phil. Diss., S.68 f., 238 f.; Franze, Erlanger Studentenschaft, S.164; Giovannini, Republik, S.89 f.; Chr. Dorner, u.a., Die braune Machtergreifung. Universität Frankfurt 1930-1945, Frankfurt/M. o.J. [1989], S.67.

[119] Ausgewertet wurden die Ergebnisse von 40 AStA-Wahlen der Jahre 1929-1933 an 15 Hochschulen. Nicht immer ergeben die Listennamen eindeutige Hinweise auf die politische Tendenz. In Zweifelsfällen wurde auf eine Auswertung verzichtet. Zur Quellenbasis vgl. die Angaben in Tabelle 25 (Anhang).

[120] „5 Jahre NS-Studentenbund – 5 Jahre Kampf und Sieg!", in: VB, 31.7.1931.

[121] Zu den Ursachen vgl. M. Klöckner, Das katholische Bildungsdefizit in Deutschland, in: Geschichte in Wissenschaft und Unterricht, 32, 1981, S. 79 ff.

len sogar nur 20,7 %, wie aus Tabelle 24 (Anhang) hervorgeht. An fünf Universitäten (Münster, Würzburg, Bonn, Köln, München) und an der TH Aachen stellten die Katholiken den stärksten Teil der Studentenschaft, an vier weiteren Hochschulen (Breslau, Freiburg, TH München, TH Karlsruhe) bildeten sie eine starke Minderheit von mehr als einem Drittel der Studierenden.

Maßgebend für das Verhältnis gläubiger Katholiken zum Nationalsozialismus waren die Anweisungen des Episkopats, und diese fielen vor 1933 relativ eindeutig aus. Aufgeschreckt durch eine Reihe antikatholischer Äußerungen führender Nationalsozialisten hatten die deutschen Bischöfe mehrfach zum Ausdruck gebracht, daß der Nationalsozialismus mit der katholischen Lehre nicht vereinbar war. Die beiden großen katholischen Studentenverbände, der CV und der KV, hatten sich 1932 auf ihren Jahresversammlungen ausdrücklich hinter diese Erklärungen der Bischöfe gestellt.[122] Nur sehr wenige Mitglieder des NSDStB gehörten daher gleichzeitig einer katholischen Verbindung an.[123]

Obwohl die Grenzen zwischen dem katholischen und dem nationalsozialistischen Lager vor 1933 relativ eindeutig gezogen waren, blieben auch die katholischen Studenten in der Endphase des Weimarer Staates von der völkischen Grundstimmung unter ihren protestantischen Kommilitonen nicht unberührt. Während die Distanz zur Republik sich erkennbar vergrößerte, wuchs das Interesse am italienischen Faschismus, und in offiziellen Erklärungen des CV tauchten 1932 Versatzteile völkischer Phraseologie auf.[124] Auch die Beteiligung des CV am studentischen Wehrsport weist in dieselbe Richtung.[125] Wohl grenzten sich katholische Studenten mitunter sehr scharf von dem „niedrigen Rassenhaß“ der Nationalsozialisten ab[126], aber eine gewisse Tendenz zum Antisemitismus war auch in ihren Reihen, vor allem im CV, nicht zu übersehen.[127] Die 1928 vom NSDStB gestartete Kampagne zur Einführung des Numerus clausus für Juden stieß daher auch in den Kreisen der katholischen Studenten auf Resonanz. Im Würzburger AStA, einer Hochburg des studentischen Katholizismus, fand der Antrag des NSDStB 1929 nur deshalb eine Mehrheit, weil neben den Vertretern der waffenstudentischen Verbände auch fünf Angehörige des katholischen CV der Resolution zustimmten.[128]

[122] Vgl. „Die Beschlüsse der 61. CV-Versammlung“, in: Academia, 45. Jg., 1932/33, S.137 f. Siehe auch Stitz, CV, S.95 ff.; H. Schlömer, Die Gleichschaltung des KV im Frühjahr 1933, in: F. Golücke (Hg.), Korporationen und Nationalsozialismus, Schernfeld o.J., S.14 ff.

[123] Vgl. Faust, Bd.1, S.145 u. Bd.2, S.149.

[124] Vgl. Steinberg, Sabers and Brown Shirts, 1977, S.129 f.

[125] Vgl. „Die Beschlüsse der 61. CV-Versammlung“ (Anm. 122), S.138.

[126] Vgl. Kreutzberger, Studenten, S.117.

[127] Vgl. auch Bleuel/Klinnert, Deutsche Studenten, S.150 ff.

[128] Vgl. Spitznagel, Studentenschaft, phil. Diss., S.34 ff. Siehe auch B. Grieb-Lohwasser, Jüdische Studenten und Antisemitismus an der Universität Würzburg in der Weimarer Republik, in: Ein Streifzug durch Frankens Vergangenheit, Bad Neustadt an der Saale 1982, S.323 ff.

3. Die Professoren und der NSDStB

Wie reagierten die Hochschullehrer auf die Nazifizierung der Studentenschaft? Es ist bekannt, daß auch die meisten Professoren, sofern sie sich überhaupt politisch artikulierten, der Weimarer Republik ablehnend oder zumindest skeptisch gegenüberstanden. Die Mehrzahl der Hochschullehrer trauerte dem untergegangenen Bismarckreich nach und erblickte in der Weimarer Republik hauptsächlich „das beschämende Ergebnis eines verlorenen Krieges“, wie Wolfgang Kunkel es formuliert hat.[129] Jedoch führte die Distanz zur Republik vor 1933 nur wenige Professoren in die Reihen der NSDAP.[130] Vielmehr überwog bei weitem die Neigung zu konservativen oder liberalkonservativen Vorstellungen, parteipolitisch ausgedrückt zur DNVP oder zur DVP. Andere politische Präferenzen finden sich nur relativ selten: Liberale Republikaner[131], oder gar Sozialdemokraten waren im Lehrkörper der meisten Universitäten nur schwach vertreten[132], und die mit dem Zentrum verbundenen Katholiken spielten wohl nur an den rheinischen Universitäten eine bedeutsame Rolle.[133]

Eine zweite große Gruppe von Professoren läßt sich als weitgehend „unpolitisch“ charakterisieren. Zu dieser Gruppe von Hochschullehrern, die sich häufig für Angelegenheiten außerhalb des eigenen Fachgebietes nur mäßig oder gar nicht interessierte, gehörte Karl Löwith, in dessen Erinnerungen zu lesen ist: „Gegenüber den politischen Verhältnissen war ich indifferent, auch las ich all die Jahre hindurch keine Zeitung, und erst sehr spät nahm ich die drohende Gefahr von Hitlers Bewegung wahr“.[134] Die quantitative Bedeutung dieser zweiten Gruppe läßt sich allerdings nur schwer einschätzen. Theodor Eschenburg, der in der Weimarer Republik verschiedene Universitäten als Student kennenlernte, meint, „die überwiegende Mehrzahl“ der Professoren sei unpolitisch gewesen.[135] Dagegen spricht aber der ungewöhnlich hohe Prozentsatz von Hochschullehrern (etwa 20-30 %), die sich nach 1919 parteipolitisch engagierten.[136]

[129] W. Kunkel, Der Professor im Dritten Reich, in: Die deutsche Universität im Dritten Reich, München 1966, S.107.

[130] Vgl. Heiber, Universität, Bd.1, S.391 ff.

[131] Vgl. H. Döring, Der Weimarer Kreis, Meisenheim 1975.

[132] Es gab einige Ausnahmen. Die Universität Heidelberg war vermutlich die wichtigste. Vgl. C. Jansen, Professoren und Politik, Göttingen 1992.

[133] Vgl. beispielsweise: P.E. Kahle, Bonn University in Pre-Nazi and Nazi Times (1923-1939), London 1945, S.5 ff.

[134] K. Löwith, Mein Leben, S.66.

[135] Vgl. T. Eschenburg, Aus dem Universitätsleben vor 1933, in: A. Flitner (Hg.), Deutsches Geistesleben und Nationalsozialismus, Tübingen 1965, S.40.

[136] Diese Größenordnung ergibt sich aus dem bislang vorliegenden Material. Vgl. R. Hering, Der „unpolitische“ Professor? in: Hochschulalltag im „Dritten Reich“, Bd.I, S.88 ff.; Jansen, Professoren, S.298 ff.; „... treu und fest hinter dem Führer“. Die Anfänge des Nationalsozialismus an der Universität Tübingen 1926-1934, Tübingen 1983, S.22; B. Marshall, Der Einfluß der Universität auf die politische Entwicklung der Stadt Göttingen 1918-1933, in: Niedersächsisches Jahrbuch für Landesgeschichte, 49, 1977, S.271.

Gegenüber dem aufkommenden Nationalsozialismus in der Studentenschaft lassen sich unter den Hochschullehrern im wesentlichen zwei verschiedene Reaktionen feststellen. Ein Teil der Professoren reagierte mit der Forderung nach Entpolitisierung der Universitäten, während ein anderer Teil eine ambivalente Haltung einnahm, also auch positive Aspekte in der Politik der nationalsozialistischen Studenten zu entdecken meinte.

Die erste Gruppe postulierte eine grundsätzliche Unvereinbarkeit von Wissenschaft und Politik.[137] Der politische Diskurs erschien aus dieser Perspektive als eine der Hochschule wesensfremde Angelegenheit. In diesem Sinne argumentierte 1931 der Rektor der TH Berlin, Daniel Krencker:

> „Es muß von vornherein festgestellt werden, daß Politik mit unseren deutschen Hochschulen nichts zu tun hat. Unsere Hochschulen sollen in sich geschlossene Geistes-Staaten sein, denen die Politik im allgemeinen und die Parteipolitik im besonderen fernzubleiben haben ... Wenn sich jeder Student den Wahlspruch der früheren Generalstäbler hinter die Ohren schreiben würde, der da lautet: ‚Maul halten und arbeiten!‘ wären diese ganzen unerfreulichen Reibereien an unseren deutschen Hochschulen mit einem Schlage aus der Welt geschafft“.[138]

Mit ähnlicher Stoßrichtung, aber noch eine Spur paternalistischer, äußerte sich etwa zur selben Zeit der Kölner Rektor Josef Kroll. In einer Rede machte Kroll keinen Hehl daraus, daß er den Studierenden am liebsten generell die Politikfähigkeit abgesprochen hätte:

> „Der Student von heute wird im Gegensatz zu dem der früheren Zeiten schon in jungen Jahren in die Parteipolitik hineingezogen dank dem Danaergeschenk des frühen Wahlalters. Ich muß es mit Freimut aussprechen, daß ich das für ein Unglück ansehe. Gewiß, unser ganzes Leben ist nun einmal politisiert, dem können sich auch die Studenten nicht entziehen. Aber es wäre besser, wenn die politische *Betätigung* erst nach dem Studium einsetzte, nachdem die Bildung des Geistes und ... des Charakters zu einem gewissen Abschluß gekommen ist“.[139]

Es liegt auf der Hand, daß derartige Positionen kaum dazu geeignet waren, die rechtsradikalen Studenten zu beeindrucken. Wahrscheinlich verstärkte diese Haltung im unruhigen Teil der Studentenschaft nur den Eindruck, daß die Universitäten ihnen zu den drängenden Problemen der Gegenwart nichts zu sagen hatten.[140] Der Versuch, inmitten einer tiefgreifenden Gesell-

---

[137] Vgl. auch Kreutzberger, Studenten, S.79 f.

[138] „Studentische Disziplin. Eine Unterredung mit Prof. Dr. Krencker“, in: Hamburger Fremdenblatt Nr.209, 30.7.1931. Man muß Krencker zugute halten, daß er diese Position mit einiger Konsequenz vertrat. Noch im März 1933 wollte er seinen Kollegen Ernst Storm verhaften lassen, weil dieser auf dem TH-Gebäude die Hakenkreuzfahne gehißt hatte. Vgl. H. Ebert, Die Technische Hochschule Berlin und der Nationalsozialismus, in: R. Rürup (Hg.), Wissenschaft und Gesellschaft, Bd.1, Berlin 1979, S.456.

[139] „Von der akademischen Freiheit. Aus einer Rede des Rektors der Universität Köln“, in: Kölner Universitäts-Zeitung, Nr.1, 18.4.1931, S.4. Hervorhebung im Original. Krolls Nachfolger, Bruno Kuske, vertrat ähnliche Positionen. Vgl. F. Golczewski, Kölner Universitätslehrer und der Nationalsozialismus, Köln/Wien 1988, S.41 u. 46 f.

[140] Dies ist der generelle Tenor in den Publikationen des NSDStB. Vgl. aber auch: C.F. von Weizsäcker, Bewußtseinswandel, München/Wien 1988, S.410.

schaftskrise die Universitäten aus den politischen Auseinandersetzungen herauszuhalten, mußte schon deshalb scheitern, weil die Universitäten selber massiv von dieser Krise betroffen waren. Tatsächlich wurde der Anspruch, die Universitäten als politikfreie Sphäre zu erhalten, in den folgenden Jahren weitgehend aufgegeben. Einen neuen Konsens markierte eine Resolution der Deutschen Rektorenkonferenz im Dezember 1932, die beteuerte, es läge den Hochschulen fern, „der studierenden Jugend die Beschäftigung mit den Problemen des politischen Lebens zu verwehren". Vielmehr sei es selbstverständlich, daß Lehrende und Studierende „mit heißem Herzen Anteil nehmen am Geschick des deutschen Vaterlandes". Grundsätzlich abgelehnt wurde jedoch „das Hineintragen der Parteipolitik in die Hochschule".[141]

Charakteristisch für eine zweite große Gruppe von Hochschullehrern, den nationalkonservativen Professorenflügel, war eine durchweg ambivalente Haltung gegenüber dem studentischen Aktivismus von rechts. Während die Formen des studentischen Protests, ihre Gewaltsamkeit, der aggressive Tonfall, kurz alles, was „unakademisch" war am Auftreten der Studenten, in der Regel scharf verurteilt wurden, lobten diese Professoren doch zugleich den „Idealismus" der Studenten und deuteten Sympathie für ihre „nationalen" Ziele an. In der Ablehnung der Weimarer Republik und in der Befürwortung autoritärer Staatsformen war man sich schließlich weitgehend einig. Diese Ambivalenz findet sich etwa in einem Bericht des Kieler Rektors August Skalweit aus dem Jahre 1931:

> „Der akademische Lehrer weiß, daß jene Bewegung, die mit dem Schlagwort ‚Radikalisierung der Jugend' etikettiert zu werden pflegt, sich nicht erschöpft in auflehnendem Trotz. So unliebsam, so unerträglich die Formen sind, in denen sich diese Bewegung äußert, so ist sie doch auch Ausdruck eines opferbereiten Ringens um eine lichtere Zukunft der Volksgemeinschaft, Deutschlands, der Menschheit. Ich mache mir die Worte des Berliner Rektors Deißmann zu eigen, wenn ich sage: ‚Solche ringende Jugend ist liebenswerter als genießende und satte Jugend. Solcher ringenden Jugend muß man die Hände entgegenstrecken ...'"

Bei allem Wohlwollen, das aus diesen Worten spricht, war sich Skalweit, ein Nationalökonom, aber dennoch der Gefahren bewußt, die den Universitäten von den Nationalsozialisten drohten. Wie sonst sollten seine Leser die folgenden Sätze interpretieren:

> „Möge die Studentenschaft auch davon überzeugt sein, daß der Professor in der vordersten Reihe zu stehen gewohnt ist, wo es um die Verteidigung der akademischen Freiheit geht. Es steht außer Zweifel, daß die akademische Selbstbestimmung – denn das ist der Hauptinhalt der akademischen Freiheit – in der Gegenwart bedroht ist. Das Lebensprinzip der Universität ist geistige Freiheit".[142]

---

141 Niederschrift über die 22. a.o. außeramtliche Deutsche Rektorenkonferenz am 4.12.1932 in Halle, in: GStAPK I Rep. 76 Va Sekt. 1 Tit. XVIII No.16 Bd.IX Bl.106 (M).

142 Zitate aus: E. Hofmann, Die Christian-Albrechts-Universität in preußischer Zeit, in: Geschichte der Christian-Albrechts-Universität Kiel 1665-1965, Bd.1, Teil 2, Neumünster 1965, S.75.

Was aber war wichtiger, die lobenswerte „nationale“ Gesinnung der Studierenden oder die unerfreuliche Unruhe, die sie durch ihr „unakademisches“ Auftreten in die Universitäten hineintrugen? Um diese Frage entwickelte sich eine kontroverse Debatte auf dem VII. Deutschen Hochschultag im Oktober 1932.[143] Der Vorstand des Hochschulverbandes hatte eine Resolution vorbereitet, deren zentrale Passagen unmißverständlich an die Adresse des NSDStB gerichtet waren:

> „Parteipolitische Zersetzung, unverantwortliches Reden und Kritisieren, krampfhaftes Hoffen auf Unerreichbares zerwühlen den Körper des deutschen Volkes und gefährden die Universitäten“.

Eine Verabschiedung des Entwurfs scheiterte jedoch an dem entschiedenen Widerspruch des Berliner Pädagogen Eduard Spranger. Spranger, ein Anhänger der DNVP[144], argumentierte, daß eine Erklärung gegen den Nationalsozialismus „unserer immer wieder betonten unpolitischen Haltung“ widerspräche. Zugleich forderte er seine Kollegen auf, mehr Verständnis zu zeigen für die „ungeheure Ursprünglichkeit“ der nationalsozialistischen Studentenbewegung, obwohl auch er die „rüde Form“, in der diese Bewegung daherkam, ausdrücklich bedauerte.[145] Spranger hat sein damaliges Verhalten nach 1945 erläutert. Er habe widersprochen,

> „weil ich die Bewegung der nationalen Studenten noch im Kern für echt, nur in der Form für undiszipliniert hielt. Auch hätte es eine sehr schädliche Wirkung für die Hochschule gehabt, wenn sie sich zu der nationalen Welle, die *damals* noch viel Gesundes mit sich führte, und mit heißen Erwartungen begrüßt wurde, nur schulmeisterlich geäußert hätte“.[146]

Andere Redner wandten sich ebenfalls gegen die Resolution, teils aus ähnlichen Gründen wie Spranger, teils aus Furcht, eine Kritik am NSDStB könnte auf die Studenten provozierend wirken: „Der erste Gesichtspunkt muß der sein, alles zu vermeiden, was Unruhe stiften kann“, erklärte beispielsweise der Hamburger Rektor Leo Raape.[147] So wurde schließlich anstelle der ursprünglich vorgesehenen Erklärung einstimmig eine von Spranger mitverfaßte Botschaft an die Studenten verabschiedet, in welcher die ursprüngliche Kernaussage, die Kritik an der Politik des NSDStB, stark reduziert worden war. Zwar kritisierte die Entschließung auch weiterhin „parteipolitische Zersetzung, unverantwortliches Reden und Bruderzwist bis zur Gewalttätigkeit“. Im Zentrum aber stand nunmehr der Appell an gemeinsame

---

[143] Vgl. zum Folgenden: Stenographischer Bericht der Arbeitssitzungen des VII. Deutschen Hochschultages vom 5. bis 7. Oktober 1932 in Danzig, in: BA Potsdam RDH 86 Bl.331-351, 370-372.

[144] Vgl. den von Spranger unterzeichneten „Aufruf zum 6. November 1932“ des Deutschen Ausschusses „Mit Hindenburg für Volk und Reich“, in: GStAPK I Rep. 76 Nr.479.

[145] Stenographischer Bericht der Arbeitssitzungen des VII. Deutschen Hochschultages vom 5. bis 7. Oktober 1932 (Anm. 143), Bl.332 f.

[146] E. Spranger, Mein Konflikt mit der national-sozialistischen Regierung 1933, in: Universitas, 10. Jg., 1955, S.457. Hervorhebung im Original.

[147] Stenographischer Bericht der Arbeitssitzungen des VII. Deutschen Hochschultages vom 5. bis 7. Oktober 1932 (Anm. 143), Bl.336.

Wertvorstellungen, und in den Formulierungen kündigte sich bereits der Geist einer neuen Zeit an:

> „Wir hoffen zuversichtlich, daß es gelingen wird, das Erbe der akademischen Kriegsgeneration zu neuem Leben zu erwecken und wieder wie in der Frontkämpferzeit eine Zusammenfassung aller deutschen Studenten zu schaffen, die bereit ist, gemeinsam mit uns ein einheitliches Reich des Geistes und der Tat zu bilden, unabhängig von zersetzendem Parteigeist, aufgebaut auf festem nationalem Willen und eingegliedert in das Ganze der deutschen Volksgemeinschaft".[148]

Weder Skalweit noch Spranger waren Nationalsozialisten. Beide wurden 1933 in heftige Auseinandersetzungen mit den nationalsozialistischen Studenten verwickelt.[149] Trotzdem erblickten sie im Nationalsozialismus offensichtlich eine Bewegung, die zu Hoffnungen berechtigte, auch wenn die schlechten Manieren ihrer Repräsentanten ein Ärgernis blieben und Anlaß zu mancherlei Befürchtungen lieferten.

Diese Haltung, oft gekoppelt mit der Angst vor Krawallen, förderte bei einer Reihe von Rektoren die Bereitschaft, gegenüber den Nationalsozialisten betont milde aufzutreten. In Erlangen fiel diese nachsichtige Behandlung des NSDStB besonders im Vergleich mit der Schroffheit auf, welche die Rektoren gegenüber dem Republikanischen Studentenbund an den Tag legten.[150] Auch in Leipzig fehlte es offensichtlich an der Bereitschaft, dem Nationalsozialismus energisch entgegenzutreten. Als dort eine Minorität unter den Mitgliedern des Universitätssenats Maßnahmen des Rektors gegen den NSDStB forderte, erklärte dieser, er könne diese Studenten doch nicht relegieren, denn schließlich seien sie ja national.[151] Der liberale Historiker Walter Goetz, der diese Episode in seinen Erinnerungen überliefert, konstatierte resigniert:

> „Es war eine vollkommen vergebliche Sache, an der Universität gegen den Nationalsozialismus aufzutreten, denn ein erheblicher Teil der Dozentenschaft neigte den Ideen dieser radikalen Rechtspartei zu oder hatte keinerlei Lust, sich gegenüber der sichtbar aufsteigenden neuen Macht die Finger zu verbrennen".[152]

Manche Rektoren ließen nicht nur Sympathien für den Nationalsozialismus erkennen, sondern erwiesen sich sogar als ausgesprochene Förderer des NSDStB. Einer von ihnen war der Meteorologe Albert Wigand (1931/32 Rektor in Hamburg), der sich selber bereits als „Führer" der Universität sah, seine Hoffnung auf das kommende „neue Reich" auch bei öffentlichen Auftritten nicht verhehlte und stets ein offenes Ohr für die Wünsche der

148 Abgedruckt in: Mitteilungen des Verbandes der Deutschen Hochschulen, 12. Jg., 1932, S.150 f.

149 Die Kieler NS-Studenten forderten 1933 sogar Skalweits Entlassung. Vgl. „Studentenaktion gegen 28 Kieler Professoren", in: DAZ Nr.191, 25.4.1933. Siehe auch H. Heiber, Universität unterm Hakenkreuz, Teil II, Bd.1, München 1992, S.75 ff. u. 265. Zu Spranger vgl. ders., Mein Konflikt, S.457 ff.

150 Vgl. Franze, Erlanger Studentenschaft, S.123 ff. u. 135 ff.

151 Vgl. W. Goetz, Historiker in meiner Zeit, Köln/Graz 1957, S.78. Siehe auch: H. Arndt, Die Universität von 1917 bis 1933, in: L. Rathmann (Hg.), Alma Mater Lipsiensis. Geschichte der Karl-Marx-Universität Leipzig, Leipzig 1984, S.256 f.

152 Vgl. Goetz, Historiker, S.78.

nationalsozialistischen Studenten hatte.[153] Auch der Agrarwissenschaftler Eilhard Alfred Mitscherlich (1930-1932 Rektor in Königsberg) stellte sich bei Konflikten mit der Staatsgewalt ostentativ hinter die nationalsozialistische Studentenschaft. Dem NSDStB brachte diese Haltung beträchtlichen Prestigegewinn, und Kreisleiter Horst Krutschinna konnte gutgelaunt nach München melden: „Wäre unserer Verhältnis zum Rektor nicht ein derartiges, so würden wir weiterhin nach dem Motto verfahren: In jedem Semester einen Studentenkrawall“.[154] Wie Mitscherlich sein Amt als Rektor ausübte, darüber hat er selber einige Jahre später in aufschlußreicher Weise informiert:

> „Eines Tages kam der Vorsitzende der ‚Makkabäa‘, einer jüdischen Studentenverbindung, zu mir und beklagte sich darüber, daß er und seine Kommilitonen bei ihrem ‚Stehkonvent‘ von nationalsozialistischen Studenten ‚belästigt‘ würden. Auf meine Frage, wo sie denn ihren Stehkonvent abgehalten hätten, erhielt ich die bezeichnende Antwort ‚direkt vor der Universität‘ ... Ich sagte nur, ‚wenn Ihr so dumm seid und Euch zur Schau stellt, könnt Ihr euch nicht wundern, wenn Ihr belästigt werdet. Wählt Euch doch als Standort für Euren Stehkonvent irgendeine Ecke, dann wird Euch niemand etwas anhaben.‘ – Ich habe nie wieder etwas von Belästigungen gehört; sehe aber noch heute das Gesicht, mit dem diese Herren aus dem Rektorzimmer abzogen!“.[155]

Republikanische Studenten beklagten daher völlig zu Recht, daß gegenüber dem NSDStB nicht selten „allzugroße Milde“ und „Sanftmut“ gezeigt werde.[156] Doch war eine unverhüllte Parteinahme zugunsten des NSDStB, wie sie von Mitscherlich, Wigand u.a. praktiziert wurde, nicht repräsentativ für die Majorität ihrer Kollegen. Die Mehrheit der Rektoren, darunter auch die meisten Nationalkonservativen, verfolgte in erster Linie das Ziel, den inneren Frieden der Hochschulen zu bewahren und parteipolitische Einflußnahme zu verhindern. Insofern erschien der NSDStB, trotz mancher Sympathie im grundsätzlichen, doch auch immer wieder als Störenfried, der mit Sanktionen rechnen mußte, wenn er Einrichtungen der Universität, Entscheidungen des Rektors oder einzelne Hochschullehrer in beleidigender Form öffentlich angriff.[157] An einigen Universitäten, so in Gießen, untersagten die Rektoren das Tragen politischer Abzeichen; in Jena und an der TH Berlin verloren die Nationalsozialisten wegen „ungehöriger Anschläge“ das Schwarze Brett. In Köln wurde der Studentenbund 1930 zeitweise verboten, weil ein Parteiredner auf einer NSDStB-Versammlung im Universitätsgebäude die Politiker der Weimarer Republik als „Verbrecher, Zuhälter und Lumpengesindel“ beschimpft und die Professoren als „Gesinnungsakroba-

[153] Vgl. B. Vogel, Anpassung und Widerstand, in: Hochschulalltag im „Dritten Reich“, Teil I, S.39 ff.

[154] Zit. in: Sielaff, Geschichte, S.180.

[155] E.A. Mitscherlich, Erinnerungen aus der Kampfzeit während meiner letzten Rektoratsjahre 1930-1932, in: Der Student der Ostmark, Nr.6, 17.6.1938, S.190.

[156] Vgl. K. Hirche, Nationalsozialistischer Hochschulsommer, in: Die Hilfe, 37. Jg., 1931, S.796 f.

[157] Zum Folgenden vgl. die interne Abhandlung des RdI: Über den Nationalsozialistischen Deutschen Studentenbund [September 1930], S.14 f., in: GStAPK I Rep. 76 Va Sekt.1 Tit. XII Nr.42 Bd.I Bl. 162 f. (M).

ten" bezeichnet hatte.[158] Das gleiche Geschick widerfuhr der Frankfurter Hochschulgruppe, nachdem die Universität in einem nationalsozialistischen Flugblatt als „Hochburg jüdischer Frechheit und marxistischer Unverschämtheit" attackiert worden war.[159] Gelegentlich kam es auch zur Relegation von NS-Studenten, so 1930 in Kiel, wo ein Student die Universität verlassen mußte, nachdem er den liberalen Theologen Otto Baumgarten als „Landesverräter, Pazifisten und Philosemiten" beschimpft hatte.[160] In Tübingen wurde der Hochschulgruppenführer Alfons Gerometta 1932 für ein halbes Jahr relegiert, weil er dem Althistoriker Richard Laqueur angedroht hatte, die Studentenschaft werde „sich Ihrer mit großer Vorliebe einmal annehmen".[161]

Solche Maßnahmen zeigten zwar, daß viele Universitätsgremien nicht gewillt waren, gegenüber dem aggressiven Vorgehen des NSDStB schrankenlose Toleranz walten zu lassen. Doch konnten derartige Sanktionen den Studentenbund nicht in ernsthafte Schwierigkeiten bringen. Von der Führung des NSDStB wurden sie als „lächerliche Mätzchen" abgetan.[162] Selbst das Verbot einzelner Hochschulgruppen erwies sich als wenig wirksam, weil die nationalsozialistischen AStA-Fraktionen unbehelligt weiterarbeiten konnten, und weil der NSDStB sich stets sofort unter neuem Namen rekonstituierte. Exemplarisch die Vorgänge an der Universität Halle: Dort wurde der Studentenbund im Februar 1931 aufgrund eines Flugblattes verboten, tauchte aber kurz danach unter der Bezeichnung „Kampfgruppe Hochschule der NSDAP" wieder auf und gewann drei Monate später mit großem Abstand vor allen Konkurrenten erstmals die AStA-Wahlen.[163] Auch die Relegation einzelner NSDStB-Mitglieder brachte den Betroffenen zwar Unannehmlichkeiten, bedeutete aber keine existentielle Bedrohung in einer Zeit, in der die Studenten ohnehin ungewöhnlich mobil waren und während des Studiums nicht selten mehrfach die Hochschule wechselten.

Zudem erwies sich eine Hochschulpolitik, die der Bewahrung von Ruhe und Ordnung höchste Priorität einräumte, als zweischneidige Angelegenheit, weil eine solche Haltung sich ebensogut gegen Kritiker des Nationalsozialismus richten konnte. Am eigenen Leibe erlebte dies der Leipziger Nationalökonom Gerhard Kessler, einer der wenigen Hochschullehrer, die auch am Ende der Weimarer Republik offen gegen den Nationalsozialismus auftraten.[164] Kessler hatte es im November 1932 gewagt, in der Leipziger Presse eine scharfe Kritik am Programm und an führenden Vertretern der NSDAP zu veröffentlichen. Bereits am folgenden Tag wurde seine Vorlesung von Studenten durch Sprechchöre und Trillerpfeifen gestört. Der her-

[158] Vgl. M. Wortmann, Der Nationalsozialistische Deutsche Studentenbund an der Universität Köln (1927-1933), in: Geschichte in Köln, H.8, 1980, S.108 ff.

[159] Vgl. Kluke, Stiftungsuniversität Frankfurt, S.575.

[160] Vgl. H. Mulert, Baumgarten und der Nationalsozialismus, Neumünster 1930.

[161] Vgl. Lüdtke, Elend, S.103 u. 125

[162] Vgl. Faust, Bd.2, S.78.

[163] Vgl. Faust, Bd.2. S.66 f.

[164] Zum Folgenden vgl. Heiber, Universität, Bd.1, S.52 ff.

beieilende Rektor, der Kirchenhistoriker Hans Achelis, ebenfalls ein Mann des „nationalen“ Lagers, versprach den Studenten, sich für eine Unterbrechung von Kesslers Vorlesungen einzusetzen und erreichte dadurch zunächst eine Beruhigung der Lage. Die Behandlung der Angelegenheit im Akademischen Senat fiel dann so zweideutig aus, daß sie faktisch auf eine Brüskierung Kesslers hinauslief. Denn der Senat „bedauerte“ nicht nur in einer öffentlichen Erklärung die Publikation des Artikels, sondern legte Kessler darüber hinaus auch nahe, den Vorsitz im Verwaltungsrat der Wirtschaftsselbsthilfe niederzulegen. Zwar verurteilte die Stellungnahme des Senats gleichzeitig „auf das schärfste, daß die Studenten ihren Widerspruch gegen diesen Artikel in einer die akademische Sitte gröblichst verletzenden Form zum Ausdruck gebracht haben“.[165] Gleichwohl konnte die rechtsradikale Studentenschaft sich, nicht zu Unrecht, als moralischer Sieger fühlen. Der von den Nationalsozialisten beherrschte Vorstand der Leipziger Studentenschaft zeigte sich denn auch hocherfreut über den Verlauf des Konflikts und erklärte, er sähe in der Stellungnahme des Universitätssenats „eine Rechtfertigung, wenn nicht für die Form, so doch für die Tatsache des Protestes“.[166] Weitgehend unbeachtet blieb in der Öffentlichkeit, daß 222 Leipziger Studenten sich während des Konfliktes in einer schriftlichen Erklärung mit Kessler solidarisiert hatten.[167] Dieser wurde kurz nach der nationalsozialistischen Machtübernahme als einer der ersten Hochschullehrer entlassen und verhaftet, konnte aber später nach Istanbul emigrieren.

Die Leipziger Vorgänge um Kessler sind in mehrfacher Hinsicht ein aufschlußreiches Ereignis. Sie zeigen, daß der Nationalsozialismus an den Universitäten schon vor 1933 zu einer Macht geworden war, mit der man sich nicht ungestraft anlegen konnte. Und sie machen deutlich, daß ein entschiedener Widerstand gegen den Terror der nationalsozialistischen Studenten von den Universitätsgremien nicht mehr zu erwarten war. Wer das Verhalten der Hochschullehrer in der Endphase der Weimarer Republik aufmerksam beobachtet hatte, konnte eigentlich nicht überrascht sein, als die Gleichschaltung der Universitäten 1933/34 von den Hochschullehrern ohne größeren Widerstand hingenommen wurde.

4. Der NSDStB und seine Anhänger: Eine Profilanalyse

Wie stark war der NSDStB tatsächlich an den Hochschulen? Auf welche Teile der Studentenschaft konnte er sich hauptsächlich stützen? Inwieweit unterschied sich der nationalsozialistische Student von seinen Kommilitonen? Lassen sich Unterschiede zwischen Universitäten und Technischen Hochschulen, zwischen weiblichen und männlichen Studierenden feststellen? Warum konnte der Studentenbund an manchen Hochschulen leichter

[165] Zit. in: „Fall Keßler“, in: Die Leipziger Studentenschaft, Nr.2, 17.12.1932, S.37.
[166] Zit. in: ebd.
[167] Vgl. Arndt, Die Universität von 1917 bis 1933, S.259 f.

reüssieren als an anderen? Um diese Fragen beantworten zu können, bedarf es zunächst der Aufbereitung und quellenkritischen Analyse des vorhandenen statistischen Materials.

Die Mitgliederzahlen des NSDStB werden in der wissenschaftlichen Literatur oft weit überschätzt. Völlig abwegig ist beispielsweise die – nicht belegte – Behauptung Peter Gays, etwa die Hälfte der deutschen Studenten seien organisierte Nazis gewesen.[168] Soweit sich im Archiv des NSDStB verläßliche Hinweise über die Mitgliederzahlen finden lassen, ergibt sich durchgängig das Bild einer zahlenmäßig relativ schwachen Organisation. Nach Schätzungen von Faust soll der Studentenbund im Sommer 1931, als die Organisation bei den AStA-Wahlen schon überall Triumphe feierte, erst 2.500 Mitglieder gehabt haben.[169] Präzise Angaben liegen nur für die letzten Monate der Weimarer Republik vor. Wie sich aus einer internen Aufstellung ergibt, zählte der Studentenbund Anfang Januar 1933, unmittelbar vor Hitlers Ernennung zum Reichskanzler, 8.750 Mitglieder.[170] Auch diese Zahl wirkt keineswegs besonders eindrucksvoll, vor allem, wenn man sich die Stärke der Korporationsverbände vor Augen hält. Sowohl die Deutsche Burschenschaft als auch der katholische CV konnten höhere Mitgliederzahlen vorweisen.[171]

Michael Kater hat aufgrund dieser Angaben errechnet, daß der NSDStB an den Universitäten und Technischen Hochschulen 9,2 % der männlichen Studenten organisiert hatte.[172] Tatsächlich sind auch diese Zahlen deutlich überzogen. Kater übersieht nämlich, daß die Zahl von 8.750 Mitgliedern keineswegs nur männliche Studenten an deutschen Hochschulen umfaßte, sondern auch 2.500 Fachschüler sowie 750 Frauen, die in einer besonderen Sektion, der „Arbeitsgemeinschaft Nationalsozialistischer Studentinnen" (ANSt), zusammengefaßt waren. Den Hochschulgruppen des NSDStB gehörten daher nur 5.500 männliche Studenten an. Zudem muß berücksichtigt werden, daß der Studentenbund als großdeutsche Organisation auch außerhalb der Grenzen des Deutschen Reiches über eine Reihe von Hochschulgruppen verfügte. Diese waren hauptsächlich in den Kreisen VIII (Österreich) und IX (Sudetengebiet) zusammengefaßt und zählten Anfang 1933 zusammen 1.070 Mitglieder.[173] Leider finden sich in den Quellen keine Angaben, wie viele Fachschüler und Studentinnen unter den auswärtigen Mitgliedern waren. Angenommen, ihr Anteil war genauso groß wie im NSDStB insgesamt (37,1 %), dann ergibt sich daraus, daß von den 5.500 männlichen Mitgliedern nationalsozialistischer Hochschulgruppen 673 außerhalb der Reichsgrenzen studierten. Demnach befanden sich zu Beginn

[168] P. Gay, Die Republik der Außenseiter, Neuausgabe, Frankfurt/M. 1987, S. 184.

[169] Vgl. Faust, Bd.1, S.170.

[170] Vgl. das Schaubild „Mitgliederstand des NSDStB, 1.9.32-1.3.33", in: StA WÜ RSF/NSDStB II* 17 α 471 Bl.203.

[171] Vgl. Steinberg, Sabers and Brown Shirts, 1977, S.45.

[172] Vgl. M.H. Kater, Krisis des Frauenstudiums in der Weimarer Republik, in: VSWG, 59, 1972, S.255.

[173] Zur Kreiseinteilung vgl. Faust, Bd. 1, S. 177. Mitgliederzahlen der Kreise in: StA WÜ RSF/NSDStB II* 17 α 471 Bl.204. Die an der TH Danzig bestehende Hochschulgruppe gehörte zum Kreis I.

des Jahres 1933 unter den insgesamt 8.750 Mitgliedern des NSDStB 4.827 männliche Studenten, die an einer der Hochschulen des Deutschen Reiches immatrikuliert waren. Von den 100.740 deutschen Studenten männlichen Geschlechts, die im Wintersemester 1932/33 an einer Hochschule immatrikuliert waren[174], stellten die Mitglieder des NS-Studentenbundes demzufolge nicht mehr als 4,8 %. Bedauerlicherweise lassen sich ähnliche Berechnungen für die 750 weiblichen Mitglieder des NSDStB bzw. der ANSt nicht anstellen, weil völlig unklar ist, wie viele von ihnen außerhalb der Reichsgrenzen studierten oder Fachschulen besuchten.[175] Unbekannt ist auch, wie viele Studierende anderen nationalsozialistischen Organisationen, etwa der SA, angehörten, ohne gleichzeitig Mitglied des NSDStB zu sein.

Weiteren Einblick in die Mitgliederstruktur des NSDStB liefert Tabelle 27 (Anhang). Sie enthält genaue Angaben über die Mitgliederzahl der nationalsozialistischen Hochschulgruppen im Wintersemester 1932/33 an 13 (von 23) Universitäten sowie an vier (von zehn) Technischen Hochschulen. In der Regel basieren diese Zahlen auf internen Angaben, welche die Hochschulgruppenführer für statistische Zwecke machten. Eine Verfälschung aus propagandistischen Gründen ist deshalb ausgeschlossen. Allerdings muß dabei berücksichtigt werden, und dies gilt für die gesamte interne Statistik des NSDStB, daß die Höhe derartiger Angaben oft davon abhing, wann die Mitgliederkartei zuletzt bereinigt worden war. Auf diese Weise entdeckte beispielsweise der Hamburger NSDStB im Oktober 1932, daß er nicht 120 Mitglieder zählte, wie zuvor angenommen, sondern nur 55 Aktive in seinen Reihen hatte. Ähnlich erging es der Königsberger Hochschulgruppe, die bei einer Überprüfung der Kartei feststellte, daß sie „auf dem Papier" zwar 233 Mitglieder hatte, in Wirklichkeit aber nur über 119 „tatsächlich mitarbeitende Kameraden" verfügte.[176] Abgesehen von derartigen Ungenauigkeiten, die sich nicht korrigieren lassen, dürften die Angaben der Tabelle 27 korrekt sein. Das Ergebnis, ein Organisationsgrad von 4,4 % der männlichen Studenten an Universitäten und Technischen Hochschulen, entspricht im wesentlichen den bereits aus anderer Quelle gewonnen Daten.

Darüber hinaus ermöglicht Tabelle 27 weitere Differenzierungen. Deutlich wird insbesondere ein erheblicher Unterschied zwischen Universitäten und Technischen Hochschulen. Während an den Universitäten, soweit uns Material über sie vorliegt, nur 3,2 % der Studierenden dem NSDStB angehörten, war die Mitgliederwerbung an den Technischen Hochschulen offensichtlich sehr viel erfolgreicher verlaufen. Dort hatte sich mehr als ein Zehntel der Studenten dem NSDStB bis zum Wintersemester 1932/33 angeschlossen.

Weiter fällt auf, daß die organisatorische Erfassung der männlichen Studenten im NSDStB (4,4 %) fast doppelt so hoch war wie die der Studentinnen (2,3 %). An den Universitäten hatten sich nur 2,1 % der Studentinnen

[174] Studentenzahlen errechnet nach: Statistisches Jahrbuch für das Deutsche Reich 1933, S.522 ff.

[175] Kater errechnet für die Studentinnen einen Organisationsgrad von 4,1%. Vgl. Kater, Krisis des Frauenstudiums, S.255. Auch diese Zahl ist aus den bereits genannten Gründen zu hoch.

[176] Vgl. Giles, Students and National Socialism, S.94; Sielaff, Geschichte, S. 184.

(gegenüber 3,5 % der Männer) dem Studentenbund angeschlossen. Ein anderes Bild bot sich allerdings an den Technischen Hochschulen. Hier war der Organisationsgrad der Studentinnen (13,3 %) sogar noch höher als der ihrer männlichen Kommilitonen (11,0 %). Angesichts der sehr niedrigen absoluten Zahlen wird das Gesamtbild dadurch aber kaum beeinflußt. An den Technischen Hochschulen waren 1932/33 nur 4,5 % der Studierenden weiblichen Geschlechts, wie Tabelle 17 (Anhang) zeigt.

Vergleichen wir die einzelnen Hochschulen, dann fällt sofort die Schwäche des NSDStB an jenen Universitäten auf, deren Studentenschaft zu einem großen Teil aus Katholiken bestand.[177] In Münster, Würzburg, Köln und Bonn, aber auch an der TH Aachen lagen die Mitgliederzahlen des Studentenbundes teilweise sehr deutlich unter dem Durchschnitt. Nur die Freiburger Hochschulgruppe fiel in dieser Hinsicht aus dem Rahmen, was aber möglicherweise auf fehlerhafte Angaben zurückzuführen ist.[178] Auch an den neugegründeten Universitäten Frankfurt und Hamburg, die als relativ liberal galten, hatte der NSDStB es offensichtlich schwerer, Anhänger zu gewinnen.

Die Frage, inwieweit Studierende bestimmter Disziplinen im NSDStB über- oder unterrepräsentiert waren, ist von Kater, Faust u.a. anhand lokaler Mitgliederlisten untersucht worden. Als Ergebnis läßt sich festhalten, daß ein Übergewicht bestimmter Disziplinen im wesentlichen nur an einzelnen Universitäten feststellbar ist, nicht aber als generelles Phänomen. Eine Ausnahme machten lediglich die evangelischen Theologen, die wohl in den meisten Hochschulgruppen des NSDStB überproportional vertreten waren.[179] Schon im Dezember 1930 hatte der liberale Theologe Martin Rade (Marburg) entsetzt konstatiert, daß vor allem an norddeutschen Universitäten „etwa 90 Prozent der evangelischen Theologen mit dem Parteiabzeichen der Nationalsozialisten im Kolleg erscheinen".[180]

Die nationalsozialistischen Universitätsstudenten, so läßt sich zusammenfassen, unterschieden sich von der Mehrheit ihrer Kommilitonen in zweifacher Hinsicht: durch eine überproportionale Dominanz der Männer und durch ein eindeutiges Übergewicht der protestantischen Studenten. Hinsichtlich der Studienrichtung und der Altersstruktur[181] lassen sich dagegen keine wesentlichen Unterschiede feststellen.

Können diese Ergebnisse auch auf die Wähler des NSDStB übertragen werden? Material zur Beantwortung dieser Frage liefern die Tabellen 25 und 26 (beide im Anhang). In Tabelle 25 wurde der Stimmenanteil des NSDStB bei allen AStA-Wahlen (an Universitäten und Technischen Hochschulen) zwischen 1928 und 1933 aufgelistet. Die Resultate, die die Nationalsoziali-

[177] Zur konfessionellen Struktur der Studentenschaft vgl. Tabelle 24 (Anhang).

[178] In einer anderen Quelle war nur von etwa 30 Freiburger NSDStB-Mitgliedern im WS 1932/33 die Rede. Vgl. Kreutzberger, Studenten, S.110.

[179] Vgl. Kater, Studentenschaft und Rechtsradikalismus, S.122 ff. u. S.212 ff., Faust, Bd.1, S.117 u. Bd.2, S.146. Ferner: B. Vieten, Medizinstudenten in Münster, Köln 1982, S.193 ff. u. S.336 ff.

[180] Zit. in: K. Scholder, Die Kirchen und das Dritte Reich, Bd.1, Frankfurt/M. 1977, S. 165.

[181] Vgl. Faust, Bd. 1, S.117.

Tab. 1: Der nationalsozialistische Stimmenanteil bei AStA-Wahlen und bei Reichstagswahlen, in % der abgegebenen gültigen Stimmen, 1928-1933[182]

Jahr	AStA-Wahlen		Reichstagswahlen	
	Stimmenanteil des NSDStB	Wahlbeteiligung	Stimmenanteil der NSDAP	Wahlbeteiligung
1928	11,9	66,7	2,6	75,6
1929	19,5	63,5	–	–
1930	34,4	68,1	18,3	82,0
1931	44,4	77,4	–	–
1932	47,9	66,9	37,4*	84,1
1933	43,2	72,9	43,9	88,8

Bei Berechnung der Beteiligung an den AStA-Wahlen wurde die Zahl der im Wahlsemester immatrikulierten Studenten zugrunde gelegt, ohne Berücksichtigung von Gasthörern, beurlaubten Studenten und Ausländern.

* Reichstagswahl vom 31.7.1932

sten bei diesen Wahlen erzielten, sind in Tabelle 1 knapp zusammengefaßt. Zum Vergleich wurde zusätzlich der Stimmenanteil der NSDAP bei den Reichstagswahlen aufgeführt. Wie Tabelle 1 zeigt, konnten die nationalsozialistischen Studenten auf dem Höhepunkt ihrer Erfolge an den Universitäten und Technischen Hochschulen 47,9 % der Wählerstimmen gewinnen. Sie lagen also zeitweise nur knapp unter der absoluten Mehrheit. Zwischen 1928 und 1932 war der NSDStB bei studentischen Wahlen stets erfolgreicher als die NSDAP bei Reichstagswahlen. Bei den AStA-Wahlen, die im Januar oder Februar 1933 stattfanden – danach gab es keine studentischen Wahlen mehr – war dies anders. 1933 lag der NSDStB mit einem durchschnittlichen Stimmenanteil von 43,2 % nicht nur unter den Ergebnissen der Vorjahre, sondern blieb auch knapp unter dem Ergebnis, das die NSDAP bei den Reichstagswahlen im März 1933 erzielte. Als Hitler im Januar 1933 zum Reichskanzler ernannt wurde, waren die Hochschulen keine Hochburgen des Nationalsozialismus mehr.

Allerdings ist ein direkter Vergleich zwischen AStA-Wahlen und Reichstagswahlen aus verschiedenen Gründen nicht ganz unproblematisch. Erstens gingen die Nationalsozialisten bei einigen Wahlen Bündnisse mit anderen hochschulpolitischen Gruppen ein (meist mit Waffenstudenten oder mit dem Stahlhelm-Studentenring), so 1932 in Halle, Jena, München und Würzburg.[183] Dadurch erscheint der nationalsozialistische Stimmenanteil mitunter größer, als er tatsächlich war. Diese Ungenauigkeit läßt sich nicht vermeiden, sollte aber auch nicht überbewertet werden. Wer seine Stimme einem Wahlbündnis gab, in dem der NSDStB eine führende Rolle spielte, dürfte dem Nationalsozialismus in aller Regel zumindest mit Sympathie gegenübergestanden haben.

[182] Quellen: Tabelle 25 (Anhang); Statistisches Jahrbuch für das Deutsche Reich 1928-1933; eigene Berechnungen; J.W. Falter, Hitlers Wähler, München 1991, S.25.

[183] In Tabelle 25 (Anhang) wird darauf in den Anmerkungen jeweils hingewiesen.

Zweitens können die Tabellen 1 und 25 (Anhang) kein umfassendes Bild liefern, weil in einigen Städten keine regelmäßigen AStA-Wahlen stattfanden und weil der Wahlmodus nicht immer einheitlich war. Nach dem Becker-Konflikt von 1927 kam es nicht an allen preußischen Hochschulen zum Aufbau „freier" (d.h. staatlich nicht anerkannter) Studentenschaften. Vor allem an Hochschulen mit einem hohen Katholikenanteil erfolgte die Neugründung studentischer Selbstverwaltungsorgane oft erst einige Jahre nach dem Becker-Konflikt, so in Köln, Bonn, Aachen.[184] In Münster fanden nach 1927 überhaupt keine AStA-Wahlen mehr statt.[185] Für manche Hochschulen läßt sich der Einfluß des NSDStB aufgrund der AStA-Wahlen nicht erkennen, weil parteipolitische Listen nicht kandidieren durften, so in Dresden, oder weil ein striktes Personenwahlrecht galt, wie in Tübingen.[186] An anderen Universitäten wurden die „freien" Studentenvertretungen vom Rektor nicht anerkannt. Sofern dennoch AStA-Wahlen abgehalten wurden, mußten die Wahllokale in Buchhandlungen oder Gastwirtschaften verlagert werden. Die Wahlbeteiligung war dann entsprechend gering. In Frankfurt und Köln fand unter solchen Umständen seit 1928 nur eine einzige AStA-Wahl statt, bei sehr geringer Wahlbeteiligung.

Ein drittes Problem kommt hinzu: Der tatsächliche Anhängerstamm des NSDStB war geringer als manche Wahlergebnisse nahelegen, weil die AStA-Wahlen in Preußen oft von den republikanischen und marxistischen, mitunter auch von den katholischen, Gruppen boykottiert wurden. Dieser Faktor läßt sich jedoch berücksichtigen, wenn man die Zahl der nationalsozialistischen Wählerstimmen in Relation setzt zur Gesamtzahl aller wahlberechtigten Studierenden. Auf diese Weise wird der politisch bewußte Wahlboykotteur aus dem marxistischen, republikanischen oder katholischen Lager in die Gewichtung des nationalsozialistischen Einflusses einbezogen, aber auch die wahrscheinlich größere Zahl der Gleichgültigen und Unpolitischen. Das Ergebnis findet sich in Tabelle 2. Ihr läßt sich entnehmen, daß bei den AStA-Wahlen vor der nationalsozialistischen Machtübernahme etwa ein Drittel aller wahlberechtigten Studenten für die Nationalsozialisten votierte. Katers Behauptung, bei den studentischen Wahlen habe „über die Hälfte der Gesamtstudentenschaft" für den NSDStB gestimmt[187], ist also nicht korrekt. Dennoch geht auch aus dieser Tabelle unzweifelhaft hervor, daß die Nationalsozialisten in der Studentenschaft bis Anfang der 1930er Jahre wesentlich größere Resonanz fanden als in der Gesamtbevölkerung. Die Umkehr dieses Trends im Jahr der „Machtergreifung" wird in der Tabelle 2 besonders deutlich.

Allerdings gab es – und dadurch wird das Problem zusätzlich kompliziert – eine Reihe von Studenten, die bei AStA-Wahlen nicht für die NSDStB-Listen stimmten, aber dennoch mit dem Nationalsozialismus sympathisierten.

---

184 Vgl. Steinberg, Sabres, Books and Brown Shirts, Ph.D., S.586.

185 Vgl. Vieten, Medizinstudenten, S.160.

186 Dies änderte sich erst 1932 auf Betreiben des NSDStB. Vgl. U.D. Adam, Hochschule und Nationalsozialismus, Tübingen 1977, S.23 f.

187 Kater, Studentenschaft und Rechtsradikalismus, S.173.

Tab. 2: Der nationalsozialistische Stimmenanteil bei AStA-Wahlen und Reichstagswahlen in % der Wahlberechtigten, 1928-1933[188]

Jahr	AStA-Wahlen			Reichstagwahlen
	Univ.	TH	Zus.	
1928	7,6	9,4	7,9	2,0
1929	11,7	15,7	12,4	–
1930	21,8	33,0	23,4	14,9
1931	34,1	35,9	34,3	–
1932	32,0	32,3	32,0	31,2*
1933	29,6	37,5	31,5	38,7

* Reichstagswahl vom 31.7.1932

Auf diese Gruppe haben auch Gegner des NSDStB wiederholt hingewiesen. Kurt Hirche, ein republikanischer Student, schrieb 1931:

> „Die faschistische Gefahr an den Hochschulen erstreckt sich ... leider noch weiter als die ... Wahlergebnisse zu den studentischen Vertretungen angeben. Nicht nur die auf den nationalsozialistischen Listen Gewählten bedeuten eine Gefahr für Hochschulfrieden und Hochschulfreiheit. Von den auf anderen Listen gewählten Verbindungs- und Freistudenten muß man eine ganze Anzahl den Nationalsozialisten zuzählen, die ihrer ganzen Einstellung nach faschistisch denken".[189]

In Korporationskreisen kursierten ähnliche Einschätzungen: „In Wahrheit bekennen sich heute viel mehr Studenten zum Nationalsozialismus, als die Ziffern bei den Astawahlen zeigen", hieß es 1931 in einem Artikel der „Burschenschaftlichen Blätter".[190] Damit gemeint waren in erster Linie wohl jene Verbindungsstudenten, die sich bei AStA-Wahlen aus Gründen der Loyalität für die Korporationslisten entschieden, während sie bei Reichstagswahlen für die NSDAP votierten. Leider ist es nicht möglich, den quantitativen Umfang dieser Gruppe halbwegs exakt einzuschätzen.

Betrachten wir nun das Abschneiden des NSDStB an den einzelnen Hochschulen (Tabelle 25 im Anhang), dann wird deutlich, daß der Studentenbund vor allem an Universitäten mit einem hohen Anteil katholischer Studenten relativ schlecht abschnitt. In Bonn, Freiburg, München, Würzburg und an der TH Aachen kamen die nationalsozialistischen Listen nicht über die 40 %-Grenze hinaus oder blieben sogar deutlich darunter. Die relativ guten Ergebnisse, die der Studentenbund zeitweise an der Universität Breslau sowie in Köln (1932) und in Freiburg (1932) erzielen konnte, widersprechen dem nur auf den ersten Blick. Die Wahlen von 1932 in Köln und Freiburg wurden sowohl von Republikanern als auch von Katholiken boykottiert, die Beteiligung war dementsprechend gering, das Resultat daher

[188] Quellen: Tabelle 25 (Anhang); J. Falter u.a., Wahlen und Abstimmungen in der Weimarer Republik, München 1986, S.41; eigene Berechnungen.

[189] K. Hirche, „Der Faschismus der Studentenschaft", in: Die Hilfe, 37.Jg., 1931, S.106.

[190] W.W. Reich, „Nationalsozialismus und Waffenstudententum", in: BBl., 45. Jg., 1930/31, S.189.

keineswegs repräsentativ.[191] Ähnliche Verhältnisse finden sich an der Universität Breslau. Dort nahmen die katholischen Studentengruppen zunächst nicht an den Wahlen teil, und der NSDStB konnte bis 1931 mehr als drei Viertel der Sitze gewinnen. Im Juli 1932 wurde dann erstmals wieder eine katholische Liste aufgestellt[192], die Wahlbeteiligung ging sofort in die Höhe, und der Studentenbund erlebte einen tiefen Sturz (von 77,8 % auf 45,7 %), wie aus Tabelle 25 hervorgeht.

Eine genaue Analyse der AStA-Wahlen zeigt, daß die Wählerschaft der katholischen Studentenvereinigungen angesichts der nationalsozialistischen Herausforderung außerordentlich stabil blieb. An drei Universitäten, deren Studentenschaft zu mehr als einem Drittel aus Katholiken bestand, läßt sich die Entwicklung der katholischen Listen bei AStA-Wahlen über einen längeren Zeitraum verfolgen: Freiburg, Würzburg und München.[193] In Freiburg und Würzburg konnten die katholischen AStA-Listen stets mehr als 70 % der katholischen Studentenschaft an sich binden. In Freiburg lag der Wähleranteil der katholischen Listen von 1925 bis 1931, trotz der gewaltigen politischen Veränderungen, die sich in diesem Zeitraum vollzogen, konstant bei etwa 35 % mit nur leichten Abweichungen nach unten und oben.[194] An der Universität Würzburg erzielte der organisierte Katholizismus noch bei der letzten AStA-Wahl im November 1932 mit einem Stimmenanteil von 44,0 % ein besseres Resultat als zehn Jahre vorher.[195] Auch an der Münchener Universität konnte der katholische Block seine Wählerschaft trotz des nationalsozialistischen Vormarsches ausbauen. 1928 hatte eine katholische Einheitsliste 7 von 30 Sitzen gewonnen. Vier Jahre später, im November 1932, kandidierten zwei katholische Listen, die zusammen 8 von 30 Sitzen erhielten.[196] Das Resultat ist also eindeutig: Ein wirklicher Einbruch in die Kerngruppe des katholischen Studentenmilieus gelang dem NSDStB vor 1933 nicht. Dieses Resümee entspricht weitgehend den Ergebnissen der historischen Wahlforschung, die eindeutig gezeigt hat, daß die Anfälligkeit der Katholiken für den Nationalsozialismus vor 1933 weit geringer war als die der Protestanten.[197]

Die Stimmengewinne, die der NSDStB bei den AStA-Wahlen erzielte, gingen also nicht zu Lasten der katholischen Gruppierungen. Vielmehr mußten vor allem die Listen der schlagenden Verbindungen und der „Fin-

---

[191] Vgl. Kreutzberger, Studenten und Politik, S.156 ff.; Golczewski, Kölner Universitätslehrer, S.41.

[192] Vgl. Breslauer Hochschul-Rundschau, Nr.5, Juli 1932, S.74.

[193] An vier weiteren Universitäten, die über einen ähnlich hohen Katholiken-Anteil verfügten, fanden 1928-1933 entweder keine regelmäßigen AStA-Wahlen statt (Münster, Köln, Bonn) oder die Wahlen wurden meist von der katholischen Studentenschaft boykottiert (Breslau).

[194] Vgl. Kreutzberger, Studenten, S.72 u. 156.

[195] Vgl. Spitznagel, Studentenschaft, phil. Diss., S.178 u. 369.

[196] Vgl. Bayerische Hochschulzeitung Nr.5, 29.11.1928, S.1 u. Nr.5, 8.12.1932, S.4. Leider bietet die Hochschulstatistik nicht die Möglichkeit, diese Wahlresultate mit möglichen Veränderungen der konfessionellen Struktur an den einzelnen Universitäten zu korrelieren. Angaben über die konfessionelle Struktur der Studentenschaft an den einzelnen Hochschulen wurden 1930 zum letzten Mal publiziert. Ergebnisse in Tabelle 24 (Anhang).

[197] Vgl. Falter, Hitlers Wähler, S.169 ff.

kenschaften", traditionell die Interessenvertretung der unorganisierten Freistudenten, Stimmen an den Studentenbund abgeben. Die Listen der „Finkenschaften" verschwanden zu Beginn der 1930er Jahre oft gänzlich von der Bildfläche.[198] Selbst die republikanischen und sozialdemokratischen Gruppen büßten Teile ihres Wählerreservoirs ein.

Die bisherige Analyse hat ergeben, daß Studentinnen zumindest an den Universitäten unter den Mitgliedern des NSDStB eindeutig unterrepräsentiert waren. Um zu überprüfen, ob diese Aussage sich auch auf die Wählerschaft der Nationalsozialisten übertragen läßt, muß auf die Ergebnisse der wenigen AStA-Wahlen zurückgegriffen werden, bei denen die Stimmen nach Geschlechtern getrennt ausgezählt wurden. Leider liegen derart differenzierte Ergebnisse nur von vier Universitäten bzw. sechs AStA-Wahlen vor.[199] Die Resultate sind in der Tabelle 26 (Anhang) zusammengefaßt.

Bei allen sechs Wahlen sticht zunächst ins Auge, daß die Beteiligung der Studentinnen geringer war als die ihrer männlichen Kommilitonen. Nicht ganz so eindeutig läßt sich die Reaktion der studierenden Frauen auf den Nationalsozialismus eruieren. Immerhin: Bei vier der sechs Wahlen waren die Studentinnen in der nationalsozialistischen Wählerschaft nur unterproportional vertreten. Teilweise tat sich dabei eine beträchtliche Kluft zwischen der weiblichen und der männlichen Anhängerschaft des NSDStB auf, vor allem 1930 in Jena und 1931 in Halle. Nur 1929 konnten die Nationalsozialisten sowohl in Jena als auch in Breslau unter den Studentinnen größere Erfolge erzielen als unter ihren männlichen Kommilitonen. Während die Unterschiede in Jena relativ gering ausfielen, war der NSDStB in Breslau unter den Studentinnen deutlich erfolgreicher als unter den männlichen Studenten. Allerdings wird das Breslauer Resultat durch die geringe Wahlbeteiligung stark relativiert. Da die dortigen AStA-Wahlen bis 1932 von den katholischen Vereinigungen boykottiert wurden, lag die Beteiligung 1929 unter 40 %. Das Ergebnis kann daher nicht als repräsentativ gelten, zumal die Wahlbeteiligung der Studentinnen mit nur etwa 18 % noch beträchtlich unter dem Durchschnitt lag. Wenn man die Ergebnisse der sechs Wahlen zusammenrechnet, dann ergibt sich, daß der NSDStB im Durchschnitt 30,6 % der weiblichen und 35,6 % der männlichen Wählerstimmen gewann. Sicher eine bemerkenswerte, aber doch keine fundamentale Differenz.

Wie sich der Tabelle 26 (Anhang) außerdem entnehmen läßt, fanden die traditionellen Korporationslisten nur sehr wenig Anklang unter den studierenden Frauen: Die „Nationalen Studenten" in Breslau, die „Großdeutsche Studentenschaft" in Jena, der „Widerstandsblock" (1931 in Hamburg), der „Hochschulring Deutscher Art" und die „Deutsche Sängerschaft" in Halle sowie der „Großdeutsche Ring" (1932 in Hamburg) stützten sich im we-

[198] Übersichten für einzelne Hochschulen in: Frontabschnitt Hochschule, S.67; Spitznagel, Studentenschaft, phil. Diss., S.369; Franze, Erlanger Studentenschaft, S.396 ff.; Grüttner, „Ein stetes Sorgenkind", S.204 f.

[199] Weitere geschlechtsspezifisch ausgewertete Ergebnisse von AStA-Wahlen, an denen der NSDStB nicht oder unter anderer Bezeichnung teilgenommen hat, in: Grüttner, „Ein stetes Sorgenkind", S.204 f.

sentlichen auf die Stimmen der (ausschließlich männlichen) Verbindungsstudenten. Für Studentinnen besonders attraktiv waren hingegen Listen, die sich für „sachliche Hochschularbeit" aussprachen (Jena 1930) sowie die Kandidaten der „Finkenschaft" (Jena, Breslau, Hamburg), die in der Regel ebenfalls für eine eher pragmatische Politik eintraten. Hervorgehoben werden muß aber auch die Tatsache, daß die sozialdemokratischen („Sozialistische Studentenschaft") und republikanischen Listen, wie der „Deutsche Studentenverband" oder die „Freie Hochschulliste" in Jena und der „Demokratische Studentenbund" in Hamburg, unter den Studentinnen stets mehr Anhänger fanden als unter den männlichen Studenten. Gelegentliche Kandidaturen von Frauenlisten blieben, wie die Wahlergebnisse aus Jena und Hamburg (1932) zeigen, ohne größere Resonanz.

Als Ergebnis läßt sich festhalten, daß die beiden wichtigsten Gruppierungen der Studentenschaft, die waffenstudentischen Korporationen und der NSDStB, ihre Erfolge bei AStA-Wahlen in erster Linie den Stimmen der männlichen Studierenden verdankten. Demgegenüber bevorzugten die Studentinnen eher Gruppen, die eine unideologisch-pragmatische Hochschulpolitik versprachen. Das demokratische Potential war unter den weiblichen Studierenden, soweit sie sich an studentischen Wahlen beteiligten, größer als unter den studierenden Männern.

Wie die Analyse der Mitgliederstruktur des NSDStB ergab, verfügte der Studentenbund an den Technischen Hochschulen über wesentlich mehr Anhänger als an den Universitäten. Läßt sich dieses Ergebnis auch auf die studentischen Wahlen übertragen? In der neueren Literatur finden sich dazu unterschiedliche Urteile. Bracher und Kuhn vertreten die These, der NSDStB sei bei AStA-Wahlen an den Technischen Hochschulen erfolgreicher gewesen als an den Universitäten.[200] Faust und Kater bestreiten dies.[201] Zeitgenössische Einschätzungen unterstützen zumeist die Position derjenigen, die eine besonders große Aufnahmebereitschaft der TH-Studenten für den Nationalsozialismus behauptet haben. So schrieb ein nationalsozialistischer Aktivist aus München, der an der Universität studierte, rückblickend über die Technische Hochschule:

> „Sie war gerade für uns Leute von der Universität ein gewisser Hort. Es war eine Erfahrungstatsache, daß die Männer der Praxis, die Angehörigen der Technischen Hochschule, der Idee des Führers, der Idee der Volksgemeinschaft viel rascher zuzuwenden waren als die Angehörigen der Universitas litterarum".[202]

Ein Blick auf die lokalen AStA-Wahlen bestätigt dieses Urteil. Wie Tabelle 25 (Anhang) zeigt, konnte der NSDStB zwischen 1928 und 1932 an der TH München stets einen höheren Stimmenanteil gewinnen als an der Universität München.

[200] Vgl. K.D. Bracher, Die Auflösung der Weimarer Republik, Villingen 1964, S.149; H. Kuhn, Die deutsche Universität am Vorabend der Machtergreifung, in: Die deutsche Universität im Dritten Reich, München 1966, S.34.

[201] Vgl. Faust, Bd.2, S.42; Kater, Studentenschaft und Rechtsradikalismus, S.122 f.

[202] „Anno 1929/30", in: Die Bewegung, Nr.4, 22.1.1936, S.4. Vgl. auch Kater, Studentenschaft und Rechtsradikalismus, S.279.

Lassen sich diese Ergebnisse verallgemeinern? Das in der Tabelle 25 aufbereitete Material von den einzelnen Hochschulen liefert kein ganz klares Bild. Aus der Tabelle geht vielmehr hervor, daß der NSDStB an den Technischen Hochschulen ebenso wie an den Universitäten sehr unterschiedliche Resultate erzielte. Neben ausgesprochenen NS-Hochburgen (vor allem die TH Berlin, aber auch die TH Karlsruhe) gab es andere Technische Hochschulen, wo der NSDStB schwach blieb, weil es ihm nicht gelang, die traditionelle Hegemonie der Korporationen zu überwinden (Stuttgart, Hannover). Trotzdem konnte der NSDStB im jährlichen Durchschnitt an den Technischen Hochschulen stets mehr Studenten für seine Ziele mobilisieren als an den Universitäten, wie die Daten von Tabelle 2 belegen.[203]

Wie läßt sich diese statistische Differenz erklären? An dieser Stelle könnte man anfangen, über die unterschiedlichen Mentalität von Universitäts- und TH-Studenten zu spekulieren. Mir scheint eine relativ simple Erklärung plausibler. Wie die Tabellen 17 und 24 (beide im Anhang) zeigen, unterschieden sich die Studenten der Technischen Hochschulen von den Universitätsstudenten in zwei wichtigen Punkten:

1. Das Übergewicht des evangelischen Bevölkerungsteils war an den Technischen Hochschulen noch stärker ausgeprägt als an den Universitäten. Dagegen spielten Katholiken und Juden an den Universitäten prozentual eine größere Rolle (Tabelle 24).

2. An den Technischen Hochschulen studierten wesentlich weniger Frauen als an den Universitäten (Tabelle 17).

Mit anderen Worten: Jene Studentengruppen, die sich nicht oder nur schwer für den Nationalsozialismus begeistern ließen, waren an den Technischen Hochschulen schwächer vertreten als an den Universitäten.

Nicht eindeutig beantworten läßt sich bislang die Frage, ob bei den AStA-Wahlen Studierende bestimmter Fachrichtungen besondere Präferenzen für den Nationalsozialismus zeigten. Eine Antwort auf diese Frage ist nur möglich, wenn die Ergebnisse aus den einzelnen Wahllokalen schriftlich festgehalten wurden und wenn zumindest ein Teil der Wahllokale sich eindeutig bestimmten Instituten oder Fakultäten zuordnen läßt. Derartiges Material ist bislang nur für zwei Universitäten (Freiburg, Würzburg) ausgewertet worden. Beide Untersuchungen kamen zu dem Ergebnis, daß vor allem die Medizinstudenten die Hauptstütze des rechtsradikalen Lagers, einschließlich des NSDStB, bildeten.[204] Es bleibt abzuwarten, ob dieses Resultat durch weitere Lokalstudien bestätigt werden kann.[205]

In wenigen Worten zusammengefaßt, läßt sich über die studentische Basis des NSDStB folgendes sagen: Der Einfluß des NSDStB beruhte vor allem auf seiner offenkundigen Anziehungskraft bei studentischen Wahlen, die ihm zeitweise fast die Hälfte der Stimmen einbrachte. Um 1931/32 hatte

[203] Die Tabelle 1 ergibt in dieser Hinsicht ein weniger eindeutiges Bild. Die Diskrepanz erklärt sich aus der durchgängig höheren Wahlbeteiligung an den Technischen Hochschulen.

[204] Vgl. Kreutzberger, S.158; Spitznagel, Studentenschaft, phil. Diss., S.243 ff.

[205] An der Universität Innsbruck galten die Medizinischen Fakultäten ebenfalls als Hochburg der Nationalsozialisten. Vgl. M. Gehler, Studenten und Politik, Innsbruck 1990, S.402, 410.

sich an den deutschen Hochschulen ein Stamm von Anhängern herausgebildet, der etwa ein Drittel aller Studierenden umfaßte. Darüber hinaus existierte ein sympathisierendes Umfeld, dessen Größe sich quantitativ nicht exakt einschätzen läßt. Wähler und Sympathisanten zusammen bildeten wahrscheinlich die Mehrheit der Studentenschaft. Weniger erfolgreich war der Studentenbund bei der Rekrutierung von Mitgliedern. Bis zur „Machtergreifung“ hatten sich ihm 4-5 % der Studierenden angeschlossen, an den Universitäten nur 3-4 %. Im Vergleich mit den studentischen Korporationen, denen mehr als die Hälfte der männlichen Studenten angehörte, war dies ein relativ geringer Anteil. Vor allem bei der Mitgliederwerbung, aber auch bei Wahlen erwiesen sich die Studenten der Technischen Hochschulen als besonders empfänglich für die NS-Ideologie. Sowohl unter den Mitgliedern als auch unter den Wählern dominierten männliche Studenten und Protestanten, während Frauen und Katholiken seltener in den Einflußbereich des NSDStB gerieten. Unter den Mitgliedern waren evangelische Theologen, unter den Wählern offenbar Medizinstudenten besonders häufig vertreten. Darüber hinaus unterschied sich das durchschnittliche NSDStB-Mitglied anscheinend nur wenig von der Masse der Studierenden.

II. Die Studenten als Motor der Gleichschaltung

Das Wintersemester 1932/33 lief Ende Februar 1933 aus, gerade in dem Moment, als der greise Reichspräsident mit der Verordnung zum „Schutz von Volk und Staat" alle wesentlichen Grundrechte der Weimarer Verfassung außer Kraft setzte. Zu Beginn des Sommersemesters, Anfang Mai, war die politische Szenerie bereits grundlegend verändert. Der Reichstag hatte sich mit dem Ermächtigungsgesetz selber entmachtet, die Konzentrationslager füllten sich mit den Gegnern der neuen Machthaber, das „Gesetz zur Wiederherstellung des Berufsbeamtentums" ermöglichte die Entlassung von jüdischen oder „politisch unzuverlässigen" Beamten. Die Gleichschaltung der Länder hatte dazu geführt, daß die Kultusministerien fast überall von altgedienten Nationalsozialisten übernommen worden waren: Bernhard Rust in Preußen, Hans Schemm in Bayern, Christian Mergenthaler in Württemberg, Otto Wacker in Baden, Fritz Wächtler in Thüringen.

1. „Machtergreifung" und Gleichschaltung

Bei den neuen Kultusministern handelte es sich, mit Ausnahme von Wacker, um ehemalige Lehrer oder Studienräte, die mit dem inneren Leben der Universitäten nur wenig vertraut waren.[1] Um die Gleichschaltung der Hochschulen effektiv in Angriff nehmen zu können, waren die neuen Männer in den Kultusministerien daher auf Unterstützung innerhalb der Hochschulen angewiesen. Mitunter fanden sich bereitwillige Ratgeber im Lehrkörper, aber die Zahl der „alten Kämpfer" unter den Professoren und Privatdozenten war gering, und eine nationalsozialistische Hochschullehrerorganisation bestand zu diesem Zeitpunkt noch nicht. Wohl zog es nach den Märzwahlen von 1933 auch Hunderte von Professoren in die NSDAP. An einigen Hochschulen, in Hamburg oder an der TH Berlin, gehörten im Sommer 1933 bereits mehr als 20 % des Lehrkörpers der Partei an.[2] Unter den maßgeblichen

[1] Biographische Angaben zu Rust, Schemm und Wacker im Anhang. Zu den übrigen Kultusministern vgl. Das Deutsche Führerlexikon 1934/35, Berlin 1934.

[2] Vgl. R. Hering, Der „unpolitische" Professor? in: Hochschulalltag im „Dritten Reich". Hg. von E. Krause, u.a., Berlin/Hamburg 1991, Teil I, S. 92 f.; H. Ebert, Die Technische Hochschule Berlin und der Nationalsozialismus, in: R. Rürup (Hg.), Wissenschaft und Gesellschaft, Bd.1, Berlin 1979, S.456.

Funktionären der NSDAP herrschte gegenüber diesen frisch bekehrten „Märzgefallenen“ jedoch ein tiefes Mißtrauen. Davon profitierten vor allem die nationalsozialistischen Studenten, die häufig schon auf eine mehrjährige Tätigkeit im Dienste der Partei hinweisen konnten. Sie entwickelten sich 1933/34 an den meisten Hochschulen, oft in Zusammenarbeit mit einzelnen Dozenten, zum Motor der Gleichschaltung.

Eine institutionelle Basis für diese neue Rolle hatten die Kultusminister bereits im April 1933 geschaffen: Die Deutsche Studentenschaft (DSt) wurde erneut als „alleinige Gesamtvertretung“ der deutschen Studenten anerkannt[3] und nach nationalsozialistischen Prinzipien umstrukturiert. Richtungweisend wirkten dabei insbesondere die preußische Studentenrechtsverordnung vom 12. April und das „Reichsgesetz über die Bildung von Studentenschaften an wissenschaftlichen Hochschulen“ vom 22. April.[4] Danach bildeten künftig alle an „einer wissenschaftlichen Hochschule voll eingeschriebenen Studenten deutscher Abstammung und Muttersprache“ die Studentenschaft dieser Hochschule. Jüdische Studenten waren durch diese Regelung künftig aus der DSt ausgeschlossen. Die Allgemeinen Studentenausschüsse wurden aufgelöst. An die Stelle des demokratisch gewählten AStA-Vorsitzenden trat künftig der von oben ernannte „Führer der Studentenschaft“. Von den übrigen Ländern wurde die preußische Studentenrechtsverordnung teilweise wörtlich übernommen.[5]

Auch an jenen Hochschulen, wo der NSDStB bei AStA-Wahlen seine dominierende Rolle schon wieder verloren hatte (so in Würzburg oder Rostock), avancierte nun ein Nationalsozialist zum „Führer der Studentenschaft“.[6] Gleichzeitig wurden früher verhängte Disziplinarstrafen gegen Studierende aufgehoben, sofern die bestraften Studenten „aus nationalen Beweggründen“ gehandelt hatten.[7] Derart gestärkt organisierten die nationalsozialistischen Studentenführer in den folgenden Monaten nicht nur spektakuläre Aktionen wie die Bücherverbrennung, sondern hatten auch erheblichen Anteil an personalpolitischen Entscheidungen und stellten die überkommenen Strukturen akademischer Ausbildung so radikal in Frage wie wohl nie zuvor in der deutschen Universitätsgeschichte.

Die nationalsozialistischen Studenten agierten mit dem Selbstbewußtsein derer, die sich als Sieger der Geschichte sehen. In Ermangelung anderer ernsthafter Gegner richtete sich dieses neue Gefühl der Stärke hauptsächlich gegen die Professoren. Auch konservative Hochschullehrer, die den Untergang der Weimarer Republik begrüßt hatten, wurden vom NSDStB nicht als Bündnispartner gesehen, sondern als „Reaktionäre“ abgestempelt und sahen

[3] Vgl. RdErl. des preußischen KM, 18.5.1933, in: ZBl., 75. Jg., 1933, S.161.

[4] Texte in: J. Haupt, Das Recht der nationalen Revolution, Berlin 1933, S.17.

[5] Vgl. beispielsweise die Studentenrechtsverordnungen von Sachsen und Thüringen in: GStAPK I Rep.76 Va Sekt. 1 Tit. XVIII Nr.16 Bd. IX Bl.191 ff. (M).

[6] Vgl. Geschichte der Universität Rostock 1419-1969, Berlin/DDR 1969, Bd.1, S.271; P. Spitznagel, Studentenschaft und Nationalsozialismus in Würzburg 1927-1933, Würzburg, phil. Diss., 1974, S.269.

[7] Vgl. RdErl. des Preußischen KM, 19.4.1933, in: GStAPK I Rep.76 Va Sekt.1 Tit. XVIII No.16 Bd.IX Bl.172 (M).

sich dem Verdacht der politischen Unzuverlässigkeit ausgesetzt, ein Vorwurf, der in der Folgezeit nie völlig verschwinden sollte. Anlaß für Kritik bot insbesondere die Zurückhaltung, die der überwiegende Teil der Hochschullehrer bis 1933 gegenüber der NSDAP gezeigt hatte. Der Tübinger Studentenfunktionär Gerhard Schumann kritisierte öffentlich, den Lehrkörper treffe eine „Mitschuld an den Zuständen der letzten 14 Jahre".[8] Der Kölner Hochschulgruppenführer des NSDStB rügte in einer Erklärung vor Rektor und Senat, es habe nur „wenige Professoren" gegeben, die „uns verstanden und mit uns kämpften". Deshalb habe sich die Jugend ihre „Führer und Vorbilder" außerhalb der Universität suchen müssen.[9] Auf der Maifeier der Hamburger Universität erklärte der gerade ernannte Studentenführer Wolff Heinrichsdorff, mancher SA-Mann habe mehr für das Dritte Reich getan als eine ganze Hochschule.[10] An allen Universitäten machte das Wort vom „verkalkten Professor" die Runde und wurde bis „zum Überdruß verbreitet", wie ein Mathematiker aus Münster in seinen Memoiren berichtet.[11] Von der nationalsozialistischen Presse und von führenden Politikern der Partei wurden derlei Vorwürfe aufgenommen und weitergetragen. Als der neue preußische Kultusminister Bernhard Rust im Mai 1933 erstmals vor die Berliner Universität trat, machte er sich ausdrücklich die Kritik des studentischen Aktivismus zu eigen:

> „Meine Herren Professoren, begreifen Sie das Geschehen dieser Jahre! Es ist die Jugend selbst gewesen, die hier politisch vorangegangen ist ... Meine Herren Professoren, in diesen Jahren, wo dieser undeutsche Staat und seine undeutsche Führung der deutschen Jugend den Weg verlegten, da haben Sie in professoraler Einsamkeit und in Hingebung an Ihre große Forschungsarbeit übersehen, daß die Jugend in Ihnen den Führer der Zukunft der deutschen Nation suchte. Die Jugend marschierte, aber, meine Herren, Sie waren nicht vorn ... Ich fühle die ganze Verantwortung vor der Zukunft der deutschen Hochschule im besonderen, wenn ich Ihnen ein Wort sage, das Sie recht verstehen wollen, so wie es gemeint ist: Es verlieren nicht nur Könige ihre Krone, es verlieren ganze Generationen das Recht der Erstgeburt, wenn sie vor den großen Problemen der Nation nicht bestehen".[12]

Was heute eher wie Entlastungsmaterial wirkt, erschien damals den nationalistischen Professoren nicht nur als Angriff auf ihr patriarchalisches Selbstverständnis, sondern auch als grobe Beleidigung. Eduard Spranger, einer der wenigen Professoren, die es 1933 wagten, den studentischen Attacken öffentlich entgegenzutreten, äußerte noch 1945 voller Entrüstung, Rusts Rede habe „die stärksten Beleidigungen" enthalten, die den deutschen Professoren jemals öffentlich an den Kopf geworfen worden seien.[13]

---

[8] Zit. in: A. Lüdtke, Vom Elend der Professoren: „Ständische" Autonomie und Selbst-Gleichschaltung 1932/33 in Tübingen, in: M. Doehlemann (Hg.), Wem gehört die Universität? Lahn-Gießen 1977, S.112.

[9] Erklärung vom 17.5.1933, abgedruckt in: „Das war ein Vorspiel nur..." Bücherverbrennung Deutschland 1933: Voraussetzungen und Folgen, Berlin 1983, S.211.

[10] Vgl. das Manuskript von Heinrichsdorffs Rede in: StA HH Universität I A 170.8.15.

[11] Vgl. H. Behnke, Semesterberichte, Göttingen 1978, S.133. Siehe auch dort S.122 f.

[12] Rede vom 6.5.1933 in: Dokumente der Deutschen Politik. Reihe: Das Reich Adolf Hitlers, Bd.1, Berlin 1942[7], S.305-312, Zitate: S.308 f.

[13] E. Spranger, Mein Konflikt mit der national-sozialistischen Regierung 1933, in: Universitas, 10. Jg., 1955, S.471 f.

In der Tat enthielten die Angriffe der Nationalsozialisten eine massive Herausforderung professoraler Autorität. Andreas Feickert, ein führender Funktionär der DSt[14], ließ keinen Zweifel daran, daß dieses auch beabsichtigt war. In einer Broschüre, die 1934 unter dem programmatischen Titel „Studenten greifen an“ veröffentlicht wurde, schrieb er:

> „Es wird heute viel darüber gesprochen, daß die Studentenschaft kein Autoritätsgefühl mehr habe, daß sie sich anmaße, zum Teil gleichberechtigt neben den Dozenten zu stehen. Sie hat Autoritätsgefühl, sie beweist es ja in SA und Arbeitsdienst, wo sie gehorcht ... Aber sie kann sich in dieser Zeit um veraltete Autorität veralteter Professoren nicht mehr kümmern“[15].

Feickert, der kurz nach dem Erscheinen dieser Broschüre die Führung der DSt übernahm, machte klar, daß nicht nur die politische Einstellung der Hochschullehrer (in Vergangenheit und Gegenwart) ihn störte. Vielmehr schilderte er das traditionelle Universitätssystem insgesamt als eine fragwürdige Einrichtung. Im Zentrum der Kritik stand wiederum die Lebensferne der Hochschulen:

> „Das Ideal des liberalistischen Studenten ist doch letzten Endes der bücherochsende Streber, der das Leben und die Wirklichkeit zu kennen meint, wenn er Bücher über sie kennt ... Wenn man einen 20-22jährigen gesunden Menschen zwingen will, sich das Leben aus Büchern zu gewinnen, so revoltieren seine gesunden Instinkte, und er bricht aus“.[16]

Während in der Weimarer Republik die studentischen Angriffe stets nur einzelnen Hochschullehrern gegolten hatten, die den rechtsradikalen Studenten als Juden, Marxisten oder Pazifisten unangenehm aufgefallen waren, stand nun, von wenigen Ausnahmen abgesehen, der Lehrkörper insgesamt am Pranger. Dem nationalsozialistischen Studenten, so lautete Feickerts Fazit, hatte die traditionelle Hochschule nichts zu bieten: „Wen interessieren die Bücher und die Probleme anders als wieder die Dozenten?“.[17] Es war nur konsequent, wenn Feickert die Universitäten in ihrer herkömmlichen Form für überflüssig hielt und ihre Auflösung für denkbar erklärte:

> „Die Hochschule befindet sich heute an ihrem Scheidewege. Hier nützt keine Gleichschaltung etwas, hier nützen auch keine Verfügungen von oben etwas, sie muß ihre eigene Kraft beweisen, wenn sie sich halten will. Entweder sie wird nationalsozialistisch, oder sie stirbt auf organische Weise und wird ausscheiden“.[18]

Derartige Angriffe auf die Professoren und das von ihnen getragene Erziehungssystem verdeutlichen jedoch nicht nur die real vorhandene Kluft zwischen den nationalsozialistischen Aktivisten in der Studentenschaft und den

[14] Kurzbiographie im Anhang.
[15] A. Feickert, Studenten greifen an, Hamburg 1934, S.31 f.
[16] Ebd., S.17 f.
[17] Ebd., S.18.
[18] Ebd., S.10. Ähnlich: S.9 u. 35.

Professoren. Darüber hinaus waren sie auch strategisch motiviert. Je stärker die Professoren als grundsätzlich fragwürdige Gestalten dargestellt wurden, um so legitimer mußte der studentische Anspruch wirken, bei der nationalsozialistischen Umgestaltung der Universität entscheidend mitzuwirken.

Dieser Anspruch wurde nicht nur unverblümt vorgetragen, sondern, vor allem im Bereich der Personalpolitik, schon sehr früh in die Praxis umgesetzt. Bereits am 7. April 1933 hatten die neuen Machthaber mit dem „Gesetz zur Wiederherstellung des Berufsbeamtentums“[19] eine gesetzliche Grundlage für die nun einsetzenden Massenentlassungen an den Hochschulen geschaffen. Im wesentlichen sah das Gesetz vor, jene Beamten zu entlassen, die „nicht arischer Abstammung“ waren (§ 3) oder nicht die Gewähr dafür boten, „daß sie jederzeit rückhaltlos für den nationalen Staat eintreten“ (§ 4). Aus Rücksicht auf Hindenburg[20] hatten die Nationalsozialisten für einen Teil der jüdischen Beamten eine Ausnahmeregelung eingefügt: Wer schon vor dem Ersten Weltkrieg Beamter gewesen war oder im Ersten Weltkrieg für das Deutsche Reich an der Front gekämpft hatte oder nahe Angehörige an der Front verloren hatte, blieb zunächst (d.h. bis 1935) von der Entlassung verschont.

Während § 3, der die Entlassung jüdischer Beamter regelte, recht eindeutig ausfiel, ließ § 4, der die Ausschaltung von politisch mißliebigen Beamten ermöglichte, einen relativ großen Spielraum. Klar war nur, daß kommunistische Beamte, die an den Hochschulen kaum vertreten waren, sofort entlassen werden sollten. Dagegen rechtfertigte die Mitgliedschaft in anderen Parteien nach Ansicht der neuen Machthaber noch nicht die Entlassung eines Beamten, wie in der dritten Durchführungsverordnung ausdrücklich hervorgehoben wurde.[21] Für die Entscheidung über potentielle Gegner des Regimes, sofern sie weder Juden noch Kommunisten waren, benötigte die Ministerialbürokratie daher konkretes Material, das Aufschluß über die politische Gesinnung der einzelnen Hochschullehrer gab. Hier bot sich den nationalsozialistischen Studenten eine Chance, aktiv in den „Säuberungsprozeß“ einzutreten. Am 19. April verschickte der Führer der DSt, Gerhard Krüger, ein Rundschreiben, in dem die Studentenschaften der einzelnen Hochschulen aufgefordert wurden, umgehend Material über Hochschullehrer zu liefern, die aus Sicht der NS-Studenten nicht erwünscht waren. Um sich in die personalpolitischen Beratungen einschalten zu können, verlangte Krüger folgende Informationen:

> „a. Aufzählung der Hochschullehrer, die unter das Gesetz vom 7.4.1933 fallen, d.h. Hochschullehrer, die Juden sind oder kommunistischen Organisationen bzw. dem Reichsbanner u.ä. angehört haben; ebenso die Hochschullehrer, die nationale Führer, die Bewegung der nationalen Erhebung oder das

---

19 RGBl 1933 I S.175 ff. Zur Entstehung dieses Gesetzes vgl. H. Mommsen, Beamtentum im Dritten Reich, Stuttgart 1966, S.39 ff.; U.D. Adam, Judenpolitik im Dritten Reich, Düsseldorf 1972, S.51 ff.

20 Vgl. die Intervention Hindenburgs vom 4.4.1933 und Hitlers Antwort vom 5.4.1933, abgedruckt in: Dokumente der Deutschen Politik und Geschichte von 1848 bis zur Gegenwart. Hg. von J. Hohlfeld, Bd.IV, München 1953, S.47 ff.

21 3. VO zur Durchführung des BBG vom 6.5.1933, in: RGBl. 1933 I S.245 f.

Frontsoldatentum beschimpft haben. Hierfür sind genaue Zeugenaussagen notwendig (eidesstattliche Versicherung).

b. Aufstellung sämtlicher Hochschullehrer, deren wissenschaftliche Methode ihrer liberalen bzw. insbesondere pazifistischen Einstellung entspricht, die daher für die Erziehung des deutschen Studenten im nationalen Staat nicht in Frage kommen. Auch hier ist eine genaue Quellenangabe (Schriften, Äußerungen in Kollegs oder Übungen usw.) erforderlich“.[22]

Dieses Rundschreiben, das einige Tage später in die Hände der Presse geriet und in Auszügen veröffentlicht wurde[23], brachte es unter der Bezeichnung „Spionageerlaß“ zu einer gewissen Berühmtheit und erregte nicht nur unter den Hochschullehrern beträchtliche Aufmerksamkeit, sondern sorgte auch in der internationalen Presse für Schlagzeilen.[24] Vor Ort, in den lokalen Studentenschaften, war die Resonanz dagegen weniger groß. Ein weiteres Rundschreiben des DSt-Führers vom 5. Mai konnte zwar mit der Erfolgsmeldung aufwarten, daß ein Teil der von den Studenten als „untauglich“ bezeichneten Professoren bereits beurlaubt worden sei, rügte aber, bislang seien nur von zehn Hochschulen Antworten auf das Schreiben vom 19. April eingegangen.[25] Diese Zurückhaltung beruhte aber offensichtlich nicht auf moralischen Bedenken. Vielmehr machten zahlreiche Studentenfunktionäre, oft in Zusammenarbeit mit den Kultusministerien, ihre eigene Personalpolitik, ohne sich viel um die Anweisungen aus Berlin oder München zu kümmern.

Besonders radikal gebärdeten sich die NS-Studenten in Kiel. Dort waren nationalsozialistische Studenten bereits Anfang April bei einzelnen Wissenschaftlern mit der Mitteilung erschienen, sie sollten sich als suspendiert betrachten und die Amtsgeschäfte einem Stellvertreter übergeben. Drei Wochen später veröffentlichte die Studentenschaft auf eigene Faust eine Schwarze Liste von 28 Professoren und verlangte vom Rektor, diese Mitglieder des Lehrkörpers zu beurlauben. Nur bei Erfüllung dieser Forderung sei eine „Gewähr für einen störungsfreien Verlauf des Vorlesungsbetriebes gegeben“. Auch wurde dem Rektor versichert, daß die Studentenschaft „Quertreibereien unterbinden“ und „nötigenfalls zu den schärfsten Maßnahmen greifen“ werde.[26] Gleichzeitig beschlagnahmte ein studentischer „Kampfausschuß wider den undeutschen Geist“ in der Universitätsbibliothek die Publikationen dieser und anderer Professoren, „die in keiner Weise das Vertrauen der Studentenschaft besitzen und für den Neubau der deutschen Hochschule untragbar sind“.[27] Trotz ihrer massiven Drohungen

---

[22] Rundschreiben des Führers der DSt, G. Krüger, 19.4.1933, in: StA WÜ RSF/NSDStB I* 01 γ 37.

[23] Vgl. „Geist der Hochschule“, in: Vossische Zeitung, Nr.202, 28.4.1933.

[24] Vgl. G.J. Giles, Students and National Socialism in Germany, Princeton 1985, S.109.

[25] Vgl. Rundschreiben des Führers der DSt, G. Krüger, 5.5.1933, in: StA WÜ RSF/NSDStB I* 01 γ 37.

[26] Vgl. E. Hofmann, Die Christian Albrechts Universität in preußischer Zeit, in: Geschichte der Christian-Albrechts-Universität Kiel 1665-1965, Bd.1, Teil 2, Neumünster 1965, S.86 ff. Siehe auch: „Studentenaktion gegen 28 Kieler Professoren“, in: DAZ Nr.191, 25.4.1933.

[27] Vgl. „Studenten räumen auf!“, in: Akademische Korrespondenz, Nr.10, 24.4.1933, S.1.

konnten die Studenten sich jedoch nicht vollständig durchsetzen, wohl auch deshalb, weil die Schwarze Liste recht willkürlich zusammengestellt worden war. Jedenfalls ist es bemerkenswert, daß sie u.a. den Namen des Altphilologen Richard Harder enthielt, eines Mannes, der später in der „Hohen Schule" des Parteiideologen Alfred Rosenberg eine bedeutende Rolle spielen sollte.[28]

Auch an anderen Hochschulen bemühten sich die Studenten mit Erfolg, der Entlassungswelle ihren Stempel aufzudrücken. In Hamburg übermittelte der Hochschulgruppenführer des NSDStB dem zuständigen Senator am 12. April eine Liste von sechs Hochschullehrern, deren Entlassung ihm besonders dringlich erschien. Die Hochschulbehörde reagierte umgehend, indem sie den genannten Wissenschaftlern telephonisch nahelegte, ihre Lehrveranstaltungen im Sommersemester abzusagen, „da die Studenten sonst nicht für die Ruhe in der Universität garantieren könnten". Auch in den folgenden Wochen fanden die personalpolitischen Forderungen der Studenten an der Behördenspitze stets ein offenes Ohr. Es kann kaum überraschen, daß dabei nicht nur nach politischen Kriterien vorgegangen wurde, sondern nebenbei auch noch andere Interessen ins Spiel kamen. Aufschlußreich ist der Fall des „nichtarischen" Eugenikers Heinrich Poll, der vom Hamburger Hochschulsenator beurlaubt worden war, nachdem nationalsozialistische Medizinstudenten ihn auf eine Schwarze Liste gesetzt hatten. Dies erboste den Studentenführer Wolff Heinrichsdorff, der Poll wegen seiner „nationalen" Gesinnung schonen wollte und nicht von der Aktion informiert worden war. Als Heinrichsdorff Nachforschungen über die Motive der Medizinstudenten anstellte, kam heraus, „daß in der Klinikerschaft gegen Herrn Prof. Poll gehetzt wurde, weil man Angst vor seinen Prüfungen hatte".[29]

An der Heidelberger Universität organisierten die nationalsozialistischen Studenten u.a. einen Tumult gegen den Zahnmediziner Georg Blessing, dem sie finanzielle Unregelmäßigkeiten vorwarfen. Blessing, ein Anhänger des Zentrums, wurde schließlich in „Schutzhaft" genommen, „um ihn vor Tätlichkeiten zu schützen". Obwohl das gegen ihn eingeleitete Verfahren eingestellt werden mußte, weil sich keine Hinweise auf strafbare Handlungen ergaben, wurde Blessing angeblich wegen seines schlechten Gesundheitszustandes emeritiert.[30] Welche Machtposition die nationalsozialistischen Studenten in Heidelberg bereits errungen hatten, zeigte sich im Frühjahr 1934, als der Studentenführer Gustav Adolf Scheel gegen die kurz zuvor erfolgte Einstellung eines Assistenten am Seminar für Klassische Philologie protestierte. Was Scheel dem Assistenten Hermann Gundert vorzuwerfen hatte, war freilich mehr als dürftig: Dieser sei während seines Studiums Vorstands-

[28] Vgl. R. Bollmus, Zum Projekt einer nationalsozialistischen Alternativ-Universität: Alfred Rosenbergs „Hohe Schule", in: M. Heinemann (Hg.), Erziehung und Schulung im Dritten Reich, Teil 2, Stuttgart 1980, S.141 ff.

[29] Vgl. M. Grüttner, „Ein stetes Sorgenkind für Partei und Staat". Die Studentenschaft 1930-1945, in: Hochschulalltag im „Dritten Reich", Teil I, S.208.

[30] Vgl. B. Vézina, „Die Gleichschaltung" der Universität Heidelberg, Heidelberg 1982, S.52 f.

mitglied der Fachschaft gewesen, deren Vorsitz „ein von Juden umgebener Kommunist“ gehabt habe. Obwohl Gunderts Chef, Karl Meister, umgehend protestierte und Scheels Darstellung in mehrfacher Hinsicht als unrichtig bezeichnete, setzte sich der Heidelberger Studentenführer durch. Gundert mußte entlassen werden. Meister geriet nun ebenfalls ins Kreuzfeuer studentischer Angriffe, erlebte Vorlesungsstörungen und wurde schließlich für den Rest des Semesters von seinen Lehrverpflichtungen entbunden.[31]

Nachdem die erste große Entlassungswelle im Herbst 1933 zu Ende gegangen war, konzentrierten die nationalsozialistischen Studenten sich auf die Vertreibung von Wissenschaftlern, die nicht unter die Bestimmungen des Berufsbeamtengesetzes fielen. Die DSt und der NSDStB hatten nie einen Zweifel daran gelassen, daß die in diesem Gesetz enthaltenen Ausnahmeregelungen, zumeist betrafen sie jüdische Frontkämpfer, ihnen ein Dorn im Auge waren. Nachdem der Bundesführer des NSDStB, Oskar Stäbel, schon im März 1933 einen antijüdischen Boykottaufruf lanciert hatte[32], waren die Studentenschaften am 19. April in einem Rundschreiben des DSt-Führers Gerhard Krüger aufgefordert worden,

> „alle Vorbereitungen zu treffen, um auf Anordnung des Führers der DSt einen wirksamen Boykott der Vorlesungen und Übungen von Hochschullehrern durchzuführen, deren Entfernung aus dem Amt durch den Staat nicht sofort möglich ist“.[33]

Ein weiteres Rundschreiben im Mai fiel etwas zurückhaltender aus: Nicht alle noch verbliebenen jüdischen Hochschullehrer sollten boykottiert werden, hieß es nun. Nur einzelne herausragende Vertreter des „liberalen Systems“ seien zu attackieren: „Wenn die Großen wirklich getroffen werden, so fallen die Kleinen rings von selbst mit“. Alle Boykottkampagnen müßten von der DSt-Führung genehmigt werden.[34]

Boykottaktionen nach diesem Muster gab es 1933-1935 wohl an den meisten Hochschulen. In Berlin sprengten NS-Studenten die Vorlesung des Juristen Martin Wolff. Studierende, die sich weigerten, den Hörsaal zu verlassen, wurden zur Einschüchterung fotografiert. In Göttingen traf der Boykott den Juristen Gerhard Leibholz und den Mathematiker Edmund Landau; in Heidelberg wurden u.a. die jüdischen Mathematiker Heinrich Liebmann und Arthur Rosenthal sowie die Juristen Walter Jellinek, Ernst Levy und Max Gutzwiller boykottiert. In Breslau richtete sich der studentische Boykott gegen den Chemiker Felix Ehrlich, den Gynäkologen Ludwig Fraenkel und den Direktor der Augenklinik Alfred Bielschowsky. An der Universität Frankfurt brachen nationalsozialistische Studenten in das Haus

---

[31] Vgl. D. Mußgnug, Die Universität Heidelberg zu Beginn der nationalsozialistischen Herrschaft, in: Semper Apertus. Sechshundert Jahre Ruprecht-Karls-Universität Heidelberg 1386-1986, Bd.III, Berlin/Heidelberg 1985, S. 487 f.

[32] Aufruf vom 29.3.1933, abgedruckt in: R. Schottlaender, Verfolgte Berliner Wissenschaft, Berlin 1988, S.28.

[33] Rundschreiben des Führers der DSt, G. Krüger, 19.4.1933, in: StA WÜ RSF/NSDStB I* 01 γ 37.

[34] Rundschreiben des Führers der DSt, G. Krüger, 5.5.1933, in: StA WÜ RSF/NSDStB I* 01 γ 37.

des Physikers Friedrich Dessauer ein und demolierten die Einrichtung; andere Frankfurter Professoren, unter ihnen der Historiker Ernst Kantorowicz, mußten ihre Vorlesungen aufgrund studentischer Störungen abbrechen. In Münster wählten die NS-Studenten den Mediziner Paul Krause, einen alten Deutschnationalen, als Zielscheibe.[35] Obwohl die Universitätsgremien sich mitunter, wie in Breslau, hinter die Opfer des Boykotts stellten[36], erreichten die Aktionen in der Regel ihr Ziel. Oft resignierten die betroffenen Wissenschaftler und beantragten schließlich ihre Emeritierung, gelegentlich half auch das Ministerium nach, indem es eine Emeritierung „nahelegte". Ein tragisches Ende nahm die Boykottkampagne gegen Paul Krause, einen ehemaligen Rektor der Universität Münster, der im Mai 1934 nach monatelangem Kesseltreiben Selbstmord beging.[37] Erst nachdem Ende 1935 alle noch verbliebenen jüdischen Wissenschaftler in den Ruhestand versetzt worden waren, gingen auch die Boykottaktionen zu Ende.

Von der Masse der Studierenden wurden die Boykottaufrufe der Studentenfunktionäre zwar in der Regel befolgt, aber es bedurfte manchmal handfesten Drucks, um Gehorsam zu erzwingen. Während die erste Entlassungswelle im allgemeinen widerspruchslos hingenommen oder sogar mit Beifall begrüßt worden war, blieb es vielen Studierenden unverständlich, warum sie Professoren boykottieren sollten, die nicht unter das Berufsbeamtengesetz fielen - insbesondere wenn diese Professoren für ihre „nationale Haltung" bekannt waren und sich als Dozenten allgemeiner Beliebtheit erfreuten. So artikulierte sich in Breslau auf verschiedenen Fachschaftschaftsversammlungen erheblicher Widerspruch gegen die Boykottanweisungen der Studentenführer.[38] In Göttingen beschwerte sich eine Gruppe von Studenten sogar beim preußischen Kultusminister über die Boykottmaßnahmen gegen den Juristen Gerhard Leibholz, einen Mann, der seine „nationale Gesinnung" nach dem Ersten Weltkrieg als Freikorpskämpfer gegen „die Spartakisten" unter Beweis gestellt hatte.[39] An der Berliner Universität kam es 1935 zu einer öffentlichen Sympathiekundgebung von Studenten für den Historiker Hermann Oncken, nachdem dieser im „Völkischen Beobachter" attackiert

[35] Vgl. die Beiträge von F. Halfmann und N. Schappacher, in: Die Universität Göttingen unter dem Nationalsozialismus. Hg. von H. Becker u.a., München 1987, S.99 f. u. 352 f.; Vézina, „Die Gleichschaltung", S.108 ff. u. 118 ff.; H.J. Fischer, Erinnerungen, Teil 1, Ingolstadt 1984, S.28 ff.; Schottlaender, Wissenschaft, S.33, 65; N. Hammerstein, Die Johann Wolfgang Goethe-Universität Frankfurt am Main, Bd.I, Neuwied/Frankfurt 1989, S.221 ff. Zu den Breslauer Vorgängen vgl. das sehr aufschlußreiche Material in: BA Potsdam REM 1738.

[36] Vgl. das Schreiben des Breslauer Rektors H. Helfritz an den Preußischen KM, 1.8.1933, in: BA Potsdam REM 1738 Bl.439.

[37] Vgl. B. Vieten, Medizinstudenten in Münster, Köln 1982, S.264 ff.; H. Heiber, Universität unterm Hakenkreuz, Teil 1, München 1991, S.175 ff.

[38] Vgl. den anonymen Bericht über die Vollversammlung der Landwirtschaftlichen Fachschaft in Breslau vom 26.6.1933, in: BA Potsdam REM 1738 Bl.476 ff. sowie den Bericht von Prof. A. Bielschowsky an den Rektor der Breslauer Universität, 5.7.1933, in: ebd. Bl.453 f.

[39] Vgl. F. Halfmann, Eine „Pflanzstätte bester nationalsozialistischer Rechtsgelehrter": Die juristische Abteilung der Rechts- und Staatswissenschaftlichen Fakultät, in: Die Universität Göttingen unter dem Nationalsozialismus, S.99.

worden war.[40] Und in Königsberg wurden von studentischer Seite Unterschriftensammlungen für die von Entlassung bedrohten Professoren Hans Rothfels und Paul Hankamer organisiert.[41] Hier zeigten sich erste Risse zwischen fanatisierten Funktionären und Teilen der Studentenschaft, die in den folgenden Monaten und Jahren noch größer werden sollten.

Die personalpolitischen Eingriffe der nationalsozialistischen Studentenschaft beschränkten sich jedoch nicht auf die Mitwirkung an der Entlassungspolitik. Zumindest an einigen Hochschulen wollten die Studentenführer nicht nur mitentscheiden, wer die Universität zu verlassen hatte, sondern sie förderten darüber hinaus auch gezielt jene Hochschullehrer, die mit ihnen zusammenarbeiteten. Da war zum Beispiel der Privatdozent für Architektur Karl Lieser an der TH Darmstadt. Dieser hatte sich zwar erst im Frühjahr 1933 entschlossen, der NSDAP beizutreten[42], bemühte sich aber um so eifriger darum, seine Aufgeschlossenheit für die neue Zeit unter Beweis zu stellen. Im Mai 1933 kommentierte Lieser auf einer öffentlichen Kundgebung der Studentenschaft das politische Verhalten des Lehrkörpers bereits im Stil eines „alten Kämpfers“: „Die Dozentenschaft hat während des Kampfes um den Nationalsozialismus an der Hochschule zum größten Teil abseits gestanden“. Außerdem verfaßte Lieser zusammen mit einem Studenten für die Gauleitung eine Denkschrift über den Lehrkörper der Architekturabteilung, die teilweise sehr scharfe politische und persönliche Beurteilungen seiner Kollegen enthielt. Diese Denkschrift wurde dem hessischen Kultusministerium übergeben und von dort mit der Bitte um Stellungnahme an den Rektor weitergeleitet. Wenig später hatte sich die Existenz der Denkschrift bereits im gesamten Lehrkörper herumgesprochen. Daraufhin entzog der empörte TH-Senat Lieser kurzerhand die Lehrbefugnis und beschloß, beim Ministerium dessen Entlassung zu beantragen. Gleichzeitig wurde die Hochschule geschlossen.

Die Hoffnung, dadurch studentischen Protesten vorzubeugen, erfüllte sich jedoch nicht. Schon am nächsten Morgen öffnete der NSDStB die Tore der Hochschule und besetzte sie mit SA-Posten, um eine erneute Schließung der Hochschule zu verhindern. Einige Stunden später kam es zu einer Besprechung beim hessischen Staatspräsidenten Ferdinand Werner, der zwar die Schließung der Hochschule kritisierte, aber die Maßnahmen des TH-Senats gegen Lieser ausdrücklich billigte. Gleichzeitig ernannte Werner den Darmstädter Bürgermeister Otto Kopp zum kommissarischen Kanzler der TH Darmstadt. Kopp, „einer der ältesten Kämpfer Darmstadts“, war kurze Zeit vorher noch Assistent an der TH gewesen. Als die Hochschule nach dieser Besprechung vom Rektor auch offiziell wieder geöffnet wurde, deutete alles auf eine Niederlage der nationalsozialistischen Studenten hin. Der NSDStB gab jedoch nicht auf, sondern besetzte am folgenden Tag kurzer-

[40] Vgl. H. Heiber, Walter Frank und sein Reichsinstitut für Geschichte des neuen Deutschlands, Stuttgart 1966, S.212 ff.

[41] Zur Abschreckung veröffentlichte der NSDStB die Namen der Unterzeichner in einem Flugblatt. Vgl. Der Student der Ostmark, Nr.8, 12.2.1936, S.179.

[42] BAAZ Mitgliederkartei der NSDAP.

hand die Hochschule. In einem Anschlag des Hochschulgruppenführers erklärte sich der NSDStB mit Lieser uneingeschränkt solidarisch: „Wir lassen einen Kameraden, der mit uns für unsere Ziele an der Technischen Hochschule kämpft, nie im Stich". Als der hessische Staatspräsident daraufhin den Einsatz von Polizei gegen die studentischen Posten androhen ließ, mußte die Besetzung allerdings wieder abgebrochen werden. Bei internen Beratungen stellte sich jedoch heraus, daß auch der neu ernannte TH-Kanzler Kopp die Forderungen der Studenten voll unterstützte. Kopp rief die Mitglieder des Großen Senats der TH zusammen und erließ eine Verordnung, durch die alle Maßnahmen gegen Lieser aufgehoben wurden. Friedrich Walcher, der Landesführer Hessen des NSDStB berichtete später:

> „Für den Fall, daß der Rektor die Machtbefugnisse des Kanzlers nicht anerkennen würde, hatte ich einen SA-Sturm, der vornehmlich aus Studenten bestand, in der Nähe der Hochschule in Bereitschaft gelegt, um die Hochschule neuerlich besetzen zu können".

Der SA-Sturm kam jedoch nicht mehr zum Einsatz. Wenngleich es zumindest sehr zweifelhaft war, ob der neu ernannte Kanzler das Recht besaß, eine Entscheidung des Senats umzustoßen, gaben die Professoren nach zweistündiger Debatte ihren Widerstand gegen diese Maßnahme auf. Die nationalsozialistischen Studenten konnten triumphieren. Später noch auftretende Schwierigkeiten wurden durch eine Intervention des Gauleiters aus der Welt geschafft.[43] Mit ihrem Sieg hatten die Studenten die Basis für eine steile Karriere geschaffen. Lieser avancierte 1934 zum außerordentlichen Professor und wurde außerdem zum Leiter der Dozentenschaft an der TH ernannt. 1937 folgte das Ordinariat, und von 1938 bis 1944 amtierte Lieser schließlich sogar als Rektor jener Hochschule, die sich fünf Jahre zuvor vergeblich bemüht hatte, ihn loszuwerden.[44]

Zweifellos handelte es sich bei diesem Konflikt nicht um eine alltägliche Auseinandersetzung, sondern um einen besonders spektakulären Fall. Charakteristisch daran war jedoch die enge Zusammenarbeit des NSDStB mit einzelnen Nachwuchswissenschaftlern aus den Reihen der Nichtordinarien, die den politischen Umbruch als Sprungbrett für eine rasche Karriere nutzten. Auch Rudolf Weigel, als langjähriger Rektor, Dozentenbundführer und Gaudozentenbundführer der starke Mann an der TH Karlsruhe, begann seine Hochschulkarriere im Frühjahr 1933 (damals noch Assistent im Habilitationsverfahren) als „Vertrauensmann der Studentenschaft für Fragen

[43] Zum Verlauf dieses Konflikts vgl. den Bericht des Führers der Darmstädter Studentenschaft, H. Hackert, 2.6.1933, in: StA WÜ RSF/NSDStB I* 03 φ 355 sowie den Bericht des Landesführers Hessen des NSDStB, F. Walcher, 3.6.1933, in: StA WÜ RSF/NSDStB II* 104 (alle Zitate aus diesem Bericht). Ergänzend: H. Heiber, Universität unterm Hakenkreuz, Teil II, Bd.1, München 1992, S.77 ff.

[44] Vgl. die Kurzbiographie in: Verzeichnis der Hochschullehrer der TH Darmstadt, Teil 1. Bearbeitet von Chr. Wolf, Darmstadt 1977, S.124.

der personellen Neuordnung“.[45] Wenn diese Männer selber keine politischen Meriten aus der „Kampfzeit“ vorzuweisen hatten, was häufiger vorkam, dann konnte das Wohlwollen der studentischen Aktivisten von unschätzbarem Vorteil für den weiteren akademischen oder hochschulpolitischen Werdegang sein.

Ein solcher Fall war der Hamburger Historiker Gustav Adolf Rein, schon einige Jahre älter als Lieser, aber ebenfalls Nichtordinarius und Parteigenosse mit dem ominösen Eintrittsdatum vom 1. Mai 1933.[46] Rein hatte schon vor der nationalsozialistischen Machtübernahme in einem politischen Diskussionszirkel mit Mitgliedern des Hamburger NSDStB zusammengearbeitet und war seit 1932 dabei, sich als Hochschulreformer zu profilieren. Als der Hamburger Studentenbund im Frühjahr 1933 nach einem Bundesgenossen innerhalb des Lehrkörpers Ausschau hielt, fiel die Wahl daher nicht zufällig auf Rein, der sich schon bald mit dem inoffiziellen Titel eines „Vertrauensdozenten der Hamburger Studentenschaft“ schmücken durfte. Wie sich bei den Vorbereitungen zur Maifeier der Universität zeigte, stießen die Versuche der Studenten, Rein in den Vordergrund zu schieben, auf keinen entschlossenen Widerstand. Nachdem die Studentenfunktionäre erklärt hatten, daß der ursprünglich vorgesehene Redner ihnen aus politischen Gründen nicht passe, und nachdem sie gedroht hatten, deshalb eine eigene studentische Feier zu organisieren, zeigten sich Rektor und Syndikus schnell bereit, nachzugeben und Rein als Hauptredner zu akzeptieren. Der nächste Karriereschritt folgte, nachdem der für Hochschulpolitik zuständige Regierungsdirektor Albert v. Wrochem bei den NS-Studenten in Ungnade gefallen war. Da er sich geweigert hatte, die Hakenkreuzfahne auf dem Vorlesungsgebäude aufziehen zu lassen, wurde v. Wrochem „durch den Druck der Studentenschaft, die am 1. Mai ein Arbeitslager ... in der Universität aufmarschieren ließ“[47], von seinem Posten entfernt. Acht Tage danach avancierte Rein „hauptsächlich durch die Vorarbeiten der Hamburger Studentenschaft“ (so Studentenführer Heinrichsdorff) erst zum Fachreferenten für Universitätsreform in der Hochschulbehörde und ein paar Wochen später zum kommissarischen Regierungsdirektor.[48] Das noch fehlende Ordinariat wurde bereits im Oktober 1933 nachgereicht. In den Jahren 1934-1938 hat Rein als Rektor die Geschicke der Universität maßgeblich bestimmt.

Diese Ereignisse werden hier deshalb relativ ausführlich geschildert, weil sie symptomatisch waren für eine tiefgreifende Veränderung der Machtstrukturen, die sich 1933 an den deutschen Hochschulen vollzog. Die traditionelle Machtstellung der Ordinarien, die Carl Heinrich Becker, der bedeutendste

[45] Vgl. K.-P. Hoepke, Auswirkungen der nationalsozialistischen Rassenpolitik an der Technischen Hochschule Fridericiana Karlsruhe 1933-1945, in: Zeitschrift für die Geschichte des Oberrheins, 137. Bd., 1989, S.388 ff.

[46] Zu Rein vgl. Giles, Students and National Socialism, S.111 ff.

[47] W. Heinrichsdorff (Führer der Hamburger Studentenschaft) an G. Plötner (DSt), 12.5.1933, in: StA WU RSF/NSDStB V* 2 α 516/2. Gemeint sind die Insassen eines von der Hamburger Studentenschaft organisierten Arbeitslagers.

[48] Vgl. ebd.

Hochschulpolitiker der Weimarer Republik, noch als „nahezu absolutistisch“ beschrieben hatte[49], schien erschüttert, wenn nicht sogar gebrochen. Mancherorts hatten die Professoren gar das Gefühl, die nationalsozialistischen Studentenführer seien zum eigentlichen Machtzentrum der Hochschulen avanciert. „Was ist aus der stolzen Heidelberger Universität geworden“, klagte beispielsweise der Historiker Otto Brandt 1934 einem Berliner Kollegen: „Nicht der Rektor, sondern ein wilder Studentenführer regiert, in dessen Vorzimmer Professoren über eine Stunde geduldig warten, bis sie gnädigst vorgelassen werden“.[50] Einen ähnlichen Eindruck hinterlassen auch die Erinnerungen des Historikers Hans Herzfeld an den 1. Mai 1933 in Halle:

> „Zu Beginn des großen Volksumzuges ... war die ganze Universität, Lehrkörper, Studenten und Verwaltung, vor dem alten Schinkelbau in Halle angetreten, voran in zwei langen Gliedern der Lehrkörper ... Das in dem jetzt in die allgemeine ‚Militarisierung‘ eintretenden Deutschland unentbehrliche Kommando führte der ... Vorsitzende des NS-Studentenbundes, ein nur durch massive Primitivität ausgezeichneter Vertreter der jungen Nationalsozialisten. Es war symbolisch für das Bevorstehende, daß sein ‚Stillgestanden‘ von der ganzen Universität, dem Lehrkörper voran, exekutiert wurde und nur ein sehr alter Soldat, ehemaliger Divisionsgeneral ... den Mut besaß, in keiner Weise darauf zu reagieren“.[51]

Derartige Ereignisse, die von den Ordinarien als Machtverlust, ja als Demütigung empfunden wurden, steigerten das Selbstbewußtsein vieler Studentenfunktionäre ins Unermeßliche. Manche von ihnen brachten denn auch ungeniert zum Ausdruck, daß sie sich mittlerweile als die eigentlichen Herren der Universitäten fühlten. So waren in der Leipziger Studentenpresse folgende Ausführungen des NSDStB-Hochschulgruppenführers Eduard Klemt zu lesen:

> „Wir sehen uns mit genau derselben Frechheit, wie einst als SA-Leute auf der Straße, heute im Hörsaal um und entscheiden, ob ein Professor bleiben kann oder nicht. Kriterium wird sein: Jener Mann kann nicht mehr Professor sein, weil er uns nicht mehr versteht ... Wir Jungen haben die Hochschule in der Hand und können daraus machen, was wir wollen“.

Um diese Aussage noch zu unterstreichen, war mitten im Artikel – in fetten Lettern und als Kasten hervorgehoben – der Satz zu lesen:

---

49 C.H. Becker, Gedanken zur Hochschulreform, Leipzig 1919, S.55.

50 Brandt an H. Oncken, 7.8.1934, zit. in: H. Heiber, Universität unterm Hakenkreuz, Teil II, Bd.2, München 1994, S.282 f. Zur starken Stellung der Heidelberger Studentenfunktionäre vgl. auch ebd., S.284 ff. Der „wilde Studentenführer“ war der spätere Reichsstudentenführer Gustav Adolf Scheel.

51 H. Herzfeld, Der Nationalstaat und die deutsche Universität, in: Universitätstage 1966. Nationalsozialismus und die deutsche Universität, Berlin 1966, S.11 f. Herzfeld, von den Nationalsozialisten als „Mischling 2. Grades“ kategorisiert, wurde 1938 die Venia legendi entzogen, obwohl nicht nur die Universität, sondern auch die Gauleitung sich für ihn einsetzte. Vgl. das „Verzeichnis der am 1. Januar 1938 noch im Dienst befindlichen Hochschullehrer, die Mischlinge oder jüdisch versippt oder mit Mischlingen verheiratet sind“, in: BA Potsdam REM 312 Bl.419.

„Die Tatsachen beweisen, daß sich das Preußische Volksbildungsministerium im Fall eines Konflikts zwischen Professor und Studentenschaft – sobald die Professorenseite die Alternative stellt - für die Studentenschaft entscheidet, weil sie Deutschlands Zukunft ist".[52]

Ganz so eindeutig war die Haltung der Kultusminister in Wahrheit nicht, wie noch zu zeigen sein wird, aber für die Universitätsgremien und für die Professoren bedeutete es in der Tat eine neue Erfahrung, daß die Ministerien in Berlin und anderswo bei Konflikten mit den Studierenden keineswegs automatisch für die Hochschullehrer Partei nahmen.

Offenkundig hatte die „Machtergreifung" an den Universitäten, aber auch anderswo, Züge eines Generationskonfliktes angenommen der die vertrauten Hierarchien zeitweise außer Kraft setzte und die traditionelle Funktionsweise der deutschen Hochschulen grundsätzlich in Frage stellte. Obwohl viele Professoren die „nationale Erhebung" begrüßt hatten[53], erlebten sie die fortgesetzten willkürlichen Eingriffe in das Hochschulleben, den Verlust professoraler Autorität und den „Sauherdenton"[54] der studentischen Aktivisten als tiefen Schock: „Selbst Professoren, die sich unter dem früheren Regime politisch bedrückt und mit der opponierenden Studentenschaft innerlich verbunden fühlten, sehen heute keine Verständigungsmöglichkeiten mehr", meldete die „Vossische Zeitung" im April 1933.[55] Zwar hatten nur wenige Hochschullehrer den Mut, wie Eduard Spranger öffentlich gegen das Verhalten der NS-Studenten zu protestieren[56], aber dennoch steht außer Zweifel, daß der anfängliche Enthusiasmus vieler „national" denkender Professoren sich durch die fortdauernden Angriffe erheblich verringerte.[57]

2. Manipulation von oben oder Bewegung von unten?

Waren die Aktionen der Studierenden Ausdruck einer eigenständigen Bewegung „von unten", die sich aufgrund des politischen Machtwechsels entfalten konnte? Oder handelte es sich 1933/34 in Wirklichkeit um eine von außen gesteuerte Studentenbewegung, die ihre Anordnungen aus dem Braunen Haus bzw. von den gleichgeschalteten Berliner Behörden erhielt? Diese

[52] Zitate aus: E. Klemt, „Wir wollen die politische Hochschule", in: Die Leipziger Studentenschaft, Nr.2, 21.6.1933, S.26.

[53] Vgl. J. Pascher, Das Dritte Reich, erlebt an drei deutschen Universitäten, in: Die deutsche Universität im Dritten Reich. Eine Vortragsreihe der Universität München, München 1966, S.50.

[54] So die Formulierung des Tübinger Philosophen Theodor Haering in einem Schreiben vom 25.6.1933, zit. in: Lüdtke, Elend, S.121.

[55] „Geist der Hochschule", in: Vossische Zeitung, Nr.202, 28.4.1933.

[56] Vgl. „Der Rücktritt Sprangers" in: DAZ Nr.195, 27.4.1933. Siehe auch Spranger, Mein Konflikt, S.457 ff.

[57] Aufschlußreich für die wechselnde Stimmungslage ist die Korrespondenz des deutschnationalen Theologen H. Lietzmann. Vgl. K. Aland (Hg.), Glanz und Niedergang der deutschen Universität, Berlin/New York 1979, S.732 ff.

Frage ist in den letzten Jahren vor allem in der Literatur über die Bücherverbrennungen vom Mai 1933[58] diskutiert worden. Diese wohl spektakulärste Aktion der nationalsozialistischen Studenten wurde von dem Anfang April gegründeten Hauptamt für Presse und Propaganda der DSt unter der Leitung von Hanskarl Leistritz koordiniert. In einem Rundschreiben des Hauptamtes erhielten die Studentenschaften der einzelnen Hochschulen die Anweisung, vor Ort Kampfausschüsse zu bilden, denen der Führer der Studentenschaft, drei weitere Studenten, ein Professor, ein Schriftsteller und ein Mitglied von Alfred Rosenbergs „Kampfbund für deutsche Kultur" angehören sollten.[59] Die Leitung der lokalen Aktionen lag also im wesentlichen bei den nationalsozialistischen Studenten. Eine Beteiligung der Professoren war nur am Rande vorgesehen. Tatsächlich sind auch nur in 7 von 19 Universitätsstädten Professoren als Redner beim Verbrennungsakt hervorgetreten.[60]

Schon damals vermuteten Zeitgenossen, daß hinter den studentischen Akteuren andere, mächtigere Hintermänner stehen müßten. Einen Versuch, diese zu enttarnen, unternahm 1963 Hildegard Brenner. Nach ihrer Ansicht verriet die Durchführung der Bücherverbrennung „das Kalkül des Demagogen Goebbels". Der Reichspropagandaminister und sein erst kurz vorher gegründetes Ministerium seien die Drahtzieher der Aktion gewesen, sie hätten die NS-Studenten als ausführendes Organ benutzt.[61] Dieser These hat zuerst Dietrich Aigner dezidiert widersprochen. Nach seiner Ansicht gingen die Bücherverbrennungen „ausschließlich von der nationalsozialistischen Studentenschaft aus".[62]

In der Tat steht Brenners These auf denkbar schwachen Füßen. In den volllständig erhaltenen Akten der DSt zur Bücherverbrennung finden sich keinerlei Hinweise auf eine Fremdsteuerung.[63] Vielmehr geht aus dem Material hervor, daß die DSt sich erst am 10. April, als das Konzept für die Aktion „wider den undeutschen Geist" bereits weitgehend stand, an das Reichspropagandaministerium mit der Bitte um finanzielle Unterstützung

[58] Zu den Bücherverbrennungen vgl. H.-W. Strätz, Die studentische „Aktion wider den undeutschen Geist" im Frühjahr 1933, in: VfZ 16, 1968, S.347 ff.; G. Sauder (Hg.), Die Bücherverbrennung, München 1983; „Das war ein Vorspiel nur..." Bücherverbrennung Deutschland 1933: Voraussetzungen und Folgen, Berlin/Wien 1983; U. Walberer (Hg.), 10. Mai 1933. Bücherverbrennung in Deutschland und die Folgen, Frankfurt/M. 1983.

[59] Rundschreiben Nr.2 des HA für Presse und Propaganda der DSt, 8.4.1933, in: StA WÜ RSF/NSDStB I* 21 C 14/2. Auch bei Sauder, S.74 ff.

[60] Nämlich in: Bonn, Breslau, Frankfurt/M., Göttingen, Kiel, Köln und München. Vgl. Sauder, S.182 ff. Zu Köln: F. Golczewski, Die „Gleichschaltung" der Universität Köln im Frühjahr 1933, in: Aspekte der nationalsozialistischen Herrschaft in Köln und im Rheinland. Hg. von L. Haupts u. G. Mölich, Köln 1983, S.65 f. In Tübingen und Freiburg fand keine Bücherverbrennung statt. Für Leipzig und Jena liegen keine Angaben vor.

[61] Vgl. H. Brenner, Die Kunstpolitik des Nationalsozialismus, Reinbek bei Hamburg 1963, S.44 f.

[62] D. Aigner, Die Indizierung „schädlichen und unerwünschten Schrifttums" im Dritten Reich, in: Archiv für die Geschichte des Buchwesens, 11, 1971, Sp.933 f.

[63] Vgl. auch: Sauder, S.80, 109; A. Faust, Die Hochschulen und der „undeutsche Geist". Die Bücherverbrennungen am 10. Mai 1933 und ihre Vorgeschichte, in: „Das war ein Vorspiel nur...", S.38, 48.

wandte.[64] Am 3. Mai folgte ein Brief an Goebbels, in dem dieser gebeten wurde, sich als Redner für das Berliner Autodafé zur Verfügung zu stellen.[65] In beiden Schreiben, wie auch in Briefen an andere Parteigrößen[66], ist stets von einer „Aktion der Deutschen Studentenschaft" die Rede. Nirgendwo finden sich Hinweise auf frühere Absprachen. Auch in den Goebbels-Tagebüchern gibt es keine Eintragungen, die auf eine federführende Rolle des nationalsozialistischen Chefpropagandisten hinweisen.[67] Nun ließe sich die These vertreten, daß Goebbels und sein Ministerium bei der „Aktion wider den undeutschen Geist" bewußt im Hintergrund geblieben seien, weil sie aufgrund der zu erwartenden negativen Reaktionen im Ausland eine staatliche Lenkung der Verbrennungsaktionen geheimhalten wollten. Warum hatte Goebbels dann aber offensichtlich keinerlei Bedenken, der Bücherverbrennung durch seinen Auftritt in Berlin am 10. Mai eindeutig offiziellen Charakter zu verleihen?

Bis zum Beweis des Gegenteils kann man daher aufgrund der Quellenlage davon ausgehen, daß es sich bei den Bücherverbrennungen um eine Aktion handelte, die von der DSt in eigener Verantwortung organisiert wurde.[68] Die Popularität der Drahtzieher-Theorie in der Literatur zur Bücherverbrennung[69] läßt sich nur dadurch erklären, daß das offizielle Bild vom Dritten Reich als straff zentralisiertem Führerstaat, in dem alle Entscheidungen an der Spitze getroffen wurden, immer noch von vielen Autoren für bare Münze genommen wird. Demgegenüber hat die neuere Forschung sehr viel stärker die chaotischen Elemente im NS-Staat hervorgehoben, den Mangel an Koordination, die unklare Verteilung der Kompetenzen, kurz den polykratischen Charakter des Dritten Reiches.[70] Diese eigentümliche Struktur eröffnete einen relativ breiten Handlungsspielraum für die Initiativen mittlerer und unterer Partei- oder Staatsfunktionäre, solange sie dabei nicht einem stärkeren Konkurrenten ins Gehege kamen oder Zweifel an ihrer Loyalität gegenüber „dem Führer" aufkommen ließen. In der Zeit der Bücherverbrennungen, als die Nationalsozialisten gerade erst anfingen, sich in der Macht einzurichten, war dieser Spielraum besonders groß.

Viele der nationalsozialistischen Studentenfunktionäre lebten im Frühjahr und Sommer 1933 offensichtlich in einem Machtrausch und hatten das Ge-

[64] H. Leistritz (DSt) an Prof. Rothacker, Reichspropagandaministerium, 10.4.1933 (Durchschr.), in: StA WÜ RSF/NSDStB I* 21 C 14/2. Abgedruckt bei Sauder, S.80 f.

[65] Vgl. Leistritz an Goebbels, 3.5.1933 (Durchschr.), in: StA WÜ RSF/NSDStB I* 21 C 14/2.

[66] Vgl. Leistritz an A. Rosenberg, 6.4.1933, in: BA Koblenz R 129/614.

[67] Vgl. Die Tagebücher von Joseph Goebbels. Sämtliche Fragmente, Teil I, Bd.2, München 1987.

[68] Nicht belegen läßt sich auch die von Strätz, Aktion, S.349 entwickelte These, die Bücherverbrennungen hätten primär dem Ziel gedient, die Stellung der DSt gegenüber dem NSDStB zu stärken. Im März und April 1933 spielte die Rivalität zwischen DSt und NSDStB noch keine wesentliche Rolle.

[69] Zuletzt: J. Hans, Die Bücherverbrennung in Hamburg, in: Hochschulalltag im „Dritten Reich", Teil I, insbesondere S.244 u. 251.

[70] Zur wissenschaftlichen Diskussion über die innere Struktur des Dritten Reiches vgl. G. Hirschfeld / L. Kettenacker (Hg.), Der „Führerstaat": Mythos und Realität, Stuttgart 1981; I. Kershaw, Der NS-Staat, Reinbek bei Hbg. 1988.

fühl, die Universitäten, vor allem aber das studentische Leben, nach ihren Vorstellungen gestalten zu können. Die DSt wartete daher keineswegs auf Anweisungen aus der Partei- oder Ministerialbürokratie, sondern versuchte, durch eigene Initiativen vollendete Tatsachen zu schaffen, in der Hoffnung, die staatliche Bürokratie werde letztlich bereit sein, das Resultat zu akzeptieren und zu legalisieren. Diese Strategie erwies sich streckenweise durchaus als erfolgreich.

Charakteristisch für diese Politik war auch die Einführung des studentischen Arbeitsdienstes 1933/34. Im Mai hatte Hitler in einer öffentlichen Rede die Einführung der Arbeitsdienstpflicht angekündigt. Jeder Deutsche, „ob reich, ob arm, ob Sohn von Gelehrten oder Sohn von Fabrikarbeitern" solle einmal in seinem Leben als Handarbeiter tätig sein.[71] Für die DSt war damit das Signal gegeben, endlich eine ihrer alten Forderungen zu verwirklichen. Im Juni 1933 verpflichtete sie alle männlichen Studenten der ersten vier Semester dazu, während der vorlesungsfreien Zeit zehn Wochen lang Arbeitsdienst zu leisten.[72] Der Vorstoß erwies sich als erfolgreich. Bereits im Juli 1933 bat Reichsinnenminister Frick die Länderregierungen um eine Unterstützung der studentischen Forderungen.[73] In einem Runderlaß Fricks vom 23. Februar 1934 wurde die Initiative der DSt dann offiziell sanktioniert:

> „Die Deutsche Studentenschaft hat für die ihr angehörigen reichsdeutschen Studenten eine zehnwöchige Arbeitsdienstpflicht angeordnet ... Um zu sichern, daß alle betroffenen Studenten ihrer Arbeitsdienstpflicht genügen, ordne ich hiermit an: Im Sommersemester 1934 können reichsdeutsche Mitglieder der Deutschen Studentenschaft nur belegen, wenn sie durch eine von der Studentenschaft ausgestellte Bescheinigung nachweisen, daß sie entweder der Arbeitsdienstpflicht genügt haben oder von ihr befreit waren oder von der Ableistung des Arbeitsdienstes bis zum Herbst 1934 zurückgestellt sind".[74]

Gleichzeitig kündigte die DSt an, ab Ostern 1934 müßten alle Abiturienten beiderlei Geschlechts, die ein Hochschulstudium aufnehmen wollten, zuvor sechs Monate lang Arbeitsdienst leisten. Auch diesmal stimmte das Reichsinnenministerium zu.[75] Diese Anordnung erfolgte fast 1½ Jahre vor der Verkündung einer allgemeinen Arbeitsdienstpflicht für männliche Jugendliche und fünf Jahre vor der Einführung des obligatorischen Arbeitsdienstes für junge Frauen.[76] Erneut hatten die nationalsozialistischen Studenten sich auf der ganzen Linie durchgesetzt.

---

[71] Vgl. H. Köhler, Arbeitsdienst in Deutschland, Berlin 1967, S.256.

[72] Vgl. M.S. Steinberg, Sabres, Books, and Brown Shirts: The Radicalization of the German Student, 1918-1935, Ph.D., 1971 (MS), S.760.

[73] Frick an die Unterrichtsverwaltungen der Länder, 7.7.1933, in: StA HH Universität I O 10.2.3.Bd.2. Von der Teilnahme befreit waren anfänglich alle Studentinnen, außerdem Studenten, die schon längere Zeit der SA, der SS oder dem Jungstahlhelm angehörten, sowie jene Studenten, die älter als 25 Jahre alt waren.

[74] RdErl. des RdI, 23.2.1934, in: UA der HUB Kurator 766 Bl.429.

[75] Ausführungsbestimmungen der Reichsführung der DSt über die Durchführung der Arbeitsdienstpflicht der Abiturienten und Abiturientinnen von Ostern 1934, 23.2.1934, in: StA HH Universität I O.10.2.3. Bd.2.

[76] Reichsarbeitsdienstgesetz vom 26.6.1935, in: RGBl. 1935 I S.769 ff.

Das für Studentinnen zuständige Hauptamt VI der DSt versuchte auf ähnlichem Wege seine Ziele zu verwirklichen. Anfang November 1933 verschickte die Hauptamtsleiterin Gisela Brettschneider an die lokalen Funktionärinnen ausführliche Richtlinien, aus denen hervorging, daß künftig alle Studentinnen während des Studiums ein umfangreiches Pflichtprogramm zu absolvieren hätten. Dazu gehörte u.a. regelmäßiger Sport in den ersten Semestern, die Ausbildung der Studentinnen in sog. „Frauendienstkursen" (Luftschutz, Erste Hilfe, Nachrichtenwesen), die Teilnahme an Sammlungen für das Winterhilfswerk, außerdem kulturelle Aktivitäten, die unter der Bezeichnung „Gemeinschaftspflege" liefen (Volkstanz, Volkslieder, Heimatdichtung usw.).[77] Das umfangreiche Programm wurde Anfang November 1933 ausgegeben, ohne die Kultusminister vorher auch nur zu informieren. Erst drei Wochen später benachrichtigte das Hauptamt für Studentinnen die Ministerien mit einem Rundschreiben über seine Aktivitäten und bat darum, eine Verfügung zu erlassen, durch welche „die von uns eingeführten Pflichtveranstaltungen und -aufgaben von der Universitätsbehörde als *testatpflichtig* anerkannt werden".[78]

Diesmal zeigte sich die Ministerialbürokratie allerdings nicht so hilfswillig wie bei der Einführung des Arbeitsdienstes. Als wenig später eine Kreisreferentin bei der Hauptamtsleiterin Gisela Brettschneider nachfragte, ob die Kultusminister das Pflichtprogramm bereits genehmigt hätten, mußte die DSt-Funktionärin etwas kleinlaut einräumen, daß bislang nur der Pflichtsport vom Preußischen Kultusministerium anerkannt worden sei.[79] Brettschneiders Hoffnung, eine offizielle Anerkennung werde später doch noch folgen, erfüllte sich nicht.[80] Trotz dieses Rückschlags wurde das Pflichtprogramm für Studentinnen weitergeführt, als sei nichts geschehen.[81] Schließlich war die distanzierte Haltung der Ministerien in der studentischen Öffentlichkeit nicht bekannt geworden, und die DSt konnte zu Recht darauf vertrauen, daß die Kultusminister sie nicht öffentlich desavouieren würden. Eine Verpflichtung der Studentinnen, Bescheinigungen über die absolvierten Kurse beim Examen vorzulegen, war freilich nicht zustande gekommen. Damit entfiel ein wichtiges Druckmittel.[82]

Dieser Vorgang war in vieler Hinsicht typisch für die Entwicklung der folgenden Jahre. Zwischen den Ministerien auf der einen Seite und den Stu-

[77] Vgl. das Rundschreiben des HA für Studentinnen der DSt, 1.11.1933, in: StA WÜ RSF/NSDStB I* 80 γ 43/1.

[78] HA für Studentinnen der DSt an die Kultusministerien der Länder, 23.11.1933 (Durchschr.), in: StA WÜ RSF/NSDStB II* 530 α 429.

[79] Vgl. G. Brettschneider an Kreisreferentin E. Nessler, 13.12.1933, in: RSF/NSDStB II* 499 α 401. Bei J.R. Pauwels, Women, Nazis, and Universities, Westport, Conn. 1984, S.61 wird der Inhalt dieses Briefes falsch wiedergegeben.

[80] Lediglich aus Württemberg ist bekannt, daß der Kultusminister zur Unterstützung des weiblichen Pflichtprogramms der DSt intervenierte, doch erfolgte diese Intervention erst 1936. Vgl. U.D. Adam, Hochschule und Nationalsozialismus, Tübingen 1977, S.105.

[81] Vgl. dazu S.283 ff.

[82] Vgl. die Klagen einer ANSt-Funktionärin über diesen Zustand in: Abschr. aus dem Prot. der Besprechung des Bereichsführers Rhein, Pg. Gross, mit den Amtsleitern und Kameradschaftsführern der Studentenführung Marburg, 21.4.1938, S.2, in: StA WÜ RSF/NSDStB II* 118 α 60a.

dierenden auf der anderen etablierten sich die nationalsozialistischen Studentenführer als eine Art halbstaatliche Behörde, deren Anordnungen und Befehle deshalb befolgt wurden, weil niemand es wagte, öffentlich zu widersprechen. Gelegentlich gab es aber doch vernehmbaren Widerspruch, und dann konnte es geschehen, daß die Projekte der DSt wie ein Kartenhaus zusammenbrachen. Das spektakulärste Beispiel war die Auseinandersetzung um das Konzept des „Kameradschaftshauses".

Im Februar 1934 verpflichtete die DSt alle Studenten der ersten drei Semester, ab dem Sommer 1934 zwei oder drei Semester ihres Studiums in einem Kameradschaftshaus zu wohnen.[83] Wiederum hatte die DSt-Führung es nicht für nötig gehalten, sich zuvor mit den zuständigen Behörden über diese Anordnung zu verständigen. In einem Schreiben an die Berliner DSt-Zentrale berichtete daraufhin der Würzburger Studentenführer Rolf Schenk, daß viele Studenten sich gegen diese Anordnung sträubten. Aufgrund dieser Erfahrungen kam Schenk zu dem Ergebnis, eine „restlose Erfassung" der Studenten sei „nur auf dem Wege der absoluten Pflicht möglich. Dafür hat man uns aber bis jetzt noch keine Handhabe gegeben".[84] Die Antwort des zuständigen Berliner Amtsleiters Gerhard Pallmann enthielt eine vage Ankündigung, daß die Anordnungen über Kameradschaftserziehung im Laufe des Semesters schon noch „irgendeine rechtliche Sanktionierung erhalten" würden. Dann folgte eine ebenso aufschlußreiche wie wahrheitsgetreue Belehrung, die das Grundprinzip nationalsozialistischer Studentenpolitik in bemerkenswerter Klarheit darlegte:

> „Solange ich in der nationalsozialistischen studentischen Arbeit stehe, haben wir uns, wenn es die Bewegung galt, niemals auf gesetzliche Handhaben verlassen, sondern haben einfach durch unsere Propaganda, durch die Schaffung einer entsprechenden Stimmung und, wenn es sein mußte, durch Terror dafür gesorgt, daß unsere Meinung sich durchsetzte. Nur auf diesem Wege haben wir die nachträgliche Sanktionierung des studentischen Arbeitsdienstes und des Werkhalbjahres durch den Staat erreicht".[85]

Doch diesmal sollte das Kalkül nicht aufgehen. Nachdem im September 1934 die Anordnung zur zwangsweisen Kasernierung der Erstsemester in Kameradschaftshäusern durch den sogenannten „Feickert-Erlaß" noch weiter verschärft worden war, erhob sich ein Sturm der Entrüstung, vor allem in den Reihen der studentischen Verbände. Diese mobilisierten ihre „Alten Herren" in der Ministerialbürokratie und erreichten, daß Reichserziehungsminister Rust wenig später die Anordnung gab, in Zukunft dürfe kein Student mehr dazu gezwungen werden, in einem Kameradschaftshaus zu leben. Nachdem auch Hitler sich gegen Kameradschaftshäuser ausgesprochen hatte, stand die DSt vor einem Debakel. Erstmals war sie bei einem ihrer Vor-

[83] Rundschreiben des HA für polit. Erziehung der DSt, 24.2.1934, in: StA WÜ RSF/NSDStB IV* 101/11.

[84] R. Schenk an das Amt für Kameradschaftserziehung der DSt, 18.5.1934 (Durchschr.), in: StA WÜ RSF/NSDStB IV 2* 60/3.

[85] G. Pallmann, DSt Berlin, an die Studentenschaft der Universität Würzburg, 1.6.1934, in: StA WÜ RSF/NSDStB IV 2* 60/3.

stöße auf starken Widerstand gestoßen und hatte prompt eine Niederlage einstecken müssen.[86]

Aus der bisherigen Analyse ergibt sich eindeutig, daß die auch in neueren Arbeiten noch anzutreffende Vorstellung, die NS-Studenten seien nur der verlängerte Arm der nationalsozialistischen Kultusminister oder der Parteispitze gewesen, nicht zutreffend ist. Vielmehr entwickelte sich der studentische Aktivismus 1933 an den Hochschulen zu einem Machtfaktor eigener Art, dessen Aktivitäten von den führenden Partei- und Staatsorganen zwar lange Zeit weitgehend toleriert, aber kaum kontrolliert wurden. Diese außergewöhnliche Machtposition basierte auf dem Zusammenbruch der traditionellen Autoritätsstrukturen, auf der Gesinnungsgemeinschaft zwischen nationalsozialistischen Studenten und nationalsozialistischen Ministern sowie auf der konzeptionellen Unsicherheit der letzteren in Hochschulangelegenheiten. Wie die zukünftige Hochschule des NS-Staates aussehen sollte und welchen Platz die Studenten darin haben würden, war im Frühjahr 1933 noch völlig unklar. Würde es den nationalsozialistischen Studenten gelingen, ihren einmal gewonnenen Einfluß auf Dauer zu halten?

3. Die Phase der Disziplinierung

Während der Weimarer Republik hatte sich eine institutionalisierte Mitbestimmung der Studenten nur auf einem sehr bescheidenen Niveau entwickelt. An den preußischen Universitäten, wo mehr als die Hälfte aller deutschen Studenten sich immatrikuliert hatte, war die Studentenschaft weder in den Akademischen Senaten und den engeren Fakultäten noch in den meisten Ausschüssen vertreten. Allein in den Gebührenausschüssen, die über Anträge auf Gebührenerlaß zu entscheiden hatten, saß auch ein Vertreter der Studentenschaft. Andere Länder hatten sich etwas großzügiger gezeigt. So waren die Studenten in Bayern, Württemberg, Hessen, Thüringen und Hamburg vor 1933 auch an der Disziplinargerichtsbarkeit der Hochschulen beteiligt worden. In Bayern, Sachsen und Baden hatten die Studierenden außerdem das Recht erhalten, zu Senatssitzungen hinzugezogen zu werden, wenn dort studentische Angelegenheiten verhandelt wurden. Den größten Einfluß besaß die Studentenschaft an der Universität Leipzig, wo sie sogar bei der Wahl des Rektors beteiligt worden war.[87]

Bereits im Juli 1932 hatte der nationalsozialistische Vorsitzende der DSt Gerhard Krüger seine Unzufriedenheit über diesen Stand der Dinge zum Ausdruck gebracht. Auf dem Königsberger Studententag verlangte er in seinem hochschulpolitischen Referat im wesentlichen zwei Dinge: 1. einen bestimmenden Einfluß auf die Disziplinargerichtsbarkeit für Studenten und 2. Einfluß auf die Besetzung von Lehrstühlen. Zwar betonte Krüger, die

[86] Dazu die ausführliche Darstellung auf S.260 ff.

[87] Vgl. U. Kersten, Das Deutsche Studentenrecht, Berlin o.J., S.33 ff. u. 109 ff.; A. Köttgen, Deutsches Universitätsrecht, Tübingen 1933, S.162 ff.

Studentenschaft wolle sich kein Urteil über die wissenschaftliche Qualifikation der Dozenten anmaßen. Sie verlange aber das Recht, „Veto einzulegen, gegen die Berufung eines Professors, an dessen moralischen und sittlichen und nationalen Qualitäten zu zweifeln ist".[88]

Nach der „Machtergreifung" wurden diese Wünsche noch sehr viel vehementer vorgetragen. Neben einem Vetorecht bei Berufungen forderten die Studenten auch Sitz und Stimme in allen wichtigen Universitätsgremien und ein Mitspracherecht bei der Errichtung neuer Lehrstühle.[89] Allerdings mußten die NS-Studenten feststellen, daß ihre Parteigenossen in den Kultusministerien wenig Neigung zeigten, derartigen Forderungen nachzukommen. Die preußische Studentenrechtsverordnung vom 12. April 1933, die von den anderen Ländern in der Regel als Vorbild für eigene Verordnungen genommen wurde, gewährte den Studenten nur in zwei Punkten eine Mitwirkung an der Selbstverwaltung der Hochschulen:

1. Durch die Teilnahme von studentischen Vertretern an den Verhandlungen des Senats und der Fakultäten. Jedoch erfolgte die Teilnahme nur „mit beratender Stimme" und beschränkte sich auf die „von der Studentenschaft satzungsgemäß zu betreuenden Angelegenheiten".

2. Durch die Teilnahme an den Disziplinarkammern der Hochschulen für Studenten. Welcher Art diese Teilnahme sein sollte, wurde allerdings einem künftigen Disziplinargesetz überlassen.[90]

Es kann daher nicht überraschen, daß die DSt mit unverhohlener Enttäuschung auf die Veröffentlichung der Verordnung reagierte. Der stellvertretende DSt-Vorsitzende Klaus Schickert konstatierte in einem Artikel, das preußische Kultusministerium habe sich „etwas zu stark" den Forderungen der Professoren gefügt und zog eine ernüchternde Bilanz: „Nicht gewährt wurde die Beteiligung an der gesamten Hochschulverwaltung, an der Berufung der Professoren, an der Wahl des Rektors".[91]

Trotzdem gaben die NS-Studenten nicht auf. Vor allem die Forderung nach einem Vetorecht bei Berufungen, zumindest aber nach einem Mitspracherecht, verstummte auch in den folgenden Monaten nicht.[92] Mancherorts wurden diese Forderungen zumindest zeitweise auch durchgesetzt. In Tübingen beispielsweise erkämpften sich die Studenten ein Mitspracherecht bei Berufungen.[93] In Heidelberg wurden die Studenten an der Medizinischen und an der Philosophischen Fakultät in die Beratungen über die Besetzung von Lehrstühlen einbezogen.[94] Die Führung der Studentenschaft an der TH Stuttgart konnte ebenfalls voller Befriedigung vermelden, daß sie bei „Be-

[88] Akademische Correspondenz, Sonderkorrespondenz Nr.3, 16.7.1932, Anlage, S.8.
[89] Vgl. Adam, Hochschule, S.49 f.
[90] Preußische Studentenrechtsverordnung vom 12.4.1933, in: ZBl, 75. Jg., 1933, S.118 (§ 3).
[91] K. Schickert, „Die Nationale Revolution und die Deutsche Studentenschaft", in: VC-Rundschau, 50. Jg., 1933/34, S.22.
[92] Vgl. z.B.: „Aufbau und Aufgaben der Fachschaften und Fachgruppen der DSt", in: Der Deutsche Student, August 1933, S.58.
[93] Vgl. Adam, Hochschule, S.49 f.
[94] Vgl. Vézina, „Die Gleichschaltung", S.162; D. Mußgnug, Universität Heidelberg, S.486 f.

setzungen leerstehender Professuren ... weitestgehend berücksichtigt" werde.[95] Auch das Sächsische Ministerium für Volksbildung übersandte 1933/34 dem zuständigen Kreisführer des NSDStB und der DSt regelmäßig die Berufungsvorschläge der Fakultäten mit der Bitte um eine vertrauliche Auskunft über „die politische Haltung, persönliche Bedeutung und Lehrbefähigung dieser Herren".[96]

Doch zeigten sich die Behörden nicht überall so zuvorkommend. In Hamburg weigerte sich die Landesunterrichtsbehörde erfolgreich, die Führung der Studentenschaft bei Berufungen zu beteiligen. Voller Empörung schrieb der Hamburger Studentenfunktionär Heinz Lohmann an seinen Parteigenossen Theodor Vahlen im Preußischen Kultusministerium: „In Hamburg liegen die Dinge so, daß über den Kopf der revolutionären studentischen Jugend hinweg Professoren berufen werden, gegen die sich unser nationalsozialistisches Gefühl sträuben muß". Wie Lohmann aufgebracht mitteilte, war es sogar vorgekommen, daß „nationalsozialistische Dozenten ... einfach nicht auf den Vorschlagslisten der Fakultäten" berücksichtigt wurden.[97] Die Reaktion entsprach freilich nicht ganz den Erwartungen der Hamburger Studentenführung: Er persönlich halte es für „zweckmäßig", die Studenten bei Berufungen anzuhören, schrieb Vahlen freundlich, teilte dann aber unmißverständlich mit, „daß das Recht gehört zu werden, der Studentenschaft nicht zusteht".[98]

Die geringe Bereitschaft der Behörden in Preußen, Hamburg und anderswo, den Studentenführern eine institutionalisierte Mitbestimmung zuzubilligen, resultierte zum einen aus der Tatsache, daß ein solches Mitbestimmungsrecht im offenkundigen Widerspruch zum nationalsozialistischen Führerprinzip gestanden hätte. Die künftigen Führer der Hochschulen sollten nach dem Willen des Preußischen Kultusministeriums nicht die Studenten, sondern die Rektoren sein, deren Befugnisse im Oktober 1933 durch die „Vorläufigen Maßnahmen zur Vereinfachung der Hochschulverwaltung" außerordentlich gestärkt wurden.[99]

Noch ein anderer Faktor kam aber hinzu. Seit Juli 1933 hatten Hitler und andere Parteiführer mehrfach verkündet, die „nationalsozialistische Revolution" sei nunmehr beendet und dürfe nicht zu einem permanenten Zustand werden.[100] Diese Proklamationen richteten sich hauptsächlich gegen den willkürlichen Aktivismus der SA und dienten offenkundig dem Ziel, das durch zahlreiche Übergriffe bedrohte Bündnis mit den konservativen Eliten

---

[95] Bericht über die Arbeit der Studentenschaft sowie der Hochschulgruppe des NSDStB der TH Stuttgart, o.D. [1934], in: StA WÜ RSF/NSDStB II* 101 α 45.

[96] ORR Lange an Kreisleiter W. Friedrich, 5.1.1934, in: BA Koblenz NS 38/54 Bl.32 f. Dort auch weitere Schreiben dieses Typs und die Antworten des Kreisleiters.

[97] H. Lohmann an T. Vahlen, 25.10.1933, in: GStAPK I Rep. 76 Va Sekt.1 Tit. IV Nr.58 Bl.200 (M). Lohmann hat 1934/35 als Führer der Deutschen Dozentenschaft hochschulpolitisch eine wichtige Rolle gespielt.

[98] Vahlen an Lohmann, 9.11.1933, in: ebd. Bl.201

[99] „Vorläufige Maßnahmen zur Vereinfachung der Hochschulverwaltung", 28.10.1933, in: GStAPK I Rep. 76 Nr.163 Bl.204.

[100] Vgl. M. Broszat, Der Staat Hitlers, München 1969, S.258 ff.

in Wirtschaft, Wehrmacht und Verwaltung wieder zu festigen, ohne deren Kollaboration die NSDAP sich auf Dauer nicht an der Macht halten konnte. Es war daher an der Zeit, auch an den Hochschulen für eine Beruhigung der Lage zu sorgen und der wachsenden Verbitterung im Lehrkörper nicht tatenlos zuzusehen.

Tatsächlich hatten die Kultusminister auch vorher schon gelegentlich Anstalten gemacht, die entfesselten Studenten zu disziplinieren. So war im Mai 1933 der Plan, an allen Hochschulen „Schandpfähle" zu errichten, um die Veröffentlichungen „undeutscher" Schriftsteller und Professoren anzuprangern, auf Drängen des preußischen Kultusministeriums von der DSt zurückgezogen worden. Nur an fünf Hochschulen (Dresden, Erlangen, Königsberg, Münster, Rostock) wurden trotz dieser Intervention „Schandpfähle" aufgebaut.[101] Etwa zur gleichen Zeit rief der preußische Kultusminister Rust die Studierenden auf, sie sollten sich nicht „durch Entgleisungen einzelner Hochschullehrer" herausfordern lassen. Rust kündigte an, er

> „werde Studenten, die sich zu störenden Aktionen an den Hochschulen mißbrauchen lassen, ebenso vom Hochschulstudium *ausschließen,* wie ich Lehrer, die unser deutsches Hochschulwesen und damit das neue Deutschland vor der Welt durch unzeitgemäße und unberechtigte Erklärungen denunzieren, ... von den Lehrstühlen der preußischen Hochschulen zu *entfernen* wissen werde".[102]

Ähnliche Aufrufe waren im Frühjahr 1933 auch von anderen Kultusministern zu hören[103], aber die Wirkung solcher Appelle blieb zunächst gering. Tatsächlich vermittelten die Kultusminister auch nicht den Eindruck, daß die Drohung mit der Exmatrikulation sehr ernst gemeint war. Jedenfalls ist nicht bekannt, daß nach 1933 ein nationalsozialistischer Student wegen Störung des akademischen Friedens relegiert wurde, obwohl es genügend Anlässe dafür gegeben hätte.

Gleichwohl waren die Behörden auch weiterhin bemüht, den Studenten gewisse Grenzen aufzuzeigen. Im Juni untersagte ein Runderlaß des Kultusministeriums in Preußen die „Beschlagnahme oder Vernichtung jüdischer oder marxistischer Literatur" in wissenschaftlichen Bibliotheken - offensichtlich eine Reaktion auf die Übergriffe der NS-Studenten in Kiel und anderswo.[104] Statt dessen wurden die Bibliotheken angewiesen, derartige Literatur zu sekretieren und nur noch in Sonderfällen auszugeben.[105]

Nachdem Hitler im Juli 1933 die Revolution für beendet erklärt hatte, bemühten sich die Ministerien energischer als zuvor um eine Disziplinierung der Studenten. In Sachsen meldete sich Innenminister Fritsch bei Wolf

---

101 Vgl. das Rundschreiben der DSt vom 19.4.1933, Anl.2, in: StA WÜ RSF/NSDStB I* 01 γ 37; sowie: Sauder, S.237 ff. u. 330 f. (Fotos); Strätz, S.356 ff.; Golczewski, „Gleichschaltung", S.58 ff.

102 Zit. in: „Rust fordert Disziplin", in: Vossische Zeitung Nr.209, 3.5.1933. Hervorhebung im Original.

103 Vgl. Kreutzberger, Studenten, S.173.

104 In Freiburg wurde ebenfalls die Universitätsbibliothek „gesäubert". Vgl. Sauder, S.190.

105 Vgl. die RdErle. vom 8.6.1933 und vom 17.9.1934, in: Die Deutsche Hochschulverwaltung, Bd.1, Berlin 1942, S.261 f.

Friedrich, dem Kreisführer Mitteldeutschland der DSt, und formulierte seine „ernste Sorge" über das Vorgehen der Studenten in Leipzig. Auch der Ministerpräsident, SA-Obergruppenführer Manfred von Killinger, habe sein „Mißfallen" über die Verhältnisse an der Universität bereits zum Ausdruck gebracht:

> „Was Hitler und Frick über Eingriffe in die Wirtschaft gesagt haben, das gilt selbstverständlich im gleichen, wenn nicht im größeren Maße auch für die Wissenschaft. Bei aller Notwendigkeit, eine gewisse Erneuerung auf diesem Gebiete durchzuführen, darf nicht vergessen werden, daß die Wissenschaft immer das Ergebnis einer historischen Entwicklung ist, das unter keinen Umständen durch gewaltsame Eingriffe irgendwie beeinträchtigt werden darf".[106]

Eilfertig versicherte Friedrich daraufhin in einem Schreiben an den sächsischen Ministerpräsidenten, er kämpfe bereits seit drei Monaten

> „gegen jede Radikalisierung der Universität. Ihrem Wunsche folgend habe ich deshalb den nationalsozialistischen Studenten jeden Boykott eines Professoren bereits am Gauparteitag nach Rücksprache mit dem Reichsführer des NSDStB, Dr. Stäbel, bei Parteiausschluß untersagt ... Ich bitte gehorsamst, dem Obergruppenführer versichern zu dürfen, daß die disziplinarische Haltung der Studentenschaft völlig wiederhergestellt ist".[107]

Tatsächlich steuerte Friedrich fortan gegenüber den Professoren einen eher versöhnlichen, auf Ausgleich bedachten Kurs.[108] Ebenfalls im Juli 1933 wandte sich ein Erlaß des Preußischen Kultusministeriums gegen unbefugte Eingriffe in den Staatsapparat, „insbesondere in die Schul- und Hochschulverwaltung". Derartige Übergriffe dürften unter keinen Umständen geduldet werden. „Alle Eingriffe Nichtberufener in den Staatsapparat sind ... als gegen die nationale Regierung und Erhebung gerichtet zu betrachten".[109] Außerdem wies das Kultusministerium den Führer der DSt darauf hin, daß „Ausschreitungen einzelner Studenten" nicht mehr hingenommen würden: „Die Studentenschaft ist verpflichtet, jedes ihrer Mitglieder zu Disziplin und Ordnung anzuhalten".[110] Im Gegensatz zu Sachsen wurden die studentischen Boykottaktionen gegen unliebsame Professoren in Preußen aber nicht grundsätzlich untersagt, sondern stillschweigend geduldet.

Auch in Hamburg merkten die NS-Studenten, daß die Phase der Narrenfreiheit erst einmal vorbei war. Als Wolf Müller, einer der führenden NSDStB-Funktionäre, im Mai 1934 erneut die Professoren öffentlich attackierte, ihnen vorwarf, sie seien veralteten Anschauungen verhaftet, mit Vorlesungsboykott drohte und schließlich großzügig ein „Vergessen und Verzeihen" in Aussicht stellte, wenn die Dozenten bereit seien, sich auf ihre Pflichten zu besinnen[111], ging Rektor Eberhard Schmidt zum Gegenan-

[106] Der Staatsminister des Innern an W. Friedrich, 31.7.1933, in: BA Koblenz NS 38/54 Bl.129.
[107] Kreisführer W. Friedrich an M. von Killinger, 12.8.1933, in: ebd. Bl.135.
[108] Vgl. „Unser Kreisführer spricht", in: Dresdner Hochschulblatt, Nr.5, Januar 1934, S.5.
[109] RdErl. des Preußischen KM, 31.7.1933, in: ZBl, 75. Jg., 1933, S.212.
[110] Preußisches KM an den Führer der DSt, 16.11.1933, in: BA Potsdam REM 1738 Bl.464.
[111] Vgl. „Arbeiter und Student - ein Wille, ein Weg, ein Ziel", in: Hamburger Tageblatt, 15.5.1934.

griff über. In einem Schreiben an den Präsidenten der Hamburger Landesunterrichtsbehörde beschwerte er sich in scharfem Ton über die Rede Müllers und drohte mit seinem Rücktritt.[112] Die Reaktion des Kultursenators Wilhelm von Allwörden zeigte, daß er, anders als der NSDStB, ebenfalls an einer Entspannung der Lage interessiert war. In seinem Antwortschreiben sprach er dem Rektor nicht nur sein „vollstes Vertrauen“ aus, sondern verurteilte auch ausdrücklich die „unbedachte“ Rede des Studentenfunktionärs.[113]

Seit dem Winter 1933/34 traten die Hochschulen daher in eine Phase der Beruhigung ein. Gleichwohl wurden die alten Machtverhältnisse nicht wieder restauriert, denn die Ordinarien verloren einen beträchtlichen Teil ihrer früheren Befugnisse an die Partei- und Staatsbürokratie. Und die nationalsozialistischen Studentenführer bildeten auch in den folgenden Jahren eines der Machtzentren an den Hochschulen. In einem Rückblick auf das Wintersemester 1933/34 konnte beispielsweise die Führung der Studentenschaft an der TH Stuttgart mit Befriedigung feststellen:

> „Im allgemeinen gilt für Stuttgart, daß von der Hochschule und auch vom Kultusministerium nichts gemacht wird, ohne die Studentenschaft darüber um Rat zu fragen und die von der Studentenschaft geäußerte Meinung zu berücksichtigen. Insbesondere spielt die Führung der Studentenschaft auch im öffentlichen Leben eine maßgebende Rolle“.[114]

Dennoch schien aus der Sicht der Professoren das Schlimmste zunächst einmal vorbei zu sein. Die Erinnerung an die erlittenen Wunden blieb freilich noch lange Zeit erhalten. Erich Rothacker (Bonn), einer der Repräsentanten des neuen Regimes unter den Professoren, vertrat 1934 in einem Brief sogar die Ansicht, das turbulente Sommersemester 1933 hätte „auf Jahre hinaus die Stimmung der Hochschulen vergiftet“.[115]

4. Hochschulpolitik seit 1934: Die Rolle der NS-Studenten

Die Konturen einer nationalsozialistischen Hochschulpolitik bildeten sich erst um 1935/36 heraus. Dies lag hauptsächlich daran, daß die wichtigsten Institutionen, welche diese Politik bestimmen sollten, in den Jahren nach der „Machtergreifung“ neu geschaffen werden mußten. Sowohl das Reichserziehungsministerium (REM) als auch die Hochschulkomission der NSDAP entstanden im Laufe des Jahres 1934. Der NS-Dozentenbund wurde 1935 gegründet, mischte sich allerdings kaum in studentische Angelegenheiten ein.

[112] Vgl. E. Schmidt an K. Witt, 15.5.1934, in: StA HH Universität I 0.10. 3.5. Bd.1 Bl.151 ff.

[113] W. von Allwörden an E. Schmidt, 16.5.1934, in: ebd. Bl.155.

[114] Bericht über die Arbeit der Studentenschaft sowie der Hochschulgruppe des NSDStB der TH Stuttgart, o.D. [1934], in: StA WÜ RSF/NSDStB II* 101 α 45.

[115] E. Rothacker an H. Fischer (RDH), 11.4.1934, in: BA Potsdam RDH 1113 Bl.40. Zu Rothacker vgl. auch P.E. Kahle, Bonn University in Pre-Nazi and Nazi Times (1923-1939), London 1945, S.10.

Hitler selber hat sich nur sehr selten, überwiegend in den Anfangsjahren seiner Herrschaft, mit Hochschulpolitik beschäftigt. Ganz offensichtlich interessierte ihn dieses Gebiet nicht. Seine letzte Rede vor einem studentischen Auditorium hielt er im Januar 1936 bei der Zehnjahresfeier des NSDStB, ohne dabei näher auf studentische Probleme einzugehen.[116] Deshalb ist es durchaus glaubhaft, wenn der langjährige Reichsstudentenführer Gustav Adolf Scheel nach 1945 versicherte, er habe nie mit Hitler direkt zu tun gehabt:

> „Der Reichsstudentenführer ist vom Führer nie zum Vortrage bestellt worden. Er hatte auch sonst keine Gelegenheit, mit ihm seine Tätigkeit durchzusprechen. Der Führer hat sich um den St[udenten]B[und] seit der Machtübernahme nicht mehr gekümmert".[117]

Staatliche Hochschulpolitik war in der Weimarer Republik Sache der Länder gewesen, und daran änderte sich auch nach der nationalsozialistischen Machtübernahme zunächst nichts. Allerdings unterschied sich die Hochschulpolitik der einzelnen Länder 1933/34 nicht wesentlich voneinander. Vielmehr zeigte sich im Frühjahr 1933, daß das Preußische Kultusministerium eine Vorreiterrolle übernahm, die von den übrigen Ländern bereitwillig akzeptiert wurde. Im allgemeinen wurden wichtige Erlasse des Preußischen Kultusministers Rust von den anderen Ländern bis in die Formulierung hinein übernommen. Für eine gewisse Koordination, vor allem im legislativen Bereich, sorgte die Abteilung III (Wissenschaft, Bildung und Schule) des Reichsinnenministeriums, die seit Mai 1933 von Wilhelm Buttmann geleitet wurde.

Eine systematische Zentralisierung staatlicher Hochschulpolitik begann erst im Mai 1934 mit der Gründung des Reichserziehungsministeriums (REM).[118] Das REM ging aus dem Preußischen Kultusministerium hervor und wurde bis Kriegsende von Bernhard Rust geleitet. Rust, ein ehemaliger Studienrat, besaß schon wenige Jahre nach seinem Amtsantritt im Kreis der führenden Nationalsozialisten nur noch ein sehr geringes Renommee. Allgemein galt der Reichserziehungsminister, der sich nur wenig um Hochschulpolitik kümmerte, als schwache und labile Persönlichkeit, ohne die Fähigkeit, sich bei Konflikten durchzusetzen.[119] Der Parteiideologe Alfred Rosenberg beschrieb ihn 1940 als „haltlos, alt und krank".[120] Propagandaminister Goebbels kategorisierte das Ministerium in seinen Tagebüchern als ei-

[116] Vgl. Giles, Students and National Socialism, S.196; M. Domarus, Hitler. Reden und Proklamationen 1932-1945, Wiesbaden 1973, Bd.I, 2, S.568 f.

[117] „Die untergeordnete Stellung des Studentenbundes in der NS-Bewegung", abgedruckt in: G. Franz-Willing, „Bin ich schuldig?", Leoni 1987, S.95. Es handelt sich um einen undatierten Text, den Scheel offenbar im Internierungslager zu seiner Rechtfertigung verfaßt hat. Seine Autorschaft ist nicht völlig gesichert, aber sehr wahrscheinlich.

[118] Zum REM und dessen Amt Wissenschaft vgl. Heiber, Walter Frank, S.641 ff.

[119] Vgl. Heiber, Walter Frank, S.641 f.; A. Krebs, Tendenzen und Gestalten der NSDAP, Stuttgart 1959, S.227 ff.

[120] Das politische Tagebuch Alfred Rosenbergs aus den Jahren 1934/35 und 1939/40. Hg. von H.G. Seraphim, Göttingen 1956, S.95.

nen „Saustall erster Klasse"; seinen Ministerkollegen charakterisierte er je nach Stimmungslage als „nicht ganz zurechnungsfähig" oder als „absoluten Hohlkopf".[121] Auch Hitler spielte mehrfach mit dem Gedanken, Rust zu entlassen[122], konnte sich aber letztlich doch nicht dazu entschließen, den Reichserziehungsminister, der ihm bei innerparteilichen Konflikten einst treu zur Seite gestanden hatte[123], vor die Tür zu setzen. „Der Führer ist unglücklich, aber will ihn in Erinnerung an alte Tage nicht fallen lassen", notierte Rosenberg 1940 über Hitlers Verhältnis zu Rust.[124] Letztlich war es wohl nur diese etwas sentimentale Anhänglichkeit Hitlers gegenüber den alten Kumpanen aus der „Kampfzeit"[125], die dafür sorgte, daß der allseits verachtete Reichserziehungsminister bis 1945 auf seinem Posten verharren konnte. Sein Amt als Gauleiter von Süd-Hannover-Braunschweig mußte er allerdings 1940 niederlegen, und der Zugang zu Hitler blieb ihm versperrt.[126]

Abgesehen von der mangelnden Entschlußfreudigkeit und der geringen Durchsetzungsfähigkeit des Ministers litt das REM auch daran, daß ihm ein wirklicher Rückhalt innerhalb der Partei fehlte.[127] Die Beamten des Ministeriums waren sich dieser Problematik durchaus bewußt und suchten Anlehnung bei starken Bundesgenossen. Ganz besonders war man im Hause Rust an guten Beziehungen zur Wehrmacht interessiert. Schon bald wurde das Ministerium deshalb allgemein als „militärfromm" angesehen.[128] Das Amt Wissenschaft des REM, welches auch für studentische Angelegenheiten zuständig war, bemühte sich außerdem mit Erfolg um gute Verbindungen zur SS: Alle drei Amtschefs brachten es bis zum SS-Oberführer, einer avancierte sogar zum SS-Brigadeführer. Derartige Bemühungen änderten jedoch nichts an der Tatsache, daß „die politische Stellung des Reichserziehungsministeriums tatsächlich eine sehr schwache" war, wie Otto Wacker, einer dieser Amtschefs, im November 1938 gegenüber Rust konstatierte.[129] Es liegt auf der Hand, daß diese politische Schwäche eine kohärente und zielstrebige Hochschulpolitik außerordentlich erschwerte. In Professorenkreisen spottete man bald über die Einführung einer neuen minimalen Maßeinheit: „Ein Rust" sei der Zeitraum von der Verkündung eines Erlasses bis zu seiner Aufhebung.[130] Dieser Witz war durchaus symptomatisch für eine an den Hoch-

[121] Die Tagebücher von J. Goebbels, Teil I. Hg. von E. Fröhlich, München 1987, Bd.3, S.64 (3.3.1937); Goebbels Tagebücher aus den Jahren 1942-43. Hg. von L.P. Lochner, Zürich 1948, S.345 (14.5.1943).

[122] Vgl. Die Tagebücher von J. Goebbels, Teil I, Bd.3, S.26, 225, 379.

[123] Dazu Rust 1935: „Als Strasser meuterte, habe ich ... einen wesentlichen Teil daran [gehabt], daß die Meuterei nicht übergriff. Ich habe ... in den schwersten Stunden zum Führer gestanden." (Konferenz der Leiter der Studentenschaften an den deutschen Hochschulen, 26.5.1935, Stenographisches Prot., in: BA Potsdam REM 868 Bl.83).

[124] Das politische Tagebuch Alfred Rosenbergs, S.95.

[125] Vgl. P. Hüttenberger, Die Gauleiter, Stuttgart 1969, S.198 ff.

[126] Vgl. D. Rebentisch, Führerstaat und Verwaltung im Zweiten Weltkrieg, Stuttgart 1989, S.225, 397.

[127] Vgl. Broszat, Staat Hitlers, S.308.

[128] Vgl. F. Glum, Zwischen Wissenschaft, Wirtschaft und Politik, Bonn 1964, S.451; R. Eilers, Die nationalsozialistische Schulpolitik, Köln/Opladen 1963, S.126 f.

[129] Vgl. O. Wacker an Rust, 3.11.1938, Abschr. in: BA Koblenz R 43 II 1154a Bl.82 f.

[130] Vgl. G. Kotowski, Nationalsozialistische Wissenschaftspolitik, in: Universitätstage 1966. Nationalsozialismus und die deutsche Universität, Berlin 1966, S.215.

schulen weit verbreitete skeptische Grundstimmung gegenüber den Maßnahmen des Ministeriums.[131] 1941 konstatierte der Würzburger SD:

> „Im allgemeinen herrscht der Eindruck vor, daß an der Zweckmäßigkeit der meisten vom REM kommenden Anordnungen stark gezweifelt wird, und daß nachgeordnete Dienststellen sowie einzelne Professoren und Studenten sich selbst bemühen müssen, so vernunftgemäß wie möglich zu arbeiten, um doch ein einigermaßen zweckmäßiges Studium durchführen zu können".[132]

In der Partei fühlte sich neben dem NSDStB vor allem Rudolf Heß, der „Stellvertreter des Führers", für Hochschulpolitik zuständig. Zunächst war Heß nur die Aufgabe übertragen worden, bei der Ausarbeitung von Gesetzentwürfen und bei der Ernennung von Beamten als Kontrollinstanz der Partei mitzuwirken. In der Folgezeit gewann der Stab Heß jedoch immer mehr an Einfluß und avancierte schließlich, angetrieben durch die rastlose Tätigkeit des Stabsleiters Martin Bormann, zur zentralen Schaltstelle der deutschen Innenpolitik.[133] Ihren Höhepunkt fand diese Entwicklung, nachdem Bormann 1941 (mit dem offiziellen Titel des Leiters der Parteikanzlei) zum Nachfolger von Rudolf Heß ernannt worden war. Mit dem Preußischen Kultusministerium und später dem REM war der Stab Heß schon bald in heftige Kompetenzkonflikte verwickelt. Dabei ging es hauptsächlich darum, wieweit der Stab des „Stellvertreters des Führers" und die von Heß gegründete Hochschulkommission an der Besetzung von Lehrstühlen beteiligt werden sollten.[134]

Auch im Bereich der Studentenpolitik bemühte sich der Stab Heß erfolgreich darum, Einfluß zu gewinnen. Im Juli 1934 wurde der NSDStB kurzerhand dem Einflußbereich der Reichsjugendführung entzogen und direkt dem „Stellvertreter des Führers" untergeordnet. Gleichzeitig ernannte Heß Reichsärzteführer Gerhard Wagner zu seinem „Beauftragten für Hochschulangelegenheiten" und gab ihm den Auftrag, eine Neuorganisation des Studentenbundes einzuleiten.[135] Wagner, der nicht zuletzt aufgrund seines direkten Zugangs zu Hitler über großen politischen Einfluß verfügte[136], hat in der Folgezeit die nationalsozialistische Studentenpolitik wesentlich mitgeprägt.[137]

Während die nationalsozialistischen Studenten 1933 in der Lage gewesen waren, relativ autonom zu agieren, weil sich niemand so recht für sie zu-

---

[131] Vgl. K.-P. Hoepke, Die SS, der „Führer" und die Nöte der deutschen Wissenschaft, in: Zeitschrift für die Geschichte des Oberrheins, Bd.135, 1987, S.415 f.

[132] Bericht des SD Würzburg vom 24.3.1941, S.2, in: StA WÜ SD-Hauptaußenstelle Würzburg 33.

[133] Vgl. P. Longerich, Hitlers Stellvertreter. Führung der Partei und Kontrolle des Staatsapparates durch den Stab Heß und die Partei-Kanzlei Bormann, München 1992; D. Rebentisch, Führerstaat und Verwaltung im Zweiten Weltkrieg, Stuttgart 1989, insbesondere S.68 ff. u. S.441 ff.

[134] Vgl. H. van den Bussche, Akademische Karrieren im „Dritten Reich", in: ders. (Hg.), Medizinische Wissenschaft im „Dritten Reich", Berlin/Hamburg 1989, S.65 ff.

[135] Zum Folgenden vgl. „Die Neuorganisation des NSD-Studentenbundes", in: VB Nr.213, 1.8.1934.

[136] Vgl. die Hinweise bei B. Lösener, Als Rassereferent im Reichsministerium des Innern, in: VfZ 9, 1961, S.274 f.

[137] Vgl. dazu Giles, Students and National Socialism, S.167.

ständig fühlte, hatte sich nunmehr ein doppeltes, spannungsgeladenes Abhängigkeitsverhältnis herausgebildet. Während die DSt dem Reichserziehungsminister untergeordnet war, empfing der NSDStB seine Befehle von Wagner und Heß. Spannungsgeladen war dieses Verhältnis deshalb, weil sowohl das REM als auch der Stab Heß versuchten, ihre eigene Position zu festigen, indem sie den ihnen untergeordneten Studentenverband stärkten. Offensichtlich mit dieser Intention übertrug Heß im Juli 1934 dem NSDStB kurzerhand „die gesamte weltanschauliche, staatspolitische und körperliche Schulung der Studentenschaft" und wertete ihn damit gegenüber der DSt erheblich auf.[138] Das REM zog es zunächst vor, diese Anordnung zu ignorieren, sah sich einige Monate später aber doch gezwungen nachzugeben: Im November 1934 mußte Rust, vermutlich auf Befehl Hitlers[139], dem NSDStB offiziell „die Führung und Richtunggebung der gesamten studentischen Arbeit" übertragen.[140]

Durch diese Entscheidung wurde der Einfluß des REM auf den studentischen Sektor erheblich reduziert. An der Auseinandersetzung um die Korporationen, die zwischen 1934 und 1936 wesentlich die Universitäten prägte, nahm das Ministerium praktisch nur als Zuschauer teil. Dennoch bemühte sich das REM in der Folgezeit, die Aktivitäten der NS-Studenten durch den Aufbau neuer universitärer Machtstrukturen weiter zu domestizieren und zu kanalisieren. Dabei wurde eindeutig das Ziel verfolgt, den Einfluß der nationalsozialistischen Studentenorganisationen im wesentlichen auf die politische Erziehung der Studierenden zu beschränken.

Erkennbar ist diese Absicht besonders in den „Richtlinien zur Vereinheitlichung der Hochschulverwaltung" vom 1. April 1935.[141] Wie schon in früheren Erlassen des Preußischen Kultusministeriums stärkte das REM durch die Richtlinien die Position des Rektors, der als „Führer der Hochschule" bestätigt wurde. Eine analoge Rolle sollten die Dekane in den einzelnen Fakultäten spielen. Die Akademischen Senate und die engeren Fakultäten fungierten in den Richtlinien nur noch als Beratungsgremien ohne eigene Kompetenzen. Die Leiter (bzw. Führer) der Studentenschaften, die vom Reichserziehungsminister „nach Anhören des Rektors und des Gauführers des NS-Studentenbundes" ernannt wurden, erhielten erstmals einen ständigen Sitz im Akademischen Senat. Wichtiger war allerdings ein anderer Passus der „Richtlinien": Dem Leiter der Studentenschaft wurde (ebenso wie dem Leiter der Dozentenschaft) erstmals eine eindeutig subalterne Position zugewiesen: „Er untersteht dem Rektor".

Ein weiterer Erlaß über die Beteiligung von Studentenvertretern an den Fakultätsgeschäften, der einige Monate später verschickt wurde, übernahm

[138] Vgl. „Die Neuorganisation des NSD-Studentenbundes", in: VB Nr.213, 1.8.1934.

[139] Rust selber hat sich dazu später etwas unklar geäußert: „Ich habe ihm [Hitler] in der entscheidenden Sitzung die Dinge vorgetragen, worauf ich dann am anderen Morgen beauftragt wurde, dem Studentenbund die politische Erziehung zu überlassen ...". Konferenz der Leiter der Studentenschaften, 26.5.1935 (Anm. 123), Bl.57.

[140] Vgl. „NS-Studentenbund alleiniger Träger der studentischen Erziehung", in: VB Nr.320, 16.11.1934.

[141] Abgedruckt in: Die deutsche Hochschulverwaltung, Bd.1, Berlin 1942, S.34 f.

die preußische Regelung von 1933. Vertreter der Studentenschaft sollten demnach nur dann zu den Fakultätsberatungen zugelassen werden, wenn „studentische Belange zur Beratung stehen“.[142] Eine Beteiligung der NS-Studenten an personalpolitischen Entscheidungen, hauptsächlich also an Berufungen und an der Ernennung von Rektoren oder Dekanen, war nirgendwo vorgesehen.

Die Unterordnung der Leiter der Studentenschaften unter die Rektoren wurde wenige Wochen später durch eine Anordnung bekräftigt, welche die Studentenschaften verpflichtete, ihre Hochschulzeitungen vor der Veröffentlichung dem Rektor vorzulegen.[143] Schon im folgenden Monat verschickte das REM jedoch einen weiteren Erlaß, der diese Anordnung teilweise wieder aufhob: Eine „Vorzensur“ sei durch die angeordnete Vorlage der Hochschulzeitungen nicht beabsichtigt, hieß es nun. Vielmehr solle der Rektor die Möglichkeit erhalten, „Anregungen“ zu geben. Und: „Unter gar keinen Umständen darf die studentische nationalsozialistische Kampfarbeit hierdurch irgendwie beeinträchtigt werden“.[144] Trotz dieser Einschränkungen blieb die Bestimmung nicht ohne Wirkung. In Hamburg lehnte der Rektor Gustav Adolf Rein es daraufhin ab, „die Hamburger Hochschulzeitung zu Angriffen gegen die Universität und ihre Einrichtungen herzugeben“, wie der lokale Hochschulgruppenführer des NSDStB indigniert konstatierte.[145] Gestärkt wurde die Position der Rektoren gegenüber den Studenten auch durch die Anordnung, daß Nachrichten über Hochschulangelegenheiten in Zukunft nur noch vom Rektor oder durch eine vom ihm eingesetzte Stelle an die Öffentlichkeit weitergegeben werden dürften.[146]

Unter den Funktionären der DSt erhob sich nach Bekanntwerden dieser Anweisungen ein Sturm der Empörung. Vor allem die Unterordnung der Studentenschaftsleiter unter die Rektoren sorgte für allgemeine Entrüstung.[147] Bei einer Besprechung mit den Leitern der Studentenschaften mußten sich die Vertreter des REM gegen den Vorwurf verteidigen, sie seien keine „nationalsozialistischen Kämpfer“ mehr, sondern „verkalkte“ Bürokraten und „Bonzen“ geworden.[148] Der Generationskonflikt, der die Hochschulen seit 1933 erschütterte, ließ auch die NS-Bürokratie nicht ungeschoren.

Sicherlich blieben die Bemühungen des REM, die nationalsozialistischen Studenten in ihre Schranken zu verweisen und damit zu einer Befriedung der Hochschulen beizutragen, nicht ohne Erfolg. Wenn sich die hochschulpolitische Lage seit 1934 deutlich entspannte, dann war dies zu einem erheb-

142 RdErl. des REM, 1.7.1935, abgedruckt in: ebd., S.35.

143 Vgl. RdErl. des REM, 15.5.1935, in: UA Jena C Nr.1131 Bl.177. Die NSDStB-Presse war von dieser Anordnung nicht betroffen.

144 RdErl. des REM, 25.6.1935, in: UA der HUB Rektor und Senat 419.

145 Hogruf H. Nöldge an Reichsdozentenführer W. Schultze, 3.8.1935, Durchschr. in: StA WÜ RSF/NSDStB V* 2 α 573/3.

146 RdErl. des REM, 18.7.1935, in: Die deutsche Hochschulverwaltung, Bd.1, S.129 f.

147 Vgl. Konferenz der Leiter der Studentenschaften, 26.5.1935 (Anm. 123), Bl.83 f.; Monatsbericht des Gaustudentenführers Franken, T. Janzen, 4.6.1935, S.3, in: StA WÜ RSF/NSDStB II* 109 α 53.

148 Vgl. Konferenz der Leiter der Studentenschaften, 26.5.1935 (Anm. 123), Bl.73 f. u. 78 f.

lichen Teil auf die Politik des Rust-Ministeriums zurückzuführen. Aber auch die Grenzen dieser Politik waren offenkundig. Auf den ersten Blick lieferten die „Richtlinien" des REM vom 1. April 1935 den Hochschulen eine klare, am nationalsozialistischen Führerprinzip ausgerichtete Organisationsstruktur mit dem Rektor als monokratischem Führer im Zentrum, der nur dem Reichserziehungsminister unterstand und ihm allein verantwortlich war. In der Realität bot sich jedoch ein ganz anderes Bild. Wie sich zeigte, war die Führungsrolle der Rektoren keineswegs unangefochten, vielmehr mußten sich diese an den meisten Hochschulen in mühsamen Auseinandersetzungen gegen Machtansprüche und Eingriffe anderer Stellen behaupten. In der Praxis erwies sich das Bild vom allmächtigen Führer-Rektor daher schon bald als bloße Fiktion.[149] Anstelle eindeutiger Führungs- und Abhängigkeitsverhältnisse finden sich auch im Hochschulbereich jene polykratischen Strukturen, welche die innere Dynamik des Dritten Reiches über weite Strecken so entscheidend geprägt haben.

Die Ursachen sind vor allem in der mangelnden Durchsetzungskraft des REM zu suchen. Als staatliche Einrichtung war das Ministerium lediglich dazu berechtigt, die Zuständigkeiten innerhalb des staatlichen Sektors zu regeln, während die Partei und ihre Gliederungen außerhalb von Rusts Einflußbereich lagen. Konkret: Zwar konnte das REM die Leiter der Studentenschaften, die Leiter der Dozentenschaften und die Dekane dem Rektor unterstellen, aber dies bedeutete noch nicht, daß die Hochschulgruppenführer des NSDStB und die Dozentenbundführer den Rektor ebenfalls als Führer anerkannten.[150] Im Gegenteil, manche Parteifunktionäre fühlten sich selber anstelle des Rektors zur Leitung der Hochschule berufen. Hatte nicht Hitler im Herbst 1934 auf dem Nürnberger Parteitag die Parole ausgegeben[151], die Partei solle dem Staat befehlen?

Eine eindeutige Abgrenzung der Kompetenzen erfolgte auch in den kommenden Jahren nur in Teilbereichen, vor allem bei Berufungen. Aus dieser Unklarheit entwickelte sich an vielen Hochschulen ein Dualismus zwischen Rektor und Dozentenbundführer, der zur Quelle zahlreicher Konflikte werden sollte.[152] Aber auch viele Hochschulgruppenführer des NSDStB agierten an den Hochschulen weiterhin wie ein autonomer politischer Machtfaktor, der sich weder vom Rektor noch vom Reichserziehungsminister Vorschriften machen ließ.[153]

Von einer vollständigen Domestizierung der NS-Studenten konnte also nicht die Rede sein. Viele Studentenfunktionäre beschränkten sich denn

[149] Vgl. H. Seier, Der Rektor als Führer, in: VfZ 12, 1964, S.105 ff.

[150] Vgl. das Schreiben des REM an den badischen Kultusminister, 27.8.1937, in: BA Potsdam REM 631 Bl.44. Seiers Aussage, die Richtlinien vom 1.4.1935 hätten das Verhältnis des Rektors zu den Führern der Hochschulgliederungen der NSDAP geregelt, verfehlt gerade das Kernproblem. Vgl. Seier, Rektor als Führer, S.131.

[151] Vgl. Broszat, Staat Hitlers, S.315.

[152] Vgl. dazu die Niederschrift über die Rektorenkonferenz am 15.12.1937 in Marburg, in: BA Potsdam REM 708 Bl.34 ff.

[153] Exemplarisch: M. Franze, Die Erlanger Studentenschaft 1918-1945, Würzburg 1972, S.302 ff.

auch keineswegs auf das ihnen zugewiesene Terrain, sondern verstanden sich weiterhin als politische Überwachungsinstanz. Der Reichsführer des NSDStB Albert Derichsweiler[154] verkündete diesen Anspruch 1936 in einer programmatischen Rede:

> „Wenn wir an irgendeiner Hochschule einen Professor haben, der aber da bleiben muß, weil wir keinen anderen haben ... so ist es Aufgabe des Studententums, hier Opposition zu machen und seinen Willen und seine Absichten frei kund zu tun".[155]

Pauschale Angriffe auf die Hochschullehrer, wie sie 1933 überall zu hören gewesen waren, wurden seit 1934 zwar seltener, verstummten aber nicht gänzlich. Es war auch weiterhin nicht ungewöhnlich, daß Hochschulgruppenführer des NSDStB die Hochschullehrer auf öffentlichen Veranstaltungen pauschal als „verkalkte Professoren" beschimpften (so 1935 in Bonn) oder den Dozenten vorwarfen, sie eigneten sich nicht als Erzieher, weil sie sich nicht um ihre Studenten kümmerten (so 1935 an der TH Karlsruhe).[156] Noch 1937 beschwerte sich ein Hamburger Ordinarius, in den vergangenen Jahren habe es kaum eine Veranstaltung des NSDStB gegeben, „in der nicht die Professorenschaft in herabsetzender Weise als eine ‚verkalkte' Gesellschaft hingestellt wurde, die zur Erziehung und Führung der heranwachsenden akademischen Jugend nicht geeignet sei".[157]

Anders als im Jahre 1933 führten derartige Angriffe, soweit sie in der Öffentlichkeit bekannt wurden, nun aber regelmäßig zu Protesten oder Maßregelungen seitens des REM.[158] Dort beobachtete man mit einiger Sorge, daß der Beruf des Hochschullehrers nicht zuletzt wegen derartiger Beschimpfungen immer unattraktiver wurde.[159] Der Reichserziehungsminister scheute nun auch nicht mehr davor zurück, die NS-Studenten öffentlich anzugreifen. Im September 1936, kurz zuvor hatte Hitler den Vierjahresplan verkündet, erklärte Rust auf einer Kundgebung:

> „Ich habe zu meiner höchsten Überraschung vor einigen Tagen eine studentische Stimme gehört, die den Vier-Jahres-Aufbau damit glaubte beginnen zu müssen, daß sie sagte, die Aufgabe dieses Vier-Jahres-Planes fasse der Student nun dahin auf, daß er sich nun einmal gründlich die Dozenten unter die Lupe nehmen würde, um ihren – und dann kamen alte Floskeln und Sprüche – ein Ende zu bereiten. Ich habe hierauf folgendes zu sagen. Das Einzige, was ich von jedem Deutschen erwarte, wenn der Führer ruft, ist, daß er an sich Forderungen stellt und nicht an andere ... Denn die Sorge um die deutsche Dozentenschaft

---

154 Kurzbiographie im Anhang.

155 Rede Derichsweilers in der Ordensburg Crössinsee, August 1936, Ms., S.6, in: StA WÜ RSF/NSDStB II* 29 α 477.

156 Material zu diesen und anderen Fällen in: BA Potsdam REM 907.

157 H. Rose an den NSDStB Hamburg, 11.3.1937, Abschr. in: StA HH Universität I O 30.7, Bl.8.

158 Reichhaltiges Material in: BA Potsdam REM 907.

159 In einem RdErl. des REM vom 23.2.1938 wurde dieser Zusammenhang explizit thematisiert. Vgl. Die deutsche Hochschulverwaltung, Bd.1, S.19.

> hat mir der Führer übertragen, und ich beabsichtige nicht, sie an irgendeinen Studenten abzutreten. Das einzige, was die Studentenschaft in diesem Augenblick tun kann, ist zu überprüfen, was sie selber zu der großen Aufgabe des Führers beitragen kann".[160]

Festhalten läßt sich, daß der überragende Einfluß, den die NS-Studenten 1933 auf die Hochschulpolitik gewonnen hatten, zwischen 1934 und 1936 erheblich zurückging. Dieser Machtverlust war hauptsächlich auf die Politik der Ministerialbürokratie zurückzuführen, die offenkundig an einer Befriedung der Hochschulen interessiert war. Erleichtert wurde diese Aufgabe durch den allgemeinen Prestigeverlust, den die nationalsozialistischen Studentenorganisationen aufgrund ständiger interner Querelen erfuhren. Schon im Dezember 1933 mußte Oskar Stäbel, damals Bundesführer der DSt und des NSDStB, einräumen, daß die DSt ihr Ansehen in Partei und Staat weitgehend verloren hatte, „da sie immer die Organisation ... in Deutschland war, wo der meiste Krach war".[161]

Nachdem im November 1936 Gustav Adolf Scheel[162] zum Reichsstudentenführer ernannt worden war, veränderte sich die Lage erneut. Scheel, vor 1933 Hochschulgruppenführer des Heidelberger NSDStB, hatte sich in völkischen Kreisen als einer der Anführer der Kampagne gegen den jüdischen Pazifisten und Sozialisten Emil Julius Gumbel einen Namen gemacht. Schon 1934 war Scheel der SS beigetreten, in der er es bis zum Obergruppenführer (1944) bringen sollte. Nachdem er 1934/35 als Gaustudentenführer von Baden und als Kreisleiter Süddeutschland der DSt tätig gewesen war, lebte er seit 1935 als hauptamtlicher Leiter des SD-Oberabschnitts Süd-West in Stuttgart.

Unter Scheels Führung gewann der NSDStB wieder fortlaufend an Einfluß, während das REM sich immer weiter aus der Studentenpolitik zurückziehen mußte. Um die Kompetenzkonflikte zwischen dem NSDStB und der DSt zu beenden, vereinte Scheel 1936 die Führung beider Organisationen nach dem Prinzip der Personalunion. Auch die Ämter des NSDStB-Hochschulgruppenführers und des Leiters der Studentenschaft an den einzelnen Hochschulen wurden in einer Person zusammengefaßt. Auf Drängen Scheels übertrug Rust dem neuen Reichsstudentenführer außerdem das Recht, künftig auch die Leiter der örtlichen Studentenschaften einzusetzen und abzuberufen.[163] Damit hatte das REM seit Ende 1936 jeglichen Zugriff auf die studentische Personalpolitik eingebüßt.

---

160 Ms. der Rede Rusts auf der Kundgebung der DAF am 28.9.1936 in Berlin, S.17, in: BAAZ REM Personalakte Rust. Vgl. auch: „Ernste Worte an die Studenten", in: Berliner Tageblatt Nr.467, 2.10.1936.

161 Rede Stäbels auf dem Reichsführerschulungslager in Salem, 19.12.1933, S.16, Ms. in: StA WÜ RSF/NSDStB II* ϕ 48.

162 Kurzbiographie im Anhang. Die im Druffel-Verlag erschienene Biographie von G. Franz-Willing, „Bin ich schuldig?" Leben und Wirken des Reichsstudentenführers und Gauleiters Dr. Gustav Adolf Scheel 1907-1979, Leoni 1987, ist ein ebenso oberflächliches wie apologetisches Machwerk.

163 Vgl. RdErl. des REM, 7.12.1936, in: BA Potsdam REM 667 Bl.145. Zuvor wurden die Leiter der Studentenschaften vom REM auf Vorschlag des Führers der DSt nach Anhören des Rektors und des Gaustudentenführers ernannt. Siehe den RdErl. des REM, 20.12.1935, in: StA WÜ RSF/NSDStB II* 46 α 481.

Auch die Rektoren verloren durch die neue Regelung einen Teil ihrer ohnehin prekären Machtposition. Denn fortan hatten sie keinen Einfluß mehr auf die Ernennung der Studentenführer, und auch die Unterstellung des Leiters der Studentenschaft unter den Rektor stand letztlich nur noch auf dem Papier. In der Theorie ergab sich seit Ende 1936 die paradoxe Situation, daß die Studentenführer in ihrer Eigenschaft als Leiter der Studentenschaft weiter dem Rektor unterstanden, während sie in ihrer Eigenschaft als Hochschulgruppenführer des NSDStB unabhängig vom Rektor waren. Die Rektoren drängten daher auf eine vollständige Unterstellung der Studentenführer, ein Wunsch, den beispielsweise der Freiburger Rektor Friedrich Metz 1937 nach einem örtlichen Konflikt sehr entschieden artikulierte: „Ruhe und Ordnung aber wird an den deutschen Universitäten erst dann eintreten, wenn ganz klare Befehlsverhältnisse geschaffen und Fehlkonstruktionen beseitigt sein werden“.[164] Eine Unterordnung der Parteifunktionäre (Dozentenbundführer, NSDStB-Hochschulgruppenführer) unter den Rektor lag jedoch außerhalb der Kompetenzen des Reichserziehungsministers. Um „klare Befehlsverhältnisse“ zu schaffen, hätte es eines Abkommens zwischen dem Ministerium und der Partei bedurft. Ein solches Abkommen kam jedoch nie zustande, ganz abgesehen davon, daß die Partei einer Unterordnung ihrer Hochschulfunktionäre unter den Rektor niemals zugestimmt hätte. Unter diesen Umständen konnte die Stellungnahme des REM für Metz nur enttäuschend ausfallen. Das Ministerium erklärte

> „daß eine völlig unabhängige Führerstellung dem Rektor nur für diejenigen Bereiche zuerkannt werden kann, die in den staatlichen Sektor fallen. Soweit daher der Dozentenschaftsleiter gleichzeitig Dozentenbundsführer und der Studentenschaftsleiter gleichzeitig Führer der ... studentischen Parteiorganisation ist, kann eine Unterstellung unter den Rektor nicht stattfinden“.[165]

Da die Personalunion von Studentenschaftsleiter und NSDStB-Hochschulgruppenführer zu diesem Zeitpunkt bereits überall eingeführt worden war, wurde damit faktisch eingestanden, daß die Unterstellung des Studentenführers unter den Rektor in der Praxis nicht mehr existierte. Öffentlich mochte man dies im REM freilich nicht zugeben, ein Verhalten, das an den Hochschulen immer wieder für Konfusion und Konflikte sorgte.[166]

Seinen weiteren Aufstieg verdankte Scheel hauptsächlich der wohlwollenden Unterstützung durch den Stab Heß.[167] Bei Heß und Bormann genoß der neue Reichsstudentenführer schon bald ein weit höheres Ansehen als der

[164] F. Metz an den badischen Kultusminister, 23.7.1937, Zweitschrift in: BA Potsdam REM 631 Bl.42.

[165] REM an den badischen Kultusminister, 27.8.1937, in: ebd. Bl.44.

[166] Vgl. das Prot. der Tagung der Dekane der Medizinischen Fakultäten, 6.5.1941, S.33, in: BAAZ Rudolf Mentzel. Siehe auch das Material über einen Konflikt zwischen Rektor und Studentenführer an der TH Aachen 1943, in: BA Koblenz R 21/10789. Außerdem: Mitt. U. Gmelin an F. Kock (REM), 2.8.1941, in: BA Potsdam REM 869 Bl.141.

[167] 1938 ordnete Scheel an, in allen NSDStB-Büros neben dem Hitlerbild ein Foto von Heß aufzuhängen, „da keiner der Parteiführer ein solches Interesse an der studentischen Arbeit zeigt wie er und wir keinem in gleicher Weise zu danken haben“. (Scheel an das Stabsamt der RSF, 4.5.1938, Durchschr. in: StA WÜ RSF/NSDStB II* 97 α 37).

Reichserziehungsminister. 1938 sorgte der Stab Heß dafür, daß dem REM nach jahrelangem Tauziehen die Verfügung über das Reichsstudentenwerk entzogen wurde. Ein neues Gesetz, dem auch Rust schließlich zustimmen mußte, legte den Vorsitz des Reichsstudentenwerks in die Hände des Reichsstudentenführers.[168] Während des Krieges galt Scheel in der Parteikanzlei bereits als eine der wenigen wirklich fähigen Nachwuchskräfte der Partei.[169] 1941 ernannte Hitler ihn zum Gauleiter in Salzburg. Ein Jahr später avancierte der Reichsstudentenführer außerdem zum Präsidenten des Deutschen Akademischen Austauschdienstes (DAAD), einer Institution, die bis dahin ebenfalls unter dem Einfluß des REM gestanden hatte.[170] 1943/44 wurde Scheel in der Parteikanzlei sogar als aussichtsreichster Kandidat für eine eventuelle Nachfolge Rusts gehandelt.[171] Die Beamten des REM beobachteten mit einigem Entsetzen, wie sich die hochschulpolitischen Kräfteverhältnisse zugunsten der Reichsstudentenführung verschoben.[172] Schließlich machte man sogar die schmerzliche Entdeckung, daß selbst die Wehrmacht, deren Wohlwollen dem Ministerium stets besonders wichtig gewesen war, gegenüber der sichtbar aufsteigenden Macht Scheels zuvorkommender war als gegenüber dem eigenen Hause. 1940 registrierte Oberregierungsrat Huber vom REM in einem internen Vermerk, „daß das Oberkommando der Wehrmacht offensichtlich auf Wünsche (Forderungen) der Reichsstudentenführung schneller und tatkräftiger reagiert, als auf unsere Wünsche".[173]

Auch das Ministerium selber mußte dem gewachsenen Einfluß der Reichsstudentenführung seinen Tribut zollen: 1938 wurde ein enger Mitarbeiter Scheels, der Leiter des Wirtschafts- und Sozialamtes der Reichsstudentenführung Heinz Franz, als Studentenreferent in das REM berufen.[174] Und im Februar 1941 trat ein anderer Amtsleiter der Reichsstudentenführung, Ulrich Gmelin, als Referent in das Ministerium ein, um dort im Auftrag Scheels das „Langemarckstudium" zu organisieren, eine Vorstudienausbildung für politisch zuverlässige Unterschichtenjugendliche.[175] Der wachsende Einfluß des Reichsstudentenführers drückte sich auch in der Tatsache aus, daß die Stelle des Kurators an den beiden neuen „Reichsuniversitäten" Posen und Straßburg mit zwei hohen Funktionären des NSDStB, den Gaustudentenführern Hanns Streit (Posen) und Richard Scherberger

[168] Vgl. das Gesetz über das Reichsstudentenwerk vom 6.7.1938, in: RGBl. 1938 I S.802 f. Zur Entstehung dieses Gesetzes vgl. BA Potsdam REM 894.

[169] Bormann, Aktenvermerk für Dr. Klopfer, 13.5.1943, in: BA Koblenz NS 6/797 Bl.1.

[170] Vgl. V. Laitenberger, Akademischer Austausch und auswärtige Kulturpolitik, Göttingen 1976, S.152 ff.

[171] Vgl. G. Klopfer, Vorlage an Reichsleiter Bormann, 12.1.1944, in: BA Koblenz NS 6/797 Bl.4 ff.

[172] In der Literatur wird dies häufig übersehen. Pauwels, Women bezeichnet die Reichsstudentenführung und ihren weiblichen Ableger, die ANSt, sogar als „Vasallen" des Reichserziehungsministers (S.141).

[173] H. Huber, Aktennotiz vom 24.10.1940, in: BA Potsdam REM 898 Bl.49.

[174] Vgl. VOBl. RSF Nr.9, 10.4.1938, S.49.

[175] Vgl. Rust an Scheel, 14.1.1941, Abschr. in: BA Potsdam REM 22 Bl.3 f.

(Straßburg) besetzt wurde.[176] Im Februar 1942 mußte Rust dem Reichsstudentenführer Scheel außerdem zusichern, künftig die Reichsstudentenführung an „Besprechungen über grundsätzliche Studien- und Studentenangelegenheiten" zu beteiligen.[177]

Es lag auf der Hand, daß ein ehrgeiziger und machtbewußter Mann wie Scheel, der einflußreiche Gönner hinter sich wußte, bemüht war, seinen hochschulpolitischen Einfluß über die rein studentischen Angelegenheiten hinaus auszuweiten. Vor allem im Bereich der Personalpolitik, bei Berufungen und bei der Ernennung von Rektoren, versuchte der NSDStB seinen Vorstellungen Geltung zu verschaffen. Zwar war eine Mitwirkung der nationalsozialistischen Studenten bei der Besetzung von Lehrstühlen offiziell nicht vorgesehen.[178] Aber dies hinderte den NSDStB keineswegs, sich immer wieder in laufende Berufungsverfahren einzumischen. Die Studentenführer machten sich dabei die Vorschrift zunutze, daß Berufungsvorschläge der Fakultäten auch dem Akademischen Senat zur Anhörung vorgelegt werden mußten. Im Akademischen Senat saß jedoch auch der Studentenführer, der auf diese Weise von anstehenden Berufungen erfuhr und die Möglichkeit erhielt, Erkundigungen über die vorgeschlagenen Kandidaten einzuziehen. Falls die Resultate dieser Nachforschungen dem Studentenführer nicht zusagten, bestand die Möglichkeit, das gesammelte Material über die Reichsstudentenführung an den Stab Heß weiterzuleiten. Da Heß bei Berufungen über ein Vetorecht verfügte[179], waren die Aussichten, auf diesem Wege die Berufung unliebsamer Wissenschaftler zu verhindern, keineswegs gering. Einige Rektoren fanden derartige „Querschüsse" von studentischer Seite so lästig, daß sie 1939 vehement, aber letztlich erfolglos dafür plädierten, den Akademischen Senat nicht mehr an Berufungsverfahren zu beteiligen.[180]

Auch über den NS-Dozentenbund, der bei allen personalpolitischen Entscheidungen eine gewichtige Rolle spielte, konnte die Reichsstudentenführung immer wieder Einfluß auf Berufungsverfahren nehmen. Wenn der NS-Dozentenbund sich nicht in der Lage sah, einen Hochschullehrer politisch zu beurteilen, wandte er sich häufig mit der Bitte um ein politisches Gutachten an die NSDStB-Spitze, die nur allzu gern bereit war, durch Nachforschungen vor Ort mit den gewünschten Informationen auszuhelfen.[181] Die Zuverlässigkeit solcher Beurteilungen wurde freilich auch im REM skeptisch beurteilt.

---

[176] Vgl. „Bekenntnis und Leistung. Der Einsatz des Studententums im Kriege", in: Der Altherrenbund Nr.12, Juni 1941, S.244. Zu Streits Rolle in Posen siehe auch T. Wróblewska, Die Rolle und Aufgaben einer nationalsozialistischen Universität in den sogenannten östlichen Reichsgebieten am Beispiel der Reichsuniversität Posen 1941-1945, in: Pädagogische Rundschau, 32. Jg., 1978, S.174 f.

[177] Vgl. Rust an Scheel, 18.2.1942, Abschr. in: BA Koblenz R 21/441 Bl.63.

[178] Zum offiziellen Ablauf der Berufungsverfahren vgl. den RdErl. des REM vom 14.5.1938, in: Die deutsche Hochschulverwaltung, Bd.2, Berlin 1943, S.38 f. Außerdem: Niederschrift über die Rektorenkonferenz am 15.12.1937 (Anm. 152), Bl.116 ff.

[179] Vgl. die Niederschrift über die Rektorenkonferenz am 15.12.1937 (Anm. 152), Bl.125.

[180] Vgl. das Prot. der Rektoren-Konferenz vom 7. und 8. März 1939, in: BA Potsdam REM 708 Bl.479 ff.

[181] Durchschriften solcher Gutachten in: StA WÜ RSF/NSDStB II* 198 α 125 und V* 2 α 573/2. Auch im BAAZ finden sich gelegentlich derartige Beurteilungen.

Gelegentlich hat Scheel sich auch selber direkt an das Reichserziehungsministerium gewandt, um auf personalpolitische Entscheidungen Einfluß zu nehmen. Soweit solche Interventionen in den Akten auffindbar sind, zeigen sie Scheel stets als sturen Ideologen, dem es allein auf die politische Haltung der beurteilten Personen und nicht auf ihre wissenschaftlichen Leistungen ankam. 1937 gehörte er zu jenen Parteileuten, die eine Berufung Werner Heisenbergs an die Münchener Universität verhinderten[182], auch wenn sein Votum dabei sicher nicht ausschlaggebend war. Ohne mit einem einzigen Wort auf die wissenschaftliche Bedeutung Heisenbergs einzugehen, lehnte Scheel eine Berufung des politisch umstrittenen Physikers mit dem Argument ab, sie würde „eine Brüskierung" von Heisenbergs Gegenspieler, des NS-Physikers Philipp Lenard, bedeuten.[183] Auch in der Auseinandersetzung um den Staatsrechtler Carl Schmitt zeigte sich der Reichsstudentenführer als Vertreter einer rigiden personalpolitischen Linie. Obwohl Schmitt sich nach 1933 zu einem der führenden NS-Juristen entwickelt hatte, forderte Scheel seine Entlassung, nachdem die SS-Presse Schmitt 1936 wegen seiner politischen Vergangenheit angegriffen hatte.[184]

Während die Eingriffe der Studentenfunktionäre in Berufungsverfahren immer gewissermaßen über die Hintertreppe erfolgten, war die Reichsstudentenführung an der Ernennung der Rektoren ganz offiziell beteiligt. Seit Anfang 1937 informierte das REM die Reichsstudentenführung routinemäßig über die beabsichtigte Ernennung eines neuen Rektors und erbat eine Stellungnahme.[185] Da ein Rektor, der gegen den Widerstand des NSDStB in sein Amt gelangt war, mit erheblichen Schwierigkeiten zu rechnen hatte, lag dem Ministerium offenbar daran, diesen potentiellen Störfaktor schon im voraus auszuschalten. Im Regelfall erfolgte die Anfrage an den Reichsstudentenführer aber erst, nachdem das Ministerium sich bereits mit der Landesregierung, dem Gauleiter und dem NS-Dozentenbund über die Person des künftigen Rektors geeinigt hatte. Der tatsächliche Einfluß des NSDStB auf die Auswahl des Rektors war deshalb wohl eher gering. Das vorliegende Aktenmaterial deutet jedenfalls darauf hin, daß es seitens der Reichsstudentenführung kaum Einwände gegen die vorgeschlagenen Kandidaten gab.[186] Nachdem der Stab Heß sich 1941 offiziell in das Ernennungsverfahren eingeschaltet hatte, entfiel die routinemäßige Anfrage der REM-Referenten beim Reichsstudentenführer.[187] Der Amtschef Wissenschaft im REM, Rudolf Mentzel, legte jedoch weiterhin ausdrücklich Wert auf eine frühzeitige Verständigung mit Scheels Verbindungsmann im Ministerium,

182 Zum Konflikt um die Berufung Heisenbergs vgl. A.D. Beyerchen, Wissenschaftler unter Hitler, Köln 1980, S.210 ff. Scheels Position wird von Beyerchen allerdings falsch eingeschätzt. Vgl. ebd., S.221.

183 Scheel an Rust, 15.6.1937, Durchschr. in: StA WÜ RSF/NSDStB II* 91 α 32. Inspiriert war diese Stellungnahme von Scheels Amtsleiter Fritz Kubach (Kurzbiographie im Anhang).

184 Scheel an Rust, 18.12.1936, in: BA Koblenz R 58/854 Bl.59. Zur Kampagne gegen Schmitt vgl. J.W. Bendersky, Carl Schmitt. Theorist for the Reich, Princeton 1983, insbesondere S.232 ff.

185 Vgl. den Vermerk von W. Groh (REM), 24.2.1937, in: BA Koblenz R 21/10789 Bl.98; Scheel an F. Kubach, 8.1.1937, in: StA WÜ RSF/NSDStB II* 175 α 103.

186 Zahlreiche Stellungnahmen der RSF sind erhalten in: StA WÜ RSF/NSDStB II* 91 α 32.

187 Vgl. Bormann an den REM, 1.2.1941, in: BA Koblenz R 21/10789 Bl.244.

Ulrich Gmelin, wohl um etwaigen Einwänden seitens der Partei rechtzeitig vorbeugen zu können.[188]

Welche Rolle spielten die NSDStB-Funktionäre an den einzelnen Hochschulen? In seinem Bericht über die Universität Bonn während der NS-Diktatur hat Paul E. Kahle den Studentenführer als den mächtigsten Mann der Hochschule neben dem Rektor und dem Dozentenführer bezeichnet.[189] Eine derartige Aussage läßt sich, selbst wenn sie für Bonn zutraf, sicher nicht unbesehen verallgemeinern. Dafür war der Einfluß der Studentenführer an den einzelnen Hochschulen zu unterschiedlich. Da ihre Kompetenzen nirgendwo präzise definiert wurden, hing die reale Machtstellung der Studentenfunktionäre stark von ihrer persönlichen Durchsetzungsfähigkeit und von ihrer Beziehung zum Gauleiter ab. Gleichwohl läßt sich festhalten, daß die Bedeutung der Studentenführer im allgemeinen seit 1936, analog zu den Machtverschiebungen auf zentraler Ebene, wieder zunahm[190], Es war daher kein Zufall, daß die von 1933/34 noch vertrauten Klagen über das „selbstherrliche" und „überhebliche" Verhalten der Studentenfunktionäre während des Krieges wieder häufiger zu hören waren. „Oft ist es geradezu lächerlich, mit ansehen zu müssen, was sich mancher fachlich hervorragende Dozent von manchem nichts könnenden Studenten ... bieten läßt", schimpfte 1940 der Gaudozentenführer von Thüringen, Heiner Jörg.[191]

Als hoher Funktionär des NS-Dozentenbundes hatte Jörg allerdings auch noch einen anderen Grund, sich über den NSDStB zu ärgern. Zeichnete sich doch zu dieser Zeit bereits ab, daß nicht nur das REM, sondern auch der NS-Dozentenbund gegenüber der wachsenden Macht der Reichsstudentenführung immer mehr ins Hintertreffen geriet.[192] Sehr aufschlußreich ist in dieser Hinsicht ein Bericht des Leiters des Rassenpolitischen Amtes der NSDAP, Walter Groß, seit 1942 auch Chef des Hauptamtes Wissenschaft in der Dienststelle Rosenberg, über seine Eindrücke nach dem Besuch von sieben Universitäten im Wintersemester 1943/44:

> „Der Studentenbund steht heute zweifellos völlig im Vordergrund, sobald seitens der Partei Universität und Wissenschaft zur Erörterung kommen. Er gilt vielfach auch bei den Gauleitungen als die berufene Parteiorganisation, der die ... politische Führung der Universität zufalle. Einzelne der hauptamtlichen Studentenführer vertreten diesen Standpunkt auch ihrerseits mit Überzeugung und in allen Konsequenzen ... Auf der Seite des akademischen Lehrkörpers werden diese Ansprüche des Studentenbundes zum Teil mit schroffer Ablehnung, zu ei-

---

188 Vgl. Seier, Rektor als Führer, S.122.

189 Vgl. Kahle, Bonn University, S.25.

190 Eine bezeichnende Episode in: C.H. Meisiek, Evangelisches Theologiestudium im Dritten Reich, Frankfurt/M. 1993, S.290 f.

191 H. Jörg an die Reichsdozentenführung, München, 11.1.1940, Abschr. in: UA Jena U Abt. IV Nr.2. Siehe auch die Beschwerde des Rektors der TH Breslau, E. Ferber, an Scheel, 25.5.1940, Abschr. in: BA Potsdam REM 869 Bl.125 f.

192 Offiziell war der NSDStB dem NS-Dozentenbund in „allgemeinen hochschulpolitischen Fragen, die nicht nur studentische Belange betreffen", untergeordnet. Vgl. die Anordnung des Stellvertreters des Führers über den NSD-Dozentenbund, 24.7.1935, Abschr. in: BA Koblenz Sammlung Schumacher 225 Bl.31. In der Praxis war davon nichts zu spüren.

nem anderen Teil aber auch mit resignierter Passivität hingenommen. Man sieht im Anspruch des Studentenbundes auf wissenschaftliche Führungstätigkeit an sich eine Absurdität, hält diese Entwickung aber für unvermeidlich angesichts des Versagens der berufenen Stellen, insbesondere des Ministeriums und des Dozentenbundes. Im übrigen hängt aber die Stellung und der Einfluß des Studentenführers sehr weitgehend von der Persönlichkeit des jeweiligen Rektors ab. Wo das Rektorat mit energischen, zielbewußten Professoren besetzt ist, liegt auch die politische Führung der Hochschule eindeutig in ihrer Hand, und Studentenbund und Studentenführung fügen sich ohne weiteres ... dieser Autorität".[193]

In vieler Hinsicht erinnert dieser Bericht an die noch von 1933/34 vertrauten Klagen über die Machtverhältnisse an den Hochschulen. Wie es scheint, war der NSDStB am Ende des Dritten Reiches wieder dort angelangt, wo er am Anfang schon einmal gestanden hatte.

Mittlerweile war Scheel wohl unbestritten der einflußreichste Hochschulpolitiker der Partei. Im Juni 1944 wurde ihm auch noch die Führung des NS-Dozentenbundes übertragen[194], ohne daß er der schon seit geraumer Zeit dahinsiechenden Organisation neue Impulse geben konnte. Auf die Übernahme des Rust-Ministeriums wartete der Reichsstudentenführer allerdings vergeblich. Erst in Hitlers „Politischem Testament" vom 29. April 1945 erfolgte dann doch noch seine Ernennung zum Reichserziehungsminister.[195] Zu diesem Zeitpunkt hatten freilich sowohl Rust als auch Scheel bereits andere Sorgen: Der gescheiterte Minister war am 21. April aus der Hauptstadt geflüchtet, am 8. Mai beging er Selbstmord. Auf Scheel wartete eine dreijährige Internierungshaft in alliierten Lagern. Seine beiden engsten Mitarbeiter, Ernst Horn und Fritz Kubach, sind noch 1945 kurz vor Ende des Krieges gefallen.[196]

---

193 W. Groß, Bericht über die Vortragsreihe des HA Wissenschaft an deutschen Hochschulen im WS 1943/44, 1.3.1944, in: BA Koblenz NS 8/241 Bl.158.

194 Vgl. „Neuer Reichsdozentenführer beauftragt", in: Hamburger Tageblatt, Nr.177, 30.6.1944.

195 Hitlers „Politisches Testament" ist abgedruckt in: Domarus, Hitler. Reden und Proklamationen, Bd.II, 2, S.2236 ff.

196 Kurzbiographien im Anhang.

III. Wer studierte im Dritten Reich?

Die Zusammensetzung der Studentenschaft im Dritten Reich wird im folgenden unter fünf Aspekten analysiert: 1. Unter quantitativen Gesichtspunkten. Vor allem der beträchtliche Rückgang der Studentenzahlen bedarf einer genaueren Erklärung. In diesem Zusammenhang wird außerdem die Entwicklung des Ausländerstudiums skizziert. 2. Unter dem Aspekt der Geschlechtszugehörigkeit. Hier stellt sich vor allem die Frage nach der wechselvollen Entwicklung des Frauenstudiums im Dritten Reich. 3. Unter fachlichen Gesichtspunkten. Zwischen 1933 und 1945 kam es zu beträchtlichen Verschiebungen bei der Wahl des Studienfaches, deren Ursachen zumindest in groben Zügen herausgearbeitet werden sollen. 4. Unter sozialstrukturellen Gesichtspunkten. Hier stellt sich die Frage, inwieweit die Volksgemeinschaftsideologie Auswirkungen auf die soziale Zusammensetzung der Studentenschaft hatte. Zur Beantwortung dieser Frage werden 5. Umfang, Zielsetzung und Wirksamkeit sozialpolitischer Maßnahmen analysiert. Präzise Angaben zur konfessionellen Struktur der Studentenschaft sind aufgrund des Mangels an genauen Daten nicht möglich.

1. Die Studienfrequenz

Die Zahl der Studierenden an den wissenschaftlichen Hochschulen des Deutschen Reiches hatte seit 1925 erheblich zugenommen. 1931 wurde mit insgesamt 138.010 Studierenden (davon allein 103.912 an den Universitäten) ein Höchststand erreicht, der in den folgenden Jahren nicht mehr übertroffen werden sollte. Demgegenüber gingen die Studentenzahlen im Dritten Reich zunächst kontinuierlich zurück. Im letzten Friedenssemester (Sommersemester 1939) waren nur noch 40.717 Studierende an den Universitäten des „Altreichs“ immatrikuliert, 39 % des Bestandes von 1931. An den Technischen Universitäten verlief die Entwicklung nicht viel anders, wie Tabelle 16 (Anhang) zeigt. Nach Beginn des Krieges, als ein großer Teil der männlichen Studenten eingezogen worden war, sackten die Immatrikulationsziffern weiter ab. Erst seit 1941/42 nahm die Zahl der immatrikulierten Studenten wieder deutlich zu, hauptsächlich wegen des wachsenden Anteils studierender Frauen, wie sich den Angaben der Tabelle 17 (Anhang) entnehmen läßt. Im Wintersemester 1943/44 lag die Zahl der Studierenden an den Universitäten zwar wieder über dem Vorkriegsniveau, blieb aber immer noch weit hinter dem Stand von 1931 zurück.

Über die Ursachen dieses Rückgangs ist viel geschrieben worden. In der DDR dienten diese Zahlen als Beweis für die wissenschaftsfeindliche Politik des NS-Regimes[1], und auch in der westlichen Forschung wurde die Reduzierung der Studentenzahlen zunächst im allgemeinen als ein Resultat nationalsozialistischer Hochschulpolitik interpretiert. In der Tat hatten die neuen Machthaber unter dem Eindruck der Überfüllungskrise bereits 1933 erhebliche Anstrengungen unternommen, den Zustrom an die Hochschulen zu drosseln.

Schon im Februar 1933, noch bevor die nationalsozialistische Gleichschaltungspolitik richtig begonnen hatte, vereinbarten die Kultusminister der Länder, Abiturienten mit geringen schulischen Leistungen ausdrücklich vom Hochschulbesuch abzuraten und diese Entscheidung den Erziehungsberechtigten mitzuteilen. Wer gegen den ausdrücklichen Rat ein Studium aufnahm, sollte keine Studienvergünstigungen erhalten.[2] Das „Gesetz gegen die Überfüllung der deutschen Hochschulen und Schulen" vom 25. April 1933 und die am selben Tag veröffentlichte erste Durchführungsverordnung[3] verkündeten ebenfalls die Intention der Reichsregierung, den Zugang zum Hochschulstudium so weit zu drosseln, daß „dem Bedarf der Berufe genügt ist". Zunächst blieb es jedoch bei der Absichtserklärung, denn nur für jüdische Studenten wurden schon in der ersten Durchführungsverordnung Höchstziffern festgelegt.[4] Erst im Dezember 1933 folgte ein allgemeiner Numerus clausus. Eine Anordnung des Reichsinnenministers legte fest, daß von den 40.215 Abiturienten des Jahrgangs 1934[5] nur 15.000 die „Hochschulreife" erhalten sollten. Die „Hochschulreife", d.h. die Genehmigung zum Studium, sollte

> „nur denjenigen Abiturienten zugesprochen werden, die geeignet erscheinen, den *besonderen* durch die Hochschule gestellten Anforderungen nach ihrer geistigen und körperlichen Reife, nach ihrem Charakterwert und ihrer nationalen Zuverlässigkeit zu genügen".[6]

Insgesamt erhielten schließlich 16.489 Abiturienten den Hochschulreifevermerk.[7] Damit hatten sich, nach anfänglichem Zögern, jene Kräfte durchge-

[1] Vgl. z.B. Geschichte der Universität Rostock 1419-1969. Festschrift zur Fünfhundertfünfzig-Jahrfeier der Universität, Berlin/DDR 1969, Bd.I, S.269.

[2] Vgl. den Text der Ländervereinbarung vom 15.2.1933 und die darauf folgenden Erlasse und Erläuterungen des Preußischen KM in: J. Haupt, Neuordnung im Schulwesen und Hochschulwesen, Berlin 1933, S.6 ff.

[3] Vgl. RGBl 1933 I S.225 f.

[4] Vgl. S.213 ff.

[5] Zahl der Abiturienten nach: Tabelle 3 (S.104).

[6] Anordnung des RdI über die zahlenmäßige Begrenzung des Zugangs zu den Hochschulen, 28.12.1933, in: Reichsministerialblatt, 62. Jg., 1934, S.16 f. (Hervorhebung im Original). Vgl. auch den RdErl. des Preußischen KM, 7.2.1934, in: ZBl, 76. Jg., 1934, S.91 ff.

[7] Vgl. Statistisches Jahrbuch für das Deutsche Reich 1935, S.518. Die Abweichung von den Vorgaben des RdI erklärt sich wohl dadurch, daß das Ministerium jene Abiturienten, die eine Volksschullehrerlaufbahn anstrebten, in seinen Höchstzahlen nicht berücksichtigt hatte.

setzt, die der „Überfüllungskrise" durch eine rigorose Begrenzung des Zugangs zum Hochschulstudium Herr werden wollten. Es wird allerdings manchmal übersehen, daß diese Politik einer drastischen Zulassungsbeschränkung schon früh umstritten war und nur sehr kurze Zeit währte. Im Mai 1934 verlor Reichsinnenminister Frick seine hochschulpolitischen Kompetenzen an das neu gegründete Reichserziehungsministerium (REM). Dort ging man davon aus, daß die Abiturientenzahlen auch ohne restriktive Maßnahmen zurückgehen würden und zeigte wenig Neigung, die NC-Politik des Frick-Ministeriums fortzusetzen. In der Parteiführung gelangten die zuständigen Stellen zu einer gleichartigen Lagebeurteilung. Die Hochschulkommission der NSDAP verwies Ende 1934 auf die Gefahr eines künftigen Nachwuchsmangels in den akademischen Berufen und warnte vor einer zahlenmäßigen Beschränkung des Studiums.[8] Daraufhin entschied sich das REM im Februar 1935, fortan auf den Hochschulreifevermerk zu verzichten und wieder allen Abiturienten den uneingeschränkten Zugang zur Hochschule zu ermöglichen.[9] Abiturienten des Jahrgangs 1934, denen die Hochschulreife nicht zuerkannt worden war, konnten sogar noch nachträglich zum Studium zugelassen werden, wenn sie als „politisch zuverlässig" galten und bislang noch in keinem anderen Beruf untergekommen waren.[10]

Von den Maßnahmen gegen „nichtarische" Studenten einmal abgesehen[11], bestand ein Numerus clausus an den Hochschulen des Dritten Reiches also nur für zwei Semester.[12] Der kontinuierliche Rückgang der Studentenzahlen bis 1940/41 läßt sich damit offensichtlich nur zu einem sehr geringen Teil erklären. Andere Faktoren waren wesentlich wichtiger. Aufschlußreich ist in diesem Zusammenhang die Tatsache, daß der Rückgang der Immatrikulationsziffern bereits 1931, zwei Jahre vor der nationalsozialistischen Machtübernahme, einsetzte, wie aus Tabelle 16 (Anhang) hervorgeht. Noch vor den Märzwahlen von 1933, also vor Beginn der eigentlichen Gleichschaltungsperiode, prognostizierte ein unveröffentlichtes Gutachten der „Volkswirtschaftlichen Zentralstelle für Hochschulstudium und Akademisches Berufswesen" einen erheblichen Schwund der Immatrikulationsziffern: Die Zahl der inländischen Studenten werde von 123.048 (1932) auf einen Stand zwischen 82.400 und 66.156 im Jahre 1937 zurückgehen.[13] Tatsächlich erwies sich diese Prognose als zutreffend, wie ein Vergleich mit den Zahlen der Tabelle 16 (Anhang) zeigt. War die Hochschulpolitik des NS-Staates für die Entwicklung der Studentenzahlen vielleicht viel weniger wichtig als lange Zeit angenommen wurde? Bei genauerem Hinsehen bestätigt sich diese Vermutung.

---

[8] Vgl. A.F. Kleinberger, Gab es eine nationalsozialistische Hochschulpolitik? in: M. Heinemann (Hg.), Erziehung und Schulung im Dritten Reich, Teil 2, Stuttgart 1980, S. 18.

[9] RdErl. des REM, 9.2.1935, in: DWEV 1935, S.69 f.

[10] RdErl. des REM, 19.2.1935, in: BA Potsdam REM 796 Bl.32.

[11] Dazu ausführlich S.212 ff.

[12] Erst gegen Ende des Krieges, 1944/45, wurden erneut Zulassungsbeschränkungen eingeführt. Vgl. S.425 f.

[13] Vgl. Gutachten über die vermutliche Entwicklung des Hochschulstudiums in den kommenden Jahren, 3.3.1933, in: GStAPK I Rep. 76 Va Sekt.1 Tit.I Nr.7 Bd.II Bl.350 (M).

Tab. 3: Die Abiturienten des deutschen öffentlichen Schulwesens 1931-1941[14]

Jahr	Abiturienten insgesamt	Studierwill. Abiturienten		Weibliche Abiturienten		davon Studierwill.	
		abs.	in %	abs.	in %	abs.	in %
1931	40630	27022	66,5	9544	23,5	6083	63,7
1932	43214	22413	51,9	10851	25,1	4625	42,6
1933	43559	–	–	–	–	–	–
1934	40215	–	–	–	–	–	–
1935	31814	15103	47,5	7064	22,2	2510	35,5
1936	25811	12445	48,2	5086	19,7	1769	34,8
1937	43150	–	–	4016	9,3	–	–
1938	37650	20100	53,4	7664	20,4	2947	38,5
1939	45361	25545	56,4	9080	20,0	3912	43,1
1940	55363	–	–	18372	33,2	–	–
1941	49970	–	–	13289	26,6	–	–

Im wesentlichen läßt sich die Verminderung der Studentenzahlen zwischen 1933 und 1939 auf drei Faktoren zurückführen.

1. Die Verringerung der Studienbereitschaft unter Abiturienten und Studierenden. Presseberichte über die hoffnungslose Lage auf dem akademischen Arbeitsmarkt und offizielle Warnungen der Hochschulverwaltungen vor einem Hochschulbesuch[15] hatten zur Folge, daß viele Abiturienten und Studenten im Studium keine Perspektive mehr sahen. Wie aus Tabelle 3 hervorgeht, hatte 1932 nur noch gut die Hälfte der Abiturienten die Absicht zu studieren.[16] Dieser Trend setzte sich auch in den folgenden Jahren fort. Die Zahl der Studienabbrüche nahm 1932 ebenfalls erheblich zu. Es ist bemerkenswert, daß sowohl unter den Abiturienten ohne Studienabsichten als auch unter den Studienabbrechern überproportional viele Frauen vertreten waren.[17] Neben der Überfüllungskrise, die es ungewiß erscheinen ließ, ob die mit einem Studium verbundenen Anstrengungen sich jemals auszahlen würden, trug die allgemeine Wirtschaftskrise zu dieser Entwicklung bei. Viele Abiturienteneltern waren aus ökonomischen Gründen nicht mehr in der Lage, ihren Kindern das Studium zu finanzieren.

2. Die demographische Entwicklung. Während des Ersten Weltkriegs hatten sich die Geburtenziffern erheblich verringert. 1917/18 lag die Zahl der

[14] Quelle: Datenhandbuch zur deutschen Bildungsgeschichte Bd.I, Teil 1, Göttingen 1987, S. 181; eigene Berechnungen.

[15] Vgl. A. Nath, Die Studienratskarriere im Dritten Reich, Frankfurt 1988, S.183 ff.

[16] Auf die Darstellung der „Studierquote“ der Abiturienten (Verhältnis der Abiturienten eines Jahrgangs zu den Erstimmatrikulationen desselben Jahres) wird hier verzichtet. Da Abitur und Studienbeginn für viele Studenten aufgrund von Arbeitsdienstpflicht und Wehrdienst zeitlich immer weiter auseinanderfielen, ergibt sich aus der Studierquote kein präzises Bild. Vgl. den Versuch von Nath, Studienratskarriere, S.224.

[17] Vgl. das „Gutachten über die vermutliche Entwicklung des Hochschulstudiums in den kommenden Jahren“ (Anm. 13), Bl.371a ff.

Lebendgeboren um etwa 50 % unter dem Vorkriegsniveau.[18] Die Existenz dieser geburtenschwachen Jahrgänge führte 1934-1936 zu einer deutlichen Reduzierung der Abiturientenzahlen (Tabelle 3). Dieser demographische Effekt hätte sich noch deutlicher bemerkbar gemacht, wenn nicht 1937 aufgrund der Verkürzung der Schulzeit an den höheren Schulen zwei Abiturientenjahrgänge gleichzeitig die Schule verlassen hätten.

3. Die gewachsene Attraktivität anderer Berufsfelder. Während die mit einem Studium verknüpften Erfolgsaussichten zunehmend zweifelhaft wurden, taten sich gleichzeitig neue Karrierechancen für Abiturienten auf. Neben den Beschäftigungsmöglichkeiten in der wieder expandierenden Wirtschaft zog vor allem die Wehrmacht zahlreiche Absolventen höherer Schulen an. Die Entscheidung für eine Offizierslaufbahn entsprang nicht nur der nationalistischen Grundhaltung vieler Abiturienten. Daneben lockten auch die hervorragenden Karriereaussichten, da die Zahl der Offiziere sich durch die massive Aufrüstungspolitik der Nationalsozialisten innerhalb weniger Jahre vervielfachte. Wie Tabelle 4 zeigt, stieg die Zahl jener Abiturienten, die eine militärische Laufbahn anstrebten, schon 1935 steil an. Etwa ein Fünftel der männlichen Abiturienten entschloß sich in diesem Jahr für den Offiziersberuf: „Die deutsche Jugend verliert die Freude am Studium, denn sie ist voll damit beschäftigt, das Waffenhandwerk zu erlernen und den Krieg vorzubereiten", kommentierten die „Deutschland-Berichte" der Exil-SPD im Oktober 1936.[19] Während des Krieges nahm die Anzahl der zu einer militärischen Laufbahn entschlossenen Abiturienten offenbar noch weiter zu, wie die Zahlen von 1942 andeuten.

Die Abnahme der Studienbereitschaft unter den Abiturienten, bedingt zum einen durch die krisenhafte Situation, zum anderen durch das Angebot alternativer Berufsmöglichkeiten, und die Verringerung der Abiturientenzahlen aufgrund der demographischen Entwicklung waren also hauptsächlich für den starken Rückgang der Studentenzahlen verantwortlich. Die re-

Tab. 4: Abiturienten, die eine Wehrmachtslaufbahn anstrebten, 1931-1942[20]

Jahr	absolut	in % der männl. Abiturienten
1931	250	0,8
1933	550	1,7
1935	5.050	20,4
1937	11.075	28,2
1939	6.750	18,2
1942	11.425	30,5

[18] Vgl. D. Petzina u.a., Sozialgeschichtliches Arbeitsbuch III. Materialien zur Statistik des Deutschen Reiches 1914-1945, München 1978, S.32.

[19] Deutschland-Berichte, 3. Jg., 1936, S.1337.

[20] Vgl. ORR Brandt, Die akademische Nachwuchslage und die Zukunftsaussichten des Besuchs der deutschen wissenschaftlichen Hochschulen, 23.2.1944 (Ms.), in: BA Koblenz R 26 III 112 Bl.61. Die Angaben beziehen sich auf das „Altreich". Niedrigere Zahlen in: Nath, Studienratskarriere, S.257.

striktive Politik des Reichsinnenministeriums (Numerus clausus) hat diesen Trend nur noch zusätzlich verschärft. Daneben lassen sich noch weitere Faktoren nennen, deren Einfluß auf die Studentenzahlen von geringerer Bedeutung war:

1. Die Einführung der Arbeitsdienstpflicht und der allgemeinen Wehrpflicht (1935) hatten zur Folge, daß der Studienbeginn für männliche Abiturienten um zwei bis zweieinhalb Jahre hinausgeschoben wurde. Manche Abiturienten verzichteten unter diesen Umständen gänzlich auf ein Studium, um den Eintritt in das Berufsleben nicht noch weiter zu verzögern.[21]

2. Die unter den Nationalsozialisten stark verbreiteten Ressentiments gegen den „Intellektualismus", die unermüdliche Polemik der NS-Presse gegen den „verlogenen Bildungsdünkel" des Bürgertums[22] führten im öffentlichen Bewußtsein, wie ein Beamter des REM konstatierte, zu einer „Minderbewertung der akademischen Berufe"[23]. Als Prestigefaktor verlor das Studium dadurch nach 1933 zweifellos an Attraktivität.

3. Die Vertreibung der Juden und der anderen „Nichtarier" bewirkte einen Rückgang der Studentenzahlen um etwa 3-4 %.[24]

Während des Krieges wurden zahlreiche potentielle Studenten direkt nach dem Abitur zur Wehrmacht eingezogen. Viele von ihnen konnten erst nach 1945 ein Studium aufnehmen, sofern sie nicht während des Krieges ein oder zwei Semester Studienurlaub erhielten. Obwohl diese Zustände eigentlich eine Abnahme der Immatrikulationsziffern begünstigten, nahm die Zahl der Studenten seit etwa 1941/42 wieder deutlich zu (Tabelle 16 im Anhang). Für die Zunahme sorgten zum einen die seit 1939 erneut ansteigenden Abiturientenzahlen, zum anderen das gewachsene Interesse der Abiturienten an einem Hochschulstudium. Vor allem die Zahl der Studentinnen ging nicht nur relativ (bedingt durch den Krieg), sondern auch absolut deutlich in die Höhe, wie sich aus Tabelle 17 (Anhang) entnehmen läßt. Unter den männlichen Abiturienten war der Wille, ein Hochschulstudium zu beginnen, während des Krieges ebenfalls sehr viel größer als in den 1930er Jahren, auch wenn dieser Wunsch sich unter den gegebenen Umständen oft nicht realisieren ließ.[25]

Die gewachsene Studienbereitschaft war im wesentlichen eine Reaktion auf die mittlerweile völlig veränderte Arbeitsmarktlage. Nachdem die Überfüllungskrise Anfang der 1930er Jahre einen beträchtlichen Teil der Abiturienten vom Studium abgeschreckt hatte, machte sich aufgrund des dadurch entstandenen Defizits schon 1937/38 in einer Reihe von akademischen Be-

---

[21] Vgl. C. Quetsch, Die zahlenmäßige Entwicklung des Hochschulbesuchs in den letzten fünfzig Jahren, Berlin 1960, S.28.

[22] Vgl. beispielsweise: Die Bewegung Nr.50, 13.12.1938.

[23] Vgl. H. Huber, Der Aufbau des deutschen Hochschulwesens, Gräfenhainichen 1939, S.34. So auch der Tenor auf vielen Rektorenkonferenzen. Vgl. etwa das Prot. der Rektorenkonferenz vom 11.5.1937, in: BA Potsdam REM 707 Bl.231, 242, 262.

[24] Vgl. S. 212 ff.

[25] Von 43.690 Abiturienten des Jahrgangs 1942 äußerten 31.117 (71,2 %) die Absicht zu studieren. Siehe Meldungen aus dem Reich, Herrsching 1984, Bd.12, S.4674 (14.1.1943). Vgl. demgegenüber die sehr viel niedrigeren Zahlen der Vorjahre in Tabelle 3 (S. 104).

rufen wieder Nachwuchsknappheit bemerkbar, ein Prozeß, der durchaus typisch war für die zyklische Struktur des akademischen Arbeitsmarktes.[26] Infolge der Aufrüstungspolitik des NS-Staates wurde diese Trendwende zuerst im technisch-naturwissenschaftlichen Bereich sichtbar. Im Sommer 1937 fehlten der Industrie nach Angaben von IG-Farben-Direktor Carl Krauch bereits etwa 5.000 Ingenieure. Eine weitere Verschärfung der Mangellage war nach Krauchs Ansicht vorprogrammiert: „Bis 1942 werden uns bei dem Gesamtbestand von 250.000 Ingenieuren 30.-35.000 Ingenieure fehlen. Ähnlich liegen die Dinge bei den Chemikern, der zweiten großen Gruppe der Naturwissenschaftler".[27] Ein Jahr später wurde auch in den Standesorganen der Mediziner ein „ausgesprochener Mangel" an Ärzten beklagt, nicht zuletzt ein Ergebnis der Vertreibung jüdischer Ärzte.[28] Juristen, Volkswirte und Studienräte blieben dagegen noch länger von der Überfüllungskrise betroffen. Erst während des Krieges machten sich auch in diesen Berufen Mangelerscheinungen bemerkbar[29], wenngleich es an exakten Zahlen zumeist fehlt. Innerhalb weniger Jahre hatte sich die Überfüllungskrise in eine Nachwuchskrise verwandelt.

Das REM bemühte sich, durch eine gezielte Werbung für die akademischen Berufe, durch Studienerleichterungen und andere Anreize dieser Entwicklung entgegenzuwirken.[30] Derartige Maßnahmen trugen zwar dazu bei, die Zahl der Studierenden mitten im Krieg wieder zu vergrößern, aber das Problem des Nachwuchsmangels ließ sich dadurch nicht aus der Welt schaffen. Im Juli 1942 konstatierte der Leiter des Amtes Wissenschaft im REM, Rudolf Mentzel, auf einer internen Besprechung:

> „Die akademische Nachwuchslage braucht in ihrer katastrophalen Größe kaum noch besonders betont zu werden. Es fehlt überall an Nachwuchs, und es ist schlecht zu sagen, wieviel fehlen; eine Schätzung des Bedarfs ist kaum möglich, abgesehen von einigen wenigen Berufen, z.B. den Pharmazeuten oder den Veterinärmedizinern. Während vor eineinhalb Jahrzehnten die Lage noch genau entgegengesetzt war, hat sie sich unerwartet rasch geändert".[31]

Trotz dieser Probleme stieß 1943/44 eine Reihe von Universitäten – bedingt durch Kriegszerstörungen, die Einberufung jüngerer Hochschullehrer und durch die Überbeanspruchung der Medizinischen Fakultäten – an die Grenze ihrer Aufnahmekapazitäten. Das REM ermächtigte daher die Rektoren, für die besonders betroffenen Fakultäten den Numerus clausus einzuführen.[32] Eine Reihe von Universitäten reagierte darauf im Sommersemester

---

[26] Vgl. H. Titze, Die zyklische Überproduktion von Akademikern im 19. und 20. Jahrhundert, in: Geschichte und Gesellschaft, 10. Jg., 1984, S.97 ff.

[27] C. Krauch, „Jugend an die Front. Die Nachwuchsfrage in Wissenschaft und Technik", in: Der Vierjahresplan, 1. Jg., 1937, S.456. Vgl. auch: K.H. Ludwig, Technik und Ingenieure im Dritten Reich, Düsseldorf 1974, S.283 ff.

[28] Vgl. H. Titze, Der Akademikerzyklus, Göttingen 1990, S.85 ff.

[29] Vgl. Titze, Akademikerzyklus, S.70 f.; Nath, Studienratskarriere, S.216.

[30] Vgl. Nath, Studienratskarriere, S.211 ff.; Kleinberger, Hochschulpolitik, S. 19.

[31] Prot. der Besprechung über Maßnahmen zur Behebung der Nachwuchsnot in den akademischen Berufen, 17.7.1942, S.2, in: BA Koblenz R 21/27 Bl.459.

[32] Vgl. die RdErle. des REM vom 22.3.1943, in: BA Koblenz R 21/28 Bl.104 u. vom 17.3.1944, in: BA Koblenz R 21/29 Bl.43.

1944 mit Zulassungsbeschränkungen, hauptsächlich für die Medizinischen Fakultäten. Diese Maßnahmen richteten sich – ganz im Sinne der Anweisungen des Ministeriums – insbesondere gegen weibliche Studienanfänger und teilweise auch gegen männliche Zivilstudenten, während Soldatenstudenten und Kriegsversehrte bei der Immatrikulation bevorzugt behandelt wurden.[33]

Die Zahl der ausländischen Studenten nahm nach der nationalsozialistischen Machtübernahme vor allem an den Universitäten stark ab. Zwischen dem Wintersemester 1932/33 und dem Sommersemester 1939 hat sich die Zahl der an den deutschen Universitäten studierenden Ausländer mehr als halbiert, wie Tabelle 18 (Anhang) zeigt. Zum Teil ist dieser rasche Rückgang auf den hohen Prozentsatz jüdischer Studenten unter den immatrikulierten Ausländern zurückzuführen[34], die ihr Studium nach der „Machtergreifung" abbrachen. In erster Linie spiegelt sich in den Zahlen der Tabelle 18 jedoch ein allgemeiner Verlust des internationalen Ansehens der deutschen Universitäten aufgrund der politischen und hochschulpolitischen Veränderungen seit 1933.

Dennoch hat sich der relative Anteil der Ausländer an der Studentenschaft aufgrund des generellen Rückgangs der Immatrikulationszahlen zeitweise weiter vergrößert. Im Wintersemester 1932/33 bildeten die 4.366 eingeschriebenen Ausländer 4,7 % der Universitätsstudenten, während die 2.065 ausländischen Studenten des Sommersemesters 1939 einen Anteil von 5,1 % der Studentenschaft stellten (Tabelle 18 im Anhang).

Die Technischen Hochschulen hatten traditionell einen höheren Ausländeranteil. Im Wintersemester 1932/33 befanden sich unter den Studierenden der zehn Technischen Hochschulen insgesamt 1.821 Ausländer, fast 9 % der Studentenschaft (Tabelle 18 im Anhang). Auch an diesen Hochschulen nahm die Zahl der ausländischen Studenten nach der nationalsozialistischen Machtübernahme zunächst ab. Jedoch fiel dieser Rückgang relativ gering aus und dauerte nur einige Semester. Seit 1937/38 hat sich die Zahl der an einer TH studierenden Ausländer sogar wieder vergrößert. Im Sommersemester 1939 studierten 1.911 Ausländer an den Technischen Universitäten, mehr als im Winter 1932/33. Unter den Studierenden der Technischen Hochschulen stellten sie 1939 immerhin 15,6 %, wie Tabelle 18 (Anhang) zeigt.

Ein Blick auf die Staatsangehörigkeit der ausländischen Studierenden ergibt, daß auch die Zusammensetzung dieser Studentengruppe sich nach 1933 erheblich veränderte. Studierende aus den USA, dem Baltikum, aus Polen, der Tschechoslowakei, aus der Schweiz und Ungarn, die während der Weimarer Republik zahlreich in Deutschland studiert hatten, fühlten sich nach 1933 nur noch in geringer Zahl von den deutschen Hochschulen angezogen. So hatten Besucher aus den Vereinigten Staaten im Wintersemester

---

[33] Vgl. die Berichte der Rektoren von 1943 und 1944 über Kontingentierungsmaßnahmen in: BA Potsdam REM 797.

[34] Um 1929/30 gehörten etwa 18 % der ausländischen Studenten zur jüdischen Religionsgemeinschaft. Vgl. Deutsche Hochschulstatistik, Bd.5, Berlin 1930, S.*77.

1932/33 mit 800 Studenten das größte Kontigent unter den Ausländern gestellt (12,1 %). Im Sommersemester 1938 hatte sich ihre Zahl auf 252 Studierende (5,8 %) reduziert. Statt dessen bildeten nunmehr Studenten aus Norwegen (9,1 %), der Türkei (7,8 %), Bulgarien (7,5 %) und China (6,0 %) die größten Gruppen unter den ausländischen Studierenden.[35]

Nach Ausbruch des Krieges veränderte sich die Lage erneut grundlegend. Ein beträchtlicher Teil der Ausländer verließ nach Beginn der Kampfhandlungen fluchtartig das Land. Im November 1939 waren nur noch 26 Studenten aus den USA an den Hochschulen des Reiches immatrikuliert.[36] Studenten aus Polen, der Tschechoslowakei und der Ukraine wurden durch Geheimerlasse des REM von der Zulassung zum Studium ausgeschlossen.[37] Da es 1940/41 so aussah, als sollte das Reichsgebiet von den Zerstörungen des Krieges weitgehend verschont bleiben, nahm die Zahl der ausländischen Studenten in diesen Jahren wieder zu (Tabelle 18 im Anhang). In ihrer Herkunft unterschieden sie sich jedoch beträchtlich von den Studierenden der Zwischenkriegszeit. Während des Krieges kam der überwiegende Teil der studierenden Ausländer aus Südosteuropa, darunter die größte Gruppe aus Bulgarien.[38] Noch im Winter 1943/44 studierten an den Hochschulen des „Großdeutschen Reiches“ rund 7.100 Ausländer[39] (8,4 % der Studierenden) – mißtrauisch beäugt von den deutschen Behörden, die stets auf der Suche nach „deutschfeindlichen Aktivitäten“ waren und argwöhnisch den Kontakt der „fremdrassigen“ Männer mit deutschen Frauen belauerten.[40]

2. Das Frauenstudium

Die deutschen Hochschulen haben sich, verglichen mit den anderen westeuropäischen Staaten, relativ spät für studierende Frauen geöffnet. Erst seit 1909 besaßen Frauen an allen deutschen Universitäten und Technischen Hochschulen ein uneingeschränktes Immatrikulationsrecht, sofern sie über die notwendige Qualifikation verfügten.[41] Damit war aber noch keineswegs der Zugang zu allen akademischen Berufen erreicht: Insbesondere an den Theologischen und an den Juristischen Fakultäten hatten die wenigen dort immatrikulierten Frauen fast keinerlei Berufschancen. Dennoch nahm die Zahl der Studentinnen an den Universitäten seit 1908/09 rasch zu.[42] Im Som-

[35] Vgl. die Zahlen in: Statistisches Handbuch von Deutschland 1928-1944, München 1949, S.624 f.

[36] Vgl. Meldungen aus dem Reich, Bd.3, S.501 (27.11.1939).

[37] Vgl. Meldungen aus dem Reich, Bd.3, S.548 (8.12.1939); RdErl. des REM, 20.1.1942, in: BA Koblenz R 21/439.

[38] Vgl. Meldungen aus dem Reich, Bd.4, S.969 (8.4.1940).

[39] Zahl der ausländischen Studenten nach: ORR Brandt (REM), Die quantitativen Möglichkeiten einer Steigerung des Studiums der Mathematik und Physik an den wissenschaftlichen Hochschulen Großdeutschlands während des Krieges, 18.3.1944 (Ms.), S.1, in: BA Koblenz R 26 III 112 Bl.44.

[40] Mit diesem Thema beschäftigten sich mehrere SD-Berichte. Vgl. Meldungen aus dem Reich, Bd.5, S.1358 (8.7.1940); Bd.6, S.2059 ff. (3.3.1941); Bd.8, S.2905 ff. (23.10.1941).

[41] Zur Geschichte des Frauenstudiums vgl. als neuere Überblicksdarstellung: L. Mertens, Vernachlässigte Töchter der Alma Mater, Berlin 1991.

[42] Vgl. Datenhandbuch zur deutschen Bildungsgeschichte, Bd.I, 1. Teil, Göttingen 1987, S.42 f.

mer 1914 studierten an den Universitäten bereits 4.053 Studentinnen (6,7 % der Studentenschaft). An den Technischen Hochschulen waren zu diesem Zeitpunkt allerdings erst 70 Studentinnen immatrikuliert (0,6 % der Studentenschaft), wie Tabelle 17 (Anhang) zeigt. Zwischen 1925 und 1931 vervielfachte sich die Zahl der studierenden Frauen dann innerhalb weniger Jahre nicht nur an den Universitäten, sondern auch an den meisten anderen Hochschulen.

Nachdem die Weimarer Verfassung Männer und Frauen gesetzlich gleichgestellt hatte, wurden fast alle akademischen Laufbahnen für beide Geschlechter zugänglich gemacht. 1920 erhielten Frauen auch das Recht auf Habilitation und damit Zugang zur Hochschullehrerlaufbahn. Selbst die juristischen Berufe standen seit 1922 für Frauen offen, obwohl die Standesorganisationen der Rechtsanwälte und Richter dagegen bis zuletzt hartnäckigen Widerstand geleistet hatten.[43] Als letzte Bastion männlicher Exklusivität hielten sich schließlich nur noch die Kirchen. Das Pfarramt blieb den wenigen weiblichen Absolventen der Theologischen Fakultäten nicht nur in der katholischen, sondern auch in der evangelischen Kirche versperrt.[44] Allerdings bot sich evangelischen Theologinnen die Möglichkeit, nach Abschluß des Studiums als Pfarramtshelferin bzw. Vikarin oder als Religionslehrerin beruflich tätig zu werden.

Um 1930 war es, wie eine Jurastudentin schrieb, für die meisten Abiturientinnen bereits

> „selbstverständlich geworden, daß jedes Mädchen einen Beruf erlernt, der es, wenn nicht aus Neigung ergriffen, doch für den Notfall wirtschaftlich selbständig macht. Die Tochter, die zu Hause wartet, bis sie geheiratet wird, ist doch eine ganz unmoderne Erscheinung".[45]

Keineswegs selbstverständlich war allerdings die Absicht, den erlernten Beruf auch nach Heirat und Familiengründung weiter ausüben zu wollen. Wie eine zeitgenössische Untersuchung von Elisabeth Knoblauch zeigt, ging ein beträchtlicher Teil der Studentinnen, möglicherweise die Mehrheit, in der Weimarer Republik weiterhin davon aus, daß ein zukünftiger akademischer Beruf kaum mit Ehe und Mutterschaft vereinbar sein würde.[46] Viele Studentinnen brachten mit einer gewissen Selbstverständlichkeit zum Ausdruck, daß sie nach einer Eheschließung den erlernten Beruf nicht weiter ausüben würden:

---

[43] Vgl. St. Bajohr / K. Rödiger-Bajohr, Die Diskriminierung der Juristin in Deutschland bis 1945, in: Kritische Justiz, 13. Jg., 1980, S.40 ff.

[44] Vgl. H. Erhart, Die Theologin im Kontext von Universität und Kirche zur Zeit der Weimarer Republik und des Nationalsozialismus, in: Theologische Fakultäten im Nationalsozialismus. Hg. von L. Siegele-Wenschkewitz u. C. Nicolaisen, Göttingen 1993, S.223 ff.

[45] Zit. in: E. Knoblauch, Zur Psychologie der studierenden Frau, Leipzig 1930, S.76.

[46] Vgl. Knoblauch, Psychologie. Siehe auch: C. Huerkamp, Frauen, Universitäten und Bildungsbürgertum. Zur Lage studierender Frauen 1900-1930, in: H. Siegrist (Hg.), Bürgerliche Berufe, Göttingen 1988, S.213 ff.

„Ich gebe offen zu, daß ich, wenn ich in die Lage käme, einen Mann zu finden, der mir vollkommen entspräche, und mindestens das Auskommen hätte, das ich allein haben werde, den Beruf aufgeben würde, nachdem er mir natürlich erst als Mittel hätte dienen müssen, meine Aussteuer zu beschaffen. Soweit ich meine Kommilitoninnen kenne, sind wir so ziemlich alle der Ansicht, daß der schönste und eigentlichste Beruf der Frau doch die Ehe ist".[47]

Dennoch war das Studium für diese Studentinnen wichtig. Es bot eine Möglichkeit, den eigenen Horizont zu erweitern, Allgemeinbildung zu erwerben, auch eine Gelegenheit, vom Elternhaus unabhängig zu werden. Und, vielleicht noch wichtiger: Eine akademische Berufsausbildung sollte ein größeres Maß an Unabhängigkeit schaffen und als Absicherung dienen, um nicht irgendwann allein der materiellen Versorgung wegen zur Heirat gezwungen zu sein, wie eine Germanistikstudentin erläuterte:

„Wie jedes Mädchen heute wollte auch ich mir den Weg zu einem Lebensberuf sichern, um nicht auf das Heiraten angewiesen zu sein ... Auch ich finde, wie viele Kommilitoninnen, daß Heiraten schließlich doch die schönste und eigentliche Aufgabe der Frau ist. Nur ist es fein, wenn sie nicht darauf [zu] warten braucht, wenn sie sich dadurch, daß sie sich Aussicht auf eine schöne selbständige Lebensstellung verschafft, unabhängig von irgendwelcher Notwendigkeit des Heiratens macht. Jetzt, wo sich mir eine Gelegenheit bot, die meinen Wünschen entsprach, verzichte ich gerne auf den Beruf".[48]

Doch sahen keineswegs alle Studentinnen in der späteren Berufstätigkeit nur ein Provisorium oder einen Ersatz für die Ehe. Eine Reihe von Studentinnen wies ausdrücklich darauf hin, daß Ehe, Haushalt und Kinder allein ihnen nicht als eine befriedigende Zukunftsperspektive erschien.[49] Andere überließen die Entscheidung über dieses schwierige Problem lieber der Zukunft.[50] Aber auch jene studierenden Frauen, die den Wunsch bekundeten, den erlernten Beruf nach einer Familiengründung weiter ausüben zu wollen, äußerten häufig beträchtliche Zweifel an der Realisierbarkeit dieses Ziels:

„Ob ich persönlich heiraten möchte, ist mir nicht klar. Eigene Kinder möchte ich haben, recht viele. Aber jemanden heiraten, nur weil er ein Mann ist, geht natürlich nicht. Und einen Beruf, ein möglichst großes menschliches Wirkungsfeld möchte ich auch haben. Ob sich aber so'n Idealmann, den man erstens natürlich liebt, doll liebt, der einem aber sehr viel Freiheit und ein größeres Betätigungsfeld als den Haushalt läßt, zu einem gesellt, ist natürlich sehr zweifelhaft".[51]

In der Weimarer Republik schien alles darauf hinzudeuten, daß der endgültige Durchbruch des Frauenstudiums erreicht war. 1931 zählten die Hoch-

---

[47] Zit. in: Knoblauch, Psychologie, S.46. Knoblauch macht bewußt keine Angaben über die Repräsentativität der von ihr gesammelten Stellungnahmen.
[48] Ebd., S.44. Knoblauchs Arbeit enthält noch eine ganze Reihe ähnlicher Äußerungen.
[49] Vgl. ebd., S.50 f., 61 f., 77.
[50] Vgl. ebd., S.57.
[51] Ebd., S.79 f. Vgl. auch S.75.

schulstatistiker an den Universitäten bereits 19.394 Studentinnen, fast 19% der Studentenschaft (Tabelle 17 im Anhang). Trotz oder gerade wegen dieser Fortschritte blieb das Frauenstudium umstritten. Wie die Durchsicht der studentischen Presse zeigt, mehrten sich seit 1929/30 vor allem unter den männlichen Studenten, weniger unter den Professoren[52], erneut die Aversionen gegen studierende Frauen. Ende 1929 erboste sich beispielsweise ein Kölner Student:

> „Die Invasion der studierenden Frau hat die letzten Reste studentischer Geselligkeit gründlich zerstört, hat die Lehrbetriebe verseicht und den Korpsgeist der wissenschaftlichen Seminare zugrundegerichtet".

Nach Ansicht dieses Studenten hatte sich der „Abscheu" vor der studierenden Frau seit 1919 keineswegs verringert; die Studentin sei „Eindringling" geblieben, „fremd, eine Störung, und unwiederbringlich zerstörerisch".[53] Nur wenige Publikationen in der Studentenpresse waren derart haßerfüllt. Andere Männer gaben sich lieber als gönnerhafte Kavaliere:

> „Die Frau ist uns auf den Hochschulen als ein liebenswürdiger Gast höflichst bis herzlichst willkommen. Ihre kokett-spielerische oder ernsthaft-ehrgeizige ‚Mitarbeit' wird lächelnd geduldet. Eine *freiwillige* Anerkennung aber dieser zuvorkommenderweise zugelassenen Erwerbungen und ‚Leistungen' im Sinne irgendwie kultureller Maßgeblichkeit ... ist grundsätzlich *ausgeschlossen.*"[54]

Ob aggressiv oder herablassend, die ablehnende Grundstimmung gegenüber der wachsenden Zahl studierender Frauen war eindeutig dominant. Der studierende Mann begegne „seiner Kommilitonin mit allem Möglichen, mit Forderungen, Vorurteilen und besonderen Maßstäben, nur nicht mit Unbefangenheit", kritisierte 1931 ein Berliner Germanistikstudent.[55] Und ein Leipziger Nachwuchswissenschaftler berichtete 1929 sogar, „daß ich in meiner Studienzeit *keinen einzigen* Studenten kennengelernt habe, der sich offen zu dem weiblichen Studium bekannte".[56]

Im wesentlichen waren es vier Argumente[57], die von den Gegnern des Frauenstudiums immer wieder vorgetragen wurden:

1. Die studierende Frau sei „ein Abirren vom natürlichen Zustand der Menschheit"[58]. Hatte nicht die Natur dem weiblichen Geschlecht die Familie und die Kindererziehung als Aufgabe zugewiesen?

---

[52] So die zutreffende Beobachtung von W. Steinhauer: „Die geistige Situation Student – Studentin", in: Die Frau, 39. Jg., 1931/32, S.30.

[53] H. Pörzgen, „Ketzerische Gedanken über die Invasion der studierenden Frau", in: FZ, 2.12.1929. Nachdruck in: Der Heidelberger Student Nr.5, 16.1.1930.

[54] Vgl. F. Groschupp, „Zum Problem des Frauenstudiums", in: Die Leipziger Studentenschaft Nr.1, 6.5.1929, S.4 f. (Hervorhebung im Original).

[55] W. Steinhauer, Geistige Situation, S.35.

[56] G. Sacke, „Zum Problem des Frauenstudiums", in: Die Leipziger Studentenschaft, Nr.4, 12.2.1929, S.7 ff. (Hervorhebung im Original).

[57] Vgl. zum Folgenden auch: M.H. Kater, Krisis des Frauenstudiums in der Weimarer Republik, in: VSWG, Bd.59, 1972, S.219 ff.; J.R. Pauwels, Women, Nazis and Universities, Westport, Conn. / London 1984, S. 11 ff.

[58] W. Schmitt, „Studentin und Hochschule", in: Der Heidelberger Student, Nr.5, 16.1.1930.

2. Diesem Argument eng verwandt war der Hinweis auf die „geistige Minderwertigkeit“ der Frauen: „Die denkschöpferische Seite ist der Frau von der Natur nur in minimalem Umfang verliehen“, behauptete ein Tübinger Student 1928.[59] Durch Rücksichtnahme auf die weniger leistungsfähigen Studentinnen habe das Niveau der Lehrveranstaltungen Schaden gelitten.

3. Die Studentinnen seien nicht wirklich an einer wissenschaftlichen Ausbildung interessiert, sondern benutzten die Hochschule lediglich als „Heiratsinstitut“.

4. Durch das Studium ginge den Frauen ihre Weiblichkeit verloren, sie würden zur „Karikatur des Mannes“. Dahinter steckte auch die Angst vor dem psychischen Vakuum, das aus einer Auflösung der traditionellen Frauenrolle hervorgehen könnte: „Der Mann sucht ja ... in der Frau ... die ‚Stille‘, in der er seinen Harnisch ablegen darf. Wehe uns, wenn die Frau nicht mehr ihre wesentliche Aufgabe darin sieht, Hüterin der Stille, ja, des ‚häuslichen Herdes‘ zu sein“.[60]

Neben prinzipiellen Einwänden dieses Typs gab es freilich auch noch ein profaneres Argument, das manche Beobachter sogar für das wichtigste Motiv der Kritiker des Frauenstudiums hielten, nämlich die Angst vor der weiblichen Konkurrenz auf dem akademischen Arbeitsmarkt. Es war in der Tat evident, daß viele männliche Studenten „die Studierende unserer Tage als Berufsgefahr sehen, als Beeinträchtigung ihrer ohnedies kargen Hoffnung auf zukünftige Anstellungsmöglichkeiten“, wie ein Heidelberger Student 1930 zu berichten wußte.[61] Und es war wohl kaum ein Zufall, daß die verbalen Übergriffe gegen die weiblichen Kommilitonen sich gerade zu der Zeit erneut häuften, als die Studenten ihre Zukunftschancen durch eine massive Überfüllungskrise in den akademischen Berufen bedroht sahen.

Welche praktischen Alternativen schwebten den Kritikern des Frauenstudiums in der Studentenschaft vor? Neben jenen Stimmen, welche die Frauen am liebsten vollständig von den Hochschulen vertrieben hätten, kursierten vor 1933 im wesentlichen zwei Vorschläge zur Einschränkung des Frauenstudiums: die Einführung eines Numerus clausus speziell für Studentinnen und die Einschränkung der akademischen Ausbildung von Frauen auf einige wenige Berufe. Der Ruf nach einem Numerus clausus für Frauen kam 1932 zum Beispiel von dem Verband Deutscher Medizinerschaften, einer Studentenorganisation. Nach den Vorstellungen dieses Verbandes sollte künftig unter den Erstsemestern lediglich eine Frauenquote von 5 % zugelassen werden.[62] Die Forderung, Studentinnen nur noch zu ganz bestimmten Studiengängen zuzulassen, basierte auf der Vorstellung, Frauen seien von Natur aus für jene Berufe prädestiniert, in denen sie gewissermaßen eine erweiterte Mutterfunktion einnehmen konnten. Demgemäß wies ein Leipzi-

[59] H. Autenrieth, „Noch einmal ‚Die Frau im Hörsaal‘“, in: Württembergische Hochschulzeitung, Nr.8, November 1928, S.9 f.

[60] C. Hohagen in: Die Leipziger Studentenschaft, Nr.2, 5.6.1929, S.7.

[61] W. Schmitt, „Studentin und Hochschule“, in: Der Heidelberger Student, Nr.5, 16.1.1930.

[62] Vgl. H. van den Bussche, Im Dienste der „Volksgemeinschaft“. Studienreform im Nationalsozialismus am Beispiel der ärztlichen Ausbildung, Berlin/Hamburg 1989, S.28.

ger Student seinen Kommilitoninnen die folgenden Aufgabenbereiche zu: „Kind- und Jugendpsychologie für Mütter, Wohlfahrtsbeamtinnen, Kindergärtnerinnen, Jura für Beisitzerinnen beim Jugendgericht, Pädagogik für Lehrerinnen, Medizin für Frauen- und Kinderärztinnen".[63]

Die Nationalsozialisten haben in diesen Debatten keine bestimmende Rolle gespielt. Eine offizielle Positionsbestimmung der Partei oder des NSDStB zum Frauenstudium war nicht erkennbar. Selbst in der Arbeitsgemeinschaft Nationalsozialistischer Studentinnen (ANSt), dem weiblichen Ableger des NSDStB, kursierten unterschiedliche und widersprüchliche Ansichten über die Zukunft des Frauenstudiums.[64] Sofern Vertreter des NSDStB sich öffentlich über dieses Thema ausließen, wurde das Frauenstudium zwar nicht grundsätzlich abgelehnt[65], aber doch der Vorrang des Mannes nachdrücklich betont. In diesem Sinne äußerte sich 1929 beispielsweise ein Mitglied der nationalsozialistischen AStA-Fraktion an der Universität Jena:

> „Jedes Geschöpf der Natur hat seinen Aufgabenkreis erhalten ... Erkennt ein Teil der Frauen eines Volkes dies nicht mehr, nun, so gibt es Gott sei Dank noch Frauen, die gesünder denken. Die ersteren haben aber dann noch lange nicht das Recht, den Mann aus den zunächst männlichen Berufen zu verdrängen. Es ist ein Unding und Widersinn, daß unsere ‚maßgebende' Presse ständig kaltlächelnd das maskuline Bild irgendeiner Assessorin, Vikarin, Landgerichtsrätin, Rechtsanwältin oder Professorin bringt, während soundso viele Juristen, Ärzte u.a. stellungslos sind und stempeln. Allerschärfste Stellungnahme gegen diesen Zustand, der immer allgemeiner zu werden droht, bedeutet nicht, daß die Frau vom Universitätsstudium ausgeschlossen werden soll, wohl aber, daß der Mann bedingungslos in jeder Art und Weise der Frau bei der Besetzung beruflicher Stellungen vorzuziehen ist".[66]

Es wäre verfehlt, in solchen Äußerungen eine spezifisch nationalsozialistische Position zu sehen. Vielmehr machten sich die NS-Studenten schlicht zum Sprachrohr von Tendenzen, wie sie damals in der männlichen Studentenschaft gang und gäbe waren. Bemerkenswert an diesen Ausführungen ist allerdings die Tatsache, daß von dem Autor nicht der Versuch gemacht wurde, sein Hauptmotiv, die Furcht vor der weiblichen Konkurrenz auf dem Arbeitsmarkt, mit dem sonst obligatorischen ideologischen Schleier zu verhüllen.

In den Monaten nach der nationalsozialistischen Machtübernahme wurde zunächst auf Maßnahmen gegen das Frauenstudium verzichtet. Den nationalsozialistischen Hochschulpolitikern erschien es dringlicher, zunächst ein-

---

[63] C. Hohagen in: Die Leipziger Studentenschaft, Nr.2, 5.6.1929, S.7 f.

[64] Vgl. I. Weyrather, Numerus Clausus für Frauen – Studentinnen im Nationalsozialismus, in: Frauengruppe Faschismusforschung, Mutterkreuz und Arbeitsbuch, Frankfurt/M. 1981, S. 136 ff.

[65] Weyrathers Behauptung, „die" Nationalsozialisten seien grundsätzlich gegen das Frauenstudium gewesen (Weyrather, Numerus Clausus, S.132 u. 136) wird nicht belegt und läßt sich so auch nicht belegen.

[66] C. Zinßer, „Zur gegenwärtigen Hochschulkrise", in: Die Jenaer Studentenschaft, Nr.3, 23.7.1929, S.45.

mal die Vertreibung oppositioneller und jüdischer Studenten in die Hand zu nehmen. Daneben zeigte sich weiterhin eine gewisse konzeptionelle Unsicherheit, die sich sogar in öffentlichen Kontroversen niederschlug. Einen ersten Anlauf, die „Stellung der Studentin an den Hochschulen" zu klären, unternahm im Herbst 1933 die Zeitschrift der Berliner Fachschaften. Nach Auffassung der Redaktion sollten Frauen an den Hochschulen künftig nur noch als „Gäste" geduldet werden:

> „Die Hochschule gehört den Männern. Wir wissen aber auch, daß wir bestimmte Berufe (Kinderärztin, Zahnärztin, Lehrerin usw.) den Frauen nicht vorenthalten können und dürfen. Das Studium an der Universität darf für die Mädchen nur als Vorbereitung zu dieser sozialen Fürsorgetätigkeit gelten. Den Platz bieten wir ihnen als Gäste an. Das Studium der Mode, der bloßen Bildung wegen, hat gegenwärtig vollständig aufzuhören, damit das Hauptziel, die Erziehung der Frau zur Mutter, schon jetzt an den Hochschulen deutlich sichtbar wird".[67]

Wenig später erschien jedoch eine scharfe Kritik dieses Artikels im Zentralorgan des NSDStB, der „Deutschen Studenten-Zeitung". Verfasser war der Reichsschulungsleiter des NSDStB, Johann von Leers:

> „Die Hochschule gehört nicht den Männern, sondern dem ganzen Volke. Zum Volk gehören die Frauen selbstverständlich genau so wie die Männer ... Die Erziehung der Frau zur Mutter schafft man nicht dadurch, daß man ihr jedes geistige Wissen verbauen will. Warum in geistigen Berufen die Frau ausgeschaltet sein sollte, ist völlig unerfindlich und gänzlich sinnwidrig. Die Konstruktion von der geistigen Minderwertigkeit der Frau ist eine ausgesprochen jüdische und antigermanische ... Wir wissen aus der Geschichte und Frühgeschichte unseres Volkes zur Genüge von Seherinnen und Kämpferinnen, von waffentragenden Frauen, die mit derselben Selbstverständlichkeit im Kriege mitgefochten haben, wie es noch in der neuesten Zeit die Frauen der gesunden Balkanvölker getan haben".[68]

In den für Hochschulpolitik zuständigen Stellen des NS-Staates zeigte man sich jedoch von dem Hinweis auf die „Seherinnen und Kämpferinnen" der germanischen Frühgeschichte wenig beeindruckt. Als das Reichsinnenministerium Ende 1933 anordnete, daß im folgenden Jahr nur 15.000 Abiturienten die „Hochschulreife" zuerkannt werden solle[69], enthielt diese Anordnung auch eine spezielle Passage zur Diskriminierung der Studentinnen: Der Anteil der Abiturientinnen an der Zuerkennung der Hochschulreife dürfe „in keinem Land 10 v. H. der zugewiesenen Zahl überschreiten".[70] Die Durchführung dieser Anordnung wurde dann allerdings eher lax gehandhabt: Unter den 16.489 Abiturienten, die schließlich den Hochschulreifever-

[67] „Die Frauenfragen an den Hochschulen", in: Wissen und Dienst, Nr.1, 1933 (zit. nach: Deutsche Studenten-Zeitung Nr.9, 25.11.1933, S.4.).

[68] [J.] v. Leers: „Unsere Kameradinnen oder unsere ‚Gäste'", in: Deutsche Studenten-Zeitung, Nr.9, 25.11.1933. Auch abgedruckt in: Der Heidelberger Student, Nr.7, 27.2.1934.

[69] Vgl. S.102 f.

[70] Anordnung über die zahlenmäßige Begrenzung des Zugangs zu den Hochschulen, 28.12.1933, in: Reichsministerialblatt, 62. Jg., 1934, S.17.

merk erhielten, befanden sich 1.933 Frauen (11,7 %). Gleichwohl bedeutete dies, daß nur 17,8 % der 10.843 Abiturientinnen die Erlaubnis bekamen, ein Hochschulstudium aufzunehmen.[71] Diese extrem restriktive Politik wurde jedoch nicht lange aufrechterhalten. Mit der Entscheidung des REM vom Februar 1935, Numerus clausus und Hochschulreifevermerk wieder aufzugeben[72], wurde auch die 10 %-Hürde für weibliche Erstsemester beseitigt. Zwischen 1935 und 1944 gab es für Abiturientinnen, die ein Universitätsstudium anfangen wollten, im allgemeinen keine administrativen Einschränkungen mehr.[73]

Dennoch ging die Zahl der Studentinnen auch in den folgenden Semestern weiter zurück, und zwar viel schneller als die ihrer männlichen Kommilitonen. Wie Tabelle 17 (Anhang) zeigt, verringerte sich die Frauenquote unter den Universitätsstudenten von 18,2 % im Sommer 1933 auf 14,2 % im Sommersemester 1939. Im letzten Friedenssemester studierten an den Universitäten des „Altreichs" nur noch 5.777 Studentinnen. An den Technischen Hochschulen fiel der Rückgang noch drastischer aus (Tabelle 17 im Anhang). Unter den Abiturientinnen des Jahres 1936 hatte nur noch gut ein Drittel die Absicht zu studieren, wie aus Tabelle 3 (S.104) hervorgeht. Zu dieser rückläufigen Entwicklung haben fünf Faktoren beigetragen:

1. Die Maßnahmen des NS-Staates gegen berufstätige Akademikerinnen ließen ein Studium für Frauen als wenig aussichtsreich erscheinen. Davon am härtesten betroffen waren die (potentiellen) Juristinnen, deren Zahl allerdings (auch vor 1933) relativ gering war.[74] Spätestens seit 1936 hatten Frauen – auf ausdrücklichen Wunsch Hitlers – keine Chance mehr, als Rechtsanwälte, Richter oder Staatsanwälte zugelassen zu werden.[75] Auch die Lehrerinnen im höheren Schulwesen erlebten nach 1933 Diskriminierung in vielfältiger Form. Neben jenen Lehrerinnen, die als „Doppelverdiener" oder aufgrund des Berufsbeamtengesetzes ihren Beruf aufgeben mußten, traf diese Politik vor allem Oberschullehrerinnen, die an Volks- oder Mittelschulen versetzt wurden sowie Schuldirektorinnen, die männlichen Kollegen Platz machen mußten. Nach den Berechnungen von Axel Nath sind mindestens 18 % der festangestellten Lehrerinnen des höheren Schulwesens entlassen, vorzeitig pensioniert oder in diskriminierender Weise versetzt worden. Unter ihren männlichen Berufskollegen waren nur 5 % von derartigen Maßnahmen betroffen.[76] Die Medizinstudentinnen litten nach Beendigung ihrer

---

[71] Vgl. Statistisches Jahrbuch für das Deutsche Reich 1935, S.518.

[72] RdErl. des REM, 9.2.1935, in: DWEV 1935, S.69 f. Vgl. auch S.103.

[73] Mir ist nur noch eine relativ unbedeutende Maßnahme bekannt: Im WS 1936/37 wurde Abiturientinnen, die Studienrätinnen werden wollten, vorübergehend die Zulassung zu den Hochschulen für Lehrerbildung untersagt. Vgl. „Vorübergehende Unterbrechung des Zugangs zum Beruf der Studienrätin", in: VB, 16.4.1936. Der Effekt war offenbar gering. Vgl. J. Stephenson, Women in Nazi Society, London 1975, S.134 f.

[74] 1933 gab es nur 252 weibliche Rechtsanwälte und Notare (1,3 %) sowie 36 weibliche Richter und Staatsanwälte (0,3 %). Vgl. Bajohr / Rödiger-Bajohr, Diskriminierung, S.45.

[75] Vgl. ebd., S.46 ff.; Die Justizausbildungsordnung des Reiches. Im amtlichen Auftrag erläutert von O. Palandt u. H. Richter, Berlin 1934, S.39 f.

[76] Vgl. Nath, Studienratskarriere, S.156 ff. Siehe auch ebd., S.57.

Ausbildung zunächst vor allem darunter, daß sie kaum Chancen hatten, eine Stelle als Assistenzärztin zu finden.[77] Außerdem konnten verheiratete Medizinerinnen seit 1934 nicht mehr als Kassenärztinnen tätig werden, „wenn die Ausübung der kassenärztlichen Tätigkeit zur wirtschaftlichen Sicherstellung der Familie nicht erforderlich erscheint".[78] Derartige Maßnahmen trugen dazu bei, daß die Zahl der niedergelassenen Ärztinnen zwischen 1933 und 1937 um 12 % zurückging. Gleichzeitig nahm aber die Zahl der angestellten Medizinerinnen zu, so daß die Zahl der berufstätigen Ärztinnen insgesamt trotz evidenter Benachteilung wohl nicht abgenommen hat.[79]

2. Die Wirtschafts- und Gesellschaftskrise in den 1930er Jahren traf die weiblichen stärker als die männlichen Studenten. Da die Studenteneltern davon ausgingen, daß viele Studentinnen nach einer Heirat das Studium oder den Beruf wieder aufgeben würden, erschien das Studium von Frauen oft als eine Art Luxus, auf den man in Krisenzeiten verzichten konnte.[80] Wenn die Eltern wegen finanzieller Probleme zu Einschränkungen gezwungen wurden, waren deshalb in der Regel studierende Töchter eher betroffen als studierende Söhne. Diese Tendenz deutete sich bereits vor 1933 an, wie die überproportional gesunkene „Studierwilligkeit" der Abiturientinnen des Jahres 1932 zeigt.[81]

3. Studentinnen wurden bei der Vergabe von Stipendien und anderen Unterstützungsleistungen benachteiligt. Ein 1935 publiziertes Merkblatt des Reichsstudentenwerks verkündete: „Studentinnen werden nur in den Studiengängen gefördert, deren Berufsziel Frauen zugängig ist, und nur in dem Ausmaße, wie es dem Anteil der Frau an den akademischen Berufsplätzen entspricht".[82] Dies bedeutete in der Praxis, daß vor allem Theologinnen, aber auch Juristinnen keinen Anspruch mehr auf Förderung hatten. Im wesentlichen sollte sich die Unterstützung auf Studentinnen der Lehramtsfächer und der Medizin beschränken.[83] Schon im ersten Jahr nach der „Machtergreifung" ging der Anteil der Frauen unter den vom Reichsstudentenwerk geförderten Studierenden sehr schnell zurück, viel schneller als die Zahl der Studentinnen.[84]

Sommersemester 1933	11,1 %
Wintersemester 1933/34	9,1 %
Sommersemester 1934	7,0 %

[77] Vgl. D. Winkler, Frauenarbeit im „Dritten Reich", Hamburg 1977, S.51. Dies wird auch von ehemaligen Medizinstudentinnen häufig hervorgehoben. Vgl. die Interviews von Astrid Dageförde mit Ilsemarie M., S.10 u. S.28, mit Ursula S., S.22 und mit Käthe T., S.10. Transkription in: ProjA HH.

[78] VO über die Zulassung von Ärzten zur Tätigkeit bei den Krankenkassen, 17.5.1934, in: RGBl. 1934 I S.401 ff. (§ 15 u. § 23).

[79] Vgl. H. van den Bussche, Im Dienste, S.46 f.

[80] Vgl. auch Pauwels, Women, S.39.

[81] Vgl. Tabelle 3 (S.104).

[82] Merkblatt des RStW für Studienförderung, in: DWEV 1935, S.60*.

[83] Vgl. dazu die Erläuterungen in: RStW, Kurzberichte aus der Arbeit des Jahres 1935 (unpaginiert); RStW, Kurzberichte aus der Arbeit des Jahres 1937, S.16 f.

[84] Zahlen nach: RStW, Kurzberichte aus der Arbeit des Jahres 1935 (unpaginiert).

Nach Berechnungen von Arminger lag der Frauenanteil unter den Stipendiaten des Reichsstudentenwerks zwischen 1933 und 1938 nur bei 5,4 %, obwohl im gleichen Zeitraum durchschnittlich 13,4 % der gesamten Studentenschaft dem weiblichen Geschlecht angehörten.[85] Zur Erklärung der rückläufigen Studentinnenzahlen darf dieser Faktor allerdings nicht überbewertet werden, da die Zahl der vom Reichsstudentenwerk unterstützten Studierenden (Männer und Frauen) insgesamt sehr klein war.[86]

4. Die Vertreibung der jüdischen Studenten trug ebenfalls zur Verringerung der Frauenquote bei, da Frauen in der jüdischen Studentenschaft traditionell stark überrepräsentiert waren. Im Wintersemester 1932/33 hatten die Juden 4,1 % der männlichen, aber 7,4 % der weiblichen Studierenden gestellt.[87]

5. Die nationalsozialistische Propaganda mit ihrer Aufwertung der Mutterrolle ließ auch manche Abiturientin und deren Eltern nicht unberührt. 1946, kurz nach dem Ende des Krieges, schrieb eine Göttinger Studentin:

> „Der Nationalsozialismus brachte in seiner Ideologie eine ungeheure Abwertung der weiblichen Aufgaben im Beruf und öffentlichen Leben. Vor dem weiblichen Ideal der ‚Hausfrau und Mutter' erschien die berufstätige Frau als eine im Grunde doch bedauernswerte Gestalt. Diese Auffassung, in mehr oder minder krasser Form durch 12 Jahre eingehämmert, hat von uns Besitz ergriffen, gerade von unserer Kriegsgeneration, deren Schicksal es doch ist, zu einem anomal großen Prozentsatz unverheiratet bleiben zu müssen oder als Kriegerwitwe einen Beruf zu ergreifen".[88]

Auskunft über die Studienschwerpunkte der Studentinnen gibt die Tabelle 20 (Anhang). Sie zeigt, daß sich nach 1933 gegenüber der Weimarer Republik und dem Kaiserreich nur wenig veränderte. Im Gegenteil, die spezifischen Konturen des Frauenstudiums, so wie es sich seit 1909 entwickelt hatte[89], traten zwischen 1933 und 1939 noch schärfer hervor. Stark überrepräsentiert waren die Studentinnen vor allem in den kulturwissenschaftlichen Fächern, also in den Philosophischen Fakultäten. Noch 1939, als das Frauenstudium seinen quantitativen Tiefpunkt erreichte, stellten sie hier fast ein Drittel der Studentenschaft. Woran lag das? Zum einen zogen die kulturwissenschaftlichen Fächer gerade jene studierenden Frauen an, die das Studium weniger als Berufsvorbereitung sahen, sondern als Möglichkeit, sich vor der Ehe eine solide Allgemeinbildung zuzulegen.[90] Zum anderen war die besondere Vorliebe für die Philosophischen Fakultäten darauf zurückzuführen, daß ein großer Teil der Studentinnen traditionell das höhere Lehramt als Berufsperspektive ansteuerte. Die überproportionale Präsenz

[85] Vgl. G. Arminger, Involvement of German Students in NS Organisations. Based on the Archive of the Reichsstudentenwerk, in: Historical Social Research, Nr. 30, 1984, S.8 f. Die Angaben basieren auf einem Sample von 336 Stipendiaten.

[86] Vgl. S.143 f.

[87] Zahlen errechnet nach: Deutsche Hochschulstatistik, Bd.10, Berlin 1933, S.4.

[88] Zit. in: W. Krönig / K.D. Müller, Nachkriegssemester, Stuttgart 1990, S.53.

[89] Vgl. Titze, Akademikerzyklus, S.462 ff.; Huerkamp, Frauen, S.208 ff.

[90] Vgl. Huerkamp, Frauen, S.209 f.

studierender Frauen an den Naturwissenschaftlichen Fakultäten läßt sich auf dieselbe Ursache zurückführen.

Den Gegenpol zu den von Frauen stark frequentierten kulturwissenschaftlichen Fächern bildeten die Theologischen und Juristischen Fakultäten. Sie wurden schon vor 1933 von Frauen weitgehend gemieden, wie aus Tabelle 20 (Anhang) hervorgeht. Beide Fakultäten boten für Studentinnen praktisch keine Berufsperspektive, sei es aus politischen Gründen (Berufsverbot für weibliche Juristen), sei es aufgrund einer traditionell patriarchalischen Haltung der Kirchen.[91] Es kann daher nicht verwundern, daß die Immatrikulation von Frauen an den Theologischen und Juristischen Fakultäten bis 1939 fast auf den Nullpunkt sank (Tabelle 20 im Anhang). Erst unter den besonderen Umständen des Krieges stieg der Frauenanteil in beiden Fakultäten wieder auf ein höheres Niveau an, blieb aber weiterhin klar unter dem Durchschnitt.

Seit 1940 nahm die Zahl der Studentinnen wieder erheblich zu, wie Tabelle 17 (Anhang) zeigt. Schon 1940 stellten sie an den Universitäten des „Altreichs“ fast 30 % der Studentenschaft, im Wintersemester 1943/44 sogar 46,7 %.[92] In den kulturwissenschaftlichen Fächern, aber auch an den Naturwissenschaftlichen Fakultäten befanden sich die Männer bereits 1941 in der Minderheit (Tabelle 20 im Anhang). Für das Sommersemester 1944, das letzte reguläre Studiensemester im Dritten Reich, liegen keine genauen Angaben mehr vor. Da die 1944 an den wissenschaftlichen Hochschulen neu immatrikulierten Erstsemester aber zu fast zwei Dritteln aus Frauen bestanden[93], ist es sehr wahrscheinlich, daß im Sommer 1944 an den deutschen Universitäten zum ersten Mal mehr Frauen als Männer studierten. An den Technischen Hochschulen verlief diese Entwicklung nicht ganz so eindrucksvoll, aber auch dort vervielfachte sich die Zahl der Studentinnen innerhalb weniger Jahre (Tabelle 17 im Anhang) und lag 1943 mit 23,0 % weit über dem Niveau der Zwischenkriegszeit. Betrachten wir alle wissenschaftlichen Hochschulen des „Großdeutschen Reiches“ zusammen, ergibt sich das Bild nahezu erreichter Parität: Im Sommersemester 1944 befanden sich unter den 85.517 Studierenden deutscher Staatsangehörigkeit 41.210 Studentinnen (48,2 %).[94]

Natürlich war dieser eindrucksvolle prozentuale Zuwachs auch darauf zurückzuführen, daß große Teile der (potentiellen) männlichen Studenten sich bei der Wehrmacht befanden. Die absoluten Zahlen zeugen jedoch

[91] Zur Lage der Theologiestudentinnen vgl. C.H. Meisiek, Evangelisches Theologiestudium im Dritten Reich, Frankfurt/M. 1993, S.171 ff.

[92] Höhere Angaben bei Weyrather, Numerus Clausus, S.159 basieren auf einem Druckfehler in ihrer Quelle.

[93] Vgl. Zehnjahres-Statistik des Hochschulbesuchs und der Abschlußprüfungen. Beilage: Die Entwicklung des Fachstudiums während des Krieges, Berlin 1944, S.23.

[94] Zahlen nach: F. Kock, Die Maßnahmen zum totalen Kriegseinsatz im Bereich der wissenschaftlichen Hochschulen und die gegenwärtige Lage der Hochschulen. Referat auf der Dienstbesprechung der Rektoren in Posen, 14.12.1944, S.6 f., in: BA Koblenz R 21/29 Bl.331 f. Pauwels, Women, S.153 (Tab. 13) behauptet irrtümlich, diese Zahlen bezögen sich auf das „Altreich“. Pauwels Zahlen zur männlichen Studentenschaft (Tab. 11) sind ebenfalls fehlerhaft.

ebenfalls vom einer massiven Zunahme des Frauenstudiums. An den Universitäten des „Altreichs“ stieg die Zahl der immatrikulierten Studentinnen von 5.777 (Sommersemester 1939) auf 25.338 (Wintersemester 1943/44). Damit war sogar der in der Weimarer Republik erreichte Höchststand von 19.394 Studentinnen (Sommersemester 1931) übertroffen, wie Tabelle 17 (Anhang) zeigt.

Zu dieser Entwicklung haben die Veränderungen auf dem akademischen Arbeitsmarkt wesentlich beigetragen. Unter dem Eindruck des sich anbahnenden Akademikermangels zeichnete sich seit 1936/37 in den maßgebenden Kreisen von Partei und Staat eine veränderte Haltung gegenüber dem Frauenstudium ab. Schon im September 1936 wurden die Eltern von Abiturientinnen auf den Frauenseiten des „Völkischen Beobachters“ aufgefordert, notfalls Opfer zu bringen, um talentierten Töchtern ein Studium zu ermöglichen.[95] Ein Jahr später ermunterte auch Reichserziehungsminister Rust die Oberschülerinnen öffentlich, ein Hochschulstudium aufzunehmen.[96] Seit 1938 warben sowohl die Reichsstudentenführung als auch das Reichsstudentenwerk unter Abiturientinnen intensiv für die Aufnahme eines Hochschulstudiums.[97] Weitere noch bestehende Hindernisse wurden in den kommenden Monaten und Jahren aus dem Weg geräumt. Im Juli 1939 veröffentlichte die Reichsärztekammer eine Bitte an die Krankenhäuser, Jungärztinnen in Zukunft bei Bewerbungen nicht mehr zu benachteiligen.[98] Ab 1941 erhielten auch Absolventinnen von Mädchenoberschulen mit hauswirtschaftlichem Abitur (dem sog. „Puddingabitur“) Zugang zum Hochschulstudium, ohne zuvor eine Ergänzungsprüfung ablegen zu müssen.[99] Es gehört zu den erstaunlichsten Paradoxien nationalsozialistischer Politik, daß ein Regime, welches einst mit der Absicht angetreten war, das Frauenstudium einzuschränken, schließlich eine Entwicklung begünstigen mußte, an deren Ende mehr Frauen als je zuvor die deutschen Hochschulen frequentierten.

Auch die berufliche Diskriminierung von Beamtinnen und Akademikerinnen wurde vielfach gemildert oder aufgehoben. Verheiratete Frauen, die 1933 aus dem Staatsdienst entlassen worden waren, konnten seit 1940 wieder an ihre Arbeitsplatz zurückkehren.[100] Die Zahl der Lehrerinnen im höheren Schulwesen erreichte schon 1941 einen neuen historischen Höchststand.[101] Zwar wurde die Benachteiligung von berufstätigen Akademikerinnen keineswegs beseitigt. Führungspositionen blieben in aller Regel weiterhin den Männern vorbehalten. Das Berufsverbot für weibliche Anwälte, Richter oder Staatsanwälte blieb ebenfalls in Kraft und wurde von Hitler während des Krieges noch einmal ausdrücklich bestätigt.[102] Gegen die per-

[95] Vgl. J. Stephenson, Women, S.136 f.
[96] Vgl. Pauwels, Women, S.29.
[97] Vgl. Kleinberger, Hochschulpolitik, S.19; Weyrather, Numerus Clausus, S. 195.
[98] Vgl. H. van den Bussche, Im Dienste, S.56.
[99] Vgl. den RdErl. des REM, 23.8.1939, in: DWEV 1939, S.463. Allerdings mußten für einige Studiengänge zuvor Lateinkenntnisse nachgewiesen werden.
[100] Vgl. Winkler, Frauenarbeit, S.124.
[101] Vgl. Nath, Studienratskarriere, S.156 ff.
[102] Vgl. Aktenvermerk R. Mentzel (?), 30.11.1943, in: BA Koblenz R 26 III 174.

sönlichen Obsessionen des „Führers" konnte auch der Hinweis auf die Nachwuchssorgen in den juristischen Berufen nichts ausrichten. Verglichen mit den trüben Perspektiven der Jahre 1933/34 hatten sich die Berufschancen von Studentinnen aber zweifellos grundlegend verbessert.

Wie Tabelle 3 (S.104) gezeigt hat, stieg die Zahl der Abiturientinnen mit Studienabsicht schon 1938 wieder leicht an. Von einer Zunahme des Frauenstudiums an den Universitäten läßt sich zu diesem Zeitpunkt aber noch nicht sprechen. Erst 1940, unmittelbar nach dem Beginn des Krieges, ging die Zahl der immatrikulierten Studentinnen sowohl absolut als auch relativ wieder eindeutig in die Höhe. Neben der verbesserten Arbeitsmarktlage, der veränderten Haltung von Staat und Partei sowie der starken Zunahme der Abiturientinnen (Tabelle 3) trug offensichtlich auch der Krieg selber zum Aufschwung des Frauenstudiums bei. Zwei unterschiedliche Motive haben dabei eine Rolle gespielt.

Der Zweite Weltkrieg brachte ein hohes Maß an existentieller Unsicherheit in die Lebensplanung gerade jener jungen Frauen, die ihre Zukunft in erster Linie als Ehefrau und Mutter sahen. Je länger der Krieg dauerte, desto größer wurde die Ungewißheit, ob ihre Ehemänner, Verlobten oder Freunde jemals wieder von der Front zurückkehren würden. Auch vielen Frauen, die weiterhin einem traditionellen Rollenbild verhaftet waren, erschien unter solchen Umständen das Ziel, eine qualifizierte akademische Ausbildung zu erhalten, dringlicher als zuvor. Unter ihnen befand sich erstmals auch eine größere Zahl von verheirateten Studentinnen, wie der SD berichtete.[103]

Von den Professoren, diversen Parteistellen und von der Arbeitsgemeinschaft Nationalsozialistischer Studentinnen (ANSt) wurde dieser Zusammenhang allerdings nur sporadisch wahrgenommen. Hier vermutete man in der Regel ganz andere Motive hinter dem überraschenden Zustrom junger Frauen an die Hochschulen. Bereits im August 1940 meldete eine Berliner ANSt-Funktionärin:

> „Bei etwa 20-30 % der Studentinnen der 1.-3. Semester hat man – zumindest an der Universität – das Gefühl, daß sie nur zur Hochschule gekommen sind, um nicht irgendwo dienstverpflichtet zu werden; von einem innerlichen Getriebenwerden zum Studium kann nicht die Rede sein".[104]

Die Möglichkeit, Deutsche beiderlei Geschlechts zum Arbeitseinsatz zu verpflichten, war bereits 1938/39, vor Beginn des Krieges, von Göring geschaffen worden.[105] Seitdem hing die Gefahr einer Dienstverpflichtung wie ein Damoklesschwert über den Köpfen der nicht erwerbstätigen Frauen, insbesondere wenn sie ledig waren und keine Kinder hatten. In der Praxis schreckte das Regime dann zwar vor einer rigorosen Umsetzung der Dienstpflichtverordnungen zurück, doch war dieser – für den NS-Staat

[103] Vgl. Meldungen aus dem Reich, Bd.9, S.3321 (16.2.1942). Genauere Zahlen liegen offenbar nicht vor. Vgl. auch Pauwels, Women, S.96 ff.

[104] Bericht der Gau-ANSt-Referentin von Berlin über die ANSt-Arbeit im II. Trimester 1940, 5.8.1940, in: StA WÜ RSF/NSDStB II* 533 α 432.

[105] Vgl. T.W. Mason, Arbeiterklasse und Volksgemeinschaft, Opladen 1975, S.665 ff.

nicht gerade charakteristische – Mangel an Härte von den Zeitgenossen nicht vorauszusehen.

Das sprunghaft gewachsene Interesse junger Frauen an einem Hochschulstudium wurde daher von den zuständigen Stellen in Staat und Partei mit großem Mißtrauen beobachtet. Im Juli 1942 erläuterte ein SD-Bericht, die Zunahme des Frauenstudiums sei angesichts des Mangels an akademischem Nachwuchs „durchaus zweckmäßig", behauptete aber gleichzeitig, daß viele Studentinnen ihr Studium nicht wirklich ernsthaft und gründlich betrieben:

> „Man könne sich bei wohlwollender Beurteilung des Eindrucks nicht erwehren, daß ein immerhin beträchtlicher Teil der Studentinnen das Studium ergriffen habe, um dadurch eine Befreiung vom Kriegseinsatz zu erreichen ... Diese ‚*Flucht vor der Fabrik in die Hörsäle*' werde aus dem mangelhaften Eifer geschlossen, mit dem das Studium von vielen Studentinnen betrieben werde".[106]

Als im Januar 1943 eine neue Verordnung alle nicht erwerbstätigen Frauen zwischen 17 und 45 Jahren verpflichtete, sich zum Arbeitseinsatz zu melden[107], häuften sich derartige Berichte erneut. Zum Sommersemester 1943 schrieben sich 8.917 Studentinnen neu zum Hochschulstudium ein, mehr als im Sommer 1939 an allen Hochschulen „Großdeutschlands" zusammen studiert hatten.[108] Der Göttinger Rektor Hans Plischke berichtete dem REM, unter den neu eingeschriebenen Studentinnen befänden sich zahlreiche junge, verheiratete Frauen,

> „deren Männer im Felde standen, die kinderlos waren, bislang nicht studiert hatten und sich auf dem Arbeitsamt für den Kriegseinsatz hatten melden müssen. Sie baten mich z.T. um sofortige Immatrikulation, weil sie im Falle ihrer Einschreibung als Studentin zum Kriegseinsatz nicht herangezogen würden ... Andere Fälle lagen so, daß die betreffenden Frauen, die sich gerade in diesem Augenblick zur Immatrikulation entschließen wollten, angaben, ihr Entschluß sei durch den ihnen bekannt gewordenen Mangel im Nachwuchs akademischer Berufe ausgelöst worden. Als ich sie dann fragte, ob sie denn auch in den Zeiten des Friedens, wo ihre Männer nicht mehr im Felde stünden, von den während des Krieges erworbenen Berufsmöglichkeiten Gebrauch machen würden, erhielt ich eine ausweichende Antwort".[109]

Ähnliche Berichte finden sich auch in manchen nach 1945 publizierten Professorenmemoiren.[110] Ich halte es für verfehlt, derartige Aussagen schlicht als Diffamierung der Studentinnen abzutun.[111] Aus der neueren Literatur zur

---

106 Meldungen aus dem Reich, Bd.10, S.3957 (16.7.1942). Hervorhebung im Original.

107 Vgl. Winkler, Frauenarbeit, S.134 ff.

108 Erstsemester von 1943 nach: Zehnjahresstatistik des Hochschulbesuchs und der Abschlußprüfungen. Beilage: Die Entwicklung des Fachstudiums während des Krieges, Berlin 1944, S.23. Im SS 1939 waren an allen Hochschulen insgesamt 8.074 Studentinnen immatrikuliert gewesen. Vgl. Statistisches Jahrbuch für das Deutsche Reich 1939/40, S.615.

109 H. Plischke an Regierungsdirektor F. Kock, REM, 3.7.1943, in: BA Potsdam REM 927 Bl.275.

110 Vgl. etwa C. Eisfeld, Aus fünfzig Jahren, Göttingen 1973, S.150.

111 In diesem Sinne äußert sich: A. Dageförde, Frauen an der Hamburger Universität 1933-1945 (MS), Hamburg 1987, S.8.

Frauengeschichte im Dritten Reich ist wohlbekannt, daß die Bereitschaft, persönliche Opfer für eine siegreiche Beendigung des Krieges zu bringen, unter den Frauen des Bürgertums sehr gering war. Die Vorstellung, in einem Rüstungsbetrieb dienstverpflichtet zu werden, stieß auf allgemeines Entsetzen, und vielfach wurde versucht, die Meldepflichtverordnung von 1943 auf allen möglichen und unmöglichen Wegen (etwa durch Scheinarbeitsverhältnisse oder Absentismus) zu umgehen.[112] Es wäre erstaunlich, wenn nicht auch das Hochschulstudium häufiger für diesen Zweck genutzt worden wäre. Tatsächlich wurde in der Nachkriegszeit von manchen Studentinnen auch offen darüber gesprochen, daß der Hochschulbesuch im Kriege für viele immatrikulierte Frauen „lediglich ein Provisorium" gewesen sei, „nicht ganz ernst gemeint und nicht ganz ernst genommen".[113]

Die These, daß ein Teil der im Kriege neu immatrikulierten Studentinnen vor allem das Ziel verfolgte, einer Dienstverpflichtung in der Rüstungsindustrie zu entgehen, läßt sich also recht gut belegen. Warum der Hinweis auf derartige Motive auch heute noch als „geradezu diffamierend" empfunden wird, bleibt mir unverständlich. Schließlich war die „Flucht in die Hörsäle" doch in erster Linie ein Zeichen dafür, daß Frauen aus dem Bürgertum und dem Mittelstand keineswegs nur ein passives Objekt nationalsozialistischer Herrschaftsansprüche waren, sondern sich mit Erfolg bemühten, gegenüber den Verhaltenszumutungen des NS-Regimes ihre eigenen Interessen und Bedürfnisse durchzusetzen. Wie groß diese Gruppe von Studentinnen war, läßt sich freilich nicht sagen. Vermutlich war es nur eine Minorität, die sich aus solchen Gründen immatrikulierte.

Von einem Teil der Hochschullehrer wurde die Zunahme des Frauenstudiums ebenfalls mit Unbehagen beobachtet. Manche Professoren klagten,

> „die Mehrzahl der Studentinnen wolle ... vom Universitätsdozenten wie von einem Lehrer an einer höheren Schule mit sicherer Hand durch das zu bewältigende Wissensgebiet bis zu den examensmäßig verlangten Grenzen geführt werden".[114]

Einige Professoren forderten sogar die Wiedereinführung des Numerus clausus für Studentinnen.[115] Auch viele Soldatenstudenten sollen das Anwachsen des Frauenstudiums mit „Skepsis" beobachtet haben, wie in einem Rundbrief der Reichsstudentenführung nachzulesen ist.[116]

Führenden Funktionären der Partei fiel es ebenfalls schwer, sich mit der veränderten Zusammensetzung der Studentenschaft abzufinden. Zu einem Eklat kam es am 13. Januar 1943, als der Gauleiter von München-Oberbayern, Paul Giesler, bei einer Veranstaltung im Deutschen Museum vor etwa 1.200 Soldatenstudenten und 300 Studentinnen heftig gegen das Frauenstu-

---

112 Vgl. Winkler, Frauenarbeit, S.136 ff.

113 So formulierte es 1946 eine Studentin in Göttingen, zit. in: Krönig/Müller, Nachkriegssemester, S.53. Vgl. auch das Interview von Astrid Dageförde mit Asta H., o.D., S.16, Transkription in: ProjA HH.

114 Meldungen aus dem Reich, Bd.15, S.5783 (20.9.1943).

115 Vgl. ebd.

116 Rundbrief Nr.8 des Stabsführers der RSF, R. Thomas, 1.12.1942, S.4, in: BA Koblenz NS 26/375.

dium polemisierte. Giesler forderte die Studentinnen öffentlich auf, sie sollten sich nicht an den Universitäten herumdrücken, sondern „lieber dem Führer ein Kind schenken". Er soll weiter hinzugefügt haben: „Wenn einige Mädels nicht hübsch genug sind, einen Freund zu finden, werde ich gern jeder einen von meinen Adjudanten zuweisen ... und ich kann ihr ein erfreuliches Erlebnis versprechen".[117] Diese Äußerungen führten zu heftigen Protesten im Saal. Etwa 50 Studentinnen, die auf der Empore saßen, standen auf und wollten den Versammlungsort verlassen, wurden aber von der Polizei daran gehindert. Auch einige Soldatenstudenten erhoben sich demonstrativ und verließen den Saal. Nach dem Ende der Versammlung wurden ungefähr 20-30 Studentinnen, die gegen Gieslers Ausführungen protestiert hatten, von der Gestapo festgenommen. Gleichzeitig versammelte sich vor dem Gebäude eine größere Zahl von Soldatenstudenten, die in Sprechchören die Freilassung ihrer Kommilitoninnen verlangten. Aus dieser Ansammlung entwickelte sich eine öffentliche Demonstration; teilweise kam es zu Auseinandersetzungen mit der Polizei und zu Verhaftungen. Himmler und Bormann, die einen Tag später über die Ereignisse informiert wurden, bemühten sich um Schadensbegrenzung und ordneten an, die polizeilichen Maßnahmen wieder rückgängig zu machen.[118] Tatsächlich wurden die verhafteten Soldatenstudenten nach eintägiger Haft im Gestapogefängnis entlassen.[119] Weitere Repressalien blieben aus. Die nach der Versammlung festgenommenen Studentinnen kamen ebenfalls glimpflich davon. Zwar erhielten 22 Studentinnen vom REM einen Verweis, sie konnten ihr Studium aber ohne Probleme fortsetzen.[120]

Auch in der arbeitenden Bevölkerung riefen die Studentinnen, wenn sie tagsüber in einem Café auftauchten oder in einem Park spazierengingen, immer wieder Neid und Ressentiments hervor. Vor allem in kleineren Universitätsstädten richtete sich der Volkszorn über Frauen der „besseren Schichten", die es verstanden hatten, sich der Dienstverpflichtung in der Kriegswirtschaft zu entziehen[121], hauptsächlich gegen die studierenden Frauen. Durchaus typisch für diese weit verbreitete Stimmung war ein anonymer

[117] Zit. nach Petry, Studenten, S.99. Über die Versammlung und über Gieslers Rede liegen unterschiedliche Berichte vor, die nicht in allen Punkten übereinstimmen. Vgl. M. Jander, Theo Pirker über „Pirker". Ein Gespräch, Marburg 1988, S.48 und die Darstellung des damaligen Gaustudentenführers: J. Doerfler, Erinnerungen – Erlebnisse – Kämpfe in meinem Leben, unveröffentlichtes Ms., S.322 ff.

[118] Vgl. das vertrauliche Rundschreiben des Stabsführers der RSF, R. Thomas, 23.1.1943, in: HHStA Wiesbaden 483/11200, sowie das Fernschreiben Himmlers vom 15.1.1943, abgedruckt in: Reichsführer! ... Briefe an und von Himmler. Hg. von H. Heiber, Stuttgart 1968, S.183. Heiber bezieht das Fernschreiben irrtümlich auf die Aktivitäten der „Weißen Rose".

[119] Vgl. Jander, Theo Pirker, S.48.

[120] Abschr. des Strafbescheides vom 12.2.1943, in: BAAZ Julius Doerfler. Die Namen der gemaßregelten Studentinnen in: Gaustudentenführer J. Doerfler an Gauleiter P. Giesler, 5.3.1943, ebd.

[121] Vgl. dazu Winkler, Frauenarbeit, S.134 ff.

Brief, den der Generalbevollmächtigte für den Arbeitseinsatz, Gauleiter Fritz Sauckel, im März 1943 erhielt:

> „Jetzt werden unsere Frauen zur Arbeit herangezogen sodass die ganze Familie des kleinen Volkes arbeitet. Und wie steht es bei der begüterten Klasse des Volkes. Da sind die Universitäten voll von jungen, vollgefressenen Mädels, die durch Studium sich vor der Arbeit drücken. Wenn wir von der Nachtschicht kommen, da gehn die ausgeruht geschminkt und aufgeputzt mit ihren Kerlen ins Colleg ... Es ist ein Skandal unsere Kinder haben aus Opfersinn fürs Vaterland mit 20 Jahren noch keinen Beruf erlernt und die besitzende Klasse macht was sie will ... Die Erbitterung der arbeitenden Klasse breitet sich immermehr aus, wenn nicht sofort Abhilfe geschaffen wird. Ihr verlangt Haltung der Heimatfront, wir verlangen gleiches Recht für alle“.[122]

Wie verbreitet solche Vorbehalte auch immer gewesen sein mögen, sie haben offenbar während des Krieges die Atmosphäre an den Hochschulen nicht nachhaltig geprägt. Ehemalige Studentinnen, die in den 1980er Jahren befragt wurden, berichteten jedenfalls überwiegend, sie hätten sich als Frauen während des Studiums nicht benachteiligt gefühlt.[123] Zwar erinnerten sich einige der befragten Frauen an diskriminierende Erfahrungen – etwa an jene Hochschullehrer, die ihr Auditorium grundsätzlich nur mit „Meine Herren“ anredeten, oder auch an eine mündliche Prüfung, die mit der Frage nach einem Kochrezept eingeleitet wurde. Solche Erlebnisse waren aber offenbar nicht typisch für den Hochschulalltag, sondern wurden eher als Kuriosität belächelt.[124]

Wie es scheint, bewegten sich die Studentinnen während des Krieges an den Hochschulen mit größerer Sicherheit als in der Zwischenkriegszeit. Schon aufgrund ihrer großen Zahl hatten die studierenden Frauen keinen Grund, sich als Außenseiter zu fühlen. Vielleicht noch wichtiger: Im Gegensatz zu ihren Vorgängerinnen Anfang der 1930er Jahre wurden die Studentinnen der Kriegsgeneration von den männlichen Kommilitonen nicht als zukünftige Konkurrenz auf dem Arbeitsmarkt gesehen. Der generelle Akademikermangel verhieß glänzende Berufsaussichten für alle, die den Krieg überlebten. Die Tatsache, daß der NS-Staat mehr als je zuvor auf ihre Arbeitskraft angewiesen war, stärkte offensichtlich das Selbstbewußtsein:

> „Wir Frauen standen ja unseren Mann. Wir mußten ja überall Geschäfte übernehmen. Also, daß es da irgend einen Unterschied der Geschlechter gab, das war durch den Krieg vollkommen ad absurdum geführt“,

berichtete eine Studentin, die in Hamburg und Breslau Volkswirtschaftslehre studiert hatte.[125]

---

[122] BA Potsdam REM 927 Bl.55. Rechtschreibung und Interpunktion nach dem Original.

[123] Vgl. Dageförde, Frauen, S.189; Chr. Dorner u.a., Die braune Machtergreifung. Universität Frankfurt 1930-1945, Frankfurt/M. o.J., S.149. Siehe aber auch als abweichende Äußerung (Hervorhebung der „frauenfeindlichen Atmosphäre“): H. Wallis, Medizinstudentin im Nationalsozialismus, in: U. Weisser (Hg.), 100 Jahre Universitäts-Krankenhaus Eppendorf 1889-1989, Tübingen 1989, S.401.

[124] Vgl. das Interview von Astrid Dageförde mit Traute H., 31.1.1985, S.54, Transkription in ProjA HH.

[125] Interview von Astrid Dageförde mit Traute H., 31.1.1985, S. 14, Transkription in: ProjA HH.

Vollkommen realistisch war diese Einschätzung freilich nicht, denn auch in der Endphase des NS-Regimes gab es weiterhin diskriminierende Maßnahmen gegen studierende Frauen. Als das REM die Hochschulen im März 1944 ermächtigte, den Zugang zu stark überfüllten Fakultäten einzuschränken, richtete sich diese Maßnahme in erster Linie gegen die Studentinnen[126], vor allem an den Medizinischen Fakultäten. Aufgrund dieses Erlasses wurden beispielsweise an der Universität Gießen im Sommersemester 1944 überhaupt keine Medizinstudentinnen neu immatrikuliert.[127] Allerdings hatten derartige Maßnahmen nur periphere Bedeutung. Wie aus der amtlichen Statistik hervorgeht, wurde die Verschiebung der Geschlechterproportionen zugunsten der Frauen dadurch nicht aufgehalten. Unter dem 17.570 neu immatrikulierten Studierenden des Sommersemesters 1944 befanden sich nicht weniger als 11.387 Frauen (64,8 %).[128]

Von einer massiven Diskriminierung der Studentinnen läßt sich erst wieder nach dem Ende des Krieges sprechen, als nur etwa die Hälfte der Studienbewerber zum Studium zugelassen werden konnte. Die vorhandenen Studienplätze beanspruchten, wie selbstverständlich, die Kriegsteilnehmer, und viele Studentinnen fühlten sich „durch männliche Heimkehrer rücksichtslos an die Wand gedrückt".[129] Erneut wurde, wie schon 1933, über einen Numerus clausus für Frauen debattiert und an einigen Hochschulen (Marburg, Tübingen, Hamburg, Freiburg) kam es tatsächlich zu einer administrativen Einschränkung des Frauenstudiums.[130]

3. Die fachliche Gliederung der Studentenschaft

Warum wurden bestimmte Fächer oder Fakultäten im Dritten Reich von den Studenten gemieden, während einige einen starken Zustrom verzeichneten und andere einen konstant bleibenden Teil der Studentenschaft anzogen? Wie Tabelle 19 (Anhang) zeigt, verlor vor allem das Studium der Theologie und der Rechtswissenschaft erheblich an Bedeutung, während ein wachsender Teil der Studentenschaft sich an den Medizinischen Fakultäten immatrikulierte. Die Philosophischen Fakultäten („Kulturwissenschaften") erlebten zunächst einen nicht nur absoluten, sondern auch relativen Rückgang der Studentenzahlen, doch wurde dieser rückläufige Trend während des Krieges wieder weitgehend ausgeglichen. Die naturwissenschaftlichen Fächer verloren insgesamt an Bedeutung, doch fällt es angesichts der sehr

---

[126] Vgl. den RdErl. des REM, 17.3.1944, in: BA Koblenz R 21/29 Bl.43.

[127] Vgl. den Bericht des Rektors der Universität Gießen, A. Brüggemann, an den REM, 31.3.1944, in: BA Potsdam REM 797 Bl.440. Dort auch die Berichte der anderen Rektoren.

[128] Zehnjahres-Statistik des Hochschulbesuchs und der Abschlußprüfungen. Beilage: Die Entwicklung des Fachstudiums während des Krieges, Berlin 1944, S.23.

[129] Zit. in: Krönig/Müller, Nachkriegssemester, S.52.

[130] Vgl. Die deutschen Hochschulen, in: Europa-Archiv, 1. Jg., 1946/47, S.240-249, 307-316. Außerdem: Krönig/Müller, Nachkriegssemester, S.50 ff.; H. van den Bussche, Im Dienste, S.215 ff., 223.

ungleichmäßigen Entwicklung schwer, einen eindeutigen Trend zu erkennen. Das Interesse an einem Studium der Wirtschaftswissenschaften blieb relativ konstant, ein gewisser Aufwärtstrend ist gleichwohl erkennbar. Wie lassen sich diese Verschiebungen bei der Fächerwahl erklären? Liegen die Ursachen dieses Wandels im politischen Bereich oder handelte es sich um eine naturwüchsige Entwicklung?

Zunächst: Eine gezielte Steuerung der Fächerwahl, etwa durch die Zuweisung von Studienplätzen oder durch die Einführung des Numerus clausus für bestimmte Fachgebiete, erfolgte während der NS-Zeit nur in Ansätzen. Es ist auch nicht bekannt, daß im REM oder an anderer Stelle derartige Maßnahmen erwogen wurden. Lediglich über die Verteilung von Stipendien wurde versucht, einen gewissen Einfluß auf die Wahl des Studienfaches zu nehmen. Vor 1939 waren davon im wesentlichen nur die Theologiestudenten betroffen, die bei der Vergabe von Stipendien und anderen Studienerleichterungen aus politischen Gründen eklatant benachteiligt wurden.[131] Doch setzte sich diese Tendenz zur Diskriminierung der Theologiestudenten nicht vollständig durch, weil auch manche Rektoren einer pauschalen Zurücksetzung der Theologen nicht zustimmen mochten.[132] Größere Anstrengungen, die Wahl des Studienfaches durch die Vergabe von Stipendien zu beeinflussen, wurden erst nach Beginn des Krieges unternommen. Im Oktober 1939 ordnete das REM an, künftig bei der Vergabe von Stipendien und anderen Förderungsmitteln „vordringlich" die Studierenden der kriegswichtigen Fächer zu berücksichtigen. Von dieser Regelung profitierten hauptsächlich die Studenten der Medizinischen und Naturwissenschaftlichen Fakultäten, sowie die an Technischen Hochschulen immatrikulierten Studierenden, aber auch Studenten der Fächer Landbauwissenschaften, Forstwissenschaft und Veterinärmedizin.[133] Die regulierende Wirkung dieser Entscheidung darf jedoch nicht überschätzt werden, da nur ein kleiner Teil der Studierenden Stipendien erhielt.[134] Aus der Statistik läßt sich jedenfalls nicht erkennen, daß diese Maßnahme einen durchschlagenden Effekt erzielte. Obwohl die Studierenden der kulturwissenschaftlichen Fächer seit Oktober 1939 bei der Vergabe von Stipendien benachteiligt waren, hat sich ihr Anteil an der Studentenschaft in den folgenden Semestern beträchtlich erhöht, wie Tabelle 19 (Anhang) erkennen läßt.

Die Wahl des Studienfaches blieb also, wie schon vor 1933, im wesentlichen den Studenten überlassen. Haben vielleicht die Studierenden selber sich bei der Auswahl ihres Studienfaches von politischen Überlegungen leiten lassen? Genauer formuliert: Gab es bei der Wahl des Studienfaches eine

131 Vgl. dazu das Material in: EZA 1/A2/554. Außerdem: Meisiek, Theologiestudium, S.323 ff. u. S.369 ff.

132 Vgl. das Prot. der Rektorenkonferenz vom 15.12.1937, in: BA Potsdam REM 708 Bl.108 ff.; H. Franz, Tätigkeitsbericht des Wirtschafts- und Sozialamtes der RSF, 18.11.1937; in: StA WÜ RSF/NSDStB II* 111 α 50.

133 Vgl. RdErl. des REM, 10.10.1939, in: BA Koblenz R 21/25 Bl.143. Siehe auch: RStW, Kurzberichte aus der Arbeit des Kriegsjahres 1939, S.26.

134 Vgl. S.141 ff.

„Flucht aus den politisch ... als exponiert geltenden Wissenschaften", wie in der neueren Literatur[135] zu lesen ist? Diese These stützt sich vor allem auf die nach 1933 gesunkene Attraktivität der Juristischen und Philosophischen Fakultäten. Dabei werden jedoch zwei Tatsachen außer acht gelassen: Zum einen hatte sich die Anziehungskraft der Juristischen und Philosophischen Fakultäten schon vor der nationalsozialistischen Machtübernahme erheblich verringert, wie die Entwicklung der relativen Studentenzahlen in diesen Fachrichtungen eindeutig zeigt.[136] Zum anderen dauerte der Bedeutungsverlust der Kulturwissenschaften nur bis 1939 an, wie aus Tabelle 19 (Anhang) hervorgeht. Im Winter 1932/33 hatten noch 18,4 % der Universitätsstudenten ein kulturwissenschaftliches Fach gewählt. Bis 1939 sank ihr Anteil auf 11,3 % (im Sommersemester) bzw. auf 8,5 % (im ersten Kriegssemester). Danach setzte jedoch ein erneuter Zustrom an die Philosophischen Fakultäten ein. 1942/43 war der Stand von 1933 bereits wieder erreicht. Zu diesem Zeitpunkt stellten die Studierenden der Kulturwissenschaften erneut etwa 17 % der Studentenschaft (Tabelle 19 im Anhang). Als Beleg für eine Abneigung der Studenten gegenüber politisch exponierten Fächern läßt sich diese Entwicklung sicher nicht interpretieren. Gegen die These, die Studierenden hätten die ideologisch anfälligen Fächer gemieden und sich bewußt unpolitischen Studiengängen zugewandt, spricht auch das relativ geringe Interesse an einem naturwissenschaftlichen Studium. Um 1932/33 waren etwa 12 % der Studierenden an einer Naturwissenschaftlichen Fakultät immatrikuliert, ein Prozentsatz der in den folgenden Semestern bis 1943/44 nie wieder erreicht wurde.

Tatsächlich können die nach 1933 feststellbaren Verschiebungen bei der Wahl der Studienfächer nicht monokausal erklärt werden. Im wesentlichen lassen sich vier verschiedene Faktoren identifizieren, die dabei ursächlich mitgewirkt haben:

1. die Entwicklung auf dem akademischen Arbeitsmarkt,
2. kriegsbedingte Veränderungen der Studienchancen,
3. geschlechtsspezifische Differenzen bei der Wahl des Studienfaches,
4. politisch-ideologisch motivierte Eingriffe von Partei und Staat.

Welcher dieser Faktoren jeweils im Vordergrund stand, war von Fachrichtung zu Fachrichtung unterschiedlich. Um die oben skizzierten Verschiebungen erklären zu können, bedarf es daher eines genaueren Blicks auf die Entwicklung der einzelnen Wissenschaftszweige.

Besonders attraktiv war im Dritten Reich vor allem das Studium an den *Medizinischen Fakultäten*. 1932 umfaßten die Medizinstudenten an den Universitäten etwa ein Drittel der Studentenschaft, kurz vor Beginn des Krieges (im Sommersemester 1939) war ihr Anteil bereits auf 48,9 % gestie-

[135] H. Scholtz, Erziehung und Unterricht unterm Hakenkreuz, Göttingen 1985, S. 184. Vgl. auch: G. Stuchlik, Goethe im Braunhemd. Universität Frankfurt 1933-1945, Frankfurt/M. 1984, S.121; C. von Dietze: Die Universität Freiburg im Dritten Reich, in: Mitteilungen der List-Gesellschaft, 3, 1960/62, S.100; K. Jarausch, Deutsche Studenten 1800-1970, Frankfurt/M. 1984, S.180 („Abwendung von den Gesinnungsfächern").

[136] Vgl. Quetsch, Entwicklung, S.43.

gen, und während des Krieges stellten die künftigen Ärzte zeitweise sogar mehr als 60 % aller Studenten, wie Tabelle 19 (Anhang) zeigt. Begonnen hatte dieser Aufwärtstrend schon früher: Etwa seit 1925 nahm die Zahl der Medizinstudenten sowohl absolut als auch relativ ständig zu.[137] Der enorme Andrang hatte zur Folge, daß die Berufsaussichten dieser Studenten seit 1932 von Experten als „sehr ungünstig" angesehen wurden.[138] Eine künftige Massenarbeitslosigkeit approbierter Ärzte, zumindest aber eine chronische Unterbeschäftigung bei relativ niedrigem Durchschnittseinkommen schien programmiert.

Tatsächlich bewahrheiteten sich solche Prognosen aber nicht. Vielmehr profitierten die Medizinstudenten und Ärzte wie kaum eine andere Berufsgruppe von der „Machtergreifung", insbesondere von der schon 1933 einsetzenden Vertreibung jüdischer Ärzte. Unter den Human-Medizinern befand sich traditionell ein relativ hoher Prozentsatz von jüdischen Ärzten, die zwischen 1933 und 1938 durch Berufsverbote und andere Schikanen ihrer Arbeitsmöglichkeiten beraubt wurden.[139] Die Einrichtung zahlreicher staatlicher Gesundheitsämter und der wachsende Bedarf an Ärzten in der expandierenden Wehrmacht steigerten ebenfalls die Karrierechancen des akademischen Nachwuchses. Bereits 1936, als die Berufschancen der Juristen und Philologen noch allgemein negativ beurteilt wurden, galt die Berufslage der Ärzte wieder als „ausgesprochen günstig". 1938 herrschte schon ein erkennbarer Mangel an medizinischem Nachwuchs.[140] Die wachsende Attraktivität des Medizinstudiums nach 1933 läßt sich daher wohl hauptsächlich auf die frühzeitige Beendigung der Überfüllungskrise in diesem Teilbereich des akademischen Arbeitsmarktes zurückführen.

Wie aus Tabelle 19 (Anhang) hervorgeht, ist der Anteil der Mediziner unter den Studierenden während des Krieges erneut gestiegen.[141] Dieser erneute Terraingewinn der Medizinischen Fakultäten war allerdings weniger das Resultat einer freien Entscheidung der Studenten, sondern ein Produkt der Ausnahmesituation des Krieges. Da die Wehrmacht während des Krieges – aus naheliegenden Gründen – einen schier unstillbaren Bedarf an Ärzten hatte, wurden eingezogene Studenten oder Abiturienten, die Medizin studierten oder studieren wollten, zur Weiterführung des Studiums von der Wehrmacht entlassen. Während die männlichen Studenten der meisten anderen Fächer ihr Studium unterbrechen mußten und fortan nur noch darauf

[137] Vgl. ebd.

[138] Vgl. zum Folgenden hauptsächlich: H. Titze, Der Akademikerzyklus, Göttingen 1990, S.83 ff.

[139] Im Juni 1933 waren 10,9 % aller Ärzte Juden. Vgl. E. Bennathan, Die demographische und wirtschaftliche Struktur der Juden, in: W.E. Mosse (Hg.), Entscheidungsjahr 1932, Tübingen 1966[2], S.111. Hinzu kam eine unbekannte Zahl von Ärzten jüdischer Herkunft, die ebenfalls Berufsverbot erhielten.

[140] Vgl. Titze, Akademikerzyklus, S.87.

[141] Die erheblichen Schwankungen des Medizineranteils von Semester zu Semester sind im wesentlichen auf die Beurlaubung von Soldatenstudenten durch die Wehrmacht zurückzuführen. Studienurlaub erhielten vor allem die Studenten nichtmedizinischer Fächer. Sobald die Wehrmacht einer größeren Zahl von Soldatenstudenten Semesterurlaub gewährte, meist im WS, ging der Anteil der Medizinstudenten daher sofort merklich zurück.

hoffen konnten, gelegentlich für ein oder zwei Semester Studienurlaub zu erhalten, bot sich den Studierenden der Medizinischen Fakultäten die Chance, ihre Berufsausbildung relativ ungestört fortzusetzen. Dieser privilegierte Sonderstatus der Medizinstudenten blieb im wesentlichen bis zum Herbst 1944 erhalten.[142] Der vergrößerte Anteil der Mediziner an der gesamten Studentenschaft ist im wesentlichen auf diese Konstellation zurückzuführen. Ein gesteigertes Interesse der Abiturienten am Medizinstudium läßt sich dagegen in den Kriegsjahren nicht feststellen. Auch die häufig zu lesende Behauptung, viele männliche Studenten hätten ein Medizinstudium nur deshalb begonnen, um auf diese Weise dem Krieg zu entrinnen, steht empirisch auf recht wackeligen Füssen.[143]

Den Gegenpol zu den während des Krieges völlig überlaufenen Medizinischen Instituten bildeten die *Theologischen Fakultäten.* 1932/33 hatte etwa ein Zehntel der Universitätsstudenten Theologie studiert, wie Tabelle 19 (Anhang) zeigt. In den folgenden Semestern war ihr Anteil an der Gesamtstudentenschaft sogar noch weiter gewachsen. Seit 1938/39 gingen die Hörerzahlen der Theologischen Fakultäten jedoch absolut wie relativ ständig zurück, zunächst langsam, dann schlagartig nach Beginn des Krieges. Gleichzeitig verschob sich das Verhältnis zwischen evangelischen und katholischen Theologen. Im Sommer 1933 waren von den insgesamt 9.173 Theologiestudenten 6.791 (74,0 %) an einer Evangelisch-Theologischen Fakultät immatrikuliert gewesen. Demgegenüber verzeichneten die katholischen Fakultäten mit ihren insgesamt 2.382 Studierenden (26,0 %) einen erheblich geringeren Zuspruch. In den folgenden Semestern kehrte sich diese Relation langsam um. Schon im Wintersemester 1937/38 stand eine Mehrheit von 2.531 katholischen Theologiestudenten einer stark zusammengeschrumpften Gruppe von nur noch 1.931 Studenten der Evangelischen Theologie gegenüber. Während des Krieges verstärkte sich die Dominanz des katholischen Sektors noch. Im Winter 1941 registrierte die amtliche Statistik an den Universitäten des „Altreichs" noch 371 evangelische Theologen, während die katholischen Fakultäten eine Hörerschaft von 1.026 Theologiestudenten zählten.[144] Die Evangelisch-Theologischen Fakultäten verödeten regelrecht. Im Sommersemester 1942 standen 222 Lehrkräfte lediglich 175 Studierenden gegenüber.[145] In Gießen war seit dem Sommer 1943 kein einziger Theologiestudent mehr eingeschrieben.[146]

Das Versiegen des theologischen Nachwuchses war sicher nicht in erster Linie auf eine Überfüllung des Pfarrerberufes zurückzuführen. Tatsächlich

[142] Zum Sonderstatus der Medizinstudenten vgl. ausführlicher S.361 ff.

[143] Vgl. S.393 ff.

[144] Alle Zahlen nach: Zehnjahres-Statistik des Hochschulbesuchs und der Abschlußprüfungen, 1. Bd.: Hochschulbesuch, Berlin 1943, S. 152 ff.

[145] Vgl. E. Wolgast, Nationalsozialistische Hochschulpolitik und die evangelisch-theologischen Fakultäten, in: Theologische Fakultäten im Nationalsozialismus, S.76. Siehe auch Meisiek, Theologiestudium, S.419 ff.

[146] Vgl. M. Greschat, Die Evangelisch-Theologische Fakultät in Gießen in der Zeit des Nationalsozialismus (1933-1945), in: Theologie im Kontext der Geschichte der Alma Mater Ludoviciana. Hg. von B. Jendorff u.a., Gießen 1983, S.158.

galten die Berufsaussichten der Theologiestudenten sowohl in den 1920er wie auch in den 1930er Jahren als relativ günstig.[147] Ausschlaggebend für die weit überproportionale Abnahme der Theologiestudenten waren vielmehr die Auswirkungen des Kirchenkampfes auf die Theologischen Fakultäten. Je größer die Spannungen zwischen Partei und Kirchen wurden, je mehr in der NSDAP jene Kräfte die Oberhand gewannen, die eine grundsätzliche Unvereinbarkeit von Nationalsozialismus und Christentum propagierten, desto schwieriger gestaltete sich auch das Theologiestudium. Schon 1935 fühlten sich viele Studenten der Theologie an den Universitäten als isolierte Außenseiter:

> „Das, was uns Theologiestudenten von heute so schwer bedrückt, ist die dauernde Ungewißheit, was soll aus uns werden? Wir stehen hier auf der Universität, verachtet, schikaniert, bespottet. Nur wenige zeigen etwas Interesse, aber dann bleibt es auch bloß bei einem Bemitleiden. Wo wir auch stehen und gehen mögen, immer müssen wir daran denken: Wir sind nur zweitklassige Menschen!“[148]

1937 gab es kaum noch eine nationalsozialistische Organisation, die bereit war, Theologiestudenten aufzunehmen.[149] Damit entfiel in der Regel auch die Möglichkeit, Stipendien oder Gebührenerlaß zu erhalten. Es war unverkennbar, daß Abiturienten, die das Studium der Theologie aufnahmen, sich damit ins politische Abseits stellten und einer ungewissen Zukunft entgegensahen. Um sich unter solchen Umständen an einer Theologischen Fakultät zu immatrikulieren, bedurfte es eines starken Charakters und eines festen Glaubens. „Wer heutzutage Theologie studiert, schwimmt gegen den Strom. Dazu gehört eine Charakterkraft, die nicht jedermanns Sache ist. Wer heutzutage den Pfarrerberuf wählt, muß sein Leben heroisch auffassen“, schrieb 1941 ein Danziger Theologe.[150]

Manche evangelische Theologiestudenten immatrikulierten sich auch an einer der Kirchlichen Hochschulen in Berlin und Wuppertal. Mit diesen Gegengründungen reagierten Teile der Bekennenden Kirche 1935 auf die Politik der Nationalsozialisten gegenüber den Theologischen Fakultäten. Keine andere universitäre Disziplin mußte sich im Dritten Reich ähnlich massive personalpolitische Eingriffe von Partei und Staat gefallen lassen wie die Theologischen Fakultäten. Theologen, die der Bekennenden Kirche angehörten, hatten praktisch keine Chancen, einen Lehrstuhl zu erhalten. Außerdem wurden politisch unbequeme Theologieprofessoren und Dozenten oft durch vorzeitige Pensionierung oder durch Entzug der Lehrbefugnis von den Universitäten entfernt. In den Kirchlichen Hochschulen

[147] Allerdings konnten die zahlreichen vakanten Pfarrstellen oft aus finanziellen Gründen nicht besetzt werden. Zu den Berufsaussichten der evangelischen Theologiestudenten vgl. C.H. Meisiek, Evangelisches Theologiestudium im Dritten Reich, Frankfurt/M. 1993, S.46 ff.

[148] Fritz B. an den Reichsbischof, 23.7.1935, in: EZA 1/C3/93.

[149] Vgl. S.442 f.

[150] Zustimmend zit. (ohne Namensnennung) in: Meldungen aus dem Reich, Bd.6, S.2169 (31.3.1941). Der Bericht ist voll des widerwilligen Lobes über das „ausgesuchte“ Menschenmaterial unter den Nachwuchstheologen.

erhielten evangelische Theologiestudenten unabhängig von nationalsozialistischem Einfluß eine theologische Ausbildung, die an den Grundsätzen der Bekennenden Kirche ausgerichtet war.[151] Doch darf die Relevanz dieses Faktors für den Schwund der evangelischen Theologiestudenten nicht überschätzt werden.[152] Aufgrund der staatlichen Repression hatten die beiden Kirchlichen Hochschulen nur wenige Studenten. Im Sommersemester 1937 studierten in Berlin und Wuppertal zusammen nur 160 Studenten.[153] Danach ging ihre Zahl weiter zurück. In Wuppertal sank die Zahl der immatrikulierten Studenten von 65 im Sommersemester 1937 auf 5 im Sommer 1938.[154] Zudem war der Besuch einer Kirchlichen Hochschule zumeist kein Ersatz für das Studium an einer staatlichen Fakultät, sondern eine zeitlich begrenzte Ergänzung.[155] Im Mai 1941 wurden die Kirchlichen Hochschulen endgültig zerschlagen.

Von einem dramatischen Niedergang des Theologiestudiums läßt sich, wie Tabelle 19 (Anhang) zeigt, erst während des Krieges sprechen. Waren im Sommer 1939 noch 7,5 % der Universitätsstudenten an den Theologischen Fakultäten des „Großdeutschen Reiches" immatrikuliert gewesen, so hatte sich ihr Anteil bis 1943/44 auf 0,8 % reduziert. Die Ursache liegt auf der Hand: Weil sich an den Theologischen Fakultäten fast ausschließlich Männer immatrikulierten, waren sie von den Einberufungen der Wehrmacht viel stärker betroffen als andere Fakultäten. Da auch die Wehrmacht keinen dringenden Bedarf an Theologen verspürte, konnten Theologiestudenten nicht (wie Medizinstudenten) damit rechnen, für längere Zeit zur Weiterführung des Studiums entlassen zu werden. Beide Faktoren, die politische Bedrückung auf der einen Seite und die Auswirkungen des Krieges auf der anderen, brachten das Theologiestudium in der Endphase des Dritten Reiches beinahe zum Erliegen.

Die *Juristischen Fakultäten* erlebten ebenfalls einen außerordentlich starken Rückgang der Studentenzahlen, wenngleich dieser nicht ganz so drastisch ausfiel wie an den Theologischen Fakultäten. Während im Winter 1932/33 noch 17,5 % der Universitätsstudenten Jura studiert hatten, folgte in den kommenden Semestern ein kontinuierlicher Niedergang. Im Winter 1943/44 waren an den Universitäten nur noch 5,2 % der Studierenden für das Studium der Rechtswissenschaft eingeschrieben, wie aus Tabelle 19 (Anhang) hervorgeht. Anfangs war diese Entwicklung wohl hauptsächlich

[151] Vgl. die Beiträge von G. Besier und G. van Norden in: Theologische Fakultäten im Nationalsozialismus, S.251 ff. Sehr materialreich: H. Aschermann / W. Schneider, Studium im Auftrag der Kirche, Köln 1985.

[152] Dazu neigt vor allem Jarausch, Studenten, S.178.

[153] Vgl. Aschermann/Schneider, Studium, S.339.

[154] Vgl. Studium im Auftrag der Kirche, S.339 u. S.345. Besiers Behauptung, die Kirchlichen Hochschulen hätten „ihren Bestand nahezu halten können", basiert auf einer Fehlinterpretation. Vgl. G. Besier, Zur Geschichte der Kirchlichen Hochschule oder: Der Kampf um den theologischen Nachwuchs, in: Theologische Fakultäten im Nationalsozialismus, S.265.

[155] Vgl. [J. Hoffmann,] Zur Lage der Theologiestudenten, Ms. [1936], S.17 f., in: EZA 50/491 Bl. 25 f. Verfasserangabe nach: W. Scherffig, Junge Theologen im „Dritten Reich", Bd.2, Neukirchen-Vluyn 1990, S. 144.

durch die besonders ungünstigen Berufsaussichten der künftigen Juristen bedingt. Unter den von der Überfüllungskrise besonders schwer betroffenen Akademikern stellten die Absolventen der Rechts- und Staatswissenschaftlichen Fakultäten die größte Gruppe.[156] Noch 1937, als sich in vielen akademischen Berufen schon wieder Nachwuchsknappheit ankündigte, war die Zahl der stellensuchenden Justizreferendare weit größer als der Nachwuchsbedarf.[157] In den folgenden Jahren veränderten sich die Arbeitsmarktchancen der Juristen allerdings grundlegend. Während des Krieges galt auch in den juristischen Berufen der Mangel an Nachwuchs als das „Hauptproblem".[158] Trotzdem nahm die Zahl der Jurastudenten weiterhin ab. Dafür waren mehrere Gründe verantwortlich.

Einen davon nannte ein geheimer Bericht des SD, in dem darauf hingewiesen wurde, daß „infolge der starken öffentlichen Kritik, besonders an Richtern und Rechtsanwälten, das Ansehen dieser Berufe erheblich gelitten hat".[159] Schamhaft verschwiegen wurde allerdings, daß Hitler selber mit seinen wiederholten Attacken gegen die „Bazillenkultur" der Juristen wesentlich zu diesem Prestigeverlust beigetragen hatte.[160] Während in der Ministerialbürokratie die Experten sich den Kopf zerbrachen, wie in Zukunft der juristische Nachwuchs gesichert werden könnte, hatte der „Führer" seine eigenen Pläne, die er allerdings nur im engsten Kreise offenbarte:

> „Ich tue alles, um die Juristen so schlecht wie möglich zu machen, damit möglichst wenige mehr studieren. Man muß den Beruf derartig kompromittieren, daß er nur von Leuten angestrebt wird, die nichts anderes als Paragraphen kennen wollen".[161]

Nach Beginn des Zweiten Weltkriegs hatten die Juristischen Fakultäten ähnliche Probleme wie die Theologen: Traditionell galt das Studium der Rechtswissenschaft als Domäne der männlichen Studenten, und die Politik der Nationalsozialisten hatte diesen Zustand noch weiter zementiert. Bis zum Sommersemester 1939 war der Frauenanteil unter den Jurastudenten auf 1,3 % abgesunken (Tabelle 20 im Anhang). Stärker als die meisten anderen Fachgebiete litt das Jurastudium daher seit 1939 unter den Einberufungen der Wehrmacht. Studentinnen, welche die entstandene Lücke hätten füllen können, stellten sich nur in geringer Zahl ein. Da Frauen auf Befehl Hitlers weder Anwälte noch Richter oder Staatsanwälte werden durften[162],

---

[156] Vgl. Titze, Akademikerzyklus, S.70.

[157] Vgl. „Berufsaussichten der Rechtsstudenten", in: Volk im Werden, 5. Jg., 1937, S.272.

[158] Vgl. den Bericht des SD-Abschnitts Halle über den „Neuaufbau der Justiz", 19.7.1943, in: BA Koblenz NS 6/129 Bl.294. Siehe auch L. Gruchmann, Justiz im Dritten Reich 1933-1940, München 1988, S.312 ff.

[159] Vgl. den Bericht des SD-Abschnitts Halle, 19.7.1943 (Anm. 158), Bl.294.

[160] Am meisten Aufsehen erregte Hitlers Rede vom 26.4.1942. Vgl. M. Domarus, Hitler. Reden und Proklamationen 1932-1945, Wiesbaden 1973, Bd.II, 2, insbesondere S.1874 f. Zur Resonanz in Juristenkreisen vgl. M.G. Steinert, Hitlers Krieg und die Deutschen, Düsseldorf/Wien 1970, S.289 ff.

[161] A. Hitler, Monologe im Führerhauptquartier 1941-1944, Hamburg 1980, S. 140 (16.11.1941). Vgl. auch H. Picker, Hitlers Tischgespräche im Führerhauptquartier, Stuttgart 1976, S.158.

[162] Vgl. Bajohr/Rödiger-Bajohr, Diskriminierung, S.46 f.

war ihr Interesse, die Juristenlaufbahn einschlagen, nur sehr gering. Zwar erhöhte sich in den folgenden Semestern die Zahl der Jurastudentinnen, aber ihr Anteil blieb doch weit unter dem Durchschnitt (Tabelle 20 im Anhang). Im Gegensatz zu den Medizinstudenten konnten die Hörer der Juristischen Fakultäten wegen mangelnder „Kriegswichtigkeit" auch nicht darauf hoffen, zur Fortführung des Studiums vom Heeresdienst zurückgestellt zu werden. Trotz der deutlich verbesserten Berufsaussichten verlor das Studium der Rechtswissenschaft deshalb während des Krieges weiter an Gewicht.

Wenn die Juristischen Fakultäten im Dritten Reich nicht vollends in der Bedeutungslosigkeit versanken, dann war dies vor allem auf die ihnen zumeist angegliederten wirtschaftswissenschaftlichen Institute zurückzuführen. Gemessen an den Studentenzahlen hatten diese um 1932/33 innerhalb der Juristischen Fakultäten nur ein Nischendasein geführt, wie sich Tabelle 19 (Anhang) entnehmen läßt. In den folgenden Jahren verschoben sich die Gewichte jedoch grundlegend. 1942 zählten die Wirtschaftswissenschaften bereits mehr Studenten als die Rechtswissenschaften. Im Gegensatz zu den Juristen litt das Studium der Wirtschaftswissenschaften nicht unter einem politisch bedingten Prestigeverlust. Zudem war das Geschlechterverhältnis an den wirtschaftswissenschaftlichen Instituten zahlenmäßig ausgewogener als unter den Jurastudenten (Tabelle 20 im Anhang). Während des Krieges kam es daher nur vorübergehend zu einem Einbruch der Studentenzahlen. Im Sommer 1943 bildeten die Männer unter den Studenten der Wirtschaftswissenschaften nur noch eine Minderheit.[163]

Anders entwickelten sich die Dinge an den *Philosophischen Fakultäten*. Wie ein Blick auf die Statistik zeigt (Tabelle 19 im Anhang), ging das Interesse der (potentiellen) Studenten an einem kulturwissenschaftlichen Studium in den 1930er Jahren zunächst ständig zurück. Im Sommersemester 1933 hatten noch 17,1 % aller Universitätsstudenten ein kulturwissenschaftliches Fach studiert, sechs Jahre später, im Sommersemester 1939, waren es nur noch 11,3 %. Nach dem Beginn des Krieges kehrte sich dieser Trend sehr bald um. Ab 1940 immatrikulierte sich wieder eine zunehmende Zahl von Studenten an den Philosophischen Fakultäten. Im Sommer 1942 absolvierten bereits 17,2 % aller Universitätsstudenten ein kulturwissenschaftliches Studium.

Auf der Suche nach den Ursachen dieses Wandels muß zunächst die Entwicklung des Arbeitsmarktes betrachtet werden. Studenten der kulturwissenschaftlichen Fächer strebten überwiegend das höhere Lehramt an. Ihre Berufsaussichten waren bis 1939/40 ungewöhnlich schlecht, schlechter als in den meisten anderen akademischen Berufen. In den 1930er Jahren war die Zahl der Studienassessoren, der ausgebildeten Anwärter auf eine Studienratsstelle, etwa dreimal so groß wie die der tatsächlichen Anstellungen von Studienräten. Männliche Studienassessoren, die 1935 oder 1936 eine feste Anstellung als Studienrat erhielten, hatten im Schnitt bereits eine Wartezeit von zehn Jahren hinter sich und ein Durchschnittsalter von

[163] Vgl. ebd.

40 Jahren.[164] Im Jahre 1939 erreichte diese Überfüllungskrise ihren Höhepunkt, danach verbesserten sich, nur teilweise kriegsbedingt, die Berufschancen für Absolventen der Philosophischen Fakultäten innerhalb kurzer Zeit. 1941 waren bereits wieder Klagen über den quantitativ unzureichenden Lehrernachwuchs zu hören, die bis zum Ende des Krieges nicht mehr verstummen sollten.[165]

Der Nachwuchsmangel während des Krieges führte keineswegs in allen akademischen Berufen zu einem verstärkten Zustrom von Studierenden in den entsprechenden Ausbildungsgang, wie die krisenhafte Entwicklung des Jurastudiums gezeigt hat. Die veränderte Arbeitsmarktlage allein kann daher die seit 1940 rasch wachsenden Immatrikulationsziffern der Philosophischen Fakultäten nicht erklären. Entscheidend war vielmehr, wie der Vergleich mit dem Jurastudium zeigt, die traditionell hohe Frauenquote unter den Studierenden der kulturwissenschaftlichen Fächer. Die allgemeine Reduzierung der Studentenzahlen durch Einberufungen zur Wehrmacht traf die kulturwissenschaftlichen Fächer deshalb in viel geringerem Ausmaß als andere Fakultäten. Wie kein anderer Fachbereich profitierten die Philosophischen Fakultäten zudem von der absoluten und relativen Zunahme des Frauenstudiums seit 1940. Im Sommer 1941 waren in den Kulturwissenschaften bereits etwa drei Viertel aller Studierenden Frauen, und in den folgenden Semestern sollte sich ihr Anteil noch weiter erhöhen (Tabelle 20 im Anhang).

Auch an den *Mathematisch-Naturwissenschaftlichen Fakultäten* strebte traditionell ein beträchtlicher Teil der Studierenden den Beruf des Studienrats an. Dennoch kam es in diesem Bereich nicht zu einem ähnlich massiven Rückgang der Studentenzahlen wie an den Philosophischen Fakultäten. Vor der nationalsozialistischen Machtübernahme studierten etwa 11-12 % der Studierenden ein naturwissenschaftliches Fach. Ihr Anteil verringerte sich zwar bis 1937 auf 7,4 %, stieg aber schon in den folgenden Semestern wieder an. Hauptursache war wohl die starke Nachfrage nach ausgebildeten Chemikern infolge der Vierjahresplanpolitik. Während des Krieges verhinderte auch hier der überproportional hohe Frauenanteil unter den Studierenden (Tabelle 20 im Anhang) einen spektakulären Einbruch. Zwischen 1940 und 1944 waren im Schnitt etwa 9-10 % der Universitätsstudenten an einer Mathematisch-Naturwissenschaftlichen Fakultät immatrikuliert, wie Tabelle 19 (Anhang) zeigt. Die sehr unterschiedlichen Karrierechancen bewirkten innerhalb der Fakultäten beachtliche Schwerpunktverlagerungen. Ein wachsender Teil der Studenten wandte sich dem Chemiestudium zu, während die stärker theoretisch ausgerichteten Fächer (Mathematik, Physik) an Bedeutung verloren.[166]

---

164 Vgl. Nath, Studienratskarriere, S.39 ff. u. S.46 ff.

165 Vgl. ebd., S.211 ff.

166 Vgl. Datenhandbuch zur deutschen Bildungsgeschichte, Bd.I, 1. Teil, Göttingen 1987, S.143. Siehe auch: ORR Brandt, Die quantitativen Möglichkeiten einer Steigerung des Studiums der Mathematik und Physik (Ms.), 18.3.1944 (Anm. 39).

4. Die studentische Sozialstruktur

Das soziale Profil der Studentenschaft in der Weimarer Republik war durch den Mittelstand geprägt. Etwa 55-60 % der Studierenden waren Söhne und (zunehmend auch) Töchter von mittleren und kleinen Beamten oder Angestellten, kamen aus dem gewerblichen Mittelstand oder aus kleinen und mittleren Bauernfamilien (Tabelle 21 im Anhang). Die Kinder des Bürgertums, die im 19. Jahrhundert weitgehend das studentische Leben bestimmt hatten, bildeten Anfang der 1930er Jahre noch etwa ein Drittel der Studentenschaft. Vor allem das Besitzbürgertum, Ende des 19. Jahrhunderts noch die dominante Elterschicht, verlor in den 1920er Jahren an Boden.[167] Arbeiterkinder erlebten in der Weimarer Republik zwar eine leichte Verbesserung ihrer Bildungschancen. Doch kamen 1931 erst 3,2 % der Studenten aus der Arbeiterschaft (Tabelle 21 im Anhang), obwohl die Arbeiter zu diesem Zeitpunkt ziemlich genau die Hälfte der erwerbstätigen Bevölkerung stellten. Im Regelfall blieb es für Unterschichten- und Arbeiterfamilien ausgeschlossen, ihren Kindern ein Hochschulstudium zu ermöglichen. Zum einen standen nur für einen sehr kleinen Teil der Studenten Stipendien zur Verfügung[168], zum anderen war das Studium relativ teuer, da die Studenten neben den Ausgaben für Lebensunterhalt, Unterkunft und Lehrmaterialien auch verhältnismäßig große Summen für Studien- und Prüfungsgebühren sowie für Kolleggelder aufzubringen hatten.[169]

Wie veränderte sich die Sozialstruktur der Studentenschaft nach 1933, und wie lassen sich diese Veränderungen erklären? Das Parteiprogramm der NSDAP von 1920 hatte im Punkt 20 unter anderem das Ziel formuliert, „jedem fähigen und fleißigen Deutschen das Erreichen höherer Bildung" zu ermöglichen. Dieses Ziel sollte durch einen Ausbau des Bildungswesens erreicht werden und durch die „Ausbildung geistig besonders veranlagter Kinder armer Eltern ... auf Staatskosten".[170] Derartige Forderungen waren freilich nicht sonderlich originell, sondern tauchten seit 1919 in vielen Parteiprogrammen auf.[171] Zumindest für Hitler handelte es sich bei solchen Aussagen aber wohl nicht nur um wohlfeile Versprechungen. Vielmehr hielt er es auch aus politischen Gründen für notwendig, über das Bildungssystem soziale Aufstiegschancen anzubieten, wie in „Mein Kampf" erläutert wurde:

> „Der völkische Staat ... hat es vor allem als seine höchste Aufgabe zu betrachten, die Tore der staatlichen höheren Unterrichtsanstalten jeder Begabung zu öffnen, ganz gleich, aus welchen Kreisen sie stammen möge ... Wenn zwei Völker miteinander konkurrieren, die an sich gleich gut veranlagt sind, so wird dasjenige den Sieg erringen, das in seiner gesamten geistigen Führung seine besten Talente

[167] Vgl. Jarausch, Deutsche Studenten, S.76 ff. u. S.133 ff.
[168] Vgl. Jarausch, Deutsche Studenten, S.142 f.
[169] Genauere Angaben folgen auf S.140 f.
[170] Zit. nach: Das große Lexikon des Dritten Reiches. Hg. von C. Zentner u. F. Bedürftig, München 1985, S.438.
[171] Vgl. Titze, Akademikerzyklus, S.277.

> vertreten hat, und dasjenige unterliegen, dessen Führung nur eine große gemeinsame Futterkrippe für bestimmte Stände oder Klassen darstellt, ohne Rücksicht auf die angeborenen Fähigkeiten der einzelnen Träger".[172]

Auch im engeren Kreise hat Hitler häufig seinen Willen bekräftigt, dafür zu sorgen, „daß auch der ärmste Junge zu jeder Stellung emporsteigen kann, falls er die Voraussetzungen dazu in sich hat". Als Begründung führte er zusätzlich herrschaftsstrategische Überlegungen an. Die soziale Frage könne nur gelöst werden, wenn den Unterschichten die Möglichkeit gegeben werde, ihre Fähigkeiten zu entwickeln und sozial aufzusteigen: „Sonst gibt es Aufstände. Der Jude wittert die Spannungen und bedient sich ihrer".[173]

In den Reden und Veröffentlichungen nationalsozialistischer Hochschulpolitiker finden sich ähnliche Absichtserklärungen. Vor allem die Studentenführer betonten ihr Interesse, Unterschichtenkindern den Zugang zu den Hochschulen zu erleichtern: „Notwendig ... ist, daß die instinktsichere Schicht des Volkes, die Söhne der Arbeiter- und Bauernschaft, in viel stärkerem Maße als bisher auf die Hochschule gezogen wird"[174], schrieb beispielsweise Andreas Feickert, Reichsführer der Deutschen Studentenschaft zwischen 1934 und 1936. Auch Gustav Adolf Scheel, Reichsstudentenführer von 1936 bis 1945, hielt es für „unmöglich, daß der Zugang zu der Hochschule als das Vorrecht für bestimmte Stände oder wirtschaftlich gut situierte Kreise gilt", wie er 1939 in einer Rede erklärte.[175] Angesichts derartiger Ankündigungen war zu erwarten, daß die soziale Öffnung der Hochschulen von den Nationalsozialisten energisch vorangetrieben werden würde.

Der statistische Befund bestätigt diese Erwartung jedoch nicht. Allerdings ist das Material unzureichend. Detaillierte Angaben über die sozialstrukturelle Entwicklung der Studierenden liegen nur bis zum Wintersemester 1934/35 vor. Danach wurde bis 1945 nur noch einmal, 1941, ein vollständiger Überblick zur sozialen Zusammensetzung der Studentenschaft veröffentlicht. Wie Tabelle 21 (Anhang), in der diese Daten zusammengefaßt sind, zeigt, veränderte sich das soziale Profil der Studentenschaft zwischen dem Sommersemester 1933 und dem Wintersemester 1934/35 nur geringfügig. Überraschend ist lediglich der größere Anteil von Kindern bäuerlicher Herkunft. Vergleichen wir dagegen die Zahlen von 1934/35 mit den Angaben von 1941, dann ergibt sich eine deutliche Zunahme von Studenten bürgerlicher Herkunft (von 32,3 % auf 37,5 %) und eine gleichzeitige Verringerung von Studierenden aus dem Mittelstand, aus der Arbeiterschaft und aus bäuerlichem Milieu. Allerdings wurde die Erhebung von 1941 wohl nicht mit

[172] A. Hitler, Mein Kampf, München 1940, S.480, 482. Vgl. auch R. Zitelmann, Hitler. Selbstverständnis eines Revolutionärs, Hamburg 1987, S.87 ff.

[173] Vgl. A. Hitler, Monologe im Führerhauptquartier 1941-1944, Hamburg 1980, S.237 u. 290. Siehe auch S.72.

[174] A. Feickert, Studenten greifen an, Hamburg 1934, S.23.

[175] Scheel, Rede auf der Abschlußkundgebung des Würzburger Studententages, 27.5.1939, Ms., S.13, in: BA Koblenz NS 26/375. Vgl. auch Scheel, Die Reichsstudentenführung, Berlin 1938, S.20 f.

der gleichen Sorgfalt durchgeführt wie in früheren Jahren. Dafür spricht der relativ große Prozentsatz von „sonstigen Studenten" (5,8 %), die sich in keine der vorhandenen Kategorien einordnen lassen. Es ist daher zumindest fraglich, ob in den Zahlen der Tabelle 21 (Anhang) tatsächlich eine Veränderung der studentischen Sozialstruktur zum Ausdruck kommt.

Ein etwas klareres Bild liefert die Tabelle 22 (Anhang). Diese informiert über die Sozialstruktur der Studienanfänger an den reichsdeutschen Hochschulen. Im Gegensatz zu den dürftigen Angaben über die Gesamtheit der Studierenden liegen Daten über die soziale Struktur der Studienanfänger für eine ganze Reihe von Semestern vor. Zwar handelt es sich dabei nur um einen relativ kleinen Teil der Studentenschaft, doch hat die Beschränkung auf Erstsemester den Vorteil, daß Veränderungen in der sozialen Zusammensetzung besonders deutlich hervortreten.

Die Tabelle 22 (Anhang) läßt ebenfalls eine erhebliche Zunahme der aus dem Besitz- und Bildungsbürgertum stammenden Studenten erkennen. Zwischen 1934/35 und 1938/39 nahm der aus dem Bürgertum kommende Teil der Studienanfänger von 33,6 % auf 40,2 % (1939) zu, während der Anteil des Mittelstandes sich gleichzeitig verringerte. Die ohnehin sehr kleine Gruppe studierender Arbeiterkinder wurde seit 1933 eher kleiner als größer, wenngleich dieser Trend nicht eindeutig war. Unter den aus der Mittelschicht stammenden Studenten sind längerfristige Verschiebungen feststellbar, die einen allgemeinen sozialgeschichtlichen Wandel reflektierten: Studenten aus dem gewerblichen Mittelstand verloren an Bedeutung, während gleichzeitig die Kinder mittlerer und unterer Angestellter zunehmend die Hochschulen frequentierten. Die Zahl der Studierenden aus bäuerlichem Milieu unterlag relativ starken Schwankungen, ohne daß eine klare Tendenz erkennbar ist.

Von einer sozialen Öffnung der Hochschulen konnte also, zumindest bis 1941, keine Rede sein. Vielmehr ging die Entwicklung eindeutig in die entgegengesetzte Richtung. Im Gegensatz zur Volksgemeinschaftsideologie der Nationalsozialisten gewann das Bürgertum an den Hochschulen erneut an Boden, während der Vormarsch des Mittelstandes vorerst gestoppt worden war.

Diese Trendwende läßt sich weitgehend durch sozialhistorische Mechanismen erklären, deren Wirkungskraft, relativ unabhängig von der Politik der jeweiligen Machthaber, bereits im 19. Jahrhundert zu beobachten war. Wie neuere Untersuchungen zeigen[176], wurde das soziale Profil der Studentenschaft im 19. und 20. Jahrhundert erheblich durch die Berufsaussichten des akademischen Nachwuchses beeinflußt. In einer Zeit, in der der akademische Arbeitsmarkt günstige Karrierechancen bot, fühlten sich auch Abiturienten aus den Mittel- und Unterschichten ermutigt, den Sprung in die ihnen unbekannte akademische Welt mit ihren eigenartigen Regeln und Gebräuchen zu wagen. In Perioden der Überfüllung, bei schrumpfenden Studentenzahlen, wirkten die unsicheren Berufsaussichten in den akademischen

[176] Vgl. zum Folgenden: Titze, Akademikerzyklus, S.120 ff.

Berufen dagegen gerade auf soziale Aufsteiger aus den mittleren oder unteren Sozialschichten besonders abschreckend. Abiturienten aus dem Bürgertum, vor allem aus dem Bildungsbürgertum, ließen sich durch die Veränderungen auf dem akademischen Arbeitsmarkt weniger leicht irritieren. Sie waren durch ihre Herkunft in der Regel mit einem größeren Selbstbewußtsein ausgestattet; die Aufnahme eines Studiums erschien ihnen aufgrund ihrer familiären Sozialisation von vornherein als ein relativ selbstverständlicher Schritt, nicht selten „erbten" sie auch einfach den Beruf ihres Vater (Mediziner). Auf diese Weise hatte die zyklische Entwicklung des akademischen Arbeitsmarktes einen direkten Einfluß auf die Sozialstruktur der Studentenschaft: Wenn die Studentenzahlen aufgrund ungünstiger Berufsaussichten schrumpften, dann wuchs in der Regel der Anteil jener Studenten, die sich aus den traditionellen Eliten rekrutierten. Und umgekehrt: Expandierten die Studentenzahlen, weil die Karrierechancen in den akademischen Berufen besonders aussichtsreich schienen, wurde dadurch die Tendenz zur sozialen Öffnung der Hochschulen gestärkt.

Aufgrund dieses Zusammenhangs wird auch verständlich, warum die Zahl der aus bürgerlichem Milieu stammenden Studenten sich etwa seit 1938/39 nicht weiter vergrößerte, wie aus Tabelle 22 (Anhang) hervorgeht. Zu diesem Zeitpunkt war die Überfüllungskrise in den meisten akademischen Berufen bereits überwunden. Unter dem Eindruck der öffentlichen Debatte über den Nachwuchsmangel in akademischen Berufen vergrößerte sich sowohl unter männlichen als auch weiblichen Abiturienten die Bereitschaft, ein Studium aufzunehmen.[177] Um 1938/39 deutete alles darauf hin, daß die Hochschulen am Beginn einer neuen Phase der Expansion und damit auch einer neuen Periode der sozialen Öffnung standen.

Realiter dauerte es dann wegen des Kriegsbeginns noch einige Semester, bis die Studentenzahlen tatsächlich wieder in die Höhe gingen. Ob in den Kriegsjahren auch die Studierenden aus den mittleren und unteren Sozialschichten erneut an Boden gewannen, wie aufgrund der historischen Erfahrungen zu erwarten wäre, läßt sich allerdings nicht eindeutig sagen. Die Angaben für das Jahr 1941 in den Tabellen 21 und 22 (Anhang) sind in dieser Hinsicht aufgrund der statistischen Ungenauigkeiten weitgehend unbrauchbar. Für die zweite Kriegshälfte (1942-1945) liegen keinerlei statistische Angaben vor. Zusätzlich kompliziert wird die Sache, weil die soziale Zusammensetzung der Studentenschaft in den Kriegsjahren durch zwei gegenläufige Tendenzen beeinflußt wurde. Einerseits nahm der Anteil der aus nichtbürgerlichen Schichten stammenden Aufsteiger unter den männlichen Studenten aufgrund der guten Berufsaussichten offensichtlich wieder deutlich zu. Die Angaben über die Sozialstruktur der männlichen Studienanfänger von 1941 lassen diesen Trend bereits klar erkennen.[178] Andererseits hatte die wachsende Zahl studierender Frauen genau den entgegengesetzten Effekt, weil die Studentinnen sich traditionell viel stärker als ihre

[177] Vgl. Tabelle 3 (S.104).

[178] Vgl. G.J. Giles, Students and National Socialism in Germany, Princeton 1985, S.242.

männlichen Kommilitonen aus bürgerlichen Schichten rekrutierten.[179] 1941 entstammte fast die Hälfte der Studentinnen (47,2 %), aber nur ein Drittel ihrer männlichen Kommilitonen (33,4 %) dem Bürgertum. Aus Mittelstandsfamilien kamen dagegen nur 41,2 % der Studentinnen (Männer: 51,0), aus der Arbeiterschaft sogar nur 0,8 % (Männer: 3,3 %).[180] Welcher dieser beiden Trends sich letztlich durchsetzen konnte, muß hier offenbleiben.

5. Sozialpolitische Maßnahmen

Die bisherige Darstellung hat gezeigt, daß die studentische Sozialstruktur im NS-Staat durch Rekrutierungsmechanismen bestimmt wurde, die auch schon vor 1933 wirksam waren, deren Resultate – zunehmende soziale Exklusivität des Hochschulstudiums bis 1938/39 – allerdings in starkem Kontrast zu den Absichtserklärungen der neuen Machthaber standen. An dieser Stelle erhebt sich nun die Frage, ob die Nationalsozialisten versucht haben, dieser Entwicklung entgegenzuwirken. Gab es im NS-Staat ernsthafte Bemühungen, Kindern aus minderbemittelten Familien ein Hochschulstudium zu ermöglichen – etwa durch eine Aufstockung der Stipendienfonds oder durch die Öffnung der Hochschulen für Studenten ohne Reifeprüfung? Anders gefragt: Inwieweit haben Staat und Partei sich tatsächlich den Vorgaben des NSDAP-Programms verpflichtet gefühlt?

Zunächst ist es jedoch erforderlich, einen Blick auf die Studienkosten (Studiengebühren, Kolleggelder, Lebenshaltungskosten usw.) zu werfen.[181] Die Studiengebühren und Kolleggelder waren in den einzelnen Ländern und Fakultäten unterschiedlich hoch. Sie betrugen durchschnittlich etwa 200 RM pro Semester und machten rund ein Drittel der gesamten Studienkosten aus.[182] Wer an einer Medizinischen oder Naturwissenschaftlichen Fakultät immatrikuliert war, bezahlte mehr als Studierende der geisteswissenschaftlichen Fächer:

Geisteswissenschaften	RM 160-180
Technische Fächer	RM 180-200
Medizin u. Naturwissenschaften	RM 200-250

Ein möbliertes Zimmer „einschließlich Morgenkaffee und Bedienung“ kostete die Studenten etwa 25 RM Miete pro Monat; im Winter erhöhten sich die Ausgaben um 8-10 RM für Heizung und Beleuchtung. Wer besonders sparsam lebte und regelmäßig in der Mensa aß, benötigte im Monat etwa

[179] Vgl. dazu auch Huerkamp, Frauen, S.206.

[180] Alle Angaben nach Tabelle 23 (Anhang).

[181] Die folgenden Angaben nach: Der Deutsche Studienführer, 19. Ausgabe, Studienjahr 1937, S.23 ff.; RStW, Kurzberichte aus der Arbeit des Jahres 1937, S.8.

[182] Ihre Höhe veränderte sich zwischen 1933 und 1945 nur geringfügig. Detailangaben in: Der Deutsche Hochschulführer, 15. Ausgabe, Studienjahr 1933, S.12; Deutscher Hochschulführer, 24. Ausgabe, 1942, S.33.

40-44 RM für Mittagessen, Abendbrot und Erfrischungen. Studenten, welche die Mensa verschmähten, mußten etwa 55 RM für ihre Verpflegung aufwenden. Für Bücher, Instrumente, Zeichenmaterial und andere wissenschaftliche Hilfsmittel entstanden nach Schätzungen des „Deutschen Hochschulführers" im Semester Kosten von 40-80 RM. Mediziner und Naturwissenschaftler (vor allem Chemiker) hatten auch hier höhere Ausgaben als Studenten der Philosophischen Fakultät. Die monatlichen Aufwendungen für Wäsche, persönliche Bedürfnisse, kulturelle Aktivitäten, Schreibbedarf betrugen nach zeitgenössischen Schätzungen mindestens 15 RM im Monat. Da Ausgaben für öffentliche Verkehrsmittel und für größere Kleideranschaffungen in dieser Summe nicht enthalten waren, ist es sicher realistisch, den Betrag auf 20 RM zu erhöhen. Wenn man für Verpflegung einen monatlichen Aufwand von 50 RM annimmt und für wissenschaftliche Hilfsmittel Ausgaben von 60 RM pro Semester zugrunde legt, dann ergeben sich, wie Tabelle 5 genauer zeigt, durchschnittliche Studienkosten von 545 RM im Sommersemester und von 676 RM im Wintersemester. Die Unterschiede erklären sich hauptsächlich aus der Tatsache, daß das Wintersemester (vier Monate) länger dauerte als das Sommersemester (drei Monate). Pro Monat betrugen die Studienkosten während des Semesters also ca. 174 RM. Wer während des Studiums noch bei seinen Eltern wohnte – meistens war dies nicht der Fall[183] – konnte selbstverständlich mit deutlich niedrigeren Studienkosten kalkulieren.

Für die Vergabe von Stipendien war vor allem das Reichsstudentenwerk[184] in Verbindung mit den örtlichen Studentenwerken zuständig. Finanziert wurde ihre Arbeit durch staatliche Zuschüsse, durch Beiträge der Studierenden und durch private Förderer, vor allem aus der Wirtschaft.[185] Die Zuschüsse, die das Reichsstudentenwerk aus der Reichskasse erhielt, sind der beste Indikator für die Bereitschaft des NS-Staates zum sozialpolitischen Engagement.

Tab. 5: Durchschnittliche Studienkosten pro Semester um 1937

	Sommersemester	Wintersemester
Studiengebühren und Kolleggelder	200 RM	200 RM
Miete	75 RM	136 RM
Verpflegung	150 RM	200 RM
Wissenschaftliche Hilfsmittel	60 RM	60 RM
Sonstige Ausgaben	60 RM	80 RM
Zusammen	545 RM	676 RM

183 Vgl. dazu P. Chroust, Social Situation and Political Orientation - Students and Professors at Giessen University 1918-1945, Part I, in: Historical Social Research, Nr.38, 1986, S.51 u.79.

184 Zur Geschichte des RStW vgl. Deutsches Studentenwerk 1921-1961. Festschrift zum vierzigjährigen Bestehen, Bonn 1961, S.63 ff.

185 Zur Finanzierung der Studentenwerksarbeit vgl. RStW, Kurzberichte aus der Arbeit des Jahres 1938, S.60; RStW, Bericht über die Arbeit im Kriege, Berlin 1941, S. 157 ff.

Tab. 6: Reichsmittel zur Finanzierung des Reichsstudentenwerks, 1924-1944[186]

Rechnungsjahr	Reichszuschüsse	Rechnungsjahr	Reichszuschüsse
1924	1 936 767	1934	1 520 400
1925	3 000 000	1935	1 223 288
1926	2 684 500	1936	1 117 837
1927	3 056 500	1937	1 052 000
1928	4 063 000	1938	238 000
1929	3 031 000	1939	2 252 400
1930	2 748 000	1940	2 662 400
1931	1 808 500	1941	3 776 000
1932	1 576 100	1942	3 700 000
1933	1 583 935	1943	5 381 900
		1944	4 608 900

Wie aus Tabelle 6 hervorgeht, unterlag die Höhe dieser Zuschüsse zwischen 1924 und 1944 erheblichen Schwankungen. Während der Stabilisierungsperiode der Weimarer Republik waren sie innerhalb von vier Jahren verdoppelt worden und hatten 1928 mit mehr als 4 Millionen RM ihren Höhepunkt erreicht. In der Phase des Niedergangs der Republik (1929-1933), als Not und Verunsicherung unter den Studierenden besonders groß waren, wurden die Reichsmittel zur Finanzierung von Sozialleistungen für Studenten ständig reduziert. 1932 erhielt das Reichsstudentenwerk nur noch Reichsmittel in Höhe von 1.576.100 RM zur Unterstützung seiner Arbeit.

Nach der nationalsozialistischen Machtübernahme wurde dieser Trend nicht etwa gestoppt, sondern kontinuierlich fortgesetzt. Die staatlichen Zuschüsse verringerten sich, obwohl gleichzeitig dem Reichsstudentenwerk eine Ausweitung seiner Aufgaben zugemutet wurde: Seit 1935 mußte es neben der Betreuung der Studenten auch noch die Unterstützung bedürftiger Fachschüler übernehmen.[187] 1938 erhielt das Reichsstudentenwerk schließlich nur noch 238.000 RM aus der Reichskasse, wie die Tabelle 6 zeigt. Eine Fortführung seiner Tätigkeit war dem Reichsstudentenwerk in diesem Jahr nur möglich, indem es aus dem Kapital seiner Darlehenskasse 1 Mill. RM zweckentfremdete.

In den folgenden Jahren flossen die staatlichen Zuwendungen für das Reichsstudentenwerk wieder reichlicher. 1943 überschritten die Reichszuschüsse kurzfristig sogar die 5-Millionen-Grenze. Erst seit 1939 wurde die Arbeit des Reichsstudentenwerks von den zuständigen staatlichen Stellen offenbar wirklich ernst genommen. Es ist sicher kein Zufall, daß diese finanzielle Aufwertung der studentischen Sozialarbeit gerade in der Zeit erfolgte, als die Existenz einer akademischen Nachwuchskrise sich im öffentlichen Bewußtsein festsetzte. Verstärkt wurde dieser Umschwung durch die Aufwärtsentwicklung der Studentenzahlen.

[186] Quellen: BA Koblenz R 2/12446-12448.
[187] Vgl. RStW, Kurzberichte aus der Arbeit des Jahres 1936 (unpaginiert).

Die Möglichkeiten des Reichsstudentenwerks, Studenten aus der Arbeiterschaft oder aus dem Mittelstand finanziell zu fördern, waren unter den gegebenen Bedingungen, wie schon in der Weimarer Republik, recht begrenzt. Nur ein geringer Teil der Studenten kam tatsächlich in den Genuß finanzieller Förderleistungen. Für die Jahre von 1934 bis 1937 liegen genauere Angaben über den Prozentsatz der vom Reichsstudentenwerk und von den örtlichen Studentenwerken finanziell unterstützten Studenten vor.[188] Sie zeigen, daß während dieses Zeitraums nur etwa 7-10 % der Studierenden auf ein Stipendium oder eine andere Förderung von dieser Seite hoffen konnten:

Sommersemester 1934	7,8 %
Sommersemester 1935	9,5 %
Sommersemester 1936	7,0 %
Wintersemester 1936/37	7,6 %

An dieser Größenordnung hat sich, wie es scheint, auch in den folgenden Jahren bis 1941 nicht sehr viel geändert. Eine genaue Aufschlüsselung liegt leider nur für ein Jahr (1935) vor. In der Tabelle 7 sind die wichtigsten Angaben zusammengefaßt. Wie aus der Tabelle hervorgeht, verfügten die Studentenwerke über verschiedene Förderungszweige, die Stipendien und andere Unterstützungsleistungen von sehr unterschiedlicher Höhe vergaben. Die größten Summen (durchschnittlich 346 RM im Semester) standen der Darlehenskasse des Reichsstudentenwerks zur Verfügung. Diese Mittel gingen ausschließlich an Studierende, die kurz vor dem Examen standen, um ihnen eine volle Konzentration auf das Studium zu ermöglichen. Nach Beendigung des Studiums mußten die Darlehen innerhalb von acht Jahren zurückgezahlt werden. Besonders begehrt waren Stipendien der „Reichsförderung", einer Nachfolgeeinrichtung der prestigereichen „Studienstiftung des deutschen Volkes".[189] Mit durchschnittlich 266 RM pro Semester waren Sti-

Tab. 7: Die Förderung minderbemittelter Studenten durch das Reichsstudentenwerk und die örtlichen Studentenwerke, Sommersemester 1935[190]

Förderungszweig	Zahl der Geförderten absolut	in %	Gesamtsumme	Kopfbetrag im Schnitt
Darlehenskasse	1 840	2,4	636 407	RM 346,-
Reichsförderung	420	0,5	111 600	RM 266,-
Kameradschaftsförderung	581	0,7	69 453	RM 120,-
Hochschulförderung	870	1,1	94 482	RM 109,-
Andere	3 672	4,7	198 450	RM 54,-
Zusammen	7 383	9,5	1 110 392	RM 150,-

[188] Vgl. RStW, Kurzberichte aus der Arbeit des Jahres 1936 (unpaginiert); RStW, Kurzberichte aus der Arbeit des Jahres 1937, S.8.

[189] Vgl. RStW, Kurzberichte aus der Arbeit des Jahres 1935 (unpaginiert). Siehe auch „Von der Studienstiftung zur Reichsförderung", in: Die Bewegung, Nr.5, 30.1.1940, S.5.

[190] Quelle: RStW, Kurzberichte aus der Arbeit des Jahres 1936 (unpaginiert), eigene Berechnungen.

pendien der „Reichsförderung", die nicht zurückgezahlt werden mußten, besonders großzügig ausgestattet. Jedoch kamen im Sommersemester 1935 nur 0,5 % der Studierenden in den Genuß eines solchen Stipendium, wie Tabelle 7 zeigt. Sehr viel niedriger waren hingegen jene Stipendien, die im Rahmen der „Hochschulförderung" (durchschnittlich 109 RM pro Kopf und Semester) oder im Rahmen der „Kameradschaftsförderung" (120 RM pro Semester) vergeben wurden. Die „Kameradschaftsförderung" umfaßte nur Anfangssemester, während die „Hochschulförderung" für fortgeschrittene Studenten vorgesehen war. Schließlich zeigt Tabelle 7, daß ziemlich genau die Hälfte der von den Studentenwerken unterstützten Studenten (insgesamt 3.672) sich mit einem sehr geringen Betrag von durchschnittlich 54 RM im Semester zufriedengeben mußte. Dabei handelte es sich um Unterstützungsleistungen seitens der lokalen Studentenwerke, die teils als einmalige Barbeträge, teils in Form von Sachleistungen vergeben wurden. In den meisten Fällen beschränkte sich diese Unterstützung wohl auf die kostenlose Nutzung der Mensa („Freitische").[191]

Wenn man nun die oben errechneten Studienkosten von durchschnittlich 545 RM im Sommersemester mit den zur Verfügung stehenden Förderungsmitteln vergleicht, dann fällt sofort auf, wie unzureichend die Stipendien durchgängig waren. Selbst die relativ gut ausgestatteten Darlehen für Examenssemester ermöglichten nur dann ein sorgenfreies Studium, wenn die Studierenden zusätzlich vollständigen Gebührenerlaß erhielten oder von ihren Eltern einen monatlichen Wechsel von 60-70 RM bekamen. Bei der überwiegenden Zahl der Stipendien handelte es sich um zusätzliche Unterstützungen, die nur einen vergleichsweise geringen Teil der Studienkosten abdeckten. Abgesehen von der Reichsförderung reichten die Stipendien im Schnitt nicht einmal aus, um die Studiengebühren zu bezahlen.

Neben den Studentenwerken gab es weitere Institutionen von geringerer Bedeutung, die ebenfalls Stipendien an bedürftige Studenten vergaben. Leider ist es nicht möglich, ein umfassendes Bild von der Leistungsfähigkeit dieser Unterstützungseinrichtungen zu gewinnen, da auf diesem Gebiet verschiedene staatliche Stellen, kirchliche Einrichtungen und kleinere Stiftungen unabhängig voneinander tätig waren. Zu nennen ist hier u.a. der Deutsche Albertus-Magnus-Verein, eine Institution, die katholische Studenten mit Darlehen förderte. Dieser Verein wurde im Juli 1939, kurz nach dem Verbot der katholischen Altherrenverbände, aufgelöst, sein Vermögen sollte dem Reichszweckverband Studentenhaus, einem Ableger des Reichsstudentenwerks, übertragen werden.[192] Auf evangelischer Seite wurden Theologiestudenten durch Stipendien der Landeskirchen unterstützt.[193] Bedeutsamer waren aber jene Stipendien und Förderungsgelder, die an den einzelnen Hochschulen vom Rektor oder von anderen lokalen Stellen (Kurator, Ge-

[191] Vgl. RStW, Kurzberichte aus der Arbeit des Jahres 1935 (unpaginiert).

[192] Dies gelang aber offenbar nur partiell. Vgl. RStW, Kurzberichte aus der Arbeit des Kriegsjahres 1939, S.67 ff. Siehe auch die Vorgänge in: BA Koblenz R 2/25043.

[193] Vgl. das Material in: EZA 1/A2/554.

meinde, Stiftungen) vergeben wurden. Die bei weitem wichtigste dieser lokalen Fördermaßnahmen war der Gebührenerlaß. Studierenden, die „gute wissenschaftliche Leistungen" und „Einsatzbereitschaft für den nationalsozialistischen Staat" gezeigt hatten, konnte auf Antrag ein vollständiger oder partieller Erlaß der Studiengebühren und des Unterrichtsgeldes gewährt werden. Um Gebührenerlaß zu erhalten, mußten bedürftige Studenten sogenannte „Fleißzeugnisse" von mindestens zwei Dozenten vorweisen.[194] Allerdings war die für diesen Zweck vorgesehene Summe sehr begrenzt. In Preußen standen für den Gebührenerlaß nur 15 % des Sollaufkommens an Gebühren zur Verfügung.[195] Wie sozialpolitische Experten beklagten, konnte es daher vorkommen,

> „daß an einzelnen Hochschulen sogar solche Anträge auf Gebührenerlaß aus Mangel an Mitteln zurückgewiesen werden mußten, bei denen die Gesuchsteller nur einen Monatswechsel von ganzen 60,- RM aufzuweisen hatten".[196]

Über den Umfang der an den einzelnen Hochschulen außerhalb der Studentenwerke zu Verfügung stehenden Förderungsmittel liegt eine Aufstellung des Reichsstudentenwerks vom Sommersemester 1935 vor, die sich auf Angaben aus 32 Hochschulen stützt. An diesen Hochschulen wurden, neben der Unterstützungstätigkeit der Studentenwerke, vom Rektor und von anderen lokalen Stellen (Stiftungen usw.) ingesamt 422.800 RM für Unterstützungszwecke verausgabt. Unklar ist, auf wie viele Studenten sich diese Summe verteilte. Im statistischen Durchschnitt entfielen auf jeden der an diesen 32 Hochschulen immatrikulierten Studenten 6,17 RM.[197] Bei der Verteilung dieser kärglichen Summe ergaben sich für die Rektoren ähnliche Probleme wie für die Studentenwerke: Mit den zur Verfügung stehenden Stipendien konnte die Notlage vieler Studenten nicht beseitigt, sondern bestenfalls gelindert werden, und selbst das blieb angesichts der geringen Höhe vieler Stipendien manchmal zweifelhaft. Auf einer Rektorenkonferenz im Mai 1937 klagte der Rektor der TH München, Albert Wolfgang Schmidt:

> „Heute habe ich als Rektor zu vergeben Stipendien in der Größenordnung etwa von 50 RM bis 250 RM. Die meisten von ihnen haben wahrscheinlich die gleiche Beobachtung gemacht wie ich. Wenn wir ein Stipendium in der Größenordnung von 50 RM vergeben, dann geht der Betreffende mit seinen Kollegen irgendwo hin und haut die ganze Sache auf den Kopf. Was soll ein Studierender mit 250 Mark pro Semester anfangen? Damit kann er auch nicht sehr viel machen, um sich in irgendeiner Weise über Wasser zu halten".[198]

[194] Vgl. die Gebührenerlaß-Ordnung für die deutschen Hochschulen vom 10.7.1937, in: DWEV 1937, S.358 ff.

[195] An den TH wurde dieser Betrag 1938 nach Anweisung Görings auf 30 % des Sollaufkommens erhöht. Vgl. die Anordnung Görings zur Verkürzung des technischen Studiums und zur Förderung des Nachwuchses, 14.12.1938, in: BA Koblenz R 2/12494.

[196] RStW, Kurzberichte aus der Arbeit des Jahres 1938, S.26.

[197] Vgl. die detaillierte Auflistung in: RStW, Kurzberichte aus der Arbeit des Jahres 1936 (unpaginiert).

[198] Prot. der Rektorenkonferenz vom 11. Mai 1937, in: BA Potsdam REM 707 Bl.271.

In der Reichsstudentenführung klagte man 1937 ebenfalls darüber, daß „die zur Verfügung stehenden Förderungsmittel, insbesondere die Gebührerlaß-Summen, kaum ausreichen, um die härteste Not der Studenten zu mildern".[199] Noch drastischer äußerte sich der Gaustudentenführer von München-Oberbayern, Julius Doerfler. In einem internen Tätigkeitsbericht für die Reichsstudentenführung konstatierte er 1938,

> „daß der soziale Gedanke für die deutschen Hochschulen in München leider nur auf dem Papier steht. Ich habe feststellen müssen, daß z.B. für bedürftige Kameraden im 1. Semester RM 25.000,- Mittel notwendig wären, um hier einigermaßen den Bedürfnissen gerecht zu werden. Tatsache ist, daß lediglich RM 4.500,- dem Studentenwerk, dem Wirtschafts- und Sozialamt, der Gaustudentenführung zu Verfügung gestellt sind ... Dabei laufen wir Gefahr, daß tatsächlich zum großen Teil wiederum nur die zum Studium kommen, deren Väter ihnen einen Monatswechsel vom RM 100,- und mehr geben können. Wenn man weiß, wie die Vermieter bei der heutigen Wohnungsknappheit die Preise für die Einzelzimmer in die Höhe getrieben haben, so fragt man sich, wie Studenten mit RM 70,- Monatswechsel in München überhaupt existieren können. Der Erfolg dieser Maßnahmen ist, daß die betreffenden Studenten eine Schlafstelle ohne Licht und Heizung für RM 15,- und RM 20,- nehmen, den ganzen Tag über im Betrieb, bei der Post oder Bahn als Werkstudenten arbeiten und in den Nachtstunden an ihrem Studium arbeiten".[200]

Die Unterstützungseinrichtungen für Studenten zielten also in der Vorkriegszeit, ähnlich wie schon in der Weimarer Republik[201], hauptsächlich auf *minder*bemittelte Studierende, die während des Studiums mit finanziellen Zuwendungen ihrer Eltern rechnen konnten, nicht dagegen auf *un*bemittelte Studenten, deren Elternhaus zu regelmäßiger Unterstützung außerstande war. Mit anderen Worten: Das Stipendienwesen war auf die Kinder des Mittelstandes zugeschnitten, nicht auf Studierende aus der Arbeiterschaft, deren Anteil deshalb entsprechend niedrig blieb.

Angesichts der sehr begrenzten Reichweite der Studienförderung stellt sich die Frage, nach welchen Kriterien die Verteilung von Darlehen und Stipendien praktiziert wurde. Schon im April 1933 hatten die Nationalsozialisten klargestellt, daß neben den Gesichtspunkten der Begabung und der Bedürftigkeit künftig auch das Kriterium des politischen Wohlverhaltens eine wichtige Rolle spielen sollte.[202] Bedürftige Studenten, die sich über Förderungsmöglichkeiten informieren wollten, erfuhren aus einem 1935 publizierten Merkblatt des Reichsstudentenwerks: „Charaktervolle Lebensführung und nationalsozialistische Gesinnung werden ebenso vorausgesetzt wie vorzügliche Eignung zu wissenschaftlicher Arbeit und akademischem

---

199 H. Franz, Tätigkeitsbericht des Wirtschafts- und Sozialamtes der RSF, 18.11.1937, S.1, in: StA WÜ RSF/NSDStB II* 114 α 58.

200 J. Doerfler, Bericht der Gaustudentenführung München-Oberbayern an die RSF, 6.12.1938, S.9 f., in: StA WÜ RSF/NSDStB II* 118 α 60a.

201 Vgl. das Schreiben des preußischen KM A. Grimme an den preußischen Finanzminister, 29.8.1930, in: GStAPK I Rep.151 I C Nr.6548 Bl.60 ff. (M).

202 Vgl. den RdErl. des Preußischen KM, 22.4.1933, in: GStAPK I Rep.76 Va Sekt.1 Tit. XII Nr.35 Bd. III Bl.187 (M).

Beruf". Und: „Die Bewerber müssen Nationalsozialisten sein und das in Gliederungen der Bewegung, der HJ, SA, SS, PO, NSDStB, dem Arbeitsdienst und der Studentenschaft unter Beweis gestellt haben".[203]

Mitunter gelang es aber auch Studenten, die keiner Parteiformation angehörten, finanzielle Unterstützung zu erhalten. Eine Stichprobe aus der Kartei des Reichsstudentenwerks zeigt, daß von 566 Studierenden, die zwischen 1933 und 1945 ein Darlehen des Reichsstudentenwerks erhielten, 456 (80,6 %) Mitglieder einer nationalsozialistischen Organisation waren, während die restlichen 110 Studenten (19,4 %) unterstützt wurden, obwohl sie keiner NS-Organisation angehörten.[204] Offensichtlich spielten politische Kriterien bei der Vergabe von Darlehen zwar eine wichtige, aber nicht immer eine ausschlaggebende Rolle.

Die Auswahl der Stipendiaten des Reichsstudentenwerks wurde sehr viel rigider gehandhabt. So standen die Mittel der Kameradschaftsförderung ausschließlich für aktive NS-Studenten zur Verfügung, die in einem „Kameradschaftshaus"[205] wohnten oder einer „Kameradschaft" des NSDStB angehörten. Die Stipendien der Reichsförderung schließlich, aufgrund des relativ großzügigen Zuschnitts besonders begehrt, waren hauptsächlich für „Kameraden aus dem Vortrupp politischen Studententums" reserviert, wie das „Merkblatt für Studienförderung" des Reichsstudentenwerks verkündete.[206] Etwas prosaischer formuliert bedeutete das: Diese Stipendien dienten im wesentlichen zur Selbstversorgung der nationalsozialistischen Studentenfunktionäre. Eine statistische Übersicht, die das Reichsstudentenwerk 1938 publizierte, konkretisierte diese Aussage: Alle 405 Studenten (darunter 19 Frauen), die 1938 im Rahmen der Reichsförderung unterstützt wurden, waren Mitglieder des NSDStB; 391 gehörten zusätzlich noch einer weiteren Parteigliederung an, meist der SA, der SS oder der HJ. Unter den 405 Stipendiaten befanden sich nicht weniger als 320 Funktionäre des NSDStB und anderer Parteigliederungen[207] sowie 34 Mitarbeiter des Studentenwerks. Auch der hohe Prozentsatz konfessionsloser Studenten unter den Stipendiaten der Reichsförderung (1939: 47 %) weist darauf hin, daß diese Form der Studienförderung sich auf eine kleine Gruppe von politisch verdienten NS-Aktivisten beschränkte.[208] Unter den weiblichen Stipendiaten des

---

[203] RStW, Merkblatt für Studienförderung, in: DWEV 1935, nichtamtl. Teil, S. 60*.

[204] G. Arminger, Involvement of German Students in NS Organisations. Based on the Archive of the Reichsstudentenwerk, in: Historical Social Research, Nr.30, 1984, S.16 f. Für die Beantwortung von Armingers Frage, „to what extent German Students of this period were involved in NS organisations", ist eine solche Stichprobe allerdings denkbar ungeeignet, eben weil die Zugehörigkeit zu einer NS-Organisation in der Regel Voraussetzung war, um vom RStW finanzielle Unterstützung zu erhalten.

[205] Zum Konzept des „Kameradschaftshauses" vgl. S.260 ff.

[206] RStW, Merkblatt für Studienförderung, in: DWEV 1935, nichtamtl. Teil, S. 60*.

[207] Darunter waren 2 Gaustudentenführer, 11 Studentenführer, 78 Amtsleiter von Studentenführungen, 40 Kameradschaftsführer, 42 SA-Unterführer, 2 SA-Führer, 32 SS-Unterführer, 4 SS-Führer, 84 HJ-Führer, 12 BDM-Führerinnen und 13 Führer des Deutschen Jungvolks. Vgl. RStW, Kurzberichte aus der Arbeit des Jahres 1938, S.39.

[208] Vgl. „Von der Studienstiftung zur Reichsförderung", in: Die Bewegung, Nr.5, 30.1.1940, S.5.

Reichsstudentenwerks dominierten ebenfalls die NS-Funktionärinnen: 1941 waren etwa 70 % der geförderten Studentinnen mittlere oder höhere Führerinnen des NSDStB bzw. der Arbeitsgemeinschaft Nationalsozialistischer Studentinnen (ANSt).[209]

Eine solche, primär an politischen Kriterien ausgerichtete Förderungspolitik hatte freilich einen spezifischen Nachteil: Der NSDStB mußte unter solchen Umständen immer damit rechnen, daß politische Funktionen in der Organisation nur übernommen wurden, um an ein Stipendium zu gelangen. Mancher Studentenführer äußerte sogar unverblümt den Verdacht, der eine oder andere Mitarbeiter sei „in erster Linie aus materiellen Gründen in der studentischen Arbeit tätig".[210] Auch unter den Studenten war „die Ansicht weit verbreitet, daß studentische Ämter nur übernommen werden, weil ihr Träger meist Förderung erhält", wie 1939 in dem Bericht eines Fachgruppenleiters zu lesen war.[211]

Zusammenfassend läßt sich sagen, daß die Möglichkeiten, minderbemittelte Studenten mit Stipendien zu unterstützen, in den Vorkriegsjahren sehr begrenzt waren. Nicht nur die Zahl der geförderten Studenten erwies sich als gering, auch die Höhe der Stipendien war im Regelfall extrem knapp bemessen. Für unbemittelte Abiturienten, die keine finanzielle Unterstützung aus dem Elternhaus erhielten, blieben die Tore der wissenschaftlichen Hochschulen deshalb auch weiterhin verschlossen. Zudem konnten im allgemeinen nur jene Studenten mit einem Stipendium rechnen, die bereit waren, ihre politische Zuverlässigkeit unter Beweis zu stellen. Beträchtliche Teile der Förderungsmittel, insbesondere die relativ gut ausgestatteten Stipendien, dienten faktisch als verkappte Besoldung studentischer Funktionäre. Studierende aus minderbemitteltem Elternhaus sahen sich daher einem viel größeren Anpassungsdruck ausgesetzt als ihre aus wohlhabenden Bevölkerungsschichten stammenden Kommilitonen. Ein Bericht der Gaustudentenführung von Westfalen-Nord klagte denn auch 1938, „die meisten Studenten mit Geld" hätten „es gar nicht nötig, noch dem NSDStB beizutreten".[212] Es läßt sich deshalb vermuten, daß die weniger gut situierten Studentenschichten unter den Mitgliedern des NSDStB überproportional vertreten waren.

Erst während des Krieges veränderte sich die Situation grundlegend. Im April 1941 führte das REM eine „Sonderförderung" für studierende Kriegsteilnehmer ein. Fortan erhielten beurlaubte oder kriegsversehrte Soldaten monatliche Studienzuschüsse von 50-100 RM und wurden zumindest zeitweise von Universitätsgebühren befreit. Im Gegensatz zur bisherigen Praxis war die „Sonderförderung" nicht an politische Bedingungen geknüpft.

---

[209] RStW, Bericht über die Arbeit im Kriege, S.70.

[210] Beschluß des Rechts- und Gerichtsamtes der RSF gegen den Frankfurter Studentenführer H. Kuhl, 26.10.1937, in: HHStA Wiesbaden 483/11187.

[211] W. Kunze, Bericht der Fachgruppe Rechtswissenschaft der Universität Halle-Wittenberg, 12.3.1939, S.3, in: StA WÜ RSF/NSDStB II* 198 α 125. Außerdem: M. Franze, Die Erlanger Studentenschaft 1918-1945, Würzburg 1972, S.277.

[212] Bericht vom 15.12.1938, zit. in: B. Vieten, Medizinstudenten in Münster, Köln 1982, S.232.

Gleichzeitig wurde die überwiegende Mehrheit der männlichen Medizinstudenten der Wehrmacht unterstellt, zum „nebendienstlichen Studium“ abkommandiert und fortan wie reguläre Offiziersanwärter besoldet. Außerdem ordnete das REM an, den zum Studium beurlaubten Soldaten künftig auch dann Gebührenerlaß zu gewähren, wenn sie den eigentlich obligatorischen Nachweis politischer Einsatzbereitschaft nicht erbringen konnten.[213] Auch das Reichsstudentenwerk entwickelte während des Krieges ein neues Konzept. Nunmehr wurde die Devise ausgegeben, lieber „wenige sorgfältig und persönlich ausgelesene Befähigte ausreichend und hinreichend zu fördern, statt nach dem alten Stipendienverteilungssystem vielen ... mit kleinen Beträgen auszuhelfen“.[214] Die Zahl der vom Reichsstudentenwerk geförderten Studenten blieb aufgrund dieser Entscheidung ähnlich gering wie in den mageren Vorkriegsjahren. 1941 hat das Reichsstudentenwerk nach eigener Aussage „nur etwa 7 % der Studierenden gefördert“.[215] Insgesamt hat sich die materielle Situation der Studentenschaft während des Krieges aber grundlegend verbessert. Zumindest die männlichen Studenten waren seit dem Frühjahr 1941 von finanziellen Sorgen weitgehend entlastet.[216]

Es bleibt noch die Frage zu beantworten, welche Möglichkeiten im NS-Staat bestanden, eine Zulassung zum Hochschulstudium auf Nebenwegen, also ohne die Reifeprüfung zu erreichen. Drei verschiedene Wege standen potentiellen Studenten ohne Abitur offen: 1. das sogenannte „Langemarckstudium“, 2. die Zulassung zum Studium nach erfolgreichem Besuch einer Fachschule, 3. die Begabtenprüfung.

1. Das Langemarck-Studium, die bekannteste dieser Einrichtungen, entstand 1934 unter der Bezeichnung „Vorstudienausbildung“ auf Initiative der Deutschen Studentenschaft (DSt) unter Andreas Feickert.[217] Ziel der Vorstudienausbildung war es, begabte und politisch zuverlässige Jugendliche aus den Unterschichten durch spezielle Ausbildungskurse von achtzehnmonatiger Dauer auf ein Hochschulstudium vorzubereiten. Die ersten Lehrgänge wurden im Herbst 1934 in Heidelberg und Königsberg eingerichtet, aber die Teilnehmerzahlen blieben zunächst unbedeutend. Im September 1937, drei Jahre nach Beginn des Projekts, hatten erst 35 Studenten auf diesem Weg den Sprung an die Hochschule geschafft.[218] Eine planmäßige Erweiterung des Ausbildungsprogramms begann 1938, nachdem Gustav Adolf Scheel zum Reichsstudentenführer ernannt worden war. Scheel bemühte sich zielstrebig um einen Ausbau der Vorstudienausbil-

[213] Vgl. das Schreiben des REM an das Bayerische KM, 15.1.1941, Abschr. in: BA Koblenz R 21/452.

[214] RStW, Bericht über die Arbeit im Kriege, S.41.

[215] Haushaltsplan-Entwurf des RStW für das Rechnungsjahr 1942, Anl. 5, S.1, in: BA Koblenz R 2/12447.

[216] Vgl. dazu ausführlicher S.362 ff. u. S.401.

[217] Zur Entstehung des Langemarck-Studiums vgl. den Bericht des RSF Funktionärs u. REM Studentenreferenten H. Franz an den Amtschef Wissenschaft im REM, 7.6.1939, in: BA Potsdam REM 622 Bl.319 ff.

[218] Vgl. W. Zschintzsch (REM) an den Reichsfinanzminister, 20.9.1937, in: BA Koblenz R 2/12444.

dung[219], und es gelang ihm, auch das REM in seine Pläne einzubinden. Anfang 1939 standen bereits 155 Männer in der Vorstudienausbildung,[220] die im wesentlichen vom Reichsstudentenwerk, teilweise auch durch Spenden aus der Wirtschaft, finanziert wurde.

Das Langemarck-Studium beschränkte sich zunächst ausschließlich auf junge Männer im Alter von 17-24 Jahren, die sich im Regelfall nicht persönlich bewerben konnten, sondern von der Partei, von Parteigliederungen, der DAF, dem Reichsarbeitsdienst oder der Wehrmacht vorgeschlagen wurden.[221] Bei der Auswahl der Stipendiaten spielten politische Kriterien neben geistiger Begabung, beruflichen Leistungen und körperlicher Gesundheit eine hervorragende Rolle. Von den Bewerbern, die alljährlich in Ausleselagern auf ihre Eignung überprüft wurden, verlangte die Reichsstudentenführung eine „besondere politische und weltanschauliche Bewährung in der NSDAP und ihren Gliederungen".[222] Da nur etwa 10-20 % der Kandidaten in die Vorstudienausbildung aufgenommen wurden[223], herrschte in den Ausleselagern ein oft grotesk wirkender Eifer, politische Zuverlässigkeit unter Beweis zu stellen. Ein Beispiel findet sich in den internen Lageberichten des SD:

> „Ein Prüfer in München stellte an einen Bewerber die Frage, was er wohl lesen würde, wenn er abends spät und müde nach Hause käme und über eine reiche Bibliothek verfügen würde. Die Antwort war bei dem einen in stereotypem Tonfall ‚Adolf Hitler, Mein Kampf', bei einem anderen ‚Rosenberg, Der Mythus des 20. Jahrhunderts'. Man wies die Prüflinge darauf hin, daß um diese Zeit doch wohl eher eine leichte Unterhaltungslektüre am Platze wäre, worauf einer antwortete, dann würde er Goethes ‚Faust' lesen. Es wird in verschiedenen Meldungen betont, daß sich in den gegenwärtigen Ausleselagern generell die ‚krampfhaften Bemühungen' zeigen würden, als eindeutig ‚weltanschaulich ausgerichtet' zu gelten".[224]

In den Lehrgängen selber spielte die politische Indoktrination eine zentrale Rolle. Wie der Leiter des Langemarck-Studiums, Ulrich Gmelin, erläuterte, hatten die Kurse nicht die Aufgabe, „technische oder historische Fachspezialisten" heranzubilden, „sondern in erster Linie politische Menschen und ganze Nationalsozialisten". Es war deshalb auch nicht das Ziel der Lehrgänge, den Langemarck-Stipendiaten innerhalb von eineinhalb Jahren das normale Abiturwissen zu vermitteln, betonte Gmelin:

---

[219] Die Akten des REM und des Reichsfinanzministeriums belegen dies unmißverständlich. Die Behauptung, Scheel sei nicht daran interessiert gewesen, den Anteil der aus den Unterschichten stammenden Studenten zu erhöhen (so Giles, Students and National Socialism, S.249 f.), ist eindeutig falsch.

[220] Vgl. „Maschinenarbeiter werden Studenten", in: Die Bewegung, Nr.4, 24.1.1939.

[221] Zur Organisation vgl. den RdErl. des REM, 2.4.1942 u. das Merkblatt „Langemarck-Studium der Reichsstudentenführung" (1942), beides in: BA Koblenz R 21/27 Bl. 219 ff .

[222] Langemarck-Studium der Reichsstudentenführung, Merkblatt (1942), in: BA Koblenz R 21/27 Bl.221.

[223] Vgl. RStW, Kurzberichte aus der Arbeit des Kriegsjahres 1939, S.47. Wie der SD berichtete, erwies sich ein „ungewöhnlich hoher Prozentsatz der Bewerber als völlig ungeeignet". Vgl. Meldungen aus dem Reich, Bd.6, S.2094 (10.3.1941).

[224] Meldungen aus dem Reich, Bd.6, S.2094 (10.3.1941).

„Es wird im Lehrplan des Langemarck-Studiums bewußt eine Fülle des sonst üblichen Schulstoffes weggelassen und der Unterricht auf die wesentlichen Fächer beschränkt, d.h. im Mittelpunkt stehen die Gebiete, auf denen das Verständnis der nationalsozialistischen Weltanschauung beruht: das Wissen um Rasse, Volkstum und Geschichte".[225]

Obwohl das Langemarck-Studium offiziell von der Reichsstudentenführung im Auftrage des REM durchgeführt wurde, beobachtete man im Ministerium die Aktivitäten Scheels mit einer gewissen Skepsis. Während Scheel in der Vorstudienausbildung ein Instrument zur Umsetzung des NSDAP-Programmes sah, zeigte sich das Ministerium bemüht, eine Senkung des Ausbildungsniveaus an den Hochschulen zu verhindern. Ein führender Beamter des Ministeriums betonte deshalb, das Langemarckstudium müsse eine „Ausnahmeerscheinung" bleiben.[226] Demgegenüber drängte die Reichsstudentenführung auf einen weiteren Ausbau der Vorstudienausbildung. Im Mai 1939 kündigte Scheel an, „in Kürze" würden alljährlich tausend Langemarckstudenten auf die Hochschulen einziehen.[227]

2. die Zulassung zum Studium für überdurchschnittlich begabte Absolventen von Fachschulen.[228] Der Übergang von der Fachschule zum Hochschulstudium war zunächst nur dann möglich, wenn die Bewerber sich einer Sonderreifeprüfung unterzogen, ein Verfahren, das im August 1938 vom REM reichseinheitlich geregelt wurde.[229] Im Gegensatz zu den Abiturienten waren Fachschüler, welche die Sonderreifeprüfung erfolgreich bestanden hatten, in der Wahl ihres Studienfaches nicht frei. Die Zulassung zum Hochschulstudium über die Sonderreifeprüfung beschränkte sich auf ganz bestimmte Fächer (hauptsächlich Wirtschaftswissenschaften, Landwirtschaft, Forstwissenschaft, Gartenbau und technische Fächer) und war nur dann möglich, wenn das Hochschulstudium inhaltlich eine direkte Fortsetzung der Fachschulausbildung darstellte. Konkret: Für Absolventen von Handelsschulen stand nach bestandener Sonderreifeprüfung lediglich das Studium der Wirtschaftswissenschaften offen, Absolventen von Forstschulen konnten nur Forstwissenschaft studieren und ehemalige Besucher von Höheren Technischen Lehranstalten qualifizierten sich durch die Sonderreifeprüfung allein für das Studium an einer Technischen Hochschule. Die Wahl anderer Studienfächer war nicht möglich.

Im April 1939 wurde der Übergang von der Fachschule zum Hochschulstudium durch einen weiteren Erlaß des REM wesentlich erleichtert. Nunmehr konnten die Absolventen zahlreicher Fachschulen (hauptsächlich Ingenieurschulen, Bauschulen, Landbauschulen) auch ohne Sonderreifeprüfung

[225] Zitate aus: U. Gmelin, Das Langemarck-Studium, in: Der Deutsche Hochschulführer, 21. Ausgabe, Studienjahr 1939, S. 19 f.

[226] H. Huber, Der Aufbau des deutschen Hochschulwesens, Gräfenhainichen 1939, S.51.

[227] Vgl. das Ms. der Schlußrede Scheels auf dem Würzburger Studententag, S.14, in: BA Koblenz NS 26/775.

[228] Zu den Fachschulen im Dritten Reich vgl. G. Grüner, Berufsausbildung in Fachschulen, in: Handbuch der deutschen Bildungsgeschichte, Bd.V: 1918-1945, München 1989, S.299 ff.

[229] Vgl. die Ordnung für die Sonderreifeprüfung vom 8.8.1938, in: DWEV 1938, S.365 ff.

ein Hochschulstudium ihrer Fachrichtung aufnehmen, wenn sie die Abschlußprüfung mindestens mit der Note „gut“ bestanden hatten.[230] Diese Regelung führte dazu, daß in den folgenden Semestern „eine außerordentlich große Zahl von Fachschülern“ zur Hochschule überwechselte.[231] Außerdem gab es eine Reihe von Fachschulabsolventen, die sich auch ohne gute oder sehr gute Abschlußnoten und ohne Sonderreifeprüfung als Gasthörer an den Hochschulen einschrieben und erst nach zwei oder drei Semestern die Sonderreifeprüfung ablegten.[232]

Durch derartige Maßnahmen erreichte während des Krieges eine größere Zahl von Fachschulabsolventen den Aufstieg in eine akademische Karriere. An den Hochschulen wurde diese Entwicklung allerdings mit unverhohlenem Mißtrauen beobachtet. Viele Professoren äußerten die Befürchtung, „daß unter solchen Voraussetzungen das wissenschaftliche Niveau der Hochschule nicht gehalten werden könne“, wie ein Referent des REM registrierte.[233] In Hochschulkreisen wurde zudem der Verdacht geäußert, die Fachschulen bemühten sich, „recht vielen ihrer Absolventen durch eine wohlwollende Beurteilung ihrer Abschlußleistungen Gelegenheit zu geben, die Hochschule ohne Sonderreifeprüfung zu besuchen“.[234] Das REM nahm derlei Beschwerden durchaus ernst, ohne jedoch grundsätzlich etwas an der Öffnung der Hochschulen für Fachschulabsolventen zu ändern. Vielmehr wies das REM die Unterrichtsverwaltungen der Länder an, Kriegsteilnehmern und Kriegsversehrten, die keine Gelegenheit gehabt hatten, sich auf die Sonderreifeprüfung vorzubereiten, „bei Abnahme der Prüfung nach Möglichkeit entgegenzukommen“.[235] Zwar teilte man in Berlin durchaus die Sorge um das wissenschaftliche Niveau der Hochschulen[236], aber im Vordergrund stand seit 1938/39 doch eindeutig das Ziel, geeignete Maßnahmen gegen die wachsende Nachwuchsknappheit in den akademischen Berufen zu ergreifen und zunehmend auch das Interesse, studienwillige Frontsoldaten bei Laune zu halten.

3. Die Begabtenprüfung war eine weitere Möglichkeit, um ohne Abitur die Zulassung zur Hochschule zu erreichen. Ursprünglich handelte es sich um eine Einrichtung aus der Weimarer Republik, die aber vom NS-Staat in veränderter Form übernommen wurde.[237] Der Weg zur Hochschule über die Begabtenprüfung sollte nach dem Willen des Ministeriums nur „hervorragend Begabten“ offenstehen, die sich zuvor in einem nichtakademischen Be-

---

230 RdErl. des REM, 29.4.1939, in: DWEV 1939, S.285 ff.

231 RdErl. des REM, 23.7.1941, in: BA Koblenz R 21/26 Bl.284.

232 Vgl. Döring (REM), An den Herren Referenten bei W. betr. Zulassung von Fachschulabsolventen zur Hochschule, 4.5.1944, Abschr. in: BA Koblenz R 21/10850.

233 Ebd.

234 RdErl. des REM, 23.7.1941, in: BA Koblenz R 21/26 Bl.284. Als Reaktion auf diese Beschwerden wurden die Reichsstatthalter und Regierungspräsidenten in dem Erlaß ersucht, „auf eine strengere Prüfung und Notengebung“ in den Fachschulen hinzuwirken.

235 Vgl. RdErl. des REM, 9.2.1942, in: BA Koblenz R 21/27 Bl.120.

236 Dies betont zu Recht: Kleinberger, Hochschulpolitik, S.20.

237 Vgl. dazu die Ausführungen von O. Wacker (Amtschef Wissenschaft im REM) bei der Eröffnung der Rektorenkonferenz am 7.3.1939, Ms. in: BA Potsdam REM 708 Bl.402 f.

ruf „besonders bewährt" hatten. Ebenso wie bei der Sonderreifeprüfung wurden auch zur Begabtenprüfung nur Bewerber zugelassen, die eine „Betätigung in der NSDAP oder ihren Gliederungen" nachweisen konnten.[238] Anfangs konnte ein Antrag auf Zulassung zur Begabtenprüfung nicht von den Bewerbern selber gestellt werden, sondern nur „von urteilsfähigen Persönlichkeiten ..., die mit den Voraussetzungen und dem Wesen wissenschaftlicher Arbeit vertraut" waren. Doch wurde diese Einschränkung 1942 wieder fallengelassen.[239] Wie Vertreter des REM 1942 bei einer Besprechung mit Nachdruck bekräftigten, sollte die Begabtenprüfung eine „Ausnahmeprüfung für besondere Fälle" bleiben. Um diesen Ausnahmecharakter aufrechtzuerhalten, wurde eine Senkung der Prüfungsanforderungen ausdrücklich abgelehnt.[240]

Wie viele Studenten kamen auf den hier geschilderten Nebenwegen (Langemarck-Studium, Fachschulabschluß, Begabtenprüfung) an die Hochschulen? Dem vorhandenen Material läßt sich entnehmen, daß in den Vorkriegsjahren nur sehr wenige Studierende ohne Reifeprüfung ein Hochschulstudium aufnehmen konnten. Im Sommersemester 1939 waren unter den 7.303 deutschen Erstsemestern aller wissenschaftlichen Hochschulen nur 31 Studierende über die Sonderreifeprüfung zum Studium gekommen (darunter 1 Studentin), 37 über die Begabtenprüfung (darunter 3 Studentinnen) und 10 über das Langemarck-Studium.[241] Zusammen bildeten diese 78 Studierenden nur 1,1 % der erstimmatrikulierten Studenten. Während des Krieges nahm die Zahl der Studierenden ohne Reifeprüfung allerdings beträchtlich zu, wenngleich exakte Zahlen nur sporadisch vorliegen. 1940 strömten erstmals Absolventen des Langemarck-Studiums in größerer Zahl an die Hochschulen.[242] Scheels Ankündigung, alljährlich tausend Langemarckstudenten auf die Hochschulen zu schicken, erwies sich jedoch als realitätsfremd. Zum einen war das Reichsfinanzministerium nicht bereit, mitten im Kriege die von der Reichsstudentenführung geforderten Mittel zu bewilligen.[243] Zum anderen handelte es sich bei den Langemarck-Stipendiaten durchweg um junge Männer im wehrpflichtigen Alter, die häufig von der Wehrmacht eingezogen wurden, noch bevor sie die Vorstudienausbildung beendet hatten. Um das Projekt dennoch weiterführen zu können, konzentrierten sich die Organisatoren hauptsächlich auf die Betreuung versehrter Kriegsteilnehmer. Außerdem wurde im Herbst 1942 eine Vorstudienausbildung für Frauen eröffnet.[244] Nach dem Kriege hat Scheel in einer

---

[238] Vgl. die Prüfungsordnung für die Zulassung zum Studium ohne Reifezeugnis an den deutschen Hochschulen, 8.8.1938 und die Durchführungsbestimmungen gleichen Datums in: DWEV 1938, S.373 ff.

[239] Vgl. den RdErl. des REM, 22.12.1942, in: BA Koblenz R 21/27 Bl.668.

[240] Vgl. den Protokollauszug der Arbeitsbesprechung der Vorsitzer der Prüfungsstellen am 14.9.1942, in: BA Koblenz R 21/27 Bl.671.

[241] Zehnjahres-Statistik des Hochschulbesuchs und der Abschlußprüfungen, I. Bd., Berlin 1943, S.21.

[242] Vgl. RStW, Bericht über die Arbeit im Kriege, S. 105.

[243] Vgl. Kleinberger, Hochschulpolitik, S.20.

[244] Vgl. „Nachtrag zur Arbeit des Studententums während der Kriegsjahre 1939-1942" (ohne Verfasserangabe), S.5 ff., in: BA Koblenz NS 26/375.

Rechtfertigungsschrift behauptet, insgesamt seien „weit mehr als 1000" Personen durch die Lehrgänge des Langemarck-Studiums gegangen.[245] Diese Größenordnung wirkt durchaus realistisch, wenngleich es unklar bleibt, wie viele der Stipendiaten auf diesem Wege tatsächlich an die Hochschule gelangten.

Quantitativ bedeutsamer war die Zahl der Fachschüler, die aufgrund einer überdurchschnittlichen Abschlußprüfung oder nach bestandener Sonderreifeprüfung ein Hochschulstudium aufnahmen. Reichserziehungsminister Rust berichtete im November 1940, etwa 600 Fachschulabsolventen hätten auf diese Weise innerhalb eines Jahres den Weg zum Studium gefunden.[246] Über den Umfang der Begabtenprüfungen informiert eine Statistik aus dem Jahre 1942: Von insgesamt 245 Bewerbern bestanden in diesem Jahr 126 Personen (darunter 48 Frauen) die Begabtenprüfung. Das Durchschnittsalter lag bei 33 Jahren.[247]

Insgesamt soll die Zahl jener Studenten, die durch Begabtenprüfung, Langemarck-Studium oder Sonderreifeprüfung an die Hochschulen gelangten, im Kriege etwa 8-10 % der normalen Abiturientenzahl betragen haben, wie Ulrich Gmelin, der Leiter des Langemarck-Studiums, 1942 auf einer internen Besprechung mitteilte.[248] Aufschlußreich ist auch eine Nachkriegsstatistik: Von den etwa 3.300 Studenten, die im Sommersemester 1946 an der Universität Tübingen studierten, waren 1,1 % über eine Sonderreifeprüfung zum Hochschulstudium gekommen, 0,6 % über eine Begabtenprüfung und nur 0,2 % über das Langemarck-Studium – insgesamt also ein Anteil von nicht einmal 2 %.[249]

Festhalten läßt sich, daß ernsthafte Bemühungen, begabten Fachschülern und Berufstätigen auch ohne Reifeprüfung ein Studium zu ermöglichen, erst relativ spät, seit 1938/39, einsetzten, gerade zu der Zeit, als auch die materielle Förderung minderbemittelter Studenten wieder an Bedeutung gewann. Es liegt nahe, aus dem Zeitpunkt wiederum auf die Motive dieser Politik zu schließen: Offensichtlich ging es weniger darum, die Versprechungen im Parteiprogramm der NSDAP zu erfüllen, sondern um die Beseitigung der Nachwuchsnot in den akademischen Berufen. Anders formuliert: Der Entschluß, die soziale Öffnung der Hochschulen zu fördern, folgte nicht primär ideologischen, sondern pragmatischen Motiven.

[245] „Die untergeordnete Rolle des Studentenbundes in der NS-Bewegung", abgedruckt in: G. Franz-Willing, „Bin ich schuldig?", Leoni 1987, S.111.

[246] B. Rust, Reichsuniversität und Wissenschaft, Berlin 1940, S.17.

[247] Vgl. U. Gmelin, „Für die Begabten", in: Das Reich, 11.4.1943.

[248] Prot. der Besprechung über Maßnahmen zur Behebung der Nachwuchsnot in den akademischen Berufen, 17.7.1942, S.13, in: BA Koblenz R 21/27 Bl.465.

[249] Zahlen nach: Die deutschen Hochschulen, in: Europa-Archiv, 1. Jg., 1946/47, S.309.

IV. Ausbildung und Lehre

Inwieweit wurden Ausbildung und Lehre an den Hochschulen des Dritten Reiches nazifiziert? Wer in der wissenschaftlichen Literatur Antworten auf diese Frage sucht, stößt entweder auf weiße Flecken oder wird mit mehr oder weniger vagen Vermutungen abgespeist.[1] Dies ist kein Zufall, handelt es sich doch offenkundig um eine Frage, die aufgrund der Quellenlage kaum präzise beantwortet werden kann. Über das, was in den Vorlesungen und Seminaren gesagt (oder auch nicht gesagt) wurde, wie das Gesagte aufgenommen und verarbeitet wurde, darüber liegen nur wenige verläßliche Unterlagen vor, deren Repräsentativität zumeist nicht gesichert ist. Dennoch ist es möglich und sinnvoll, das vorhandene Material unter diesem Gesichtspunkt zu untersuchen. Was dabei herauskommen wird, ist zwar keine eindeutige Antwort auf die anfangs gestellte Frage, aber doch der Versuch, zumindest die Konturen universitärer Ausbildung und Lehre unter der NS-Diktatur sichtbar zu machen.

1. Der Totalitätsanspruch der Partei und die Wissenschaft

Ich beginne mit den Forderungen und Erwartungen, die von den Nationalsozialisten gegenüber den Hochschulen formuliert worden sind. Wiederum waren es die nationalsozialistischen Studenten, die als erste ihre Vorstellungen artikulierten. So konnten die Professoren der Freiburger Universität 1933 in einem Artikel der lokalen Studentenzeitung nachlesen, daß der Totalitätsanspruch des Nationalsozialismus auch vor der universitären Lehre nicht haltmachen werde. Lehrfreiheit habe es ohnehin stets nur im Rahmen einer Weltanschauung gegeben:

> „So wie die Lehrfreiheit im vergangenen Zeitalter des Liberalismus nur ihre Auswirkung innerhalb der liberalen Grundidee gefunden hat, so wird sie im nationalsozialistischen Staate sich nur im Rahmen der nationalsozialistischen Grundideen auswirken können. Auf die Dauer werden die Dozenten nicht die Entscheidungsfrage vermeiden können, ob sie die nationalsozialistischen Grund-

[1] Die Ausnahmen betreffen die Medizinischen Fakultäten: H. van den Bussche, Im Dienste der „Volksgemeinschaft“, Berlin/Hamburg 1989; I. Mersmann, Medizinische Ausbildung im Dritten Reich, München, med. Diss., 1978.

ideen anerkennen oder auf ihre Lehrstühle verzichten wollen. Diese Forderung mag hart und brutal erscheinen; ihre Durchführung ist aber unbedingt notwendig".[2]

Unmißverständlich kündigten die nationalsozialistischen Studenten an, sie wollten sich fortan auch in der Lehre als Kontrollorgan der Professoren begreifen. In einer Rostocker Studentenzeitung wurde den Hochschullehrern angedroht,

> „daß wir ... dort eingreifen werden, wo die nationalsozialistische Weltanschauung nicht zur Grundlage und zum Ausgangspunkt wissenschaftlicher Forschungen gemacht wird, und der Professor nicht von sich aus seine Studenten zu den weltanschaulichen Ansatzpunkten innerhalb seines wissenschaftlichen Stoffes hinführt".[3]

Einige nationalsozialistische Hochschullehrer äußerten ähnliche Erwartungen. Der Agrarwissenschaftler Friedrich Schucht, Vorsitzender des Hochschulverbandes nach dessen Gleichschaltung im Juni 1933, verkündete im Oktober 1933 öffentlich, daß „die Vertreter der Geisteswissenschaften ihre Lehre fortan nur aus nationalsozialistischer Weltauffassung heraus werden schöpfen können".[4]

Bald wurde die Forderung nach einer umfassenden Nazifizierung der Lehre auch von führenden Vertretern der Partei erhoben. Charakteristisch für derartige Äußerungen ist eine Rede, die der Reichsjustizkommissar Hans Frank 1934 vor Hochschullehrern hielt. Frank forderte, der Nationalsozialismus müsse „das ausschließliche Ziel, der wesentliche Inhalt und die entscheidende Methode des deutschen Geisteslebens" sein:

> „Als Ziel müssen Sie den Nationalsozialismus in dieser synthetischen Zusammenfassung des Nationalismus und des Sozialismus auffassen und erkennen, daß auch im Bereich der Wissenschaft die Idee der Volkseinheit und der Volksgeschlossenheit gegen die Atomisierung steht, wie sie der Liberalismus in allen Bereichen hervorbrachte ... Der Nationalsozialismus muß neben dem Ziel auch der Inhalt Ihres Wirkens sein. Das heißt: Inhalt der theoretischen, der dem geistigen Forschen dienenden Arbeit kann niemals die leere Abstraktion und die Freude an der möglichst theoretisch gefaßten Niederlegung ihrer Erkenntnisse an sich sein, sondern ... nur der Gedanke: Diene ich mit meiner wissenschaftlichen Erkenntnis der Förderung des Nationalsozialismus zum Vorteil aller?".[5]

Den Kern derartiger Forderungen hatte der bayerische Kultusminister Hans Schemm 1933 in einer Rede vor Münchener Professoren bereits sehr viel prägnanter zusammengefaßt: „Von jetzt an kommt es für Sie nicht darauf an festzustellen, ob etwas wahr ist, sondern ob es im Sinne der nationalsoziali-

---

[2] L. Förster, „Nationalsozialismus und Lehrfreiheit", in: Freiburger Studentenzeitung, Nr.5, 14.7.1933.

[3] „Eine nötig gewordene Klarstellung", in: Der Student in Mecklenburg-Lübeck, Nr.15, 5.12.1936, S.9.

[4] F. Schucht, Der deutsche Hochschullehrer, in: Mitteilungen des Verbandes der deutschen Hochschulen, 13. Jg., 1933, S.106.

[5] H. Frank, Der Nationalsozialismus und die Wissenschaft der Wirtschaftslehre, in: Schmollers Jahrbuch, 58, 1934, S.642 f.

stischen Revolution ist".[6] Auch in den folgenden Jahren war der Ruf nach einer völligen Anpassung von Wissenschaft und Lehre an den Nationalsozialismus immer wieder zu hören. Ganz auf dieser Linie lag auch die Politik des NS-Dozentenbundes, dessen Leiter, Walther Schultze, 1938 in einer Grundsatzrede erklärte, die Universität müsse getragen sein

> „von dem Bewußtsein, daß ihre ganze Arbeit bis in die kleinste Disziplin hinein einen gemeinsamen Urgrund hat, nämlich die nationalsozialistische Weltanschauung. Das Wissen um diesen alles umfassenden Nährboden, auf dem jede Disziplin wachsen muß, das Wissen um eine für alle verpflichtende Weltanschauung ist das Lebensprinzip unserer deutschen Hochschulen".[7]

Konsequenterweise lehnten die studentischen Aktivisten Reformvorschläge einzelner Professoren (Gustav Adolf Rein, Hans Freyer u.a.), die darauf hinausliefen, „politische Fakultäten" oder „politische Semester" für Studienanfänger einzurichten[8], oft als unvereinbar mit dem nationalsozialistischen Totalitätsanspruch ab. Georg Plötner, ein führender Funktionär der DSt, schrieb dazu im April 1933:

> „Die Hochschulreform zielt nicht auf die Einrichtung einer politischen Fakultät hin, die dann als Neuheit und als Zugeständnis an das Dritte Reich neben anderen Fakultäten zu stehen käme ... Die neue Generation fordert die politische Hochschule, die *in ihrer Ganzheit* getragen wird und erfüllt ist vom kriegerischen Geist des nordischen Menschen".[9]

Was hier teils in verbindlicher Form, teils in der Pose des siegreichen Eroberers mitgeteilt wurde, lief in der Konsequenz auf eine völlige Ablehnung der Lehrfreiheit hinaus – auch wenn Frank seinen Zuhörern mit beachtlichem Zynismus versicherte, er trete „für die volle Geistes- und Lehrfreiheit auf dem Boden des Nationalsozialismus" ein.[10]

Nicht alle Nationalsozialisten äußerten sich derart radikal. Wer die Reden und Publikationen des Reichserziehungsministers Bernhard Rust liest, stößt dort auf eine vergleichsweise moderate Tonlage. Im April 1933 hatte Rust, damals noch (kommissarischer) preußischer Kultusminister, sogar erklärt, er werde die Lehrfreiheit „selbstverständlich" nicht antasten.[11] Einige Monate später waren derartige Versprechungen längst vergessen, aber der Reichserziehungsminister blieb auch später in seinem Auftreten gegenüber den Hochschullehrern relativ zurückhaltend. Zwar behauptete auch Rust in seiner Rede anläßlich des Heidelberger Universitätsjubiläums von 1936, Wissenschaft sei nur möglich „auf dem Boden einer lebendigen Weltanschau-

[6] Zit. in: K.D. Bracher, Die deutsche Diktatur, Köln 1980[6], S.293.

[7] Rede vom 21.1.1938 in Kiel, abgedruckt in: Dokumente der Deutschen Politik. Reihe: Das Reich Adolf Hitlers, Bd.6, Teil 2, Berlin 1941, S.634.

[8] Zur professoralen Reformliteratur von 1933 vgl. G.J. Giles, Die Idee der politischen Universität, in: M. Heinemann (Hg.), Erziehung und Schulung im Dritten Reich, Teil 2, Stuttgart 1980, S.50 ff.

[9] G. Plötner, „Wo marschiert die Revolution?", in: Akademische Korrespondenz, Ausgabe A, Nr.8, 6.4.1933 (unpaginiert). Hervorhebung im Original.

[10] Frank, Der Nationalsozialismus und die Wissenschaft, S.646.

[11] Zit. in: „Lehren und Lernen", in: Berliner Tageblatt, Nr.184, 21.4.1933.

ung", aber er fügte hinzu, die Nationalsozialisten wollten Wissenschaft nicht „durch das Bekenntnis der Weltanschauung" ersetzen:

> „Wir verlangen nicht vom Gelehrten, daß er die Schöpfungen des nationalsozialistischen Staates verherrliche ... Wir lehnen eine verordnete Wissenschaft ab, aber wir dulden auch nicht den politisierenden Gelehrten ... Wir denken nicht daran, der Wissenschaft ihre Resultate vorzuschreiben, weil dies das Ende der Wissenschaft bedeuten würde, aber wir wissen andererseits auch, daß darum doch nie ein wirklicher Gegensatz zwischen der Wissenschaft und den Zielsetzungen des nationalsozialistischen Staates entstehen kann, weil diese aus der praktischen Erkenntnis der natürlichen Gesetze der Natur und Geschichte aufgebaut sind".[12]

Wenn Rust und andere Vertreter der Ministerialbürokratie sich, verglichen mit den nationalsozialistischen Scharfmachern, relativ gemäßigt äußerten, dann lag dies auch in einer gewissen konzeptionellen Hilflosigkeit begründet. Über den „kriegerischen Geist des nordischen Menschen" und über den Totalitätsanspruch des Nationalsozialismus ließ sich leicht schwadronieren. Aber wie konnten derartige Vorstellungen in konkrete Maßnahmen und Handlungsanweisungen umgesetzt werden? Aus den ersten Äußerungen des preußischen Kultusministers über die Zukunft von Ausbildung und Lehre sprach eine offenkundige Unsicherheit. Wohl hatte Rust gewisse Vorstellungen darüber, welche Disziplinen in Zukunft begünstigt bzw. in den Hintergrund geschoben werden sollten. Im April 1933 kündigte der Minister an, er werde Wehrwissenschaft, „Auslandsdeutschtum", Volkskunde und Rassenkunde in Zukunft besonders fördern, andererseits aber „die Psychologie etwas zurückdrängen".[13] Doch darüber hinaus blieben programmatische Äußerungen im Frühjahr 1933 Mangelware. Rusts Ausführungen aus dieser Zeit, beispielsweise auf einer Hochschulkonferenz, die im Mai 1933 in Berlin stattfand, offenbarten eine beachtliche Mischung von Konfusion und Banalität:

> „Die Art, in der der Hochschulunterricht in Zukunft gestaltet werden wird, ist weniger intellektuell mitteilbar, sie muß intuitiv erfaßt werden. Das Wichtigste dabei wird eine gründliche Gewissenserforschung sein und der zähe Wille, unter allen Umständen bis zur Wahrheit vorzustoßen! Dieser Wille muß die trennenden Mauern, die zwischen den verschiedenen Systemen, zwischen Hörer und Dozent errichtet waren, niederreißen".[14]

Offensichtlich bestand hier ein Problem. Da es den Nationalsozialisten vor 1933 nur in Einzelfällen gelungen war, unter den Hochschullehrern Fuß zu fassen, hatte sich auch kaum jemand ernsthafte Gedanken über die spezifischen Inhalte und Ziele nationalsozialistischer Hochschulpolitik gemacht.

---

[12] Zitate aus: Das nationalsozialistische Deutschland und die Wissenschaft. Heidelberger Reden von Reichsminister Rust und Prof. Ernst Krieck, Hamburg 1936, S.19, 21 f.

[13] Zit. nach der Wiedergabe seiner Äußerungen in: „Lehren und Lernen", in: Berliner Tageblatt, Nr.184, 21.4.1933.

[14] Verhandlungen der außerordentlichen Deutschen Hochschulkonferenz in Berlin am 10. Mai 1933, S.3, in: BA Potsdam RdI 26925 Bl.31.

Wer in Hitlers „Mein Kampf“ nach Konzepten suchte, stieß dort im wesentlichen auf eine allgemeine Kritik des deutschen Erziehungswesens. Dieses sei zu einseitig auf die reine Anhäufung von Wissen ausgerichtet gewesen. Für einen völkischen Staat formulierte Hitler neue Prioritäten. In erster Linie werde die künftige Erziehung auf das „Heranzüchten kerngesunder Körper“ achten. In zweiter Linie müsse die Entwicklung des Charakters, besonders die „Förderung der Willens- und Entschlußkraft“, betrieben werden und „erst als letztes die wissenschaftliche Schulung“.[15] Ansonsten sollte die Wissenschaft als Instrument zur „Förderung des Nationalstolzes“ dienen. Die gesamte Bildungsarbeit des völkischen Staates habe ihre Krönung darin zu sehen, der heranwachsenden Jugend „Rassesinn und Rassegefühl“ zu vermitteln.[16]

Die offenkundige Geringschätzung „wissenschaftlicher Schulung“ durch den Führer der NSDAP hat die nationalsozialistische Hochschulpolitik vor allem in den ersten Jahren der NS-Diktatur zweifellos in hohem Maße geprägt. Insbesondere die Studentenführer griffen Hitlers Überlegungen mit Vorliebe auf. Reichsstudentenführer Scheel hob in seinen Reden immer wieder hervor, „daß die Wissensvermittlung nur einen Teil der Aufgaben der Hochschule ausmacht, und noch nicht einmal den wesentlichsten“. Der „letzte Sinn und Zweck aller nationalsozialistischen Erziehungsarbeit“ liege vielmehr in der „Schaffung eines neuen nationalsozialistischen Menschentypus“[17], eine Aufgabe, die natürlich nur von der Partei und ihren Gliederungen, in erster Linie also vom NSDStB, übernommen werden konnte. Damit war der Anspruch der studentischen Parteiorganisation formuliert, neben den Hochschullehrern als zweite, gleichrangige Instanz an der Erziehung der Studenten mitzuwirken. In der Praxis führte dieser Anspruch zu einer erheblichen Beeinträchtigung der Ausbildung an den Hochschulen, weil die Studenten zeitweise mit außerwissenschaftlichen Anforderungen geradezu überhäuft wurden.

Auf die Frage, wie eine nationalsozialistische Wissenschaft auszusehen habe und wie die wissenschaftliche Ausbildung selber verändert werden solle, konnte auch Hitler, der sich für Hochschulpolitik nie besonders interessiert hat, seinen Anhängern keine Antworten liefern. So mußte denn versucht werden, das fehlende nationalsozialistische Wissenschaftskonzept im Eiltempo aus dem Boden zu stampfen. Aus den zahlreichen Publikationen, die diesem Thema 1933/34 gewidmet wurden[18], lassen sich vier Kernpunkte dieser rasch zusammengezimmerten Wissenschaftsideologie herausarbeiten:

1. Wissenschaft dürfe nicht als Selbstzweck betrieben werden, nicht „lebensabgewandt“ sein, sondern müsse sich in den Dienst der „Volksgemeinschaft“ stellen. Zu diesem Zweck sollten die Hochschulen ihre Abge-

[15] A. Hitler, Mein Kampf, München 1940, S.258 u. 452 f.

[16] Vgl. Hitler, Mein Kampf, S.473 u. 475.

[17] Schlußrede Scheels auf dem Würzburger Studententag am 27.5.1939, Ms., S.9, in BA Koblenz NS 26/375.

[18] Besonders einflußreich waren die Veröffentlichungen Ernst Kriecks. Vgl. vor allem dessen seit 1933 erscheinene Zeitschrift „Volk im Werden“.

schlossenheit gegenüber der Außenwelt überwinden.[19] Die universitäre Wissenschaft stand daher seit 1933 sehr viel stärker als zuvor unter dem Druck, ihre Nützlichkeit für den Staat unter Beweis zu stellen. Ohne Zweifel lag darin ein entschiedener Bruch mit dem traditionellen Selbstverständnis der deutschen Universitäten, so wie es sich seit dem Beginn des 19. Jahrhunderts unter dem Einfluß des Neuhumanismus herausgebildet hatte.[20] Noch in den 1920er Jahren war von Carl Heinrich Becker, dem bedeutendsten Hochschulpolitiker der Weimarer Republik, stets entschieden betont worden, das „Wesen der Universität" habe nichts „mit irgendwelchen Nützlichkeitserwägungen" zu tun. Das zentrale Merkmal der Wissenschaft sei vielmehr „das selbstlose und zwecklose Suchen nach der reinen Erkenntnis".[21]

2. Der Rassenbegriff als Kernstück der NS-Ideologie sollte künftig auch in das Zentrum wissenschaftlicher Forschung und Lehre gerückt werden: „Das Ordnungsprinzip für alle Bereiche des geistigen Lebens entsteht für uns aus der Biologie, aus der Erkenntnis der Rasse" verkündete Rust 1940. „Von der Entdeckung der Rasse ... erhält auch die Wissenschaft ihren entscheidenden revolutionären Anstoß".[22] Der Parteiideologe Rosenberg zeigte sich in einer Rede vor der Universität München sogar davon überzeugt, „daß die Entdeckung der Rassenseele in unserer Zeit eine Revolution darstellt, wie die kopernikanische Entdeckung vor 400 Jahren".[23]

3. Im Gegensatz zur wachsenden Spezialisierung der Wissenschaft sollte sich der Nationalsozialismus durch eine „ganzheitliche" Wissenschaftsauffassung auszeichnen, um die Grenzen zwischen den verschiedenen Disziplinen zu überbrücken. Die Überwindung der Fachgrenzen sei, so tönte etwa Reichsdozentenführer Walther Schultze, „das radikale Mittel im Kampf gegen jüdischen Geist und für deutsches Wesen".[24] Von der antisemitischen Einfärbung dieses Konzeptes einmal abgesehen, war dies alles andere als eine originelle Idee. Tatsächlich hatte das Unbehagen über die wachsende Zersplitterung des Wissenschaftsbetriebes schon vor 1933 die hochschulpolitische Diskussion mitgeprägt. Der Ruf nach „Ganzheit" und „Synthese" gehörte in der Weimarer Republik, auch außerhalb der Universitäten, zu den Leitmotiven der intellektuellen Diskussion.[25]

---

[19] Vgl. A. Beyerchen, Wissenschaftler unter Hitler, Köln 1980, S.84. Siehe auch die Rede des Reichsdozentenführers W. Schultze vom 21.1.1938, in: Dokumente der Deutschen Politik. Reihe: Das Reich Adolf Hitlers, Bd.6, Teil 2, Berlin 1941, S.634 ff.

[20] An den TH spielte der Gesichtspunkt der Nützlichkeit dagegen von Anfang an eine zentrale Rolle. Vgl. R. Rürup, Der Dualismus von technischer und humanistischer Bildung im Spiegel ihrer Institutionen, in: B. Schlerath (Hg.), Wilhelm von Humboldt, Berlin/New York 1986, S.261 ff.

[21] Vgl. C.H. Becker, Vom Wesen der deutschen Universität, Leipzig 1925, S.8 f. Siehe auch A. Flexner, Die Universitäten in Amerika, England, Deutschland, Berlin 1932, S.224.

[22] B. Rust, Reichsuniversität und Wissenschaft, Berlin 1940, S.9.

[23] A. Rosenberg, Freiheit der Wissenschaft, in: ders., Gestaltung der Idee, München 1936², S.209.

[24] Zit. in: FZ Nr.565/66, 5.11.1940. Siehe auch A.F. Kleinberger, Gab es eine nationalsozialistische Hochschulpolitik? in: M. Heinemann (Hg.), Erziehung und Schulung im Dritten Reich, Teil 2, Stuttgart 1980, S.26 f.

[25] Vgl. F.K. Ringer, Die Gelehrten, Stuttgart 1983, S. 344 ff. und anderswo. Siehe auch P. Gay, Die Republik der Außenseiter, Frankfurt/M. 1987, S.99 ff., der den „Hunger nach Ganzheit" als ein wesentliches Merkmal der Weimarer Kultur beschreibt.

4. Die Internationalität von Wissenschaft wurde grundsätzlich in Frage gestellt. Wissenschaft wurzele im Volkstum, in der Rasse, hieß es in zahlreichen Traktaten nationalsozialistischer Hochschulpolitiker. Deshalb könne die Wissenschaft stets nur eine nationale, keine internationale Angelegenheit sein. Der prominente NS-Physiker Philipp Lenard vertrat sogar die Ansicht, wer weiterhin von der Internationalität der Wissenschaft rede, meine wohl unbewußt die jüdische Wissenschaft.[26] Hinter solchen Auffassungen stand letztlich die Überzeugung, allein die Angehörigen der „arischen Rasse" seien zu produktiven wissenschaftlichen Leistungen fähig.[27]

Mit derlei geistigem Rüstzeug versehen, machten sich die Nationalsozialisten nun daran, die Hochschulen nach ihren Vorstellungen umzukrempeln. Zu ihren ersten Maßnahmen gehörte die Einrichtung neuer Lehrstühle, um jene Disziplinen zu fördern, die der Partei besonders wichtig waren.

2. Neue Lehrstühle, neue Fächer?

Da die Finanzminister sich in der Regel weigerten, zusätzliche Professuren zu finanzieren, erfolgte die Einrichtung neuer Institute und Ordinariate meist durch die Umwidmung von Lehrstühlen, deren bisherige Inhaber entlassen oder emeritiert worden waren.[28] Einige Beispiele verdeutlichen, welche Fächer dabei in den Vordergrund gerückt wurden.

An der Berliner Universität entstanden nach 1933 u.a. Institute für Staatsforschung, für allgemeine Wehrlehre, für Volkskunde, eine Anstalt für Rassenkunde, Völkerbiologie und ländliche Soziologie, außerdem ein Lehrstuhl für politische Pädagogik, den der Rosenberg-Intimus Alfred Baeumler besetzte, und eine kriegsgeschichtliche Abteilung innerhalb des Historischen Seminars.[29] An der Universität Breslau wurden zwischen 1933 und 1935 ein Lehrstuhl für Vorgeschichte, eine Professur für osteuropäische Geschichte sowie eine Professur für Anthropologie, Rassenlehre und Völkerkunde neu errichtet.[30] Die Universität Tübingen erhielt 1933/34 neue Lehrstühle für Deutsche Volkskunde und für Rassenkunde; später folgten Lehrstühle für Urgeschichte sowie für Weltpolitische Auslandskunde und Kolonialpolitik. Während des Krieges wurde der Ausbau der Kolonialwissenschaften durch zwei weitere Lehrstühle für Tropenmedizin und für Afrikanische Kulturgeschichte fortgesetzt.[31] Eine Übersicht der Lehrstühle an der Hamburger Universität verzeichnet 1933/34 die Gründung ordentlicher Lehrstühle für

---

26 Vgl. Beyerchen, Wissenschaftler, S.187.

27 Vgl. etwa O. Wacker, Bewegung und Wissenschaft, in: Volk im Werden, 6. Jg., 1938, S.165.

28 Vgl. den Stenographischen Bericht über die Rektorenkonferenz am 31. Mai 1935, in: BA Potsdam REM 706 Bl. 32 f.

29 Vgl. W. Krüger, Bericht über die Rektoratsperiode vom 1. April 1935 bis 31. März 1937, Berlin 1937, S.9, in: BA Potsdam REM 1256 Bl.37.

30 G.A. Walz, Vertraulicher Rechenschaftsbericht über die abgelaufene Rektoratsperiode, März 1935, S.9 f., in: BA Potsdam REM 1716 Bl.11 f.

31 Vgl. U.D. Adam, Hochschule und Nationalsozialismus, Tübingen 1977, S. 156. Weitere politisch nicht relevante Lehrstühle werden hier nicht aufgeführt.

Rassenbiologie sowie für Vor- und Frühgeschichte, außerdem eines außerordentlichen Lehrstuhls für Kriegsgeschichte und Wehrwissenschaft. Zusätzlich wurden 1941 vier kolonialwissenschaftliche Lehrstühle eingerichtet.[32] In Heidelberg entstanden zwischen 1933 und 1939 ein Seminar für Frühgeschichte, eine Lehrstätte für deutsche Volkskunde, ein kriegsgeschichtliches Seminar, ein Institut für Fränkisch-Pfälzische Landes- und Volksforschung und schließlich ein von Ernst Krieck initiiertes Volks- und Kulturpolitisches Institut. Während des Krieges wurde außerdem ein Institut für Großraumwirtschaft gegründet.[33]

Diese Beispiele, die durch weitere noch ergänzt werden könnten[34], zeigen, daß in den ersten Jahren nach der nationalsozialistischen Machtübernahme vor allem vier Disziplinen erheblich gefördert wurden: 1. Wehrwissenschaft, 2. Vor- und Frühgeschichte, 3. Volkskunde und 4. Rassenhygiene.

1. Die *Wehrwissenschaft* einschließlich der Kriegsgeschichte: Forderungen, die militärwissenschaftliche Ausbildung an den Hochschulen zu fördern, waren schon vor 1933 sowohl vom NSDStB als auch von den Stahlhelm-Studentengruppen erhoben worden. Obwohl diese Wünsche auch von nationalkonservativen Kräften goutiert wurden, erwies es sich als schwierig, fachlich halbwegs qualifizierte Lehrkräfte zu finden. Sofern keine Historiker mit militärgeschichtlichen Interessenschwerpunkten zur Verfügung standen (wie Paul Schmitthenner in Heidelberg oder Alfred Schüz in Hamburg[35]), bot sich ausgedienten Weltkriegsoffizieren (Achim von Arnim an der TH Berlin, Richard Kolb in Jena, Arthur Boehm-Tettelbach in Rostock) die Chance, zu einem Lehrstuhl oder doch zumindest zu einem Professorentitel zu kommen.[36] Am weitesten wurde der Ausbau der Wehrwissenschaft an der TH Berlin vorangetrieben. Dort entstand nach 1933 sogar eine Wehrtechnische Fakultät, über die allerdings in eingeweihten Kreisen kolportiert wurde, sie sei eigentlich ein „Potemkinsches Dorf", welches „im wesentlichen nur auf dem geduldigen Papier des Vorlesungsverzeichnisses" existierte.[37]

2. Die *Vor- und Frühgeschichte*: Die Prähistorie war für eine Reihe führender Nationalsozialisten von besonderem Interesse.[38] In der Beschäfti-

---

[32] Vgl. die Übersicht in: Universität Hamburg 1919-1969, Hamburg o.J., S.203 ff.

[33] Vgl. E. Wolgast, Die Universität Heidelberg 1386-1986, Berlin/Heidelberg 1986, S.157 f. u. 166.

[34] Vgl. Geschichte der Universität Rostock 1419-1969, Bd.I, Berlin/DDR 1969, S.283 ff.

[35] Zu Schüz vgl. P. Borowsky, Geschichtswissenschaft an der Hamburger Universität 1933 bis 1945, in: Hochschulalltag im „Dritten Reich". Hg. von E. Krause u.a., Berlin/Hamburg 1991, Teil II, S.544 ff.

[36] Vgl. zu Arnim: H. Ebert/H.J. Rupieper, Technische Wissenschaft und nationalsozialistische Rüstungspolitik: Die Wehrtechnische Fakultät der TH Berlin 1933-1945, in: R. Rürup (Hg.), Wissenschaft und Gesellschaft, Bd.1, Berlin 1979, S.472. Zu Boehm-Tettelbach: R. Carlsen, Zum Prozeß der Faschisierung und zu den Auswirkungen der faschistischen Diktatur auf die Universität Rostock (1932-1935), Rostock, phil. Diss., 1965, S.210 ff. Zu Kolb vgl. das Material in: BA Koblenz NS 10/550 Bl.138 ff.

[37] Vgl. Ebert/Rupieper, Technische Wissenschaft, S.483; H.J. Fischer, Erinnerungen, Teil I, Ingolstadt 1984, S. 132; GStAPK I Rep. 92 Nachlaß Guertler 6.

[38] Vgl. R. Bollmus, Das Amt Rosenberg und seine Gegner, Stuttgart 1970, S.153 ff.; M. Kater, Das „Ahnenerbe" der SS 1935-1945, Stuttgart 1974, S.17 ff.

gung mit der Vorgeschichte, die schon 1912 von einem ihrer bekanntesten Vertreter, Gustav Kossina, als „hervorragend nationale Wissenschaft" apostrophiert worden war, sahen Parteiführer wie Rosenberg oder Himmler eine Chance, das Weltbild des Nationalsozialismus wissenschaftlich zu untermauern. Ziel war es, die bislang angeblich systematisch verschwiegene „Kulturhöhe" der „nordischen Rasse" herauszustellen oder gar den germanischen Ursprung der Kultur zu beweisen. Obwohl Hitler selber als ausgesprochener Bewunderer der Antike für Germanenschwärmerei wenig übrig hatte[39], führten derartige Motive zu einer erheblichen Aufwertung der Vorgeschichte, die zuvor an den Universitäten nur eine sehr geringe Rolle gespielt hatte. Die Kehrseite des 1933 einsetzenden Institutionalisierungsprozesses war freilich ein ganz erheblicher Druck, Forschung und Lehre nach den Erwartungen der politischen Förderer auszurichten.

3. Die *Volkskunde*[40]: In den Augen vieler Nationalsozialisten eignete sich die Volkskunde offensichtlich besonders gut dazu, als „völkische" Wissenschaft das nationalsozialistische Herrschaftssystem zu legitimieren. Nicht alle Vertreter des Faches paßten sich diesen Erwartungen an, aber es gab doch eine ganze Reihe auch prominenter Volkskundler, die fortan ihre Aufgabe darin sahen, „nach den Grundlagen deutschen Wesens" zu forschen und der Nation die „verschütteten Kraftquellen deutscher Größe" zu offenbaren.[41] So entwickelte sich aus der Beschäftigung mit Volkskultur eine Volkstumsideologie, die dazu beitragen sollte, die Spaltung der deutschen Gesellschaft in unterschiedliche Klassen und Interessengruppen ideologisch einzuebnen. Zwischen 1933 und 1945 wurden an etwa der Hälfte aller Universitäten ordentliche und außerordentliche Lehrstühle in dieser Disziplin neu geschaffen.[42] Unter den Personen, die auf diese Weise einen Lehrstuhl erhielten, befanden sich auffällig viele Wissenschaftsfunktionäre des Regimes, deren wissenschaftliche Qualifikation teilweise höchst zweifelhaft war: Heinrich Harmjanz in Königsberg (später Frankfurt), Eugen Fehrle in Heidelberg, Gustav Bebermeyer in Tübingen, Eugen Mattiat in Göttingen.[43]

4. *Rassenhygiene und Eugenik*: Unter wechselnden Bezeichnungen wie Rassenhygiene, Rassenbiologie, Rassenpflege, Rassenforschung und Erbbiologie etablierte sich im Dritten Reich an verschiedenen Fakultäten ein neuer

---

[39] Vgl. V. Losemann, Nationalsozialismus und Antike, Hamburg 1977, S. 17 ff.

[40] Vgl. H. Bausinger, Volksideologie und Volksforschung, in: Zeitschrift für Volkskunde, 61. Jg., 1965, S.177-204; H. Gerndt (Hg.), Volkskunde und Nationalsozialismus, München 1987; U. Jeggle, Volkskunde im 20. Jahrhundert, in: R.W. Brednich (Hg.), Grundriß der Volkskunde, Berlin 1988, S.51-71.

[41] Vgl. Jeggle, Volkskunde, S.62.

[42] Vgl. die Datensammlung von E. Gajek, Volkskunde an den Hochschulen im Dritten Reich, vervielfältigtes Ms., München 1986. Ich danke Frau Gajek, die mir eine Kopie dieser Schrift zur Verfügung gestellt hat.

[43] Vgl. zu Harmjanz: H. Heiber, Walter Frank, Stuttgart 1966, S.647 ff.; zu Mattiat: R.W. Brednich, Volkskunde - die völkische Wissenschaft von Blut und Boden, in: Die Universität Göttingen unter dem Nationalsozialismus. Hg. von H. Becker u.a., München 1987, S.314 ff.

Schwerpunkt von Forschung und Lehre.[44] Eugenik und Rassenhygiene beruhten auf der Überzeugung, daß die moderne Zivilisation durch die Fortschritte der Medizin und durch die Entwicklung der Sozialpolitik die „natürliche Auslese“ abgeschafft habe. Die Folge sei eine überproportionale Vermehrung von erbkranken und „minderwertigen“ Menschen, ein Prozeß, der ohne eugenische Eingriffe (beispielsweise durch die Sterilisation „Minderwertiger“) zu einer fortschreitenden Degeneration des Erbgutes der Bevölkerung führen müsse. Die Nationalsozialisten bildeten vor 1933 unter den deutschen Eugenikern nur eine minoritäre Strömung.[45] Es ist aber bekannt, daß führende Eugeniker wie Eugen Fischer oder Fritz Lenz schon vor 1919 große Sympathien für die Rassentheorien eines Arthur Comte de Gobineau entwickelten.[46] Hier bahnte sich bereits jene brisante Mischung von Eugenik und Rassismus an, die von den Nationalsozialisten übernommen und radikalisiert wurde. Unter den seit 1933 neu berufenen Professoren[47] befanden sich auffallend viele Personen, die gleichzeitig einflußreiche Parteiämter innehatten. So waren die Professoren Karl Astel (Jena), Wilhelm Kranz (Gießen/Frankfurt), Lothar Loeffler (Königsberg), Ludwig Schmidt-Kehl (Würzburg) und Erich Grossmann (Danzig) neben ihrer Lehrtätigkeit auch noch als Leiter der Rassenpolitischen Ämter in den Gauleitungen der NSDAP aktiv.[48] Ihr Kollege Hermann Böhm (Gießen), ein „alter Kämpfer“ der NSDAP, hatte sich bereits vor 1933 als Leiter der Abteilung Volksgesundheit in der Reichsorganisationsleitung der Partei betätigt.[49]

Die bisherigen Ausführungen lassen erkennen, daß in den Jahren nach der „Machtergreifung“ vor allem Disziplinen gefördert wurden, denen nach Ansicht der Nationalsozialisten eine besondere ideologische Relevanz zukam. Während des Krieges, manchmal auch schon früher, ließ sich eine gewisse Verschiebung erkennen. Nun wurden verstärkt Lehrstühle errichtet, die offenkundig dazu dienen sollten, die nazistische Expansionspolitik wissenschaftlich zu fördern und zu legitimieren. Dazu gehörte einerseits die Errichtung von Professuren mit geopolitischer Ausrichtung, andererseits der forcierte Ausbau der Kolonialwissenschaften.

Es wäre falsch, sich die Einrichtung neuer Lehrstühle als einen systematischen, straff zentralisierten Prozeß vorzustellen, dessen einzelne Schritte im Berliner Ministerium geplant und den Hochschulen aufgezwungen wurden. Auf der ersten Rektorenkonferenz nach Gründung des Ministeriums erklär-

[44] Vgl. P. Weingart u.a., Rasse, Blut und Gene, Frankfurt/M. 1988; H.W. Schmuhl, Rassenhygiene, Nationalsozialismus, Euthanasie, Göttingen 1987.

[45] Unter den führenden Eugenikern gab es auch eine Reihe von Juden und Sozialisten. Vgl. P. Weindling, Weimar Eugenics: The Kaiser Wilhelm Institute for Anthropology, Human Heredity and Eugenics in Social Context, in: Annals of Science, 42. Jg., 1985, S.315 ff.

[46] Vgl. Weingart u.a., Rasse, S.91 ff.

[47] Vgl. die Auflistung in: G. Koch, Die Gesellschaft für Konstitutionsforschung, Erlangen 1985, S.251 ff.

[48] Vgl. Koch, Gesellschaft, S.258a. Zu Kranz vgl. auch: H. Jakobi u.a., Aeskulap und Hakenkreuz, Frankfurt 1989[2], S.131 ff. Zu Astel: UA Jena D 53.

[49] Vgl. Weingart u.a., Rasse, S.384 ff.

te der Leiter der Hochschulabteilung des REM, Franz Bachér, ausdrücklich, die Pläne für die Gründung neuer Ordinariate dürften nicht vom REM erwartet werden, sondern müßten von den Rektoren kommen.[50] Tatsächlich verhielt sich das REM in dieser Frage sehr zurückhaltend. Die Initiativen zur Etablierung neuer Ordinariate gingen denn auch meist vom Rektor oder der Fakultät aus, aber auch von lokalen Parteistellen oder von den Kultusministerien der Länder.[51] Die Universitäten standen allerdings unter dem Druck, jene Fächer und Vorlesungen anbieten zu müssen, die in den neuen Prüfungs- und Studienordnungen vorgeschrieben wurden. Doch konnte dieser Pflicht auch durch Lehraufträge oder Honorarprofessuren Genüge getan werden.

Die Ausstattung der Universitäten mit neuen Professuren verlief deshalb auch keineswegs einheitlich. Im Lehrangebot der Universität Göttingen waren sowohl die Wehrkunde als auch die Ur- und Frühgeschichte nur in Form von Lehraufträgen präsent. Selbst auf den bereits beantragten und genehmigten Lehrstuhl für Rassenhygiene verzichtete man dort lieber, nachdem sich herausstellte, daß die Professur dazu benutzt werden sollte, einem ehemaligen Ortsgruppenleiter der Partei zu Rang und Würde zu verhelfen. Abgesehen von einem neuen Lehrstuhl für Volkskunde kamen in Göttingen vor allem die Agrarwissenschaft und die Volkswirtschaftslehre zu neuen Stellen.[52]

Dies war kein Ausnahmefall. Selbst eine politisch so bedeutsame Disziplin wie die Rassenhygiene bzw. Rassenbiologie hatte sich bis zum Kriegsausbruch an einer ganzen Reihe von Hochschulen noch nicht wirklich etabliert. Bis 1939 waren erst an 12 von 23 Universitäten des „Altreichs" Institute für Rassenpflege eingerichtet worden.[53] Während des Krieges kamen auf dem Territorium des „Altreichs" noch weitere Lehrstühle in Freiburg (1940), Bonn (1942) und Rostock (1944) hinzu, außerhalb des „Altreichs" auch in Wien, Prag, Straßburg, Posen sowie an der TH Danzig.[54] An den übrigen Universitäten wurde das Fach nur durch Lehrbeauftragte oder Honorarprofessoren vertreten. Verantwortlich für den zögerlichen und unvollständigen Ausbau der Rassenkunde war zum einen die auffallend geringe Initiativkraft des REM, zum anderen der Mangel an überzeugenden Kandidaten für die Besetzung neuer Lehrstühle. Bereits im Februar 1934 hatte das Reichsinnenministerium in einem Rundschreiben geklagt, es gäbe nur wenige Personen, die „nach ihrer wissenschaftlichen Vorbildung und ihrer weltan-

[50] Stenographischer Bericht über die Rektorenkonferenz vom 31.5.1935, S.31 f., in: BA Potsdam REM 706 Bl.32 f.

[51] Vgl. beispielsweise Adam, Hochschule, S. 123 ff.

[52] Vgl. Die Universität Göttingen unter dem Nationalsozialismus, S.38 f. (Einleitung von H.-J. Dahms).

[53] Nämlich in Berlin, Frankfurt/M., Gießen, Greifswald, Hamburg, Jena, Köln, Königsberg, Leipzig, München, Tübingen, Würzburg. Daneben entstanden 1939 noch Erb- und Rassenbiologische Institute in Innsbruck und Graz. Die Angaben in der Literatur und in den Quellen schwanken oft, vor allem weil die Grenzen zur Anthropologie fließend sind. Meine Angaben nach: Aktennotiz von Scheer, 14.6.1939, in: BA Potsdam REM 622 Bl.337; Koch, Gesellschaft, S.247 ff.; Weingart u.a., Rasse, S.438 f.

[54] Vgl. Koch, Gesellschaft, S.251 ff.; Weingart u.a., Rasse, S.438 f.

schaulichen Haltung“ geeignet seien, einen Lehrstuhl für Rassenhygiene zu übernehmen. Reichsinnenminister Frick empfahl deshalb, von einer überstürzten Einrichtung rassenhygienischer Lehrstühle Abstand zu nehmen.[55] Fünf Jahre später hatte sich an dieser Sachlage noch immer nichts geändert, wie das Sicherheitshauptamt der SS in einem internen Lagebericht feststellte.[56]

Inwieweit bedeutete die Förderung der neuen ideologisch relevanten Fächer einen Bruch mit den Traditionen von Universität und Wissenschaft? Zur Beantwortung dieser Frage läßt sich zunächst feststellen, daß alle Disziplinen, die nach 1933 besonders gefördert wurden, sich schon vor der nationalsozialistischen Machtübernahme in den Vorlesungsverzeichnissen der deutschen Universitäten auffinden lassen. Von einer Institutionalisierung im engeren Sinne, durch die Einrichtung von Lehrstühlen, konnte jedoch in der Weimarer Republik nicht die Rede sein. So war bis 1930 erst ein einziger ordentlicher Lehrstuhl für Vor- und Frühgeschichte (in Marburg) geschaffen worden.[57] Zwar wurden auch schon vor der „Machtergreifung“ an fast allen Universitäten Lehrveranstaltungen zur Vorgeschichte angeboten, aber bei den meisten Vertretern des Faches handelte es sich um Privatdozenten, Honorarprofessoren und andere randständige Lehrkräfte.[58] In einer vergleichbaren Situation befand sich die Volkskunde. 1932 bestand nur an einer einzigen Universität (Hamburg) ein Ordinariat für Volkskunde.[59]

Auch bei der Wehrkunde handelte es sich keineswegs um eine neue Disziplin. Schon in der Weimarer Republik hatten zahlreiche Hochschulen, meist auf Drängen der Studenten, wehrwissenschaftliche Veranstaltungen in ihre Vorlesungsverzeichnisse aufgenommen. Besonders frühzeitig war dabei die Universität Göttingen hervorgetreten. Schon 1928 hatte sie Oberst Bernhard Schwertfeger einen Lehrauftrag für Kriegsgeschichte erteilt und ihm gleichzeitig die Ehrendoktorwürde verliehen.[60] Die eigentliche Durchsetzungsphase der Wehrwissenschaft begann aber erst 1932. In diesem Jahr wurden an einer ganzen Reihe von Universitäten (Rostock, Leipzig, Hamburg) oder Technischen Hochschulen (Berlin, Stuttgart) erstmals wehrwissenschaftliche Veranstaltungen eingeführt, meist in Form von Lehraufträgen, Vorlesungsreihen oder Honorarprofessuren. Auch in Gießen und Tübingen konnten die Studenten ihre akademische Ausbildung durch Lehrveranstaltungen mit militärisch relevanten Themen ergänzen.[61] Zur Einrich-

[55] Rundschreiben des RdI, 21.2.1934, Faksimile in: H. van den Bussche, Im Dienste, S. 102.

[56] Vgl. den 1. Vierteljahreslagebericht 1939 des Sicherheitshauptamtes, in: Meldungen aus dem Reich, Herrsching 1984, Bd.2, S.269.

[57] Vgl. K. Ditt, Raum und Volkstum, Münster 1988, S.270.

[58] Vgl. Bollmus, Amt Rosenberg, S. 175.

[59] Ein weiterer Lehrstuhl befand sich an der TH Dresden. Mitteilung von Prof. Dr. Hannjost Lixfeld (Freiburg) an den Verfasser, 31.1.1993.

[60] Vgl. R.P. Ericksen, Kontinuitäten konservativer Geschichtsschreibung am Seminar für Mittlere und Neuere Geschichte, in: Die Universität Göttingen unter dem Nationalsozialismus, S.228.

[61] Vgl. A. Faust, Der Nationalsozialistische Deutsche Studentenbund, Düsseldorf 1973, Bd. 1, S. 96 f.; Borowsky, Geschichtswissenschaft, S.544; Adam, Hochschule, S.168; Ebert/Rupieper, Technische Wissenschaft, S.471; Frontabschnitt Hochschule. Die Gießener Universität im Nationalsozialismus, Gießen 1982, S.13 (Einleitung von B.W. Reimann).

tung von wehrwissenschaftlichen Lehrstühlen kam es vor der nationalsozialistischen Machtübernahme aber offenbar nicht.[62]

Sogar die Rassenhygiene bzw. Eugenik war bereits in den 1920er Jahren an allen Universitäten und an den meisten Technischen Hochschulen zum Thema von Lehrveranstaltungen geworden. Zumeist wurden derartige Vorlesungen oder Seminare jedoch von Vertretern anderer Fächer angeboten, entweder von Anthropologen oder von Hygienikern.[63] Zu einer Institutionalisierung der Rassenhygiene im eigentlichen Sinne entschloß sich vor 1933 nur die Universität München. Dort wurde schon 1923 ein außerordentlicher Lehrstuhl für Rassenhygiene eingerichtet und mit dem Eugeniker Fritz Lenz besetzt.[64] Demgegenüber basierte die Berufung des Rasseforschers Hans F.K. Günther („Rasse-Günther") auf einen Lehrstuhl für Sozialanthropologie an der Universität Jena (1930) ausschließlich auf einer Entscheidung des nationalsozialistischen Volksbildungsministers von Thüringen, Wilhelm Frick (des späteren Reichsinnenministers). Sowohl die Fakultät als auch der Universitätssenat und die Mehrheit der befragten Gutachter hatten sich eindeutig gegen die Berufung Günthers ausgesprochen.[65]

Es läßt sich festhalten, daß die vom Nationalsozialismus aufgewerteten Disziplinen alle schon vor 1933 im Lehrangebot der Universitäten vertreten waren. Allerdings handelte es sich durchgängig um Fächer, die zuvor nur ein peripheres Dasein gefristet hatten und nun erstmals die Chance erhielten, sich an einer großen Zahl von Hochschulen institutionell fest zu verankern.

3. Anpassung und Beharrung in der Lehre

Nicht wenige Hochschullehrer hatten es 1933 außerordentlich eilig, den neuen Machthabern ihre Anpassungsbereitschaft vor Augen zu führen. An manchen Hochschulen wurden noch im Sommersemester 1933 nachträglich in aller Eile Vorlesungen und Vorträge über „zeitgemäße" Themen angesetzt.[66] In den folgenden Semestern setzte sich dieser Trend zur „politischen Wissenschaft" fort.[67] So wurden an der Universität Gießen im Wintersemester 1933/34 Lehrveranstaltungen angeboten über „Die nationalsozialistische Weltanschauung und das Christentum", über „Das Rassenproblem in

[62] Faust, Bd.1, S.97 behauptet zwar, 1932 seien Lehrstühle für Wehrwissenschaft in Tübingen und Leipzig geschaffen worden. Vgl. aber demgegenüber: Adam, Hochschule, S. 168; H. Arndt, Die Universität von 1917 bis 1933 - Novemberrevolution und Weimarer Republik, in: L. Rathmann (Hg.), Alma Mater Lipsiensis, Leipzig 1984, S.257.

[63] M. Günther, Die Institutionalisierung der Rassenhygiene an den deutschen Hochschulen vor 1933, Mainz, med. Diss., 1982.

[64] Vgl. Weingart u.a., Rasse, S.239 ff.

[65] Vgl. die Berufungsakten in: UA Jena N 46/1 Bl.126-224. Außerdem: UA Jena D 1010.

[66] Vgl. beispielsweise das Prot. des Hamburger Universitätssenats vom 26.5.1933, in: StA HH Universität I A.1.6.

[67] Beispiele in: Adam, Hochschule, S.161 ff.; H. van den Bussche, Im Dienste, S.58 ff.; E.J. Gumbel (Hg.), Freie Wissenschaft, Straßburg 1938, S.18 ff. (Einleitung des Hg.); R. Hering, Theologische Wissenschaft und „Drittes Reich", Pfaffenweiler 1990, S.28 ff.

vorgeschichtlicher Betrachtung" und über die „Grundzüge der Ballistik (Wehrwissenschaft)", ergänzt durch ein Seminar mit dem etwas umständlichen Titel „Besprechungen von nationalsozialistischen pädagogischen Literaturwerken" oder eine Vorlesung über die „Geschichte der deutschen Ostkolonisation".[68] Ein besonders reichhaltiges Angebot an politisch relevanten Lehrveranstaltungen bot die Universität Greifswald. Die dortigen Studenten konnten beispielsweise Vorlesungen oder Seminare über „Nationalsozialismus und Strafrecht", über „Nordische Führergestalten", „Politische Psychologie" sowie über „Rassenhygiene und Erziehung" belegen. Studenten, die sich mehr für militärische Fragen interessierten, hatten die Auswahl zwischen den Themen „Wehrgeographie", „Besprechungen über Therapie bei Kampfgaserkrankungen", „Heeresphysik in praktischen Übungen". Sie konnten sich aber auch von Generalmajor a. D. Wendorff über „Wehrwissenschaftliche Tagesfragen, Pazifismus, Führertum, Grundbegriffe der Kriegsführung" unterrichten lassen oder eine Vorlesung über „Gaskampf und Gasschutz" belegen.[69] In den ersten Semestern nach der nationalsozialistischen Machtübernahme handelte es sich bei solchen Lehrveranstaltungen noch durchgängig um Akte freiwilliger Selbstgleichschaltung.

Außerdem bürgerte sich in den ersten Semestern nach der nationalsozialistischen Machtübernahme an einer Reihe von Universitäten der Brauch ein, politische Pflichtvorlesungen für die Studierenden einzuführen. So mußten sich alle Heidelberger Studenten im Wintersemester 1933/34 eine einstündige Vorlesung über Rassenkunde und eine zweistündige Vorlesung über Volkskunde anhören.[70] Ihre Freiburger Kommilitonen wurden vom Rektor verpflichtet, im Sommersemester 1934 drei Vorlesungen über Wehrwissenschaft, Arbeitsdienst und Rassenkunde zu besuchen. Der Besuch war, wie es in einer Mitteilung des Rektors hieß, „vor Ablegung einer akademischen Abschlußprüfung" nachzuweisen.[71] Ähnliche Verpflichtungen wurden den Studenten auch in anderen Städten auferlegt, in Göttingen beispielsweise[72], an der TH Stuttgart[73] oder in Münster, wo ein Anatom der versammelten Studentenschaft neueste Erkenntnisse der Abstammungslehre vortrug: „Wesentlich dabei war, daß die Arier und die Juden von verschiedenen Affenarten abstammten", so erinnert sich einer seiner Zuhörer.[74] Die politischen Pflichtvorlesungen waren ein typisches Produkt der Anfangsphase

[68] Angaben nach: Hessische Ludwigs-Universität Gießen, Personenbestand/Vorlesungsverzeichnis für das Wintersemester 1933/34.

[69] Vgl. Ernst-Moritz-Arndt-Universität Greifswald, Personalverzeichnis und Vorlesungsverzeichnis für das Wintersemester 1933/34.

[70] Vgl. den Bericht des HA für Studentinnenfragen an der Universität Heidelberg, November 1933, S.4, in: StA WÜ RSF/NSDStB II* 526 α 425.

[71] Vgl. „Mitteilungen der Albert-Ludwigs-Universität", in: Freiburger Studentenzeitung, Nr.2, 18.5.1934, S.7.

[72] Vgl. Die Universität Göttingen unter dem Nationalsozialismus, S.34 (Einleitung von H.J. Dahms).

[73] Vgl. J.H. Voigt, Universität Stuttgart. Phasen ihrer Geschichte, Stuttgart 1981, S.40.

[74] Vgl. H. Behnke, Semesterberichte, Göttingen 1978, S.131.

des NS-Systems. Seit 1935 wurde diese Einrichtung an den meisten Hochschulen stillschweigend wieder aufgegeben.

Inwieweit ist die Lehre an den Universitäten und wissenschaftlichen Hochschulen durch Maßnahmen zur Gleichschaltung und Selbstgleichschaltung verändert worden? Um einen Eindruck von dem Ausmaß der Nazifizierung zu erhalten, sollen an dieser Stelle drei Gruppen von Quellen befragt werden: 1. die Vorlesungsverzeichnisse exemplarisch ausgewählter Universitäten, 2. zeitgenössische Äußerungen von Studenten, nationalsozialistischen Hochschulpolitikern und Oppositionellen, 3. die Erinnerungen ehemaliger Studenten, die sich nach 1945 in Autobiographien oder bei Befragungen zu diesem Thema geäußert haben.

Ich beginne mit der Auswertung von Vorlesungsverzeichnissen der Universitäten Berlin, Jena und Leipzig in drei verschiedenen Phasen der Universitätsgeschichte des Dritten Reiches: im Sommersemester 1934 sowie in den Wintersemestern 1937/38 und 1941/42. Die Universität Berlin wurde ausgewählt, weil sie die bei weitem größte deutsche Universität war und weil sie als die bedeutendste deutsche Hochschule galt, welche die renommiertesten Wissenschaftler anzog. Die Universität Jena hatte zu Recht den Ruf, eine von den Nationalsozialisten besonders stark beeinflußte Universität zu sein. Hier lehrte eine ganze Reihe von einflußreichen NS-Ideologen (Johann von Leers, Karl Astel, Falk Ruttke, Lothar Stengel-von Rutkowski u.a.), die unter anderen politischen Umständen wohl kaum eine Chance gehabt hätten, jemals eine Professur zu erhalten.[75] Demgegenüber ist die Universität Leipzig in den Erinnerungen ehemaliger Angehöriger des Lehrkörpers als eine vom Nazismus nur relativ wenig deformierte Hochschule beschrieben worden, in der der Einfluß der Partei geringer gewesen sei als anderswo.[76]

Bei der Auswertung der insgesamt neun Vorlesungsverzeichnisse wurde überprüft, wie viele der angekündigten Lehrveranstaltungen aufgrund des Titels ein enges Verhältnis zur Ideologie und Politik des Nationalsozialismus verraten oder doch zumindest vermuten ließen. Dabei wurden Vorlesungen mit ideologisch eindeutigen Titeln, beispielsweise über „Rassenhygiene“, ebenso berücksichtigt wie militärwissenschaftliche Lehrveranstaltungen und andere Seminare oder Vorlesungen, die sich in den Dienst der nationalsozialistischen Expansionspolitik stellten, zum Beispiel Veranstaltungen über kolonialwissenschaftliche Themen.

Für die Berliner Universität ergab sich auf diesem Wege das folgende Bild: Unter den insgesamt 1.442 Lehrveranstaltungen des Sommersemesters 1934 ließen sich 47 Vorlesungen oder Seminare (3,3 %) identifizieren, deren Titel eine besondere Nähe zum Nationalsozialismus erkennen oder vermuten lassen.[77] In den folgenden Jahren nahm der Anteil derartiger Vorlesungen wei-

[75] Vgl. Geschichte der Universität Jena 1548/58-1958. Hg. von M. Steinmetz u.a., Bd.I, Jena 1958, S.634 ff.

[76] Vgl. K. Reinhardt, Vermächtnis der Antike, Göttingen 1960, S.398; H.G. Gadamer, Philosophische Lehrjahre, Frankfurt/M. 1977, S. 111 f.

[77] Errechnet nach: Friedrich-Wilhelms-Universität zu Berlin. Vorlesungsverzeichnis, Sommersemester 1934.

ter zu. 69 von 1.658 Lehrveranstaltungen (4,2 %) waren es im Wintersemester 1937/38[78] und 84 von insgesamt 1.835 Vorlesungen oder Seminaren (4,6 %) im Winter 1941/42.[79]

An der Universität Jena lag der Anteil solcher Lehrveranstaltungen höher, doch fällt der Unterschied nicht so groß aus wie erwartet. Im Vorlesungsverzeichnis des Sommersemesters 1934 finden sich 23 (von 593) Vorlesungen, Seminare oder Übungen, deren Titel mehr oder weniger plakativ Zustimmung zum Regime signalisierten (3,9 %).[80] Im Wintersemester 1937/38 stieg der Anteil der Veranstaltungen mit politisch relevantem Titel auf 6,3 % an, im Winter 1941/2 auf 6,5 %.[81]

In den Vorlesungsverzeichnissen der Leipziger Universität war die Zahl der Veranstaltungen mit politisch markantem Titel zunächst vergleichsweise hoch. Im Sommer 1934 lassen sich 53 von 1.078 Vorlesungen, Seminaren oder Übungen (4,9 %) dieser Kategorie zurechnen.[82] Später nahm die Zahl derartiger Veranstaltungstitel aber deutlich ab. Im Wintersemester 1937/38 hatten nur noch 39 von 1.001 Lehrveranstaltungen (3,9 %) einen Titel, der mehr oder weniger ostentativ politische Übereinstimmung mit dem NS-Regime signalisierte[83]; im Wintersemester 1941/42 waren es sogar nur 31 von 865 Veranstaltungstiteln (3,6 %).[84] Bei vielen dieser Veranstaltungen handelte es sich zudem um Pflichtvorlesungen, deren Titel durch die Studienordnungen vorgeschrieben war.

Aus der Analyse der Vorlesungsverzeichnisse ergibt sich, trotz mancher Unterschiede im einzelnen, daß nur ein geringer Teil der Vorlesungstitel, im Schnitt etwa 4-5 %, eine ideologische Affinität zum Regime erkennen ließ.[85] Ganz eindeutig blieb der klassische Themenkanon des universitären Curriculums auch in der NS-Ära weiterhin dominant. Freilich dürfen aus diesem Befund keine voreiligen Schlußfolgerungen gezogen werden. Selbstverständlich kann aus einem politisch neutralen Vorlesungstitel nicht zwingend geschlossen werden, daß die Vorlesung selber ebenfalls durch politische Neutralität gekennzeichnet war. Dadurch wird eine Analyse der Vorlesungstitel aber keineswegs nutzlos. In einer Zeit, in der die Hochschullehrer unter starkem Druck standen, sich in Forschung und Lehre dem Totalitätsanspruch der Nationalsozialisten unterzuordnen, hatte die Wahl des Vorle-

[78] Errechnet nach: Friedrich-Wilhelms-Universität zu Berlin. Personal- und Vorlesungsverzeichnis, Wintersemester 1937/38.

[79] Errechnet nach: Friedrich-Wilhelms-Universität zu Berlin. Personal- und Vorlesungsverzeichnis, Wintersemester 1941/42.

[80] Errechnet nach: Thüringische Landesuniversität Jena. Vorlesungsverzeichnis, Sommerhalbjahr 1934.

[81] WS 1937/38: 38 von 607 Veranstaltungstiteln; WS 1941/42: 32 von 491 Lehrveranstaltungen. Errechnet nach: Friedrich-Schiller-Universität Jena. Personal- und Vorlesungsverzeichnis, Wintersemester 1937/38 u. Wintersemester 1941/42.

[82] Errechnet nach: Universität Leipzig. Verzeichnis der Vorlesungen, Sommerhalbjahr 1934.

[83] Errechnet nach: Universität Leipzig. Personal- und Vorlesungsverzeichnis, Wintersemester 1937/38.

[84] Errechnet nach: Universität Leipzig. Vorlesungsverzeichnis, Wintersemester 1941/42.

[85] Ähnliche Ergebnisse bei: G.J. Giles, University Government in Nazi Germany: Hamburg, in: Minerva, 16. Jg., 1978, S.211 ff.

sungstitels durchaus eine Signalwirkung. Die Hochschullehrer gaben auf diese Weise auch kund, ob sie gewillt waren, den Forderungen der Partei entgegenzukommen oder ob sie es vorzogen, auf wissenschaftlichem Terrain Zurückhaltung zu demonstrieren, gemäß der traditionellen Grundüberzeugung, daß Wissenschaft und Parteipolitik nichts miteinander zu tun haben sollten.

Welches Bild läßt sich aus den zeitgenössischen Äußerungen nationalsozialistischer Funktionäre gewinnen? Wer die studentischen Zeitschriften durchsieht, deren Redaktion spätestens seit dem Frühjahr 1933 überall aus erprobten Nationalsozialsozialisten bestand, erhält nicht den Eindruck, daß in den Lehrveranstaltungen nach der „Machtergreifung" 1933 eine grundlegende Anpassung an die Ideologie der neuen Herren stattgefunden hat. In der „Freiburger Studentenzeitung" erschien im Juli 1933 ein Artikel, der in scharfer Form die politische Zurückhaltung der meisten Dozenten geißelte:

> „So sah sich der Nationalsozialismus nach der Machtergreifung vom 30. Januar in der Hochschulfrage vor einer schwierigen Situation. Er fand sich einer Dozentenschaft gegenüber, die im wesentlichen an den Anschauungen der Vorkriegszeit festgehalten und sich ... den neuen Ideen verschlossen hatte und damit reaktionär geworden war ... Die Krise an der deutschen Hochschule besteht großenteils darin, daß der übergroße Teil der Dozentenschaft unter Berufung auf die Lehrfreiheit an der liberalen Weltanschauung festhalten will, während Nation, Staat, und Studentenschaft sich der nationalsozialistischen Weltanschauung zugewandt haben. Der nationalsozialistische Staat wird diesen Anspruch der Dozenten nicht anerkennen können".[86]

Eine ganz ähnliche Stoßrichtung findet sich in einem 1934 veröffentlichten Artikel der „Hallischen Hochschul-Blätter". Der studentische Verfasser schilderte darin den Alltag von Bewohnern eines Kameradschaftshauses.[87] Auf die Lehrverstaltungen ging er dabei nur auffällig kurz ein. Sie werden wie ein relativ belangloses Überbleibsel einer vergangenen Zeit dargestellt:

> „Es ist so wie immer. Manchmal malt man etwas in sein Heft, das hat man noch nicht gewußt. Aber öfter denkt man: Wozu sitzest du bloß hier? Das könntest Du in der halben Zeit besser aus einem Buch lernen. Und mehr als einmal ärgert man sich über das, was da vom Katheder heruntersäuselt. Ja, das ist objektive Wissenschaft, dafür hat sie mit dem deutschen Volk, mit seinem Blut und Boden, mit dem Nationalsozialismus keine Beziehungen. Man bedankt sich dafür".[88]

Nun soll hier nicht der Eindruck erweckt werden, die große Mehrheit der Hochschullehrer hätte in ihren Lehrveranstaltungen Zugeständnisse an die neuen Machthaber vermieden. Andere Quellen zeigen durchaus, daß eine

---

[86] L. Förster, „Nationalsozialismus und Lehrfreiheit", in: Freiburger Studentenzeitung, Nr.5, 14.7.1933.

[87] Zu den Kameradschaftshäusern vgl. S.260 ff.

[88] K. Nabel, „Der Tageslauf im Kameradschaftshaus", in: Hallische Hochschul Blätter Nr.7, 15.3.1934, S.9. Äußerungen dieser Art finden sich vielfach in der studentischen Literatur. Vgl. z.B. H.J. Düning, Der SA-Student im Kampf um die Hochschule, Weimar 1936, S.48 f.; A. Feickert, Studenten greifen an, Hamburg 1934, S. 11 ff. u. S. 19.

Reihe von Professoren dem Druck der Partei auch in den Lehrveranstaltungen nachgegeben hat. In vielen Fällen sind die Vorlesungsmanuskripte offenbar durch Ergänzungen und Korrekturen den Erwartungen der NS-Studenten angepaßt worden. Jedoch wurden diese Anpassungsversuche in der studentischen Presse durchgängig als unzureichend und unbefriedigend bewertet. Mit unverhohlener Geringschätzung sprach etwa ein Aktivist des Hamburger NSDStB über jene Professoren, „die den 30. Januar nur zu einer äußerlichen Gleichschaltung benutzt haben, die ihren Kollegs jetzt einen ‚nationalen Teil' anhängen".[89] Ein im Sommersemester 1934 publizierter Aufsatz der „Schleswig-Holsteinischen Hochschulblätter" kritisierte derartige Zugeständnisse als eine nur oberflächliche Anpassung, die an der Substanz des Lehrbetriebes kaum etwas geändert habe:

> „Wir sind ... der ketzerischen Ansicht, daß es schlechthin kein Fach gibt, in dem ein vor dem 30. Januar 1933 ausgearbeitetes Colleg noch heute gelesen werden könnte. Es ist nicht damit abgetan, daß man in den die Vorlesung einleitenden Worten einige Bemerkungen zu Fragen der Gegenwart macht. Daß man in solchen Ausführungen bemüht ist, sich den nationalsozialistischen Ideen und Formulierungen anzupassen, ist sozusagen Zufall und rührt daher, daß es ... unzeitgemäß ist, Liberalist und Sozialdemokrat zu sein; zeitgemäß ist vielmehr, Nationalsozialist zu sein. Aber nach den ersten drei oder vier Stunden sind solche ‚zeitgemäßen' Betrachtungen wieder vergessen, und der politische Student im nationalsozialistischen Reich bekommt wieder dasselbe zu hören, was der demokratische oder ‚politisch neutrale Kommilitone' von vor 1933 schon anhören konnte. Das hier Gesagte gilt natürlich besonders von den Collegs, die schon gelesen wurden, als diejenigen, die sie jetzt anhören, noch gar nicht geboren waren".[90]

Eine ganz ähnliche Beurteilung der Lage lieferte etwa zur gleichen Zeit der Königsberger NSDStB-Student Heinz Reich. Auch er registrierte gewisse Anpassungsbestrebungen der Hochschullehrer ähnlich geringschätzig wie sein Gesinnungsgenosse aus Kiel. Im Gegensatz zu diesem hielt Reich sich allerdings mit forschen Gleichschaltungspostulaten zurück, sondern ließ durchblicken, daß man von den vorhandenen Hochschullehrern, so wie sie nun einmal beschaffen waren, nichts anderes erwarten könne:

> „Wir alle, die wir in die Hörsäle gehen, spüren, daß sich dort noch nichts wesentlich geändert hat ... Noch immer werden dieselben Manuskripte mit zeitgemäßen Vervollständigungen gelesen. Wie sollte es auch anders sein? Man bewahre uns vor der ‚Umstellung', wir schätzen die Ehrlichkeit jener Dozenten, die den Mut haben, sie abzulehnen. Im Grunde gibt es so etwas gar nicht. Schon lange ist die Universität aus dem Zentrum des Lebens in ein Sonderdasein abgeglitten, und noch immer werden die Fragen, die das gärende Leben stellt, nicht an Deutschlands Hochschulen entschieden".[91]

[89] H. Lorenzen, „Vom Kameradschaftshaus", in: Hamburger Universitäts-Zeitung, Nr.6, 27.1.1934, S. 107.

[90] W.K., „Was alles noch anders werden muß!", in: Schleswig-Holsteinische Hochschulblätter, Nr.3/4, 25.6.1934, S.28 f.

[91] H. Reich, „Korporation – Studentische Kameradschaft?", in: Der Student der Ostmark, Folge 5, 9.7.1934, S.41. Zu Reich siehe die Kurzbiographie im Anhang.

Auch in den folgenden Jahren sind die Klagen über die mangelhafte Nazifizierung universitärer Wissenschaft und Lehre nicht verstummt.[92] In der Partei verfestigte sich der Eindruck, daß die Hochschulen zu jenen Sektoren der deutschen Gesellschaft gehörten, deren vollständige Okkupation offensichtlich mit besonders großen Schwierigkeiten verbunden war. Während inzwischen „alle Gebiete des öffentlichen und politischen Lebens vom Nationalsozialismus total erfaßt“ seien, müsse man im Bereich „der geistigen und kulturellen Belange das Umgekehrte erleben“, erklärte Reichserziehungsminister Rust im Februar 1936.[93] Eine ähnliche Lageeinschätzung findet sich in einem etwa zur gleichen Zeit veröffentlichten Aufruf des nationalsozialistischen Studentenfunktionärs Franz A. Six an die Studentenschaft: „Sorgt dafür, daß durch Euren unermüdlichen Einsatz die deutschen Hochschulen nicht mehr zu den durch den Nationalsozialismus zuletzt eroberten Festungen gehören“.[94] Gerhard Krüger, ein ehemaliger Studentenführer, mittlerweile zum Amtsleiter in der Parteiamtlichen Prüfungskommission zum Schutze des NS-Schrifttums avanciert, konstatierte 1937 erneut,

> „daß von einer inneren Ausrichtung der deutschen Hochschulen noch nicht die Rede sein kann ... der Mehrzahl der Professoren ist eine wirkliche Umkehr aus den Anschauungen, in die sie sich einmal im Laufe ihre Lebens verfangen haben, gar nicht mehr möglich. Es sind immer noch Ausnahmefälle, wo von einer weltanschaulich klaren Ausrichtung der wissenschaftlichen Arbeit gesprochen werden kann“.[95]

Immerhin, so räumte Krüger großmütig ein, sei „ein Bemühen, ein Ringen mit und gegen sich selbst“ an den Universitäten durchaus zu erkennen.[96] Etwa zur gleichen Zeit erklärte der Gaustudentenführer von Württemberg-Hohenzollern, Reinhold Bäßler, in einer öffentlichen Rede vor Tübinger Studenten, „daß die deutsche Hoch- und Fachschule mit ihrem Lehrbetrieb noch weit entfernt sei, der Jugend Anregungen für den politischen und weltanschaulichen Lebenskampf zu geben“.[97] Derartige Äußerungen dürfen sicher nicht ohne weiteres für bare Münze genommen werden. Tatsächlich gab es an der Universität Tübingen durchaus eine Reihe von Hochschullehrern, die in ihren Lehrveranstaltungen bemüht waren, den Forderungen des Regimes entgegenzukommen.[98] Aus der Perspektive der Parteifunktionäre erschienen diese Bemühungen aber offensichtlich als völlig unzureichend.

---

92 Vgl. E. Wolgast, Die Universität Heidelberg in der Zeit des Nationalsozialismus, in: Zeitschrift für die Geschichte des Oberrheins, 135. Bd., 1987, S.397.

93 Zit. in: „Rust gegen die Reaktionäre in der Wissenschaft“, in: Hamburger Tageblatt Nr.59, 29.2.1936.

94 Studenten bauen auf! Der 1. Reichsleistungskampf 1935/36. Hg. von F.A. Six, Marburg/Berlin o.J., S.XVI.

95 Vgl. G. Krüger, Wo steht die Wissenschaft? München 1937, S.10. Zur Person Krügers siehe die Kurzbiographie im Anhang.

96 Vgl. Krüger, Wissenschaft, S.23.

97 Zit. im Schreiben des Tübinger Rektors H. Hoffmann an G.A. Scheel, 29.12.1937, in: StA WÜ RSF/NSDStB II* 91 α 32.

98 Vgl. Adam, Hochschule, S.161 ff.

Es läßt sich festhalten, daß die universitäre Lehre von Studentenfunktionären und anderen nationalsozialistischen Hochschulpolitikern in politischer Hinsicht durchgängig als mangelhaft und problematisch angesehen wurde. Obwohl es offenbar nicht wenige Professoren gab, die bereit waren, ihre Vorlesungen hier und da im Sinne des Regimes umzuschreiben, galten derartige Anpassungserscheinungen als ungenügend und vordergründig, wenn sie nicht sogar als „maßlos peinlich“[99] empfunden wurden.

Etwa seit 1937/38 ist die öffentliche Kritik an den Hochschullehrern und an der universitären Wissenschaft deutlich zurückgegangen. Dieser Wandel läßt sich aber nicht auf eine politische Wende an den Hochschulen zurückführen, sondern basierte auf einem Kurswechsel unter den maßgeblichen Hochschulpolitikern der Partei. Dort war man seit dem Herbst 1936 zu der Erkenntnis gekommen, daß die schon fast routinemäßigen Attacken wider die politische Insuffizienz der Hochschullehrer sich als kontraproduktiv erwiesen hatten. Führende Vertreter des NS-Dozentenbundes beschwerten sich über die unaufhörlichen Angriffe der nationalsozialistischen Presse gegen die Professoren. Dadurch werde die weltanschauliche Erneuerung der Universitäten nur erschwert. Viele zunächst kooperationswillige Wissenschaftler hätten sich aufgrund dieser Angriffe wieder zurückgezogen.[100] Auch Reichsstudentenführer Scheel teilte diese Ansicht und gab seinen Unterführern 1937 die Anweisung, den Konfrontationskurs gegenüber den Professoren einzustellen.[101]

Leider sind zeitgenössische Äußerungen von oppositionellen Studenten über die universitäre Lehre kaum vorhanden. Lediglich in den „Deutschland-Berichten“ der Exil-SPD finden sich vereinzelte Notizen. Dort erschien im Juni 1935 ein Bericht über die Berliner Universität, der offenbar von einem Jura-Studenten stammte. Seine Beobachtungen sind vor allem deshalb interessant, weil sie die Dinge im Kern genauso beurteilen wie die nationalsozialistischen Studenten, auch wenn die Bewertung selbstverständlich anders ausfiel:

> „In Berlin besuchte ich die juristische Vorlesung bei Professor Kohlrausch. Als der Professor kam, hob er lässig die Hand zum vorgeschriebenen Hitlergruß, die Studenten begrüßten ihn wie früher mit Getrampel. Von irgendeiner neuen Art der Disziplin ist nichts zu merken. Die Vorlesungen haben zwar neue Namen erhalten ... aber der Inhalt der Vorlesungen ist noch immer derselbe. Als ob sich nichts geändert hat, sprach z.B. Kohlrausch in dieser Vorlesung über die Vorschrift der Strafprozeßordnung, daß ein Verhafteter innerhalb 24 Stunden

[99] Walter Groß, Leiter des Rassenpolitischen Amtes der NSDAP, sprach 1936 von „oft maßlos peinlichen Bemühungen namhafter Wissenschaftler, Nationalsozialismus zu spielen“. Vgl. seine Denkschrift „Betrifft: ‚Entpolitisierung‘ von Wissenschaft und Hochschule“, 20.10.1936, S.2, in: StA WÜ RSF/NSDStB II* 91 α 32.

[100] Vgl.E. Krieck an Goebbels, 8.2.1937, Abschr. in: StA WÜ RSF/NSDStB II* 175 α 103; W. Schultze an W. Groß, 2.11.1936, Abschr. in: StA WÜ RSF/NSDStB II 91 α 32.

[101] Vgl. den Tätigkeitsbericht des Reichsstudentenführers an den StdF, 11.5.1937, S.11, Durchschr. in: StA WÜ RSF/NSDStB II* 114 α 58.

> dem Untersuchungsrichter zuzuführen ist. Ja, man hat geradezu den Eindruck, je mehr die Rechtsunsicherheit in Deutschland zunimmt, um so mehr klammern sich die Professoren an die Paragraphen. Bei jungen Professoren, die durch die Nationalsozialisten in ihre Ämter gekommen sind, ist es natürlich anders".[102]

Weitere, im Februar 1936 abgedruckte Mitteilungen der „Deutschland-Berichte" lassen ebenfalls erkennen, daß von einer erfolgreichen geistigen Gleichschaltung der Hochschulen noch nicht die Rede sein konnte. Vielmehr wurde betont, der ideologische Einfluß der Nationalsozialisten habe sich an den Universitäten „noch immer nicht durchgesetzt". Und ein an gleicher Stelle publizierter Lagebericht aus Bayern hob hervor,

> „daß man heute noch an den Universitäten ziemlich frei wissenschaftlich arbeiten kann. Viele Professoren lassen Beweisführungen zu, die die marxistischen Methoden anwenden, wenn sie sie nur nicht mit Namen nennen".[103]

Als dritte Quellengruppe lassen sich die nach 1945 publizierten Erinnerungen ehemaliger Studenten auswerten. Ihre Aussagekraft darf sicherlich nicht überschätzt werden, da sie zumeist erst Jahrzehnte nach dem Ende des NS-Staates verfaßt wurden. In der politischen Einschätzung der Lehre fallen sie sehr unterschiedlich aus. Dietrich Goldschmidt, der von 1933 bis 1939 als sog. „Mischling I. Grades" an der TH Berlin Maschinenbau studierte, hat die Hörsäle der Hochschule als weitgehend ideologiefreien Raum in Erinnerung behalten:

> „Nach meinen Beobachtungen dominierte nicht eine Ideologie von Herrenmenschen, gab es in den naturwissenschaftlichen und technischen Fächern keine ‚neue Lehre' ... Ungeachtet nationalsozialistischer Grundstimmung und eines gehörigen Maßes von Opportunismus bei Professoren und Studenten waren Forschung und Lehre sozusagen ‚unpolitisch' ... Von der Wehrwissenschaft des nationalsozialistischen Rektors von Arnim und der Volkswirtschaftslehre des neu berufenen Professor Storm sprach man unter vielen Maschinenbauern und Elektroingenieuren nur mit herablassender Ironie".[104]

Andere autobiographische Publikationen vermitteln ebenfalls den Eindruck, die Lehre sei weitgehend frei von ideologischer Indoktrination gewesen, beispielsweise die Erinnerungen von Hedwig Wallis[105] an ihr Medizinstudium zwischen 1941 und 1945 oder die Aufzeichnungen von Hellmuth Hecker:

---

[102] Deutschland-Berichte der Sozialdemokratischen Partei Deutschlands (Sopade), ND Frankfurt 1980, 2. Jg.,1935, S.706 f.

[103] Zitate aus: Deutschland-Berichte, 3. Jg., 1936, S.212 f.

[104] D. Goldschmidt, Wie werden unsere Technischen Universitäten im Jahre 2000 aussehen? in: Neue Sammlung, 20. Jg., 1980, S.114. Zu A. von Arnim vgl. Anm. 36, zu E. Storm siehe H. Heiber, Universität unterm Hakenkreuz, Teil II, Bd.1, München 1992, S.554 ff.

[105] Vgl. H. Wallis, Medizinstudentin im Nationalsozialismus, in: Ursula Weisser (Hg.), 100 Jahre Universitäts-Krankenhaus Eppendorf 1889-1989, Tübingen 1989, S.401 ff.

„Als ich zum WS 1942/43 das Jurastudium in Hamburg begann, war ich verwundert und freudig überrascht, an der Hansischen Universität eine Atmosphäre zu finden, in der wenig von Ideologie und Propaganda, um so mehr aber von sachlicher Wissenschaftlichkeit und humanistischer Aufgeschlossenheit zu finden war. Gegenüber der pausenlosen Überschüttung mit NS-Phrasen in Presse und Rundfunk, Kino und Literatur, eben in der Öffentlichkeit überhaupt, wirkte die Universität wie eine Oase in der Wüste, jedenfalls damals und in der Rechts- und Staatswissenschaftlichen Fakultät".[106]

Die Befragung früherer Studentinnen erbrachte ähnliche Resultate.[107] Doch sind die vorhandenen autobiographischen Quellen in diesem Punkt keineswegs einhellig. Andere ehemalige Studierende erinnern sich hauptsächlich an eine wachsende Anpassungsbereitschaft innerhalb des Lehrkörpers. Werner Schmidt beispielsweise, „halbjüdischer" Medizinstudent in Gießen, teilt in seinen autobiographischen Aufzeichnungen mit, die Lehrveranstaltungen seien nach 1933 immer schwerer zu ertragen gewesen, „da sich im Laufe der Monate immer mehr Dozenten und Professoren im Kolleg im Sinne des Dritten Reiches auslassen und stürmischen Applaus erhalten".[108] Und Franz Josef Strauß, der seit 1935 an der Münchener Universität Alte Sprachen, Geschichte, Germanistik und Volkswirtschaft studierte, beschreibt in seinen Erinnerungen die Hochschule als Raum, in dem der Nationalsozialismus eindeutig dominierte:

„Die Universität war keineswegs, wie das von der Reichswehr oder der frühen Wehrmacht behauptet wurde, eine Art politisches Refugium. Sie war weitgehend politisiert, und zwar bis in die theologische Fakultät hinein ... Unter den Professoren gab es viele stramme Anhänger der neuen Zeit".[109]

Die meisten Zeitzeugen betonen jedoch die Koexistenz von Neuem und Altem, von traditioneller Lehre und doktrinärer Propaganda. Zu ihnen gehört Gerhard Szczesny, der von 1937 bis 1940 in Königsberg, Berlin und München die Fächer Philosophie, Literaturgeschichte und Zeitungswissenschaft studierte. Szczesny besuchte u.a. Lehrveranstaltungen von Arnold Gehlen, Gunther Ipsen, Eduard Spranger, Nicolai Hartmann, Kurt Huber, Herbert Cysarz, Artur Kutscher und Helmuth von Glasenapp, aber auch von ausgesprochenen NS-Professoren wie Franz A. Six oder Hans Alfred Grunsky.[110] Er gewann in dieser Zeit den Eindruck, daß an den Universitäten noch immer die alten Ordinarien herrschten,

[106] H. Hecker, Kolonialforschung und Studentenschaft an der „Hansischen Universität" im II. Weltkrieg, Baden-Baden 1986, S.3.

[107] Vgl. P. Clephas-Möcker / K. Krallmann, Akademische Bildung – eine Chance zur Selbstverwirklichung für Frauen? Weinheim 1988, S.148.

[108] W. Schmidt, Leben an Grenzen, Zürich 1989, S.32. Vgl. auch S.37.

[109] F.J. Strauß, Die Erinnerungen, Berlin 1989, S.35, 34.

[110] Vgl. G. Szczesny, Als die Vergangenheit Gegenwart war, Berlin 1990, S.101, 106 f. Zu Grunsky siehe auch Heiber, Walter Frank, S.483 ff.

> „für die es nach so wenigen Jahren NS-Herrschaft noch keinen ‚politisch zuverlässigen' Ersatz geben konnte; den wenigen linientreuen Dozenten war es noch nicht gelungen, sich der universitären Innenbezirke und des wissenschaftlichen Alltagsbetriebs zu bemächtigen. Charakteristisch für den Zustand der deutschen Universitäten während des Dritten Reichs war das Nebeneinander von hergebrachter akademischer Traditon und einer oberflächlichen, von NS-Dozenten- und Studentenbund durchgesetzten Anpassung an die Rituale des NS-Regimes“.[111]

Vor allem in der Philosophie sei es ohne Schwierigkeiten möglich gewesen, sich mit Themen zu beschäftigen, die von der grobschlächtigen NS-Ideologie gar nicht erfaßt und reglementiert werden konnten: „Wir konnten nach Indien, in die Antike, ins Mittelalter, ins deutsche neunzehnte Jahrhundert ausweichen und standen vor den ... Grundfragen der menschlichen Existenz“.[112] Zusammenfassend kommt Szczesny zu dem Ergebnis, die Universitäten hätten „ihre Studenten in der großen Mehrheit nicht als bornierte und fanatisierte Führergläubige, sondern als relativ normale und urteilsfähige Menschen entlassen“.[113]

Hermann Röhrs war von 1934 bis 1937 an der Hamburger Universität immatrikuliert und studierte dort Deutsch, Geschichte, Erziehungswissenschaft sowie Philosophie und Psychologie. Seine 1990 publizierte „autobiographische Vergegenwärtigung“[114] ähnelt in vieler Hinsicht den Aufzeichnungen von Szczesny. Röhrs stieß unter den Lehrkräften auf ausgesprochene Nationalsozialisten wie Gustav Deuchler, der sich auch an der Universität gern in SA-Uniform präsentierte, in seinen Lehrveranstaltungen „fortlaufend gegen die traditionelle Philosophie und Pädagogik polemisierte“ und zumindest den Versuch machte, eine eigene nationalsozialistisch geprägte Pädagogik zu konzipieren.[115] Dennoch sei in Deuchlers Seminaren ein offener Disput durchaus möglich gewesen. Andere Hochschullehrer übernahmen in ihren Veranstaltungen ebenfalls Elemente der nationalsozialistischen Ideologie, wie Röhrs zu berichten weiß, beispielsweise der Literaturwissenschaftler Robert Petsch, in dessen Vorlesungen ihm die häufige Wiederholung nationalsozialistischer Schlüsselbegriffe („Volksgemeinschaft“, „Gefolgschaftstreue“, „Führer“) auffiel.[116] Röhrs betont jedoch, derartige Erfahrungen seien untypisch gewesen. Insgesamt habe die NS-Ideologie in den von ihm besuchten Lehrveranstaltungen nur in Ausnahmefällen eine Rolle gespielt. „In den meisten Vorlesungen und Seminaren wurde traditionell verfahren“. Sein Fazit lautet: „Im Rahmen der Universität hielt sich die politische Indoktrination ... in Grenzen“.[117]

[111] Szczesny, Vergangenheit, S.91.
[112] Ebd., S.97.
[113] Ebd., S.92 f.
[114] H. Röhrs, Nationalsozialismus, Krieg, Neubeginn. Eine autobiographische Vergegenwärtigung aus pädagogischer Sicht, Frankfurt/M. 1990, S.39 ff.
[115] Zu Deuchler vgl. auch K. Saul, Lehrerbildung in Demokratie und Diktatur, in: Hochschulalltag im „Dritten Reich“, Teil I, S.303 ff.
[116] Zu Petsch vgl. W. Beck / J. Krogoll, Literaturwissenschaft im „Dritten Reich“, in: Hochschulalltag im „Dritten Reich“, Teil II, S.707 u. 712 ff.
[117] Zitate: Röhrs, Nationalsozialismus, S.57, 56.

Mit diesen Aussagen vergleichbar sind die Erfahrungen einer Studentin, die während des Krieges Volkswirtschaftslehre studierte. Bei einer Befragung erinnerte sie sich an einzelne Professoren, die „völlig nationalsozialistisch" eingestellt gewesen seien. Noch Anfang 1945 habe ein intellektuell ganz hervorragender Jurist vom „Endsieg" gesprochen. Doch betonte auch diese Studentin, solche Professoren hätten keineswegs den Universitätsalltag geprägt: „Die meisten Hochschullehrer hielten sich sehr zurück, vermieden jede politische Äußerung".[118]

Es ist schwierig, aus solchen widersprüchlichen Äußerungen ein klares Bild zu gewinnen. Offensichtlich waren die Erfahrungen der Studierenden nicht einheitlich. Teilweise lag dies sicher daran, daß die Politisierung der Lehre von Hochschule zu Hochschule unterschiedlich stark ausfiel. Noch wichtiger aber waren wahrscheinlich die Unterschiede zwischen verschiedenen Fakultäten und Studiengängen. Damit beschäftigt sich das folgende Kapitel.

4. Studienpläne und Prüfungsordnungen

Um einen möglichst differenzierten Überblick zu gewinnen, soll an dieser Stelle ein Blick auf die Reglementierung der wichtigsten Studiengänge im Dritten Reich geworfen werden: 1. das Jurastudium, 2. das Lehramtstudium an den Philosophischen Fakultäten, 3. das Medizinstudium und 4. das Studium der naturwissenschaftlichen und technischen Fächer.

1. Das *Jurastudium.* Die Ausbildung des juristischen Nachwuchses, die bis 1933 Ländersache gewesen war, wurde 1934/35 erstmals reichsweit vereinheitlicht.[119] Die organisatorische Struktur der Juristenausbildung blieb in den Grundzügen unverändert: Auf ein Studium von mindestens sechs, höchstens aber zehn Semestern folgte die erste juristische Staatsprüfung. Nach preußischem Vorbild war sie nicht als akademisches Abschlußexamen konzipiert, sondern als staatliche Eingangsprüfung und lag in den Händen des Reichsjustizministeriums. Danach folgte die Zeit des Referendariats, das zunächst drei Jahre dauerte, im Krieg aber erheblich verkürzt wurde. Am Ende der Ausbildung stand schließlich die große Staatsprüfung.

Das rechtswissenschaftliche Studium wurde schon relativ früh neu strukturiert. Zu diesem Zweck hatte das REM Anfang Oktober 1934 den nationalsozialistischen Juristen Karl August Eckhardt[120] eingestellt, der bereits wenige Wochen später den Entwurf einer neuen Studienordnung präsentieren konnte. Im Januar 1935 trat sie unter dem Titel „Richtlinien für das Studium der Rechtswissenschaft"[121] in Kraft. Eingeleitet wurden diese Richtli-

[118] Astrid Dageförde, Interview mit Asta H., o.D., S.2, Transkription in: ProjA HH.

[119] Vgl. M. Jonas, Die Justizausbildungsordnung vom 22. Juli 1934, in: Deutsche Justiz, 96. Jg., 1934, S.995 f.

[120] Zu Eckhardt vgl. Heiber, Walter Frank, S.857 ff.

[121] Richtlinien für das Studium der Rechtswissenschaft, 18.1.1935, in: DWEV 1935, S.48 ff. Zur Entstehungsgeschichte vgl. K.A. Eckhardt, Das Studium der Rechtswissenschaft, Hamburg 1940², S.7 f.

nien von „Grundgedanken", die noch ganz von dem revolutionären Impetus der Anfangsphase des NS-Regimes geprägt waren. In einem Aufruf an die „Lehrer und Studenten der Rechte" hieß es: „Begnügt Euch nicht damit, vorhandene Gesetze zu erläutern oder auswendig zu lernen, sondern kämpft um ihre Überwindung durch ein wirklich deutsches Recht!".[122] Die Studierenden wurden aufgefordert, bevorzugt an den rechtswissenschaftlichen Fakultäten in Kiel, Breslau und Königsberg zu studieren. Wegen des politisch besonders „zuverlässigen" Lehrkörpers waren diese drei Fakultäten als „politischer Stoßtrupp" zur nationalsozialistischen Erneuerung der Rechtswissenschaft ausersehen.[123]

Für den Studienplan selber waren vor allem zwei Dinge charakteristisch: Erstens zielte die Studienordnung auf einen bewußten Bruch mit der überlieferten Systematik der Rechtswissenschaft. Die Differenzierung zwischen öffentlichem und privatem Recht sollte künftig fallen, der Begriff des bürgerlichen Rechtes verschwinden, die Tradition des römischen Rechts ausgemerzt werden.[124] An die Stelle „lebensferner Abstraktionen" habe die Beschäftigung mit konkreten Lebensgebieten zu treten. Neue Vorlesungstitel wie „Bauer", „Arbeiter", „Unternehmer" deuteten an, wie die verantwortlichen Stellen sich eine Verwirklichung dieses Ziels vorstellten. Zweitens wurde an den Anfang des Studienplans eine Reihe von weltanschaulichen Vorlesungen gestellt, die mit der rechtswissenschaftlichen Ausbildung wenig oder gar nichts zu tun hatten. Ein intensives Fachstudium war erst ab dem dritten Semester vorgesehen:

> „In den beiden ersten Studiensemestern soll der Student die völkischen Grundlagen der Wissenschaft kennenlernen. Vorlesungen über Rasse und Sippe, Volkskunde und Vorgeschichte, über die politische Entwicklung des deutschen Volkes, besonders in den letzten hundert Jahren, gehören an den Anfang jedes geisteswissenschaftlichen Studiums".[125]

Faktisch wurde dem eigentlichen Fachstudium ein politisches Grundstudium vorgelagert, in dessen Mittelpunkt die neuen, seit 1933 besonders geförderten Fächer standen.

Die Aufstellung von Studienplänen garantierte freilich noch nicht, daß die aufgelisteten Vorlesungen von den Studierenden auch tatsächlich besucht wurden. Auf die Einführung von Pflichtvorlesungen hatte der Verfasser der Studienordnung ausdrücklich verzichtet.[126] Obligatorisch war der Studienplan deshalb nur für die Fakultäten, die ihre Lehrveranstaltungen danach ausrichten mußten, nicht aber für die Studenten. Für diese stellte er zunächst einmal nur ein Angebot bereit. Wie zeitgenössische Berichte zeigen, wurden gerade jene Vorlesungen, welche den Studenten die „völkischen

[122] Richtlinien für das Studium der Rechtswissenschaft, S.49.
[123] Richtlinien, ebd. In diesem Zusammenhang entstand der Begriff der „Stoßtruppfakultät".
[124] Vgl. K.A. Eckhardt, Das Studium der Rechtswissenschaft, Hamburg 1935, S.23 ff.
[125] Richtlinien für das Studium der Rechtswissenschaft, S.49.
[126] Mit der Begründung, Pflichtvorlesungen würden zwar belegt, aber auch nicht häufiger besucht als andere Vorlesungen. Vgl. Eckhardt, Studium, 1935, S.17 u. 22.

Grundlagen der Wissenschaft" vermitteln sollten, kaum besucht. Ein Erfahrungsbericht, den die Rechts- und Staatswissenschaftliche Fakultät der Universität Hamburg 1937 dem REM übermittelte, läßt erkennen, daß die Juristen diesen Trend nicht übermäßig bedauerten:

> „Zwar schreibt die bisherige Regelung vor, daß die Studenten allgemeine Vorlesungen über Rassenkunde, Volkskunde und dergl. hören sollen ... Die meisten Studenten geben nach kurzer Zeit den Besuch dieser Vorlesungen auf, weil sie entweder zu spezialistisch sind, so daß sie ihnen in kurzer Zeit nicht mehr zu folgen vermögen, oder weil sie von dem betreffenden Fachvertreter so vorgetragen werden, daß der Student keinen lebendigen Zusammenhang mehr mit den Fragestellungen sieht, unter denen diese Materien den Rechtswahrer heute beschäftigen ... In einem gesunden Gefühl für Ökonomie seines Studiums, das schon in den rein juristischen Materien von dem Studenten die Bewältigung eines riesigen Wissenstoffes verlangt, hält sich dann der Student der Rechte nach kurzer Zeit von diesen Vorlesungen fern, zumal er schon in obligatorischen Schulungskursen außerhalb der Hochschule reichlich mit diesen Fragen gefüttert worden ist".[127]

Inwieweit der Studienplan tatsächlich von den Studierenden angenommen wurde, hing hauptsächlich von der Prüfungsordnung ab, welche die Prüfungsfächer für die erste juristische Staatsprüfung festlegte und dadurch indirekt auch die Schwerpunkte des Studiums bestimmte. Die Prüfungsordnung für beide juristische Staatsprüfungen war in der Justizausbildungsordnung enthalten, die das Reichsjustizministerium bereits im Juli 1934 erlassen hatte.[128] Zu den neun Prüfungsfächern gehörten neben klassischen Fächern wie Staatsrecht, Familienrecht, Strafrecht oder Verfahrensrecht auch einige neue Fächer wie „das Recht des deutschen Bauern" oder „das Recht der Arbeit".[129] Als das Reichsjustizministerium Anfang 1939 eine veränderte Fassung der Justizausbildungsordnung vorlegte, wurde auch das „Recht zum Schutze von Rasse und Volksgesundheit" unter die Prüfungsfächer aufgenommen.[130]

Die Justizausbildungsordnung betonte zwar, daß im Mittelpunkt des Studiums eine „gründliche, gewissenhafte Fachausbildung" stehen müsse. Gleichzeitig verlangte sie aber von den Bewerbern, sich während des Studiums eine „allgemeine völkische Bildung" anzueignen. Dazu gehörte auch

[127] Bericht der Rechts- und Staatswissenschaftlichen Fakultät Hamburg über die Erfahrungen mit den „Richtlinien über das Studium der Rechtswissenschaft", 4.8.1937, S.16, Durchschr. in: StA HH Universität I N 1.10.

[128] Justizausbildungsordnung vom 22.7.1934, in: RGBl. 1934 I S.727 ff.

[129] Vgl. Die Justizausbildungsordnung des Reiches nebst Durchführungsbestimmungen. Im amtlichen Auftrag erläutert von O. Palandt u. H. Richter, Berlin 1934, S.51 f. u. 71.

[130] Die neue Justizausbildungsordnung erschien als Artikel IV der VO über die Befähigung zum Richteramt, zur Staatsanwaltschaft, zum Notariat und zur Rechtsanwaltschaft vom 4.1.1939, in: RGBl. 1939 I S.6 ff. Ansonsten enthielt die neue Ausbildungsordnung kaum substantielle Veränderungen. Vgl. auch R. Freisler, Zur neuen Justizausbildungsordnung, in: Deutsche Justiz, 101. Jg., 1939, S.116 ff.

> „die ernsthafte Beschäftigung mit dem Nationalsozialismus und seinen weltanschaulichen Grundlagen, mit dem Gedanken der Verbindung von Blut und Boden, von Rasse und Volkstum, mit dem deutschen Gemeinschaftsleben und mit den großen Männern des deutschen Volkes“.[131]

Um diesen Forderungen Nachdruck zu verleihen, mußten die Studenten während der ersten juristischen Staatsprüfung auch ihre weltanschauliche Standfestigkeit unter Beweis stellen. Schon in dem Lebenslauf, den die Studenten bei der Meldung zur Prüfung einzureichen hatten, waren sie genötigt, über ihre „weltanschauliche und politische Entwicklung“ sowie über ihre „Einstellung zur Rechtswissenschaft“ Auskunft zu geben.[132] Eine der fünf obligatorischen Klausuren (Aufsichtsarbeiten) mußte einem geschichtlichen Thema gewidmet sein. Dabei war nicht so sehr die „Kenntnis positiver Einzelheiten“ gefragt. Erwartet wurde vielmehr, „daß der Prüfling die großen Zusammenhänge, die Entwicklungslinien kennt, daß er um die Aufgaben weiß, die das Schicksal dem deutschen Volk gestellt hat, und die zu lösen ihm noch bevorsteht“.[133] Auch die mündliche Prüfung war keineswegs nur eine juristische Fachprüfung, sondern sollte u.a. auch die „Allgemeinbildung auf dem Gebiet der Geschichte, der Rassenkunde, der Sozialwissenschaften und der Philosophie feststellen“, wie es in den amtlichen Erläuterungen zur Justizausbildungsordnung hieß.[134] Während des Referendariats und in der großen Staatsprüfung gingen diese Bemühungen zur politischen Überprüfung der zukünftigen Juristen weiter.

Sowohl die Studienordnung von 1935 als auch die Justizausbildungsordnung sind bis in die Endphase des Regimes ohne wesentliche Veränderungen gültig geblieben. Zwar kam es während des Krieges zu einer – teilweise öffentlich geführten – Debatte über die Reform des Jurastudiums, die sich zu einem Kompetenzkonflikt zwischen dem Reichsjustizministerium und dem REM entwickelte. Führende Vertreter des Reichsjustizministeriums kritisierten, das Jurastudium sei zu abstrakt und lebensfern.[135] Das Justizministerium versuchte deshalb, durch die Bildung von „Praktiker-Arbeitsgemeinschaften“ Einfluß auf die universitäre Ausbildung zu gewinnen. Im Gegenzug erhob das REM die Forderung, künftig die erste juristische Staatsprüfung, für die das Reichsjustizministerium verantwortlich war, durch Abschlußprüfungen der Hochschulen zu ersetzen.[136] Für zusätzliche Verwirrung sorgten Pläne des REM und des Reichsinnenministeriums, die darauf abzielten, unabhängig vom Jurastudium einen eigenständigen Studiengang Verwaltungswissenschaft einzurichten. Letztlich hatten alle diese

---

[131] Justizausbildungsordnung vom 22.7.1934 (§ 4). In der Fassung von 1939 wurde diese Formulierung (in § 5) wörtlich übernommen.

[132] Vgl. Die Justizausbildungsordnung des Reiches nebst Durchführungsbestimmungen, 1934, S.68, 74.

[133] Ebd., S.82, 84.

[134] Ebd., S.92.

[135] Vgl. C. Rothenberger, „Nahziele der Ausbildungsreform“, in: Deutsches Recht, 13. Jg., 1943, S.2 ff.

[136] Vgl. das Prot. der Besprechung vom 16.3.1943, in: BA Koblenz R 21/28 Bl. 106 ff.

Planungen und Querelen aber nur den einzigen Effekt, die geplante Reform der Studienordnung so lange hinauszuzögern, bis sie durch den Gang der Ereignisse gegenstandslos geworden war: Als schließlich im Oktober 1944 doch noch eine neue Studienordnung für die Juristischen Fakultäten in Kraft trat, hatte der Zusammenbruch des Ausbildungswesens bereits begonnen. Bemerkenswert an der neuen Studienordnung war vor allem die faktische Auslagerung der allgemeinpolitischen Veranstaltungen. Vorlesungen über Rassenkunde, Vorgeschichte, Volkskunde usw. standen nicht mehr am Anfang des Studienplans, sondern wurden nur noch zusätzlich als „empfehlenswerte Vorlesungen" aufgeführt.[137]

Inwieweit haben die Juraprofessoren selber in ihren Lehrveranstaltungen die Nazifizierung der Juristenausbildung vorangetrieben? Es fällt nicht schwer, eine Reihe von prominenten Fachvertretern zu nennen, die sich nach 1933 mit beträchtlichem Eifer an eine nationalsozialistische Umgestaltung der Rechtswissenschaft gemacht haben. Vor allem die Juristen der Kieler Universität gingen dabei mit besonderer Energie voran.[138] Auch hier stellt sich allerdings die Frage, wie repräsentativ diese Gruppe von lautstarken NS-Juristen gewesen ist. In internen Einschätzungen des Regimes überwog nämlich durchaus eine negative Beurteilung des Lehrkörpers der Juristischen Fakultäten. Charakteristisch für diese Haltung war der Jahreslagebericht des Sicherheitshauptamtes von 1938, in dem festgestellt wurde:

> „Sehr ernst wird in Fachkreisen die Lage der deutschen Rechtswissenschaft an den Hochschulen beurteilt ... Die z. Zt. vorhandene Professorenschaft ist vielfach überaltert und noch zu sehr in liberalistischen Ansichten befangen, als daß sie wertvolle Beiträge zur Rechtserneuerung liefern könnte".[139]

Es wäre freilich falsch, daraus zu schließen, die juristischen Vorlesungen seien im wesentlichen unverändert geblieben. Gerade in der Rechtswissenschaft mußte sich die Lehre nach der „Machtergreifung" mit einer gewissen Zwangsläufigkeit erheblich verändern. Selbst jene Hochschullehrer, die dem Nationalsozialismus kritisch gegenüberstanden, konnten es sich in der Vorlesung nicht erlauben, die zahlreichen Veränderungen des bestehenden Rechts seit 1933 zu ignorieren. Traditionell bestand die Hauptaufgabe der Professoren an den Juristischen Fakultäten darin, den Studenten das geltende Recht zu vermitteln und zu erklären. Je mehr das Recht aber durch nationalsozialistische Gesetze und Verordnungen deformiert wurde, desto stärker mußte auch die NS-Ideologie in die juristischen Hörsäle eindringen. Wolfgang Kunkel, der in der NS-Zeit an den Juristischen Fakultäten von Göttingen, Bonn und Heidelberg lehrte, hat diesen Sachverhalt später nüchtern geschildert:

---

137 Vgl. die Studienordnung für die Rechts- und Staatswissenschaftlichen Fakultäten, 10.7.1944, in: DWEV 1944, S.203.

138 Vgl. E. Döhring, Geschichte der juristischen Fakultät 1665-1965 (Geschichte der Christian-Albrechts-Universität Kiel 1665-1965, Bd.3, Teil 1), Neumünster 1965, S.201 ff.

139 Jahreslagebericht 1938 des Sicherheitshauptamtes, in: Meldungen aus dem Reich, Bd.2, S.127.

„Wer ... als Jurist an einer deutschen Universität wirkte, mußte ... diejenigen Normen vortragen und erläutern, die damals in Deutschland angewendet wurden. Wer z.B. Familienrecht las, konnte die Nürnberger Gesetze nicht übergehen ... Auch ich mußte einige Male Familienrecht lesen, als während des Krieges die Zahl der verfügbaren Dozenten in meiner Fakultät zusammengeschmolzen war. Auch ich habe also meine Studenten über die antisemitische Gesetzgebung des Nationalsozialismus unterrichtet. Eine offene Kritik dieser Gesetze hätte das Ende meiner Lehrtätigkeit bedeutet. Man konnte sich nur einer kühlen Sachlichkeit befleißigen“.[140]

Sicher galt dies nicht für alle Rechtsgebiete in gleichem Maße. Lehrverstaltungen über Schuldrecht oder Handelsrecht haben sich im Regelfall wohl nicht wesentlich verändert. Wer jedoch Arbeitsrecht lehrte, mußte sich in den Lehrveranstaltungen zwangsläufig auf die grundlegend gewandelte Situation konzentrieren, die durch das „Gesetz zur Ordnung der nationalen Arbeit“ von 1934 und durch andere nationalsozialistische Gesetzeswerke geschaffen worden war.[141] Von Hochschullehrern, welche die obligatorische Vorlesung über Bauernrecht lasen, konnten die Studenten mit einem gewissen Recht erwarten, daß sie nicht in die Geschichte auswichen, sondern ihren Hörern hauptsächlich die neuen nationalsozialistischen Gesetze erläuterten, welche die rechtliche Lage der Bauern seit der nationalsozialistischen Machtübernahme wesentlich verändert hatten (Erbhofgesetz, Reichsnährstandgesetz u.a.).[142] Ähnliches läßt sich über das Strafrecht sagen. Auch wenn das ursprüngliche Ziel einer umfassenden nationalsozialistischen Strafrechtsreform im Planungsstadium steckenblieb, wurde das Strafrecht seit der „Machtergreifung“ doch durch eine ganze Reihe von neuen Gesetzen und Verordnungen in seinem Kern umgeformt und zunehmend den Vorstellungen der Partei angepaßt.[143] Am stärksten war der Zwang zur Anpassung an die neue Realität sicher im Bereich des Staatsrechts. War dieses doch nach nationalsozialistischer Auffassung nichts anderes als „die rechtliche Formulierung des geschichtlichen Wollens des Führers“, wie Hans Frank es 1939 formulierte.[144] Auch Hochschullehrern, denen solche Aussagen innerlich widerstrebten, blieb in der staatsrechtlichen Vorlesung wohl kaum etwas anderes übrig, als die Willkürherrschaft „des Führers“ und seiner Satrapen irgendwie juristisch zu verbrämen.

140 W. Kunkel, Der Professor im Dritten Reich, in: Die deutsche Universität im Dritten Reich, München 1966, S.125 f. Zu Kunkel auch: F. Halfmann, „Eine Pflanzstätte bester nationalsozialistischer Rechtsgelehrter“: Die Juristische Abteilung der Rechts- und Staatswissenschaftlichen Fakultät, in: Die Universität Göttingen unter dem Nationalsozialismus, S.101.

141 Knapper Überblick zuletzt in: R. Hachtmann, Industriearbeit im „Dritten Reich“, Göttingen 1989, S.30 ff.

142 Vgl. D. Schoenbaum, Die braune Revolution, Köln 1980, S.201 ff.

143 Vgl. zusammenfassend: L. Gruchmann, Rechtssystem und nationalsozialistische Justizpolitik, in: Das Dritte Reich. Hg. von M. Broszat u. H. Möller, München 1986², S.83 ff.

144 So H. Frank in einer am 18.6.1938 gehaltenen Rede, Auszug in: ders., Im Angesicht des Galgens, München 1953, S.466 f.

2. Die Ausbildung an den *Philosophischen Fakultäten*. Der größte Teil der Studierenden an den Philosophischen Fakultäten bereitete sich traditionell auf eine Laufbahn als Gymnasiallehrer vor. Deshalb konzentrieren sich die folgenden Ausführungen im wesentlichen auf die Ausbildung für das Lehramt an höheren Schulen.

Zentrale Vorschriften zur Reorganisation des Studiums im nationalsozialistischen Sinne erfolgten relativ spät. Bis 1937 galt in Preußen für Lehramtstudenten noch immer die Prüfungsordnung von 1917.[145] Erst im Juli 1937 veröffentlichte das REM eine neue Ausbildungsordnung für künftige Lehrer an höheren Schulen[146], der Anfang 1940 eine relativ detaillierte Prüfungsordnung folgte.[147] Von einer effizienten Reglementierung des Studiums im nationalsozialistischen Sinne läßt sich daher zumindest in den ersten Jahren nationalsozialistischer Herrschaft nicht sprechen.

Die „Richtlinien für die Ausbildung an höheren Schulen" von 1937 legten fest, daß die künftigen Lehrer der höheren Schulen ihre Ausbildung mit einem einjährigen Studium an einer Hochschule für Lehrerbildung beginnen mußten.[148] Erst nach Ablauf der beiden Semester durften sie, sofern der Direktor dieser Hochschule ihnen die Befähigung dazu attestierte[149], ihr Studium an einer Universität bzw. an einer TH oder Kunsthochschule fortsetzen. Die Hochschulen für Lehrerbildung[150] waren 1933 aus den Pädagogischen Akademien, den preußischen Lehrerbildungsanstalten, hervorgegangen. Ihre Hauptaufgabe war die Ausbildung von Volksschullehrern. Da 1933/34 zwei Drittel des Lehrkörpers ausgewechselt worden waren und die Ausbildung sich grundlegend verändert hatte, handelte es sich faktisch eher um eine Neugründung.

Diese Zusammenfassung der künftigen Volks- und Gymnasiallehrer in der Anfangsphase des Studiums war eine deutliche Mißtrauenserklärung gegenüber den Universitäten. Offensichtlich hielt man es im REM nicht für sinnvoll, die politische Erziehung der künftigen Studienräte den Universitäten anzuvertrauen. Denn daran ließ die Ausbildungsordnung für das höhere Lehramt keinen Zweifel. Die zwei Anfangssemester an einer Hochschule für Lehrerbildung dienten kaum der fachlichen Ausbildung, sondern vor allem der politischen Indoktrination: „Die einjährige gemeinsame Ausbildung der Philologen mit den Volksschullehrern verfolgt in erster Linie den Zweck der Ausrichtung der gesamten Erzieherschaft auf ein einheitliches politisch-weltanschauliches Ziel". Erreicht werden sollte dieses Ziel zum einen durch „das gemeinsame Leben im Kameradschaftshaus und im Lager", zum anderen durch „die Einführung in die politisch-weltanschaulichen Grundwissenschaften: Erziehungswissenschaft, Charakter- und Jugendkunde, Ver-

[145] Vgl. A. Nath, Die Studienratskarriere im Dritten Reich, Frankfurt/M. 1988, S.90.

[146] Vgl. die Richtlinien für die Ausbildung für das Lehramt an höheren Schulen vom 16.7.1937, in: DWEV 1937, S.363-365.

[147] Vgl. die Ordnung der Prüfung für das Lehramt an Höheren Schulen im Deutschen Reich, Berlin 1940.

[148] Vgl. die Richtlinien vom 16.7.1937, S.364.

[149] Vgl. den RdErl. des REM, 2.8.1938, in: DWEV 1938, S.365.

[150] Vgl. R. Bölling, Sozialgeschichte der deutschen Lehrer, Göttingen 1983, S.147.

erbungslehre und Rassenkunde, Volkskunde".[151] Ansonsten blieb die Ausbildungsordnung von 1937 relativ unverbindlich. Erwähnenswert ist eigentlich nur noch die Ankündigung, daß Studierende der Fächer Deutsch, Geschichte, Erdkunde, Biologie oder Religion beim Abschluß des Studiums auch in Volkskunde, Rassenkunde oder Vorgeschichte geprüft werden würden. Auf die Formulierung von einheitlichen Studienplänen wurde gänzlich verzichtet.

Die Hoffnung des REM, durch die Einschaltung der Hochschulen für Lehrerbildung einen weltanschaulich zuverlässigen Erziehernachwuchs zu gewinnen, erwies sich freilich als Trugschluß. Auf der Berliner Rektorenkonferenz im März 1939 wurde das Experiment nicht nur von mehreren Rektoren, sondern auch von einem Referenten des REM offen als Mißerfolg bezeichnet. Insbesondere der Rektor der Universität Münster, Walter Mevius, plädierte energisch für eine Aufhebung dieser Regelung:

> „Ich habe mich mit einer Reihe von jungen Studenten unterhalten, die auf der Hochschule für Lehrerbildung gewesen sind. Sie erklärten, daß die Zeit an der Hochschule für Lehrerbildung im Grunde genommen eine verlorene Zeit gewesen sei ... Ich habe keinen einzigen gesprochen, der gesagt hätte: Ich habe etwas auf der Hochschule für Lehrerbildung bekommen. Sie haben alle nur über die Hochschule für Lehrerbildung geschimpft. Was sie als Wissenschaft vorgesetzt bekommen hätten, sei keine Wissenschaft gewesen. Teilweise sei es dasselbe gewesen, was sie schon auf der Schule erhalten hätten".[152]

Alarmierend wirkte vor allem die Mitteilung, viele Studenten hätten sich wegen der als Zeitverschwendung empfundenen Anfangssemester an den Hochschulen für Lehrerbildung davon abschrecken lassen, die Studienratslaufbahn einzuschlagen.[153] Zeichnete sich doch 1939 bereits ab, daß auch in diesem Bereich akademischer Ausbildung demnächst Nachwuchsknappheit zu erwarten war. Angesichts dieser Probleme zeigte sich das REM erstaunlich flexibel. Zwei Monate nach Beginn des Krieges wurde die Verpflichtung der künftigen Gymnasiallehrer zum einjährigen Besuch einer Hochschule für Lehrbildung wieder aufgehoben.[154] Faktisch lief diese Regelung auf eine Entpolitisierung des Studiums hinaus.

Einen anderen Eindruck vermittelt allerdings die reichseinheitliche Prüfungsordnung für das Lehramt an höheren Schulen, die Anfang 1940 in Kraft trat.[155] Aus ihr geht eindeutig hervor, daß sowohl in der Wissenschaftlichen Prüfung (nach dem Studium) als auch in der Pädagogischen Prüfung (nach dem Referendariat) neben den fachlichen und pädagogischen Fähigkeiten auch die Gesinnung geprüft werden sollte. Zum mündlichen Teil der Wissenschaftlichen Prüfung gehörte ein halbstündiger Abschnitt über „Philosophie und Weltanschauung", in dem der Prüfling vor allem unter Beweis

[151] Alle Zitate aus: Richtlinien vom 16.7.1937, S.364.
[152] Prot. der Rektorenkonferenz vom 7. und 8. März 1939, S.84 f., in: BA Potsdam REM 708 Bl.547 f.
[153] Vgl. ebd. Bl.547 (Mevius) u. Bl.550 (ORR H. Huber vom REM).
[154] Vgl. den RdErl. des REM, 27.11.1939, in: DWEV 1939, S.578.
[155] Ordnung der Prüfung für das Lehramt an Höheren Schulen im Deutschen Reich, Berlin 1940.

zu stellen hatte, „daß er die nationalsozialistische Weltanschauung verstanden hat und die innere Verbindung ihrer Ideen in philosophischer Weise darstellen und erläutern kann".[156]

Die mündlichen Prüfungen in den drei gewählten Fächern (ein Hauptfach, zwei Nebenfächer) wurden in ähnlicher Weise politisch reglementiert. Germanistikstudenten mußten beispielsweise zeigen, daß sie sich „mit der nationalsozialistischen Auffassung vom germanisch-deutschen Wesen vertraut gemacht" hatten, daß sie „die Auseinandersetzung des deutschen Geistes mit fremden Einflüssen in großen Zügen" überschauten, und daß sie in der Lage waren, „die völkischen Erziehungswerte einer Dichtung" zu erkennen.[157] Künftige Geschichtslehrer sollten in der Prüfung nicht nur „die weltanschaulichen Grundlagen der nationalsozialistischen Geschichtsauffassung" beherrschen, sondern auch die Geschichte der NSDAP, des „nationalsozialistischen Reiches" und die „großen Aufbaugesetze des nationalsozialistischen Staates" kennen. Außerdem mußten sie „einen Überblick über die wichtigsten weltpolitischen Fragen der Gegenwart" besitzen und „die wehrpolitischen Erziehungswerte des historischen Bildungsgutes" benennen können.[158]

Auch für die anderen Fächer wurde von der Prüfungsordnung, zumeist allerdings weniger massiv, politisch relevantes Prüfungswissen eingefordert. Anglistikstudenten beispielsweise mußten sich u.a. über die „rassische Zusammensetzung des englischen Volkes" äußern können und eine klare Vorstellung über „das Angelsachsentum als kulturelle und politische Gesamterscheinung" besitzen.[159] Was dies unter den Bedingungen des Krieges bedeutete, liegt auf der Hand. Studenten, die Griechisch oder Latein als Nebenfach gewählt hatten, wurde neben einer Beschäftigung „mit den uns besonders berührenden Fragen der Rasse und Artverwandtschaft" auch die Kenntnis des nationalsozialistischen Schrifttums über die Antike abverlangt.[160] Die Prüfungsordnung setzte nicht zuletzt die Professoren unter Druck. Verlangte doch das REM, „die Vorbereitung an den Universitäten so schnell als möglich der neuen Ordnung anzupassen".[161] Es ist daher denkbar, daß die neue Prüfungsordnung eine Ideologisierung des Studiums in den geisteswissenschaftlichen Fächern vorangetrieben hat. Allerdings ermöglichen die Quellen dazu keine gesicherten Aussagen.

Hochschullehrer, die während des Dritten Reichs im geisteswissenschaftlichen Bereich gelehrt und geforscht haben, betonten nach 1945 übereinstimmend, sie hätten sich in ihren Lehrveranstaltungen relativ unabhängig gefühlt. Einen wirksamen Zwang, vom Katheder aus nationalsozialistische Parolen zu verbreiten, habe es nicht gegeben, teilt beispielsweise der Althistoriker Alfred Heuß mit, der vor 1945 als Professor in Breslau gearbeitet hatte:

[156] Ordnung der Prüfung für das Lehramt an Höheren Schulen, S.22.
[157] Vgl. ebd., S.23.
[158] Ebd., S.26.
[159] Vgl. ebd., S.35 f.
[160] Vgl. ebd., S.37 ff.
[161] Vgl. ebd., S.5.

> „Es gab ... keine wirkliche nationalsozialistische Doktrin, auf die man hätte verpflichtet werden können. Darin steckte eine Chance, die zu wenig genutzt wurde. Einen Alttestamentler hat auch im Dritten Reich niemand gezwungen, antisemitische Vorträge zu halten (wie ich das erlebt habe), und niemand mußte im Kathedralbau des fünfzehnten Jahrhunderts den Geist der nordischen Rasse erkunden".[162]

Ähnlich äußerten sich andere Hochschullehrer. Hans-Georg Gadamer berichtet in seinen Erinnerungen, er habe im philosophischen Seminar der Universität Leipzig sogar über jüdische Autoren wie Edmund Husserl unbehelligt Seminare abhalten können.[163] Auch Joachim Werner, der während der NS-Zeit Vor- und Frühgeschichte in Frankfurt und Straßburg lehrte[164], also ein politisch besonders exponiertes Fach vertrat, schrieb in einem kurz nach Kriegsende verfaßten Bericht, den Geisteswissenschaftlern sei unter Hitler genügend Spielraum verblieben, um sich in Lehre und Forschung von nationalsozialistischer Propaganda frei zu halten. Werner verwies aber gleichzeitig auch auf die Grenzen der Lehrtätigkeit:

> „Solange Rosenberg nicht Kultusminister wurde – daß dies nicht eintrat, dafür sorgte die kirchenpolitische Lage – war für den Geisteswissenschaftler in Deutschland trotz vieler Anfechtungen eine unabhängige wissenschaftliche Existenz zunächst noch möglich. Niemand konnte ihn zwingen, etwas gegen seine Überzeugung zu lehren oder zu schreiben. Er konnte allerdings nicht offen gegen die Thesen der Partei und gegen die Maßnahmen des Staates auftreten und blieb lediglich in seinem Fachgebiet unbehelligt".[165]

Wie eng diese Grenzen gezogen waren, hing im wesentlichen davon ab, inwieweit sich aus der nationalsozialistischen Ideologie klare Richtlinien für die einzelnen Disziplinen ableiten ließen. Im Bereich der Geschichtswissenschaft existierte eine verbindliche Interpretation eigentlich nur für den Zeitraum ab 1914. Der Freiburger Historiker Gerhard Ritter erläuterte Ende 1945 in einer persönlich gehaltenen Bilanz,

> „daß selbstverständlich auch für den älteren Gelehrten von Ruf ganz bestimmte, unüberschreitbare Grenzen der Lehrfreiheit bestanden. Für den Historiker waren sie da gezogen, wo die offizielle Geschichtslegende über den ersten Weltkrieg, den Versailler Frieden, die ‚Weimarer Epoche' und den Ursprung des Hitlerreiches begann. Ich habe es niemals wagen können, diese Geschichtsepoche zum Gegenstand von Vorträgen, Vorlesungen oder Schriften zu machen; nur in meinen Seminarübungen, im engsten Schülerkreis also, habe ich sie behandelt".[166]

---

[162] A. Heuß, Versagen und Verhängnis, Berlin 1984, S. 108.

[163] Vgl. Gadamer, Lehrjahre, S. 117.

[164] Zu Werner vgl. Heiber, Universität, Teil II, Bd. 1, S.249.

[165] Zitate aus: J. Werner, Zur Lage der Geisteswissenschaften in Hitler-Deutschland, in: Schweizerische Hochschulzeitung, 19. Jg., 1945/46, S.77.

[166] G. Ritter, Der deutsche Professor im „Dritten Reich", in: Die Gegenwart, 1. Jg., 1945/46, S.25. Zu Ritter vgl. K. Schwabe, Der Weg in die Opposition. Der Historiker Gerhard Ritter und der Freiburger Kreis, in: Die Freiburger Universität in der Zeit des Nationalsozialismus. Hg. von E. John u.a., Freiburg/Würzburg 1991, S.191 ff.; H. Heiber, Universität unterm Hakenkreuz, Teil 1, München 1991, S.193 ff.

Trotz solcher Einschränkungen ergibt sich insgesamt der Eindruck, daß die Freiräume der Geisteswissenschaftler größer waren, als die programmatischen Forderungen der nationalsozialistischen Ideologen vermuten ließen. Hochschullehrer, die trotzdem in ihren Lehrveranstaltungen nationalsozialistisches Gedankengut verbreiteten, taten dies entweder aus Überzeugung oder aus Opportunismus. Wie groß die Zahl der Hochschullehrer war, die sich auf diese Weise exponierten, läßt sich wohl kaum exakt ermitteln. Äußerungen von nationalsozialistischer Seite legen allerdings die Vermutung nahe, daß es sich nur um eine Minderheit handelte. Reichsminister Rust verstieg sich 1936 sogar zu der pauschalen Behauptung: „Was heute noch in der Geisteswissenschaft lebe, das sei von gestern und vorgestern".[167] Sicher war dies eine Übertreibung, denn zweifellos gab es Gruppen von zumeist jüngeren Geisteswissenschaftlern, die sich um eine nationalsozialistische Ausrichtung ihrer Disziplinen bemühten. Doch spricht wenig dafür, daß deren Arbeiten tatsächlich die Basis für eine grundlegende Veränderung der universitären Lehre geschaffen haben. Jedenfalls findet sich unter den maßgeblichen nationalsozialistischen Funktionären niemand, der eine solche Einschätzung vertreten hätte. In diesen Kreisen dominierte ganz eindeutig die Auffassung,

> „daß auf dem Gebiete der Kulturwissenschaft, in Sonderheit in der Geschichte, der Volkskunde und der Kulturphilosophie, der entscheidende Durchbruch im Sinne nationalsozialistischer Weltanschauung noch nicht vollzogen ist",

wie der Leiter der Reichsfachgruppe Kulturwissenschaft im NSDStB, Arnold Brügmann, 1937 in einer internen Notiz konstatieren mußte.[168]

Aus der Perspektive der studentischen Funktionäre mangelte es in der Lehre hauptsächlich an einer gebührenden Berücksichtigung der nationalsozialistischen Rassenideologie. Sehr aufschlußreich ist in dieser Hinsicht ein Plakat, welches die Fachgruppe Historiker 1936 im Historischen Seminar der Universität Rostock anschlug. Das Plakat zitierte zunächst Hitlers Forderung, endlich eine Weltgeschichte zu schreiben, „in der die Rassenfrage zur dominierenden Stellung erhoben wird"[169] und stellte danach eine Reihe von kritischen Fragen an die Rostocker Historiker: „Warum wurde ... im Kolleg nicht wenigstens ein Ansatz gemacht, die Rassenfrage zur dominierenden Stellung zu erheben?" Der Anschlag endete mit der grundsätzlichen Frage:

> „Warum sind wir noch immer darauf angewiesen, die weltanschauliche Sinngebung der Geschichte selber in Angriff zu nehmen, wo doch gerade die Hochschullehrer hierzu die wissenschaftlichen Führer sein sollten? Drei Jahre haben wir gewartet! Wie lange noch?"[170]

---

[167] „Rust gegen die Reaktionäre in der Wissenschaft", in: Hamburger Tageblatt, Nr.59, 29.2.1936.
[168] A. Brügmann an F. Kubach, 24.4.1937, in: StA WÜ RSF/NSDStB II* 175 α 103.
[169] Hitler, Mein Kampf, S.468.
[170] Das Plakat ist abgedruckt in: Der Student in Mecklenburg-Lübeck, Nr.9, 15.2.1936, S.12.

3. Das *Medizinstudium.* Das Studium an den Medizinischen Fakultäten[171] verdient besondere Aufmerksamkeit, weil der Anteil der Medizinstudenten an den Universitäten während der NS-Zeit erheblich zugenommen hat. Die nationalsozialistische Konzeption von Medizin läßt sich relativ präzise definieren: Im Gegensatz zum „liberalistischen Zeitalter" sollte im Zentrum der nationalsozialistischen Gesundheitspolitik nicht mehr die Heilung des kranken Individuums stehen, sondern die Stärkung der „Volksgemeinschaft" und der „Rasse". Die Aufgabe der nationalsozialistischen Medizin, einen gesunden leistungs- und wehrfähigen Volkskörper zu schaffen, schloß deshalb nicht nur die Heilung Kranker ein, sondern auch die Notwendigkeit, Menschen mit „minderwertigem Erbgut" auszumerzen, sei es durch die Verhinderung zukünftiger Fortpflanzung (Sterilisation) oder durch die Vernichtung von Patienten, die nicht mehr zu produktiver Leistung fähig waren (Euthanasie).

Was folgte daraus für die universitäre Lehre? Zunächst einmal offenbar nicht sehr viel. Selbstverständlich gab es auch an den Medizinischen Fakultäten eifrige Dozenten, die seit dem Sommersemester 1933 aus eigener Initiative Lehrveranstaltungen über Eugenik, Rassenhygiene, Naturheilkunde und vor allem über Wehrmedizin anboten.[172] Die nationalsozialistisch geführten Kultusministerien zeigten sich jedoch in den ersten Jahren sehr zurückhaltend. Zwar setzte das preußische Kultusministerium bereits im Sommer 1934 einen neuen Unterrichtsplan in Kraft, der auch von anderen Ländern teilweise übernommen wurde. Doch von einer substantiellen Änderung der Medizinerausbildung war darin nur wenig zu entdecken. Im wesentlichen beschränkte er sich darauf, die Belastung der Medizinstudenten durch eine Reduzierung der naturwissenschaftlichen Vorlesungen und der Spezialfächer zu verringern.[173]

Auch in den folgenden Jahren machte sich die Ministerialbürokratie nur sehr zögerlich an eine nationalsozialistische Reform der Medizinerausbildung. Das REM begnügte sich zunächst (im Mai 1935) mit einer Anweisung, welche die Studenten zum Besuch einer Vorlesung über Luftfahrtmedizin verpflichtete.[174] Zwei Jahre später folgte ein weiterer Erlaß, in dem die Fakultäten aufgefordert wurden, sich in den Lehrveranstaltungen mit chemischen Kampfstoffen und Kampfstofferkrankungen zu beschäftigen und dieses Thema auch in Prüfungen entsprechend zu berücksichtigen.[175] Die vom Reichsministerium des Innern (welches für Prüfungen und Approbationen zuständig war) 1936 vorgelegte neue Bestallungsordnung für Ärzte unterschied sich von früheren Prüfungsordnungen nur in einem wichtigen Punkt, nämlich durch die Etablierung der Rassenhygiene als neues Prüfungsfach. Allerdings galt diese Neuregelung nur für Universitäten, an de-

[171] Zum Medizinstudium im Dritten Reich vgl. vor allem die sorgfältige Studie von H. van den Bussche, Im Dienste. Ergänzend auch: Mersmann, Medizinische Ausbildung.

[172] Vgl. H. van den Bussche, Im Dienste, S.58 ff.

[173] Vgl. ebd., S.71 ff.

[174] Vgl. ebd., S.112.

[175] Vgl. RdErl. des REM, 26.6.1937, in: StA HH Universität I M 10.1. Heft 2. Siehe auch den RdErl. des REM, 12.4.1938, in: DWEV 1938, S.209.

nen schon ein Prüfer für Rassenhygiene ernannt worden war.[176] Da zum damaligen Zeitpunkt erst an neun von 23 Universitäten Lehrstühle für Rassenhygiene bestanden[177], war ein großer Teil der Medizinstudenten von dieser Regelung nicht betroffen.

Davon abgesehen, blieb die Ausbildung der zukünftigen Ärzte in den ersten sechs Jahren nach der Machtübernahme des Nationalsozialismus weitgehend unverändert. Aus der Perspektive der nationalsozialistischen Studenten war dieser Zustand selbstverständlich höchst unbefriedigend. 1937 kam der Leiter der Reichsfachgruppe Medizin im NSDStB, Friedrich Gauwerky, in einem Artikel zu dem Ergebnis,

> „daß die nationalsozialistische Revolution, die auf allen Lebensgebieten eine Umwälzung hervorgerufen hat, an unserer Universität und unserer medizinischen Lehrmethode fast wirkungslos vorübergegangen zu sein scheint ... Zu deutlich und stark empfinden wir die Unzulänglichkeit, besonders die Arbeitsweise, unserer Medizinischen Fakultäten. Das einzige, was sich wirklich geändert hat, sind die wenigen Ansätze, die sich in der studentischen Arbeit zeigen".[178]

Von einer tiefer gehenden Neuordnung des Medizinstudiums ließ sich erst seit 1939 reden. In diesem Jahr traten sowohl eine neue Studienordnung für Medizinstudenten als auch eine neue Bestallungsordnung für Ärzte in Kraft.[179] Mit der Studienordnung wurde der Versuch gemacht, zwei völlig gegensätzliche Ziele miteinander zu verbinden: Zum einen sollte die Studienzeit verkürzt werden (von elf auf zehn Semester), um das Problem des Nachwuchsmangels in den Griff zu bekommen, zum anderen wurde die Zahl der Pflichtveranstaltungen vergrößert, um eine Reihe von neuen Fächern in das Lehrangebot integrieren zu können.[180]

Zu den neuen Fachgebieten gehörten vier Vorlesungen, die dem Themenkomplex Rassenhygiene, Erblehre und Bevölkerungspolitik gewidmet waren (zusammen neun Semesterwochenstunden), zwei Vorlesungen über „Naturgemäße Heilmethoden mit praktischen Übungen", die zusätzlich durch Heilkräuterexkursionen ergänzt werden sollten, sowie zahlreiche Veranstaltungen, bei denen der wehrmedizinische Aspekt im Titel besonders hervorgehoben wurde.[181] Neu waren außerdem diverse Lehrveranstaltungen

[176] Vgl. VO über die Änderung der Prüfungsordnung für Ärzte, 25.3.1936, in: Ministerialblatt 1936, S.76. Siehe auch Mersmann, Medizinische Ausbildung, S.48.

[177] Vgl. die Auflistung in: Koch, Gesellschaft, S.251.

[178] F. Gauwerky, „Neubau der Erziehung durch die Fachgruppenarbeit", in: Der Jungarzt, H.1, September 1937, S.20, zit. in: H. van den Bussche, Im Dienste, S.97.

[179] Vgl. Medizinische Studienordnung vom 21.2.1939, in: DWEV 1939, S.136 ff.; Fünfte VO zur Durchführung und Ergänzung der Reichsärzteordnung (Bestallungsordnung für Ärzte) vom 17.7.1939, in: RGBl. 1939 I S.1273 ff.

[180] Vgl. Kater, Medizinische Fakultäten und Medizinstudenten: Eine Skizze, in: F. Kudlien u.a., Ärzte im Nationalsozialismus, Köln 1985, S.102.

[181] Es handelt sich um folgende Veranstaltungen: Arbeits-, Sport- und Wehrphysiologie (einschl. Luftfahrt); Physiologische Chemie und Wehrchemie; Allgemeine Pathologie und Wehrpathologie; Medizinische Klinik (einschl. Wehrmedizin); Chirurgische Klinik (einschl. Wehrchirurgie); Hygiene unter besonderer Berücksichtigung der Wehr- und Gewerbehygiene; Pharmakologie und Toxikologie (einschl. Wehrtoxikologie); Psychiatrische und Nervenklinik (einschl. Wehrpsychologie).

aus dem Bereich der Sozial- und Versicherungsmedizin sowie einige andere Pflichtvorlesungen.

Ein Vergleich der Bestallungsordnung von 1939 mit der alten Prüfungsordnung für Ärzte von 1924[182] zeigt, daß die – insgesamt 14 – Prüfungsfächer von 1924 in der Ordnung von 1939 unverändert übernommen wurden. Jedoch finden sich in der Bestallungsordnung von 1939 fünf zusätzliche Prüfungsfächer: Naturgemäße Heilkunde, Erkrankungen des Zahnes, Berufskrankheiten, Begutachtung in der Sozialversicherung und Unfallheilkunde, Rassenhygiene. Von diesen neuen Prüfungsfächern lassen sich zwei (Rassenhygiene, mit Einschränkungen auch: Naturgemäße Heilkunde) als ideologisch relevante Fächer bezeichnen. Neu war auch die Anweisung an die Prüfer, sich während der Prüfung, „soweit der Gegenstand dazu Gelegenheit gibt", davon zu überzeugen, „ob der Kandidat auch mit den verschiedenen Gebieten der Wehrmedizin vertraut ist".[183]

Dieser Versuch, eine Reihe von neuen Fächern in die medizinische Ausbildung zu integrieren, stieß allerdings auf erhebliche Schwierigkeiten, weil an vielen Universitäten keine ausgebildeten Fachvertreter vorhanden waren.[184] Die Rassenhygiene als ideologisch zentrale Disziplin hatte sich bis 1939, wie bereits erwähnt wurde, nur an etwa der Hälfte aller Universitäten durch planmäßige Professuren etabliert. Der nationalsozialistische Internist Johannes Stein behauptete 1943 sogar, „nur ein Drittel aller Universitäten" verfüge über „Vertreter, die das alles so lesen können, wie es der Nationalsozialismus verlangt".[185] Selbst die Naturheilkunde, an der eine ganze Reihe von prominenten Parteiführern (allen voran Rudolf Heß, aber auch Streicher, Himmler u.a.) großes Interesse zeigte, war 1939 nur an einer einzigen Universität (Berlin) durch einen Lehrstuhl vertreten.[186] In solchen Fällen mußten die neuen Pflichtvorlesungen entweder an Lehrbeauftragte oder Honorarprofessoren übertragen werden, die in aller Regel kein Prüfungsrecht hatten, oder sie wurden von Vertretern anderer Fachgebiete quasi nebenbei mit übernommen. Beide Konstellationen bewirkten fast unausweichlich eine gewisse Marginalisierung der neuen Fächer.[187]

Das Ziel der neuen Studienordnung, eine Erhöhung der Anforderungen mit einer Verkürzung der Studienzeit zu verbinden, erwies sich, zumal unter den Bedingungen des Krieges, als völlig unrealistisch. Schon bald häuften sich Klagen über die den Medizinstudenten aufgebürdeten Lasten. Durch

---

[182] Prüfungsordnung für Ärzte vom 5.7.1924, abgedruckt in: Mersmann, Medizinische Ausbildung, S.158 ff.

[183] Bestallungsordnung für Ärzte vom 17.7.1939, S.1281 (§ 48 Abs. 2).

[184] Vgl. den skeptischen Kommentar im 1. Vierteljahreslagebericht 1939 des Sicherheitshauptamtes, in: Meldungen aus dem Reich, Bd.2, S.271.

[185] Prot. der Besprechung über Änderungen der medizinischen Studienordnung, 7.9.1943, S.9, in: BA Potsdam REM 809 Bl.291.

[186] Ein weiterer Lehrstuhl in Jena wurde 1938 nach internen Querelen aufgelöst. Vgl. A. Haug, Der Lehrstuhl für Biologische Medizin in Jena, in: Kudlien u.a., Ärzte im Nationalsozialismus, S.136. Haug weist darauf hin, daß nach 1933 keine neuen Lehrstühle für Naturheilkunde geschaffen wurden (ebd., S.134).

[187] Vgl. H. van den Bussche, Im Dienste, S.151 ff.

die Einberufung vieler Dozenten, die unerwartet große Zunahme der Medizinstudenten und die kriegsbedingten Zerstörungen wurde ein geregeltes Studium noch zusätzlich erschwert. Angesichts dieser Probleme gab das REM den Dekanen im Mai 1943 die Vollmacht, bei der Gestaltung des Medizinstudiums vor Ort notfalls auch von den Bestimmungen der Studienordnung abzuweichen.[188] Daraufhin entschloß sich der Dekan der Hamburger Medizinischen Fakultät kurzerhand, die Lehrveranstaltung über „Natürliche Heilweisen“ aus dem Vorlesungsverzeichnis zu streichen und die vorklinische Vorlesung über Rassenkunde zu halbieren.[189] Noch radikaler verhielt sich sein Straßburger Kollege, der die rassenkundlichen Vorlesungen auf zunächst zwei, später drei Wochenstunden zusammenstrich.[190]

Die Ansicht, derartige Vorlesungen seien ein für die Medizinerausbildung eigentlich entbehrliches ideologisches Beiwerk, war offenbar selbst im REM weit verbreitet. Der Entwurf einer neuen medizinischen Studienordnung, den das Ministerium im Herbst 1943 verschickte, reduzierte die rassenhygienischen und rassenkundlichen Vorlesungen kurzerhand von neun auf vier Semesterwochenstunden.[191] Damit hatte sich das REM freilich zu weit vorgewagt. Kaum war der Entwurf bekanntgeworden, da hagelte es schon Protestschreiben. Nicht nur die Rassenkundler, sondern auch die Parteikanzlei, das Reichsinnenministerium, Reichsgesundheitsführer Leonardo Conti und der SD protestierten gegen den Versuch, die Entlastung der Medizinstudenten auf Kosten der weltanschaulich besonders wichtigen Vorlesungen zu bewerkstelligen.[192] Die Auseinandersetzung endete schließlich mit einem Kompromiß. Die im Sommer 1944 veröffentlichte neue Studienordnung[193] enthielt zwei Pflichtvorlesungen über Rassenlehre mit insgesamt sechs Vorlesungsstunden sowie eine zweistündige Vorlesung über „Natürliche Heilweisen“. Trotz aller Einwände lief die Ordnung auf eine Entideologisierung des Medizinstudiums hinaus: Die rassenkundlichen Veranstaltungen wurden um ein Drittel gekürzt[194], die naturheilkundlichen Vorlesungen um die Hälfte, während die Heilkräuterexkursionen vollständig entfielen. Da die neue Studienordnung erst zum Wintersemester 1944/45 in Kraft trat, war ihr praktischer Effekt allerdings nur sehr gering.

Zusammenfassend läßt sich festhalten, daß die Ausbildung der Medizinstudenten im Dritten Reich vor allem in zweierlei Hinsicht verändert wurde. Zum einen erfolgte schon vor dem Beginn des Zweiten Weltkriegs eine Ausrichtung des Studiums auf die künftige Tätigkeit der Ärzte an der Front. Zum anderen wurden zwei neue Fächer, die den Nationalsozialisten aus

[188] Vgl. den RdErl. des REM, 14.5.1939, in: DWEV 1939, S.163.

[189] Vgl. H. van den Bussche, Im Dienste, S. 162.

[190] Vgl. die Stellungnahme des Vorsitzenden der Deutschen Gesellschaft für Rassenkunde, W. Gieseler, 11.8.1943, in: BA Potsdam REM 809 Bl.118 ff.

[191] Text des Entwurfs in: BA Potsdam REM 809.

[192] Der gesamte Vorgang in: BA Potsdam REM 809.

[193] Medizinische Studienordnung vom 1.8.1944, in: DWEV 1944, S.176.

[194] Kater, Medizinische Fakultäten spricht irrtümlich von einer „Verdoppelung der rassenhygienischen Pflichtübungen“ (S.85).

politischen Gründen wichtig waren (Rassenhygiene, Naturheilkunde) in die Studien- und Prüfungsordnung integriert, ein Vorhaben, das aufgrund der mangelnden Institutionalisierung beider Fächer nur in begrenztem Maße gelungen ist. Die neuere wissenschaftliche Literatur kommt daher überwiegend zu dem Ergebnis, in der akademischen Lehre sei letztlich das traditionelle Curriculum dominant geblieben und durch die nationalsozialistische Studienreform nicht ernsthaft in Frage gestellt worden.[195] Unklar bleibt allerdings erstens, inwieweit die Umstellung der Lehre auf die Erfordernisse des Krieges tatsächlich den Studienalltag durchdrungen hat, und zweitens, inwieweit die Lehre auch in den traditionellen Fächern von nazistischem Gedankengut infiziert wurde. Vieles spricht dafür, daß vor allem die Psychiatrie an manchen Hochschulen stark von nationalsozialistischen Ideologemen geprägt war.[196]

4. Das Studium der *Naturwissenschaft und Technik*. Unter Naturwissenschaftlern war die Überzeugung, daß Wissenschaft und Politik nichts miteinander zu tun hätten und auch nichts miteinander zu tun haben sollten, stets besonders stark ausgeprägt.[197] Dennoch finden sich nach 1933 auch in den Naturwissenschaften Tendenzen zur Politisierung der Lehre. Wie der Chemiker Adolf Roth (TH Braunschweig) 1934 erläuterte, gab es selbst in diesen scheinbar unpolitischen Fächern für den Hochschullehrer genügend Möglichkeiten, seine Gesinnung unter Beweis zu stellen:

> „Wie oft kann er in den Vorlesungen Gelegenheit nehmen, zum Beispiel wenn von Kohle und Eisen die Rede ist, auf das Verlogene und Ungeheuerliche des Versailler ‚Friedensvertrages' und der Grenzziehung in Oberschlesien hinzuweisen. In der ‚Mathematik für Chemiker' setze ich das abgekürzte Rechnen mit ganz großen Zahlen stets an den ‚Reparationssummen' auseinander. Nicht nur chemisches, zusammenhängendes Wissen, sondern auch wirtschaftliches Denken, deutsches Fühlen und gerechten Stolz auf unsere Leistungen auf allen Gebieten der Chemie soll der Schüler aus der Vorlesung lernen".[198]

Obwohl solche Versuche zur Politisierung der Lehre den Erwartungen der neuen Machthaber entgegenkamen, blieben sie letztlich im Rahmen eines traditionellen nationalkonservativen Weltbildes. Sehr viel brisanter waren die – oft rassistisch begründeten – Versuche, eine „arteigene" Naturwissenschaft, eine „Deutsche Physik" bzw. eine „Deutsche Mathematik" oder eine „Deutsche Chemie" zu begründen. Derlei Aktivitäten wurden keineswegs von außen initiiert, sondern gingen aus den Reihen der Hochschullehrer selber hervor.

---

195 Vgl. H. van den Bussche (Hg.), Medizinische Wissenschaft im „Dritten Reich", Berlin/Hamburg 1989, S.448; Kater, Medizinische Fakultäten, S.92.

196 Vgl. dazu: B. Müller-Hill, Tödliche Wissenschaft, Reinbek/Hbg. 1984.

197 Vgl. G. Freise, Das Selbstverständnis von Naturwissenschaftlern im Nationalsozialismus, in: 1933 in Gesellschaft und Wissenschaft, Teil 2, Hamburg 1984, S.103 ff. Siehe auch A. Beyerchen, Der Kampf um die Besetzung der Lehrstühle für Physik im NS-Staat, in: M. Heinemann (Hg.), Erziehung und Schulung im Dritten Reich, Stuttgart 1980, Teil 2, S.79 ff.

198 Zit. in: F. Ruhnau, Chemisch-technologische Forschung im Nationalsozialismus am Beispiel der Technischen Hochschule Braunschweig, in: Hochschule und Nationalsozialismus, Braunschweig 1994, S.105.

Die wichtigste dieser Gruppierungen war zweifellos die von Philipp Lenard und Johannes Stark angeführte „Deutsche Physik".[199] Sowohl Lenard als auch Stark waren Nobelpreisträger, und beide konnten auf ein jahrelanges Engagement für den Nationalsozialismus zurückblicken. Die „Deutsche Physik" basierte auf der Überzeugung, daß Wissenschaft grundsätzlich rassisch bedingt sei und alle bedeutenden naturwissenschaftlichen Leistungen von „Ariern" erbracht worden seien. Demgegenüber wurde den Juden eine Tendenz zum abstrakten und letztlich unfruchtbaren Theoretisieren zugeschrieben. Die von Lenard und Stark angeführte Gruppierung war jedoch nicht nur strikt antisemitisch, sondern stand darüber hinaus auch in einer grundsätzlichen Frontstellung zu den wichtigsten Leistungen der modernen Physik. Nicht nur Einsteins Relativitätstheorie wurde als Produkt „jüdischen Geistes" abgelehnt, sondern auch die Quantenmechanik, obwohl letztere durchaus als Produkt „arischen" Erfindergeistes hätte interpretiert werden können.

Welche Machtpositionen besaßen diese Gruppierungen, und inwieweit gelang es ihnen, die universitäre Lehre zu beeinflussen? Die Bemühungen, eine „Deutsche Chemie" zu begründen, blieben auf eine sehr kleine Gruppe von Wissenschaftlern beschränkt, die weder auf fachlicher noch auf politischer Ebene größere Resonanz fand.[200] Auch der Aufbau einer „Deutschen Mathematik" geriet schon nach kurzer Zeit ins Stocken. Die von Ludwig Bieberbach geführte Gruppe besaß nur an der Berliner Universität einen gewissen Rückhalt, während sie an anderen Hochschulen ohne Bedeutung blieb.[201] Demgegenüber verfügten die Anhänger der „Deutschen Physik" vor allem in den ersten Jahren nach der „Machtergreifung" über beträchtlichen Einfluß. Dieser beruhte im wesentlichen auf dem Ansehen, welches Lenard und Stark innerhalb der Partei genossen. Zu ihren treuesten Anhängern gehörte nicht zuletzt die Führung des NSDStB, in dessen Presse regelmäßig Propaganda für die Thesen der „Deutsche Physik" gemacht wurde.[202]

Trotz politischer Protektion gelang es der „Deutschen Physik" nicht, eine dominierende Position innerhalb ihres Faches zu gewinnen. Ihre Anhängerschaft unter den Fachwissenschaftlern reduzierte sich im wesentlichen auf eine Gruppe von Schülern und ehemaligen Mitarbeitern Lenards, dessen Heidelberger Institut bereits in den 1920er Jahren eine Hochburg völkisch gesinnter Akademiker gewesen war. Ende 1939, auf dem Höhepunkt ihres Einflusses, verfügten die Vertreter der „Deutschen Physik" über sechs von

---

[199] Zur „Deutschen Physik" vgl. die grundlegende Studie von A.D. Beyerchen, Wissenschaftler unter Hitler. Physiker im Dritten Reich, Köln 1980.

[200] Vgl. M. Bechstedt, „Gestalthafte Atomlehre" - Zur „Deutschen Chemie", in: Naturwissenschaft, Technik und NS-Ideologie. Hg. von H. Mehrtens u. S. Richter, FrankfurtM. 1980, S. 142-165.

[201] Vgl. H. Lindner, „Deutsche" und „gegentypische" Mathematik, in: Naturwissenschaft, Technik und NS-Ideologie, S.88 ff.; H. Mehrtens, Ludwig Bieberbach and „Deutsche Mathematik", in: E.R. Phillips (Hg.), Studies in the History of Mathematics, Washington, D.C. 1987, S.195 ff.

[202] Vgl. z.B. „Die Reichsfachgruppe ‚Naturwissenschaft' tagt auf dem Dilsberg bei Heidelberg", in: Die Bewegung, Nr.36, 2.9.1936, S.12.

insgesamt 81 Lehrstühlen für Physik in Deutschland.[203] Die überwiegende Mehrheit der an den deutschen Hochschulen tätigen Physiker, darunter auch manche Wissenschaftler, die dem Nationalsozialismus durchaus mit Sympathie gegenüberstanden, lehnte die völkische Physik von Lenard und Stark ab.

Langfristig konnten die fachorientierten Wissenschaftler den Einfluß der „Deutschen Physik" sogar erfolgreich zurückdrängen. Dabei kam ihnen zugute, daß auch eine Reihe von einflußreichen Beamten des REM in Konflikte mit Lenard und Stark verwickelt war[204] und keine Anstalten machte, sich für sie einzusetzen. Wichtiger war jedoch ein anderer Faktor: Die Gegner von Lenard und Stark bemühten sich mit wachsendem Erfolg, dem Regime ihre Unentbehrlichkeit vor Augen zu führen, indem sie auf die militärische Relevanz ihrer Arbeit hinwiesen.[205] Bereits 1935 kritisierte der Physiker Pascual Jordan mit scharfen Formulierungen die „Diffamierung der mathematisch-naturwissenschaftlichen Forschung" durch die völkischen Ideologen und bezeichnete deren Propaganda als „gegen die Wehrkraft des nationalsozialistischen Staates gerichtete Zersetzungsarbeit".[206] Während des Krieges wiederholten einflußreiche Wissenschaftler wie Ludwig Prandtl oder Carl Ramsauer dieses Argument in einer Reihe von Vorträgen und Eingaben.[207] Mit wachsendem Erfolg wiesen sie darauf hin, daß die Besetzung von Lehrstühlen mit fachlich unqualifizierten Ideologen nicht nur der Wissenschaft schade, sondern auch der deutschen Wirtschaft und Kriegstechnik.[208] Diese Argumentation wirkte offenkundig überzeugend. Ab 1940 setzte sich die Auffassung, daß qualifizierte Physiker im Krieg nötiger gebraucht wurden als linientreue Ideologen, auch in der Partei immer mehr durch. Seit 1942/43 interessierte sich niemand mehr für die abstrusen Theorien der „Deutschen Physik".

Letztlich sind alle Versuche, die nationalsozialistische Weltanschauung auch im naturwissenschaftlichen Sektor zur Geltung zu bringen, also wenig erfolgreich gewesen. Zwar gelang es, einige Lehrstühle mit völkischen Propagandisten zu besetzen, aber die große Mehrheit der Naturwissenschaftler hielt sich von diesen Bestrebungen fern. Dies galt auch für die Lehre: Selbst die von den Anhängern der „Deutschen Physik" mit besonderem Eifer bekämpfte Relativitätstheorie ist während des Dritten Reiches (ebenso wie die Quantenmechanik) weiter in den Lehrveranstaltungen behandelt worden, wie neuere Untersuchungen übereinstimmend zeigen. Allerdings wur-

---

[203] Vgl. Beyerchen, Wissenschaftler, S.232 f.

[204] Vgl. K. Zierold, Forschungsförderung in drei Epochen, Wiesbaden 1968, S.190 ff.; Heiber, Walter Frank, S.799.

[205] Vgl. Beyerchen, Wissenschaftler, S.247 ff.; M. Walker, Die Uranmaschine, Berlin 1990, S.92 ff.

[206] P. Jordan, Physikalisches Denken in der neuen Zeit, Hamburg 1935, S.9. Zu Jordan vgl. auch Heiber, Universität, Bd.I, S.373.

[207] C. Ramsauer, Über Leistung und Organisation der angelsächsischen Physik mit Ausblicken auf die deutsche Physik („geheim"), Berlin 1942 [richtig 1943], S.1, zit. nach einem Exemplar in: BA Koblenz R 26 III 126.

[208] Vgl. Beyerchen, Wissenschaftler, S.251.

den Lehrveranstaltungen über die Relativitätstheorie oft unter der Tarnbezeichnung „Elektrodynamik bewegter Medien" angeboten.[209]

Das REM hat vor 1939 kaum Anstalten gemacht, die Lehre in den naturwissenschaftlichen Fakultäten zu beeinflussen. Die Aktivitäten des Ministeriums beschränkten sich auf einige Erlasse, mit denen die Hochschullehrer der chemischen Institute angewiesen wurden, im Rahmen ihrer Lehrveranstaltungen und Prüfungen auch die chemischen Kampfstoffe angemessen zu berücksichtigen.[210] Weiter befahl das Ministerium, an den einzelnen Hochschulen „Lehrgemeinschaften" zu bilden, die regelmäßig Gemeinschaftsvorlesungen über chemische Kampfstoffe abhalten sollten. Das Experiment mußte aber schon nach kurzer Zeit abgebrochen werden, weil die Veranstaltungen der „Lehrgemeinschaften" kaum von Studenten besucht wurden.[211]

Neue reichsweite Studien- und Prüfungsordnungen für die naturwissenschaftlichen Fächer sind erst zwischen 1939 und 1942 in Kraft getreten. Auch in ihnen spiegelt sich deutlich die kriegsbedingte Entideologisierung der Naturwissenschaften. Selbst in der Anfang 1940 veröffentlichten Prüfungsordnung für das Lehramt an Höheren Schulen spielte die politische Überprüfung der zukünftigen Gymnasiallehrer keine große Rolle mehr. Zwar wurde von den Biologiestudenten u.a. Kenntnis der Rassenkunde, der nationalsozialistischen Bevölkerungspolitik und der „Sippenforschung" verlangt.[212] Bei der Prüfung künftiger Physik- oder Chemielehrer überwogen jedoch ganz eindeutig die fachlichen Anforderungen. Allerdings mußten Chemie- oder Physikstudenten in der Prüfung Auskunft geben können über die Bedeutung ihrer Disziplin für den „Lebenskampf des deutschen Volkes"[213], eine Formulierung, die sich hauptsächlich auf die militärische Relevanz der beiden Fächer bezog. Ähnliche Vorschriften galten auch für die Mathematikprüfung.

Studierende naturwissenschaftlicher Fächer, die nicht den Beruf des Studienrates anstrebten, beendeten ihr Studium in der Regel mit der Promotion. Als sich seit 1937/38 abzeichnete, daß der Bedarf an Naturwissenschaftlern weit größer war als der zur Verfügung stehende Nachwuchs, bemühte sich das REM um eine Beschleunigung des Studiums. Zu diesem Zweck wurden zwischen 1939 und 1942 reichseinheitliche Diplomstudiengänge für die meisten naturwissenschaftlichen Disziplinen eingerichtet. In den Diplomstudienordnungen zeigte sich der Trend zur Entpolitisierung der naturwissenschaftlichen Ausbildung noch deutlicher als in der Prüfungsordnung für das Lehramt an Höheren Schulen. Schon die im April 1939 veröffentlichte Stu-

[209] Vgl. Beyerchen, Wissenschaftler, S.230 f.; U. Rosenow, Die Göttinger Physik unter dem Nationalsozialismus, in: Die Universität Göttingen unter dem Nationalsozialismus, S.389 f.; M. Renneberg, Die Physik und die physikalischen Institute an der Hamburger Universität im „Dritten Reich", in: Hochschulalltag im „Dritten Reich", Teil III, S.1109.

[210] Vgl. den RdErl. des REM, 26.6.1937, in: StA HH Universität I M 10.1. Heft 2, und den RdErl. des REM, 12.4.1938, in: DWEV 1938, S.209.

[211] Vgl. den RdErl. des REM, 25.2.1942, in: BA Koblenz R 21/441 Bl.70. Siehe auch den Erfahrungsbericht von Prof. E. Keeser an den Rektor der Hamburger Universität, 24.5.1939, in: StA HH Universität I M 10.1. Heft 2.

[212] Vgl. Ordnung der Prüfung für das Lehramt an Höheren Schulen, S.29 ff.

[213] Vgl. ebd., S.31 ff.

dien- und Prüfungsordnung für Chemie[214] ließ keinerlei Spuren der NS-Ideologie mehr erkennen. Sie könnte ebensogut vor 1933 oder nach 1945 entstanden sein. Auch die seit 1942 gültige Diplomprüfungsordnung für Studierende der Physik und der Mathematik enthielt keine Hinweise, denen ein unbefangener Leser entnehmen könnte, daß sie von einem nationalsozialistisch geführten Ministerium erarbeitet worden war.[215] Ähnliches läßt sich mit leichten Einschränkungen über die Studienordnung und die Diplomprüfungsordnung für Studierende der Geologie sagen. Nur einige wenige Details – die Verpflichtung zum Land- oder Fabrikdienst und der Hinweis auf die Notwendigkeit einer Mitarbeit in der Fachgruppe Naturwissenschaft – lassen erkennen, in welcher Zeit diese Studienordnung geschrieben worden ist.[216] Vielfach sind die während des Krieges erarbeiteten Diplomstudienordnungen daher nach 1945 noch jahrelang weiter benutzt worden.[217]

Das Studium an den Technischen Hochschulen unterschied sich von den naturwissenschaftlichen Ausbildungsgängen hauptsächlich durch die umfangreichen Stundenpläne. Schon vor 1933 war es an den Technischen Hochschulen üblich gewesen, die Ausbildung der künftigen Ingenieure durch einen extensiven Vorlesungsbetrieb bis ins Detail zu reglementieren. Nach der Machtübernahme der Nationalsozialisten hatten die Studentenführer dagegen mit dem Argument protestiert, den TH-Studenten bleibe keine Zeit mehr für die politische Arbeit.[218] Als jedoch 1941 erstmals reichseinheitliche Studien- und Prüfungsordnungen für die Technischen Hochschulen publiziert wurden, mußten die Studenten erkennen, daß sich in dieser Hinsicht nicht sehr viel geändert hatte. Sofern die zukünftigen Ingenieure sich an die Vorgaben der Studienpläne hielten, waren sie weiterhin durchschnittlich 30 Wochenstunden mit Vorlesungen und Übungen beschäftigt.[219] Ansonsten unterschieden sich die TH-Studienpläne grundsätzlich kaum von den etwa zur gleichen Zeit publizierten Studienordnungen der naturwissenschaftlichen Disziplinen. Der weitgehende Verzicht auf ideologische Indoktrination fällt auch hier besonders ins Auge. Selbst von einer Ausrichtung des TH-Studiums auf militärische Zwecke war in den Studienordnungen nur wenig zu bemerken.[220]

[214] Vgl. die Studienordnung und die Diplomprüfungsordnung für Studierende der Chemie vom 6.4.1939 in: DWEV 1939, S.249 ff. und den Änderungserl. des REM vom 10.11.1943, in: DWEV 1943, S.379 ff.

[215] Vgl. die Diplomprüfungsordnung und die Studienordnung für Studierende der Physik sowie für Studierende der Mathematik vom 7.8.1942, in: StA HH Fakultäten/Fachbereiche der Universität Math. Fak. 26.

[216] Vgl. die Studienordnung und die Diplomprüfungsordnung für Studierende der Geologie vom 17.1.1941, in: DWEV 1941, S.41 ff.

[217] Vgl. W. Lenz, Eine ausgesprochen hansische Aufgabe: Meereskunde und Meteorologie, in: Hochschulalltag im „Dritten Reich", Teil III, S.1252.

[218] Vgl. das Prot. der Konferenz der Leiter der Studentenschaften im REM, 26.5.1935, in: BA Potsdam REM 868 Bl.110 ff.

[219] Vgl. H.A. Nipper (Hg.), Studienpläne sowie Studien- und Prüfungsordnungen für die Ausbildung von Diplom- und Doktor-Ingenieuren an deutschen Technischen Hochschulen und Bergakademien, Berlin 1941, S.5.

[220] Vgl. aber Nipper (Hg.), Studienpläne, S.73, 100.

Letztlich wurde das ursprünglich formulierte Ziel einer Neuordnung der naturwissenschaftlichen und technischen Ausbildung im Geiste des Nationalsozialismus also unter der Hand zu den Akten gelegt. Statt dessen setzte sich die Erkenntnis durch, daß fachlich gut ausgebildete Physiker, Chemiker und Ingenieure, wie sie in der Industrie, in der militärischen Forschung und in der Wehrmacht dringend benötigt wurden, für den Fortbestand des Regimes wichtiger waren als ideologisch versierte Dilettanten.

5. Grenzen der Gleichschaltung

Wie die bisherige Analyse gezeigt hat, bemühten sich die Nationalsozialisten auf zwei verschiedenen Wegen, eine Nazifizierung des Studiums zu erreichen:

Erstens: Durch die Studien- und Prüfungsordnungen wurde Druck auf die Studenten ausgeübt, neben dem eigentlichen Fachstudium zusätzliche Lehrveranstaltungen über politisch relevante Themenbereiche (Rassenkunde, Volkskunde, Vorgeschichte usw.) zu besuchen. In der Praxis erwies sich diese Politik als wenig erfolgreich, weil die Studierenden auf derartige Indoktrinationsversuche mit erkennbarem Desinteresse reagierten. Entweder wurden die fachfremden Lehrveranstaltungen nur mit offenkundigem Widerwillen absolviert, oder die Hörer blieben gänzlich aus. Als der zunehmende Mangel an akademischem Nachwuchs es erforderlich machte, das Studium zu kürzen und die Studienpläne zu straffen, sah sich das REM zu einer Revision dieses Konzeptes gezwungen. In den während des Krieges erlassenen Studienordnungen wurden die politischen Vorlesungen stark reduziert oder sogar gänzlich gestrichen.

Zweitens: Die Hochschullehrer wurden auf vielfältige Weise unter Druck gesetzt, ihre Fachvorlesungen im Sinne der NS-Ideologie umzugestalten. Teilweise erfolgte nach 1933 tatsächlich eine sehr weitgehende Veränderung der Lehrinhalte, beispielsweise in Vorlesungen über das öffentliche Recht und in den neuen, aus politischen Gründen geförderten Fächern, vor allem in der Rassenkunde. Doch dürfen diese Beispiele nicht verallgemeinert werden. In anderen Disziplinen, vor allem im naturwissenschaftlich-technischen Bereich, war der politische Druck auf die Hochschullehrer sehr viel geringer. Insgesamt vermitteln die Quellen den Eindruck, daß in der Lehre die Kontinuität stärker war als die Diskontinuität. Zwar haben viele Professoren, vermutlich die meisten, den Machthabern in der Vorlesung Zugeständnisse gemacht, sei es durch einleitende Bemerkungen, mit denen die politische Bedeutung des Themas ins rechte Licht gerückt wurde, sei es durch gelegentlich eingestreute Zitate oder durch terminologische Veränderungen, vielleicht auch nur dadurch, daß manche Dinge nicht mehr angesprochen, bestimmte Namen nicht mehr erwähnt wurden. Eine grundlegende Umgestaltung der Lehre im Geiste des Nationalsozialismus war aber eher die Ausnahme als die Regel. Zumindest zeigen die Quellen sehr deutlich, daß die erbrachten Anpassungsleistungen weit hinter den Erwartungen der Partei zurückblieben.

Dieser Eindruck wird durch die Analyse von zeitgenössischen Abschlußarbeiten zusätzlich untermauert. Als Léon Poliakov und Joseph Wulf vor Jahren einige Hundert in der NS-Zeit entstandene Doktorarbeiten durchsahen, stellten sie fest, daß nur ein relativ geringer Teil dieser Arbeiten, etwa 10 bis 15 %, nationalsozialistisch ausgerichtet war: „Die weitaus große Mehrheit hingegen hielt sich getreulich an die alten Regeln des akademischen Lebens".[221] Auch die Untersuchung von theologischen Dissertationen aus der NS-Zeit förderte nur in Einzelfällen einen deutlichen Einfluß der NS-Ideologie zutage.[222] Ähnliche Resultate erbrachte eine Überprüfung der von der Förderergesellschaft der Universität Münster zwischen 1933 und 1945 unterstützten Dissertationen. Wie Wilhelm Ribhegge berichtet, zeichneten sich diese Arbeiten weniger durch die Dominanz einer „deutschen Ideologie" aus, als vielmehr durch „die Enge des Horizonts und Schlichtheit der Fragestellungen".[223]

Wenngleich ein Hochschullehrer im Dritten Reich ohne Anpassung nicht überleben konnte, war die Anpassungsbereitschaft doch offensichtlich nicht unbegrenzt. Vor allem unter den älteren Ordinarien blieb die traditionelle Auffassung, Parteipolitik und Wissenschaft sollten voneinander getrennt werden, auch weiterhin lebendig. Wer sich in Forschung und Lehre allzu hemmungslos dem Zeitgeist anpaßte, geriet daher in Gefahr, als Wissenschaftler nicht mehr ernstgenommen zu werden. 1938 konstatierte der nationalsozialistische Germanist Franz Koch in einem Brief an seinen Berliner Kollegen Julius Petersen:

> „Es gehört in den Berliner wissenschaftlichen Kreisen nicht zum guten Ton, Nationalsozialist zu sein. Und es ist eine unbestreitbare Tatsache, daß wer sich als Wissenschaftler zum Nationalsozialismus bekennt, das Odium auf sich nimmt, wissenschaftlich sozusagen über die Achsel angesehen zu werden".[224]

Ähnliche Beobachtungen finden sich in einem Lagebericht des SD-Leitabschnittes Frankfurt über die Situation an den Hochschulen:

> „Es scheint unfein zu sein, in die Wissenschaft weltanschauliche Fragen einzuflechten. Die Weltanschauung scheint durchaus ein Gebiet freier Urteils- und Meinungsbildung zu sein und dementsprechend für die Wissenschaft uninteressant".[225]

Obwohl diese Haltung nur für einen Teil der Professoren charakteristisch war, hat sie doch dazu beigetragen, einer inneren Gleichschaltung der Hochschulen gewisse Grenzen zu setzen.

Die Feststellung, daß in der Lehre insgesamt die Kontinuität überwog, verweist also durchaus auf eine bewußte Zurückhaltung vieler Hochschul-

---

221 L. Poliakov / J. Wulf, Das Dritte Reich und seine Denker, Berlin 1959, S.73.

222 Vgl. I. Mager, Göttinger theologische Promotionen 1933-1945, in: L. Siegele-Wenschkewitz/ C. Nicolaisen (Hg.), Theologische Fakultäten im Nationalsozialismus, Göttingen 1993, S.357.

223 Vgl. W. Ribhegge, Geschichte der Universität Münster, Münster 1985, S.194.

224 F. Koch an J. Petersen, 1.1.1938, abgedruckt in: Klassiker in finsteren Zeiten 1933-1945 , Bd.1, Marbach 1983 , S.271.

225 Bericht des SD-Leitabschnittes Frankfurt/M. betr. Stimmung und Haltung der Hochschullehrer, 8.3.1944, in: HHStA Wiesbaden 483/11269.

lehrer gegenüber dem Totalitätsanspruch des Nationalsozialismus. Gleichzeitig deutet der Hinweis auf Kontinuitäten in der Lehre aber auch noch auf einen anderen Zusammenhang hin: Wenn viele Hochschullehrer, insbesondere in den Geisteswissenschaften, darauf verzichten konnten, Vorlesungen, die sie vor 1933 gehalten hatten, grundlegend zu verändern, dann war das, was in diesen Vorlesungen gelehrt wurde, offenbar durchaus kompatibel mit dem, was die Nationalsozialisten wollten. Mit anderen Worten: Es gab vor allem in den ersten Jahren evidente Gemeinsamkeiten zwischen nationalkonservativen und nationalsozialistischen Vorstellungen, die einen Modus vivendi zwischen den Universitäten und dem NS-Regime auch ohne grundlegende Veränderungen in Wissenschaft und Lehre möglich machten. Die nationalistische Grundtendenz der meisten Historiker, ihre Verherrlichung des deutschen Machtstaates, die Identifikation mit den „großen Heldengestalten" der deutschen Geschichte gehören zu diesen Gemeinsamkeiten ebenso wie die schon lange vor 1933 erkennbare Neigung zur Deutschtümelei und zur Abwertung der europäischen Aufklärung in der Germanistik.[226]

Der Hinweis auf solche Geistesverwandtschaft darf jedoch nicht die Tatsache verwischen, daß die Nationalsozialisten mit diesem Zustand keineswegs zufrieden waren. Das Regime wollte nicht nur Kompatibilität, sondern eine durchgreifende Veränderung in der Lehre. Es stellt sich daher die Frage, warum es den Nationalsozialisten nicht gelungen ist, ihre Vorstellungen gegenüber konservativer Beharrungskraft stärker zu verwirklichen. Ganz offensichtlich mangelte es dem Regime im Bereich der wissenschaftlichen Ausbildung an Durchsetzungskraft. Woran lag das?

Eine wesentliche Ursache liegt auf der Hand: Die nationalsozialistische Ideologie war viel zu dürftig und widersprüchlich, als daß sie präzise Leitlinien für die politische Ausrichtung der universitären Lehre liefern konnte. Die zornigen Äußerungen der Studentenfunktionäre über die unzureichende Nazifizierung der Ausbildung verkannten in der Regel die schlichte Tatsache, daß eine nationalsozialistische Wissenschaft, die vom Katheder aus hätte verkündet werden können, 1933 gar nicht zur Verfügung stand und auch nicht über Nacht zur Verfügung gestellt werden konnte, wenn sie mehr sein sollte als eine Sequenz von abgedroschenen Phrasen und Schlagworten. Ernst Krieck, vermutlich der eifrigste und aktivste unter den prominenten NS-Professoren, hat dieses Problem 1934 in seiner Zeitschrift „Volk im Werden" klar beschrieben:

---

[226] Grundlegend zur Geschichtswissenschaft immer noch: K.F. Werner, Das NS-Geschichtsbild und die deutsche Geschichtswissenschaft, Stuttgart 1967. Materialreich, aber in der Interpretation nicht immer überzeugend: K. Schönwälder, Historiker und Politik. Geschichtswissenschaft im Nationalsozialismus, Frankfurt am Main / New York 1992. Zur Germanistik: E. Lämmert u.a., Germanistik - eine deutsche Wissenschaft, Frankfurt/M. 1967. Wichtig sind außerdem die materialreichen Aufsätze von W. Voßkamp und K. Schreiner in: P. Lundgren (Hg.), Wissenschaft im Dritten Reich, Frankfurt/M. 1985.

> „Mancher Professor ist von dem Geschehen ergriffen worden, hat sich ehrlich und ohne Vorbehalt zur Verfügung gestellt, hat die Umstellung in Haltung und Weltbild erlebt. Wenn er aber in den Hörsaal tritt, so hat er nichts anderes zur Verfügung, als was er schon immer gelernt und gelehrt hat, und nur ein Schelm gibt mehr als er hat. Eine andersartige Wissenschaft fällt nicht vom Himmel und kann nicht aus dem Handgelenk geschüttelt werden, sondern setzt einen langen Schöpfungsprozeß voraus".[227]

Eine durchgreifende Politisierung der Lehre im Sinne des NS-Regimes war demnach nur denkbar als Resultat eines langfristigen Transformationsprozesses in den einzelnen Disziplinen. Nach Lage der Dinge konnte eine solche Aufgabe nur von den nationalsozialistischen Hochschullehrern selbst in Angriff genommen werden. Tatsächlich formierten sich 1933/34 auch an allen Hochschulen und in allen Fächern Gruppen von Professoren, die ihre Bereitschaft bekundeten, am Aufbau einer nationalsozialistischen Universität mitzuarbeiten. Doch die Ergebnisse, die in den folgenden Jahren präsentiert wurden, waren in der Regel äußerst dürftig.[228] Vielfach blieb der Aufbruch zur neuen Wissenschaft auf der Ebene der programmatischen Erklärungen und Propagandareden stecken.

Dafür lassen sich mehrere Gründe aufzählen: Viele nationalsozialistische Hochschullehrer waren überwiegend durch Leitungs- und Überwachungsaufgaben – als Rektoren, Dekane oder Dozentenbundführer – beansprucht. Für wissenschaftliche Tätigkeit fielen sie daher weitgehend aus. Wichtiger war jedoch ein anderer Faktor: Die Versuche der NS-Professoren, eine neue, völkische Wissenschaft zu entwickeln, stießen im allgemeinen auf wenig Resonanz. Sowohl zeitgenössische Quellen als auch später publizierte autobiographische Erinnerungen zeigen, daß die Vorlesungen jener Hochschullehrer, die sich demonstrativ um eine politische Ausrichtung ihrer Lehrveranstaltungen bemühten, auf die Studenten zumeist wenig attraktiv wirkten.[229] Aber auch die NSDAP, in der diffuse Ressentiments gegen „die Intellektuellen" weit verbreitet waren, zeigte im allgemeinen kein großes Interesse an den Aktivitäten der ihr nahestehenden Professoren. Nicht selten wurden die intellektuellen Anstrengungen der NS-Professoren in der Parteipresse mit Hohn und Spott registriert. Charakteristisch für diese abschätzige Haltung war eine Polemik, die „Das Schwarze Korps" der SS 1941 gegen den „Professorennationalsozialismus" im Staatsrecht veröffentlichte. Der anonyme Verfasser ließ keine Zweifel,

[227] E. Krieck, „Front Junge Wissenschaft", in: Volk im Werden, 2. Jg., 1934, S.246.

[228] Vgl. dazu das ernüchterte Fazit von Rosenbergs wissenschaftlichem Berater Alfred Baeumler aus dem Jahre 1944, abgedruckt in: Poliakov/ Wulf, Denker, S.100.

[229] Vgl. Deutschland-Berichte, 2. Jg., 1935, S.705; Krieck an Scheel, 22.2.1937, in: StA WÜ RSF/NSDStB II* 92 α 33; Heiber, Walter Frank, S.491; Beyerchen, Wissenschaftler, S.245; Adam, Hochschule, S.166 ff.; B. Vézina, „Die Gleichschaltung" der Universität Heidelberg im Zuge der nationalsozialistischen Machtergreifung, Heidelberg 1982, S. 169 f.; C. von Dietze, Die Universität Freiburg im Dritten Reich, in: Mitteilungen der List-Gesellschaft, 3, 1960/62, S.99; G. Ritter, Lebendige Vergangenheit, München 1958, S.98; F. Pringsheim, Die Haltung der Freiburger Studenten in den Jahren 1933-1935, in: Die Sammlung, 15. Jg., 1960, S.532; Wallis, Medizinstudentin, S.402.

daß er die nach 1933 auf diesem Gebiet entwickelten „Professorentheorien“ für völlig überflüssig hielt:

> „Der Aufbau des Reiches blieb unberührt von allen diesen Theorien ... Was der Staat ist, wissen wir vom Führer; was andere darüber schreiben, betrifft uns nicht. Der Führer braucht keine Professoren, um das auszuführen, was er vorbedacht hat. Wir brauchen keine Theorien, wir freuen uns an dem, was ist und was wird“.[230]

Bereits 1936 kommentierte der Leiter des NS-Dozentenbundes, Walther Schultze, mit einiger Besorgnis die Folgen dieser Politik: „Wir wären weiter, wenn alle, die guten Willens waren, gesammelt und nicht immer mit Hohn und Gewalt abgetrieben worden wären“, schrieb Schultze einem Gesinnungsgenossen. Dadurch seien „viele gute Ansätze des Jahres 1933 verloren“ gegangen und viele zur Mitarbeit willige Hochschullehrer „in die Neutralität abgetrieben“.[231]

Die dadurch hervorgerufene Ernüchterung wurde durch interne Konflikte noch weiter verstärkt. Vielfach endete der Aufbruch zur neuen Wissenschaft in den einzelnen Disziplinen schon nach kurzer Zeit in heftigen Rivalitätskämpfen zwischen verschiedenen Hochschullehrern, die allesamt den Anspruch erhoben, nur ihre Sicht der Dinge entspringe dem wahren Geist des Nationalsozialismus.[232] Da es an klaren Kriterien zur Überprüfung derartiger Behauptungen fehlte, wurden solche Auseinandersetzungen in vielen Fällen mit Hilfe von gegenseitigen Denunziationen ausgetragen.[233] „Es ging dabei nach außen um die einzig wahre Weltanschauung, in Wirklichkeit mehr um Geltungsbedürfnis, Machtstreben und Schlüsselstellungen“, wie ein mit dem Wissenschaftsbetrieb vertrauter ehemaliger SD-Funktionär rückblickend konstatierte.[234]

Derartige Konflikte verweisen auf ein entscheidendes Problem der nationalsozialistischen Hochschulpolitik: Ohne eine Institution, die über genügend Autorität verfügte, um bestimmte Lehrmeinungen für verbindlich zu erklären, war eine durchgreifende Nazifizierung der Lehre kaum denkbar. Tatsächlich gab es im NS-Staat aber keine Instanz, welche in der Lage gewesen wäre, die divergenten Aktivitäten zur Nazifizierung der Wissenschaft effektiv zu dirigieren. Dieses Manko war keineswegs das Ergebnis einer rational und flexibel handelnden Politik, wie gelegentlich behauptet worden ist[235], sondern das Resultat der polykratischen Strukturen im Hochschulbe-

[230] „Politik den Berufenen!“ in: Das Schwarze Korps, Nr.31, 31.7.1941, S.4.

[231] W. Schultze an den Leiter des Rassenpolitischen Amtes der NSDAP, W. Groß, 2.11.1936, Abschr. in: StA WÜ RSF/NSDStB II* 91 α 32.

[232] Ein charakteristisches Beispiel, die Auseinandersetzung um Jens Jessens „Volk und Wirtschaft“, bei: Heiber, Universität, Teil 1, S.200 f.

[233] Typisch für solche Auseinandersetzungen war der Konflikt zwischen Otto Höfler (Kiel) und Bernhard Kummer (Jena) über ihre unterschiedliche Interpretation der Germanen. Dazu umfangreiches Material in: UA Jena BA 505.

[234] H.J. Fischer, Erinnerungen, Teil I: Von der Wissenschaft zum Sicherheitsdienst, Ingolstadt 1984, S.74.

[235] Vgl. Schönwälder, Historiker, S.81 f.

reich, wo verschiedene relativ schwache Staats- und Parteistellen sich gegenseitig blockierten. Vom Amt Wissenschaft im REM, dessen Mangel an Durchsetzungsfähigkeit und Initiative nahezu sprichwörtlich war, konnte auf diesem Gebiet wenig erwartet werden. Auch der NS-Dozentenbund entwickelte auf wissenschaftlichem Terrain zunächst nur geringe Aktivitäten und beschränkte sich weitgehend auf personalpolitische Angelegenheiten.[236] Erst seit 1938 bemühte er sich darum, durch den Aufbau von Fachkreisen und die Gründung von „Wissenschaftlichen Akademien des NSD-Dozentenbundes“, Richtlinien für die ideologische Ausrichtung der einzelnen Disziplinen zu entwerfen.[237] Diese Initiativen stießen jedoch auf den entschiedenen Widerspruch des Parteiideologen Alfred Rosenberg, der dem NS-Dozentenbund grundsätzlich das Recht bestritt, „irgendwie parteiamtlich weltanschaulich-wissenschaftliche Forschungen zu betreiben“.[238] Rosenbergs Einspruch führte zu einem langjährigen Konflikt, der die Aktivitäten des Dozentenbundes auf diesem Gebiet praktisch lahmlegte.

Rosenberg selber fehlte sicher nicht der Wille, sich die Wissenschaft zu unterwerfen, aber auch ihm mangelte es an Durchsetzungskraft und Kompetenzen. Anfang 1940 versuchte Rosenberg, von Hitler endlich klare Befugnisse auf diesem Terrain zu erhalten.[239] Wäre sein Wunsch in Erfüllung gegangen, ein generelles Weisungsrecht auf dem Gebiet der wissenschaftlichen Forschung und Lehre zu bekommen, dann hätten für die Hochschullehrer sicher härtere Zeiten begonnen. Es zeigte sich aber, daß Rosenbergs Anliegen sowohl in der Partei als auch in der Ministerialbürokratie auf einhellige Ablehnung stieß. Nicht nur das REM, sondern auch der NS-Dozentenbund und die Reichsstudentenführung zeigten sich entsetzt über die Vorstellung, den Dogmatiker Rosenberg als Wissenschaftsdiktator vorgesetzt zu bekommen. Ihre Einwände und die Bedenken anderer Parteiführer überzeugten schließlich auch den zunächst zögerlichen Hitler. Rosenbergs Wunsch wurde abgelehnt. Zur Begründung erklärte Hitler seinem erstaunten Gefolgsmann, die verlangte Weisungsbefugnis könnte als „Knechtung“ der Wissenschaft verstanden werden: „Unsere W[elt]-A[nschauung] muß der exakten Forschung nicht vorschreiben, sondern aus ihrer Arbeit die abstrakten Gesetze folgern“.[240]

Bereits 1938/39 deutete vieles darauf hin, daß die Initiativen zur Begründung einer nationalsozialistischen Wissenschaft steckengeblieben waren. Die meisten prominenten Professoren, die sich 1933 dem Nationalsozialismus in die Arme geworfen hatten, spielten mittlerweile keine Rolle mehr. Martin

---

236 Vgl. den Jahreslagebericht des Sicherheitshauptamtes von 1938, in: Meldungen aus dem Reich, Bd.2, S.82.

237 Vgl. R.C. Kelly, National Socialism and German University Teachers: The NSDAP's Efforts to Create an National Socialist Professoriate and Scholarship, Ph.D., Washington 1973, S.399 ff.

238 Vgl. A. Rosenberg an Reichsdozentenführer W. Schultze, 8.6.1939, Abschr. in: BA Koblenz NS 8/199 Bl.58.

239 Vgl. Bollmus, Amt Rosenberg, S.130 ff.

240 Zit. in: Das politische Tagebuch Alfred Rosenbergs aus den Jahren 1934 und 1939/40. Hg. von H.-G. Seraphim, Göttingen 1956, S.100.

Heidegger war bereits im April 1934 als Freiburger Rektor zurückgetreten. Nachdem sich auch die Pläne zerschlagen hatten, ihm die Führung einer Reichsdozentenakademie zu übertragen, trat er auf der politischen Bühne kaum noch in Erscheinung.[241] Hans Freyers Begeisterung über das neue Regime war etwa seit 1935 merklich abgekühlt. Manche seiner in den folgenden Jahren publizierten Arbeiten lassen sich durchaus als Kritik am Nationalsozialismus interpretieren.[242] Carl Schmitt verlor 1936 seinen Einfluß, nachdem die SS ihn aufgrund seiner politischen Vergangenheit öffentlich angegriffen hatte.[243] Selbst Ernst Krieck legte 1938 nach zahlreichen Enttäuschungen und Konflikten seine politischen Ämter nieder und bekam in den folgenden Jahren wiederholt Probleme mit der Zensur.[244] In einem vertraulichen Schreiben an Reichsstudentenführer Scheel artikulierte Krieck 1939 seine tiefe Enttäuschung über die Entwicklung an den Hochschulen. Krieck machte keinen Hehl daraus, daß er das Projekt einer nationalsozialistischen Wissenschaft vorerst für gescheitert hielt:

> „Die herrschende Unsicherheit, Ratlosigkeit, Führungslosigkeit hat die Vertreter der Wissenschaft stumpf, dumpf und unproduktiv gemacht. Darum suchen alle, die nicht gänzlich verzichten, auf die Bahnen von einst wieder einzumünden".

Zwar zeigte Krieck sich überzeugt, daß viele Professoren die nationalsozialistische Weltanschauung „aus vollem Herzen" bejahten. Andere seien „durch die Leistungen des Führers widerstrebend überzeugt" worden. Doch folge aus der politische Zustimmung zum Regime vielfach keine wirkliche Umstellung in der Wissenschaft: „Auch die Gutwilligen können die Brücke von der politischen Haltung zur Wissenschaft oft nicht schlagen". Daher gäbe es weiterhin „die alte Zweiteilung: Hie politische Haltung – dort Wissenschaft um ihrer selbst willen". Schlimmer noch: „Es gibt bei vielen sogar eine Dreiteilung: Politische Haltung dem Nationalsozialismus, Weltanschauung der Kirche und Wissenschaft der Wissenschaft. Diese Halbheiten bilden die eigentliche, die gefährliche Reaktion". Krieck beendete seinen Brief mit der Frage: „Ist der Professor ein anderer geworden?" Seine Antwort fiel eindeutig aus: „Nein! Der Verputz von 1933 ist heute von ihm, wenigstens von seiner Wissenschaft, wenn er teilweise sonst auch guten Willens sein mag, wieder abgefallen".[245]

Bei der Beurteilung dieser Diagnose darf Kriecks Verbitterung über das Scheitern seiner persönlichen Ambitionen nicht außer acht gelassen werden.

---

[241] Über Heideggers Rolle im Dritten Reich liegen zahllose Publikationen vor. Zum neueren Forschungsstand vgl. B. Martin (Hg.), Martin Heidegger und das „Dritte Reich", Darmstadt 1989; Heiber, Universität, Teil II, Bd.1, S.480 ff.

[242] Vgl. J.Z. Muller, Enttäuschung und Zweideutigkeit. Zur Geschichte rechter Sozialwissenschaftler im „Dritten Reich", in: Geschichte und Gesellschaft, 12. Jg., 1986, S.289 ff.

[243] Vgl. J.W. Bendersky, Carl Schmitt. Theorist for the Reich, Princeton 1983, S.232 ff.

[244] Vgl. G. Müller, Ernst Krieck und die nationalsozialistische Wissenschaftsreform, Weinheim/Basel 1978, S. 139 ff. (informativ, aber unkritisch); Vézina, „Die Gleichschaltung" der Universität Heidelberg, S.175 f.

[245] Zitate aus: Krieck an Scheel, 8.5.1939 („vertraulich"), in: StA WÜ RSF/NSDStB I* 06 ϕ 123.

Die von ihm skizzierten Tendenzen zur Entpolitisierung der Wissenschaft sind offensichtlich stark übertrieben. Man wird daher die Behauptung, der Professor von 1939 sei der gleiche geblieben wie der von 1932, kaum wörtlich nehmen dürfen. Gleichwohl spricht manches dafür, daß um 1939 an den Hochschulen tatsächlich ein Trend zur Entideologisierung wirksam war. Derartige Entwicklungen sind auch in der neueren Forschung mehrfach registriert worden.[246] Nach dem Beginn des Krieges hat die Einberufung zahlreicher jüngerer Dozenten, die dem Nationalsozialismus zumeist mehr Sympathie entgegenbrachten als ihre älteren Kollegen, diese Tendenz weiter forciert.[247]

---

246 Vgl. Adam, Hochschule, S. 168, 193; Wolgast, Die Universität Heidelberg in der Zeit des Nationalsozialismus, S.395. Weiter: H. van den Bussche, Im Dienste, S.153; Die Universität Göttingen unter dem Nationalsozialismus, S.11 (Einleitung von H. J. Dahms).

247 Vgl. G.J. Giles, „Die Fahne hoch, die Reihen dicht geschlossen". Die Studenten als Verfechter einer völkischen Universität? in: Die Freiburger Universität in der Zeit des Nationalsozialismus, S.51.

V. Die „politische Auslese“ der Studentenschaft

Der ursprünglich aus der Evolutionstheorie stammende Begriff der „Auslese“ gehörte zum Kernvokabular der NS-Ideologie. Neben den Jugendorganisationen der Partei sollte auch das Erziehungssystem der Auslese einer durch rassenideologische und politische Kriterien definierten Elite dienen. Schon wenige Wochen nach den Märzwahlen von 1933 leiteten die nunmehr nationalsozialistisch geführten Ministerien eine Reihe von Maßnahmen ein, die sich zum einen gegen oppositionelle Studenten richteten, zum anderen gegen Juden. Während die Ausschaltung der „Nichtarier“ sich über einen längeren Zeitraum hinzog, war die Relegation jener Studenten, die sich als politische Gegner der NSDAP exponiert hatten, in der Regel bereits 1934 abgeschlossen. Darüber hinaus sollte auch der Arbeitsdienst als Ausleseinstanz wirken. Außerdem wurden Pläne entwickelt, den Zugang zu den Hochschulen von politischem Wohlverhalten abhängig zu machen. Diese stießen aber auf Widerspruch in der Ministerialbürokratie und der Parteispitze, weil sie mit dem Ziel kollidierten, die Nachwuchskrise in den akademischen Berufen zu überwinden.

1. Die Ausschaltung oppositioneller Studenten

Die erste Relegationswelle richtete sich hauptsächlich gegen die studentische Linke, insbesondere gegen die Mitglieder kommunistischer Gruppen. Die Namen dieser Studenten waren vielfach bekannt, weil sie an öffentlichen Aktionen teilgenommen oder bei studentischen Wahlen kandidiert hatten. An manchen Hochschulen waren alle Studentengruppen verpflichtet gewesen, den akademischen Behörden regelmäßig ein Verzeichnis ihrer Vorstandsmitglieder, mitunter auch sämtlicher Mitglieder, vorzulegen. Dieses Material konnte nun für die politische „Säuberung“ der Hochschulen und für die Erstellung Schwarzer Listen benutzt werden.

Einige Hochschulen fingen bereits im Frühjahr 1933 mit der Vertreibung oppositioneller Studenten an, obwohl zu diesem Zeitpunkt noch keine offiziellen Anweisungen aus den Ministerien vorlagen. So hatte die TH Berlin schon im Mai 1933 aus eigener Initiative mit dem Ausschluß kommunistischer Studenten begonnen, ohne auf Befehle ihrer vorgesetzten Behörde zu warten.[1] Auch an der Universität Würzburg leitete das Rektorat bereits am 22. Mai 1933 „auf schärfstes Drängen des Führers der Studentenschaft"[2] eine Reihe von Disziplinarverfahren wegen des Verdachts kommunistischer Betätigung ein. Bereits eine Woche später wurden fünf Studenten relegiert, andere erhielten Verweise, einigen wurde der dringende Rat erteilt, die Universität zu verlassen. Als das Bayerische Kultusministerium im Juli 1933 offiziell die Anweisung gab, kommunistische Studenten zu relegieren[3], war die „Säuberung" der Würzburger Studentenschaft bereits seit sechs Wochen abgeschlossen.[4] In deutlichem Kontrast dazu stand die Haltung des Akademischen Senats der Universität Köln. Dieser war noch im Juni 1933 übereinstimmend zu dem Ergebnis gekommen, „frühere kommunistische Studenten nicht grundsätzlich vom Studium auszuschließen".[5]

Die systematische Ausschaltung politischer Gegner des NS-Regimes begann mit einem Erlaß des Preußischen Kultusministeriums vom 29. Juni 1933, der anordnete, alle Studierenden vom Hochschulstudium auszuschließen, „die sich in den letzten Jahren nachweislich in kommunistischem Sinne betätigt haben (auch ohne Mitglied der KPD zu sein)". Die Hochschulen wurden verpflichtet, zur Feststellung der in Frage kommenden Personen die örtlichen Studentenführungen heranzuziehen und Listen der relegierten Studenten an alle Hochschulen zu versenden, um eine Immatrikulation der Betroffenen an anderer Stelle zu verhindern.[6]

Den Universitätsrat der Berliner Universität stellte dieser Erlaß noch nicht zufrieden. In einem Gespräch mit Ministerialrat Haupt vom preußischen Kultusministerium äußerte er den Wunsch, nicht nur kommunistische, sondern auch sozialdemokratische Studenten von den Universitäten zu verweisen. Außerdem erwähnte er den Namen eines der Zentrumspartei angehörenden Studenten, der die NSDAP noch nach den Märzwahlen „in den schärfsten Ausdrücken" kritisiert habe.[7] Im Preußischen Kultusministerium ließ man sich nicht lange bitten. Drei Wochen später wurde ein weiterer Erlaß verschickt, der die ursprüngliche Regelung erheblich ausweitete. Nicht nur Kommunisten seien zu relegieren, sondern auch andere Studenten, die sich „in marxistischem (...) oder sonst antinationalem Sinne aktiv betätigt" hätten. Allein die Mitgliedschaft in einer politischen Partei, mit Ausnahme der KPD, oder der Besuch politischer Versammlungen seien jedoch noch kein ausreichender Grund für eine Relegation:

---

[1] Vgl. H. Ebert, Die Technische Hochschule Berlin und der Nationalsozialismus: Politische „Gleichschaltung" und rassistische „Säuberungen", in: R. Rürup (Hg.), Wissenschaft und Gesellschaft. Beiträge zur Geschichte der Technischen Universität Berlin 1879-1979, Bd.1, Berlin 1979, S.458.

[2] So der Studentenführer G. Linde, zit. in: P. Spitznagel, Studentenschaft und Nationalsozialismus in Würzburg 1927-1933, Würzburg, phil. Diss., 1974, S.275.

[3] Vgl. den RdErl. des Bayerischen KM, 13.7.1933, in: GStAPK I Rep. 76 Va Sekt.1 Tit. XII Nr.42 Bd.I Bl.383 (M).

[4] Vgl. Spitznagel, Studentenschaft, phil. Diss., S.274 ff.

[5] Zit. in: F. Golczewski, Kölner Universitätslehrer und der Nationalsozialismus, Köln/Wien 1988, S.100.

[6] RdErl. des Preußischen KM, 29.6.1933, in: GStAPK I Rep.76 Nr.163 Bl.191 (M).

[7] Aktenvermerk J. Haupt, 22.7.1933, in: GStAPK Rep. 76 Va Sekt.1 Tit. XII Nr.42 Bd.I Bl.388 (M).

„Die Voraussetzungen für die Annahme einer marxistischen oder sonstigen antinationalen Betätigung sind aber insbesondere dann erfüllt, wenn ein Studierender in Wort, Schrift oder durch sein sonstiges Verhalten gehässig gegen die nationale Bewegung aufgetreten ist, ihre Führer beschimpft oder nationalgesinnte Studierende zu verfolgen, zurückzusetzen oder sonst zu schädigen versucht hat".[8]

Während bei Kommunisten schon die Mitgliedschaft in der Partei oder einer ihrer Vorfeldorganisationen als Relegationsgrund ausreichte, mußten Studierende anderer politischer Richtungen nur dann ihr Studium abbrechen, wenn sie im aktiven Kampf gegen den Nationalsozialismus oder seine Bündnispartner gestanden hatten. Diese relativ differenzierte Repressionspolitik wirkte auch außerhalb Preußens einleuchtend. In Bayern, Baden, Sachsen, Thüringen und Hamburg wurden die beiden preußischen Erlasse teils sinngemäß, teils sogar wortwörtlich übernommen[9] – nur ein Beispiel für die offenkundige Leitbildfunktion der preußischen Hochschulpolitik im ersten Jahr nach der nationalsozialistischen Machtübernahme.

Obwohl die Erlasse relativ einheitlich ausfielen, wurde die Relegation in der Praxis dennoch unterschiedlich gehandhabt. Manche Hochschulen, beispielsweise die Universität Berlin, schlossen neben kommunistischen Studenten auch Sozialdemokraten und andere „antinationale" Studenten in größerer Zahl aus.[10] An anderen Universitäten (z.B. in Köln und Hamburg) waren dagegen ausschließlich Mitglieder oder Vorstandsmitglieder kommunistischer und mit den Kommunisten sympathisierender Vereinigungen von der Relegation betroffen.[11] Einige Hochschulen begnügten sich bei der Zusammenstellung der Schwarzen Listen mit dem bereits vorliegenden Material des Rektorats und der Studentenführung, andere wandten sich darüber hinaus auch an die Polizei, um zusätzliche Informationen über „staatsfeindliche" Studenten zu erhalten.[12]

In der Praxis verfügten die Hochschulen also durchaus über eine gewisse Entscheidungsfreiheit, die es ermöglichte, zwischen verschiedenen Graden der Repression auszuwählen. Nicht nur aus diesem Grunde wies die Zahl der Relegationen an den einzelnen Hochschulen beträchtliche Unterschiede auf. Wie Tabelle 31 zeigt, mußten allein an der Berliner Universität 124 Studierende ihr Studium aufgeben, während an anderen Universitäten (Erlangen, Jena, Rostock, Tübingen) 1933/34 kein einziger Student aus politischen Gründen vom Hochschulstudium ausgeschlossen wurde. Daraus läßt sich

[8] RdErl. des Preußischen KM, 9.8.1933, in: GStAPK I Rep. 76 Nr.163 Bl.195.

[9] Die Erlasse der anderen Länder in: GStAPK Rep. 76 Va Sekt.1 Tit. XII Nr.42 Bd.I Bl.383 ff. (M); StA HH Hochschulwesen II U h 7.

[10] Vgl. die „Schwarzen Listen" der Berliner Universität in: Archiv der HUB Universitätsrichter 3017.

[11] Vgl. Golczewski, Kölner Hochschullehrer, S.101 ff.; M. Grüttner, „Ein stetes Sorgenkind für Partei und Staat". Die Studentenschaft 1930 bis 1945, in: Hochschulalltag im „Dritten Reich". Hg. von E. Krause u.a., Berlin/Hamburg 1991, Teil I, S.211.

[12] Letzteres geschah in München und Breslau. Vgl. den Eilbrief des Rektors der Universität München an die Polizeidirektion München, 23.11.1933, in: UA München G XVI 37 Fasc.1 und das Schreiben des Kurators der Universität und der TH Breslau an das Preußische KM vom 11.8.1933, in: GStAPK I Rep. 76 Va Sekt.1 Tit. XII Nr.42 Bd.I Bl.463 (M).

allerdings nicht ohne weiteres schließen, daß oppositionelle Studenten in Erlangen oder Rostock bewußt vor Repressalien bewahrt wurden. In Rostock etwa bestand während der Weimarer Republik überhaupt keine kommunistische Studentengruppe, und der Demokratische Studentenbund hatte sich dort schon 1932 mangels Mitgliedern aufgelöst.[13] Selbst für einen besonders scharfen Rektor bot sich hier keine Chance, seinen Diensteifer unter Beweis zu stellen.

Die Frage, wie viele oppositionelle Studenten nach 1933 tatsächlich relegiert wurden, läßt sich nicht eindeutig beantworten. Die in den Universitätsarchiven noch vorhandenen Schwarzen Listen erfassen nur die Relegationen von 1933/34. Danach wurde offenbar darauf verzichtet, die Namen der Relegierten an andere Hochschulen weiterzugeben. Einige der betroffenen Studenten konnten ihr Studium schon nach kurzer Zeit wieder aufnehmen, weil die erhobenen Vorwürfe sich als unhaltbar erwiesen hatten. Außerdem enthalten die Schwarzen Listen häufig Namen von Studenten, die irgendwann einmal als Kommunisten oder Sozialisten registriert worden waren, 1933 aber schon nicht mehr an der betreffenden Hochschule studierten. Es ist eine Fehlinterpretation, darin eine „Obstruktion" der Hochschulen zu sehen[14], denn zumindest ein Teil dieser Studenten hatte lediglich die Hochschule gewechselt und konnte nun am neuen Hochschulort erfaßt und relegiert werden. Jedoch besteht kein Zweifel, daß eine Anzahl dieser Studenten ihr Studium bereits beendet hatte und daher von Repressalien nicht betroffen war, obwohl ihr Name auf einer Schwarzen Liste aufgeführt wurde.

Das verfügbare Zahlenmaterial ist in der Tabelle 31 (Anhang) zusammengefaßt. Die Tabelle basiert im wesentlichen auf einem Namensverzeichnis relegierter Studenten, das im Frühjahr 1934 von der Universität Berlin erstellt und in den folgenden Monaten handschriftlich ergänzt worden ist.[15] Offensichtlich diente es zur Überprüfung der neu in Berlin immatrikulierten Studenten. Das Verzeichnis wurde von mir anhand der von den einzelnen Hochschulen verschickten Listen[16] überprüft und vereinzelt auch ergänzt. Es erwies sich als recht zuverlässig, auf jeden Fall zuverlässiger als die 1982 von Bernward Vieten veröffentlichte Liste.[17] Wie Tabelle 31 (Anhang)

[13] Vgl. Geschichte der Universität Rostock 1419-1969. Festschrift zur Fünfhundertfünzig-Jahr-Feier der Universität, Berlin/DDR 1969, Bd.1, S.192 ff.

[14] So Golczewski, Kölner Hochschullehrer, S.101.

[15] Vgl. Archiv der HUB Universitätsrichter 3018.

[16] Diese fanden sich in: UA München G XVI 37 Fasc.1.

[17] Vgl. B. Vieten, Medizinstudenten in Münster. Universität, Studentenschaft und Medizin 1905-1945, Köln 1982, S.342 f. In Vietens Tabelle fehlen nicht nur Angaben aus Dresden, Halle, Hannover, Münster, sondern er läßt auch die Relegationen des Jahres 1934 unberücksichtigt. Außerdem nimmt Vieten ohne nähere Erläuterung auch Studenten in seine Liste auf, die aufgrund des „Gesetzes gegen die Überfüllung deutscher Schulen und Hochschulen" (vgl. dazu S.102 u. S.213 ff.) relegiert wurden. Letzteres gilt auch für: K.H. Jahnke, Über den Widerstandskampf Berliner Studenten gegen Faschismus und imperialistischen Krieg, in: Forschen und Wirken. Festschrift zur 150-Jahr-Feier der Humboldt-Universität zu Berlin 1810-1960, Bd.I, Berlin/DDR 1960, S.558. Jahnke hat aufgrund der Berliner Liste errechnet, insgesamt seien „570 Studenten wegen ihrer antifaschistischen Haltung von den Universitäten [gemeint ist: Hochschulen] verwiesen" worden.

zeigt, würden 1933 und 1934 an den wissenschaftlichen Hochschulen insgesamt 548 Studenten aus politischen Gründen auf eine Schwarze Liste gesetzt und nicht mehr zum Hochschulstudium zugelassen; das waren 0,5 % der Studierenden an den deutschen wissenschaftlichen Hochschulen im Wintersemester 1932/33.[18] Wie viele dieser Studenten nicht nur relegiert, sondern auch eingesperrt, mißhandelt, ermordet wurden, ist unbekannt.[19]

Wer heute das Namensverzeichnis durchblättert, stößt auf eine Reihe bekannter Namen, beispielsweise auf Richard Löwenthal, ehemals Reichsleiter der kommunistischen Studentengruppen, später Mitglied der Kommunistischen Partei-Opposition (KPO), nach 1945 Politologe an der FU Berlin und prominenter Kritiker der Studentenbewegung, oder auf den späteren Physiker Klaus Fuchs, der im Krieg Mitarbeiter am amerikanischen Atombombenprojekt in Los Alamos war und 1948 als Spion für die Sowjetunion enttarnt wurde; aber auch auf Gisela Freund, die nach ihrer Emigration unter dem Namen Gisèle Freund zu einer international renommierten Fotografin avancierte.

Die Liste bestätigt den Eindruck, daß hauptsächlich kommunistische Studenten, oder solche, die dafür gehalten wurden, zu den ersten Opfern der nationalsozialistischen Machtübernahme in der Studentenschaft gehörten: Fast zwei Drittel der gemaßregelten Studenten waren Kommunisten oder wurden zumindest von den Hochschulen als solche bezeichnet. Auffällig ist weiterhin der relativ hohe Prozentsatz weiblicher Namen. Etwa ein Viertel der Gemaßregelten waren Studentinnen, ein Anteil, der deutlich über dem Durchschnitt (15,7 %) lag.[20]

Insgesamt war die Zahl der 1933/34 aus politischen Gründen relegierten Studenten relativ klein, sicher kein überraschendes Ergebnis, wenn man sich die chronische Schwäche der politischen Linken an den Hochschulen vor Augen hält. Vermutlich würde sich dieses Bild noch etwas verändern, wenn die Zahl jener Studenten bekannt wäre, die ihr Studium abbrechen mußten, weil sie es aufgrund der veränderten politischen Verhältnisse nicht mehr finanzieren konnten. Bereits im Frühjahr 1933 war beschlossen worden, marxistischen Studenten künftig keinerlei finanzielle Vergünstigungen (Stipendien, Gebührenerlaß usw.) mehr zu gewähren.[21] Mit der Zerschlagung der sozialdemokratischen Organisationen entfiel eine weitere Grundlage zur Finanzierung des Studiums. Sozialdemokratische Studenten kamen

[18] Errechnet nach: Statistisches Handbuch von Deutschland 1928-1944, München 1949, S.622.

[19] Hinweise auf Einzelschicksale in: W. Mehls, Angehörige der Berliner Universität im antifaschistischen Widerstandskampf, Berlin/DDR, phil. Diss., 1987, Anhang; Chr. Dorner u.a., Die braune Machtergreifung, Frankfurt/M. o.J., S.86 ff.; B. Grieb-Lohwasser, Jüdische Studenten und Antisemitismus an der Universität Würzburg in der Weimarer Republik, in: Ein Streifzug durch Frankens Vergangenheit, Bad Neustadt a.d. Saale 1982, S.338; Vieten, Medizinstudenten, S.225; N. Giovannini, Zwischen Republik und Faschismus, Weinheim 1990, S.177 ff.; UA München G XVI 37 Fasc.1-2.

[20] Errechnet nach: Statistisches Handbuch von Deutschland 1928-1944, S.622.

[21] Vgl. H. Schlömer, Die Ära der Gleichschaltung, in: Deutsches Studentenwerk 1921-1961, Bonn 1961, S.68. Siehe auch den RdErl. des Preußischen KM, 22.4.1933, in: GStAPK I Rep. 76 Va Sekt.1 Tit. XII Nr.35 Bd.III Bl.187 (M).

überproportional häufig aus minderbemittelten Elternhäusern[22] und waren deshalb stärker als andere auf materielle Unterstützung von außen angewiesen. Es ist daher wahrscheinlich, daß ein größerer Teil dieser Studenten die Ausbildung nicht mehr beenden konnte. Die „Deutschland-Berichte" der Exil-SPD meldeten im Juni 1935:

> „Ehemalige Sozialdemokraten sind unter der Studentenschaft kaum noch zu finden. Die meisten waren ohnehin älter, einige sind wegen ihrer politischen Tätigkeit relegiert worden, andere haben durch den Zusammenbruch der Arbeiterorganisationen ihren wirtschaftlichen Rückhalt verloren und mußten das Studium aufgeben".[23]

Trotz der relativ geringen Zahl relegierter Studenten ergibt sich aus den Quellen der Eindruck, daß das Ziel, die exponierten Gegner des NS-Regimes auszuschalten, offenbar weitgehend erreicht wurde. Von den organisierten Kommunisten hat wahrscheinlich nur ein sehr kleiner Teil die „Säuberungsmaßnahmen" unentdeckt überstanden. Eine politische Gefahr für das Regime war von dieser Seite kaum noch zu erwarten. Die Nationalsozialisten konnten es sich sogar erlauben, einen Teil der relegierten Studenten in den folgenden Jahren wieder zum Hochschulstudium zuzulassen. Eine solche Wiederzulassung bedurfte der Genehmigung des Reichserziehungsministeriums[24] und war nur für Studenten möglich, die glaubhaft den Eindruck vermittelten, mit ihrer politischen Vergangenheit gebrochen zu haben. Als Loyalitätsbeweis wurde im allgemeinen der Eintritt in eine nationalsozialistische Organisation verlangt.[25]

Auch nach 1934 gab es eine Reihe weiterer Relegationen aus politischen Gründen. Neben organisierten Parteigängern der kommunistischen oder sozialistischen Linken gerieten immer wieder einzelne Studenten aufgrund unvorsichtiger Äußerungen in das Räderwerk der staatlichen Repression. In Hamburg wurde 1936 der Jurastudent Helmuth Roeske mit dauerndem Ausschluß vom Hochschulstudium bestraft, weil er in einer Gaststätte behauptet hatte, die Nationalsozialisten hätten den Reichstag in Brand gesteckt, und der „Röhmputsch" sei ein willkommener Anlaß gewesen, die Mitwisser zu beseitigen. Außerdem wurde ihm die Äußerung zur Last gelegt, es werde in Deutschland erst besser werden, wenn die Bekämpfung der Juden aufgegeben würde. Zuvor war Roeske bereits von einem Sondergericht zu 1½ Jahren Gefängnis verurteilt worden.[26] Ein Tübinger Student mußte sein Hochschulstudium aufgeben, weil er sich voller Empörung über das gewaltsame

[22] Vgl. dazu F. Walter, Sozialistische Akademiker- und Intellektuellenorganisationen in der Weimarer Republik, Bonn 1990, S.59 ff.

[23] Deutschland-Berichte der Sozialdemokratischen Partei Deutschlands, 2. Jg., 1934 (ND Frankfurt 1980), S.705.

[24] Vgl. RdErl. des REM, 3.9.1935, in: StA HH Hochschulwesen II U h 7.

[25] Vgl. Dorner u.a., Machtergreifung, S.92 f.; H. van den Bussche, Im Dienste der „Volksgemeinschaft", Berlin 1989, S.43; Die Universität Göttingen unter dem Nationalsozialismus. Hg. von H. Becker u.a., München 1987, S.31 (Einleitung von H.J. Dahms).

[26] Urteil des Rektors der Universität Hamburg gegen den Studenten H. Roeske, 10.7.1936, in: StA HH Universität I Di.R.3 Bl.89 ff.

Vorgehen der SA gegen den Rottenburger Bischof Johann Baptist Sproll geäußert hatte.[27] In anderen Fällen reichte bereits eine abweichende Gesinnung aus, um mit der Relegation bestraft zu werden. An der TH Hannover wurde im Juli 1940 der Ingenieurstudent Robert Meyer mit dem dauernden Ausschluß vom Studium an allen deutschen Hochschulen bestraft. Sein Vergehen: Meyer hatte gegenüber einem Studentenführer geäußert, er könne sich wegen seines langjährigen Aufenthaltes in einem Kloster und aufgrund des Einflusses seiner Eltern „nicht auf die nationalsozialistische Staatsform umstellen". Seine Weigerung, sich im Sinne des NS-Staates politisch zu betätigen, hatte Meyer zusätzlich mit dem Hinweis auf seinen Onkel begründet, der im KZ Dachau „die schlimmsten Behandlungen" hatte erdulden müssen.[28] Wie viele Studenten Opfer derartiger Repressalien wurden, wird sich wohl nicht mehr feststellen lassen, denn die Disziplinarakten sind oft während des Krieges zerstört worden oder stehen der Forschung aus Gründen des Personenschutzes nicht zur Verfügung.[29]

2. Die Vertreibung der „nichtarischen" Studenten

Die größte Gruppe von Studenten, die nach 1933 die Hochschulen verlassen mußten, bildeten die Juden und andere sog. „Nichtarier". Im Wintersemester 1932/33 studierten an den deutschen Universitäten insgesamt 3.336 Studenten, die der jüdischen Religionsgemeinschaft angehörten. Verglichen mit einem jüdischen Bevölkerungsteil von 0,9 % waren sie zwar deutlich überrepräsentiert, bildeten aber prozentual nur einen relativ kleinen Teil der deutschen Studenten (3,8 %), der zudem schon seit Jahrzehnten kontinuierlich abnahm.[30] Wie Tabelle 24 (Anhang) genauer zeigt, konzentrierte sich die jüdische Studentenschaft im wesentlichen auf einige wenige Hochschulen, nämlich auf die Universitäten Berlin, Frankfurt, Heidelberg, Freiburg und Breslau sowie auf die Technischen Hochschulen in Berlin und Breslau. An Universitäten wie Greifswald, Kiel, Marburg, Münster, Tübingen, Jena und Rostock stellten die Juden dagegen noch nicht einmal 1 % der Studentenschaft. Stark vertreten waren die jüdischen Studenten vor allem an den Medizinischen und Juristischen Fakultäten. Auffällig war außerdem der große Anteil der Juden unter den ausländischen Studierenden (1930: 18,1%) sowie der überproportional hohe Frauenanteil unter den jüdischen Studenten deutscher Staatsangehörigkeit (1932: 32,8 %).[31]

---

[27] Vgl. U.D. Adam, Hochschule und Nationalsozialismus, Tübingen 1977, S.113.

[28] Vgl. das Schreiben des Reichssicherheitshauptamtes an die Staatspolizeistelle Würzburg, 23.9.1940, in: StA WÜ Gestapostelle Würzburg 7622.

[29] Vgl. N. Giovannini, „Wer sich nicht bewährt, wird fallen", in: K. Buselmeier u.a. (Hg.), Auch eine Geschichte der Universität Heidelberg, Mannheim 1985, S.301.

[30] Vgl. Datenhandbuch zur deutschen Bildungsgeschichte Bd. I: Hochschulen, Teil 1, Göttingen 1987, S.226 f.

[31] Vgl. Deutsche Hochschulstatistik, Bd.5, Berlin 1930, S.*74 ff.; Datenhandbuch zur deutschen Bildungsgeschichte, Bd.I, Teil 1, S.227.

Die Hochschulstatistik der Weimarer Republik registrierte freilich nur die Religionszugehörigkeit der Studierenden. Da die Nationalsozialisten aber auch jene „Nichtarier" erfassen wollten, die katholisch, evangelisch oder konfessionslos waren, mußten alle neu zugelassenen Studenten ab dem Wintersemester 1933/34 eine „ehrenwörtliche Erklärung" abgeben, aus der hervorging, ob ihre Eltern oder Großeltern „zu irgendeiner Zeit der jüdischen Religion angehört" hatten. Seit dem Wintersemester 1935/36 wurde diese ehrenwörtliche Erklärung durch einen „Ahnen-Nachweis" ersetzt, in dem die deutschen Studenten zur Feststellung der „Rassenzugehörigkeit" Namen, Beruf, Geburtsdatum, Konfession und Volkszugehörigkeit ihrer Eltern und Großeltern auflisten mußten.[32]

Bereits vor 1933 hatten die Nationalsozialisten heftig gegen die angebliche „Verjudung" der akademischen Berufe protestiert und nach Maßnahmen zur Vertreibung jüdischer Studenten gerufen. Nach der „Machtergreifung" wurde diese Forderung aktivistisch, aber unkoordiniert in die Tat umgesetzt. An einer Reihe von Universitäten besetzten nationalsozialistische Studententrupps die Häuser jüdischer Verbindungen, so in Freiburg, Heidelberg und Würzburg. Der Heidelberger Studentenführer Gustav Adolf Scheel rechtfertigte den Übergriff mit dem zynischen Argument, man habe „Einzelaktionen" verhindern wollen.[33] Einige Länderregierungen (Bayern, Baden) und einzelne Hochschulen (Köln) verfügten partielle (Medizin) oder generelle Zulassungssperren für jüdische Studierende[34], während anderswo die Immatrikulation in den alten Bahnen weiterlief, als sei nichts geschehen.

Um diese Entwicklung zu vereinheitlichen, entstand das „Gesetz gegen die Überfüllung deutscher Schulen und Hochschulen" vom 25. April 1933.[35] Dieses Gesetz vermittelte zunächst den Eindruck, als sei eine generelle Ausschaltung der jüdischen Studenten nicht beabsichtigt. Vielmehr hieß es in § 4, der Anteil „nichtarischer" Studenten solle soweit reduziert werden, daß die „Gesamtheit der Besucher jeder Schule und jeder Fakultät den Anteil der Nichtarier an der reichsdeutschen Bevölkerung nicht übersteigt". Genauere Zahlen und Anweisungen lieferten die erste Durchführungsverordnung und mehrere Erlasse des preußischen Kultusministeriums.[36] Sie legten

[32] Vgl. K.-P. Hoepke, Auswirkungen der nationalsozialistischen Rassenpolitik an der Technischen Hochschule Fridericiana Karlsruhe 1933-1945, in: Zeitschrift für die Geschichte des Oberrheins, 137. Bd., 1989, S.406. Ein Exemplar des „Ahnen-Nachweises" in: StA HH Universität I N 20.1. H.5.

[33] Vgl. Giovannini, Zwischen Republik und Faschismus, S.172; W. Kreutzberger, Studenten und Politik 1918-1933. Der Fall Freiburg im Breisgau, Göttingen 1972, S.173; Spitznagel, Studentenschaft, phil. Diss., S.276 ff.

[34] Vgl. J. Walk (Hg.), Das Sonderrecht für die Juden im NS-Staat, Heidelberg/Karlsruhe 1981, S.13 f.; Golczewski, Kölner Hochschullehrer, S.89 f.

[35] Vgl. RGBl. 1933 I S.225. Siehe auch U.D. Adam, Judenpolitik im Dritten Reich, Düsseldorf 1972, S.68 ff.; A. Götz von Olenhusen, Die „nichtarischen" Studenten an den deutschen Hochschulen, in: VfZ, 14. Jg., 1966, S.176 ff.

[36] Erste VO zur Durchführung des Gesetzes gegen die Überfüllung der deutschen Schulen und Hochschulen vom 25. April 1933, in: RGBl 1933 I S.226; RdErl. des Preußischen KM, 16.6.1933, in: GStAPK I Rep. 76 Va Sekt.1 Tit. VIII Nr.86 Bl.1 f.(M); RdErl. des Preußischen KM, 17.8.1933, in: ebd. Rep. 76 Va Sekt.1 Tit.I Nr.7 Bd II Bl.453 (M).

fest, daß der Anteil der „Nichtarier“ unter den bereits immatrikulierten Studenten künftig an keiner Fakultät höher als 5 % liegen dürfe. Erstimmatrikulationen jüdischer Studenten sollten nur noch möglich sein, sofern der Anteil „nichtarischer“ Studenten an der betreffenden Fakultät unter 1,5 % blieb. Analog zum Berufsbeamtengesetz enthielt auch das Überfüllungsgesetz Ausnahmeregelungen: Bei der Berechnung der Prozentzahlen blieben jüdische Studenten, deren Väter im Ersten Weltkrieg an der Front gekämpft hatten, unberücksichtigt, ebenso auch ausländische Juden, „Halbjuden“ oder „Vierteljuden“.

Das Gesetz zeigte alle Anzeichen einer übereilten Ausarbeitung und erwies sich an den Hochschulen zunächst als ein Instrument von geringer Effektivität. Schon bald wurde nämlich deutlich, daß ein beträchtlicher Teil der „nichtarischen“ Studenten sich auf die Ausnahmeregelungen des Überfüllungsgesetzes berufen konnte und deshalb bei der Berechnung der Prozentzahlen unberücksichtigt bleiben mußte. In Hamburg befanden sich im Sommersemester 1933 unter den 3.036 deutschen Studenten 143 „Nichtarier“, von denen aber 83 (58 %) unter die Ausnahmeregelungen fielen, weil mindestens ein Elternteil oder zwei Großelternteile „arischer Abkunft“ waren, oder weil die Väter während des Ersten Weltkrieges für das Deutsche Reich gekämpft hatten.[37] Ähnlich lagen die Dinge in Tübingen, wo 25 von 35 „nichtarischen“ Studenten unter die Ausnahmebestimmungen des Überfüllungsgesetzes fielen.[38] An anderen Hochschulen bot sich ein vergleichbares Bild.[39] Aus diesem Grund lag die Zahl der jüdischen Studenten, die nicht unter die Ausnahmeregelung fielen, an kaum einer Fakultät über der Höchstgrenze von 5 %. Die Zahl der Studierenden, die aufgrund des Überfüllungsgesetzes vom Hochschulstudium ausgeschlossen wurden, erwies sich daher als sehr gering.[40] Nur an vier Hochschulen mußten insgesamt 49 jüdische Studenten ihr Studium aufgeben. Um zu verhindern, daß sie sich an anderer Stelle neu immatrikulierten, wurden ihre Namen an alle deutschen Hochschulen verschickt. Wie die folgende Übersicht zeigt, machte vor allem die Universität Frankfurt vom Überfüllungsgesetz Gebrauch:

Frankfurt:	30
Königsberg:	12
TH Berlin:	5
Leipzig:	2

Da an vielen Hochschulen der Anteil jüdischer Studenten weit unter 1,5 % lag (Tabelle 24 im Anhang), stand dort nach dem Wortlaut des Über-

[37] Vgl. die Mitt. des Syndikus der Hamburger Universität an die Hochschulbehörde, 23.5.1933, Faksimile in: Heilen und Vernichten im Mustergau Hamburg. Hg. von A. Ebbinghaus u.a., Hamburg 1984, S.60.

[38] Vgl. Adam, Hochschule, S.114 f.

[39] Vgl. die Freiburger Zahlen in: Götz von Olenhusen, Die „nichtarischen“ Studenten, S.181. An der TH Berlin war die Zahl der Ausnahmefälle allerdings deutlich geringer. Vgl. Ebert, Technische Hochschule Berlin, S.459 f.

[40] Irreführend ist die Darstellung von H. Titze in: Handbuch der deutschen Bildungsgeschichte, Bd.V, München 1989, S.227.

füllungsgesetzes auch einer Neuimmatrikulation von Juden rechtlich nichts im Wege. Zunächst mochte es daher scheinen, als sei die Lage der jüdischen Studenten 1933 nicht wesentlich verändert worden.

Ein gänzlich anderes Bild ergibt sich jedoch aus der zeitgenössischen Statistik. Diese zeigt, daß die Zahl der studierenden Juden nach 1933 schlagartig zurückging. Während im Winter 1932/33 noch 3.336 deutsche Studenten jüdischen Glaubens an einer Universität studiert hatten, waren ein Jahr später, im Wintersemester 1933/34, an allen wissenschaftlichen Hochschulen nur noch 812 Juden deutscher Staatsangehörigkeit immatrikuliert, im Wintersemester 1934/35 noch 538.[41] Hinzu kamen (im Winter 1934/35) weitere 594 „Nichtarier“, die der jüdischen Religionsgemeinschaft nicht angehörten.[42]

Wie ist dieser rapide Rückgang zu erklären? Teilweise läßt sich diese Entwicklung auf den starken Rückgang von Erstimmatrikulationen jüdischer Studenten zurückführen. Tatsächlich gab es seit 1933 kaum noch jüdische Studenten, die ein Hochschulstudium in Deutschland aufnahmen. So befanden sich im Sommersemester 1934 unter den 6.397 Erstsemestern aller wissenschaftlichen Hochschulen nur 23 Juden (0,4 %), darunter 13 Ausländer; im folgenden Wintersemester waren es noch 19 (darunter 7 Ausländer).[43] Zu dieser Entwicklung hat die Einführung des „Hochschulreifevermerks“ für das Jahr 1934 erheblich beigetragen.[44] Um die Studentenzahlen zu reduzieren, konnten nur jene Abiturienten ein Studium aufnehmen, denen zuvor ausdrücklich die Hochschulreife bescheinigt worden war. Einen solchen Hochschulreifevermerk haben etwa 40 % aller Abiturienten erhalten. Jüdischen Abiturienten wurde das Zeugnis der Hochschulreife dagegen fast grundsätzlich verweigert. Von den 846 „nichtarischen“ Abiturienten des Jahres 1934 erhielten nur 60 den Hochschulreifevermerk und damit die Genehmigung, ein Hochschulstudium aufzunehmen.[45]

Für einen drastischen Rückgang bei der Neuimmatrikulation jüdischer Studenten sorgte schließlich eine Politik, die das Überfüllungsgesetz durch ministerielle Erlasse verschärfte und aushöhlte. So erhielten die preußischen Hochschulen im Juni 1933 vom Kultusministerium das Recht, „ohne Angabe von Gründen“ die Höchstgrenze von 1,5 % nach eigenem Gutdünken herabzusetzen.[46] An der Universität Greifswald, unter deren Studenten sich nur drei Juden befanden, wurde daraufhin beschlossen, die offiziellen Höchstgrenzen der 1. Durchführungsverordnung des Überfüllungsgesetzes

---

[41] Vgl. Datenhandbuch zur deutschen Bildungsgeschichte, Bd.I, 1, S.227.

[42] In der Statistik sind sie aufgeführt als „Inländer“, die nicht der DSt angehörten. Vgl. Deutsche Hochschulstatistik, Bd.14, Berlin 1935, S.46.

[43] Vgl. Deutsche Hochschulstatistik, Bd.13, Berlin 1935, S.46 u. Bd.14, Berlin 1935, S.46.

[44] Zur Einführung der „Hochschulreife“ vgl. S.102 f. u. S.238.

[45] Vgl. Bericht des Statistischen Reichsamtes an das REM vom 16.4.1935, in: BA Potsdam REM 796 Bl.131.

[46] Vgl. RdErl. des Preußischen KM, 16.6.1933, in: GStAPK I Rep. 76 Va Sekt 1 Tit. VIII Nr.86 Bl.1 (M). Nach Protesten des RdI wurde diese Regelung im September 1933 zwar modifiziert, aber nicht substantiell verändert. Vgl. RdErl. des Preußischen KM, 25.9.1933, in: ebd. Rep. 76 Va Sekt. 1 Tit. I Nr.7 Bd.II Bl.463 (M).

um das Zehnfache herabzusetzen.[47] In Baden war das Kultusministerium ebenfalls bemüht, jüdischen Abiturienten die Zulassung zum Studium zu erschweren. Dort legte im November 1934 ein Erlaß fest, daß die Immatrikulation an den badischen Hochschulen eine „nach Abstammung und Betätigung engere Beziehung zum Deutschtum" voraussetze.[48] Mit derartigen, bewußt unpräzise gehaltenen, Bestimmungen wurde die Entscheidung über die Zulassung jüdischer Abiturienten letztlich den Hochschulen zugeschoben. Für Willkürentscheidungen eifriger oder auch nur ängstlicher Rektoren war damit Tür und Tor geöffnet.

Das Ausbleiben jüdischer Studienanfänger kann die massive Verminderung der jüdischen Studentenzahlen innerhalb eines Jahres aber noch keineswegs erklären. Da nur wenige Juden aufgrund des Überfüllungsgesetzes relegiert wurden, hat die große Mehrzahl der jüdischen Studenten 1933/34 offenbar „freiwillig" die Hochschule verlassen. Wer aus ärmeren Verhältnissen kam, mußte häufig das Studium aufgeben, weil im Frühjahr 1933 Stipendien und andere materielle Vergünstigungen (Gebührenerlaß usw.) für Juden (ebenso wie für Kommunisten) gestrichen wurden. Nicht einmal die Benutzung der Mensa war jüdischen Studenten noch erlaubt.[49] Studierende aus wohlhabendem Elternhaus zogen es dagegen vor, ihr Studium im Ausland fortzusetzen. Wolf Zuelzer zum Beispiel, „nichtarischer" Medizinstudent in Berlin und Bonn, verließ Deutschland im Oktober 1933, beendete sein Studium in Prag und emigrierte später in die USA:

> „Meine Gründe? Erstens sah ich keine Zukunft für mich als Nicht-Arier im Dritten Reich. Zweitens war ich so abgestoßen von dem Treiben der Nazis, daß ich Gefahr lief, mich durch irgendeine Äußerung oder Geste zu verraten. Drittens fühlte ich, daß ich meine Schuldigkeit als Deutscher getan hatte und mit gutem Gewissen den heimatlichen Staub von meinen Füßen schütteln konnte. Viertens war ich jung und in der glücklichen Lage, im Ausland weiterstudieren zu können".[50]

Insbesondere die wachsende Aussichtslosigkeit, den erlernten Beruf jemals in Deutschland ausüben zu können, verstärkte den Entschluß, das Studium abzubrechen und zu emigrieren. In einer Reihe von Fächern konnten Juden außerdem ihr Studium schon bald nicht mehr mit einem ordnungsgemäßen Abschluß beenden, weil sie nicht zu den akademischen Prüfungen zugelassen wurden. Eine Beamtenlaufbahn, wie sie traditionell von einem beträchtlichen Teil der Studierenden angestrebt wurde, war für Juden seit dem Frühjahr 1933 illusorisch geworden. Aber auch der Zugang zu den freien akademischen Berufen, in denen Juden traditionell eine größere Rolle ge-

---

[47] Vgl. Universität Greifswald 525 Jahre, Berlin/DDR 1982, S.41.

[48] Zit. in: Götz von Olenhusen, Die „nichtarischen" Studenten, S.182.

[49] Vgl. RdErl. des Preußischen KM, 22.4.1933, in: GStAPK I Rep. 76 Va Sekt.1 Tit. XII Nr.35 Bd.III Bl.187 (M); Schlömer, Ära der Gleichschaltung, S.68 ff. Siehe auch Adam, Hochschule, S.108.

[50] W. Zuelzer, Keine Zukunft als „Nicht-Arier" im Dritten Reich, in: W. H. Pehle (Hg.), Der Judenpogrom 1938, Frankfurt/M. 1988, S.156.

spielt hatten (vor allem als Ärzte und Rechtsanwälte), war schon bald von restriktiven Maßnahmen des NS-Staates betroffen.

Besonders früh gingen die Nationalsozialisten gegen den juristischen Nachwuchs vor. Bereits am 3. April untersagte der preußische Justizminister Hanns Kerrl die Ernennung jüdischer Rechtskandidaten zu Referendaren.[51] Die anderen Länder folgten diesem Beispiel.[52] Ein regulärer Abschluß des Jurastudiums war seitdem für jüdische Jurastudenten nur noch in Form der Promotion möglich – mit minimalen Aussichten auf eine spätere Berufstätigkeit. „Nichtarische" Referendare wurden aufgrund der 3. Durchführungsverordnung des Berufsbeamtengesetzes entlassen[53], sofern es sich nicht um Angehörige gefallener Frontkämpfer oder um ehemalige Frontkämpfer handelte. Bereits 1934 war diese Entwicklung zu einem Abschluß gekommen. Im Juli 1934 erließ der Reichsminister der Justiz eine Justizausbildungsordnung, die „Nichtarier" ebenso wie Bewerber mit „nichtarischen" Ehefrauen von der ersten juristischen Staatsprüfung ausschloß. Auf Ausnahmebestimmungen wurde verzichtet.[54]

Jüdische Medizinstudenten und Ärzte mußten ebenfalls schon nach kurzer Zeit erkennen, daß es für sie keine berufliche Zukunft im nationalsozialistischen Deutschland gab. Bereits im April 1933 wurde die Tätigkeit von „nichtarischen" (ebenso wie von kommunistischen) Kassenärzten durch eine Verordnung beendet. Eine Neuzulassung „nichtarischer" Kassenärzte wurde ebenfalls untersagt.[55] Zwar sah die Verordnung Ausnahmeregelungen für Frontkämpfer oder für die Kinder gefallener Kriegsteilnehmer vor, aber diese wurden bereits im Mai 1934 wieder aufgehoben.[56] Noch folgenreicher war ein Runderlaß des Preußischen Kultusministeriums vom Oktober 1933, nach dem „nichtarische" Studenten der Medizin und Zahnmedizin künftig nicht mehr die Approbation erhalten durften. Das Doktordiplom wurde diesen Studenten nur ausgehändigt, wenn sie zuvor auf die deutsche Staatsangehörigkeit verzichteten[57] oder nach dem Examen eine feste Stelle im Ausland angenommen hatten.[58] Auf Reichsebene galt zunächst noch eine etwas mildere Regelung. Während einer internen Besprechung im Reichsinnenministerium einigten sich die anwesenden Vertreter von Partei und Staat darauf, die Approbation von Juden künftig auf ein Prozent aller Approbationen zu beschränken, „Härtefälle" nicht eingerechnet.[59] Im April 1934

[51] Vgl. L. Gruchmann, Justiz im Dritten Reich 1933-1940, München 1988, S.128, 153 f.

[52] Vgl. Adam, Judenpolitik, S.75; Adam, Hochschule, S.116; N. Paech / U. Krampe, Die Rechts- und Staatswissenschaftliche Fakultät – Abteilung Rechtswissenschaft, in: Hochschulalltag im „Dritten Reich", Teil II, S.871.

[53] Dritte VO zur Durchführung des BBG vom 6.5.1933 in: RGBl 1933 I S.245.

[54] Vgl. die Justizausbildungsordnung vom 22.7.1934, in: RGBl. 1934 I S.729 (§ 10 u. § 11).

[55] VO über die Zulassung von Ärzten zur Tätigkeit bei den Krankenkassen vom 22.4.1933, in: RGBl. 1933 I S.222. Im Juni 1933 wurden diese Vorschriften auch auf Zahnärzte und Zahntechniker ausgeweitet. Vgl. Adam, Judenpolitik, S.67.

[56] Vgl. VO über die Zulassung von Ärzten zur Tätigkeit bei den Krankenkassen vom 17.5.1934, in: RGBl 1934 I S.401 (§ 15).

[57] RdErl. des Preußischen KM, 20.10.1933, in: Walk (Hg.), Sonderrecht, S.57.

[58] RdErl. des Preußischen KM, 24.2.1934, in: ebd., S.72.

[59] Vgl. H. van den Bussche, Im Dienste, S.38 f.

wurde die Prüfungsordnung für Ärzte (ebenso wie für Zahnärzte und Apotheker) durch einen Zusatz ergänzt, der es gestattete, die Zulassung zu den Prüfungen und die Erteilung der Approbation zu untersagen, „wenn berechtigte Zweifel an der nationalen oder moralischen Zuverlässigkeit des Antragstellers gegeben sind".[60] Eine derart verschwommene Formulierung ließ für willkürliche Entscheidungen breiten Raum. Schließlich war die nationale oder moralische Zuverlässigkeit von Juden für einen überzeugten Nationalsozialisten grundsätzlich zweifelhaft.[61]

Schon im Februar 1935 folgte eine weitere Verschärfung. Eine Verordnung des Reichsinnenministeriums machte die Zulassung zu den Prüfungen und die Erteilung der Approbation für Mediziner und Zahnmediziner von dem „Nachweis der arischen Abstammung" abhängig. Ausnahmen waren nur noch „aus besonderen Gründen gestattet".[62] Da Mediziner und Zahnmediziner erst nach dem Staatsexamen promovieren konnten, lief diese Verordnung letztlich darauf hinaus, „Nichtariern" jeglichen Studienabschluß an den Medizinischen Fakultäten zu verweigern. In einer „Ausführungsanweisung" des Reichsinnenministeriums wurden die Regierungen der Länder jedoch angewiesen, jene „nichtarischen" Studenten der Medizin und der Zahnheilkunde, die ihr Studium schon vor 1933 begonnen hatten, auch weiterhin regelmäßig zu den Prüfungen zuzulassen. Mit einer Approbation, d.h. mit der Chance, den erlernten Beruf in Deutschland auszuüben, konnten aber auch sie nicht mehr rechnen. Wie die Ausführungsanweisung präzisierte, kam eine Approbation als Arzt oder Zahnarzt für „Nichtarier" nur noch dann in Frage,

> „wenn der Kandidat sich an dem Weltkrieg als Frontkämpfer beteiligt hat oder nur einen jüdischer Großvater oder nur eine jüdische Großmutter hat, also ein sogenannter Vierteljude ist, sowie endlich nach seelischer Haltung und entsprechendem Aussehen einwandfrei erscheint".[63]

Da es unter den Medizinstudenten der 1930er Jahre kaum noch Frontkämpfer des Erstens Weltkrieges gegeben haben dürfte, hatten demnach künftig nur noch sogenannte „Vierteljuden" die Chance, den Arztberuf in Deutschland ergreifen zu können. Wer sich erst 1933 oder später immatrikuliert hatte, mußte sein Studium abbrechen, während „nichtarische" Medizinstudenten im höheren Semester zumindest ihre Ausbildung beenden konnten.

Zu ihnen gehörte der – wegen seiner jüdischen Mutter als „Mischling 1. Grades" stigmatisierte – Medizinstudent Werner Schmidt in Gießen.[64] Schmidt wurde im September 1936 vom Reichsinnenministerium zur ärztli-

[60] VO über die Änderung der Prüfungsordnung für Ärzte, der Prüfungsordnung für Zahnärzte und der Prüfungsordnung für Apotheker vom 5.4.1934, in: Reichsministerialblatt 1934, S.300 f.

[61] Vgl. Grieb-Lohwasser, Jüdische Studenten, S.332.

[62] VO über die Änderung der Prüfungsordnungen für Ärzte und Zahnärzte vom 5.2.1935, in: Reichsministerialblatt 1935, S.65.

[63] Ausführungsanweisung zur VO vom 5.2.1935 über die Änderung der Prüfungsordnungen für Ärzte und Zahnärzte, 23.4.1935, abgedruckt in: DWEV 1935, S.224. Der Hinweis auf diese Anweisung bei Adam, Judenpolitik, S.115 ist falsch datiert und mit falscher Quellenangabe versehen.

[64] Das Folgende nach: W. Schmidt, Leben an Grenzen, Zürich 1989, S.39 ff.

chen Prüfung und zum Praktischen Jahr zugelassen, erhielt gleichzeitig aber die Mitteilung, daß eine spätere Bestallung als Arzt nicht möglich sein werde. Nachdem Schmidt im November 1937 sein Staatsexamen beendet hatte, wurde ihm das Zeugnis erst ausgehändigt, als er schriftlich auf die Bestallung als Arzt verzichtet hatte. Verglichen mit anderen „Nichtariern", die ihr Studium ohne Abschluß hatten abbrechen müssen, befand sich Schmidt scheinbar noch in einer relativ günstigen Situation. Tatsächlich konnte er mit dem bestandenen Staatsexamen aber nicht sehr viel anfangen. Im Ausland wurde es von vielen Staaten nicht anerkannt, wie er schon bald erfahren mußte[65], in Deutschland bahnte es nicht den Weg zur Approbation. Zudem hatte Schmidt nach bestandenem Examen erhebliche Schwierigkeiten, eine Medizinalpraktikantenstelle zu finden, weil kein Krankenhaus einen „Nichtarier" aufnehmen wollte. Unter solchen Umständen war die Möglichkeit, das Medizinstudium in Deutschland zu beenden, von sehr zweifelhaftem Wert.

Auch der Zugang zu anderen akademischen Berufen (Apotheker, Notare, Steuerberater usw.) wurde für jüdische Studenten zumeist schon 1934 gesperrt.[66] Bereits zu einem relativ frühen Zeitpunkt, 1934/35, war damit klar geworden, daß „nichtarische" Studenten in fast allen akademischen Berufen (mit Ausnahme der Privatwirtschaft) keine Zukunftschancen mehr hatten. Es kann daher nicht überraschen, daß die meisten Betroffenen ihr Studium in dieser aussichtslosen Situation „freiwillig" abbrachen.

Als Alternative bot sich die Fortsetzung des Studiums im Ausland an. Doch stand dieser Ausweg nicht für alle offen. Wer sein Studium im Ausland fortsetzen wollte, mußte über ausreichende Sprachkenntnisse verfügen und benötigte Verbindungen, vor allem aber Geld, nicht nur für Unterkunft und Verpflegung, sondern auch für Studien- und Prüfungsgebühren.[67] Bei den wenigen jüdischen Studenten, die ihr Studium trotz aller Restriktionen nach 1935 fortsetzten, handelte es sich wohl überwiegend um Studenten, denen diese Alternative aus materiellen Gründen verschlossen blieb.

Obwohl die Zahl der verbliebenen jüdischen Studenten seit 1934/35 nur noch sehr gering war, hielt die Flut der gegen sie gerichteten Verordnungen und Erlasse weiter an. Nachdem „Nichtarier" bis 1935 von den Staatsprüfungen weitgehend ausgeschlossen worden waren, kam in einer Reihe von Fächern für diese Studenten nur noch die Promotion als Studienabschluß in Frage. Seit 1935/36 entwickelte sich in der Partei- und Staatsbürokratie eine kontroverse Debatte, ob diese Nische auch in Zukunft beibehalten werden sollte. Mancherorts, etwa in Baden, waren die Promotionsmöglichkeiten für Juden bereits eingeschränkt worden.[68]

Die Initiative übernahm der Stab Heß (der „Stellvertreter des Führers"), während die Ministerialbürokratie zunächst keinen Anlaß für weitere Restriktionen sah. Das Reichserziehungsministerium (REM) sprach sich gegen ein allgemeines Promotionsverbot für Juden aus und wollte die Entschei-

[65] Schmidt, Leben an Grenzen, S.49 f. u. S.56 f.
[66] Vgl. Adam, Judenpolitik, S.73, 76.
[67] Sehr anschaulich werden diese Probleme verdeutlicht in: Schmidt, Leben an Grenzen, S.48 ff.
[68] Vgl. Götz von Olenhusen, Die „nichtarischen" Studenten, S.191.

dung „dem nationalen Gewissen und der völkischen Einsicht der einzelnen Hochschullehrer und der Fakultäten überlassen“.[69] Auch das Reichsinnenministerium unterstützte diese Position.[70] Dagegen verlangte der Stab Heß ein allgemeines Promotionsverbot für Juden. Stabsleiter Bormann mochte sich keineswegs damit zufrieden geben, „daß die Durchführung rassischer Grundsätze, die auf der Weltanschauung des Nationalsozialismus beruhen, von dem guten Willen der Hochschulprofessoren abhängig gemacht wird“.[71] Vom REM war, zumal in einer solchen Frage, keine Standfestigkeit gegenüber der Parteispitze zu erwarten, und so dauerte es nicht lange, bis Bormann seine Auffassung weitgehend durchgesetzt hatte. Im April 1937 ordnete ein Erlaß an, Juden deutscher Staatsangehörigkeit dürften künftig nicht mehr zur Doktorprüfung zugelassen werden.[72]

Um außenpolitische Probleme zu vermeiden, waren ausländische Juden vom dem Erlaß offiziell nicht betroffen. Auf einer internen Besprechung verschiedener Staats- und Parteistellen im Februar 1937 wurde aber Einvernehmen darüber erzielt, daß ausländische Juden in Zukunft nicht mehr zum Hochschulstudium in Deutschland zugelassen werden sollten.[73] Auf einen entsprechenden Erlaß verzichtete das REM jedoch, weil man befürchtete, daß ein solcher im Ausland zu unerwünschten Reaktionen führen könnte. Aus demselben Grunde nahm das Ministerium zunächst Abstand von dem Plan, für ausländische Studenten die Vorlage eines „Ahnen-Nachweises“ anzuordnen.[74] Statt dessen wurden die Rektoren im Mai 1937 mündlich instruiert, in Zukunft keine ausländischen Juden mehr zu immatrikulieren.[75] Erst nach Beginn des Krieges, als die Rücksichtnahme auf die internationale Öffentlichkeit nicht mehr vonnöten schien, ergingen anderslautende Verfügungen. Seit Anfang 1940 wurden nur noch ausländische Studenten immatrikuliert, die eine Erklärung abgaben, daß weder sie selber noch ihre Ehepartner Juden waren.[76] Es ist kaum anzunehmen, daß es zu diesem Zeitpunkt noch ausländische Juden gab, die daran interessiert waren, ein Hochschulstudium in Deutschland aufzunehmen.

Jüdische Studenten deutscher Staatsangehörigkeit wurden 1938 endgültig von den Hochschulen vertrieben. Als das Regime nach dem Novemberpogrom 1938 („Reichskristallnacht“) seine antisemitische Politik radikalisierte, wollte auch Reichserziehungsminister Rust nicht untätig bleiben. Am 11. November erteilte er den Rektoren die telegraphische Anweisung, Juden die Teilnahme an Lehrveranstaltungen und das Betreten der Hochschulen zu

[69] REM an den RdI, 28.4.1936, in: BA Potsdam REM 770 Bl.31 f.

[70] RdI an den REM, 30.7.1936, in: BA Potsdam REM 770 Bl.38.

[71] Bormann an den RdI, 15.10.1936, in: BA Potsdam REM 770 Bl.42 (Abschr.).

[72] Vgl. RdErl. des REM, 15.4.1937, in: BA Potsdam REM 770 Bl.84.

[73] Vgl. das Prot. der Besprechung über die Frage des Erwerbs der Doktorwürde durch Juden, 10.2.1937, in: BA Potsdam REM 770 Bl.64 ff.

[74] Vgl. F. Bachér (REM) an Dozentenbundführer W. Schultze, 4.3.1936 (Durchschr.), in: BA Potsdam REM 11887/3 Bl.379 f.

[75] Vgl. das Prot. der Rektorenkonferenz vom 11. Mai 1937, in: BA Potsdam REM 707 Bl.152 f.

[76] RdErle. des REM vom 5.1.1940, in: BA Koblenz R 21/10850 u. vom 13.2.1940, in: Die Deutsche Hochschulverwaltung, Bd.2, Berlin 1943, S.386 f.

untersagen. Da Juden zu diesem Zeitpunkt ohnehin nur noch geringe Möglichkeiten hatten, ein reguläres Studium aufzunehmen und erfolgreich zu beenden, war die Zahl der betroffenen Studenten im „Altreich" gering. In Tübingen hatte der letzte jüdische Student bereits im Sommersemester 1938 die Universität verlassen. An der Freiburger Universität studierte nur ein jüdischer Student, dem es gelang, sein Studium Ende 1938 mit dem Examen abzuschließen. Von den zwei noch an der TH Karlsruhe immatrikulierten Juden hatte der eine soeben sein Examen abgelegt, der andere mußte, obwohl er mitten im Examen stand, die Hochschule ohne Abschluß verlassen. Größere Auswirkungen hatte die Anordnung des REM auf die Universität Hamburg. Dort waren im November 1938 noch neun jüdische Studenten immatrikuliert, die nun ihr Studium abbrechen mußten.[77]

In den folgenden Jahren konzentrierte sich die interne Debatte unter den mit Hochschulpolitik befaßten Staats- und Parteistellen vor allem auf das Schicksal der jüdischen „Mischlinge". Als solche wurden in der nationalsozialistischen Terminologie Menschen bezeichnet, die nicht der jüdischen Religionsgemeinschaft angehörten, deren „Ahnen-Nachweis" aber zwei jüdische Großelternteile („Mischlinge 1. Grades") bzw. ein jüdisches Großelternteil („Mischlinge 2. Grades") aufwies.[78] Die Frage, ob „Mischlinge" ähnlich behandelt werden sollten wie die Juden, war innerhalb des NS-Apparates umstritten und gehörte zu den Dauerproblemen der deutschen Bürokratie.[79]

Zunächst waren die „Mischlinge" von den Zulassungsbeschränkungen des Überfüllungsgesetzes ausdrücklich ausgenommen worden.[80] Nachdem der Nachweis „arischer Abstammung" Voraussetzung für die Zulassung zu den Staatsprüfungen geworden war, hatten sich aber auch ihre Berufschancen drastisch verschlechtert. Die Möglichkeit, das Studium abzuschließen, blieb zwar erhalten, weil „Mischlinge" von dem 1937 für Juden verhängten Promotionsverbot nicht betroffen waren. Jedoch wurde „Mischlingen", die Medizin oder Zahnmedizin studiert hatten, das Doktordiplom erst ausgehändigt, wenn sie eine feste Anstellung im Ausland oder zumindest die Aussicht auf eine solche vorweisen konnten.[81] Außerdem zeigten sich viele Hochschullehrer nicht mehr bereit, „Mischlinge" als Doktoranden anzunehmen. Viele Promotionspläne von „Mischlingen" dürften schon bei dem Versuch gescheitert sein, einen Doktorvater zu finden.[82]

[77] Vgl. Adam, Hochschule, S.115; Götz von Olenhusen, Die „nichtarischen" Studenten, S.190; Hoepke, Auswirkungen, S.410; G.J. Giles, Students and National Socialism in Germany, Princeton 1985, S.107.

[78] Zur genauen Definition vgl. die 1. VO zum Reichsbürgergesetz vom 14.11.1935, in: RGBl. 1935 I S.1333 f. Hintergrundinformationen in: R. Hilberg, Die Vernichtung der europäischen Juden, Berlin 1982, S.57 ff.

[79] Vgl. Hilberg, Vernichtung, S.294 ff.

[80] Vgl. Gesetz gegen die Überfüllung deutscher Schulen und Hochschulen vom 25.4.1933, in: RGBl. 1933 I S.225 (§ 4 Abs. 3).

[81] Vgl. RdErl. des REM, 15.4.1937, in: BA Potsdam REM 770 Bl.84. Bemühungen des REM, diese Regelung in Einzelfällen zu lockern, scheiterten an der Intransigenz des RdI. Vgl. den Schriftwechsel in: BA Potsdam REM 770 Bl.162 ff.

[82] Vgl. dazu die eindrucksvolle Schilderung solcher Schwierigkeiten bei Schmidt, Leben an Grenzen, S.39 f. u. S.99 ff.

Auch die Aufnahme eines Hochschulstudiums wurde für diese Gruppe von Studenten zusehends schwieriger. Einige Hochschulen, so die Universität Frankfurt, verweigerten jüdischen „Mischlingen" schon in der Vorkriegszeit die Immatrikulation[83], obwohl noch keine restriktiven Anweisungen von seiten des REM vorlagen. Dies änderte sich nach dem Beginn des Krieges. Seit Januar 1940 mußten alle Anträge von „Mischlingen" auf Zulassung zum Studium dem REM vorgelegt werden. Dem Antrag beizulegen war eine ausführliche Stellungnahme des Rektors über „die Persönlichkeit und das Aussehen" des Antragstellers. „Dabei ist zu erwähnen, ob und inwieweit Merkmale der jüdischen Rasse beim Gesuchsteller äußerlich erkennbar sind", hieß es in einem vertraulichen Erlaß des Ministeriums.[84] Im Oktober 1940 folgte ein weiterer Erlaß, aus dem hervorging, daß „Mischlinge 1. Grades" künftig nicht nur für die Immatrikulation, sondern auch für die Fortsetzung ihres Studiums eine Genehmigung des REM benötigten. Mit einer Studienerlaubnis sei nur dann zu rechnen, wenn die betroffenen Studenten entweder kurz vor dem Abschluß des Studiums stünden oder „wenn ganz besondere Verhältnisse in der Person des Gesuchstellers eine Zulassung rechtfertigten".[85]

Wie solche „besonderen Verhältnisse" beschaffen sein mußten, ging aus dem Erlaß nicht hervor. Aus gutem Grund, denn über diese Frage herrschte unter den maßgeblichen Dienststellen keine Einigkeit. Während der Stab Heß (und später die Parteikanzlei) darauf hinarbeiteten, „Mischlinge 1. Grades" möglichst weitgehend von den Hochschulen zu vertreiben, sprachen sich das Oberkommando der Wehrmacht und das REM dafür aus, „nichtarische" Frontsoldaten weiterhin zum Studium zuzulassen.[86]

Erst im September 1941 schälte sich ein Kompromiß heraus, der den Unterrichtsverwaltungen der Länder im Juni 1942 durch einen vertraulichen Erlaß mitgeteilt wurde. „Mischlinge 1. Grades" wurden demnach nur noch zum Studium zugelassen, wenn sie (1) entweder wegen „besonderer Bewährung" aufgrund einer Entscheidung Hitlers weiter in der Wehrmacht dienen konnten, oder (2) im Krieg „Tapferkeit vor dem Feind" gezeigt hatten oder wenn sie (3) ihr Studium unter normalen Umständen, d.h. ohne Unterbrechung durch den Kriegsdienst, bereits Anfang 1940 zu Ende gebracht hätten.[87] In jedem Fall bedurfte die Zulassung einer Stellungnahme der Parteikanzlei.[88] Diese Stellungnahme fiel in der Praxis offenbar grundsätzlich negativ aus.[89]

„Mischlinge 2. Grades" konnten sich bis 1942 ohne ministerielle Restriktionen zum Studium immatrikulieren. Allerdings wurden sie zu einer Reihe

83 Vgl. N. Hammerstein, Die Johann Wolfgang Goethe-Universität Frankfurt am Main, Bd.I, Neuwied/Frankfurt 1989, S.456.
84 Vertraulicher RdErl. des REM, 5.1.1940, in: BA Koblenz R 21/10850.
85 RdErl. des REM, 25.10.1940, in: Die Deutsche Hochschulverwaltung, Bd.2, S.384 f.
86 Ausführlicher dazu: Götz von Olenhusen, Die „nichtarischen" Studenten, S.195 ff.
87 Vgl. den vertraulichen RdErl. des REM, 22.6.1942, in: BA Koblenz R 21/27 Bl.359. Siehe auch: Bormann an Lammers, Reichskanzlei, 31.1.1942, in: BA Koblenz R 43 II 941 Bl.124 ff.
88 Vgl. M. Bormann an H.H. Lammers, 31.1.1942, in: BA Koblenz R 43 II 941 Bl.125.
89 Vgl. P. Longerich, Hitlers Stellvertreter, München 1992, S.87.

von Prüfungen und Berufen ebenfalls nicht mehr zugelassen.[90] Ende 1942 wurden die Zulassungsbedingungen jedoch entscheidend verschärft. Ein neuer Erlaß des REM verlangte für die Zulassung von „Mischlingen 2. Grades" zum Studium eine politische Beurteilung der zuständigen Gauleitung.[91] Diese neue Hürde erwies sich als ein wesentliches Hindernis, zumal viele Gauleitungen unverblümt zum Ausdruck brachten, daß die Zulassung von „Mischlingen" zum Hochschulstudium ihnen grundsätzlich suspekt war.[92]

Unter diesen Umständen ging die Zahl der studierenden „Mischlinge" kontinuierlich zurück. Wie eine Umfrage des REM zeigte, studierten im Mai 1944 an allen wissenschaftlichen Hochschulen des „Großdeutschen Reiches" noch 80 „Mischlinge 1. Grades" (darunter vier Studentinnen) und 324 „Mischlinge 2. Grades" (darunter 134 Studentinnen). Die meisten von ihnen waren in Wien und München immatrikuliert.[93] Unter den 85.517 Studierenden des Sommersemesters 1944[94] bildeten sie eine winzige Minderheit von knapp 0,5 %. Trotz der sehr geringen Zahlen ging die Politik des sukzessiven Ausschlusses der „nichtarischen" Studenten jedoch weiter. Im Mai 1944 verkündete ein neuer Erlaß des REM, die Zulassung von „Mischlingen 1. Grades" zum Hochschulstudium komme nur noch dann in Betracht, wenn „die Gesuchsteller sich jahrelang vor der Machtübernahme in Unkenntnis ihrer Mischlingseigenschaften als Nationalsozialisten bewährt" hätten.[95] Es ist unwahrscheinlich, daß es elf Jahre nach der „Machtergreifung" noch Studienbewerber gegeben hat, die diesen Anforderungen gerecht werden konnten. Deshalb ist es nur eine geringfügige Übertreibung, wenn man diesen Erlaß als einen faktischen Zulassungsstop für „Mischlinge 1. Grades" bezeichnet.

Wie sich gezeigt hat, ähnelten die Maßnahmen gegen studierende „Mischlinge 1. Grades" im Kriege weitgehend der antijüdischen Hochschulpolitik von 1933 bis 1938. In beiden Fällen erfolgte ein ständiger Strom von Erlassen und Verordnungen, die den Handlungsspielraum der betroffenen Studenten bis zur Hoffnungslosigkeit einengten. Das totale Studienverbot für jüdische Studenten nach dem Novemberpogrom von 1938 war schließlich nur der konsequente Schlußpunkt dieser Entwicklung. Ein ähnliches Ende zeichnete sich auch für „Mischlinge 1. Grades" deutlich ab. Es ist bezeichnend für das obsessive Verhalten der NS-Elite, daß die Parteikanzlei noch im Januar 1945 beim REM mit weiteren Vorstößen in der „Mischlingsfrage" intervenierte.[96]

Während die offizielle Politik des Regimes gegen „nichtarische" Studenten aufgrund der Aktenlage gut rekonstruiert werden kann, läßt sich die

---

90 Vgl. den RdErl. des REM, 22.6.1942, in: BA Koblenz R 21/27 Bl.359.

91 Vgl. RdErl. des REM, 2.12.1942, in: BA Koblenz R 21/27 Bl.657.

92 Vgl. Götz von Olenhusen, Die „nichtarischen" Studenten, S.201 ff.

93 Errechnet aufgrund der Angaben in: BA Koblenz R 21/729.

94 Die Zahl der Studenten wurde auf einer Dienstbesprechung der Rektoren im Dezember 1944 mitgeteilt. Vgl. BA Koblenz R 21/29 Bl.332.

95 RdErl. des REM, 13.5.1944, in: BA Koblenz R 21/29 Bl.117.

96 Vgl. Götz von Olenhusen, Die „nichtarischen" Studenten, S.204 f.

subjektive Dimension dieses Prozesses ungleich schwerer erschließen. Was bedeutete es für „nichtarische“ Studenten, unter der braunen Diktatur an einer deutschen Hochschule zu studieren? Wie wurden sie von ihren Kommilitonen und Lehrern behandelt? Inwieweit setzte sich die Diskriminierung durch Staat und Partei auch im Studienalltag fort? Wie autobiographische Berichte und Befragungen betroffener Studenten zeigen, waren die Erfahrungen offensichtlich sehr unterschiedlich. Dietrich Goldschmidt, der von 1933 bis 1939 als „Mischling 1. Grades“ (sein Vater war Jude) an der TH Berlin Maschinenbau studierte, skizziert in einem persönlichen Rückblick ein Umfeld, das beinahe als tolerant bezeichnet werden könnte:

> „Kaum jemand unter den Studenten und Hochschullehrern, mit denen ich persönlich zu tun hatte, wandte sich – ungeachtet seiner etwaigen Zugehörigkeit zu Partei, SA oder NS-Studentenbund – diskriminierend gegen die paar Studenten und eine Studentin meines Jahrgangs, die jüdisch oder – wie es hieß – jüdisch versippt waren, solange sie noch studieren durften. Die Atmosphäre von Großstadt- und Groß-Hochschule hat dazu gewiß beigetragen“.[97]

Ähnlich äußerten sich einige Studenten, die als „Mischlinge“ an der TH Karlsruhe immatrikuliert waren.[98] Solche Aussagen lassen sich aber nicht verallgemeinern. Manche „nichtarische“ Studenten machten auch ganz andere Erfahrungen. An der Universität Erlangen – sie lag im Herrschaftsbereich Julius Streichers – wurden die dort studierenden Juden 1933/34 von nationalsozialistischen Studenten regelrecht aus den Hörsälen gedrängt und schließlich zur Aufgabe des Studiums veranlaßt.[99] Derart rüde Methoden waren nicht überall an der Tagesordnung. Doch mußten jüdische Studenten, die ihr Studium nach 1933 fortsetzten, immer wieder auf Schikanen ihrer Kommilitonen gefaßt sein. So berichtet die Ostjüdin Ester Knopf, die bis zu ihrer Promotion (1937) in Frankfurt Zahnmedizin studierte:

> „Direkt persönlich haben mich die Studenten nicht angegriffen. Sie haben aber versucht, mir Schwierigkeiten zu machen. Das war im Staatsexamen. Da habe ich müssen eine Krone gießen, und da haben die Studenten den Apparat verstellt. Zweimal ist es mir nicht gelungen. Und dann hat ein anderer Student diesen Apparat benutzt, und danach ist er wieder gegangen. Sie hatten es zurückgestellt. Ein Student hat sich dann bei mir entschuldigt. Aber erst danach, da er Angst vor den anderen gehabt hat“.[100]

Wie viele Juden, die nach 1933 noch längere Zeit in Deutschland blieben, litt Ester Knopf unter einer zunehmenden Vereinsamung. Nichtjüdische Bekannte und Kommilitonen zogen sich zurück und vermieden es mitunter sogar, sie zu grüßen. Bessere Erfahrungen machte Werner Schmidt, der als

[97] D. Goldschmidt, Wie werden unsere Technischen Universitäten im Jahre 2000 aussehen? in: Neue Sammlung, 20. Jg., 1980, S.114.

[98] Vgl. Hoepke, Auswirkungen, S.407.

[99] Mitteilung von Dr. Julius Doerfler an den Verfasser, 22.9.1994. Siehe auch: J. Doerfler, Erinnerungen – Erlebnisse – Kämpfe in meinem Leben, unveröffentlichtes Ms., S.182. Doerfler war 1933/34 Studentenführer in Erlangen.

[100] Zit. in: Dorner u.a., Machtergreifung, S.59.

„Mischling 1. Grades“ in Gießen studierte. Auch er spürte, daß manche Kommilitonen und Bekannte dem Kontakt mit einem „Nichtarier“ lieber aus dem Wege gingen und mußte es stillschweigend hinnehmen, daß ein nationalsozialistischer Student sich lauthals weigerte, neben ihm im Hörsaal Platz zu nehmen. Dennoch blieb sein persönliches Umfeld weitgehend intakt:

> „Die meisten meiner Freunde stehen trotz hemmungsloser antisemitischer Propaganda unverändert zu mir, einige distanzieren sich, drei suchen meine Freundschaft, um sich dann mehr oder weniger taktvoll zurückzuziehen, als sie erfahren, daß meine Mutter jüdischer Herkunft ist“.[101]

Hinter solchem Verhalten steckte nicht immer Antisemitismus, oft war es nur die Furcht, wegen des Kontaktes mit Juden persönliche Nachteile zu erleiden: „Ein Kommilitone hat sich mal bei mir entschuldigt: ‚Ich habe Dir nicht Guten Morgen gesagt, weil da jemand hinter mir war‘“, berichtet Ester Knopf.[102]

Von den nationalsozialistischen Studentenfunktionären wurde diese Ausgrenzung teilweise bewußt gefördert. In einem internen Bericht der Medizinischen Fachschaft an der Universität Hamburg vom April 1936 hieß es beispielsweise:

> „Wir versuchen die Nichtarier-Frage in den Kliniken wie folgt zu lösen:
> 1. Juden dürfen arische Patienten nicht mehr vaginal untersuchen
> 2. Eigene Gruppen der Juden in Examina
> 3. Besondere Plätze der Juden im Kolleg
> 4. Famulieren der Juden nicht in deutschen Krankenhäusern, sondern in israelitischen“.[103]

Die Vermutung, daß Juden oder „Mischlinge“ von den Hochschullehrern bei Prüfungen bewußt benachteiligt wurden, um sie durchfallen zu lassen, läßt sich aufgrund des vorliegenden Materials nur in Einzelfällen bestätigen. Eine Auswertung von Prüfungsakten der TH Karlsruhe zeigt, daß die „nichtarischen“ Studenten, die an dieser Hochschule nach 1933 ihre Diplom- oder Promotionsprüfung machten, ganz überwiegend mit einem Prädikatsexamen („gut“ oder besser) abschlossen.[104] Selbst an der Universität Gießen, deren Medizinische Fakultät als stark nazifiziert beschrieben worden ist[105], erlebte Werner Schmidt bei seinem Staatsexamen die überwiegende Zahl der Prüfer als „objektiv“. Es gab aber auch Ausnahmen, wie er in seinen Erinnerungen mitteilt:

> „Vor allem der Kinderkliniker Prof. Frick, der Augenkliniker Prof. Riehm, Angehöriger der SS, und der Anatom Prof. Elze ... zensieren ungerecht, wobei der erste von ‚Judenschule‘ spricht, da wir auf seine Fragen anfangs öfter gemeinsam antworten, und Elze sich nicht entblödet, bei Fragen über das Fußskelett mich auf eine gewisse plattfüßige Rasse hinzuweisen“.[106]

---

[101] Schmidt, Leben an Grenzen, S.27.

[102] Zit. in: Dorner u.a., Die braune Machtergreifung, S.59.

[103] Bericht aus der Medizinischen Fachschaft der Studentenschaft der Universität Hamburg, 17.4.1936, in: StA WÜ RSF/NSDStB I* 00 γ 501/2.

[104] Vgl. Hoepke, Auswirkungen, S.403 ff.

[105] Vgl. H. Jakobi u.a., Aeskulap und Hakenkreuz, Frankfurt 1989[2].

[106] Schmidt, Leben an Grenzen, S.43. Siehe auch ebd., S.28.

Aber auch diese drei Hochschullehrer wollten Schmidt nicht durchfallen lassen, denn sie bewerteten seine Leistungen mit „gut“. In weiteren 22 Fächern schnitt er mit der Note „sehr gut“ ab. Nur von dem Rassenhygieniker Heinrich Wilhelm Kranz, einem aktiven Parteifunktionär, erhielt Schmidt eine deutlich schlechtere Beurteilung („ausreichend“), ohne daß sich deshalb an der Gesamtnote „sehr gut“ etwas änderte.[107]

Mitunter erhielten „nichtarische“ Studenten von ihren Professoren sogar engagierte Unterstützung. So ist belegt, daß einige Rektoren sich trotz des Widerstandes von Parteistellen nachdrücklich dafür einsetzten, jüdische „Mischlinge“ weiterhin zum Hochschulstudium zuzulassen.[108] Manche Hochschullehrer gingen sogar noch weiter. In Hamburg wurde dem Mathematikstudenten Horst Tietz, nachdem er 1940 als „Mischling 1. Grades“ relegiert worden war, die Möglichkeit eingeräumt, sein Studium illegal fortzusetzen. Als dieses Experiment nach drei Semestern beendet werden mußte, weil eine Denunziation drohte, erklärte sich ein junger Dozent, Hans Zassenhaus, bereit, dem hochbegabten Studenten Privatunterricht zu erteilen. Ein regulärer Abschluß war auf diesem Wege freilich nicht möglich. Die berufliche und persönliche Zukunft von Tietz blieb trotz dieser Unterstützung vollkommen ungewiß. Dennoch war diese Hilfe für den betroffenen Studenten von erheblicher Bedeutung:

> „Die allwöchentlichen Arbeitsnachmittage in der Wohnung von Herrn Zassenhaus gaben mir die Kraft für das einsame Arbeiten an mathematischer Literatur und ließen meine Eltern und mich das immer hoffnungsloser werdende Dasein ertragen“.

Eine ähnliche Wirkung hatten „gelegentliche Briefe von Kommilitonen meines ersten Studienjahres, die mir vom Fronteinsatz oder aus Lazaretten unerwartet herzliche Briefe schrieben“, wie Tietz später berichtete.[109] Eine derart engagierte Unterstützung, bei der die Professoren und Dozenten beträchtliche Risiken eingingen, war sicherlich die Ausnahme. Nur von sehr wenigen anderen Hochschullehrern, zu nennen ist hier der Name des Münchener Chemikers Heinrich Wieland[110], ist ein ähnliches Verhalten bekannt geworden.

In den mir bekannten autobiographischen Zeugnissen ehemaliger „nichtarischer“ Studenten finden sich keine Hinweise auf gewaltsame Übergriffe seitens nationalsozialistischer Kommilitonen. Offenbar wirkte hier die traditionelle Ablehnung des „Radauantisemitismus“ im Bildungsbürgertum weiter nach. Dennoch war ein Studium im Dritten Reich für „nichtarische“ Studenten mit extremen Belastungen verbunden. Der Zwang, Demütigun-

---

107 Vgl. ebd., S.45.

108 Vgl. Götz von Olenhusen, Die „nichtarischen“ Studenten, S.199, 204.

109 Zitate aus: Horst Tietz, Studium mit Hindernissen (1984), unveröffentlichtes Ms. (im Besitz des Verfassers).

110 Vgl. G. Freise, Das Selbstverständnis von Naturwissenschaftlern im Nationalsozialismus, in: 1933 in Gesellschaft und Wissenschaft, Teil 2: Wissenschaft, Hamburg 1984, S.128. Siehe auch C.H. Meisiek, Evangelisches Theologiestudium im Dritten Reich, Frankfurt/M. 1993, S.296 ff.

gen und Diskriminierungen schweigend zu erdulden, um die eigene Lage nicht noch weiter zu verschlechtern, die Ungewißheit, ob ein Studium unter den gegebenen Bedingungen überhaupt irgendwelche Perspektiven eröffnete, die Unsicherheit, wie lange die verbliebenen Freiräume noch aufrechtzuerhalten waren, ob ein neuer Erlaß, eine neue Verordnung alle Anstrengungen zunichte machen würde, die zunehmende Isolation von der Umwelt – dies alles war psychisch nur sehr schwer zu ertragen. Unter diesen Umständen ist es keineswegs verwunderlich, daß die Zahl der „nichtarischen" Studenten schon in den ersten Jahren nationalsozialistischer Herrschaft rapide zurückging.

3. Der Arbeitsdienst: Eine Ausleseinstanz?

Zu den frühen hochschulpolitischen Maßnahmen der Nationalsozialisten gehörte die Einführung des obligatorischen Arbeitsdienstes für Studenten.[111] Seit Ostern 1934 mußten alle Abiturienten beiderlei Geschlechts, die ein Hochschulstudium aufnehmen wollten, vor der Immatrikulation ein halbes Jahr lang Arbeitsdienst leisten. Außerdem wurden schon 1933 die bereits immatrikulierten Studenten der ersten vier Semester verpflichtet, zehn Wochen lang in ein Arbeitslager zu gehen.

Neben der wirtschaftlichen Bedeutung des Arbeitsdienstes (die sich wegen mangelnder Produktivität als relativ gering erwies[112]) und der Absicht, den Arbeitsmarkt zu entlasten (ein Ziel, das bald immer mehr in den Hintergrund rückte), handelte es sich bei dem Arbeitsdienst wohl um den konsequentesten Versuch, die diffuse Volksgemeinschaftsideologie der Nationalsozialisten in die Praxis umzusetzen. Arbeitsdienstführer Konstantin Hierl verkündete 1933:

> „Es gibt kein besseres Mittel, die soziale Zerklüftung, den Klassenhaß und den Klassenhochmut zu überwinden, als wenn der Sohn des Fabrikdirektors und der junge Fabrikarbeiter, der junge Akademiker und der Bauernknecht im gleichen Rock bei gleicher Kost den gleichen Dienst tun als Ehrendienst für das ihnen allen gemeinsame Volk und Vaterland".[113]

Darüber hinaus sollte der studentische Arbeitsdienst nach den Vorstellungen seiner Initiatoren auch als Bewährungsprobe für die Abiturienten fungieren. In einer Rede des preußischen Kultusministers Rust wurde der Arbeitsdienst 1933 als eine „unerhörte Charakterprüfung" beschrieben, welche die Gelegenheit böte, „unwürdige" Studenten von den Hochschulen fernzuhalten: „Wer im Arbeitslager versagt, der hat das Recht verwirkt,

---

111 Zur Vorgeschichte der Arbeitsdienstpflicht (Freiwilliger Arbeitsdienst, Werkhalbjahr) vgl. H. Köhler, Arbeitsdienst in Deutschland, Berlin 1967; W. Benz, Vom freiwilligen Arbeitsdienst zur Arbeitsdienstpflicht, in: VfZ, 16. Jg., 1968, S.317-346.

112 Vgl. Köhler, Arbeitsdienst, S.263; S. Bajohr, Weiblicher Arbeitsdienst im „Dritten Reich". Ein Konflikt zwischen Ideologie und Ökonomie, in: VfZ, 28. Jg., 1980, S.348 ff.

113 K. Hierl, Der Arbeitsdienst, die Erziehungsschule zum deutschen Sozialismus, in: ders., Ausgewählte Schriften und Reden, Bd.2, München 1943[2], S.96.

Deutschland als Akademiker führen zu wollen“, erklärte der Minister vor Berliner Studenten.[114] Ähnlich sahen auch die nationalsozialistischen Studentenfunktionäre die hochschulpolitische Bedeutung des Arbeitslagers. In einer Publikation der DSt über den Frauenarbeitsdienst war 1936 zu lesen:

> „Der Arbeitsdienst gibt der Abiturientin nicht nur die Ausrichtung für ihre zukünftige Arbeit, er bietet auch die Möglichkeit einer Auslese für die Hochschule. Eine Abiturientin, die es nicht fertig bringt, sich ganz einzusetzen und über ihre eigene Person hinaus zu arbeiten, ist für die Aufgaben an der Hochschule nicht geeignet, weil sie den Sinn ihres Studiums nicht erfassen wird“.[115]

Es fällt auf, daß die (künftigen) Studenten als erste gesellschaftliche Gruppe überhaupt der Arbeitsdienstpflicht unterworfen worden sind. Eine allgemeine Arbeitsdienstpflicht für junge Männer wurde erst im Juni 1935 verkündet[116], für junge Frauen sogar erst im September 1939, kurz nach dem Beginn des Krieges.[117] Die vorzeitige Einführung einer Sonderregelung für zukünftige Akademiker war im wesentlichen auf den Druck der DSt zurückzuführen, die mit ihren stürmischen Initiativen das Reichsinnenministerium in Zugzwang brachte.[118] Schon bald zeigte sich allerdings, wie überhastet dabei agiert worden war, denn vor allem der weibliche Arbeitsdienst zeigte sich außerstande, alle studierwilligen Abiturientinnen aufzunehmen. Die Dienstzeit mußte deshalb zeitweise auf 13 Wochen verkürzt werden, und manche Studentinnen konnten den Arbeitsdienst (und damit auch das Studium) erst nach einer halbjährigen Wartepause antreten.[119]

Während der Ableistung des Arbeitsdienstes wurden die Abiturienten, nach Geschlechtern getrennt, zusammen mit anderen Arbeitsdienstleistenden in Lagern kaserniert, in denen jeweils etwa 50 „Arbeitsmänner“ bzw. „Arbeitsmaiden“ zusammengefaßt waren. Um eine Dominanz der zukünftigen Studenten von vornherein auszuschließen, durften die Abiturienten pro Lager nicht mehr als 20 % der Belegschaft bilden.[120] Wer aus gesundheitlichen Gründen nicht in der Lage war, den physisch sehr anstrengenden Arbeitsdienst abzuleisten, kam in dem seit 1934 bestehenden „Studentischen Ausgleichsdienst“ zum Einsatz. Zumeist wurden diese Studenten dem Reichsluftschutzbund zugewiesen, wo sie nach einer Ausbildung von 4-6 Wochen damit beschäftigt wurden, die deutsche Bevölkerung über Schutzmaßnahmen bei Luftangriffen zu unterweisen.[121] Abiturientinnen leisteten

---

114 Rede Rusts vom 16.6.1933 auf dem Opernplatz in Berlin, abgedruckt in: Dokumente der Deutschen Politik. Reihe: Das Reich Adolf Hitlers, Bd.1, Berlin 1942[7], S.281.

115 W. Dreißig, „Die Abiturientinnen im Arbeitsdienst“, in: Wissen und Dienst, Nr.11, 23.4.1936, S.11.

116 Vgl. das Reichsarbeitsdienstgesetz vom 26.6.1935, in: RGBl. 1935 I S.769 ff.

117 Vgl. Bajohr, Weiblicher Arbeitsdienst, S.351.

118 Vgl. dazu S.78.

119 Vgl. Dreißig, Abiturientinnen (Anm. 115), S.11.

120 Vgl. L. Kleiber, „Wo ihr seid, da soll die Sonne scheinen!“. Der Frauenarbeitsdienst am Ende der Weimarer Republik und im Nationalsozialismus, in: Frauengruppe Faschismusforschung, Mutterkreuz und Arbeitsbuch, Frankfurt/M. 1981, S.200.

121 Vgl. den Bericht von Weidner über den Studentischen Ausgleichsdienst, 18.9.1943, in: BA Koblenz R 21/10938. Sowie: „Studenten im Dienst für die Heimat“, in: Die Bewegung, Nr.42/43, 1.11.1941, S.9.

den Ausgleichsdienst häufig auch im Rahmen der Nationalsozialistischen Volkswohlfahrt (NSV).[122]

Die Arbeitslager waren – teils notgedrungen, teils bewußt – spartanisch eingerichtet. Schließlich sollte durch den Arbeitsdienst auch eine „Abhärtung auf der ganzen Linie" erzwungen werden: Auf Bequemlichkeit oder gar Luxus wurde verzichtet, statt dessen prägten primitive Massenunterkünfte, Strohsäcke, die als Bett dienten, frühes „morgenkaltes" Aufstehen und „einfache Waschverhältnisse" den Alltag im Arbeitslager.[123]

Der Tag begann in der Regel mit Frühsport; danach folgte der „Fahnenappell", d.h. es „wurde in einer Linie strammgestanden und würdig, mit einem Lied, bei erhobener Hand, unsere Lagerfahne gegrüßt", wie es in einem zeitgenössischen Bericht heißt.[124] Dann marschierten die männlichen Arbeitsdienstleistenden kolonnenweise zum Einsatzort. Zumeist wurden sie beim Bau von Straßen, Deichen, Kanälen oder Wegen, mit Erd- und Entwässerungsarbeiten, zeitweise auch am Westwall als Hilfsarbeiter beschäftigt. Ihr Kontakt zur Außenwelt blieb dabei notwendigerweise begrenzt. Demgegenüber wurden die arbeitsdienstpflichtigen Frauen tagsüber einzeln einer Bauern- oder Siedlerfamilie zur Verfügung gestellt, wo sie überlastete Hausfrauen und Mütter unterstützen sollten.

Nach Beendigung des Arbeitstages folgten sportliche Ertüchtigung und politische Schulung. Die „Arbeitsmänner" erhielten zudem eine paramilitärische Grundausbildung, die sich vornehmlich in Drill, Exerzieren und Kommißton erschöpfte[125], während die „Arbeitsmaiden" derweil mit dem Gesang von Volksliedern, mit Brauchtumspflege oder Bastelarbeiten beschäftigt waren.

Wie haben die künftigen Studenten selber den Reichsarbeitsdienst (RAD) erlebt? Das Bild, das sich aus zeitgenössischen Quellen, Autobiographien und Befragungen ergibt, ist naturgemäß nicht einheitlich. Als die Reichsführung der Deutschen Studentenschaft (DSt) im Juni 1934 unter ihren Funktionären eine Umfrage über die bisherigen Erfahrungen mit dem Arbeitsdienst startete, erhielt sie sehr unterschiedliche Angaben. Julius Doerfler, Führer der Erlanger Studentenschaft, konnte über den Arbeitsdienst nur Erfreuliches berichten: „Die jungen Kameraden und Kameradinnen nehmen gerne daran teil".[126] Ähnlich äußerte sich auch die Führung der Jenaer Studentenschaft: „Der Arbeitsdienst dürfte wohl die einzige Stelle sein, die eine tatsächliche erfolgreiche Arbeit am Studenten auszuweisen hat". Meldungen aus anderen Universitätsstädten klangen jedoch weniger optimistisch. So schrieb die Kieler Studentenschaft in ihrem Bericht: „Von Seiten der Wohn-

[122] Vgl. „Der Ausgleichsdienst der Abiturienten", in: VB Nr.19, 19.1.1937.

[123] Vgl. Bajohr, Weiblicher Arbeitsdienst, S.341; Berichte von deutschen Abiturientinnen über ihre Erfahrungen im freiwilligen Arbeitsdienst, in: Deutsche Mädchenbildung, 10. Jg., 1934, S.52 ff.

[124] Berichte von deutschen Abiturientinnen, S. 67.

[125] Vgl. O.B. Roegele, Student im Dritten Reich, in: Die deutsche Universität im Dritten Reich. Eine Vortragsreihe der Universität München, München 1966, S.155; H. Röhrs, Nationalsozialismus, Krieg, Neubeginn, Frankfurt/M. 1990, S.36.

[126] J. Doerfler an H. Zaeringer, 29.6.1934 (Abschr.), S.4, in: StA WÜ RSF/NSDStB I* 03 φ 356.

kameradschaften wird berichtet, daß der Arbeitsdienst an den einzelnen Studenten vorübergegangen ist, ohne sie für die kommenden Aufgaben tiefer geformt zu haben“. Und aus Köln war zu hören: „Die Studenten fassen den Arbeitsdienst meist als ein lästiges Muß auf. Dies gilt vor allen Dingen für die älteren Semester“.[127]

Wer autobiographische Aufzeichnungen ehemaliger „Arbeitsmänner“ liest, stößt dort auf drei immer wiederkehrende Erfahrungsschwerpunkte, die sich offensichtlich tief in das Gedächtnis eingegraben haben: die Erinnerung an die ungewohnte schwere Arbeit, die Klage über das Willkürregime der Arbeitsdienstführer und schließlich der Rückblick auf das Arbeitslager als „verkehrte Welt“, in der die vertrauten Hierarchien außer Kraft gesetzt waren.

Der RAD bedeutete in aller Regel harte Knochenarbeit, die durch technische Hilfsmittel nur unwesentlich erleichtert wurde. Gerade Abiturienten, die an physische Anstrengungen nicht gewöhnt waren, gerieten zumindest am Anfang schnell an die Grenze ihrer Leistungsfähigkeit, zumal die Ernährung sich häufig als unzureichend erwies.[128] Wer sportlich durchtrainiert war, konnte die Arbeit aber durchaus als Herausforderung annehmen und sogar Gefallen daran entwickeln. So erging es Hermann Röhrs, der seinen Arbeitsdienst an der Nordsee beim Deichbau verbrachte, wo er und andere „Arbeitsmänner“ im Wattenmeer Loren beluden:

> „Wie die Vorarbeiter uns sagten, leisteten wir Akkordarbeit für die Gemeinde; zum Sprechen blieb nicht viel Zeit. Wenn die Loren des einen Zuges geladen waren, fuhr der nächste bereits vor. Durchzustehen war dieser Arbeitstag nur in einer sportlichen Grundeinstellung, die die Freude an der Leistung weckte ... Bis auf eine kurze Pause mußte im Grunde alles im Laufschritt geschehen. Obgleich die Arbeit den Einsatz der Kräfte bis an die Grenze des Möglichen forderte, habe ich sie in frischer Seeluft geschätzt“.[129]

Die „Freude an der Leistung“ wollte sich freilich nicht bei allen Arbeitsdienstleistenden einstellen. Gerhard Szczesny, der 1937 in Ostpreußen die Zeit des Arbeitsdienstes mit Erd- und Entwässerungsarbeiten beschäftigt war, erinnert sich noch ein halbes Jahrhundert später: „Die ungewohnte körperliche Anstrengung erschöpfte mich bis zur Depression“.[130]

Wie ein roter Faden zieht sich durch fast alle Aufzeichnungen die Klage über die Willkürherrschaft der RAD-Führer, die innerhalb der Lager über eine fast grenzenlose Machtfülle verfügten und „ein schadenfrohes Vergnügen“ daran fanden, ihre Untergebenen „nach Kräften zu demütigen und zu schikanieren“, wie Hoimar v. Ditfurth schreibt.[131] Berichte über betrunkene

[127] Alle Zitate aus: „Die Regelung des Dienstes an den deutschen Hochschulen“. Denkschrift aus der Reichsführung der DSt, o.D. [1934], S.7, in: StA WÜ RSF/NSDStB I* 03 φ 356. Vgl. auch Giles, Students and National Socialism, S.143 f.

[128] Vgl. H. v. Ditfurth, Innenansichten eines Artgenossen, Düsseldorf 1989, S.137.

[129] Röhrs, Nationalsozialismus, S.37.

[130] G. Szczesny, Als die Vergangenheit Gegenwart war, Berlin/Frankfurt am Main 1990, S.90.

[131] Ditfurth, Innenansichten, S.135 u. 137.

Arbeitsdienstführer, die ihr ödes Dasein auflockerten, indem sie regelmäßig nächtliche Appelle abhielten, finden sich nicht nur bei Szczesny:

> „Sie langweilten sich, ließen sich Abend für Abend vollaufen und schikanierten uns dann ... Wir wurden drei, vier Stunden nach dem Zapfenstreich aus den Betten geholt, mußten in unseren Nachtgewändern draußen antreten, dann um die Baracken laufen, in den Baracken unter die Betten kriechen und auf die Schränke steigen und dazu den Antreibern passend scheinende Lieder singen. Oder es fand ein Spindappell statt, der mit dem vollständigen Aus- und Wiedereinräumen aller Schränke endete“.[132]

Den Launen und Schikanen der Arbeitsdienstführer hilflos ausgeliefert zu sein, ihre Befehle widerspruchslos akzeptieren zu müssen, weil schon das geringste Aufmucken zu Strafmaßnahmen führte, dies war für viele der am schwersten zu ertragende Aspekt der Arbeitsdienstzeit.[133] So manchem ehemaligen „Arbeitsmann“ trieb die Erinnerung an erlittene Demütigungen noch Jahrzehnte später „die Röte ohnmächtiger Wut ins Gesicht“.[134]

Daß derartige Schilderungen nicht übertrieben waren, bestätigt eine interne Denkschrift der DSt, die bereits im November 1933 zu der Feststellung gelangte, unter den Arbeitsdienstführern habe „der schreiende und sich aufspielende Unteroffizierstyp des alten Kommisses“ die Oberhand gewonnen. Mit ungewöhnlicher Offenheit kritisierten die Verfasser die „Verantwortungslosigkeit“ vieler Arbeitsdienstführer, den „Kasernenhofdrill“, die „unangebrachte Befehlsschärfe“ und konstatierten, daß bei der Besetzung der Führerstellen im Zuge der Gleichschaltung des Arbeitsdienstes „viele Fehlgriffe“ getan worden seien: „Die Führerfrage ist heute *die* Krise des Arbeitsdienstes“.[135] Daran hat sich auch in den folgenden Jahren offensichtlich nichts geändert.

Das Führerkorps des Arbeitsdienstes rekrutierte sich vorwiegend aus ehemaligen Berufssoldaten, deren militärische Laufbahn durch den Versailler Vertrag beendet worden war.[136] Wenn diese in der Regel nicht mehr ganz jungen Männer 1933 zum Arbeitsdienst stießen, kann dies wohl als Indiz gewertet werden, daß es ihnen in der Zwischenzeit nicht recht gelungen war, in einem zivilen Beruf Fuß zu fassen. Da sich seit 1934/35 im Zuge der Aufrüstung für ehemalige Berufssoldaten eine zweite Karrierechance in der Wehrmacht eröffnete, schieden viele Arbeitsdienstführer mit guten dienstlichen Beurteilungen zu dieser Zeit wieder aus dem Arbeitsdienst aus.[137] Wie

---

[132] Szczesny, Vergangenheit, S.90. Ähnlich auch: Röhrs, Nationalsozialismus, S.36.

[133] Dazu auch: H.H. Müller / J. Schöberl, Karl Ludwig Schneider und die Hamburger „Weiße Rose“, in: Hochschulalltag im „Dritten Reich“. Hg. von E. Krause u.a., Berlin/Hamburg 1991, Teil I, S.425.

[134] N. Sombart, Jugend in Berlin 1933-1943, München 1984, S.58.

[135] Alle Zitate aus: Das Werkhalbjahr 1933. Bericht über Verlauf und Erfahrungen. Denkschrift der DSt, abgeschlossen im November 1933, S.6-9, in: GStAPK I Rep. 76 Va Sekt.1 Tit. XVIII No. 16 Bd.IX Bl.320 ff. (M). Siehe auch: Köhler, Arbeitsdienst, S.255.

[136] Vgl. Köhler, Arbeitsdienst, S.263 f.

[137] Vgl. ebd., S.264.

es scheint, verblieben im RAD vor allem jene Arbeitsdienstführer, die aus der Sicht der Wehrmacht unbrauchbar erschienen.[138]

Nicht ohne Grund ist der männliche Arbeitsdienst daher von denen, die ihn durchlaufen haben, immer wieder als Tummelplatz „gescheiterter Existenzen"[139] beschrieben worden: „Weder vorher noch nachher in meinem Leben habe ich jemals eine so negative Auslese von Menschen erlebt wie hier, im Führerkorps des RAD, auch beim Militär nie eine so niederträchtige, korrupte, unmenschliche Gesamtatmosphäre"[140], resümierte 1966 Otto B. Roegele, der den Arbeitsdienst im Sommer 1939 beim Bau des Westwalls absolviert hatte.

Nicht nur die autobiographischen Erzählungen ehemaliger Studenten legen die Vermutung nahe, daß die sechs Monate Arbeitsdienst im allgemeinen von den Abiturienten viel härter und einschneidender empfunden wurden als von anderen Arbeitsdienstleistenden. Jugendliche, die mit dem Abitur gerade eine wichtige Voraussetzung für den späteren Aufstieg in Elite-Positionen hinter sich gebracht hatten, sahen sich beim RAD plötzlich in einen Mikrokosmos versetzt, in dem sie nicht nur keine Vorrechte genossen, sondern zumeist sogar am untersten Ende der Hierarchie angesiedelt waren. Wer den Arbeitsdienst ohne Probleme durchstehen wollte, benötigte vor allem körperliche Kraft und manuelle Geschicklichkeit, Voraussetzungen, die bei den Abiturienten nur in geringem Maße vorhanden waren. Nicht selten wurden ihre etwas unbeholfenen Anstrengungen von den übrigen Arbeitsmännern verlacht oder sogar hämisch verspottet. Aus der Sicht seiner gleichaltrigen Arbeitsdienstkameraden aus dem Arbeitermilieu war der Abiturient meist „nur das verwöhnte Muttersöhnchen aus ‚gutem Hause', das nicht für voll zu nehmen war und dessen Ungeschicklichkeit bei den Arbeitseinsätzen und beim ‚Stubendienst' gen Himmel schrie", wie Hoimar von Ditfurth sich erinnert.[141]

Nicht selten wurde diese prekäre Situation durch das ressentimentgeladene Verhalten der Arbeitsdienstführer noch weiter verschärft. Wie häufige Klagen über die „gehässige Terrorisierung" der Abiturienten zeigen, genossen viele RAD-Führer es offensichtlich, den hochnäsigen Bürgerkindern einmal drastisch vor Augen führen zu können, daß sie „nichts Besseres" darstellten.[142] Schon die Denkschrift der DSt von 1933 registrierte, viele Arbeitsdienstführer seien „unsicher in ihrem Verkehr mit den Abiturienten" und versuchten, „die ihnen mangelnde Autorität durch unangebrachte Befehlsschärfe" zu ersetzen. Die Verfasser der Denkschrift rügten außerdem, daß viele Lagerführer „bewußt das Entstehen einer echten Lagerkameradschaft zwischen Abiturienten und übriger Lagermannschaft durch Aufhetzen des einen gegen den anderen Teil ... zu verhindern suchten".[143] Anstatt

[138] So die plausible Beobachtung von Ditfurth, Innenansichten, S.135.

[139] Vgl. Roegele, Student, S.154; Ditfurth, Innenansichten, S.135; Szczesny, Vergangenheit, S.90. Siehe auch Köhler, Arbeitsdienst, S.255; Meisiek, Theologiestudium, S.123.

[140] Roegele, Studenten, S.154 f.

[141] Ditfurth, Innenansichten, S.137.

[142] Vgl. Roegele, Student, S.155. Ähnlich: Sombart, Jugend, S.57 f. Ditfurth, Innenansichten, S.135.

[143] Das Werkhalbjahr 1933. Denkschrift der DSt (Anm. 135), Bl.321 f.

die „Volksgemeinschaft" zu fördern, konnte der Arbeitsdienst unter solchen Umständen leicht eine völlig konträre Wirkung haben.

Kurz: Im Arbeitsdienst befanden sich die künftigen Studenten von vornherein in einer Position der Unterlegenheit. Diese „verkehrte Welt" trug dazu bei, ihnen den Arbeitsdienst gründlich zu verleiden. Bei jungen Arbeitern konnte sich durchaus der gegenteilige Effekt einstellen: Der Stolz, besser und stärker zu sein als die Studenten, machte den RAD erträglicher, zumal wenn die größere Leistungsfähigkeit zu Extrarationen führte, während die künftigen Akademiker noch zusätzlich geschliffen wurden.[144]

Der weibliche Arbeitsdienst[145] bedarf einer gesonderten Beurteilung. Zunächst waren die Arbeitsbedingungen andere, weil die Frauen einzeln und nicht kolonnenweise beschäftigt wurden. Eine Abiturientin, die 1934 ihren Arbeitsdienst absolvierte, berichtete über ihre Erfahrungen:

> „Auf der Siedlung mußten wir da mit Hand angreifen, wo es im Augenblick gerade nötig war: Kartoffeln setzen, behäufeln, Unkraut jäten, graben, Stuben reinigen, Wäsche waschen und bügeln, Pflanzen behacken, Kühe hüten, auf Kinder aufpassen, alle Erntearbeit wie binden, einfahren, Fuder abladen, nachharken, dreschen, Kartoffeln buddeln, und was sonst noch zu tun war".[146]

Wie der RAD erlebt wurde, hing deshalb hauptsächlich davon ab, wie sich die Beziehung zu den Bauern- oder Siedlerfamilien entwickelte, in welche die „Arbeitsmaid" mehr oder minder zufällig hineingeriet. Demgemäß waren die Erfahrungen sehr unterschiedlich. Mitunter konnte sich ein auf gegenseitiger Sympathie basierendes Verhältnis entwickeln[147], bei anderen Abiturientinnen blieb lediglich die Erinnerung haften, rücksichtslos ausgenutzt worden zu sein. Insgesamt dominierte das Gefühl, sich in einer fremden Lebenswelt zu bewegen, in der andere, nicht unbedingt anziehende, Regeln und Wertvorstellungen vorherrschten, wo nicht zuletzt auch andere hygienische Standards galten.[148]

Die Erfahrungen der „Arbeitsmaiden" in den RAD-Lagern unterschieden sich ebenfalls von denen der männlichen Arbeitsdienstleistenden. Auch im weiblichen Arbeitsdienst gab es Lagerführerinnen, die dazu neigten, den Abiturientinnen das Leben besonders schwer zu machen.[149] Doch insgesamt sind Klagen über das despotische Verhalten des RAD-Führungspersonals

144 Vgl. die Beiträge von L. Niethammer und M. Zimmermann, in: L. Niethammer (Hg.), „Die Jahre weiß man nicht, wo man die heute hinsetzen soll", Berlin/Bonn 1983, S.103 u. 168.

145 Zum weiblichen Arbeitsdienst vgl. Kleiber, „Wo ihr seid, da soll die Sonne scheinen"; Bajohr, Weiblicher Arbeitsdienst. Beide gehen aber auf die spezifischen Erfahrungen der Abiturientinnen nur am Rande ein.

146 Berichte von deutschen Abiturientinnen, S.58.

147 Solche Erfahrungen machte beispielsweise Sophie Scholl, die aber dennoch sehr unter dem RAD litt. Vgl. Hans und Sophie Scholl. Briefe und Aufzeichnungen. Hg. von I. Jens, Frankfurt/M. 1988, S.211 ff. u. 233 f.

148 Vgl. die Interviews von Astrid Dageförde mit ehemaligen Studentinnen, in: ProjA HH. Aufschlußreich auch: Ilse W., Stellungnahme zur Ausstellung „Universität im Nationalsozialismus", 17.5.1984, S.4 ff. (ProjA HH).

149 Vgl. die Interviews von Astrid Dageförde mit Frau K.-A., 19.2.1985, S.7 und mit Ellen M.-B., 28.11.1985, S.10, Transkriptionen in: ProjA HH.

von ehemaligen Studentinnen viel seltener zu hören als von ihren männlichen Kommilitonen. Dies lag nicht nur daran, daß die Abiturientinnen den RAD-Führerinnen aufgrund ihrer mehr individuellen Arbeitsweise weniger ausgeliefert waren. Offenbar bildete der Typ des selbstherrlichen Tyrannen in den weiblichen Arbeitslagern tatsächlich eine Ausnahmeerscheinung. Der Frauenarbeitsdienst hatte auch keineswegs, wie sein männliches Pendant, den Ruf, ein Sammelbecken gescheiterter Existenzen zu sein. Vielmehr zog der neugeschaffene Beruf der Arbeitsdienstführerin in den 1930er Jahren auch viele Abiturientinnen und Akademikerinnen an, die in ihren erlernten Berufen aufgrund der Überfüllung des Arbeitsmarktes oder aufgrund politischer Restriktionen nicht unterkommen konnten.[150]

Den Schilderungen ehemaliger „Arbeitsmaiden" läßt sich entnehmen, daß sie vor allem unter der primitiven Unterkunft litten, unter dem Mangel an Intimität und unter dem ungewohnt engen Zusammenleben mit einer großen Gruppe von Mädchen und jungen Frauen ganz unterschiedlicher Herkunft. Schon in einem der ersten zeitgenössischen Berichte hieß es:

> „Am schwersten war es, sich daran zu gewöhnen, vom frühen Morgen bis zum späten Abend mit über 40 jungen Mädchen aus den verschiedensten Berufen: Verkäuferinnen, Fabrikarbeiterinnen, Hausangestellten, auch einigen Stenotypistinnen ... usw. zusammenzuleben und nachts mit 20 Menschen in einem Raum zu schlafen, kurzum, kaum eine Stunde am Tag allein für sich zu sein, wo man es bisher gewohnt war, seinen eigenen Interessen in ruhigen Stunden zu leben".[151]

Das Verhältnis zwischen den Arbeitsdienstleistenden unterschiedlicher sozialer Herkunft war auch im weiblichen Arbeitsdienst konfliktträchtig, nicht selten spannungsgeladen. Oft zeigte sich von Anfang an eine Kluft zwischen den Abiturientinnen auf der einen Seite und dem Rest des Lagers auf der anderen.[152] Einige Abiturientinnen hatten allerdings das Gefühl, daß dieser Prozeß der Segregation nicht von ihnen selber, sondern von der Lagermehrheit in Gang gesetzt worden war: „Wir wurden von den sogenannten Proletarierinnen richtig ausgegliedert innerhalb des Lagers".[153] Mitunter wurde bei Befragungen berichtet, das gegenseitige Mißtrauen sei im Laufe der Zeit verschwunden.[154] Doch lassen sich solche Erinnerungen sicher nicht generalisieren. Die meisten Arbeitsdienstleistenden machten schließlich doch ähnliche Erfahrungen wie jene Abiturientin, die in ihrem Abschlußbericht konstatierte,

---

150 Vgl. Bajohr, Weiblicher Arbeitsdienst, S.346 f. Bajohr nennt allerdings keine genauen Zahlen.

151 Berichte von deutschen Abiturientinnen, S.53.

152 Vgl. die Interviews von Astrid Dageförde mit Gisela H., S.18 u. mit Hedwig W., S.9, in: ProjA HH.

153 Interview von Astrid Dageförde mit Hedwig W., o.D., S.9, Transkription in: ProjA HH.

154 Vgl. das Interview von Astrid Dageförde mit Hannelore S., S.11 f., in: ProjA HH. Siehe auch: Berichte von deutschen Abiturientinnen, S.68 f.

„daß ein Ausgleich der Stände über die Kameradschaft im Lager hinaus unmöglich ist. Der Unterschied liegt eben in der Bildung, in der Erziehung ... Ein paarmal kam es mir vor, daß Mädel, mit denen ich mich sehr gut unterhalten hatte, so daß wir uns näher gekommen waren, plötzlich erstaunt oder ungläubig fragten: ‚Aber du hast doch nicht auch das Abitur?‘ Auf mein Bejahen wurden sie dann mißtrauisch, und es wurde mir nicht leicht, die eingetretene Spannung zu beheben. Innerlich standen sie gegen uns; oft waren es Kleinigkeiten, die diese Spaltung trotz der allgemeinen Kameradschaft zeigten“.[155]

Tatsächlich waren es aber keineswegs nur Unterschiede der Herkunft und der Ausbildung, die sich im RAD-Lager bemerkbar machten. Im Gegensatz zu den aus behüteten Verhältnissen stammenden Abiturientinnen standen viele ihrer Lagerkameradinnen bereits seit Jahren auf eigenen Füßen und verfügten auch auf anderen Gebieten über sehr viel mehr Erfahrungen: Manche Abiturientinnen zeigten sich geradezu verstört darüber, mit welcher Selbstverständlichkeit die jungen Arbeiterinnen oder Verkäuferinnen über ihre sexuellen Erlebnisse sprachen, und nicht wenige reagierten darauf voller Abwehr.[156] Statuserwartung und Lebenserfahrung klafften im Arbeitslager weit auseinander.

Durchgängig wurde das Ende der Arbeitsdienstzeit, wie alle Äußerungen ehemaliger Studenten zeigen, mit Erleichterung begrüßt. Gleichwohl gab es neben jenen Abiturienten (beiderlei Geschlechts), die den RAD ausschließlich als „Drangsal“[157] oder gar als „ekelhafteste Vergewaltigung“[158] erlebten, auch andere, die mit dem Arbeitsdienst durchaus positive Erinnerungen verbanden.[159] Die Notwendigkeit, sich in einer fremden Umgebung behaupten zu müssen, dabei ganz auf sich allein gestellt zu sein, erschien, zumindest in der Retrospektive, als eine durchaus nützliche Erfahrung auf dem Weg zu größerer Eigenständigkeit. Und der enge Kontakt mit Jugendlichen, die aus ganz anderen Verhältnissen mit ganz anderen Erfahrungen kamen, schuf nicht nur Spannungen und Probleme, sondern brachte zumindest einem Teil der Bürgerkinder auch einen Zugewinn an Lebenserfahrung und Reife.[160] Selbst jene ehemalige Studentin, die den Arbeitsdienst eigentlich als „eine ganz schaurige Angelegenheit“ in Erinnerung behalten hatte, betonte im Interview, sie habe durch das Zusammenleben mit den „Arbeitermädchen einen großen Realitätszuwachs bekommen“.[161] Eine andere berichtete auf Befragen:

---

[155] Berichte von deutschen Abiturientinnen, S.63.

[156] Vgl. Berichte von deutschen Abiturientinnen, S.55. Siehe auch das Interview von Astrid Dageförde mit Eleonore R., o.D., S.7, in: ProjA HH.

[157] Interview von Astrid Dageförde mit Cornelia S., 26.11.1984, Transkription in: ProjA HH.

[158] So K.L. Schneider in einem während seiner RAD-Zeit geschriebenen Brief, zit. in: Müller/Schöberl, Karl Ludwig Schneider, S.425.

[159] Die These, der Arbeitsdienst sei „vorwiegend als positiv erlebt“ worden, teile ich nicht. Vgl. Dorner u.a., Braune Machtergreifung, S.155.

[160] Vgl. H. Becker/F. Hager, Aufklärung als Beruf, München 1992, S.73 u. S.83 ff.

[161] Interview von Astrid Dageförde mit Helga W., 4.2.1985, S.8 f., Transkription in: ProjA HH.

„Also ich muß sagen, es war nicht nur interessant, sondern auch sehr wichtig, einmal einen wirklich repräsentativen Durchschnitt durch meinen Jahrgang anzutreffen, denn man hatte ja doch als Abiturientin wenig Kontakt mit, ja meinetwegen mit Verkäuferinnen, mit Arbeiterinnen usw. ... Und das war doch sehr wichtig für mich, das muß ich sagen ... Ich hab' über manches gestaunt. Sie waren ja einfach weiter. Nicht? Ich war ja ein Kind. Das kann man nicht anders sagen".[162]

Inwieweit fungierte der RAD in der Praxis (und nicht nur in der Rhetorik) tatsächlich als Bewährungsprobe, d.h. als Instrument zur „Auslese" der künftigen Studenten? In den ersten zwei Jahren lag die Entscheidung über die Zulassung der „Arbeitsmänner" und „Arbeitsmaiden" zum Hochschulstudium vollständig in den Händen der Arbeitsdienstführer. Zu diesem Zweck hatte die DSt im Herbst 1933 ein sogenanntes „Pflichtenheft" eingeführt.[163] Abiturienten, die sich im Arbeitslager „bewährt" hatten, erhielten dieses Pflichtenheft nach Ableistung des Arbeitsdienstes ausgehändigt. Die Vorlage des Pflichtenheftes war ebenso wie die des Abiturzeugnisses eine unerläßliche Voraussetzung für die Immatrikulation an allen deutschen Hochschulen.[164] Während des Studiums sollte das Pflichtenheft dem Ziel dienen, die Beteiligung der einzelnen Studenten an Fachschaftsversammlungen, Pflichtveranstaltungen und politischen Aktivitäten jederzeit kontrollieren zu können.[165] Abiturienten, denen die Ausstellung des Pflichtenheftes von der Lagerführung verweigert wurde, beispielsweise mit der Begründung, sie befänden sich „noch im liberalistischen Fahrwasser", konnten ihre Studienpläne begraben. Wie häufig von dieser Möglichkeit Gebrauch gemacht wurde, läßt sich allerdings nicht sagen. In den Akten und in der Literatur sind lediglich Einzelfälle überliefert.[166]

Mit der Ausstellung oder Verweigerung des Pflichtenheftes waren die Lagerführer also in der Lage, lebensgeschichtlich außerordentlich bedeutsame Weichenstellungen vorzunehmen. Wie es scheint, bestanden auch im REM Zweifel, ob die Zulassung zum Hochschulstudium damit in die richtigen Hände gelegt worden war. Jedenfalls sind die Modalitäten des Zulassungsverfahrens seit 1936 – zunächst allerdings nur für männliche Studenten – erheblich verändert worden. Das Pflichtenheft der DSt wurde abgeschafft.[167] Künftig erhielten alle Abiturienten nach Ableistung des RAD lediglich einen Arbeitsdienstpaß, in dem ab 1937 keine Führungsnoten mehr vermerkt waren. Statt dessen schickte das REM fortan allen Rektoren Namenslisten jener Abiturienten, die im RAD nur die Führungsnoten „genügend" oder „ungenügend" erhalten hatten. Die Rektoren erhielten Anweisung, die

[162] Interview von Astrid Dageförde mit Eva J., o.D., S.10. Transkription in: ProjA HH. Siehe auch das Interview mit Traute H., 31.1.1985, S.24 ff., in: ebd.

[163] Ein Exemplar in: UA München Senat 365/9.

[164] Vgl. den RdErl. des REM, 7.3.1935, in: DWEV 1935, S.163.

[165] Vgl. Dorner u.a., Braune Machtergreifung, S.122 f.

[166] Vgl. Köhler, Arbeitsdienst, S.260; Urteil des Dreier-Ausschusses der Berliner Universität gegen den Studenten Anton N., 27.10.1936, in: BA Potsdam REM 1582 Bl.309 f. Das RAD-Archiv ist vernichtet.

[167] Vgl. den RdErl. des REM, 26.10.1936, in: UA München Senat 368/5 Bd.I.

Immatrikulation der aufgelisteten Personen zunächst auszusetzen und unverzüglich die vom RAD übermittelten Beurteilungen dieser Abiturienten einzusehen. Das Ministerium hob jedoch hervor, daß die endgültige Entscheidung über die Zulassung zum Studium nicht allein aufgrund der RAD-Beurteilungen gefällt werden sollte, sondern auch aufgrund des persönlichen Eindrucks, „der gegebenenfalls im Laufe eines Semesters als Gasthörer, das später angerechnet werden kann, zu gewinnen ist".[168] Im September 1942 wurde dieses Verfahren auch auf die Abiturientinnen ausgeweitet.[169]

Mit dieser Regelung hatte das REM die Kompetenzen des RAD erheblich eingeschränkt. Faktisch war die Entscheidung über die Zulassung der Arbeitsdienstleistenden zum Studium von den RAD-Führern auf die Rektoren übergegangen. Auch Abiturienten, die ihren Vorgesetzten im Arbeitsdienst unangenehm aufgefallen waren, konnten nun trotzdem auf einen Studienplatz hoffen, denn es war nicht zu erwarten, daß die Rektoren sich die Kriterien und Beurteilungen der Arbeitsdienstführer unkritisch zu eigen machen würden.

Dem vorliegenden Material läßt sich entnehmen, daß die Zahl jener Abiturienten, die aufgrund ihrer RAD-Beurteilungen Probleme bei der Zulassung zum Hochschulstudium bekamen, relativ gering war. Von den RAD-Absolventen des Sommers 1937 kamen lediglich 22 Abiturienten auf die Schwarze Liste[170], gerade 0,3 % der 6.877 männlichen Erstsemester im Winter 1937/38. Und zu Beginn des Sommersemesters 1938 erhielten die Rektoren eine Liste, auf der nur drei Namen von negativ beurteilten „Arbeitsmännern" vermerkt waren[171]; das waren 0,06 % der 4.879 neu immatrikulierten männlichen Studenten.[172] Angesichts solcher Zahlen läßt sich der Arbeitsdienst, entgegen allen öffentlichen Deklamationen, kaum als wirkungsvolle Ausleseinstanz bezeichnen. Aus der Perspektive der Studierenden war der Arbeitsdienst letztlich kein ernsthaftes Hindernis, welches den Zugang zur Hochschule wirklich erschwerte, wohl aber ein Ärgernis, welches die Zeitspanne zwischen Abitur und Studienbeginn verlängerte.

4. Auslesepolitik im Zeichen von Überfüllung und Nachwuchsknappheit

Von 1933 bis in den Krieg hinein wurden von verschiedenen Stellen immer wieder Pläne geschmiedet, die allesamt das Ziel verfolgten, nur Studenten zum Studium zuzulassen, die im Sinne des NS-Regimes politisch zuverlässig waren. Schon die Vielzahl dieser Initiativen ist allerdings ein sicherer Hinweis, daß ihre Realisierung offenkundig auf handfeste Schwierigkeiten gestoßen ist. Um welche Pläne handelte es sich, und wie effektiv waren sie?

168 RdErl. des REM, 20.12.1937, in: UA München Senat 368/5 Bd.I.

169 Vgl. den RdErl. des REM, 7.9.1942, in: UA München Senat 368/5 Bd.II.

170 Vgl. den RdErl. des REM, 20.12.1937, in: UA München Senat 368/5 Bd.I.

171 Vgl. den RdErl. des REM, 9.5.1938, in: UA München Senat 368/5 Bd.I.

172 Erstsemesterzahlen nach: Zehnjahres-Statistik des Hochschulbesuchs und der Abschlußprüfungen, Bd.I, Berlin 1943, S.330.

Ein erster Anlauf in diese Richtung war die Einführung des Hochschulreifevermerks für den Abiturjahrgang 1934. Nach einer Anordnung des Reichsinnenministeriums wurden von den mehr als 40.000 Abiturienten nur 16.489 zum Hochschulstudium zugelassen.[173] Diese Maßnahme richtete sich in erster Linie gegen die vielfach beklagte Überfüllung der Hochschulen und der akademischen Berufe. Daneben sollte mit der Anordnung aber auch die „politische Auslese“ der Studentenschaft gefördert werden. Hatte doch das Reichsinnenministerium ausdrücklich angeordnet, daß „nationale Zuverlässigkeit“ eine Voraussetzung für die Zuerkennung der Hochschulreife sei.[174]

Der nicht sonderlich präzise Begriff der „nationalen Zuverlässigkeit“ richtete sich wohl hauptsächlich gegen Abiturienten, die als Anhänger der politischen Linken galten oder aus anderen Motiven durch eine kritische Haltung zum NS-Staat aufgefallen waren. Von einer rigorosen politischen „Auslese“ im Sinne des Nationalsozialismus konnte aber offensichtlich nicht die Rede sein. Die NSDStB-Führung beschwerte sich schon bald darüber, daß bei der Erteilung der Hochschulreife in vielen Fällen „lediglich nach der Abschlußnote geurteilt worden“ sei. Daher sei auch manchen aktiven HJ-Mitgliedern mit mäßigen schulischen Leistungen die Anerkennung der Hochschulreife verweigert worden.[175] Der Reichsführer des NSDStB, Albert Derichsweiler, kündigte sogar in einem Rundschreiben an, er werde wegen solcher Vorfälle zusammen mit der Hochschulkommission der NSDAP „gegen die Art der bisherigen Auslese des Hochschulnachwuchses Einspruch erheben“.[176]

Wie groß die Zahl der Abiturienten war, denen 1934 aufgrund „nationaler Unzuverlässigkeit“ der Zutritt zur Hochschule verweigert worden ist, wird sich wohl nicht mehr feststellen lassen. Doch betraf die Anordnung des Reichsinnenministeriums nur diesen einzigen Abiturientenjahrgang, so daß die Wirkung der Maßnahme letztlich gering blieb. Schon 1935 konnten wieder alle Abiturienten – mit Ausnahme der Juden – nach erfolgreichem Abschluß des Arbeitsdienstes ein Hochschulstudium aufnehmen.

Ein weiterer Versuch, den Zugang zur Hochschule nach politischen Kriterien zu steuern, wurde im Wintersemester 1936/37 gestartet. Zwischen 1935 und 1938 hatte das REM jedes Semester für sieben Großstadtuniversitäten (Berlin, Frankfurt, Köln, Leipzig, Hamburg, München, Münster) und für drei Technische Hochschulen (Berlin, München, Dresden) Studenten-Höchstziffern festgelegt, die bei der Immatrikulation nicht überschritten werden durften. Mit dieser Maßnahme sollte ein völliger Bedeutungsverlust der kleinen Universitäten verhindert werden, die von dem allgemeinen Rückgang der Studentenzahlen besonders betroffen

[173] Vgl. S.102 f. u. S.215.
[174] Anordnung des RdI über die zahlenmäßige Begrenzung des Zugangs zu den Hochschulen, in: Reichsministerialblatt, 62. Jg., 1934, S.16.
[175] Vgl. Pers. Referent des NSDStB-Reichsführers an Regierungsrat H.A. Grüninger, Karlsruhe, 28.4.1934, Durchschr. in: BA Koblenz NS 38/5.
[176] Rundschreiben Derichsweilers, 14.11.1934, in: BA Koblenz NS 38/35 Bl.80.

waren.[177] Im Herbst 1936 ging das Ministerium dann noch einen Schritt weiter. Die kontingentierten Universitäten wurden in einem Erlaß angewiesen, bei der Neuimmatrikulation für das Wintersemester 1936/37 „alte Kämpfer" der NS-Bewegung, Wehrmachtsangehörige, die auf Anordnung ihrer militärischen Dienststellen studierten, Studierende, die zuvor an einer „Grenzlanduniversität" (Königsberg, Breslau) immatrikuliert gewesen waren, und aktive Mitglieder nationalsozialistischer Verbände bevorzugt aufzunehmen.[178]

Die Auswirkungen dieser Maßnahme dürfen jedoch nicht überschätzt werden. Zum einen betraf der Erlaß nur die kontingentierten Großstadtuniversitäten. Wer dort abgelehnt worden war, dem blieb stets die Möglichkeit, sich an einer der kleineren, nicht kontingentierten Hochschulen einzuschreiben, die für jeden neuen Studenten dankbar waren. Zum anderen verringerte sich auch an den großen Universitäten die Zahl der eingeschriebenen Hörer so schnell, daß die vom Ministerium festgesetzten Höchstziffern oft der realen Entwicklung hinterherliefen.

So konstatierte der Rektor der Berliner Universität 1937, die Kontingentierungspolitik des REM habe die Entwicklung der Studentenzahlen in Berlin kaum beeinflußt, weil die tatsächliche Zahl der Studienbewerber fast immer unterhalb der offiziellen Höchstgrenzen geblieben sei.[179] Unter solchen Umständen mußte, zumindest in Berlin, auch die angeordnete Bevorzugung von politisch verdienten Studenten bei der Immatrikulation wirkungslos bleiben. Daraufhin entschieden sich die Führung der Berliner Studentenschaft und Rektor Wilhelm Krüger, ein Tierarzt, die Angelegenheit selber in die Hand zu nehmen. Sie beschlossen kurzerhand, im Wintersemester 1936/37 nur noch solche Studenten zu immatrikulieren, die einer Gliederung der NSDAP angehörten. Das Studium in der Reichshauptstadt sei als ein Privileg zu betrachten, und dieses Privileg müsse „in erster Linie denjenigen Studenten zugute kommen, die ihrer Pflicht gegenüber der nationalsozialistischen Bewegung" genügt hätten.[180] Dieser Beschluß stieß nicht nur, wie Rektor Krüger berichtete, bei vielen Dozenten und Studenten „auf arge Verständnislosigkeit und Mißdeutung".[181] Auch das Ministerium reagierte unwirsch auf die eigenmächtige Interpretation seines Erlasses und befahl der DSt, die Anordnung öffentlich zurückzunehmen.[182]

Die in der Literatur häufig anzutreffende Behauptung, im Dritten Reich seien alle Studenten verpflichtet gewesen, dem NSDStB oder einer anderen Parteigliederung beizutreten[183], läßt sich daher in dieser Allgemeinheit nicht

[177] Vgl. S.274 f.
[178] RdErl. des REM, 2.10.1936, in: StA HH Ub 10.
[179] Vgl. W. Krüger, Bericht über die Rektoratsperiode vom 1. April 1935 bis 31. März 1937, Berlin 1937, S.17, in: BA Potsdam REM 1256 Bl.41.
[180] Vgl. „Nur Angehörige einer Gliederung der NSDAP werden in Berlin immatrikuliert", in: FZ Nr.549, 26.10.1936.
[181] Krüger, Bericht über die Rektoratsperiode, S.20.
[182] Vgl. den Erlaß des REM an die DSt, 3.11.1936, in: StA WÜ RSF/NSDStB II* 46 α 481.
[183] Vgl. beispielsweise R.G.S. Weber, The German Student Corps in the Third Reich, London 1986, S.153; Jahnke, Widerstandskampf, S.558.

aufrechterhalten. Vielmehr geht aus der Berliner Episode deutlich hervor, daß insbesondere das REM derartigen Bestrebungen bewußt entgegentrat. Interne Statistiken des NSDStB und des Reichsstudentenwerks, die allerdings nur noch bruchstückhaft vorliegen, vermitteln ebenfalls den Eindruck, daß es stets Teile der Studentenschaft gegeben hat, die der NSDAP und ihren Gliederungen fern geblieben sind. Allerdings befanden sie sich zumeist wohl in der Minderheit.[184]

Andererseits dürfen auch die Beteuerungen führender nationalsozialistischer Hochschulpolitiker, die Partei lehne „in ihrer Erziehungsarbeit jeglichen Zwang ab" und wahre stets „das unbedingte Prinzip der Freiwilligkeit"[185], nicht für bare Münze genommen werden. Denn für eine Teilgruppe der Studentenschaft gab es tatsächlich den Zwang, der Partei oder einer ihrer Gliederungen beizutreten: In der Justizausbildungsordnung von 1934 wurden die Jurastudenten verpflichtet, bei der Meldung zur ersten juristischen Staatsprüfung durch „Bescheinigungen geeigneter Stellen" den Nachweis zu führen, daß sie die „körperliche Ausbildung und die Verbundenheit mit anderen Volksgruppen" gepflegt hatten, „denn nur, wer gehorchen gelernt hat, kann einst auch befehlen, und nur in der Gemeinschaft wird der Charakter gebildet".[186] Im Klartext bedeutete dies: Von den Jurastudenten wurde die „Mitgliedschaft der NSDAP" oder „politische Tätigkeit" in einer Parteigliederung gefordert, wie in einer Veröffentlichung des REM nachzulesen war.[187]

Auch auf andere Studenten wurde ein erheblicher Druck ausgeübt, einer NS-Organisation beizutreten. Insbesondere minderbemittelte Studenten, die keine finanzielle Unterstützung vom Elternhaus erhielten, sahen sich zu politischen Zugeständnissen verpflichtet, weil die Chancen, ein Stipendium zu erhalten oder Gebührenerlaß bewilligt zu bekommen, nur sehr gering waren, wenn die Antragsteller nicht den Nachweis „politischer Einsatzbereitschaft" erbringen konnten.[188]

Außerdem gab es immer wieder Organisationen oder einzelne Funktionäre, die offenkundig das Ziel verfolgten, die Studenten zwangsweise in den eigenen Einflußbereich hineinzupressen. In der Anfangsphase, 1933/34, hat insbesondere die SA den Versuch unternommen, sich alle männlichen Studenten der Anfangssemester zwangsweise einzugliedern.[189] In einer Ver-

---

[184] Vgl. G. Arminger, Involvement of German Students in NS Organisations. Based on the Archive of the Reichsstudentenwerk, in: Historical Social Research, Nr.30, 1984, S.15 ff.; Lagebericht der RSF vom 16.2.1938, S.3, in: StA WÜ RSF/NSDStB II* 114 α 58; W. Schulz, Bericht über Stimmung und Haltung der Studenten an der Hansischen Universität, 16.4.1941, in: StA WÜ RSF/NSDStB V* 2 α 560.

[185] Vgl. G. Wagner, „Bewegung und Hochschule", in: VB Nr.206, 25.7.1935.

[186] Justizausbildungsordnung vom 22.7.1934, in: RGBl. 1934 I S.727 (§ 2).

[187] Vgl. Zehnjahres-Statistik des Hochschulbesuchs und der Abschlußprüfungen, Bd.II: Abschlußprüfungen, Berlin 1943, S.253. Vgl. auch: L. Gruchmann, Justiz im Dritten Reich 1933-1940, München 1988, S.216 f., 300.

[188] Vgl. S.146 ff.

[189] Vgl. Aktenvermerk Briese, 8.12.1933, in: GStAPK I Rep. 76 Va Sekt. 1 Tit.XII Nr.35 Bd.III Bl.298 (M). Siehe auch die Ausführungen von E. Heinrich (REM) auf der Rektorenkonferenz vom 31.5.1935, in: BA Potsdam REM 706 Bl.122 f.

fügung des SA-Hochschulamtes München von April 1934 wurde sogar unmißverständlich dekretiert: „Damit besteht für sämtliche neuimmatrikulierte Studenten die Pflicht, in die SA einzutreten".[190] Derartige Ansprüche konnten aber schon wenige Monate später, nach dem „Röhm-Putsch", nicht mehr aufrechterhalten werden.[191] Auch in den folgenden Jahren versuchten einzelne Studentenführer wiederholt, auf eigene Faust und im Gegensatz zu den offiziellen Anordnungen, eine obligatorische Mitgliedschaft der jüngeren Studenten im NSDStB zu erzwingen.[192] Im Kriege waren derartige Tendenzen vor allem in der „Arbeitsgemeinschaft Nationalsozialistischer Studentinnen" (ANSt), dem weiblichen Zweig des NSDStB, zu erkennen.[193]

Wichtiger als solche zeitlich und lokal begrenzten Maßnahmen war aber ein anderer Faktor, nämlich die weit verbreitete, etwas diffuse Furcht, ein Verzicht auf die Mitgliedschaft in einer Parteiformation könne sich während des Studiums oder im späteren Beruf einmal nachteilig auswirken.[194] Zumindest für jene große Gruppe von Studenten, die eine Beamtenlaufbahn ansteuerte, waren derartige Befürchtungen sicher nicht unrealistisch. Selbst Studierende, die den NS-Organisationen bewußt aus politisch-moralischen Gründen ferngeblieben sind, hielten es für notwendig, gelegentlich ein Zeichen von Einsatzbereitschaft zu geben, um sich nicht selber ins Abseits zu stellen – beispielsweise durch die Teilnahme an einem Ernteeinsatz.[195]

Auf die Furcht vieler Studenten, als „politisch unzuverlässig" stigmatisiert zu werden, war auch das vom NSDStB seit 1937 praktizierte Anwerbeverfahren perfekt zugeschnitten: Nach den Vorstellungen der Reichsstudentenführung sollten alle Studierenden sich schon vor der Immatrikulation bei der Studentenführung melden und danach in einem Lager oder auf einer Kundgebung für die Mitgliedschaft im NSDStB geworben werden. Wer sich weigerte, mußte diesen Entschluß schriftlich begründen, so jedenfalls die offiziellen Richtlinien, und sollte dann noch einmal vom Studentenführer dienstlich vorgeladen werden, um „einen gründlicheren Einblick in die Beweggründe des Betreffenden zu erhalten".[196] Zwar wurden Zwangsmaßnahmen gegen die Studierenden in den Richtlinien des Reichsstudentenführers ausdrücklich abgelehnt: „Unantastbarer Grundsatz ist die Freiwilligkeit des Eintritts ... Wir wollen nicht zwingen, sondern durch Leistung überzeugen und anziehen".[197] Doch tatsächlich wurde mit diesem Vorgehen ein erheblicher Druck auf die jungen, unerfahrenen Erstsemester ausgeübt, dem

[190] Vgl. die Verfügung des SA-Hochschulamtes München vom 16.4.1934, in: Der Prozeß gegen die Hauptkriegsverbrecher vor dem Internationalen Militärgerichtshof, Bd.42, Nürnberg 1949, S.423.

[191] Zur Entwicklung der SA-Hochschulämter vgl. S.251 ff.

[192] So 1942 in Hamburg. Vgl. Giles, Students and National Socialism, S.285.

[193] Vgl. S.411 f.

[194] Vgl. beispielsweise: Szczesny, Vergangenheit, S.108.

[195] Vgl. das Interview von Astrid Dageförde mit Ursula S., o.D., S.8 f., in: ProjA HH.

[196] Gesetze des Deutschen Studententums. Richtlinien für die Kameradschaftserziehung des NSD Studentenbundes. Hg.: Der Reichsstudentenführer, Amt Politische Erziehung, Bayreuth o.J. [1937], S.19.

[197] Ebd., S.17.

sich viele nicht entziehen konnten. Die interne Statistik zeigt denn auch, daß die Mitgliederzahlen des NSDStB seit 1937 deutlich in die Höhe gingen.[198]

Die anfangs im NSDStB bestehende Hoffnung, das Ausbildungssystem des NS-Staates werde mit der Zeit dafür sorgen, daß nur noch politisch einsatzbereite Nationalsozialisten an die Universitäten kämen, erwies sich als Trugschluß. Gerade jene jungen Studenten, die bereits vor der Immatrikulation das Erziehungssystem des NS-Staates durchlaufen hatten, legten gegenüber dem Studentenbund häufig eine auffallende Distanz an den Tag. Studenten, die sich 1937 oder 1938 an einer Universität immatrikulierten, hatten oft schon während der Schulzeit in der HJ gestanden, danach den Arbeitsdienst abgeleistet und schließlich (sofern sie männlichen Geschlechts waren) 1½ oder sogar 2 Jahre Wehrdienst absolviert.[199] Wer dies alles hinter sich gebracht und endlich die Gelegenheit erhalten hatte, mit dem Studium zu beginnen, verspürte in der Regel nicht den Wunsch, erneut in straffe Hierarchien eingebunden zu werden. Wie das Sicherheitshauptamt der SS 1938 feststellte, war „bei den jungen Studenten die Tendenz zu beobachten, sich möglichst von jeder Art der politischen Betätigung fernzuhalten und nach den ‚verlorenen' 2 Jahren schnellstens den Abschluß des Studiums zu erreichen".[200] Ein NSDStB-Funktionär aus Würzburg betonte in einem Bericht über die Erfahrungen des Sommersemesters 1938 ebenfalls, gerade jene Erstsemester, die RAD und Militär bereits hinter sich hatten, seien besonders schwer für eine Mitarbeit im NSDStB zu gewinnen: „Da sie alle gediente Soldaten sind, schien ... eine ganz radikale innere Abneigung gegen alles, was mit Dienst, Uniform, Antreten und ähnlichem zusammenhängt, anfänglich fast unüberwindbar."[201] Ganz ähnlich äußerte sich im November 1940 der Hamburger Gaustudentenführer Hans Ochsenius in einem Schreiben an den SD:

> „Der Arbeitswille der Studenten ist sehr groß ... Als Ausgleich für die Arbeit wünscht man, möglichst ‚zivil' zu leben. Vom Dienst in Gliederungen der NSDAP möchte man nichts wissen. Ich erkläre mir diese Haltung psychologisch wie folgt: Die jungen Menschen werden bereits als Kinder in der von uns für notwendig erachteten Form in Jungvolk und HJ zusammengefaßt. Es ist entscheidend, ob dort eine den Jugendlichen gemäße politische Arbeit geleistet wird oder bereits ein kindlicher ‚Kommiß' aufgezogen wird. Der Junge kann unter Umständen sonst vom späteren freiwilligen Einsatz in den so wichtigen Lebensjahren zwischen 20 und 30 Jahren abgehalten werden, zumal der Betreffende dann ja 2½ Jahre beim Arbeitsdienst und bei der Wehrmacht gestanden hat".[202]

---

198 Vgl. Tabelle 12 (S.324).

199 Im März 1935 war die allgemeine Wehrpflicht wieder eingeführt worden. Die Wehrdienstzeit von zunächst 1½ Jahren wurde im August 1936 auf 2 Jahre erhöht.

200 Jahreslagebericht 1938 des Sicherheitshauptamtes, in: Meldungen aus dem Reich, Herrsching 1984, Bd.2, S.140.

201 Zit. in: F. Golücke, Das Kameradschaftswesen in Würzburg von 1936 bis 1945, in: Studentenschaft und Korporationswesen an der Universität Würzburg, Würzburg 1982, S.167. Vgl. auch den Tätigkeitsbericht der Kameradschaft II des NSDStB Würzburg, 19.6.1937, in: StA WÜ RSF/NSDStB IV 2* 60/2.

202 Gaustudentenführer H. Ochsenius an den SD-Leitabschnitt Hamburg, 18.11.1940, Durchschr. in: StA WÜ RSF/NSDStB V* 2 α 568/3.

Angesichts derart trüber Nachrichten fing die Reichsstudentenführung um 1938 erneut an, über eine „politische Auslese“ der Studenten nachzudenken. Im November 1938 wurde auf einer internen Besprechung beschlossen, beim Stab Heß größere Kompetenzen zu fordern. Vor allem sollte der Reichsstudentenführer durch eine neue Verfassung der DSt die Vollmacht erhalten, „Studenten wegen politischer Unzuverlässigkeit abzulehnen“.[203] In der Reichsstudentenführung wußte man allerdings auch, daß gegen eine solche Forderung schwerwiegende Bedenken erhoben werden konnten, die nicht leicht zu entkräften waren:

> „Diese Maßnahme wird sich nur durchsetzen lassen, wenn zugleich der Nachwuchs positiv so stark gefördert wird, daß man nicht mehr mit dem Einwand kommen kann, wir könnten uns den Ausschluß von Studenten von der Hochschule wegen Nachwuchsmangel nicht leisten“.[204]

Da der akademische Nachwuchsmangel sich in der Folgezeit eher noch verschärfte, ist die geplante neue Verfassung der DSt nie in Kraft getreten. Auch die von Scheel gewünschte Vollmacht, politisch mißliebige Studenten vom Studium ausschließen zu können, blieb dem NSDStB bis zum Ende versagt.[205]

Trotz dieser ungünstigen Ausgangsbedingungen unternahm Scheel einen neuen Anlauf, um doch noch eine „politische Auslese“ der Studentenschaft durchzusetzen. Im März 1939 kündigte der Reichsstudentenführer in einer Rede vor 700 NSDStB-Funktionären an, in Zukunft werde „der Zutritt zur Hochschule nur über eine von der Partei vorgenommene Auslese möglich“ sein.[206] Wie sich herausstellte, hatte Scheel die Absicht, künftig die Zulassung von Abiturienten zum Hochschulstudium von der Zustimmung der NSDAP abhängig zu machen. Der Plan sah vor, alle studierwilligen Abiturienten von den Gaustudentenführern in „Ausleselagern“ politisch überprüfen zu lassen. Aufgrund der dabei gemachten Beobachtungen sowie aufgrund eines Gutachtens der zuständigen Kreisleitung der NSDAP sollten die Gaustudentenführer dann „nach erteilter Zustimmung des Gauleiters“ den Rektoren mitteilen, ob die Bewerber zum Studium zugelassen werden dürften oder nicht.[207]

Die ersten Verhandlungen mit den zuständigen Referenten im Stab des „Stellvertreters des Führers“ deuteten durchaus auf ein Gelingen dieses Planes hin. Dann jedoch intervenierte im September 1940 Stabsleiter Martin Bormann und erklärte, er werde den bereits vorliegenden Entwürfen nicht zustimmen.[208] Bormanns Motive lassen sich aus den nur noch bruchstück-

[203] H. Reich, Aktennotiz über die Besprechung beim RSF, 18.11.1938, S.1, in: StA WÜ RSF/NSDStB II* 451 α 354.

[204] Ebd.

[205] Gegenteilige Behauptungen bei Weyrather sind falsch. Vgl. I. Weyrather, Numerus Clausus für Frauen – Studentinnen im Nationalsozialismus, in: Frauengruppe Faschismusforschung, Mutterkreuz und Arbeitsbuch, Frankfurt/M. 1981, S.156.

[206] Zit. in: „Um die endgültige Form der Hochschule“, in: FZ Nr.127, 10. 3.1939.

[207] Vgl. den Entwurf einer Anordnung des StdF vom 9.9.1940, in: BA Koblenz NS 6/466 Bl.4 f.

[208] Vgl. F. Kubach, Niederschrift über einen telefonischen Anruf des Oberbereichsleiters Neuburg (Stab Heß), o.D., in: BA Koblenz NS 6/466 Bl.1; Kubach an Scheel, 4.10.1940 (Durchschr.), in: BAAZ Gustav Adolf Scheel.

haft vorliegenden Akten nicht erschließen. Vermutlich war er sich stärker als Scheel der Tatsache bewußt, daß eine solche Maßnahme vor allem den Effekt haben würde, das Problem der Nachwuchsknappheit in zahlreichen akademischen Berufen weiter zu verschärfen. Mitten im Kriege, der die Nachfrage vor allem nach Ärzten und Technikern noch erheblich vergrößert hatte, erschien es Bormann offensichtlich zu riskant, Scheels Gaustudentenführern derart weitreichende Kompetenzen einzuräumen. Damit waren die Pläne der Reichsstudentenführung zu Makulatur geworden. Gegen den Einspruch Bormanns war auch Scheel machtlos.

Von einer effektiven „politischen Auslese“ an den Hochschulen des NS-Staates konnte also letztlich nicht die Rede sein. Zwar wurden Juden, „Mischlinge“ und die politischen Gegner der Weimarer Jahre (im wesentlichen Kommunisten und Sozialisten) rücksichtslos von den Hochschulen verjagt. Aber die Zahl der davon betroffenen Menschen blieb – verglichen mit den gleichzeitig stattfindenden Massenentlassungen unliebsamer Dozenten – relativ gering, wahrscheinlich betrug sie weniger als 5 % der 1933 immatrikulierten Studenten. Alle weitergehenden Ausslesepläne scheiterten letztlich an dem allgemeinen Nachwuchsmangel in den akademischen Berufen. In dem Konflikt zwischen ideologischen und fachlichen Zielen des Ausbildungssystems konnte auch ein Bormann sich nicht ohne weiteres zugunsten der ersteren entscheiden. Wäre es gelungen, den Nachwuchsmangel zu beseitigen, dann hätte der NSDStB mit Sicherheit die Zügel sehr viel straffer angezogen.

VI. Enthusiasmus und Enttäuschung 1933-1935

In den ersten Jahren nach der „Machtergreifung“ wandelte sich das äußere Bild der Studentenschaft grundlegend. Ein großer Teil der männlichen Studenten schloß sich einer nationalsozialistischen Organisation an und erschien nun im Braunhemd auf dem Campus, oft kombiniert mit Mütze und Band der Korporationen, nicht selten auch mit umgeschnalltem Revolver.[1] Die Nazifizierung der Studentenschaft schien eine vergleichsweise mühelose Aufgabe zu sein. Von den wenigen noch verbliebenen politischen Gegnern der Nationalsozialisten ging keine ernsthafte Gefahr aus, nachdem die sozialdemokratischen, kommunistischen und jüdischen Studentenorganisationen verboten und ihre Mitglieder teilweise relegiert worden waren. Die anderen politischen Studentengruppen, die ohnehin meist nur eine Randexistenz fristeten, lösten sich in den folgenden Wochen mehr oder weniger freiwillig auf. Außerhalb des nationalsozialistischen Spektrums verblieben damit im wesentlichen nur die studentischen Korporationen, die dem NSDStB an Mitgliedern immer noch deutlich überlegen waren, und der „Stahlhelm-Studentenring Langemarck“.

1. Studium oder SA-Dienst?

Der NSDStB avancierte innerhalb weniger Wochen zu einer Massenorganisation. Im Wintersemester 1932/33 hatten sich erst etwa 4 % der Studierenden dem Studentenbund angeschlossen (Tabelle 27 im Anhang). An manchen Universitäten verfügte der NSDStB kurz vor der nationalsozialistischen Machtübernahme nur über einige Dutzend Mitglieder. Nach den Märzwahlen verzeichnete er jedoch einen so massiven Zustrom neuer Anhänger, daß sich die Mitgliederzahlen überall binnen kurzer Zeit vervielfachten. Soweit verläßliche Informationen vorliegen, sind diese in der Tabelle 8 zusammengefaßt. Den Angaben in dieser Tabelle läßt sich entnehmen, daß 1933/34 etwa 29 % der Studierenden dem NSDStB angehörten. Vereinzelt stand im Sommer 1933 bereits die Mehrheit der Studierenden in den Reihen des NSDStB, so in Greifswald. Aus Tabelle 8 geht aber auch hervor, daß der

[1] Vgl. H. Stieve, Rektor Halle, an den Polizeipräsidenten von Halle, 18.7.1933, in: GStAPK I Rep.76 Va Sekt. 1 Tit. XII Nr.35 Bd.III Bl.247 (M).

Tab. 8: Die Mitglieder des NSDStB an verschiedenen Universitäten im Sommersemester 1933 und im Wintersemester 1933/34[2]

Universität	Sommersemester 1933			Wintersemester 1933/34		
	Zahl der Studenten*	Mitglieder des NSDStB		Zahl der Studenten*	Mitglieder des NSDStB	
		abs.	in %		abs.	in %
Freiburg	2974	1056	35,5	–	–	–
Göttingen	3039	1417	46,6	–	–	–
Greifswald	1743	946	54,3	1385	951	68,7
Halle	2168	950	43,8	2053	894	43,5
Hamburg	3054	308	10,1	2827	475	16,8
Kiel	2961	818	27,6	2253	881	39,1
Münster	–	–	–	3850	117	3,0
Rostock	2624	745	28,4	1880	848	45,1
Würzburg	3664	288	7,9	–	–	–
Zusammen	22227	6528	29,4	14248	4166	29,2

* Eingeschriebene Studenten beiderlei Geschlechts, ohne Ausländer.

Andrang nicht an allen Universitäten mit gleicher Wucht einsetzte. Vor allem in den katholischen Hochburgen Münster und Würzburg war der Zulauf relativ schwach. Offenbar hatten die katholischen Studenten ihre bisherige Zurückhaltung gegenüber dem Nationalsozialismus nicht völlig über Bord geworfen. Gleichwohl konnte der NSDStB auch in diesen beiden Städten einen beträchtlichen Zuwachs verbuchen. In Würzburg, wo der Studentenbund im Januar 1933 knapp ein Dutzend Mitglieder gehabt hatte, zählte die Hochschulgruppe des NSDStB fünf Monate später bereits 288 Mitglieder. Und in Münster wuchs die Zahl der NSDStB-Angehörigen von 30 im Winter 1932/33 auf 117 (3,0 %) ein Jahr später.[3]

Der „Stahlhelm-Studentenring Langemarck", der sich im Frühjahr 1933 noch als Bündnispartner der Nationalsozialisten fühlen durfte, konnte seine Mitgliederzahlen ebenfalls vergrößern. Mancherorts, so in Münster, zählte er 1933 sogar erheblich mehr Mitglieder als der NSDStB.[4] Offensichtlich gab es auch in der Studentenschaft Kräfte, die daran interessiert waren, gegenüber der ins Unermeßliche wachsenden Macht der Nationalsozialisten ein konservatives Gegengewicht zu erhalten. Diese Hoffnung sollte jedoch nur von kurzer Dauer sein. Schon seit April 1933 wurden die Stahlhelm-Studenten systematisch aus allen Ämtern der DSt, wo sie vor allem bei der

[2] Quellen: Statistisches Jahrbuch für das Deutsche Reich 1934, S.534; Bericht des Freiburger NSDStB-Funktionärs Knieß vom 1.6.1933, in: StA WÜ RSF/NSDStB II* 196 α 123; Stärkemeldungen der NSDStB-Kreisführung Nord vom 25.8.1933 u. vom 28.12.1933, in: StA WÜ RSF/NSDStB II* 146 α 79; E. Stolze, Die Martin-Luther-Universität Halle-Wittenberg während der Herrschaft des Faschismus (1933 bis 1945), Halle, phil. Diss., 1982, S.187; B. Vieten, Medizinstudenten in Münster, Köln 1982, S.340; Studentenschaft und Korporationswesen an der Universität Würzburg, Würzburg 1982, S.105.

[3] Zahlen für das WS 1932/33 in: Tabelle 27 (Anhang).

[4] Vgl. Vieten, Medizinstudenten, S. 197 u. 340 f.

Organisation des Wehrsports eine wichtige Rolle gespielt hatten, verdrängt und durch Mitglieder des NSDStB oder der SA ersetzt.[5] Nachdem der Stahlhelm Anfang Juli der obersten SA-Führung unterstellt worden war, unterzeichnete auch der Führer des Stahlhelm-Studentenrings, Heinz Kiekebusch, eine Vereinbarung, in der die Stahlhelm-Studenten sich dem NSDStB unterordneten.[6] In der Folgezeit war vom Stahlhelm-Studentenring nur noch wenig zu hören. Seit dem Winter 1933/34 ging die Organisation des Wehrsports überall in die Hände der SA über. Schließlich wurde dem Stahlhelm-Studentenring im April 1934 durch die „Eingliederung" in den NSDStB endgültig der Garaus gemacht.[7]

Der Massenzustrom in die nationalsozialistischen Parteiformationen, vor allem in die SA und den NSDStB, war sicher nicht nur das Resultat politischer Begeisterung. Auch der drohende Unterton in manchen Aufrufen nationalsozialistischer Studentenfunktionäre mag dazu beigetragen haben, die Mitgliederzahl des NSDStB in die Höhe zu treiben:

> „Der Student muß und wird Mitarbeiter am großen Werk der Neugestaltung Deutschlands sein. Außenseiter, Typen wie jene herumlungernden Barstudenten und Störenfriede haben nicht mehr das Recht, Glieder und Angehörige einer deutschen Universität zu sein. Rücksichtslos wird vorgegangen werden gegen alle Drückeberger und ‚Privatstudenten', die dem nationalen Aufbau die Unterstützung versagen",

hieß es beispielsweise in einer öffentlichen Erklärung des Heidelberger Studentenführers Gustav Adolf Scheel.[8] Ein Teil der neuerworbenen Anhänger folgte zweifellos solchem Druck oder ließ sich von opportunistischen Motiven leiten, wie häufig von Studentenfunktionären geargwöhnt wurde. So beklagte sich die Leiterin der Arbeitsgemeinschaft Nationalsozialistischer Studentinnen (ANSt) an der Universität Freiburg im Juni 1933 darüber, daß „in diesem Semester ... so unendlich viele Studentinnen und Studenten nur deshalb zu uns gekommen sind, weil sie glauben, dadurch irgendwelche Vorteile zu erlangen".[9]

Doch wäre es sicher falsch, solche Beweggründe zu stark in den Vordergrund zu schieben. Die zeitgenössischen Quellen zeigen recht eindeutig, daß 1933 fast die gesamte Studentenschaft von einer Aufbruchsstimmung beherrscht war, der sich nur wenige entziehen konnten. Selbst große Teile der katholischen Studentenschaft schienen ihre bisherige Reserve gegenüber den neuen Machthabern weitgehend aufgegeben zu haben. Heinrich Behnke, damals Ordinarius für Mathematik in Münster, berichtet:

[5] Vgl. den Bericht des Stahlhelm-Studentenring-Führers, H. Kiekebusch, über das „Verhältnis des Stahlhelms zu den Nationalsozialisten innerhalb der Studentenschaft", 24.5.1933, in: GStAPK I Rep. 76 Va Sekt.1 Tit. XVIII Nr. 16 Bd.IX Bl.205 ff. (M).

[6] Vgl. die Vereinbarung zwischen Kiekebusch und Stäbel vom 4.7.1933, in: StA WÜ RSF/NSDStB II* 65 γ 604.

[7] Vgl. M. St. Steinberg, Sabres, Books and Brown Shirts. The Radicalization of the German Student, Ph.D. (Ms.) 1971, S.768.

[8] Zit. in: Der Heidelberger Student, Nr1, 29.4.1933.

[9] ANSt-Hogruf E. Neßler an die Bundesleiterin der ANSt, G. Brettschneider, 16.6.1933, in: StA WÜ RSF/NSDStB II* 536 α 435.

„Die jugendlichen Studenten wurden durch den Umbruch so beeinflußt, daß unter meinen zahlreichen Hörern damals niemand war, der sich nicht auf eine ehrliche Weise Mühe gab, ‚nationalsozialistisch zu fühlen und zu denken'. Wer dabei keinen rechten Erfolg hatte, kam sich minderwertig vor. Ich habe Studenten gekannt, die bis dahin im engsten Sinne katholisch waren und die nun Parteigänger mit einer gewissen Innerlichkeit wurden. Von einem im übrigen recht nüchternen, introvertierten Studenten weiß ich, daß ihm die Tränen vor Erregung flossen, als er als einfacher Mann unter Tausenden vor seinem Führer defilieren durfte".[10]

Kurz, die nationalsozialistischen Studentenfunktionäre, die seit 1933 eine bis dahin ungeahnte Machtfülle in ihren Händen hatten, verfügten nach der „Machtergreifung" über eine Ausgangsposition, wie sie sich kaum günstiger vorstellen ließ. Entsprechend weitreichend waren auch die von ihnen formulierten Zielvorstellungen. „Wir wollen nur eines", verkündete der Führer der DSt, Gerhard Krüger: „Der einzelne Student, der Privatmensch an der Hochschule hat aufzuhören, hat kein Recht mehr zu existieren".[11] Der Ruf nach der totalen Erfassung findet sich auch in den Verlautbarungen des NSDStB-Führers Oskar Stäbel. Im Dezember 1933 forderte er,

„daß der Typus von Student, der bisher noch die deutsche Hochschule bevölkerte, der nach keiner Seite gebunden war, den man nie erfassen konnte, weder zu einer Vollversammlung, noch zu irgendeiner Tätigkeit in der studentischen Selbstverwaltung ... von der deutschen Hochschule zu verschwinden hat".[12]

Sowohl in der DSt als auch im NSDStB neigte 1933/34 ein großer Teil der Aktivisten dem „linken" NSDAP-Flügel zu, der starke antibürgerliche Affekte mit einem diffusen Antikapitalismus verknüpfte. Eine militant antibürgerliche Haltung findet sich zu dieser Zeit in der gesamten Studentenpresse, nicht selten bis ins Lächerliche übersteigert:

„Wir erkennen ihn als jenes ewige Ferment der Dekomposition, dem wir unsere völkische Not und Zerrissenheit mit zu verdanken haben. Wir wollen ihm den passenden Namen geben und ihn für alle Zeiten kennzeichnen, wir wollen unsere ganze grenzenlose Verachtung und Abneigung in dieses Wort legen: *‚Bürger'*".[13]

Der Bürger, das war, ähnlich wie schon in Hitlers „Mein Kampf"[14], das negative Gegenbild zum heroischen Mann. Diese Haltung findet sich sogar in der Presse der Korporationen:

---

[10] H. Behnke, Semesterberichte, Göttingen 1978, S.125.

[11] G. Krüger, „Die politische Verpflichtung der Studentenschaft", in: Die Deutsche Studentenschaft. Nachrichtendienst, Nr.18, 2.8.1933, S.2.

[12] Rede Stäbels auf dem Reichsführerschulungslager der DSt und des NSDStB in Schloß Salem, 19.12.1933, Ms., S.7, in: StA WÜ RSF/NSDStB II* ϕ 48. Teilweise abgedruckt in: Der Deutsche Student, 2.Jg., 1934, S.65-72.

[13] K. Goebel, „Schlagt die Reaktion, wo ihr sie trefft!", in: Der Heidelberger Student, Nr.3, 22.6.1934, S.1. Hervorhebung im Original.

[14] Vgl. Hitler, Mein Kampf, S.451.

„Wir sehen im Typ des bürgerlichen Menschen den Inbegriff des Ungeistigen, Unrevolutionären, der Mittelmäßigkeit, des Stillstands und der Einschränkung, einer Haltung, die im geschäftigen Alltag ihre Erfüllung findet. Bieder und tüchtig, aber nicht heroisch, der hemmungslosen Gebundenheit in gesicherter Stellung ist der Mut zum Unbedingten fremd ... Im Weltkrieg sehen wir den Anstoß und in der nationalsozialistischen Revolution die Durchführung der Liquidation des Bürgerlichen“.[15]

Im Winter 1933/34 und im Frühjahr 1934 verband sich diese „Absage an die bürgerliche Ideenwelt“ zunehmend mit der Forderung nach einer „Neuordnung der Gesellschaft“, die „von der Arbeit her“ erfolgen sollte, wie es in einem studentischen Artikel hieß:

„So stehen sich zwei Fronten gegenüber, dargestellt etwa durch den Arbeitsdienst und den Wohltätigkeitsball, auf dem man in eleganten Anzügen Sekt trinkt. Beide schließen sich aus und stehen in erbittertem Kampf um die Macht. Täuschen wir uns nicht: Dieser Kampf muß brutal geführt werden“.[16]

Bereits im Sommer 1933 registrierten aufmerksame Beobachter aus dem organisierten Widerstand, daß die antikapitalistischen Tendenzen in der NSDAP unter den nationalsozialistischen Studenten besonders stark ausgeprägt waren.[17] Zum programmatischen Dokument dieser Strömung wurde im Hochschulbereich eine vielzitierte Rede, die Joachim Haupt im September 1933 auf einem Schulungslager der DSt gehalten hatte. Haupt war in den 1920er Jahren einer der wichtigsten Führer des NSDStB gewesen.[18] Seit der nationalsozialistischen Machtübernahme verfügte er als Ministerialrat im Preußischen Kultusministerium und im REM über beträchtlichen Einfluß. In der Rede, die von zahlreichen Studentenzeitungen nachgedruckt wurde, unterschied er zwischen einem „langweiligen“ und einem „interessanten“ Nationalsozialismus:

„Der langweilige Nationalsozialismus, der augenblicklich in Deutschland sich breit macht, bestrebt die Wiederherstellung der alten guten Sitten: Die unanständigen Bücher werden wieder verboten, die Nachtlokale werden wieder geschlossen, man benimmt sich wieder sittsam. Der langweilige Nationalsozialismus ist die Wiederherstellung der bürgerlichen Moral. Es gibt aber daneben und zwar im Kreise der Minderheit noch einen interessanten Nationalsozialismus ... Diese beiden Richtungen werden sich im Laufe der Zeit recht weit voneinander entfernen. Zu dem interessanten Nationalsozialismus gehört der Sozialismus, die Verstaatlichung der Banken, der Wehrsport und noch vieles andere“.

---

15 O. Pautz, „Nationalsozialistische Kulturpolitik“, in: Der Turnerschafter, 50. Jg., 1933/34, S.167.

16 J. Find, „Zur Neuordnung der Gesellschaft“, in: Die Deutsche Studentenschaft. Nachrichtendienst, Nr.7, 4.12.1933, S.4 f.

17 Vgl. Der Rote Stoßtrupp, Nr.14, 21.7.1933, zit. nach einem Exemplar in: BA Potsdam R 58/2120 Bl.15.

18 Kurzbiographie im Anhang. Hitler hatte ihn 1928 als Reichsführer des NSDStB favorisiert. Erst Haupts Ablehnung machte den Weg für Baldur v. Schirach frei. Vgl. das Rundschreiben von R. Heß an die Hochschulgruppen des NSDStB, 11.7.1928, in: BA Sammlung Schumacher 279 I Bl. 155 f.

Haupts weitere Ausführungen enthielten eine entschiedene Absage an wesentliche Traditionslinien des deutschen und europäischen Bildungsbürgertums. Auch sie waren durchaus charakteristisch für die Vorstellungen zahlreicher studentischer Aktivisten:

> „Eine gute Überschrift hierzu hat vor kurzem die Pariser jüdische Zeitung ‚Das Tagebuch' gefunden mit den Worten: ‚Der Urwald rückt an.' Das soll eine Verhöhnung des Nationalsozialismus sein, aber ich möchte im Namen des interessanten Nationalsozialismus diesen Ausdruck anerkennen. So muß Westeuropa es sehen. Das ist für Westeuropa der Urwald, das sind die germanischen Barbaren ... Heute, wo sich die westeuropäische Zivilisation durch die ganze Welt hindurchgefressen hat, da wagt es das deutsche Volk, zum Urwald zurückzukehren.
> Es gehört die absolute Absage an die sogenannte Bildung hinzu. Wer in den Phrasen des Bildungsschwindels noch befangen ist, wird niemals den Zugang zum Nationalsozialismus finden".[19]

Insgesamt ergibt sich der Eindruck, daß jene Strömungen innerhalb der NSDAP, die auf eine „zweite Revolution" drängten, unter den studentischen Aktivisten einen relativ starken Rückhalt hatten. Erst nach dem sogenannten „Röhm-Putsch" waren solche Tendenzen zum Schweigen verurteilt.

Ob auch die Masse der Studenten, die 1933 in die NS-Formationen geströmt war, sich für solche Positionen erwärmen konnte, bleibt allerdings völlig ungewiß. Vermutlich standen für sie ganz andere Probleme im Vordergrund, insbesondere ihre wachsende Überlastung durch die Ansprüche der politischen Organisationen. Waren es doch gleich drei Verbände, die, ausgerüstet mit nationalsozialistischem Totalitätsanspruch, aber weitgehend unabhängig voneinander, die politische Ausrichtung der Studenten in die Hand nehmen wollten. Neben dem NSDStB und der DSt etablierte sich die SA als dritte politische Kraft an allen deutschen Hochschulen. Unter dem unkoordinierten Zugriff dieser drei Organisationen verbrachte die Mehrheit der Studenten die ersten Semester nach der „Machtergreifung" hauptsächlich mit Aufmärschen, paramilitärischen Übungen, Fachschaftsveranstaltungen, Sport, Lagern und Schulungskursen.

In den unvermeidlichen Kompetenzkonflikten, vor allem zwischen dem NSDStB und der DSt, schien der NSDStB zunächst ins Hintertreffen zu geraten. Weder verfügte er über die scheinbar grenzenlose Machtfülle der SA, noch standen ihm ähnliche Finanzmittel zur Verfügung wie der DSt, die auf die Zwangsbeiträge aller Studenten zurückgreifen konnte. Die spektakulär-

[19] Zitate aus: J. Haupt, „Die Erziehung der Studentenschaft", in: Die Deutsche Studentenschaft. Nachrichtendienst, Nr.1, 9.10.1933, S.2 f. Ganz oder teilweise nachgedruckt u.a. in: Der Deutsche Student, Oktoberheft 1933, S.24; Der Heidelberger Student, Nr. 1, 6.11.1933, S.5; Göttinger Hochschul-Zeitung, Nr.1, 1.11.1933, S.4; Hallische Hochschul-Blätter, Nr.1, 1. 11.1933, S.6 f.; BBl, 48. Jg., 1933/34, S.47 f.; Corpsstudentische Monatsblätter, 41. Jg., 1933, S.558-560; Der Student der Ostmark, Nr.2, 11.11.1933, S.16 f.; Hamburger Universitäts-Zeitung, 15. Jg., 1933/34, H.7, S.114; Volk im Werden, Nr.5, 1933, S.72. Haupt wurde 1935 wegen Homosexualität entlassen.

sten Aktionen und Initiativen der ersten Monate und Jahre, die Bücherverbrennungen, die Organisation des Arbeitsdienstes und der Aufbau von Kameradschaftshäusern, gingen denn auch allesamt von der DSt aus. Demgegenüber klagten die Funktionäre des NSDStB über ständige Geldprobleme und über „die völlige Isolierung" des Studentenbundes.[20]

Für die Führung des NSDStB war diese Situation offensichtlich schwer erträglich. Konnte der Studentenbund denn nicht als Parteigliederung gegenüber der DSt die Führung beanspruchen? Im Juli 1933 gab der Führer des NSDStB, Oskar Stäbel, eine Anordnung heraus, in der die DSt-Funktionäre kurzerhand auf allen Ebenen dem NSDStB unterstellt wurden. Der DSt-Führer Gerhard Krüger akzeptierte diese Anordnung jedoch nicht, sondern beharrte auf der Unabhängigkeit seiner Organisation.[21] Da es Stäbel offensichtlich nicht gelang, höheren Orts jemanden für seine Interessen zu mobilisieren, blieb zunächst alles beim alten. Ihren ersten Höhepunkt erreichten diese Konflikte im September 1933, als Reichsinnenminister Frick, wohl auf Veranlassung des NSDStB, Krüger wegen Ungehorsams verhaften ließ. Krüger alarmierte daraufhin den SA-Chef Röhm, der seinerseits Stäbel arrestierte und damit drohte, das Innenministerium zu besetzen. Nach längeren Verhandlungen kam es zu einem Austausch der Gefangenen, und Stäbel übernahm neben der Reichsleitung des NSDStB auch die Führung der DSt.[22] Damit war die Ruhe vorerst wiederhergestellt. Konflikte dieser Art, die sich bis 1936 noch öfters wiederholen sollten, waren reine Machtkämpfe. Sowohl die DSt als auch der NSDStB wurden durchgängig von alten Nationalsozialisten geführt, und inhaltliche Differenzen zwischen beiden Verbänden lassen sich aus den Quellen nicht ersehen.

Die umfassendsten Ansprüche stellte aber zunächst die SA, die sich im Herbst 1933 fest an den Hochschulen etablierte. Nachdem Hitler im September 1933 der SA die Aufgabe übertragen hatte, „die deutschen Studierenden körperlich und geistig im Sinne der Vorkämpfer der deutschen Revolution einheitlich" auszubilden, wurden seit Oktober 1933 an allen Hochschulorten SA-Hochschulämter gebildet[23], die sich anfangs vor allem der physischen und ideologischen Ausbildung jener großen Zahl von Studenten widmeten, die nach den Märzwahlen von 1933 der SA beigetreten waren. Ihre Zahl wuchs noch weiter an, nachdem der DSt-Führer Stäbel im Oktober 1933 alle Verbände per Rundschreiben aufgefordert hatte, ihren studentischen Angehörigen künftig die Mitgliedschaft in einem der dem SA-Stabschef unterstellten Wehrverbände (SA, SS, Stahlhelm) zur Pflicht zu machen.[24] An der Universität Heidelberg besaßen im Wintersemester 1933/34

[20] Vgl. das Schreiben des Landesführers Hessen des NSDStB, Fr. Walcher, an den stellv. Kreisleiter VI, 25.9.1933, in: StA WÜ RSF/NSDStB II* 104.

[21] Steinberg, Sabres, Books and Brown Shirts, Ph.D., S.742.

[22] Vgl. Gaustudentenführer E. Kiehl, Berlin, an den Gau-Uschla Berlin, 4.2.1935 (Durchschr.), in: BAAZ Gerhard Krüger; A. Faust, Der Nationalsozialistische Deutsche Studentenbund, Düsseldorf 1973, Bd.2, S. 126; Giles, Students and National Socialism, S. 133 ff.

[23] Vgl. die Verfügung Hitlers vom 9.9.1933, in: StA HH Universität I 0.10.25 Bl.3 und die Verfügung Röhms vom 16.10.1933, in: BA Koblenz Sammlung Schumacher 279 I Bl.209.

[24] Vgl. die Abschr. des Schreibens vom 4.10.1933 in: StA WÜ RSF/NSDStB I* 05 C 5.

schon etwa 55 % der Studenten das Mitgliedsbuch der SA.[25] Für den NS-Philosophen Alfred Baeumler war diese „enge Verbindung zwischen SA und Studentenschaft“ das „wichtigste Ereignis des ersten Revolutionsjahres“.[26]

Doch war die SA-Führung damit noch keineswegs zufriedengestellt. Im Frühjahr 1934 wurden alle Mitglieder der DSt, d.h. alle „arischen“ deutschen Studenten, durch ein Schreiben des Reichsinnenministers und durch entsprechende Anordnungen der Kultusministerien verpflichtet, künftig beim SA-Hochschulamt eine Ausbildung zu absolvieren, die u.a. Kleinkaliberschießen, Marschtraining und Keulenzielwerfen umfaßte.[27] Letzteres war eine Vorübung (möglicherweise auch eine Tarnbezeichnung) für das Handgranatenwerfen. Faktisch liefen diese Bestimmungen auf eine Pflicht zur Mitgliedschaft in der SA für alle männlichen Studenten der jüngeren Semester hinaus.[28] Darüber hinaus fühlten sich die SA-Hochschulämter auch für die politische Schulung der Studenten verantwortlich. Von der DSt-Führung wurde diese Entwicklung, die den eigenen Einfluß zu untergraben drohte, mit offenkundiger Sorge beobachtet.[29]

Wie umfangreich die wehrsportliche Ausbildung sein sollte, war nirgendwo festgelegt. Die SA hatte daher völlig freie Hand und nutzte diesen Spielraum nach Belieben, ohne sich um die Erfordernisse des Lehrbetriebes zu kümmern. So beanspruchte das SA-Hochschulamt in Erlangen die ihm unterstellten Studenten 24 Stunden in der Woche.[30] In Halle war es „nicht selten, daß ein Kamerad in der Woche, wenn man alles einbezieht, 25 Stunden durch das SA-Hochschulamt in Anspruch genommen wurde“, wie die lokale Studentenführung meldete, während in Würzburg der SA-Dienst 12-16 Stunden wöchentlich dauerte. Der Dienst selber war offensichtlich nicht sehr attraktiv. Ein Münchener Studentenfunktionär kritisierte den „Kasernenhofton“ der SA-Führer, der „jegliches Verhältnis zu dieser Institution beim Studenten von vornherein unterbindet“. Hinzu komme eine „Ausfüllung des Dienstes, in dem jeder das Gefühl hat, daß die Ausbilder *die Zeit ausfüllen*, mit mehr oder weniger *leeren Phrasen*“.[31] Und die Gießener Studentenführung beklagte sich über „die dauernden, meist unberechtigten Drohungen der Ausbilder des SA-Hochschulamtes, wenn nicht alles zum

[25] Vgl. „Formationszugehörigkeit der Studenten“, in: Kölnische Volkszeitung, Nr.115, 27.4.1937. Niedrigere Zahlen (45 %) nennt N. Giovannini, Zwischen Republik und Faschismus, Weinheim 1990, S.205.

[26] A. Baeumler, „Wissenschaft und Hochschule“, in: VB, 31.1.1934.

[27] Vgl. das Schreiben des RdI an die Unterrichtsministerien der Länder, 16.3.1934, in: StA HH Universität I 0.10.25 und den RdErl. des Preußischen KM, 21.4.1934, in: StA HH Hochschulwesen II U o 3. Zur Tätigkeit der SA-Hochschulämter siehe den RdErl. des Preußischen KM, 28.12.1933, in: GStAPK I Rep.76 Va Sekt.1 Tit. XII Nr.35 Bd.III Bl.328 (M).

[28] Vgl. S.240 f.

[29] Zu den Spannungen zwischen der DSt-Führung und dem Reichs-SA-Hochschulamt vgl. das Material in: StA WÜ RSF/NSDStB I* 05 C 5.

[30] Vgl. den Bericht des Erlanger Studentenführers, J. Doerfler, an den Reichsführer der DSt, 29.6.1934, in: StA WÜ RSF/NSDStB I* 03 ϕ 356.

[31] H. Aly, Bericht über die Lage der Studentenschaften der Hochschulen Münchens, 6.7.1934, in: StA WÜ RSF/NSDStB I* 03 ϕ 356. Hervorhebungen im Original.

letzten erledigt würde, wären die Kameraden die längste Zeit an der Universität gewesen".[32] Auch anderswo gebärdeten sich die SA-Funktionäre, als gehörte die Hochschule ihnen: In Halle verhinderte das SA-Hochschulamt sogar die Immatrikulation von Studenten, die aus gesundheitlichen Gründen nicht „SA-dienstfähig" waren.[33]

Kein Zweifel, im Frühjahr 1934 hatte sich die SA zur einflußreichsten Parteiformation an den Hochschulen entwickelt. Das preußische Kultusministerium trug dieser Entwicklung Rechnung, indem es anordnete, die Leiter der SA-Hochschulämter in den Senat der preußischen Universitäten aufzunehmen.[34]

Es waren jedoch nicht nur die SA-Hochschulämter, welche die Studenten in Beschlag nahmen. Auch die DSt beanspruchte alle Studenten 4-5 Stunden wöchentlich für politische Erziehung und für die Fachschaftsarbeit.[35] Letztere war im August 1933 zur Pflichtveranstaltung erklärt worden: „Versäumnis des Dienstes, Zuwiderhandlung gegen die Anordnung des Fachschaftsleiters ... werden nach soldatischen Gesichtspunkten geahndet".[36] Die Fachschaften und ihre Arbeitsgemeinschaften sollten nach den Vorstellungen der DSt-Funktionäre „die Seminare liberalistischer Professoren von innen heraus im geistigen Kampfe sprengen".[37] Tatsächlich beschränkte sich ihre Tätigkeit aber zunächst im wesentlichen auf die Veranstaltung von Vortragsabenden, die von vielen Studenten nur mit Widerwillen besucht wurden, wie ein Freiburger Student berichtete:

> „Es blieb ... meistens bei ein oder zwei Referaten vor häufig mehr als hundert Zuhörern, und im Höchstfall wurde die Stunde mit einer kurzen Diskussion zwischen dem Fachschaftsleiter und einigen wenigen wirklich Interessierten beschlossen. Dabei konnte von intensiver Schulung schwerlich die Rede sein. Und es drängte sich jedem Kameraden mit Notwendigkeit der Eindruck eines Befehlsempfanges auf, gerade dort, wo allein gemeinsames Erarbeiten am Platze gewesen wäre".[38]

Weitere Anforderungen kamen hinzu. In Kiel verpflichtete Studentenführer Kurt Heinze sämtliche Studenten der ersten vier Semester, während der Vorlesungszeit an einem einwöchigen Schulungslager teilzunehmen.[39] Zusätzliche Ansprüche stellte der NSDStB an seine Mitglieder. Und schließlich

---

[32] Angaben und Zitate aus der Denkschrift „Die Regelung des Dienstes an den deutschen Hochschulen", o.D. [1934], in: StA WÜ RSF/NSDStB I* 03 φ 356. Die Denkschrift faßt Berichte der lokalen Studentenführungen zusammen und stammt aus der Reichsführung der DSt.

[33] Vgl. das Schreiben von R. Neumann an Oberkirchenrat Langmann, 29.9.1934, in: EZA 1/C3/92.

[34] Vgl. das Rundschreiben des Führers des Reichs-SA-Hochschulamtes, H. Bennecke, 1.11.1933, in: BA Koblenz Sammlung Schumacher 279 I Bl.211. Andere Länder folgten diesem Beispiel.

[35] A. Feickert an das RdI, 18.10.1935, in: BA Potsdam RdI 26896 Bl.89.

[36] Richtlinien zur Fachschaftsarbeit des Amtes für Wissenschaft der DSt, o.D. in: Der Deutsche Student, Augustheft 1933, S.60.

[37] Zit. in: „Die Arbeit an den Hochschulen", in: DAZ, 25.5.1934. Zu den Fachschaften vgl. auch S.331 ff.

[38] „Die Arbeit an den Hochschulen", in: DAZ, 25.5.1934.

[39] Vgl. Schleswig-Holsteinische Hochschulblätter, 10. Jg., 1934/35, S.17 (Mai 1934).

strapazierten auch die Korporationen das Zeitbudget ihrer Mitglieder in extenso: „Ein geregelter Korporationsbetrieb kann ... nur durchgeführt werden, wenn die Verbindung ihre Angehörigen mindestens 4 Tage in der Woche beanspruchen kann“, erklärte der Vorsitzende des Heidelberger Waffenrings in einem Brief an den NSDStB.[40]

Unter solchen Umständen konnte von einem geregelten Studium vielfach keine Rede mehr sein. Eine Anfrage des REM vom Juni 1934[41] beantworteten die Universitäten mit einer Flut von Klagen über den Rückgang des wissenschaftlichen Leistungsniveaus, über häufige Störungen des Unterrichtsbetriebes und über völlig ermüdete Studenten, die während der Vorlesungen einschliefen, weil sie zuvor an nächtlichen SA-Übungen teilgenommen hatten.[42] Der Rektor der Kieler Universität ging noch weiter und beschwerte sich nicht nur über die offenkundige Überlastung der Studentenschaft, sondern auch über die ausgesprochen antiintellektuelle Ausrichtung der SA-Aktivitäten:

> „Es besteht jetzt die Gefahr, daß vom SA-Hochschulamt aus unter dem Namen ‚Kampf gegen den Intellekt‘ ein Kampf gegen die Intelligenz geführt wird. Es besteht weiterhin die Gefahr, daß unter dem Motto ‚rauher soldatischer Ton‘ mit den ersten drei Semestern in einem Ton umgesprungen wird, der oft nicht mehr rauh ist, sondern ... als unflätig empfunden wird und empfunden werden muß“.[43]

Noch deutlicher wurde dieser Sachverhalt von der Münchener Studentenführung angesprochen, die in einem internen Bericht darauf hinwies, daß die SA-Führer „teilweise in unverständlicher Weise jegliche Hochschularbeit (auch Studium) bemängeln“.[44] Ganz in diesem Sinne vertrat auch das SA-Hochschulamt in Leipzig die Ansicht, „daß der Student von Beruf aus SA-Mann sei und allenfalls seine Freizeit mit etwas Studieren ausfüllen“ möge.[45] Diese Geringschätzung von Studium und Wissenschaft war bei der SA sicher besonders stark ausgebildet, sie findet sich aber auch bei zahlreichen NSDStB-Führern und mitunter sogar in den Spalten der Korporationspresse. In den „Burschenschaftlichen Blättern“ war über das neue Ideal des nationalsozialistischen Studenten zu lesen: „Für ihn gibt es nur einen Adel, und der heißt nicht Wissen, Wissen und nochmal Wissen, sondern Dienst: SA-Dienst, Arbeitsdienst, Wehrdienst, Bundesdienst“.[46]

---

40 Grupe an Stäbel, 21.6.1933, in: BA Koblenz NS 38/46 Bl.6.

41 RdErl. des REM, 21.6.1934, in: StA WÜ RSF/NSDStB I* 03 φ 356.

42 Vgl. Bericht des Hamburger Rektors an die Landesunterrichtsbehörde, 16.8.1934 (Durchschr.), in: StA HH Universität I 0.10.25 Bl.106 ff.; UAM Senat 365/8; U.D. Adam, Hochschule und Nationalsozialismus, Tübingen 1977, S.91 f.; Behnke, Semesterberichte, S.128; Stolze, Martin-Luther-Universität Halle-Wittenberg, S.196 f.

43 Rektor L. Wolf an das REM, 15.6.1934, in: GStAPK I Rep. 76 Nr.726 Bl. 53.

44 Denkschrift „Die Regelung des Dienstes an den deutschen Hochschulen“ (Anm. 32), S.6.

45 Zit. in: H. Arndt, Niedergang von Studium und Wissenschaft, 1933 bis 1945, in: L. Rathmann (Hg.), Alma Mater Lipsiensis, Leipzig 1984, S.264.

46 U. Preiß, „Nationalsozialistische Erziehung in der Wohnkameradschaft“, in: BBl, 49. Jg., 1934/35, S.4.

Die massive Beanspruchung der Studierenden durch „Dienste“ unterschiedlicher Couleur hatte zur Folge, daß der anfängliche Enthusiasmus der Studierenden im Sommer 1934 schon erheblich nachgelassen hatte. Eine Denkschrift der DSt konstatierte, unter den Studenten sei bereits „eine gefährliche Meckerei eingerissen“.[47] Selbst aktiven Studentenfunktionären erschienen

> „die Verhältnisse kaum erträglich. Die Studenten sind durch den SAH-Dienst[48] tatsächlich vollkommen überlastet, so daß man es ihnen sicherlich nicht übelnehmen kann, wenn sie den Dienst und daneben die Arbeit in der Studentenschaft zum Teil recht widerwillig tun“,

schrieb ein Freiburger NSDStB-Aktivist.[49]

Wie explosiv die Lage zu diesem Zeitpunkt tatsächlich bereits war, enthüllte die Münchener Studentenrevolte vom Juni 1934. Sie begann mit der Störung einer Reihe von Pflichtveranstaltungen, die von den Fachschaften und von der Studentenführung angesetzt worden waren.[50] Auf der ersten Semesterveranstaltung der juristischen Fachschaft wurde der DSt-Kreisführer Wolfgang Donat von den Studenten zehn Minuten lang mit „Geheul, Getrampel, Gepfeife“ am Reden gehindert. Kaum besser erging es dem stellvertretenden Münchener Gauleiter Otto Nippold, den die Studenten gleichfalls mit Pfiffen und Getrampel begrüßten, während seine Rede „mit eisigem Schweigen“ aufgenommen wurde. Erst als Nippold davon sprach, daß in der Vergangenheit auch Fehler gemacht worden seien, setzte lebhafter Beifall ein. Weitere Pflichtveranstaltungen mit dem nationalsozialistischen Historiker Walter Frank und einem Architekten nahmen einen ähnlichen Verlauf. Frank, der über die „Geschichte des Nationalsozialismus“ sprach, redete gleichfalls vor „stummen Hörern“, bis er auf den katholischen Reichskanzler Brüning zu sprechen kam. Nachdem er Brüning als „geschickten Parlamentarier“ bezeichnet hatte, „setzte ein nicht enden wollender Beifall ein, sprach er jedoch gegen die schwarzen Wühlmäuse [gemeint ist der politische Katholizismus], brachte wieder ein Teil der Studenten ihr Mißfallen ... zum Ausdruck“, berichtete der Münchener Studentenführer Sigwart Göller.[51]

Zusätzlicher Zündstoff entstand aus einem Konflikt um den gerade aus Heidelberg berufenen Rechtshistoriker Heinrich Mitteis. Mitteis entwickelte sich in München sofort zu einem außerordentlich beliebten Dozenten, und die Tatsache, daß er seine Vorlesungen gelegentlich mit spöttischen Anspielungen auf aktuelle Ereignisse würzte, verstärkte diese Anziehungskraft offensichtlich noch. Demgegenüber hatte die Studentenführung der

[47] Denkschrift „Die Regelung des Dienstes an den deutschen Hochschulen“ (Anm. 32), S.9.

[48] SAH: SA-Hochschulamt.

[49] F. Sellmeyer an A. Feickert, DSt Berlin, 29.7.1934 (Durchschr.), in: StA WÜ RSF/NSDStB I* 03 ϕ 253/II.

[50] Die folgenden Ausführungen stützen sich vor allem auf den Bericht des Studentenführers der Universität München, S. Göller, vom 3.7.1934, in: StA WÜ RSF/NSDStB I* 03 ϕ 356. Die Suche nach weiterem Material im UA München verlief leider ergebnislos.

[51] Zitate aus dem Bericht Göllers vom 3.7.1934 (Anm. 50), S.3 f.

Münchener Universität, für die Mitteis ein „typischer Intellektueller und Liberalist“ war, öffentlich eine entschiedene Ablehnung seiner Person zum Ausdruck gebracht. Im Juni 1934 organisierte die Deutsche Forschungsgemeinschaft in der Aula der Universität eine Vortragsveranstaltung, auf der Mitteis als einer von vier Rednern sprechen sollte. Während die Veranstaltung bereits begonnen hatte, wurde der Vortrag von Mitteis kurzfristig abgesagt, offenbar aus Furcht vor Störungen seitens der NS-Studenten. Die Zuhörer reagierten auf diese Nachricht mit wachsender Unruhe und Sprechchören, in denen nach Mitteis gerufen wurde. „Schon während der übrigen Reden machte sich eine pöbelhafte Stimmung bemerkbar, die am Schluß in ein tierisches Toben ausartete“, berichtete ein nationalsozialistischer Teilnehmer.[52] Die folgende Vorlesung von Mitteis entwickelte sich zu einer Sympathiekundgebung. Wie ein Jurastudent in Julius Streichers „Stürmer“ berichtete, war der Hörsaal

> „überfüllt, und in den Gängen stauten sich die Massen. Auf dem Katheder lag ein Blumenstrauß. Ein SS-Mann ging hinaus und zerpflückte den ganzen Strauß. Das einzig richtige. Darauf wieder ein Toben, bis der Dekan zur Disziplin aufforderte. Die Vorlesung konnte beginnen. Kurz vor Schluß sollte wieder eine Kundgebung sein. Als nun einer anfing, schlug ihm ein nahe bei ihm sitzender SS-Mann eine gewaltige Ohrfeige ... Das war der Anstoß zu einem lebhaften Tumult, wobei es ziemlich Schläge absetzte. Dies setzte sich eine Zeitlang fort, bis der Saal doch geräumt wurde und das Spiel sich auf den Gängen fortsetzte“.[53]

In den folgenden Tagen wurden an den Wänden der Universität handgemalte Plakate angeschlagen, auf denen es u.a. hieß:

> „Täglich wächst die Empörung und Erbitterung über die Knebelung der studentischen Freiheit! Überlegt! Seid ihr auf der Universität, um euch von Studentenbonzen schikanieren zu lassen oder um das Erbe der deutschen Wissenschaft anzutreten? Seid ihr auf der Universität, um unproduktive Fachschaften mitzumachen oder um zu studieren? ... Nieder das SA-Hochschulamt, nieder die Fachschaften, nieder die Studentenbonzen, es lebe die studentische Freiheit“.

Auf einem anderen Plakat war zu lesen: „Schießt, stecht und schlagt sie tot, diese Bonzen im Braunhemd“. Flugblätter verbreiteten die Parole: „Im 3. Reich marschieren wir – im 4. Reich studieren wir“.[54] Als im Juli die Leiterin des Hauptamtes VI (Studentinnen) der DSt, Gisela Brettschneider, vor den Studentinnen der Münchener Hochschulen sprach, wurde deutlich, daß auch die studierenden Frauen sich der Protestwelle angeschlossen hatten. Wie eine Münchener Studentenfunktionärin konsterniert berichtete,

> „wurden ihre sehr feinen und inhaltsreichen Ausführungen von einem großen Teil der Studentinnen nicht verstanden oder bewußt mißverstanden. Die Mehrzahl der Studentinnen trat von vornherein in eine Opposition, die furchtbar häßlich wirkte“.[55]

---

[52] „Der Brief des deutschen Studenten“, in: Der Stürmer, Nr.31, August 1934 (unpaginiert).
[53] Ebd.
[54] Zitate aus dem Bericht des Studentenführers Göller, 3.7.1934 (Anm. 50).
[55] Bericht der Amtsleiterin der Studentenschaft der TH München, M. Jung, 30.7.1934, in: StA WÜ RSF/NSDStB II* 70 α 21.

In den Tagen danach beruhigte sich die Lage weitgehend. Die sofort einsetzende Suche nach den „Drahtziehern“, die wahlweise in „bestimmten Korporationskreisen“ oder in „politisch-katholischen Kreisen“ vermutet wurden, verlief ohne greifbare Resultate.[56] Tatsächlich läßt sich nicht ausschließen, daß organisierte Gruppen in den Konflikt eingegriffen haben; dafür spricht zumindest der Druck von Flugblättern. Jedoch war dies alles andere als ein künstlich von außen geschürter Konflikt. Auch der Gewährsmann des „Stürmer“ mußte einräumen, daß die protestierenden Studenten die Mehrheit ihrer Kommilitonen hinter sich hatten: „Mindestens 60 %, wahrscheinlich sogar noch mehr, opponieren, angeblich wegen des Zwanges. Wenn man dann einen fragt, was er haben will, dann sagt er ‚seine Ruhe‘“.[57]

Der „Zwang“, die Überlastung der Studenten durch die ihnen aufgebürdeten Pflichten, und das daraus resultierende Bedürfnis nach „Ruhe“ vor den Belästigungen durch die Studentenfunktionäre waren in der Tat wohl die wichtigsten Ursachen der Münchener Studentenrevolte. Diese Überlastung war zum einen die Folge der Geringschätzung intellektueller Tätigkeiten, wie sie sich insbesondere in der SA zeigte, und zum zweiten ein Resultat der polykratischen Struktur des Regimes, die dazu führte, daß unterschiedliche NS-Organisationen in Konkurrenz zueinander versuchten, die Studenten möglichst weitgehend unter ihre Fuchtel zu bringen. Das zweite Motiv, die Solidarität mit dem politisch bedrohten Professor Mitteis, ist vor allem deshalb bemerkenswert, weil die erste große Entlassungswelle 1933 unter den Studierenden kaum irgendwo auf Widerspruch gestoßen war. Freilich traf es mit Mitteis diesmal einen Hochschullehrer, der weder Jude war noch – soweit erkennbar – ein „Staatsfeind“.[58] Sein einziges „Vergehen“ bestand darin, daß er gegenüber den Nationalsozialisten eine gewisse geistige Unabhängigkeit an den Tag legte.[59] Drittens spielte bei einem Teil der rebellierenden Studenten auch die Erbitterung über die kirchenfeindliche Politik der Nationalsozialisten eine Rolle, wie vor allem die Mißfallensäußerungen gegenüber Walter Frank deutlich machten. Viertens schließlich war die Münchener Studentenrevolte auch ein Symptom der ersten großen Loyalitätskrise, die das NS-Regime im Frühjahr 1934 erlebte. Diese entstand aus einer allgemeinen Unzufriedenheit über die mangelhafte Erfüllung nationalsozialistischer Versprechungen und über Willkür und Selbstherrlichkeit der unteren und mittleren Parteifunktionäre. Sie endete nach dem sogenannten „Röhm-Putsch“ vom 30. Juni 1934, der in der Bevölkerung vielfach als Beweis interpretiert wurde, daß Hitler bereit sei, auch ge-

56 Bericht der Kreisführung Bayern der DSt an H. Zaeringer, DSt Berlin, 13.7.1934, in: StA WÜ RSF/NSDStB I* 03 φ 356.

57 „Der Brief des deutschen Studenten“ (Anm. 52). Der „Stürmer“ interpretierte die Revolte dennoch, ganz im Stile des Hauses, als das Werk von „Judenmischlingen“.

58 Vgl. H. Heiber, Universität unterm Hakenkreuz, Teil II, Bd. 2, München 1994, S.288 ff.

59 Mitteis erhielt 1935 einen Ruf nach Wien und kam dadurch zunächst aus der Schußlinie, wurde aber 1938 suspendiert. 1940, als man es aufgrund der Personalknappheit mit der politischen Gesinnung nicht mehr so genau nahm, bekam er ein Ordinariat in Rostock. Vgl. die Kurzbiographie in: D. Drüll, Heidelberger Gelehrtenlexikon 1803-1932, Berlin 1986, S.180 f.; Wer ist wer 1951, S.431.

gen „Mißstände“ in den eigenen Reihen unerbittlich vorzugehen.[60] Es ist sicher kein Zufall, daß zu diesem Zeitpunkt auch die Münchener Studentenrevolte auslief.

Die Hoffnung, der Druck auf die Studenten werde sich nach Entmachtung der SA verringern, war nicht unberechtigt. Da die Unruhen sich mitten in der „Hauptstadt der Bewegung“ abgespielt hatten, war auch der Stab Heß auf die allgemeine Mißstimmung in der Studentenschaft aufmerksam geworden. In der Parteiführung reagierte man stets sehr empfindlich auf die Gefahr ernsthafter Loyalitätseinbuße, und entsprechend schnell erfolgten die Reaktionen.[61] Heß kam zu der Erkenntnis, daß der NSDStB als studentische Parteiformation bislang „vollkommen versagt“ habe und beauftragte den Reichsärzteführer Gerhard Wagner mit einer Neugründung des Studentenbundes.[62] Nach den Vorstellungen von Heß sollte der NSDStB künftig nicht mehr als Massenorganisation wirken, sondern zur Eliteorganisation „mit ordensmäßigem Charakter“ werden, eine Art *„geistige SS* der Bewegung“, der nicht mehr als 5 % der Studenten angehören dürften: „Die starke, einheitliche Geistigkeit von Jesuitentum, Freimaurern und die politische Gewandtheit der Juden ist nur mit der gleichen Waffe entscheidend und dauerhaft zu schlagen“, schrieb er zur Begründung.[63]

Außerdem sorgten Heß und Wagner dafür, daß die Tätigkeit des NSDStB künftig besser von der Partei kontrolliert werden konnte. Fortan war der NSDStB nicht mehr der Reichsjugendführung Baldur von Schirachs untergeordnet, sondern wurde direkt dem Stab Heß unterstellt. Anstelle der Kreisführer schuf Wagner auf der mittleren Führungsebene, analog zur Führungsstruktur der Partei, das Amt des Gaustudentenführers. Dieser wurde vom Gauleiter „im Einvernehmen“ mit dem Reichsführer des NSDStB ernannt[64] und unterstand auch disziplinär dem Gauleiter. Die Gaustudentenführer waren in der Regel hauptamtliche Parteifunktionäre (mit einem Monatsgehalt von 300-400 RM)[65], die zum Stab des Gauleiters gehörten und ihr Studium oft bereits abgeschlossen (oder abgebrochen) hatten. Dagegen wa-

---

[60] Die Loyalitätskrise von 1934 und der Stimmungsumschwung nach dem „Röhm-Putsch“ lassen sich gut aus den Berichten der Exil-SPD erschließen. Vgl. die Deutschland-Berichte der Sozialdemokratischen Partei Deutschlands (ND), 1. Jg., 1934, S.9 ff., 99 ff. u. 187 ff.; Siehe auch I. Kershaw, Der Hitler-Mythos, Stuttgart 1980, S.59 ff. u. 72 ff.

[61] Daß die im folgenden skizzierten Maßnahmen hauptsächlich auf die Münchener Studentenrevolte zurückzuführen sind, ergibt sich aus einem Vortrag, den der neu ernannte Führer des NSDStB A. Derichsweiler im August 1934 in Rittmarshausen gehalten hat. Ms. in: StA WÜ RSF/NSDStB II* 396 α 299.

[62] Vgl. die Verfügung von R. Heß, 30.7.1934 und die gleichzeitig veröffentlichte Anordnung von R. Ley u. G. Wagner, beide abgedruckt in: VB Nr.213, 1.8.1934. Zu Wagner siehe die Kurzbiographie im Anhang.

[63] Heß an den Reichsführer des NSDStB, 24.7.1934, Kopie einer Abschr. in: StA WÜ RSF/NSDStB II* 17 α 471. Hervorhebung im Original.

[64] Manche Gauleiter ernannten freilich ihre Gaustudentenführer, ohne sich dabei um Vorschläge oder Einwände der NSDStB-Spitze zu kümmern. Vgl. W. Strünck, NSDStB, an die oberste Leitung der NSDAP, 21.9.1934, in: BA Koblenz NS 22/422.

[65] Vgl. J. Doerfler, Erinnerungen - Erlebnisse - Kämpfe in meinem Leben, unveröffentlichtes Ms., S.235.

ren die Hochschulgruppenführer des NSDStB zumeist Studenten, die ihre Ausbildung für ein oder zwei Semester unterbrachen. Sie wurden künftig ebenfalls vom Gauleiter „auf Vorschlag des Gaustudentenführers" ernannt. Mit der Umstrukturierung war auch eine Aufwertung des NSDStB verbunden, dem Heß „die gesamte weltanschauliche, staatspolitische und körperliche Schulung der Studentenschaft" übertrug.[66]

Schließlich folgte der strukturellen auch die personelle Erneuerung. Stäbel, der während seiner Amtszeit durch einen aufwendigen Lebensstil aufgefallen war[67], hatte schon im Mai die Führung der DSt aufgeben müssen und wurde nun, im Juli 1934, auch als Führer des NSDStB abgelöst. Jedoch konnten sich Heß und Reichserziehungsminister Rust nicht auf einen gemeinsamen Kandidaten für die Führung von DSt und NSDStB einigen. Am 19. Juli 1934 übergab Rust dem ehemaligen Hamburger NSDStB-Hochschulgruppenführer Andreas Feickert die Führung der DSt, während Heß fünf Tage später den bisherigen Kreisführer West, Albert Derichsweiler, zum Reichsführer des NSDStB ernannte.[68] Die schon überwunden geglaubte Konkurrenz zwischen beiden Organisationen lebte dadurch erneut auf. Feickert und Derichsweiler versprachen, einen neuen Anfang zu machen und die Fehler der Vergangenheit nicht zu wiederholen: „Intrigiert wurde in der studentischen Organisation 1½ Jahre lang", erklärte Derichsweiler in seiner ersten öffentlichen Rede nach Übernahme des neuen Amtes. „Wir wollen damit aufhören und endlich anfangen zu arbeiten".[69]

Heß war sich jedoch der Tatsache bewußt, daß solche Maßnahmen und Ankündigungen allein kaum geeignet waren, die Unzufriedenheit unter den Studierenden zu beseitigen. In seiner Rede vor Mitgliedern des NSDStB am 10. September 1934 auf dem Reichsparteitag wurde erstmals das Kernproblem der vergangenen Monate öffentlich angesprochen:

> „Ich weiß, daß ... die Zeit der Studierenden oft für Dinge beansprucht wurde, die wirklich in keinem Verhältnis stand zu dem, was sie im Rahmen ernsthaften Studiums in diesen Stunden hätten schaffen können. Ich weiß, daß hier gelegentlich auf allen Seiten gesündigt wurde: Bei der politischen Organisation, die zu dieser oder jener Versammlung preßte, bei der SA, die höchst primitive Übungen öfter als notwendig wiederholen ließ, aber auch wohl bei den rein studentischen Organisationen, die oft die Studierenden mit Vorträgen und sog. Schulungsabenden langweilten, die mit der Schulung recht wenig noch zu tun hatten ... Aber lassen Sie sich durch Vergangenes nicht vergrämen, trösten Sie sich damit, daß es vergangen ist".[70]

---

[66] Verfügung von Heß, 30.7.1934, in: VB Nr.213, 1.8.1934.

[67] Vgl. Steinberg, Sabres, Books and Brown Shirts, Ph.D., S.745 ff.

[68] Vgl. „Deutschlands neuer Studentenführer", in: Die Deutsche Studentenschaft. Nachrichtendienst, 23.7.1934; Heß an Derichsweiler, 24.7.1934, in: StA WÜ RSF/NSDStB II* 17 α 471. Siehe auch Giles, Students and National Socialism, S.166 ff.

[69] A. Derichsweiler, Rede im Lager Rittmarshausen, August 1934, Ms., S.9, in: StA WÜ RSF/NSDStB II* 396 α 299.

[70] „Rudolf Heß an die Studenten", in: Deutsche Studenten-Zeitung, Nr.17, 15.11.1934, S.5.

Nach einigem Zögern hatte man sich im Stabe Heß doch noch zu durchgreifenden Maßnahmen entschlossen. Ende Oktober 1934 wurden die SA-Hochschulämter aufgelöst[71], eine Maßnahme, welche die Belastung der Studenten spürbar verringerte. An die Stelle der SA-Ausbildung trat seit dem Wintersemester 1934/35 eine sportliche Grundausbildung, die von allen Studierenden beiderlei Geschlechts in den ersten drei Studiensemestern absolviert werden mußte. Dazu gehörten neben Leichtathletik, Ballspielen und Gymnastik auch ausgesprochene Kampfsportarten, beispielsweise Boxen (nur für Männer) oder Kleinkaliberschießen (für Männer und Frauen).[72] Erst der Nachweis regelmäßiger und erfolgreicher Teilnahme am Pflichtsport ermöglichte die Zulassung zum weiteren Studium ab dem vierten Semester. Wie aus zeitgenössischen Quellen hervorgeht, galt auch der Pflichtsport bald „bei einem großen Teil der Studenten als Belastung“[73], aber die zeitliche Inanspruchnahme (drei bis vier Stunden wöchentlich) war tatsächlich weit geringer als zu Zeiten der SA-Despotie.

Aus der Reichsführung des NSDStB waren im Herbst 1934 ebenfalls ungewohnt selbstkritische Töne zu hören. Insbesondere das Scheitern der politischen Schulung wurde nun öffentlich eingestanden. Ein Artikel von Gerhard Mähner, dem Leiter der Hauptstelle für politische Erziehung im NSDStB, deutete an, daß sich auch hier grundsätzliche Veränderungen vollziehen würden:

> „Die Studenten gingen in die Pflichtvorlesungen, sie gingen in die Schulungsabende ..., weil sie eben mußten, ließen sich in der Woche eine oder zwei Stunden etwas erzählen, was angeblich Nationalsozialismus war, und waren froh, wenn sie die angesetzte Zeit abgesessen hatten ... Nationalsozialisten wurden sie durch diese Art der Schulung gewiß nicht; denn durch Zwang ist noch niemand Nationalsozialist geworden“.[74]

Nachdem das REM im Mai 1935 zusätzlich angeordnet hatte, daß alle Fachschaftsarbeit künftig freiwillig sein solle[75], schien der Weg für eine endgültige Befriedung der Studentenschaft frei zu sein.

2. Das Kameradschaftshaus: Aufstieg und Fall eines Konzeptes

Auch wenn den Studenten nun wieder mehr Zeit für Studium und Privatleben zugebilligt wurde, war damit die Vorstellung einer nationalsozialistischen Neuordnung des studentischen Lebens noch nicht aufgegeben. In das

[71] Vgl. G. Wagner an den StdF, 2.8.1934, in: BA Koblenz R 129/1011 Bl.226.

[72] Vgl. dazu die Hochschulsportordnung, in: DWEV 1935, S.6 ff.

[73] Jahreslagebericht 1938 des Sicherheitshauptamtes, in: Meldungen aus dem Reich, Herrsching 1984, Bd.2, S.142. Siehe auch E. Seidler, Die Medizinische Fakultät der Albert-Ludwigs-Universität Freiburg im Breisgau, Berlin 1991, S.332. Bei Befragungen ehemaliger Studenten wird der Pflichtsport dagegen oft positiv bewertet. Vgl. Chr. Dorner u.a., Die braune Machtergreifung. Universität Frankfurt 1930-1945, Frankfurt o.J., S.125, 155; A. Dageförde, Frauen an der Hamburger Universität 1933-1945. Forschungsbericht (MS), Hamburg 1987, S. 159 f.

[74] G. Mähner, „Unsere Arbeit“, in: Deutsche Studenten-Zeitung Nr. 17, 15.11.1934, S.4.

[75] RdErl. des REM, 15.5.1935, in: Die Deutsche Hochschulverwaltung, Bd.2, Berlin 1943, S.349.

Zentrum der studentischen Diskussion rückte nunmehr das Konzept des Kameradschaftshauses, das in der DSt-Führung vor allem von Andreas Feickert (Hamburg) und Heinz Roosch (Göttingen) entwickelt wurde.[76] Ihr Plan, die Studenten während der ersten Semester in Kameradschaftshäusern zusammenzufassen, war der bislang radikalste Versuch, den studentischen Alltag grundlegend zu verändern.

Feickert und Roosch gehörten schon vor der „Machtergreifung" zu den Initiatoren des studentischen Arbeitsdienstes. Beide beunruhigte der Gedanke, was mit den Studenten geschehen würde, die den Arbeitsdienst absolviert hatten und nun an den Universitäten erneut auseinanderzulaufen drohten. Wie Hans Joachim Düning, ein anderer studentischer Aktivist, später ausführte, wäre es

> „unverantwortlich gewesen, hätte man den im Arbeitsdienst gewonnenen politischen Mannschaftsgeist erneut im überlieferten Hochschulbetrieb zersplittern und zerfallen lassen. Als einzelne waren die Arbeitsdienststudenten dem liberalistischen System der Hochschulen von vornherein unterlegen. Sollte die Universität von diesem Einsatz her irgendwie in ‚Gefahr' gebracht werden, dann mußten diese Männer als Mannschaft, als geschlossene Gruppe eingesetzt werden. So entstand der Gedanke des Kameradschaftshauses".[77]

Bislang lebte die überwiegende Mehrheit der Studenten, sofern sie nicht noch im Elternhaus wohnten, in möblierten Zimmern, die in allen Universitätsstädten zahlreich angeboten wurden. Vermieter waren in der Regel ältere, oft verwitwete Frauen, die auf diesem Wege ihre Rente aufbesserten und unerbittlich darüber wachten, daß ihre Untermieter nach 22 Uhr keine Besuche von Angehörigen des anderen Geschlechts erhielten. Darüber hinaus boten sich für Verbindungsstudenten weitere Wohnmöglichkeiten in den Korporationshäusern.

An die Stelle dieser traditionellen studentischen Wohnformen sollte nun das Kameradschaftshaus treten, nach Feickerts Vorstellungen eine Mischung aus Kaserne, Männerbund und politischer Wohngemeinschaft:

> „Im Kameradschaftshaus lebt der junge Student während der ersten beiden Semester in klarer, einfacher Zucht. Er schläft gemeinsam mit den Kameraden, steht gemeinsam mit ihnen auf, treibt Frühsport, ißt gemeinsam Mittag- und Abendbrot. Sein Arbeitsdienst ist der Dienst in der Wissenschaft. Vormittags und nachmittags ist für ihn frei zum Besuch der Übungen und Seminare. Dazu ist einige Male während der Woche politische Erziehung im Haus angesetzt, Kameradschaftsabende werden veranstaltet, SA-Dienst wird geleistet. Der Student ... hat Gelegenheit, mit sich allein zu sein, Dinge für sich durchzumachen, die er allein erledigen muß. Aber er ist eingespannt in eine große Kameradschaft, er ist nicht einzelner, sondern er ist Glied einer Gemeinschaft, die ein gemeinsames Ziel hat".[78]

[76] Zu Feickert vgl. die Kurzbiographie im Anhang. Zu Roosch: „Heinz Roosch verläßt Göttingen", in: Niedersächsische Hochschul Zeitung, Nr.3, 1.12.1934.

[77] H.J. Düning, Der SA-Student im Kampf um die Hochschule, Weimar 1936, S.101 f.

[78] Zitate aus: A. Feickert, Studenten greifen an, Hamburg 1934, S.24 u. 28. Vgl. auch ders., „Das Kameradschaftshaus für Studenten", in: Kölnische Zeitung, Nr.485, 6.9.1933.

Eine Verwirklichung dieses Konzeptes setzte allerdings die Verfügung über Hunderte von Häusern voraus, die die DSt nicht besaß und auch in weiterer Zukunft nicht haben würde. Da das Reichsfinanzministerium bereits im August 1933 finanzielle Unterstützung grundsätzlich abgelehnt hatte[79], richteten sich die begehrlichen Blicke der DSt-Funktionäre auf den umfangreichen Immobilienbesitz der Korporationen.[80] Ohne deren Mitarbeit, soviel stand schon bald fest, war das Konzept des Kameradschaftshauses bereits im Anfangsstadium zum Scheitern verurteilt. Wie aber konnte die DSt den Besitz der Korporationen für ihre Zwecke nutzen? Zwangsmaßnahmen gegen die Verbindungen wurden der DSt ausdrücklich untersagt. Nachdem es in einigen Städten zu Übergriffen lokaler Studentenführer gekommen war, hatte das Reichsinnenministerium, dem zu diesem Zeitpunkt auch die DSt unterstand, unmißverständlich verkündet:

> „Eine Beschlagnahme des den studentischen Korporationen gehörenden Eigentums zum Zwecke der Verwendung für Kameradschaftshäuser u. dgl. kommt ... nicht in Frage. Etwaige dahingehende Versuche werden durch die zuständigen Behörden verhindert werden".[81]

Hinzu kamen Schwierigkeiten anderer Art. In kleineren Universitätsstädten, wo die Vermietung von Zimmern an Studenten für größere Teile der Bevölkerung eine wichtige Einnahmequelle bildete, entstand nach Bekanntwerden der Kameradschaftshauspläne erhebliche Unruhe. Zahlreiche Vermieter befürchteten, daß eine Verwirklichung dieser Pläne zu beträchtlichen Einkommenseinbußen führen könnte. Örtliche Parteistellen und Stadtverwaltungen teilten häufig diese Befürchtungen und sprachen sich gegen die Errichtung von Kameradschaftshäusern aus. In Erlangen verbot Gauleiter Julius Streicher kurzerhand „im Interesse der Erlanger Zimmervermieter die Kasernierung von Angehörigen der Erlanger Studentenverbindungen".[82]

Durch ökonomische Argumente ließ sich die DSt von ihren Plänen jedoch nicht abbringen. Nachdem schon im Sommer 1933 an einigen Universitäten (so in Freiburg) erste Anläufe gemacht worden waren, begann im Wintersemester 1933/34 der planmäßige Aufbau von Kameradschaftshäusern an allen Hochschulen. Dabei wurde unterschieden zwischen Kamerad-

---

79 Vgl. Niederschrift über die Besprechung im RdI am 24.8.1933 über die Errichtung von Kameradschaftshäusern für Studenten, S.4, in: GStAPK I Rep. 76 Va Sekt. 1 Tit. XII Nr.43 Bd.I Bl.30 (M).

80 Anfang 1929 verfügten 637 von insgesamt 1582 Korporationen über ein eigenes Verbindungshaus. Vgl. H. Weber, Die studentischen Korporationsverbände, in: Wende und Schau. Kösener Jahrbuch 1, 1930, S.204.

81 Presseerklärung des RdI, 14.8.1933, in: GStAPK I Rep. 76 Va Sekt. 1 Tit. XII Nr.43 Bd.I Bl.27 (M).

82 Zit. in: Franze, Erlanger Studentenschaft, S.237. Eine Reihe von Protestbriefen zu diesem Thema in: GStAPK I Rep.76 Va Sekt. 1 Tit. XII Nr.35 Bd.III (M). Siehe auch: G.J. Giles, „Die Fahne hoch, die Reihen dicht geschlossen". Die Studenten als Verfechter einer völkischen Universität? in: E. John u.a. (Hg.), Die Freiburger Universität in der Zeit des Nationalsozialismus, Freiburg/Würzburg 1991, S.50.

schaftshäusern der lokalen Studentenschaften, in denen Freistudenten oder auch Funktionäre der Studentenführung wohnten, und sog. „Wohnkameradschaften“, die sich in den Häusern der Korporationen bildeten.[83] Erfaßt werden sollten vor allem Studenten der ersten drei Semester. In den Richtlinien der DSt-Führung wurden die lokalen Studentenführer angewiesen, auf Zwang zu verzichten: „Die Erfassung der Kameraden für das Kameradschaftshaus erfolgt auf freiwilliger Grundlage.“ Ebenso sollte, gemäß der Anordnung des Reichsinnenministeriums, auch die Mitarbeit der Korporationen aus freien Stücken erfolgen: „Jede willkürliche Maßnahme und jeder Zwang gegenüber den Korporationen im Umbau von Korporationshäusern zu Wohnkameradschaften und Kameradschaftshäusern hat zu unterbleiben“.[84]

Die lokalen Studentenführer waren aber häufig wenig geneigt, solche Anordnungen ernst zu nehmen, denn sie erwiesen sich allzu oft als Hindernis für die erwarteten Erfolgsmeldungen. In Würzburg beispielsweise wurden alle Erstsemester verpflichtet, sich vor Beginn des Studiums in der lokalen Studentenführung beim Vertrauensmann für Kameradschaftshäuser zu melden. Von diesem wurden sie darauf hingewiesen,

> „daß von nun ab kein Student mit irgend einer Unterstützung von seiten des Studentenwerks oder der Universität (Hörgeldbefreiung!) rechnen kann, der nicht 2 Semester im KH zugebracht hat. Das sind Abmachungen von mir mit Rektor und örtlichem Studentenwerk“.

Der Erfolg blieb nicht aus: „Ich hatte die Freude, so fast alle jungen Kommilitonen im KH unterbringen zu können“, heißt es in einem Bericht des Vertrauensmannes an Feickert. Auch auf die freiwillige Einwilligung der Korporationen bei der Bildung von Wohnkameradschaften mochte man sich in Würzburg nicht verlassen, denn „die Altherren-Verbände standen der Frage höchst skeptisch gegenüber, oft nicht aus bösem Willen, sondern aus einer geradezu bodenlosen Verständnislosigkeit für unser Wollen heraus“. Ein zumindest indirekter Druck auf die Korporationen schien daher angebracht, wie der Vertrauensmann, selber ein Korporationsstudent, berichtete:

> „Ich betonte immer wieder, daß ein Zwang zur Errichtung des KH von keiner Seite ausgeübt wird, daß aber das KH der Prüfstein für die Verbindungen sein soll, insofern, als sie hier zeigen können, daß ihre Gleichschaltung nicht nur ein Hurra-Geschrei ist, sondern daß es ihnen ernstlich darum zu tun ist, den Ideen des neuen Reiches in ihren Reihen Eingang zu verschaffen“.[85]

Tatsächlich schritt der Aufbau von Kameradschaftshäusern in erstaunlich kurzer Zeit voran. Im November 1933 hatten schon 21 von 34 Würzburger Korporationen ihre Häuser in Wohnkameradschaften umgewandelt, in de-

---

[83] Rundschreiben des HA für polit. Erziehung der DSt, 23.1.1934, S.1, in: StA WÜ RSF/NSDStB IV* 1-01/11.

[84] Rundschreiben des Amtes für politische Schulung der DSt, Berlin, 5.10.1933, in: StA WÜ RSF/NSDStB I* 50 φ 396.

[85] Zitate aus: Bericht des Vertrauensmannes der Würzburger Studentenführung an Feickert, 22.11.1933 (Durchschr.), in: StA WÜ RSF/NSDStB IV 2* 60/3.

nen insgesamt 202 Studenten lebten.[86] Sicher waren diese Erfolge nicht ausschließlich auf indirekten Zwang und versteckte Drohungen zurückzuführen, denn im Sommer 1933 war ein großer Teil der studentischen Verbindungen aufrichtig bemüht, ihre Loyalität gegenüber dem NS-Regime möglichst eindeutig unter Beweis zu stellen. In vielen Fällen erfolgte die Gründung von Wohnkameradschaften aber ganz eindeutig deshalb, weil die Verbindungen befürchteten, eine Weigerung werde negative Folgen haben. Charakteristisch war in dieser Hinsicht das Verhalten der Marburger Korporationen des Akademischen Turnbundes (ATB), die ihre Häuser zu Wohnkameradschaften ausbauten, nachdem

> „unsere Bundeskorporation ‚Dithmarsia' in Kiel für das nächste Semester suspendiert worden ist, weil sie sich weigerte, ihr Haus für die *allgemeine* Kasernierung, d.h. für andere Studenten als ihre eigenen Verbindungsangehörigen, zur Verfügung zu stellen. Wir wollten durch unseren genannten Schritt Schlimmerem vorbeugen. Aber ich brauche Ihnen nicht zu versichern, daß wir ihn nur getan haben, weil wir darin das immerhin kleinere von zwei Übeln sehen"[87],

schrieb der nationalsozialistische Psychologe Erich Jaensch[88], ein Alter Herr des ATB, an einen Kollegen. Glaubt man seinen Ausführungen, dann war das Interesse der Marburger Studenten am Kameradschaftshaus denkbar gering:

> „Die Studenten sind ... schon jetzt verzweifelt in dem Gedanken, daß sie bei diesem kasernenmäßigen Zusammenwohnen nicht einmal einen ruhigen Arbeitsplatz und die nötige Stille zum Arbeiten haben sollen, in den karg bemessenen Stunden, die ihnen für das Studium zur Verfügung stehen. Gerade wer, wie wir, ganz zu dem neuen Staate steht, sollte die verantwortlichen Stellen eindringlich darauf hinweisen, daß die Jungakademikerschaft durch solche und ähnliche Maßnahmen dem neuen Staat, den sie enthusiastisch begrüßt hat, u.U. entfremdet werden könnte".

Aus anderen Universitätsstädten kamen ähnliche Meldungen. So beschwerte sich ein Mitglied des VDSt Rostock in der Verbandszeitschrift über „den heimlichen und offenen Widerstand gewisser Altakademiker" gegen die Umwandlung der Verbindungshäuser in Wohnkameradschaften und fügte hinzu: „Aber der Widerstand und die Gleichgültigkeit sind in studentischen Kreisen nicht geringer, nur heimlicher. Wie alles Neue, wirklich Umwälzende, wird auch die neue studentische Gemeinschaftsform nur von wenigen getragen"[89]. Auch die meisten Studentinnen standen den Kameradschafts-

---

[86] Vgl. Spitznagel, Studentenschaft, 1982, S.114 f.

[87] E. Jaensch an F. Klausing, 28.7.1933, in: BA Potsdam RDH 1167 Bl.4. Die Suspension der Kieler Korporation war ein lokaler Übergriff, der wenig später von der Reichsführung der DSt wieder aufgehoben wurde. Vgl. das Material in: StA WÜ RSF/NSDStB I* 04 φ 314.

[88] Zu Jaensch vgl. U. Geuter, Die Professionalisierung der deutschen Psychologie im Nationalsozialismus, Frankfurt/M. 1984, S.279 ff. u. S.572.

[89] H.C. Theil, „Das Kameradschaftshaus. Aufgabe und Form", in: Akademische Blätter, 48. Jg., 1933/34, S.181.

hausplänen „sehr skeptisch" gegenüber, wie eine Funktionärin der Studentenführung Göttingen vermerkte.[90] Der Führer des Hamburger Kameradschaftshauses berichtete, daß das Haus unter den Studenten vielfach als „Zuchthaus" oder als „Kaserne" bezeichnet werde.[91] Derlei Assoziationen können freilich nicht überraschen, wenn man einen Blick auf den „Dienstplan" dieses Kameradschaftshauses wirft:

6.15	Wecken
6.20 – 6.35	Frühsport
6.35 – 7.15	Waschen, Bettenbau usw.
7.15	Morgenkaffee
8.00 – 13.00	Wissenschaftsdienst
13.15	Mittagessen
14.00 – 19.00	Wissenschaftsdienst
19.15	Abendbrot
19.45 – 21.45	dreimal wöchentlich Kameradschafts- und politische Schulungsabende
22.00	Licht aus, dreimal wöchentlich Urlaub bis zum Wecken.[92]

Dieser Tagesablauf war nicht ungewöhnlich, sondern durchaus typisch für ein Kameradschaftshaus.[93] In den Wohnkameradschaften der Verbindungen wurden ähnliche Dienstpläne aufgestellt – ergänzt durch regelmäßiges Fechten in den schlagenden Verbindungen oder durch das religiöse Element in den christlichen Korporationen.[94] Dem militärisch straffen Stil der Dienstpläne entsprach die Ausstattung der Räume. In Würzburg stand jedem Angehörigen einer Wohnkameradschaft ein Feldbett mit Stahlfedern und Seegrasmatratze zur Verfügung, außerdem eine doppelte Garnitur Bezüge, zwei Wolldecken, ein Federkopfkissen, vier Handtücher sowie ein geräumiger Schrank und ein Hocker.[95] In Breslau dominierte ebenfalls ein paramilitärisches Ambiente, wie sich einem Bericht über die Wohnkameradschaft der Burschenschaft Germania entnehmen läßt:

---

[90] H. v. Ferber, Bericht des HA VI der Studentenschaft Göttingen, 14.12.1933, in: StA WÜ RSF/NSDStB II* 526 α 425.

[91] Vgl. H. Lorenzen, „Vom Kameradschaftshaus", in: Hamburger Universitäts-Zeitung, Nr.6, 27.1.1934, S.106 f.

[92] H. Ochsenius, Arbeitsbericht des Kameradschaftshausführers im NSDStB Hamburg, 22.1.1935, S.3, in: StA WÜ RSF/NSDStB V* 2 α 537.

[93] Vgl. etwa: „Der Tagesablauf im Kameradschaftshaus", in: Hallische Hochschul-Blätter, Nr.7, 15.3.1934, S.7-9; Arbeitsbericht über das Kameradschaftshaus des Freiburger NSDStB, 24.1.1935, in: BA Koblenz NS 38/3; Düning, SA-Student, S.103.

[94] Vgl. beispielsweise F. Golücke, Die Wohnkameradschaft Markomannia 1934/35 - ein erster Gleichschaltungsversuch, in: ders. (Hg.), Korporationen und Nationalsozialismus, Schernfeld o.J., S.87-114.

[95] Vgl. P. Spitznagel, Studentenschaft und Nationalsozialismus in Würzburg 1927-1933, Würzburg, phil. Diss., 1974, S.312.

„Die jungen Bundesbrüder wohnen zu 4-6 auf einer Stube; die ganze Wohnkameradschaft faßt 24 Bundesbrüder. Die Stuben sind schlicht hergerichtet; der Stil ist soldatisch einfach, jeder Luxus, jede Bequemlichkeit fehlt. Die Feldbetten stehen zweifach übereinander und sind einheitlich bezogen. Das gesamte Leben in der Wohnkameradschaft ist nach einem Dienstplan geregelt".[96]

Ob die rigiden Dienstpläne in den Wohnkameradschaften der Verbindungen immer strikt befolgt wurden, bleibt allerdings fraglich. Zwar versuchten die Amtsleiter der Studentenführungen das Einhalten der Pläne durch Stichproben und durch die Kontrolle der „Dienstbücher" zu überprüfen. Aus gelegentlichen Andeutungen in der Korporationspresse läßt sich aber schließen, daß manche Wohnkameradschaft nur eine „Scheinanlage" war, in der hinter offizieller Fassade das alte feucht-fröhliche Verbindungsleben fortgeführt wurde.[97]

In der Reichsführung der DSt hatten die Berichte über den geringen Enthusiasmus in der Studentenschaft offensichtlich nicht den Effekt, die bisherige Politik noch einmal zu überdenken. Statt dessen wurde seit Anfang 1934 eine deutlich härtere Gangart eingeschlagen. Im Januar 1934 ordnete die Reichsführung der DSt an, alle Korporationen, die bis Oktober 1934 keine Wohnkameradschaft errichtet hätten, solange zu suspendieren, bis sie dieser Forderung nachgekommen seien. Einen Monat später folgte eine weitere Verfügung, die alle Studenten der ersten drei Semester verpflichtete, ab dem Sommersemester 1934 zwei oder drei Semester ihres Studiums in einem Kameradschaftshaus zu verbringen.[98]

In der Praxis zeigte sich jedoch bald, daß die DSt nicht in der Lage war, diese Forderung wirklich durchzusetzen, weil die lokalen Studentenführungen weder genügend Häuser zur Unterbringung aller betroffenen Studenten hatten noch über effektive Sanktionsmittel verfügten, um widerspenstige Studenten zur Räson zu bringen. Dieses letztere Problem beschäftigte vor allem den Würzburger Studentenführer Rolf Schenk, der in einem unwirsch gehaltenen Brief an die Berliner Zentrale schrieb:

„Auch in diesem Rundschreiben ist wieder die Rede davon, daß die Kameradschaftserziehung eine Ehre sei, die dem Einzelnen zuteil werde. Man muß sich endlich darüber klar sein, daß auch heute noch ein großer Teil der Studentenschaft bewußt auf diese ‚Ehre' verzichtet. Eine wirklich restlose Erfassung ist nur auf dem Wege der absoluten Pflicht möglich. Dafür hat man uns aber bis jetzt noch keine Handhabe gegeben. Es ist ein großer Widerspruch, einerseits zu verlangen, daß die Kameradschaftserziehung für die 1.-3. Semester Pflicht sei und es auf der anderen Seite als eine hohe Ehre hinzustellen".[99]

96 U. Preiß, „Nationalsozialistische Erziehung in der Wohnkameradschaft", in: BBl, 49. Jg., 1934/35, S.4 f.

97 M. Rohrer, „Das Jahr der Wandlung", in: Corpsstudentische Monatsblätter, 42. Jg., 1934, S.4.

98 Rundschreiben des HA für polit. Erziehung der DSt vom 23.1.1934 und vom 24.2.1934, beide Schreiben in: StA WÜ RSF/NSDStB IV* 1-01/11.

99 R. Schenk an das Amt für Kameradschaftserziehung der DSt, 18.5.1934 (Durchschr.), in: StA WÜ RSF/NSDStB IV 2* 60/3.

Andere Studentenführer wurden hauptsächlich durch den Mangel an Räumen in ihrem Tatendrang beeinträchtigt. So verfügte die Erlanger Studentenführung zwar seit März 1934 über ein eigenes großes Kameradschaftshaus, doch reichte der Platz keineswegs aus, um alle Freistudenten der ersten drei Semester unterzubringen. Der Erlanger Studentenführer Julius Doerfler ordnete deshalb an, diese Studenten zwangsweise in den Wohnkameradschaften der Korporationen unterzubringen. Ein derart massiver Eingriff in die Autonomie der Korporationen ging jedoch selbst seinen Vorgesetzten in der Berliner DSt-Führung zu weit. Doerfler wurde daher gezwungen, die Anweisung zurückzuziehen.[100] Daraufhin verzichtete Doerfler vollständig auf Zwangsmaßnahmen gegenüber den nichtkorporierten Studenten, „weil ich nicht alle Freistudenten in einem Kameradschaftshaus unterbringen kann und ich deshalb die Möglichkeit nicht habe, einzelne von den Freistudenten herauszugreifen, sondern auf freiwillige Meldungen angewiesen bin".[101] Freiwillig wollte jedoch kein einziger nichtkorporierter Student das Kameradschaftshaus beziehen. In das für 40 Bewohner eingerichtete Gebäude zogen 25 Korporationsstudenten und fünf Amtsleiter der Studentenführung ein. Die übrigen Räume konnten nicht belegt werden.[102]

Einen statistischen Überblick zum Stand der Kameradschaftserziehung in den Universitätsstädten liefert die Tabelle 32 (Anhang). Sie zeigt, daß 718 Korporationen im Sommersemester 1934 Wohnkameradschaften eingerichtet hatten. Außerdem war es in allen Universitätsstädten außer Münster und Würzburg gelungen, mindestens ein oder zwei Kameradschaftshäuser der lokalen Studentenschaften einzurichten. Im Durchschnitt lebten, wie sich aus den Angaben der Tabelle 32 (Anhang) errechnen läßt, in einer der von den Korporationen eingerichteten Wohnkameradschaften 11 Studenten. Demgegenüber hatten die Kameradschaftshäuser der Studentenschaften sehr viel stärker den Charakter von Massenunterkünften. Durchschnittlich hatte jedes dieser Häuser 58 Bewohner. Ergänzt man auf der Grundlage dieser Zahlen die unvollständigen Angaben aus Berlin, Frankfurt und Jena, ergibt sich, daß während des Sommersemesters 1934 in den 23 Universitätsstädten insgesamt 10.215 Studenten in 754 Kameradschaftshäusern wohnten. Dagegen studierten an den in Frage kommenden Hochschulen insgesamt 19.139 Studenten, die sich im 1.-3. Semester befanden. Die angestrebte vollständige Kasernierung der Anfangssemester ist im Sommer 1934 also keineswegs erreicht worden. Lediglich in Gießen, Göttingen und Halle scheint eine weitgehend lückenlose Erfassung der ersten drei Semester gelungen zu sein. Die hohen Zahlen für diese drei Universitäten zeigen zudem, daß die Kameradschaftshäuser teilweise auch von Studenten höherer Semester bewohnt wurden. Dabei handelte es sich im wesentlichen wohl um Aktivisten und Funktionäre des NSDStB und der Studentenführungen. Aufgrund des

100 Vgl. Franze, Erlanger Studentenschaft, S.241.

101 J. Doerfler an den Reichsführer der DSt, 29.6.1934 (Abschr.), in: StA WÜ RSF/NSDStB I* 03 φ 356.

102 Vgl. ebd. In der Abschr. heißt es, das Haus habe ein Fassungsvermögen von 400 Personen (statt 40). Dies ist offensichtlich ein Tippfehler. Vgl. auch Franze, Erlanger Studentenschaft, S.242.

vorhandenen Zahlenmaterials erscheint es daher realistisch, davon auszugehen, daß im Sommersemester 1934 von den Studenten der drei Anfangssemester, entgegen den Anordnungen der DSt, nur etwa die Hälfte tatsächlich in einem Kameradschaftshaus lebte. Besonders von den weiblichen Studierenden dürfte nur ein kleiner Prozentsatz erfaßt worden sein, weil spezielle Kameradschaftshäuser für Studentinnen nur an wenigen Universitäten zur Verfügung standen.[103]

Die mangelnden Raumkapazitäten waren jedoch nicht das einzige Problem. Auch der Widerwille vieler Studenten gegen Kasernierung und Reglementierung trug erheblich dazu bei, daß die ehrgeizigen Pläne der DSt-Führung nur partiell realisiert werden konnten.

Dennoch wurde das Ziel, alle Anfangssemester in Kameradschaftshäusern zu erfassen und zu kontrollieren, keineswegs aufgegeben, sondern rückte noch stärker in das Zentrum der hochschulpolitischen Diskussion, nachdem Andreas Feickert im Juli 1934 zum Reichsführer der DSt ernannt worden war. In aller Deutlichkeit zeigte dies der sogenannte „Feickert-Erlaß" vom 20. September 1934, der in den Reihen der Korporationen wie eine Bombe einschlug. Die Verfügung betonte erneut, daß alle Studenten der ersten beiden Semester ein Jahr lang in einem Kameradschaftshaus zu leben hätten, enthielt darüber hinaus aber weitere Verschärfungen: 1. sollte nur ein Teil der Wohnkameradschaften von der DSt als Kameradschaftshaus anerkannt werden, 2. sollten die Führer der Kameradschaftshäuser künftig von der DSt ernannt und abgesetzt werden, 3. sollten alle Bewohner eine einheitliche Uniform tragen. Mütze und Band der Korporationen waren während der ersten drei Semester verboten.[104]

Diese Bestimmungen enthielten Eingriffe in die Autonomie der studentischen Verbindungen, die für diese kaum akzeptabel sein konnten. Ein Teil der Korporationen hätte auf diesem Wege seinen Nachwuchs verloren und wäre faktisch zum Aussterben verurteilt worden, der Rest mußte eine weitgehende Beschränkung seines Eigenlebens befürchten und mit der Möglichkeit rechnen, künftig in den eigenen Häusern nur noch die Kameradschaftserziehung der DSt zu finanzieren.

In dieser Situation riskierte ein Teil der Verbände erstmals die Konfrontation mit einer Anordnung von oben. Die Initiative übernahm, wie auch bei späteren Konflikten, der Kösener SC. In seiner scharf ablehnend gehaltenen Stellungnahme zum „Feickert-Erlaß" hieß es, die Anordnung bedeute die „Vernichtung des deutschen Verbindungs- und Waffenstudententums".[105] Der Vorstoß des Kösener SC stieß auf „ungeheuren Widerhall" in den Verbänden, insbesondere unter den Alten Herren: „Es ging wie ein Aufatmen durch die Reihen der Alten Herren, daß endlich ein Verband seine klare und

[103] Im Februar 1935 verfügte die ANSt in zehn Universitätsstädten über eigene Häuser. Vgl. Rundschreiben ANSt Nr.2/35, 5.2.1935, in: StA WÜ RSF/NSDStB II* 499 α 401.

[104] Vgl. den „Feickert-Erlaß" und Feickerts Artikel „Neugestaltung der studentischen Erziehung", in: Die Deutsche Studentenschaft. Nachrichtendienst, Sonderausgabe vom 21.9.1934, S.1-5.

[105] Stellungnahme des Kösener SC-Verbandes zur Anordnung des Reichsführers der DSt vom 20.9.1934, S.3, in: GStAPK I Rep. 76 Va Sekt. 1 Tit. XII Nr.43 Bd.I Bl. 162 (M).

offene Gegnerschaft gegen diesen Plan, ja darüber hinaus gegen die allgemeine Umstellung der Korporationen zu Kameradschaften ... bekannte“[106], heißt es in einer Verbandszeitschrift. Dennoch folgten nicht alle Verbände dem Vorgehen des Kösener SC. Insbesondere die Deutsche Burschenschaft, die sich stets besonders nationalsozialistisch gebärdete, und einige kleinere Verbände zeigten sich bereit, Feickerts Verfügung zu akzeptieren.[107] Die Mehrheit der Korporationsverbände aber lehnte den Plan ab und beeilte sich, ihre Alten Herren in der Ministerialbürokratie und in der Partei gegen Feickert zu mobilisieren.[108] Die Hoffnungen der Korporationen ruhten insbesondere auf dem Chef der Reichskanzlei, Hans Heinrich Lammers, der als Alter Herr und Verbandsführer des Miltenberger Rings ein persönliches Interesse am Wohlergehen der Verbindungen hatte.

Dabei profitierten die Korporationen von der Tatsache, daß Feickert keine Unterstützung vom NSDStB erhielt, der abwartend im Hintergrund blieb. Der erst seit wenigen Wochen amtierende Führer des NSDStB, Derichsweiler, hatte zwar kein Interesse, den Korporationen unter die Arme zu greifen, sah jedoch auch keinen Grund, sich für Feickerts Anordnung stark zu machen, weil deren Verwirklichung die Position der DSt gegenüber dem NSDStB erheblich aufgewertet hätte. Schließlich hatte Heß, worauf Derichsweiler sofort verärgert hinwies, erst wenige Wochen zuvor, ihm, dem Reichsführer des NSDStB, die „gesamte weltanschauliche, staatspolitische und körperliche Schulung der Studentenschaft“ übertragen.[109]

Feickerts Position erwies sich daher plötzlich als denkbar schwach. Seitens der Partei war angesichts der Rivalität zwischen NSDStB und DSt keine Hilfe zu erwarten, während in der Ministerialbürokratie die Alten Herren der Korporationen zielstrebig gegen seine Pläne arbeiteten. Bei diesem Kräfteverhältnis konnte der Ausgang des Konflikts kaum zweifelhaft sein. Bereits am 27. September erteilte Lammers dem Reichsführer der DSt telegraphisch den Befehl, seine Verfügung zu suspendieren, weil Hitler sie beanstandet habe.[110] Auch der leicht beeinflußbare Rust, der die Pläne der DSt-Führung ursprünglich gebilligt hatte, schwenkte nun um. Nach einer Reihe von Gesprächen mit Lammers und Führern verschiedener Korporationsverbände übergab er Ende Oktober der Presse einen Brief an Feickert, mit dem dessen Verfügung praktisch zu Grabe getragen wurde. Rust äußerte zwar den Wunsch, „daß ein möglichst großer Teil der jugendlichen akademischen Volksgenossen von der Erziehung im Kameradschaftshaus erfaßt wird“, ordnete aber gleichzeitig an, daß fortan kein Student mehr zwangsweise in einem Kameradschaftshaus leben müsse. Auch dürfe in Zukunft keine Korporation gezwungen werden, ihre Gebäude für Kameradschaftshäuser zur

[106] W. Stockheck, „Keinen Schritt breit vom Wege“, in: Der Turnerschafter, 51. Jg., 1934/35, S.413.

[107] Vgl. G.J. Giles, Die Verbändepolitik des Nationalsozialistischen Deutschen Studentenbundes, in: DuQ, 11. Jg., 1981, S.125 ff.

[108] Zur Reaktion der Korporationsverbände vgl. P. Stitz, Der CV 1919–1938, München 1970, S.315 ff.

[109] Vgl. Steinberg, Sabres, Books and Brown Shirts, Ph.D., S.751.

[110] Vgl. Steinberg, Sabers and Brown Shirts, 1977, S.160.

Verfügung zu stellen.[111] Die Korporationen hatten eindrucksvoll unter Beweis gestellt, daß sie noch über genügend Einfluß verfügten, um ihre Unabhängigkeit zu verteidigen.

Es sollte noch schlimmer kommen für Feickert und die DSt. Am 11. November fand eine Besprechung mit Hitler persönlich statt, der sich bislang kaum um Studentenpolitik gekümmert hatte. Zum Entsetzen der DSt-Funktionäre machte „der Führer" dabei deutlich, daß er von der Kasernierung der Studenten in Kameradschaftshäusern überhaupt nichts hielt. Im Gegenteil, durch das Zusammenleben der nach Geschlechtern getrennten Studenten auf engstem Raum bestünde die Gefahr, daß die Bewohner von Kameradschaftshäusern homosexuelle Neigungen entwickelten. Deshalb müsse den jungen Studenten nach Beendigung des Arbeitsdienstes die Möglichkeit gegeben werden, sich an den Universitäten frei zu bewegen. Künftig solle daher an jeder Hochschule nur noch ein einziges Kameradschaftshaus bestehen bleiben.[112] Gegen diese Entscheidung gab es selbstverständlich kein Einspruchsrecht. Feickert und seine Gefolgsleute in der DSt, die bislang im Kameradschaftshaus das Zentrum eines neuen studentischen Lebensstils gesehen hatten, standen mit einem Schlag vor den Trümmern ihrer bisherigen Politik.

Hitlers Entscheidung und seine Motive wurden nie veröffentlicht. Stattdessen erhielten die Korporationen, die ihre Häuser für teures Geld umgebaut hatten, die nüchterne Mitteilung, daß die NSDAP keinen Wert mehr auf Wohnkameradschaften lege. Die Korporationen sollten selber entscheiden, ob sie die bestehenden Wohngemeinschaften beibehalten wollten oder nicht.[113] Ein Teil der Verbindungen erhielt seine Wohnkameradschaften auch in der Folgezeit aufrecht, und manche Korporationszeitschrift veröffentlichte weiter eifrige Bekenntnisse zum Kameradschaftshaus, obwohl in der Partei niemand mehr daran interessiert war.[114] Dagegen mußte die DSt ihre mühsam aufgebauten Häuser dem NSDStB übergeben. Auch unter neuer Regie blieben die Kameradschaftshäuser jedoch so unattraktiv, wie sie schon immer gewesen waren. Einige wurden, wie in Berlin, an andere Träger vermietet, andere mußten aus ökonomischen Gründen geschlossen werden, da die Zahl der Bewohner zu gering war, so z.B. die beiden Hamburger Kameradschaftshäuser.[115] Von den 36 Kameradschaftshäusern der Studentenschaften,

[111] „Reichsminister Rust über das Kameradschaftshaus", in: VB, Nr.300, 27.10.1934.

[112] Zu Hitlers Entscheidung vgl. A. Derichsweiler an R. Heß, 22.7.1936, in: BAAZ Albert Derichsweiler; Rede Derichsweilers in der Ordensburg Crössinsee, August 1936 (Ms.), S.3, in: StA WÜ RSF/NSDStB II* 29 α 477.

[113] Vgl. G. Wagner, „Die NSDAP alleiniger Träger der gesamten studentischen Erziehung", in: Deutsches Ärzteblatt, Nr.47, 24.11.1934, S.1141 f.; Rundschreiben der Reichsführung des NSDStB, 26.11.1934, in: BA Koblenz Sammlung Schumacher 279 I Bl.220.

[114] Vgl. K. Erb, „Bekenntnis zum Kameradschaftshausgedanken", in: Der Turnerschafter, 52. Jg., 1935, S.39 f.; Siehe auch: Spitznagel, Studentenschaft, 1982, S.123; H. Ochsenius, Die Studentenschaft der Hansischen Universität zu Hamburg bis 1939 unter besonderer Berücksichtigung der gesamten studentischen Entwicklung im Altreich, Hamburg, phil. Diss., 1941, S.157.

[115] Vgl. Ochsenius, Studentenschaft, S.158.

die 1933/34 bestanden hatten (Tabelle 32 im Anhang), waren 1937 noch 18 übrig geblieben, die aber ebenfalls fast durchgängig unterbesetzt waren. Insgesamt verfügten sie über 920 Plätze, von denen jedoch nur 620, also rund zwei Drittel, tatsächlich belegt waren.[116]

3. Der NSDStB übernimmt die Initiative

Drei Tage nach Hitlers Entscheidung gegen das Kameradschaftshaus mußte Rust dem NSDStB die „Führung und Richtunggebung der gesamten studentischen Erziehung, insbesondere die Lösung der Kameradschaftshausfrage" übertragen.[117] Nachdem sowohl die SA als auch die DSt in der Studentenpolitik Schiffbruch erlitten hatten, fiel nunmehr dem NSDStB die Aufgabe zu, einen Ausweg aus der verfahrenen Lage zu suchen. Freilich, die Ausgangsposition, die der neue Reichsführer des NSDStB, Albert Derichsweiler, Ende 1934 vorfand, war eine ganz andere als knapp zwei Jahre vorher. Damals waren große Teile der Studentenschaft voller Enthusiasmus in die Parteiformationen geströmt. Von diesem Enthusiasmus waren mittlerweile nur noch Restbestände übriggeblieben. Im Februar 1935 zog der Leiter der Hochschulabteilung im REM, Franz Bachér, ein bitteres Fazit:

> „Die ‚wirklichen Studierenden' haben es längst satt, sich von ‚Studentenbonzen' ‚führen', schulen und kommandieren zu lassen; sie wollen – soweit überhaupt dazu fähig: wahre Kameradschaft, Entfaltung ihrer geistigen Kräfte im gegenseitigen Austausch, Bildung von Kampfzellen mit eigenem Leben, geboren aus der Initiative der einzelnen, wirklich durch die Tat bewiesene Formung eines neuen unbürgerlichen Lebensstils".[118]

Derichsweiler hatte von Heß zwei Aufträge bekommen, die Neugründung des NSDStB als Eliteorganisation und die politische Schulung der Studenten. Schon bald zeigte sich, daß er darüber hinaus, anders als sein Rivale Feickert, eigentlich keine konzeptionellen Vorstellungen anzubieten hatte. Sein politisches Streben erschöpfte sich weitgehend darin, die eigene Machtposition auszubauen und konkurrierende Institutionen an die Wand zu drücken. Der Umbau des NSDStB zur Eliteorganisation erfolgte im Spätherbst 1934: Der Mitgliederbestand wurde auf NSDAP-Angehörige reduziert sowie auf „alte Kämpfer", die dem NSDStB schon vor der „Machtergreifung" 1933 beigetreten waren. Alle übrigen Studenten konnten, auch wenn sie dem NSDStB bereits angehört hatten, erst nach einer Probezeit von zwei Semestern die volle Mitgliedschaft erwerben.[119]

---

[116] Vgl. Giles, Students and National Socialism, S.213.

[117] Rusts Brief in: „NS-Studentenbund alleiniger Träger der studentischen Erziehung", in: VB Nr.320, 16.11.1934. Vgl. auch S. 90.

[118] F. Bachér an Rust, 18.2.1935, in: BA Potsdam REM 909 Bl.10.

[119] Vgl. das Rundschreiben der Reichsführung des NSDStB vom 28.9.1934 und Derichsweilers Aufruf „An alle deutschen Studenten und Studentinnen!" vom November 1934, beides in: StA WÜ RSF/NSDStB II* ϕ 312.

Im Zentrum der politischen Arbeit stand zunächst die Schulung, für die vor der „Machtergreifung" im NSDStB nie genügend Zeit vorhanden gewesen war.[120] Nach den Plänen Derichsweilers wurde vorerst die Schulung der Spitzenfunktionäre, Gaustudentenführer und Hochschulgruppenführer, in Angriff genommen, danach die der einfachen Mitglieder des NSDStB, um schließlich in einem dritten Schritt die gesamte Studentenschaft in großen Schulungslagern zusammenfassen zu können. Bereits im Wintersemester 1934/35 absolvierten rund 10-12.000 Studenten die politische Grundschulung des NSDStB.[121] Aber auch die Schulung erwies sich nicht als das geeignete Mittel, um die Masse der Studenten erneut im Sinne des Nationalsozialismus zu aktivieren, sondern hatte offensichtlich eher eine abschreckende Wirkung. Wohl waren viele Studenten an einer Auseinandersetzung mit den Inhalten der nationalsozialistischen Weltanschauung interessiert, doch wurden solche Bedürfnisse nur selten von einer Schulung befriedigt, die sich meist im Vorlesen politischer Vorträge oder Artikel erschöpfte. Die daraus erwachsene Kluft zwischen den Erwartungen der Schulungsteilnehmer und den Interessen der Schulungsleiter wurde sehr anschaulich von einem Studentenfunktionär beschrieben, der erbittert konstatierte, wie „fremd" ihm die meisten Studenten geblieben seien:

> „Der ... tiefste Grund ist wahrscheinlich der, daß in den Kreisen der Studenten, die nun einmal seit jeher das Recht in sich fühlen, alle Dinge einer ‚sachlichen' Prüfung zu unterziehen, all das, was man geglaubt hatte ohne Vorbehalt, als Dogma einfach, in Diskussionen zerpflückt wurde. Der Student hat niemals begriffen, daß es Dinge gibt, über die man einfach nicht schwätzen darf!! Der Student wollte den Nationalsozialismus erkennen und zerstörte damit den Zauber, der letztlich im Geiste jeder erlebten Kameradschaft liegt ... Sie, die Studentenschaft, suchte Adolf Hitler, also den Nationalsozialismus, mit dem Hirn. Das Herz blieb kalt".[122]

Eine Schulung, welche die intellektuelle Auseinandersetzung bewußt vermied und sich darauf beschränkte, politische Dogmen einzupauken, mußte bei einem geistig etwas anspruchsvolleren Publikum unattraktiv bleiben. In den internen Lageberichten der unteren und mittleren Funktionäre tritt dieses Problem sehr deutlich zutage. Besonders drastisch äußerte sich im Mai 1935 der stellvertretende Gaustudentenführer von Schlesien: „Der größte Teil ... der Kameraden ist in den früheren Semestern mit einer falsch aufgebauten Schulung derartig überfüttert worden, daß sie allein bei dem Wort Schulung schon einen leichten Horror bekommen".[123] Auch das von den

[120] G. Rühle, Bundesführer des NSDStB, Die Neuorganisation des Nationalsozialistischen Deutschen Studentenbundes, o.D. [November 1932], S.2, in: BA Koblenz Sammlung Schumacher 279 I Bl.203.

[121] Vgl. Prot. der Reichstagung des NSDStB in Frankfurt/M. am 11./12. Mai 1935, in: StA WÜ RSF/NSDStB II* ϕ 319, S.10. Vgl. auch den „Bericht über die vom Nationalsozialistischen Deutschen Studentenbund vom Herbst 1934 bis Sommer 1935 geleistete Schulungsarbeit", 9.7.1935, in: BA Koblenz NS 22/422.

[122] W. Utermann, „Politische Wissenschaft", in: Volk im Werden, 2. Jg., 1934, S.153.

[123] Lage- und Stimmungsbericht des Gauamtes Schlesien des NSDStB, 4.5.1935, S.2, in: StA WÜ RSF/NSDStB II* 109 α 53.

„alten Kämpfern“ des NSDStB sehnsüchtig erinnerte Kameradschaftserlebnis der „Kampfzeit“ ließ sich der Masse der Studenten, die erst nach 1933 in die Parteiformationen geströmt war, auf dem Wege der Schulung nicht vermitteln. Bedauernd vermerkte Gerhard Todenhöfer, Gaustudentenführer von Kurhessen, daß

> „diejenigen, die noch wenig Ahnung vom Nationalsozialismus haben, kaum wesentlich beeindruckt wurden. Allein durch Schulung kann man nicht die jungen Studenten zu Nat[ional]soz[ialisten] machen. Dazu fehlt das Erlebnis der Gemeinschaft und das dauernde Einwirken auf die jungen Kameraden“.[124]

Anstatt die Studierenden neu zu motivieren und zu aktivieren, verstärkten die Schulungskurse offensichtlich die „allgemeine Interesselosigkeit ... bei allen Studenten“, über die nicht nur der Gaustudentenführer von Pommern klagte.[125] Ganz ähnlich konstatierte im Juli 1935 sein Münchener Kollege Hermann Aly, „daß die gesamte Studentenschaft jegliches Interesse am politischen Leben, am kulturellen Leben und an der studentischen Arbeit verloren hat“.[126] Auch an den rheinischen Universitäten war, wie ein anderer NSDStB-Funktionär berichtete, „eine allgemeine Müdigkeit zu beobachten, die besonders dadurch hervorgerufen war, daß die verschiedensten Stellen den einzelnen Studenten durch Vorträge oder andere Beschäftigungen zeitlich zu sehr belasten“. Besonders groß sei die Zahl der „interesselosen Studenten“ in Köln: „Von den 3.200 Studenten sind ca. 2-2.500 unbrauchbar. Ähnlich in Bonn ...“.[127]

Diesen Lageberichten und anderen zeitgenössischen Quellen lassen sich jedoch nicht nur zahlreiche Hinweise auf eine allgemeine politische Lustlosigkeit der Studierenden entnehmen. Darüber hinaus zeigen sie, daß sich in den rund zwei Jahren seit der „Machtergreifung“ auch das Verhältnis zwischen dem NSDStB und den Studierenden grundlegend verändert hatte. In den Jahren 1931/32 hatte ein großer Teil der Studenten im NSDStB die Organisation gesehen, welche die eigenen politischen und hochschulpolitischen Interessen am besten vertrat. Drei Jahre später war daraus eine Art übergeordnete Behörde geworden, deren Tätigkeit hauptsächlich darin bestand, ihren Untergebenen mit immer neuen Aufgaben und Belastungen das Leben zu erschweren. Die meisten Studenten reagierten darauf jedoch nicht mehr, wie noch 1934, mit offener Opposition, sondern sie versuchten auf vielfältige Weise, sich den Verhaltenszumutungen der NSDStB-Führer stillschweigend zu entziehen. So notierte der Gaustudentenführer von Köln-Aachen im Mai 1935, daß

[124] G. Todenhöfer, Stimmungsbericht für den Monat Juni 1935, 4.6.1935, S.1, in: StA WÜ RSF/NSDStB II* 109 α 53.

[125] Davon ausgenommen wurde nur die ANSt. Vgl. den Tätigkeitsbericht der Gaustudentenbundführung Pommern, o.D. [1935], S.1 u. 4, in: StA WÜ RSF/NSDStB II* 109 α 53.

[126] H. Aly, Stimmungsbericht und Semesterbericht der Gaustudentenbundsführung München Oberbayern, 6.7.1935, S.2, in: StA WÜ RSF/NSDStB II* 109 α 53 .

[127] M. Garben, Bericht über den Monat Juni 1935 des NSDStB im Gau Köln-Aachen, o.D., S.4, in: StA WÜ RSF/NSDStB II* 109 α 53.

> „allgemein ein Ausweichen der großen Masse der Studierenden vor Arbeiten des NSDStB und der Studentenschaft zu bemerken ist. Ein großer Teil der Studenten sieht in der Tatsache, daß heute nach zwei Jahren nationalsozialistischer Regierung die NSDAP auf Prüfungen (außer dem juristischen Examen) keinerlei Einfluß hat und nach wie vor *lediglich* in den Prüfungen wissenschaftliche Erkenntnisse gewertet werden und auf Betätigung im nationalsozialistischen Sinne keine Rücksicht genommen wird, die Möglichkeit, sich lediglich ihrem Studium zu widmen und ihre übrige Zeit nutzbringender anzuwenden als in ‚zeitraubender nationalsozialistischer Betätigung'".[128]

Die Tendenz, sich den politischen Zwängen und Anforderungen zu entziehen, äußerte sich auch darin, daß viele Studenten gegenüber den Universitätsverwaltungen falsche Angaben über ihre Mitgliedschaft in einer nationalsozialistischen Organisation machten. Auf diese Weise gelang es teilweise, die Bestimmung zu unterlaufen, daß nur „politisch bewährte" Studenten in den Genuß materieller Vergünstigungen kommen durften. In Gießen wurde 1933-1935 gegen 14 Studenten ein Disziplinarverfahren eröffnet, weil ihnen vorgeworfen wurde, sich durch falsche Angaben über die Ableistung des SA-Dienstes Vorteile verschafft zu haben.[129] An der Universität Bonn sollen im Februar 1935 sogar mehr als 800 männliche Studenten immatrikuliert gewesen sein, die wahrheitswidrig behauptet hatten, der SA anzugehören.[130]

Weit größeres Kopfzerbrechen bereitete den Behörden ein anderes Phänomen: die auffällige Abneigung zahlreicher Studenten gegen die kleinen Universitäten. Der Studentenführer der Universität Greifswald interpretierte diese Entwicklung im Dezember 1934 als gezielte Flucht in die unkontrollierbare Anonymität. Den Studenten ziehe es in die großen Städte, weil er sich dort „um seine Pflichten gegenüber Staat und Bewegung leichter herumdrücken kann. Es ist selbstverständlich eine Leichtigkeit, in einer großen Masse unterzutauchen".[131] In der Tat waren die vier kleinsten Universitäten (Greifswald, Gießen, Halle, Erlangen) alle überproportional vom allgemeinen Rückgang der Studentenzahlen betroffen, wie Tabelle 9 zeigt. Daß sich hinter diesen Zahlen tatsächlich politische Fluchtbewegungen verbargen, ist zumindest sehr wahrscheinlich. Ein nüchterner Beobachter wie der Marburger Rektor Leopold Zimmerl hat diesen Zusammenhang 1937 auf einer Rektorenkonferenz ebenfalls angesprochen, ohne unter den Anwesenden auf Widerspruch zu stoßen:

---

[128] M. Garben, Arbeitsbericht des NSDStB, Gau Köln-Aachen, 4.5.1935, S.1, in: StA WÜ RSF/NSDStB II* 109 α 53. Hervorhebung im Original.

[129] U. Jordan, Studenten des Führers, in: Frontabschnitt Hochschule. Die Gießener Universität im Nationalsozialismus, Gießen 1982, S.92.

[130] Vgl. Kurator der Universität Bonn an das REM, 4.2.1935, in: BA Potsdam REM 871 Bl.26 f. Vgl. auch den RdErl. des REM vom 5.4.1935, in: StA HH Hochschulwesen II U o 4.

[131] Führer der Studentenschaft der Universität Greifswald an das REM, 17.12.1934, in: BA Potsdam REM 796 Bl.2 ff.

Tab. 9: Rückgang der Studentenzahlen 1933-1936[132]

Universität	SS 1933	WS 1935/36	Rückgang in %
Greifswald	1 801	963	46,5
Gießen	1 937	1 018	47,4
Halle	2 223	1 403	36,9
Erlangen	2 322	1 353	41,7
Universitäten insgesamt	88 930	60 148	32,4

> „Es ist kein Geheimnis, daß die Mehrzahl der Studenten im Gegensatz zur Studentenführung nicht das Bedürfnis empfinden, organisatorisch und erzieherisch erfaßt zu werden. Sie meiden daher die Kleinstädte gerade aus dem Grund, der es der Studentenführung wünschenswert erscheinen läßt, die Studenten in die Kleinstädte zu ziehen".[133]

Auch die politische Opposition registrierte, daß bei der Wahl des Studienortes neue Kriterien an Bedeutung gewonnen hatten. Im Februar 1938 berichtete die „Deutsche Volkszeitung" aus der Emigration:

> „Früher war es üblich, daß sich der deutsche Student die Hochschule nach den besten Professoren aussuchte. Heute entscheidet ein anderes Barometer die Wahl: ‚Wo gibt es am wenigsten Dienst? Wo gibt es die meiste Freiheit?', fragt sich der Student und studiert dort, wo die Studien freier sind, der Dienst weniger streng ist und noch einige alte Studentenrechte erhalten blieben"[134],

Da abzusehen war, daß die Verminderung der Studentenzahlen sich auch in Zukunft fortsetzen würde, befürchtete das REM, dieser Trend könnte langfristig die Existenz der kleineren Universitäten ernsthaft bedrohen. Aus diesem Grunde wurden seit dem Sommer 1935 Studentenhöchstziffern für die sieben größten Universitäten und für drei Technische Hochschulen festgesetzt.[135] Diese Maßnahmen konnten den weiteren Schrumpfungsprozeß der kleinen Universitäten jedoch nicht verhindern. Im Sommer 1938 waren nur noch 577 Studenten an der Universität Greifswald immatrikuliert und 553 Studierende in Gießen.[136] Im Herbst 1938 wurden die Kontingentierungsmaßnahmen dann stillschweigend aufgehoben, nachdem sich eine gewisse Stabilisierung der Studentenzahlen angedeutet hatte.[137]

Auch eine Schließung der Kleinstuniversitäten, im Gespräch waren vor allem Gießen und Halle, wurde bis 1939 vielfach erwogen.[138] Letztlich kamen

---

[132] Quellen: Statistische Jahrbücher für das Deutsche Reich 1934, S.534 und 1936, S.544 ff.; eigene Berechnungen.

[133] Prot. der Rektorenkonferenz vom 11.5.1937, in: BA Potsdam REM 707, Bl. 344.

[134] Deutsche Volkszeitung, Paris/Prag, 6.2.1938, abgedruckt in: W.A. Schmidt, Damit Deutschland lebe, Berlin/DDR 1958, S. 199.

[135] Vgl. RdErl. des REM vom 20.3.1935, in: BA Potsdam REM 796 Bl.35. S. auch oben S.238 f. Generell zur Kontingentierungspolitik: BA Potsdam REM 796 u. 797. Nicht belegen läßt sich die These, daß diese Maßnahmen dazu dienten, „politisch unliebsame Universitäten mundtot zu machen". So B. Heimbüchel / K. Pabst, Das 19. und 20. Jahrhundert (Kölner Universitätsgeschichte Bd. II), Köln/Wien 1988, S.597.

[136] Zahlen nach: Statistisches Handbuch von Deutschland 1928-1944, München 1949, S.625 f.

[137] Vgl. den RdErl. des REM, 17.10.1938, in: BA Potsdam REM 797 Bl.216.

[138] Vgl. H. Heiber, Universität unterm Hakenkreuz, Teil II, Bd.1, München 1992, S.148 ff.

das REM und der Stab Heß aber übereinstimmend zu dem Ergebnis, „daß die Schließung einer bestehenden Hochschule erhebliche Auswirkungen zur Folge hat, die aus kulturpolitischen und außenpolitischen Erwägungen unerwünscht sind".[139] Welche „Erwägungen" gemeint waren, hatte Otto Wacker, der Leiter des Amtes Wissenschaft im REM, bereits Ende 1937 auf einer Rektorenkonferenz erläutert: Die Schließung einzelner Universitäten würde im Ausland wie eine „Bestätigung der zahlreichen Gerüchte ... über die Vergewaltigung der deutschen Wissenschaft" wirken und wäre „Wasser auf die Mühle der Emigranten und Feinde des Dritten Reiches".[140]

Bereits im Frühjahr und im Sommer 1935 zeichnete sich deutlich ab, daß auch der NSDStB unter Derichsweiler nicht über wirksame Konzepte verfügte, um dem schleichenden Loyalitätsverlust in der Studentenschaft Einhalt zu gebieten. Im Mai 1935 bekannte Reichserziehungsminister Rust in einer internen Rede vor Studentenführern: „Der Nationalsozialismus ist heute weniger stark an den Hochschulen als 1933 (Zustimmung). Ich habe um den Geist an den Hochschulen die allerschwersten, die allertiefsten, die allerernstesten Sorgen. Das darf nicht so weitergehen".[141]

4. Im Schatten des großen Bruders: Die Arbeitsgemeinschaft Nationalsozialistischer Studentinnen (ANSt)

Zuständig für die Erfassung der studierenden Frauen war die Arbeitsgemeinschaft Nationalsozialistischer Studentinnen (ANSt), eine Organisation, die der Führer des NSDStB, Baldur von Schirach, im August 1930 gegründet hatte.[142] Während die ANSt anfangs noch eine relativ selbständige, weil weitgehend unbeachtete, Existenz geführt hatte, wurde sie seit 1932 mehr und mehr dem NSDStB untergeordnet.[143] Ende 1934 war diese Entwicklung weitgehend abgeschlossen. Derichsweiler löste die ANSt als eigenständige Organsation auf und ordnete sie stärker als zuvor in die NSDStB-Hierarchie ein. Seitdem unterstanden die Leiterinnen der ANSt-Gruppen (die ANSt-Referentinnen, wie sie offiziell hießen) den lokalen NSDStB-Führern, von denen sie auch ernannt wurden. Die Ernennung bedurfte aber der Bestätigung durch die Gau-ANSt-Referentin. Diese wiederum unterstand sowohl dem Gaustudentenführer als auch der Reichs-ANSt-Referentin, wurde vom ersteren ernannt und von letzterer bestätigt. Die Reichs-ANSt-

[139] Bormann an den REM, 31.5.1939, Abschr. in: GStAPK I Rep.76 Nr.1197.

[140] Niederschrift über die Rektorenkonferenz am 15.12.1937 in Marburg, in: BA Potsdam REM 708 Bl.209.

[141] Konferenz der Leiter der Studentenschaften an den deutschen Hochschulen im REM, 26.5.1935, stenographisches Prot., in: BA Potsdam REM 868 Bl.64 f.

[142] Gründungsaufruf in: Die Bewegung, Nr.15, 12.8.1930, S.2.

[143] Zur Geschichte der ANSt vor 1933 vgl. I. Weyrather, Numerus Clausus für Frauen – Studentinnen im Nationalsozialismus, in: Mutterkreuz und Arbeitsbuch, Frankfurt/M. 1981, S.132 ff; Faust, Bd. 1 , S.172 ff.

Referentin war dem Reichsführer des NSDStB untergeordnet.[144] In der Praxis konnten die ANSt-Gruppen dennoch häufig ein gewisses Eigenleben bewahren, nicht zuletzt deshalb, weil sich kaum ein Studentenführer ernsthaft für ihre Arbeit interessierte.[145]

Ihre Ziele definierte die ANSt ähnlich wie der NSDStB; hinzu kam jedoch noch die Aufgabe, die „Gedanken der liberalistisch-marxistischen Frauenbewegung ... zu bekämpfen", da diese „vollkommen von jüdischem Volkstum zersetzt" sei.[146] Anfang 1933, kurz vor der nationalsozialistischen Machtübernahme, zählte die ANSt 750 Mitglieder, darunter auch eine unbekannte Zahl von Fachschülerinnen.[147] An den Universitäten waren im Wintersemester 1932/33 etwa 2,1 % der Studentinnen in der ANSt organisiert, wie Tabelle 27 (Anhang) zeigt. An den Technischen Hochschulen lag der Organisationsgrad wesentlich höher, wie ebenfalls aus Tabelle 27 hervorgeht, doch muß dabei berücksichtigt werden, daß nur sehr wenige Frauen technische Fächer studierten.

Wie der NSDStB erlebte auch die ANSt nach den Märzwahlen von 1933 einen Massenzustrom von bislang unorganisierten Studentinnen, so daß die Mitgliederzahl sich innerhalb weniger Monate vervielfachte.[148] Allerdings war der politische Enthusiasmus der Studentinnen geringer als der ihrer männlichen Kommilitonen. Diesen Eindruck vermittelt zumindest der statistische Befund. Tabelle 10 zeigt den Stand der Mitgliederzahlen an sieben verschiedenen Hochschulen im Februar 1934. Wenn diese Zahlen repräsentativ waren, dann umfaßte die ANSt rund ein Jahr nach der „Machtergrei-

Tab. 10: Mitgliederzahl der ANSt an verschiedenen Hochschulen im Februar 1934[149]

Hochschule	deutsche Studentinnen	ANSt-Mitglieder absolut	ANSt-Mitglieder in %
Freiburg	594	82	13,8
Greifswald	193	33	17,1
Hamburg	718	70	9,7
Heidelberg	588	91	15,5
Kiel	363	46	12,7
Rostock	313	35	11,2
TH Karlsruhe	19	7	36,8
Zusammen	2788	364	13,1

[144] Vgl. Anordnungen und Richtlinien für den Neuaufbau des NSD-Studentenbundes, 28.9.1934, in: StA WÜ RSF/NSDStB II* φ 312; Anordnungen und Richtlinien für den Neuaufbau der ANSt im NSDStB, 12.12.1934, in: StA WÜ RSF/NSDStB II φ 62 a.

[145] Dieser Eindruck ergibt sich aus der Lektüre zahlreicher Lageberichte männlicher Studentenführer, in denen die Arbeit der ANSt fast immer ausgeblendet bleibt.

[146] Richtlinien für die ANSt, 15.3.1932, in: StA WÜ RSF/NSDStB II* 65 γ 604.

[147] Vgl. die Grafik zum Mitgliederstand des NSDStB, 1.9.1932-1.3.1933, in: StA WÜ RSF/NSDStB II* 17 α 471.

[148] Vgl. Pauwels, Women, S.60; Weyrather, Numerus Clausus, S.153.

[149] Quellen: ANSt-Kreisreferentin VI an das HA VI der DSt, 20.2.1934; ANSt-Kreisreferentin Nord an G. Brettschneider, 22.2.1934 u. 27.2.1934, alle in: StA WÜ RSF/NSDStB II* 536 α 435; Statistisches Jahrbuch für das Deutsche Reich 1943, S.534 ff.; eigene Berechnungen.

fung" etwa 13 % der Studentinnen an den deutschen Hochschulen. Die große Mehrheit der studierenden Frauen ist der ANSt also auch 1933/34 ferngeblieben. Eine Kieler Studentenfunktionärin konstatierte im Frühjahr 1934:

> „Viele Mädchen, besonders die Studentinnen, haben eine oft große Abneigung dagegen, sich zu organisieren. Sie fürchten, daß ihnen damit ein Zwang angetan wird, daß sie zu sehr in ihrer Freiheit beschnitten und ihrer Eigenpersönlichkeit beraubt werden".[150]

Unter den ANSt-Mitgliedern der ersten Stunde herrschte ein starkes Mißtrauen gegenüber den vielen Neuankömmlingen, die es nach den Märzwahlen von 1933 aus sehr unterschiedlichen Gründen in die Organisation zog. So manche studentische Aktivistin blickte bald wehmütig auf die Zeit vor der „Machtergreifung" zurück, als die ANSt noch eine kleine, aber einsatzbereite Gruppe von überzeugten Nationalsozialistinnen gewesen war. Eine ANSt-Funktionärin aus Jena konstatierte im Januar 1934 melancholisch:

> „Wenn es galt, Brote für die ausmarschierende SA zu schmieren, wenn es in der Volksküche oder im Kinderheim antreten hieß, dann war es Ehrensache, daß jede von uns dabei sein wollte. Wurden wir nicht alle gebraucht, dann war es oft so, daß man bestimmen mußte: Du und du und du bleibst heute zu Hause, damit die Anderen auch mal drankommen. Im Sommersemester 1933 wurde das anders. Wie überall setzte auch in der ANSt ein Massenzustrom von Studentinnen ein, die freiwilligen Meldungen zur Arbeit wurden spärlich, meist mußte man die Leute, die man brauchte, zur Arbeit bestimmen".[151]

Im Sommer 1934 kam es schließlich zu einer „Säuberungsaktion", bei der alle Studentinnen ausgeschlossen wurden, die den Eindruck erweckt hatten, daß sie der ANSt nur beigetreten waren, um Vorteile zu erlangen. Allein in München verlor die ANSt dadurch 230 von 450 Mitgliedern.[152]

In mancher Hinsicht verfügte die ANSt 1933/34 über eine bessere Ausgangsposition als die männlichen NSDStB-Funktionäre. Zwar deuten die Mitgliederzahlen und lokale AStA-Wahlergebnisse aus der Endphase der Weimarer Republik darauf hin, daß die Begeisterung für den Nationalsozialismus unter den studierenden Frauen geringer war als unter den Männern.[153] Aber die nationalsozialistischen Studentinnen verfügten über zwei große Vorteile. Erstens blieben sie von dem lähmenden Dualismus zwischen NSDStB und DSt weitgehend verschont, der die männliche Studentenpolitik in dieser Zeit atmosphärisch vergiftete. Seit dem Sommer 1933 war es

[150] P. Pohlmann, „Studentin und Hochschule", in: Schleswig-Holsteinische Hochschulblätter, 10. Jg., 1934/35, S.7 (Mai 1934).

[151] L. Klein, „Die praktische Aufgabe der Studentin im neuen Reich", in: Die Jenaer Studentenschaft, 8. Jg., 1933/34, S.294 f.

[152] Vgl. S. Vehlow, „Geschichte der Königsberger ANSt von 1932 bis 1935", in: Der Student der Ostmark, WS 1935/36, Sonderheft vom 25.1.1936, S. 149; L. Raulf, Bericht über die Studentinnenarbeit im Kreise V (Westdeutschland) im SS 1934, o.D., S.1, in: StA WÜ RSF/NSDStB II* 526 α 425; Pauwels, Women, S.60.

[153] Vgl. S.52 f. u. S.58 f.

allgemein üblich, daß die ANSt-Führerinnen auch das Hauptamt für Studentinnen in den lokalen Studentenführungen besetzten. Kompetenzstreitigkeiten, wie sie unter den männlichen Studenten an der Tagesordnung waren, konnten dadurch weitgehend vermieden werden.[154] Und zweitens hatte es die ANSt nicht mit starken, politisch unabhängigen Verbänden von Studentinnen zu tun, die ihrem Totalitätsanspruch im Wege standen und sich in langwierigen Auseinandersetzungen zu behaupten suchten. Zwar bestanden neben der ANSt noch weitere Studentinnen-Verbände, doch war deren Bedeutung weit geringer als die der männlichen Korporationsverbände. In der Endphase der Weimarer Republik existierten vier überregionale Zusammenschlüsse, von denen jedoch keiner mehr als 550 Studentinnen zählte:

1. Der Verband der katholischen deutschen Studentinnenvereine (548 Studentinnen).
2. Der Verband der Studentinnen-Vereine Deutschlands (300 Studentinnen).
3. Der Deutsche Verband akademischer Frauenvereine (265 Studentinnen).
4. Die Deutsche Christliche Studentinnenbewegung (435 Studentinnen), eine evangelische Organisation.[155]

Zusammen erfaßten alle diese Verbände nur rund 1.550 Studentinnen, ungefähr 7-8 % der weiblichen Studentenschaft an den deutschen Hochschulen[156], während gleichzeitig mehr als die Hälfte der männlichen Studenten in Korporationen organisiert war.

Hatte die ANSt es also einerseits leichter als ihr männliches Gegenstück, so war sie andererseits mit spezifischen Problemen konfrontiert, die es ihr außerordentlich schwer machten, eine allgemein akzeptierte Position an den Hochschulen zu gewinnen. Zu diesen Problemen gehörten die Expansionsgelüste der beiden großen weiblichen NS-Massenorganisationen, denen die Existenz eines eigenen Zusammenschlusses von Studentinnen ein Dorn im Auge war. Wie der NSDStB-Führer Derichsweiler 1935 feststellte[157], stand die ANSt „zwischen zwei großen Löwinnen", der BDM-Führerin auf der einen Seite und der Führerin der NS-Frauenschaft auf der anderen. Vor allem der BDM verhielt sich zeitweise ausgesprochen aggressiv, charakterisierte die ANSt als „Organisation des Standesdünkels" und sprach ihr auch öffentlich kaum verhüllt die Existenzberechtigung ab.[158] Dahinter steckte sowohl beim BDM als auch bei der NS-Frauenschaft das Problem eines chro-

---

154 Vgl. Pauwels, Women, S.64.

155 Zahlen nach: Das Akademische Deutschland. Hg. von M. Doeberl u.a., Bd.II, Berlin 1931, S.589 ff.; K. Kupisch, Studenten entdecken die Bibel, Hamburg 1964, S.197. Die Angaben zur Deutschen Christlichen Studentinnenbewegung beziehen sich auf das Jahr 1932, die übrigen Zahlenangaben auf das Jahr 1931.

156 Wenn Pauwels behauptet, die ANSt sei verglichen mit diesen Verbänden nur ein „Zwerg" gewesen, dann ist dies offenkundig falsch. Vgl. Pauwels, Women, S.59.

157 Prot. der Reichstagung vom 11./12. Mai 1935 (Anm. 121), Teil II, S.6.

158 Vgl. F. Hippler an G. Brettschneider, 28.5.1934, in: StA WÜ RSF/NSDStB II* 530 α 429; ANSt-Referentin der Universität Leipzig an L. Machwirth, 23.11.1935, in: StA WÜ RSF/NSDStB II* 534 α 433.

nischen Mangels an einsatzbereiten Funktionärinnen, wie Derichsweiler wohl zu Recht vermutete:

> „Der BDM möchte die Studentinnen haben als Führerinnen ihrer Gruppen, auf der anderen Seite will die Frauenschaft die Studentinnen haben, um mit ihnen aus den bisherigen Kaffeeklatsch-Kränzchen eine wirkliche nationalsozialistische Frauenschaft herzustellen".[159]

Allerdings ist es durchaus fraglich, ob derartige Erwartungen erfüllt worden wären, denn tatsächlich bestand ein ausgeprägter Mangel an Führerinnen in der ANSt genauso wie im BDM.[160] Die Frage blieb ungeklärt, da den Einverleibungsbestrebungen von BDM und NS-Frauenschaft kein Erfolg beschieden war. Vielmehr mußten beide Organisationen 1935 die Existenzberechtigung der ANSt offiziell anerkennen.[161] Gleichwohl blieben Spannungen und Konflikte vor allem zwischen der ANSt und dem BDM auf lokaler Ebene auch in den folgenden Jahren an der Tagesordnung.[162]

Stärker als unter dem Expansionsdrang von BDM und NS-Frauenschaft litt die ANSt unter dem geringschätzigen Verhalten der männlichen NSDStB-Funktionäre. Vor allem in den ersten Jahren nach der „Machtergreifung" versäumten viele nationalsozialistische Studenten keine Gelegenheit, deutlich zu machen, daß sie die studierenden Frauen nicht als gleichberechtigt anerkannten.[163] Auch die Aktivitäten der ANSt wurden selten ernst genommen, es sei denn die NS-Studentinnen begnügten sich damit, das „Dienstmädchen des Studentenbundes" zu spielen, wie eine ANSt-Leiterin 1933 klagte.[164] Während die männlichen Funktionäre des NSDStB sich nach der nationalsozialistischen Machtübernahme gern als die eigentlichen Herren der Universitäten gebärdeten, hatten die Frauen der ANSt vielerorts nur wenig Grund, sich als politische Sieger zu fühlen. Erbitterung und Enttäuschung spricht beispielsweise aus einem Beschwerdebrief, den die Frankfurter ANSt-Gruppenführerin Ilse Brandt 1933 an die Reichsleiterin der ANSt schickte:

> „Daß wir nur Frauen sind, wird uns in jeder Hinsicht nur zu deutlich klar gemacht. Während beispielsweise der Studentenschaft und NSDStB mindestens 10 Zimmer und 3 große Gruppenzimmer, sowie ein Kameradschaftshaus an der Universität und ein auf Kosten der Studentenschaft errichtetes Wehrsportheim bei Frankfurt zur Verfügung stehen, arbeiten sämtliche Amtsträgerinnen der ANSt und DSt in einem höchstens 12 qm großen Raum (ohne Schreibmaschine und Telephon) an einem einzigen Schreibtisch und zwei Tischchen ... Weiterhin verlangen die Jungens, daß wir ihnen unsere Zeitungsartikel usw. zur Kontrolle

[159] Prot. der Reichstagung vom 11./12. Mai 1935, (Anm. 121), Teil II, S.6.

[160] Vgl. Semesterbericht des Amtes Studentinnen der Gaustudentenführung Sachsen, 4.4.1938, in: StA WÜ RSF/NSDStB II* 536 α 435.

[161] Vgl. Pauwels, Women, S.63-65.

[162] Vgl. z.B. den Semesterbericht der Gau-ANSt-Referentin von Hessen-Nassau, 19.9.1940, S.6 f., in: StA WÜ RSF/NSDStB II* 533 α 432.

[163] Vgl. Weyrather, Numerus Clausus, S. 149 f.

[164] Vgl. ebd., S.151.

vorlegen. Bei der spöttisch-überlegenen Haltung der Männer in Sachen der geistigen Frau versprechen wir uns keinerlei positive Zusammenarbeit ... Der dritte schwarze Punkt ist die Finanzfrage. Es ist uns heute die Eröffnung gemacht worden, daß uns kein DSt-Etat zur Verfügung stünde ... An und für sich ist es ja eigentümlich, daß die hohen Beiträge, die auch die Studentinnen für die DSt zahlen müssen, restlos für die männlichen Studierenden ausgegeben werden müssen".[165]

Sicher herrschten solche Zustände nicht an allen Universitäten. Aus Göttingen konnte die Leiterin des Hauptamtes für Studentinnen im Dezember 1933 berichten, daß die Zusammenarbeit mit den übrigen Amtsleitern der Studentenführung „sehr gut" sei und ohne Feindseligkeiten verlaufe.[166] Doch war dies wohl eher die Ausnahme als die Regel.

Diesen Eindruck vermittelt jedenfalls ein aufschlußreiches Dokument, das sich in den Akten der DSt findet. Es handelt sich um den nicht datierten Entwurf eines Schreibens an das Reichsinnenministerium, in dem ungenannte Funktionärinnen der DSt sich „im Namen der Amtsleiterinnen des Hauptamtes VI der Reichsleitung der Deutschen Studentenschaft"[167] über die systematische Behinderung ihrer politischen Arbeit an zahlreichen Universitäten beschwerten. Kritisiert wurde u.a. die Ausgrenzung der Studentinnen aus der Fachschaftsarbeit der männlichen Kommilitonen in Leipzig, Berlin und Königsberg, die ihren Höhepunkt in Berlin erreicht hatte, wo als Fachschaftsarbeit für sämtliche Studentinnen das Thema „Kochen" auf die Tagesordnung gesetzt worden war. Weiter beschwerten sich die unbekannten Verfasserinnen über die dürftigen finanziellen Zuwendungen für ihre Arbeit und über die willkürliche Absetzung von Amtsleiterinnen der Studentenschaften durch lokale Studentenführer in Greifswald, Tübingen und Köln „ohne genaue Prüfung der Sachlage und ohne Einvernehmen mit der Kreis- bzw. Reichsreferentin". Auch monierten sie die Zurückhaltung von wichtigen Briefen und Berichten lokaler Funktionärinnen, die erst nach, manchmal mehrfacher, Zensur weitergeleitet wurden. Das Reichsinnenministerium wurde deshalb darum gebeten, eine Verfügung an die Reichsleitung der DSt zu erlassen, in der „es den Studentenschaften der einzelnen Universitäten untersagt wird, die ruhige Arbeit der Studentinnen im Rahmen der gesamten Aufbauarbeit der Deutschen Studentenschaft zu stören".[168]

Unter solchen Umständen kann es kaum überraschen, daß im Verhältnis zwischen der männlichen NSDStB-Mehrheit und der ANSt „immer so eine

---

165 ANSt-Hogruf I. Brandt, Ffm., an G. Brettschneider, 30.10.1933, in: StA WÜ RSF/NSDStB II* 499 α 401.

166 H. von Ferber, Bericht des HA VI der Studentenschaft Göttingen, 14.12.1933, S.4, in: StA WÜ RSF/NSDStB II* 526 α 425.

167 Das HA VI war in der DSt für Studentinnen zuständig.

168 Der Entwurf befindet sich in der Akte: StA WÜ RSF/NSDStB II* 530 α 429. Da er an das RdI gerichtet werden sollte, wurde er höchstwahrscheinlich vor der Gründung des REM (Mai 1934) verfaßt. Andererseits wird im Text die Anfang 1934 vorübergehend erfolgte Auflösung der ANSt erwähnt, woraus man schließen kann, daß das Dokument in den ersten Monaten des Jahres 1934 geschrieben worden sein muß.

gewisse Spannung, ein gewisses gegenseitiges Mißtrauen" bestand, wie Derichsweiler im Mai 1935 konstatierte.[169] In den folgenden Jahren wurden die Berichte über Konflikte dieses Typs seltener, sie verschwanden aber keineswegs vollständig. Noch 1938, als die offiziellen Stellen längst dazu übergegangen waren, für das Frauenstudium zu werben, finden sich in internen Berichten Klagen über die „vielen unangenehmen Reibereien" mit den „Kameraden" des NSDStB und über deren „Unverständnis unserer Mädelarbeit gegenüber". Nicht ohne Resignation konstatierte die Gau-ANSt-Referentin von Sachsen, Ursula Thieme:

> „Inwieweit überhaupt das notwendige Verstehen unserer Mädelarbeit bei den Kameraden geweckt werden kann, ist eine grundsätzliche Frage, die wohl mit weltanschaulichen Dingen zusammenhängt, mit der grundsätzlichen Einstellung zur Frau, und wohl schwer durch Berichte aus unserer Arbeit geändert werden kann".[170]

Aufgrund der erfahrenen Diskriminierung wurde aus der ANSt eine Organisation, die, ohne es recht zu wollen, ihre Aufgabe auch darin sah, innerhalb des NS-Staates für Frauenrechte einzutreten, insbesondere für das Frauenstudium. Manche Funktionärinnen zeigten dabei durchaus eine kämpferische Haltung. 1933 berichtete eine Kreisreferentin der ANSt beispielsweise in einem Brief an Gisela Brettschneider über einen Vortragsabend, der dem Thema „Die geistige Frau im Dritten Reich" gewidmet war:

> „Die anschließende Diskussion regte die Gründung von Hochschulen für Frauen an, d.h. Herausziehung der Frauen aus den Universitäten. Glatter Unsinn! Damit würden wir ja den Männern eine Waffe gegen uns in die Hand geben, nämlich wir würden damit dokumentieren: Wir sind zu dumm für die Universität! ... Wir haben uns heftig gegen all das gewehrt. Sie schienen begriffen zu haben, was wir wollen, obwohl wir ganz besonders den anwesenden Herrn rätselhafte Wesen waren, komische Nat.Soz., die für eine Berufsausbildung der Frau eintreten".[171]

Nicht minder ungewöhnlich für eine nationalsozialistische Organisation war ein Ende 1933 veröffentlichtes Schulungsprogramm des Hauptamtes für Studentinnen der DSt, in dem u.a. Texte zur „Frauenfrage" von Helene Lange, Gertrud Bäumer und sogar von August Bebel oder Lily Braun zur Lektüre empfohlen wurden.[172] Auch mancher ANSt-Leiterin war diese Art der Schulung offensichtlich nicht ganz geheuer: „Es besteht die Gefahr, daß in dieser Gruppenarbeit ein Klüngel zusammenkommt, der Nationalsozialismus und nationalsozialistische Frauenarbeit mit Diskussion über Frauenrechte und Frauenpflichten von einst und jetzt verwechselt", hieß es warnend in dem Schreiben einer Kreisreferentin.[173]

169 Prot. der Reichstagung vom 11./12. Mai 1935, (Anm. 121), Teil. II, S.6.

170 Semesterbericht des Amtes Studentinnen der Gaustudentenführung Sachsen, 4.4.1938, S.8, in: StA WÜ RSF/NSDStB II* 536 α 435.

171 ANSt-Kreisleiterin X an G. Brettschneider, 5.7.1933, in: StA WÜ RSF /NSDStB II* 536 α 435.

172 Vgl. Weyrather, Numerus Clausus, S. 153.

173 R. Gaensecke, Kreisreferentin IV, an die stellv. ANSt-Leiterin Göttingen, 26.6.1934 (Durchschr.), in: StA WÜ RSF/NSDStB II* 526 α 425.

Selbstverständlich dürfen solche Tendenzen nicht überbewertet werden. Wenn die ANSt-Studentinnen teilweise in eine Rolle getrieben wurden, die ihnen sicher nicht auf den Leib geschrieben war, dann lag dies gewiß nicht an dem Einfluß der früheren Frauenbewegung. Vielmehr war eine andere Position aus Sicht der ANSt kaum denkbar, wenn sie nicht zusehen wollte, wie ihre eigene Existenzgrundlage – das Frauenstudium – langsam zerstört wurde. Es soll hier auch keineswegs die These vertreten werden, die ANSt hätte ihre Hauptaufgabe darin gesehen, innerhalb des nationalsozialistischen Systems die Interessen der Studentinnen zu vertreten. Vielmehr verstand sie sich in erster Linie als Exponentin des Nationalsozialismus in der weiblichen Studentenschaft. Ihr vorrangiges Ziel war daher die politische Erziehung der Studentinnen. Gemäß den Vorstellungen, welche die ANSt vom „Wesen der Frau" hatte, unterschied sich diese Erziehungsarbeit deutlich von den Aktivitäten der männlichen NSDStB-Mehrheit. Neben dem Pflichtsport und der politischen Schulung konzentrierten sich die Aktivitäten der nationalsozialistischen Studentinnen vor allem auf drei Bereiche: 1. den sog. „Frauendienst", 2. soziale Tätigkeiten in Zusammenarbeit mit der NS-Volkswohlfahrt (NSV) und 3. die „Gemeinschaftspflege", d.h. kulturelle Aktivitäten.

Die politische Schulung spielte offenbar von Anfang an eine geringere Rolle als bei den männlichen Studenten. Soweit dennoch geschult wurde, scheint in den ersten Semestern nach der nationalsozialistischen Machtübernahme eine relativ offene Diskussion hier und da noch möglich gewesen zu sein. In Göttingen hielt eine Studentin im Rahmen der politischen Schulung sogar ein Referat über „Mein Kampf", das „zur vernichtenden Kritik an Hitler wurde", wie eine ANSt-Funktionärin vermerkte.[174]

Bedeutend wichtiger als die Schulung war der „Frauendienst", eine Einrichtung, die in der Studentenpresse gern als „Wehrdienst der deutschen Studentin" apostrophiert wurde.[175] Der Frauendienst umfaßte Lehrgänge über Luftschutz, Erste Hilfe und Nachrichtenwesen und diente hauptsächlich der Kriegsvorbereitung: „Der Frauendienst hat die Aufgabe, jede deutsche Studentin auf die Aufgaben vorzubereiten, die ihr als Frau in der Landesverteidigung gestellt werden", hieß es in einem internen Arbeitsbericht.[176] Zum Luftschutzkurs gehörten die Behandlung chemischer Kampfstoffe, Übungen mit der Gasmaske und die Beschäftigung mit praktischen Schutzmaßnahmen bei Luftangriffen. Der Erste-Hilfe-Kurs sollte die studierenden Frauen auf eine spätere Tätigkeit in Lazaretten vorbereiten. Der Unterricht im Nachrichtenwesen war hauptsächlich als Grundausbildung im

[174] H. von Ferber, Bericht des HA VI der Studentenschaft Göttingen, 14.12.1933, S.1, in: StA WÜ RSF/NSDStB II* 526 α 425.

[175] H. Konietzko, „Frauendienst ist der Wehrdienst der deutschen Studentin", in: Der Student der Ostmark, Sonderheft, 25.1.1936, S.150-152. Vgl. auch G. Rothe, „Die Studentin im Frauendienst", in: VB, 18.10.1934; Allgemeine Richtlinien für die Ausbildung der Studentinnen im Frauendienst, 28.10.1933, in: StA WÜ RSF/NSDStB I* 80 γ 43/1.

[176] Arbeitsbericht des HA für Studentinnen der DSt, 11.1.1936, in: StA WÜ RSF/NSDStB II* 43 α 480.

Morsen geplant, wurde dann aber in der Praxis offenbar weitgehend vernachlässigt.

Da Frauen sich nach Ansicht der Nationalsozialisten besonders gut für helfende und fürsorgerische Tätigkeiten eigneten, entwickelte sich die soziale Arbeit im Rahmen der NSV zu einem zweiten Arbeitsschwerpunkt der nationalsozialistischen Studentinnen. Zahlreiche Studentinnen beteiligten sich, freiwillig oder gezwungen, ein- oder zweimal im Semester an Geldsammlungen für das Winterhilfswerk, sie organisierten Nähstuben, in denen Altkleider gesammelt und geflickt wurden, oder Bastelgruppen, die Kinderspielzeug herstellten, übernahmen zeitweise die Betreuung von Kindern bedürftiger Familien und stellten sich in kinderreichen Familien einige Stunden in der Woche als Haushaltshilfe zur Verfügung.[177] Aktivitäten dieser Art sollten hauptsächlich unter Beweis stellen, daß die von den Nationalsozialisten propagierte Volksgemeinschaft mehr war als eine demagogische Phrase.

Als dritter Schwerpunkt läßt sich die sog. Gemeinschaftspflege nennen. Hinter diesem Begriff verbargen sich in erster Linie musische Aktivitäten unterschiedlicher Art: „Gemeinschaftspflege an der Universität will in kürzester Zeit und auf einfachste Art der Studentin ein Verhältnis zur Kultur geben". Zur Gemeinschaftspflege gehörten das gemeinsame Singen von Volksliedern, die Aufführung von Laienspielen, rhythmische Gymnastik, Volkstänze, für die traditionelle Bauerntrachten entmottet wurden, Märchenererzählungen und Heimatkunde, auch das Einüben von Sprechchören sowie gemeinsame Wanderungen. Auf diese Weise würden die Studentinnen lernen, „echte deutsche Kultur vom Kitsch zu unterscheiden", so jedenfalls die offizielle Erwartung.[178]

Seit dem Wintersemester 1933/34 wurden für die studierenden Frauen, ähnlich wie für die männlichen Studenten, umfangreiche Pflichtprogramme erstellt, die mit einer erheblichen zeitlichen Belastung verbunden waren. Der erste Arbeitsplan für das Wintersemester 1933/34 war noch relativ vage formuliert und ließ den örtlichen Funktionärinnen beträchtlichen Spielraum.[179] Im Sommersemester 1934 wurden die Anforderungen dann jedoch präzisiert. Ein neuer Arbeitsplan bestimmte, daß alle Studentinnen des ersten Semesters pro Woche drei Stunden Sport, zwei Wochenstunden Volkstanz und zwei Wochenstunden Frauendienst zu absolvieren hatten, insgesamt also eine wöchentliche Belastung von sieben Stunden, die Fachschaftsarbeit nicht mitgerechnet. Höhere Semester wurden weniger stark beansprucht. Im 2. und 3. Semester wurde das Programm auf vier Wo-

[177] Vgl. Richtlinien für die Arbeit der Studentinnen in der NS-Volkswohlfahrt, Nr. 2, 18.6.1934, in: StA WÜ RSF/NSDStB I* 80 γ 43/1. Siehe auch die Tätigkeitsberichte zur NSV-Arbeit, u.a. in: StA WÜ RSF/NSDStB II* 526 α 425 und II* 534 α 433.

[178] Zitate aus: Rundschreiben des HA für Studentinnen der DSt, 8.5.1934, in: StA WÜ RSF/NSDStB I* 80 γ 43/1. Vgl. auch die Richtlinien des Amtes für Gemeinschaftspflege im HA VI der DSt, o.D. [1933], in: ebd.

[179] Vgl. Rundschreiben G 2 1933/34 des HA für Studentinnen der DSt, 1.11.1933 (mit Anlagen), in: StA WÜ RSF/NSDStB I* 80 γ 43/1; HA für Studentinnen der DSt an die Kultusministerien der Länder, 23.11.1933 (Durchschr.), in: StA WÜ RSF/NSDStB II* 530 α 429.

chenstunden Sport und Gemeinschaftspflege reduziert. Ab dem 5. Semester waren die Studentinnen verpflichtet, wöchentlich eine Stunde NSV-Arbeit zu leisten und sich außerdem an Wanderungen zu beteiligen.[180] Hinzu kam noch die Belastung durch die Fachschaftsarbeit, die ebenfalls etwa vier Wochenstunden im Semester beanspruchte.

Inwieweit diese Anordnungen an den einzelnen Hochschulen tatsächlich in die Praxis umgesetzt wurden, läßt sich allerdings nicht genau sagen. Überall war dies sicher nicht der Fall, mangelte es doch in diesen ersten Semestern nach der nationalsozialistischen Machtübernahme vielfach an Lehrkräften und Räumlichkeiten. So wurde in Heidelberg zunächst darauf verzichtet, den Studentinnen die vorgeschriebenen Sportveranstaltungen zur Pflicht zu machen, weil nicht genügend Räume vorhanden waren, um die gesamte Studentenschaft einzubeziehen.[181]

An anderen Universitäten häuften sich dagegen die Beschwerden der Studentinnen über die an sie gestellten Ansprüche, obwohl diese, zumindest auf dem Papier, geringer waren als die Pflichtprogramme für männliche Studenten. Ende November 1933 schrieb eine Studentin aus Freiburg, die sich als „alte ANStführerin“ und „älteste Nationalsozialistin“ der Hochschule vorstellte, in einem Beschwerdebrief an Stäbel:

> „Ich höre derart viele Klagen von Seiten fast sämtlicher Studentinnen, daß das nicht gut auslaufen kann. Wir werden von A bis Z überanstrengt. Der Erfolg davon ist, daß die Studentin eine nervöse, überspannte, abgearbeitete Frau wird und dadurch nicht mehr das werden kann, was sie soll, nämlich eine deutsche Frau und Mutter. – Wir wollen doch schließlich den Nationalsozialismus keinem aufoktroyieren, sondern jeden überzeugen. Viele Studentinnen sagten mir, sie kämen dadurch wieder vom Nationalsozialismus ab, was man den Frischüberzeugten gar nicht so übelnehmen kann“.

Schließlich beschwerte sich die Verfasserin auch über das Verhalten der ANSt-Funktionärinnen gegenüber den Studentinnen:

> „Ist es Befehl, daß ANStleiterinnen usw. die anderen Studentinnen anpöbeln, wenn sie nur um einen kleinen Rat fragen? Ich finde, die Kameradschaft auch der Amtswalterin soll sich dadurch zeigen, daß sie immer den feinen Ton der Frau behält“.[182]

Offensichtlich führten sich manche ANSt-Leiterinnen gegenüber den Studentinnen nicht weniger tyrannisch auf als die Ausbilder der SA-Hochschulämter gegenüber den männlichen Studenten. In Greifswald entwickelte eine ANSt-Leiterin sogar den Plan, künftig nur noch Studentinnen zu im-

[180] Vgl. Arbeitsplan des HA für Studentinnen, 18.5.1934, in: StA WÜ RSF/NSDStB I* 80 γ 43/1. Pauwels, S.60 f. schreibt, die Anforderungen seien gegenüber dem WS 1933/34 „erheblich geringer“ geworden, doch ist völlig unklar, wie er darauf kommt.

[181] Vgl. D. Mußgnug, Die Universität Heidelberg zu Beginn der nationalsozialistischen Herrschaft, in: Semper Apertus. Sechshundert Jahre Ruprecht-Karls-Universität Heidelberg 1386-1986, Berlin/Heidelberg 1985, Bd.III, S.493. Pauwels, Women, S.58 spricht ohne genaue Belege von einem „Fiasko“ des Pflichtprogramms; dies ist offensichtlich eine Übertreibung.

[182] Zitate aus: L. Brandt an O. Stäbel, 28.11.1933, in: StA WÜ RSF/NSDStB II* 499 α 401.

matrikulieren, denen zuvor nach einer ärztlichen Untersuchung die Jungfräulichkeit bescheinigt worden war.[183]

Protestbriefe wie der oben zitierte hatten wenig Chancen, eine durchgreifende Wirkung zu erzielen, selbst wenn sie, wie in diesem Fall, von einer „alten Kämpferin" kamen. Erst nachdem Rudolf Heß im September 1934 unter dem Eindruck der Münchener Studentenrevolte angeordnet hatte, die Belastung der Studierenden zu reduzieren[184], verringerte sich auch der Druck auf die Studentinnen. Ein neuer Arbeitsplan, der im März 1935 verschickt wurde, sah nur noch für die Studentinnen der ersten drei Semester ein Pflichtprogramm vor. Abgesehen von der sportlichen Grundausbildung für alle Studierenden, die im Oktober 1934 den Instituten für Leibesübungen übertragen worden war, blieb von den früheren Programmen im wesentlichen nur der obligatorische Frauendienst in den ersten beiden Semestern mit jeweils zwei Wochenstunden übrig.[185] Außerdem sollten die Studentinnen im ersten Semester zwei Wochenstunden „Volkstumsarbeit" leisten, doch wurde diese Regelung offenbar schon bald wieder abgeschafft. Andere Aktivitäten, die ursprünglich Teil des allgemeinen Pflichtprogrammes für Studentinnen gewesen waren, blieben dagegen seit 1935 im allgemeinen den Mitgliedern der ANSt vorbehalten. Neue Richtlinien für die NSV-Arbeit der Studentinnen, die im Februar 1935 verschickt wurden, enthielten ausdrücklich den Hinweis, daß für eine kontinuierliche Arbeit in der NSV nur politisch zuverlässige Studentinnen in Frage kämen.[186]

Aber selbst dieses reduzierte Pflichtprogramm konnte keineswegs vollständig durchgesetzt werden. Die Universitäten waren häufig nicht daran interessiert, außerwissenschaftliche Aktivitäten der Studierenden zu fördern und verzichteten darauf zu kontrollieren, ob der Frauendienst tatsächlich geleistet worden war oder nicht. Da auch die Ministerialbürokratie wenig Neigungen zeigte, in dieser Frage Druck auf die Studentinnen auszuüben[187], beharrten manche Studentinnen „auf dem Standpunkt der Freiwilligkeit", wie eine Marburger ANSt-Referentin 1938 unwillig konstatierte, und lehnten es ab, die Frauendienst-Kurse zu besuchen.[188] Doch waren dies wohl Einzelfälle. Mündliche Befragungen zeigen, daß die meisten Studentinnen am Frauendienst teilnahmen.[189] Gleichwohl läßt sich festhalten, daß die Belastung der Studentinnen durch außeruniversitäre Pflichten sich seit 1935 deutlich verringert hatte.

---

183 Vgl. Weyrather, Numerus Clausus, S.156.

184 Vgl. S.258 ff.

185 Vgl. Rundschreiben des HA für Studentinnen der DSt vom 1.3.1935, in: StA WÜ RSF/NSDStB I* 80 γ 43/1.

186 Richtlinien für die Mitarbeit der Studentinnen in der NS-Volkswohlfahrt. Rundschreiben der DSt, 18.2.1935, in: StA WÜ RSF/NSDStB I* 80 γ 43/1.

187 Vgl. G. Brettschneider an die Kreisreferentin E. Nessler, 13.12.1933, in: StA WÜ RSF/NSDStB II* 499 α 401.

188 Prot. der Besprechung des Bereichsführers Rhein der RSF mit den Amtsleitern der Studentenführung Marburg, 21.4.1938 (Abschr.), S.2, in: StA WÜ RSF/NSDStB II* 118 α 60a. Siehe auch Adam, Hochschule, S.105.

189 Vgl. dazu die Interviews, die A. Dageförde mit Studentinnen der NS-Zeit gemacht hat. Transkriptionen in: ProjA HH.

VII. Die Korporationen im NS-Staat

Während die Unterdrückung der kleinen sozialistischen und kommunistischen Studentengruppen 1933 rasch und weitgehend geräuschlos erfolgt war, entwickelte sich der Kampf gegen die Korporationen zu einem langen und konfliktreichen Prozeß. Die Korporationsverbände stellten den organisatorischen Kern des deutschen Bildungsbürgertums. Mit ihren rund 71.400 studentischen Mitgliedern umfaßten sie mehr als die Hälfte der männlichen Studenten. Hinzu kamen etwa 175.000 Alte Herren, die vielfach einflußreiche Stellungen in Staat, Partei und Gesellschaft besetzten.[1] Es sollte drei Jahre dauern, bis es dem NSDStB schließlich gelang, die Korporationen aus den Hochschulen zu vertreiben. Für diesen Sieg mußten die Nationalsozialisten allerdings einen hohen politischen Preis zahlen.

1. Wettlauf ins Lager der Sieger

1933 war es noch nicht möglich, zwischen den Korporationsstudenten und dem NSDStB einen deutlichen Trennungsstrich zu ziehen. Gehörten doch die meisten führenden Funktionäre des NSDStB einer studentischen Verbindung an. So war Walter Lienau, der erste nationalsozialistische Vorsitzende der DSt, zeitweilig im Corps Isaria/München aktiv. Sein Nachfolger, Gerhard Krüger, der die DSt 1931-1933 führte, gehörte der ADB-Burschenschaft Arminia/Greifswald an. Auch Oskar Stäbel, der 1933/34 an der Spitze der DSt und des NSDStB stand, war Mitglied einer studentischen Verbindung, der Landsmannschaft Suevia/Karlsruhe. Albert Derichsweiler, 1934-1936 Reichsführer des NSDStB, gehörte sogar einer katholischen CV-Verbindung an, der Sauerlandia/Münster.[2] Auch auf der mittleren Führungsebene waren Doppelmitgliedschaften an der Tagesordnung. Unter den 18 Amtsleitern der Frankfurter Studentenführung befanden sich Ende 1933 zwölf Korporationsstudenten. In Tübingen gehörten Anfang 1934 neun von

---

[1] Stand: 1929. Die Zahlen schließen auch die Mitglieder der angeschlossenen Verbindungen in Österreich, der Tschechoslowakei und Danzig ein. Vgl. H. Weber, Die studentischen Korporationsverbände, in: Wende und Schau, Kösener Jahrbuch, 1. Jg., 1930, S.199 u. S.222.

[2] Vgl. A. Faust, Der Nationalsozialistische Deutsche Studentenbund, Düsseldorf 1973, Bd. 2, S.159 ff.; H. Bernhardi, Die Göttinger Burschenschaft 1933 bis 1945, in: DuQ, Bd.1, 1957, S.214.

15 männlichen Funktionären der Studentenführung einer Korporation an; zwei weitere waren Mitglieder einer christlichen Gruppierung.[3]

Umgekehrt besaßen seit dem Sommer 1933 wohl auch die meisten Korporationsstudenten das Mitgliedsbuch einer nationalsozialistischen Organisation.[4] Ein großer Teil der Verbände und Korporationen hatte seinen studentischen Angehörigen die Mitgliedschaft in der SA oder dem NSDStB, manchmal auch wahlweise im Stahlhelm, zur Pflicht gemacht.[5] Dies geschah nicht immer ohne Druck[6], und sicher haben auch taktische Überlegungen dabei eine Rolle gespielt. Gleichwohl ist unverkennbar, daß die meisten Korporationsverbände den politischen Machtwechsel von 1933 mit ausgesprochenem Enthusiasmus willkommen hießen. So begrüßte der Akademische Turnbund (ATB) in einem Schreiben an Hitler nicht nur „die nationale Erhebung des deutschen Volkes aus vollem Herzen", sondern gelobte auch dem neuen Führer ebenso wie dem Reichspräsidenten Hindenburg „treue Gefolgschaft, und sei es in den Tod".[7] Einen Monat später forderte der Verbandsvorsitzende in einem eiligen Rundschreiben alle angeschlossenen Korporationen zum kollektiven Eintritt in den NSDStB auf.[8] Wenn man den öffentlichen Verlautbarungen des ATB Glauben schenken wollte, dann handelte es sich bei der nationalsozialistischen Machtübernahme nicht nur um einen Triumph der NSDAP, sondern auch um einen Sieg des ATB, der insgeheim offenbar schon immer nationalsozialistisch gewesen war. In einer „einmütig" angenommenen Entschließung der ATB-Pfingsttagung von 1933 hieß es:

> „Mit dem siegreichen Durchbruch der nationalsozialistischen Revolution hat die geistige Haltung, die seit nunmehr 50 Jahren die Arbeit des Akademischen Turnbundes bestimmt, die Anerkennung des Deutschen Volkes gefunden".[9]

Der Kyffhäuser-Verband der Vereine Deutscher Studenten (VDSt), der in diesen Wochen gern an seine historische Vorreiterrolle bei der Ausbreitung des studentischen Antisemitismus erinnerte, wählte anstelle des nicht mehr ganz zeitgemäßen Slogans „Mit Gott für Kaiser und Reich" den neuen

[3] Vgl. den Bericht des Führers der Frankfurter Studentenschaft an O. Stäbel, 6.12.1933, in: StA WÜ RSF/NSDStB I* 03 ϕ 253/II Bl.3. Hogruf U. Lemcke, Bericht über die Arbeit der Tübinger Studentenschaft im WS 1933/34, Anhang, o.D., in: ebd., II* 101 α 45 Bl.66 f. Ähnliche Zahlen: M. Franze, Die Erlanger Studentenschaft 1918-1945, Würzburg 1972, S.195.

[4] Vgl. E. Bauer, Die Kameradschaften im Bereiche des Kösener SC in den Jahren 1937-1945, in: Einst und Jetzt, Bd. 1, 1956, S.8.

[5] Vgl. VDSt Halle an O. Stäbel, 12.5.1933, in: BA Koblenz NS 38/46 Bl.157; O. Petersen u.a. (Marburg) an den Verbandsführer der Deutschen Landsmannschaft, H. Meinshausen, 20.6.1933, in: ebd. Bl.18; F. Golücke (Hg.), Korporationen und Nationalsozialismus, Schernfeld o.J., S.91, 121.

[6] Vgl. H. Kiekebusch, Verhältnis des Stahlhelms zu den Nationalsozialisten innerhalb der Studentenschaft, 24.5.1933, in: StA WÜ RSF/NSDStB II* 65 γ 604; Rundschreiben des DSt-Führers Stäbel, 4.10.1933, Abschr. in: ebd., I * 05 C 5 .

[7] Schreiben vom 11.4.1933, abgedruckt in: Akademische Turnbunds-Blätter, 46. Jg., 1933, S.89.

[8] Vgl. Rundschreiben vom 15.5.1933, abgedruckt in: Nachrichtenblatt des ATB, Juni 1933, S.45, Beilage zu den Akademischen Turnbunds-Blättern, 46. Jg., 1933, H.6.

[9] Akademische Turnbunds-Blätter, 46. Jg., 1933, S.129.

Wahlspruch: „Mit Gott für Hitler und deutschen nationalen Sozialismus“.[10] Auch der Kösener SC, der bis 1933 stets betont hatte, von Parteipolitik nichts wissen zu wollen, paßte sich auf seiner Naumburger Feier Ende Mai 1933 den veränderten Verhältnissen an. Ein Sprecher des Vorstandes (Vororts), Karlfriedrich Mohr, der kurz zuvor der NSDAP beigetreten war[11], verlas „in Ehrfurcht und Dankbarkeit, in Liebe und grenzenlosem Vertrauen“ eine „Huldigung“ an die neuen Machthaber:

> „Das deutsche Corpsstudententum hat keinen größeren Wunsch, als sich einzureihen in die Marschkolonnen der nationalen Erhebung in heißer Liebe zum deutschen Vaterlande und zu allen deutschen Volksgenossen, mögen sie am Schraubstock, Pflug oder am Schreibtisch ihre Pflicht gegenüber dem deutschen Volke erfüllen“.[12]

Im Verbandsorgan des Kösener SC, der „Deutschen Corpszeitung“ bemühte sich ein Mitglied, den Beweis zu erbringen, daß die Ideen des Nationalsozialismus schon „immer die Grundwerte der corpsstudentischen Idee gewesen“ seien. Seine Schlußfolgerung fiel dann allerdings mehrdeutig aus: „Wir brauchen uns nicht noch umstellen“.[13]

Weniger stürmisch reagierten die katholischen Verbindungen, die sich noch 1932, entsprechend den Erklärungen der Bischöfe, deutlich und mit großer Mehrheit vom Nationalsozialismus distanziert hatten.[14] Nachdem die deutschen Bischöfe Ende März ihre früheren Verbote und Warnungen gegenüber dem Nationalsozialismus in aller Form zurückgenommen hatten, mochten aber auch die beiden großen katholischen Verbände, der „Cartellverband der katholischen deutschen Studentenverbindungen“ (CV) und der „Kartellverband der katholischen Studentenvereine Deutschlands“ (KV), nicht länger zurückstehen. Im April 1933 wurde der Unvereinbarkeitsbeschluß, der Mitgliedern des CV und des KV die Zugehörigkeit zur NSDAP untersagte, von beiden Verbänden offiziell aufgehoben.[15] Der KV ordnete sich am 5. Mai „in freudiger Bejahung der nationalen Neugestaltung Deutschlands ... in die Gesamtheit aller aufbauwilligen Kräfte der Nation ein“, hob aber gleichzeitig auch „die reichen Kräfte und schöpferischen Gedanken seiner katholischen Weltanschauung“ hervor.[16] Einen Tag später schickte der CV Hitler ein Telegramm, in dem er versicherte, es sei für den Verband

---

[10] Vgl. M.S. Steinberg, Sabers and Brown Shirts, Chicago/London 1977, S. 155.

[11] Vgl. R.G.S. Weber, The German Student Corps in the Third Reich, London 1986, S.97.

[12] „Die Naumburger Feier am 31. Mai 1933“, in: Deutsche Corpszeitung, 50. Jg., 1933/34, S.63.

[13] W. Geibel, „Das Corpsstudententum und die deutsche Revolution“, in: Deutsche Corpszeitung, 50. Jg., 1933/34, S.31.

[14] Vgl. P. Stitz, Der CV 1919-1938, München 1970, S.95 ff.

[15] „CV und Nationalsozialismus“, in: Academia, 15. Jg., 1932/33, S.351, H. Schlömer, Die Gleichschaltung des KV im Frühjahr 1933, in: F. Golücke (Hg.), Korporationen und Nationalsozialismus, Schernfeld o.J., S.16 ff.

[16] Faksimile der Erklärung in: Schlömer, Gleichschaltung des KV, S.46.

„eine Selbstverständlichkeit, daß er alle Maßnahmen der nationalen Regierung zur Rettung des deutschen Volkes aus Gottlosigkeit und wirtschaftlicher Not und zur Wiederherstellung seiner Weltgeltung freudig fördert und unterstützt. Er tut das umso lieber, als an der Spitze der deutschen Reichsregierung der Volkskanzler Adolf Hitler steht, den der CV wegen seiner gewaltigen Willenskraft, seiner lauteren Gesinnung und seiner erhebenden Zuversicht bewundert".[17]

Doch reichten solche Erklärungen nicht aus, um das Mißtrauen der Nationalsozialisten gegenüber den katholischen Verbänden aus der Welt zu schaffen. Vielfach wurde die rasche Umstellung von CV und KV im Frühjahr 1933 als eine nur äußerliche Einordnung interpretiert. Ganz falsch war diese Einschätzung wohl nicht. Teilweise resultierten die Anpassungsbemühungen im katholischen Lager sicherlich aus der Furcht, beim „Aufbruch der Nation" wieder einmal ins Abseits zu geraten. In erster Linie waren die Loyalitätsbekundungen der katholischen Verbände aber eine Folge des ungestümen Drängens der studentischen Mitglieder, die sich mit den Zielen der „nationalen Revolution" identifizierten.[18] Wie stark diese Stimmung im Frühjahr 1933 war, zeigen beispielsweise die Aufzeichnungen eines Alten Herren, des Justizrates Carl Bachem, über eine Wochenendtagung des KV in Köln:

„Die Aussprache ergab, daß auch im KV eine ganz überwältigende Strömung dahingeht, in den Nationalsozialismus unterzutauchen. Es scheint kein Halten mehr zu sein. Aus einer ganzen Reihe von Vereinen wurde berichtet, daß sie schon fast geschlossen oder zum überwiegenden Teil zu den SA übergegangen sind. Die Referenten ... bemühten sich um die Wette, diesem Standpunkt eine wissenschaftliche Unterlage zu schaffen. Von weitaus dem größten Teil der Versammlung fanden sie dabei dröhnenden Beifall. Anders allerdings die alten Philister [Alte Herren]. Diese alle, oder doch meist, sehr bedenklich. Sicher anscheinend der Meinung, daß man die Sache ruhig gehen lassen solle, da doch nichts dagegen zu machen sei".[19]

Im Januar 1934 erklärten die katholischen Verbindungen sogar ihre Bereitschaft, auf die „konfessionelle Begrenzung ihrer Mitgliederschaft" zu verzichten und künftig auch nichtkatholische Studenten in ihre Reihen aufzunehmen.[20] Obwohl Stäbel diese Erklärung offiziell als „letzten Schritt zur Einigung der deutschen Studentenschaft auf echt nationalsozialistischer Grundlage" begrüßte[21], änderte sie wenig an der generell negativen Haltung der NSDAP gegenüber den katholischen Verbindungen.

Die übrigen Verbände artikulierten in ähnlicher Weise, teils überschwenglich, teils etwas gedämpfter, in offiziellen Verlautbarungen oder in offizösen Publikationen, ihre Unterstützung für die „nationale Erhebung" bzw. für die „nationalsozialistische Revolution".[22] Auch die einzelnen Verbindungen

[17] Abgedruckt in: Academia, 46.Jg., 1933/34, S.3.
[18] Vgl. Stitz, CV, S.135 ff.
[19] Zit. in: Schlömer, Gleichschaltung des KV, S.19.
[20] Vgl. die Erklärung der Verbandsführer vom 31.1.1934 in: Academia, 46. Jg., 1933/34, S.283.
[21] Zit. in: ebd.
[22] Weitere Hinweise: Steinberg, Sabers and Brown Shirts, 1977, S.155; H.P. Bleuel / E. Klinnert, Studenten auf dem Weg ins Dritte Reich, Gütersloh 1967, S.242 ff.

hielten sich mit öffentlichen Bekenntnissen nicht zurück. In Erlangen beispielsweise nahmen von 17 im Universitätskalender aufgeführten Korporationen 14 ein Bekenntnis zum Nationalsozialismus in ihre Erziehungsprinzipien auf.[23] In Halle hatten sich Ende Mai 1933 bereits 20 studentische Verbindungen geschlossen dem NSDStB angegliedert.[24] Und in einem internen Bericht der Hochschulgruppe Hannover des NSDStB war Anfang Juni 1933 zu lesen: „Es ist allgemein festzustellen, daß die Verbände ein förmliches Wettrennen veranstalten, ihre Mitglieder bei uns anzumelden und sich möglichst schnell ‚gleichzuschalten'".[25]

Auch die „Corpsstudentischen Monatsblätter" sprachen, nicht ohne kritischen Unterton, von einem regelrechten „Wettlauf der Verbände in das siegreiche nationalsozialistische Lager". „Unwürdig" daran sei, so fügte das Blatt eilig hinzu, selbstverständlich nicht das Bekenntnis zum Nationalsozialismus, wohl aber „der Triumph und Hohn derjenigen, die sich um eines kleinen Vorsprunges willen nicht genug rühmen konnten, und derjenigen, die mit einem Male die Behauptung aufstellten, von Geburt an Nationalsozialisten reinsten Wassers gewesen zu sein".[26]

In der Tat setzte in Teilen der Korporationspresse schon bald ein grotesk anmutender Wettstreit ein, welcher Verband sich vor und nach 1933 besondere Verdienste um den Nationalsozialismus erworben habe. Dieser Dissoziierungsprozeß war zum einen die Fortsetzung traditioneller Rivalitäten und Aversionen, zum anderen aber auch das Resultat einer geschickten Strategie der Partei, die sich erfolgreich bemühte, den Spaltungsprozeß im Lager der Korporationen voranzutreiben. Charakteristisch für diese Politik war beispielsweise ein im Dezember 1933 veröffentlichter Artikel des „Völkischen Beobachters", der die Ankündigung enthielt,

> „daß all den Bünden, die sich nur äußerlich gleichschalten ließen, um innerlich ihren Schlendrian weiterzuleben, bald aller Boden unter den Füßen fortgezogen sein wird. Für Bünde aber, die sich mit vollem Eifer der Verwirklichung des Kameradschaftshauses widmen, wird auch fürder Platz an der Universität sein".[27]

Die Korporationen agierten deshalb gegenüber der Partei nie als einheitlicher Block, eine Tatsache, die ihre schließliche Beseitigung wesentlich erleichtern sollte. Aus der Masse der schlagenden Verbindungen traten einerseits jene Verbände hervor, die sich durchgängig bemühten, immer noch ein wenig nationalsozialistischer zu sein als andere: Insbesondere die Deutsche Burschenschaft, der Verband der Turnerschaften auf deutschen Hochschulen (VC) und einige kleinere Verbände waren stets eifrig dabei, wenn es galt, andere Korporationsverbände wegen mangelnder Nazifizierung anzupran-

[23] Vgl. Franze, Erlanger Studentenschaft, S.187.

[24] Vgl. E. Stolze, Die Martin-Luther-Universität Halle-Wittenberg während der Herrschaft des Faschismus (1933 bis 1945), Halle, phil. Diss., 1982, S.192.

[25] Zit. in: H.-W. Niemann, Die TH im Spannungsfeld von Hochschulreform und Politisierung, in: Universität Hannover 1831-1981, Stuttgart 1981, S.85.

[26] M. Rohrer, „Das Jahr der Wandlung", in: Corpsstudentische Monatsblätter, 42. Jg., 1934, S.3.

[27] „Braunhemd und Couleurband", in: VB, 19.12.1933. Zum Kameradschaftshaus vgl. oben S.260 ff.

gern.[28] Andererseits gab es vor allem in den Reihen der katholischen Verbindungen und der Corps manche Bedenken gegenüber einer allzu hemmungslosen Selbstgleichschaltung.

Während im CV und im KV die Bindung an den Katholizismus für eine gewisse Skepsis vor allem unter den Alten Herren sorgte, resultierten die Vorbehalte unter den Corpsmitgliedern haupsächlich aus ihrem ausgeprägt elitären Selbstverständnis. Klar erkennbar ist diese Haltung in einem sehr aufschlußreichen Artikel über „Corpsstudententum und Nationalsozialismus", den die „Corpsstudentischen Monatsblätter" des Weinheimer Senioren-Convents (WSC) im Juni 1933 veröffentlichten. Der Verfasser, Wilhelm Stachelhaus, kein Student, sondern ein Alter Herr, erklärte zunächst, die Corps hätten schon „seit Jahren, soweit in unseren Reihen überhaupt eine politische Richtung zu Einfluß gelangt ist, die geistige Grundlage des Nationalsozialismus vertreten und verbreitet". Sofern dennoch Differenzen vorhanden gewesen seien, resultierten diese nicht aus einer „Ablehnung der Idee", sondern aus der Skepsis gegenüber dem Weg, den die NSDAP eingeschlagen hätte:

> „Soweit wir trotz der geistigen Verwandtschaft mit dem Nationalsozialismus seinen Weg nicht in allen Teilen mit beschreiten konnten, lag dies daran, weil wir die Beziehung zur Masse, die der Nationalsozialismus aufnehmen mußte und aufgenommen hat, nicht gefunden haben. Die demokratische Methode, derer sich der Nationalsozialismus zur Erreichung seines Zieles bedienen mußte, die Form des Werbens um die Masse widersprach zu sehr dem Wesen unserer Erziehung und unserer Geisteshaltung, als daß wir geschlossen uns aktiv und wirkungsvoll daran hätten beteiligen können".

Andere Methoden zur Beseitigung der Weimarer Republik und des Marxismus hätten den Corpsstudenten näher gelegen: „Es ist versucht worden, von oben herunter, auf autoritäre Weise Parlamentarismus, Marxismus und Liberalismus in Deutschland zu beseitigen. Diese Methode war vielen von uns sympathischer, weil sie die Entfesselung der Masse durch die Mittel der Demagogie zu ersparen schien". Der Verfasser mußte freilich einräumen, daß der Erfolg für die Methoden der Nationalsozialisten sprach. Gleichwohl fiel es ihm offensichtlich nicht ganz leicht, die Frage zu beantworten, „wie wir uns als Corpsstudenten, als Nichtmassenmenschen, zur Massenbewegung und zur Masse stellen wollen". Denn:

> „Es erfordert Selbstüberwindung, sich jetzt als einfacher Soldat in die Armee Adolf Hitlers einzugliedern. Nicht nur deshalb, weil man dort nichts gilt und weil Titel und bürgerlicher Rang nicht gewertet werden, sondern auch deshalb, weil man sich ... zum Teil in der Gemeinschaft von Leuten befindet, die aus reiner Konjunkturjägerei den gleichen Schritt tun".

Stachelhaus empfahl, die Selbstgleichschaltung gewissermaßen im aufrechten Gang zu vollziehen und dabei Zivilcourage zu zeigen:

[28] Vgl. z.B. „Nationalsozialismus in den WSC-Blättern", in: BBl, 47. Jg., 1932/33, S.268; „Hochschulpolitische Nachlese", in: Der Turnerschafter, 50. Jg., 1933/34, S.188-191 .

> „Man muß der Schlappheit entgegentreten, mit der sich Männer, die einen bürgerlichen Rang einnehmen, wie ein Schilfrohr vor jedem Lufthauch beugen, der aus der Kehle eines auch nur vermeintlichen Soldaten der nationalen Revolution kommt“.[29]

Wahrscheinlich drückte dieser Artikel eher die ambivalente Gemütslage vieler Alter Herren aus und weniger die der studentischen Corpsmitglieder. Dennoch illustriert er sehr deutlich Vorbehalte innerhalb des konservativen Bürgertums gegenüber einer Partei, die trotz aller Gemeinsamkeiten wegen ihres plebejischen Zuschnitts doch mit einer gewissen Distanz beobachtet wurde. Solche Bedenken waren in den Reihen der corpsstudentischen Verbindungen, die sich stets besonders elitär gegeben hatten, vermutlich stärker ausgeprägt als in anderen Korporationen. Dennoch mochte auch der Weinheimer SC, ebenso wie die übrigen corpsstudentischen Verbände, es nicht riskieren, ins Abseits zu geraten. Bereits Ende April hatte sich der Verband in einem „Potsdamer Bekenntnis“ dem „Führer des deutschen Befreiungskampfes“ unterstellt und seine Entschlossenheit bekundet, sich „in den Gleichschritt der deutschen Nation“ einzureihen.[30] Zudem folgte die wenig später stattfindende Weinheimer Tagung dem Vorbild anderer Verbände und beschloß, die studentischen Mitglieder in eine der nationalsozialistischen Formationen einzugliedern.[31]

Innerhalb der Korporationen führte die stürmische Hinwendung der Studenten zum Nationalsozialismus zu einer Auflösung hergebrachter Strukturen, die in der Regel auf Kosten der Alten Herren ging. Wohl in allen Verbänden zeigte sich ein starker Gegensatz zwischen den Generationen. Die Selbstgleichschaltung der Verbindungen wurde zumeist von den Studenten getragen, während die älteren Mitglieder sich häufig eher zögerlich verhielten. Gleichzeitig schwächte die nationalsozialistische Machtübernahme, die vielfach als Triumph der jungen Generation interpretiert wurde, innerhalb der Korporationen den Einfluß der Alten Herren. Diese fühlten sich häufig von den studentischen Aktivisten überfahren und grollten über „die jungen Männer, die glauben, Führer zu sein“.[32] Im Februar 1934 schrieb Karl Heinz Hederich, ein führender Funktionär der Deutschen Burschenschaft und aktiver Nationalsozialist:

> „Es tut einem weh, wenn man manchmal einen älteren Bundesbruder, von dem man weiß, daß er in allen Lebenslagen für Volk und Vaterland seine Pflicht getan hat, mit bitteren Worten über das Ausgeschlossensein klagen hört; das Ausgeschlossensein von der Mitarbeit an brennenden Zeitfragen. Man hört die Klage von Unverständnis und Undank. Jeder, der das innere Leben eines

[29] Alle Zitate aus: W. Stachelhaus, „Corpsstudententum und Nationalsozialismus“, in: Corpsstudentische Monatsblätter, 41. Jg., 1933, S.328-334. Im „Weinheimer Senioren-Convent“ waren vor allem TH-Studenten organisiert.

[30] „Verlautbarung“, in: Corpsstudentische Monatsblätter, 41. Jg., 1933, S.253.

[31] Vgl. „Weinheim 1933“, in: Corpsstudentische Monatsblätter, 41. Jg., 1933, S.306. Zur weiteren Entwicklung des WSC vgl. H. Scherer, Die WSC-Korps in der Verbotszeit (1935-1945), in: Einst und Jetzt. Jahrbuch des Vereins für corpsstudentische Geschichtsforschung, Bd.5, 1960, S.82-93.

[32] W. Stockheck, „Keinen Schritt breit vom Wege“, in: Der Turnerschafter, 51. Jg., 1934/35, S.414.

> studentischen Bundes und das eines akademischen Verbandes kennt, erlebt diese Spannung zwischen ‚jung' und ‚alt' heute in einem außerordentlich starken Maße".[33]

Trotz solcher Probleme und trotz vereinzelter Äußerungen von Skeptikern bildeten die Korporationen 1933 insgesamt zweifellos einen Aktivposten für die Nationalsozialisten, der zur Stabilisierung des neuen Regimes beitrug. Angesichts der Welle von Anpassungsbemühungen, die von dieser Seite kam, gab es zu diesem Zeitpunkt keine zwingenden Gründe, eine Ausschaltung der studentischen Verbindungen ins Auge zu fassen. Im März 1933 bekannte sich die Führung der DSt in einer Erklärung sogar „rückhaltlos zu den Werten des deutschen Korporationsstudententums".[34] Auch die Tatsache, daß Schlägermensuren im Mai 1933 per Gesetz für straffrei erklärt wurden[35], zeigt das Interesse der neuen Machthaber, sich das Wohlwollen der Korporationen zu sichern. Im nachhinein wirken solche Aktivitäten wie eine taktisch motivierte Irreführung. Tatsächlich war eine Vernichtung des traditionsreichen Korporationswesens aber auch für viele führende Funktionäre des NSDStB lange Zeit unvorstellbar:

> „Die Verbindungen können wir nicht zerschlagen. Ganz abgesehen, daß dadurch immerhin große Werte für die deutsche Jugend verloren gingen, würde dadurch auch der einzige feste Faktor, auf den sich eine Politik stützen kann, zerschlagen",

schrieb der Hochschulgruppenführer des NSDStB Halle, Hans Börner, 1932 an den Vorsitzenden der DSt, den Nationalsozialisten Gerhard Krüger.[36] Wenig spricht deshalb dafür, daß die Zerschlagung der Korporationen seitens maßgeblicher Parteistellen von Anfang an geplant war. Vielmehr handelte es sich um einen länger andauernden Radikalisierungsprozeß, dessen Ende sich freilich mit einer gewissen Zwangsläufigkeit aus der Dynamik des nationalsozialistischen Regimes ergab.

Zunächst deutete jedoch fast alles auf eine reibungslose Eingliederung der Korporationen in den nationalsozialistischen Staat hin. Vor allem die waffenstudentischen Verbände zeigten eine demonstrative Bereitschaft zur Einordnung in den neuen Staat, die weit über verbale Akklamation hinausging. Auf einem außerordentlichen Waffenstudententag am 20. Mai 1933 in Goslar beschloß der Allgemeine Deutsche Waffenring (ADW) ein neues Bundesgesetz, in dem alle angeschlossenen Verbände verpflichtet wurden, nachzuweisen, daß sich unter ihren Mitgliedern „weder Judenstämmlinge oder jüdisch Versippte noch Freimaurer" befanden.[37]

---

[33] K.H. Hederich, „Das Generationsproblem als Problem der akademischen Verbände", in: BBl, 48. Jg., 1933/34, S.136. Ähnlich auch: H. Fritzsche, „Jung und Alt", in: Akademische Blätter, 48. Jg., 1933/34, S.244-247.

[34] Zit. in: Bleuel/Klinnert, Studenten, S.245.

[35] Gesetz zur Abänderung strafrechtlicher Vorschriften vom 26.5.1933, in: RGBl. 1933 I S.296.

[36] H. Börner an G. Krüger, 3.1.1932, in: BA Koblenz NS 38/42 Bl.56.

[37] Text in: Deutsche Corpszeitung, 50. Jg., 1933/34, S.76 f.

2. Im Kampf um die Existenz

Weder die Partei noch der NSDStB waren jedoch geneigt, sich auf die Anpassungsbereitschaft der Korporationen zu verlassen. Von ihrer Seite wurde seit Juni 1933 gegenüber den Korporationen eine Politik der graduellen Zwangsnazifizierung betrieben, welche die Eigenständigkeit der Verbände allmählich aushöhlen sollte. Den Anfang machten die „Richtlinien über den Neuaufbau der studentischen Verbände", die im Juni 1933 von Stäbel, Gerhard Krüger und Karl Heinz Hederich[38] „erlassen" wurden. Im „Einverständnis mit dem Führer Adolf Hitler" erklärten die Richtlinien vor allem drei Dinge für „erwünscht", 1. die Einführung des „Führerprinzips" in den studentischen Verbänden, 2. die Besetzung der Führerstellen mit erprobten Nationalsozialisten und 3. die Übernahme des neuen ADW-Ehrengesetzes, d.h. vor allem den Ausschluß von „Nichtariern", „jüdisch Versippten" und Freimaurern.[39]

Die meisten studentischen Verbände führten daraufhin in ihren Reihen das „Führerprinzip" ein. An ihre Spitze traten zumeist Mitglieder, die bereits auf eine längere Mitgliedschaft in der NSDAP zurückblicken konnten. Unter ihnen befanden sich einige einflußreiche Nationalsozialisten, so insbesondere Gauleiter Wilhelm Kube, der von 1933 bis Januar 1935 als Führer des Kyffhäuserverbandes der Vereine Deutscher Studenten (VDSt) tätig war, sowie der Chef der Reichskanzlei, Hans Heinrich Lammers, der die Führung des Miltenberger Rings übernahm.[40] DSt-Chef Gerhard Krüger avancierte zum Führer des Allgemeinen Deutschen Burschenbundes.[41] Andere führende Parteivertreter übernahmen eher repräsentative Posten. So ließ sich Göring, der bekanntlich schwer einem Titel widerstehen konnte, zum Ehrenführer der Deutschen Wehrschaft ernennen, während Reichsinnenminister Frick Schirmherr des Sondershäuser Verbandes wurde, eines schlagenden Verbandes, dem er bereits als Alter Herr angehörte.[42]

Inwieweit diese personellen Veränderungen noch aufgrund freier Entscheidungen zustande kamen, läßt sich angesichts der Vielzahl studentischer Verbände nicht eindeutig feststellen. Zumindest teilweise war dies aber ganz eindeutig nicht der Fall. So wurde beispielsweise der neue Führer des Kösener SC, Max Blunck, nicht von den Verbandsmitgliedern gewählt, sondern über deren Köpfe hinweg von Lammers, dem DSt-Führer Krüger und von Görings Staatssekretär Paul Körner ausgesucht.[43] Oft waren aber auch die

---

[38] Zu Hederich, der später in der „Parteiamtlichen Prüfungskommission zum Schutze des nationalsozialistischen Schrifttums" und im Reichspropagandaministerium Karriere machte, vgl. die Kurzbiographie in: Das große Lexikon des Dritten Reiches, München 1985, S.242.

[39] Text in: Stitz, CV, S. 178 f.

[40] Vgl. Faust, Bd.2, S.125.

[41] Vgl. Corpsstudentische Monatsblätter, 41. Jg., 1933, S.533.

[42] „Aus der Studentenschaft", in: Fränkischer Kurier, Nr.549, 17.12.1933; Weber, German Student Corps, S. 111.

[43] Vgl. Weber, German Student Corps, S. 100 f.

Verbände selber daran interessiert, möglichst prominente Parteifunktionäre an der Spitze zu haben, sei es, um ihre politische Zuverlässigkeit unter Beweis zu stellen, sei es, um sich gegen Eingriffe von außen abzusichern.

Konfliktträchtiger als der strukturelle und personelle Umbruch an der Spitze der Verbände war die Forderung nach einem Ausschluß von Juden, „Judenstämmlingen“ und „jüdisch Versippten“. Der Allgemeine Deutsche Waffenring (ADW) hatte nach seinem Grundsatzbeschluß vom Mai 1933 Ausführungsbestimmungen über die Zugehörigkeit zum ADW erarbeitet, die nach Verhandlungen mit der Reichskanzlei von Hitler genehmigt und am 20. Juli 1933 veröffentlicht wurden.[44] Diese sahen den Ausschluß aller „nichtarischen“ Studenten und Alten Herren aus den Korporationen des ADW vor. Analog zum Berufsbeamtengesetz galten jedoch Ausnahmeregelungen vor allem für Alte Herren, die im Ersten Weltkrieg an der Front gekämpft, im Krieg Väter oder Söhne verloren oder schon vor Kriegsbeginn eine Beamtenstellung erlangt hatten. In einem Punkt ging der ADW-Beschluß noch über das Berufsbeamtengesetz hinaus: Neben den „Nichtariern“ sollten auch „jüdisch versippte“ Mitglieder[45] aus den waffenstudentischen Verbindungen ausgeschlossen werden, ohne daß für sie irgendwelche Ausnahmebestimmungen vorgesehen waren. Wenig später machte Stäbel als Führer der DSt diese Ausführungsbestimmungen für alle studentischen Verbände und für sämtliche Gliederungen der DSt verbindlich.[46] Da kaum eine Verbindung noch „nichtarische“ Studenten in ihren Reihen duldete, richteten sich diese Bestimmungen in der Praxis vor allem gegen eine relativ kleine Minorität von Alten Herren, die (teilweise) jüdischer Herkunft waren oder eine „nichtarische“ Ehefrau hatten.

Wenn man sich vor Augen hält, wie tief der Antisemitismus seit dem Kaiserreich in den studentischen Verbindungen verwurzelt war, dann überrascht zunächst das Unbehagen, mit dem diese Regelung von vielen betroffenen Korporationen aufgenommen wurde. Dieses Unbehagen hatte im wesentlichen zwei Ursachen. Zum einen verstieß der Ausschluß von Alten Herren, die ihrer Verbindung teilweise seit Jahrzehnten angehört hatten, gegen einen der wichtigsten Grundsätze der Korporationen, das Prinzip des „Lebensbundes“. Zum zweiten erregte vor allem das rigorose Vorgehen gegen „nichtarisch versippte“ Alte Herren Anstoß, die zum damaligen Zeitpunkt als Beamte weiterhin geduldet wurden.[47] Für viele Korporationen, wie antisemitisch sie sonst auch gewesen sein mögen, war es nur schwer akzeptabel, einen Alten Herren aus ihren Reihen zu entfernen, weil dessen Ehefrau einen jüdischen Großvater hatte, insbesondere wenn

---

[44] Vgl. Rundschreiben Nr.5/1933 des Allgemeinen Deutschen Waffenringes, 20.7.1933, in: BA Potsdam Reichskanzlei 4232; Siehe auch: Lammers an ADW, 29.6.1933, Abschr. in: BA Koblenz NS 38/43, ein Schreiben, in dem der Inhalt des Rundschreibens im wesentlichen vorformuliert wurde.

[45] Als „jüdisch versippt“ wurden im NS-Jargon Menschen bezeichnet, die mit einen „nichtarischen“ Ehepartner verheiratet waren.

[46] Vgl. O. Stäbel an R. Heß, 25.6.1934, in: BA Potsdam REM 906 Bl.83 f.

[47] „Jüdisch versippte“ Beamte wurden erst seit 1937 entlassen.

es sich um ein langjähriges Verbandsmitglied handelte, das im Kriege „für Deutschland" gekämpft hatte und als Beamter auch weiterhin dem neuen Staat dienen konnte. Selbst Rudolf Heß räumte 1934 gegenüber Reichserziehungsminister Rust ein, daß er diese Regelung für verfehlt hielt:

> „Die bisherige Handhabung halte ich für unmöglich, d.h., daß Juden, die Kriegsteilnehmer waren, Mitglieder der Altherrenverbände bleiben durften, nicht aber reine Arier, welche zufällig vor vielleicht 30 Jahren einmal eine Frau heirateten, deren Vorfahren vor mehr als 100 Jahren nichtarisches Blut hereinbrachten, wobei gleichgültig war, daß diese Arier im Felde waren und oft Söhne im Krieg verloren. Die bisherige Lösung hat so viel Staub aufgewirbelt und so viel Verärgerung geschaffen gegenüber der neuen Regierung, daß diese meines Erachtens in keinem Verhältnis steht zu den paar nichtarisch Versippten, um die es sich bei den einzelnen Altherrenschaften handelt. Der Führer hat seinerzeit auch nur der Regelung zugestimmt, weil seitens der Studentenschaft ihm diese als Vorschlag unterbreitet wurde".[48]

Eine Rücknahme dieser Regelung erfolgte jedoch nicht. Vielmehr trennten sich die meisten der betroffenen Korporationen schließlich von ihren stigmatisierten Alten Herren. Um welche Größenordnung es ging, verdeutlicht das Beispiel des Kösener SC. Von den 104 reichsdeutschen Corps des Kösener SC hatten 62 „nichtarisch versippte" Angehörige. 57 schlossen diese Angehörigen, meist nach längerem Zögern, entsprechend den ADW-Richtlinien aus. Nur fünf Corps mit je ein oder zwei betroffenen Alten Herren weigerten sich, diese Mitglieder im Stich zu lassen. Das in Marburg ansässige Corps Rhenania/Straßburg erklärte in einem Telegramm an den Führer des Kösener SC:

> „Einziger Straßburger Rhenane, der vor 30 Jahren nichtarische Ehe geschlossen hat, Kriegsteilnehmer, hat Bandniederlegung [Austritt] angeboten. Gesamtes Corps, Altherrenschaft wie Aktive, lehnen Angebot einmütig ab. Wer in Krieg und Frieden kameradschaftliche Treue hält, hat Anspruch auf unsere Treue. Wir sind gewillt, hierfür zu kämpfen".[49]

Zwei Wochen später wurden alle fünf Corps aus dem Kösener SC, später auch aus dem ADW und der DSt ausgeschlossen.[50] Ähnlich erging es den drei Burschenschaften Bubenruthia/Erlangen[51], Alemannia/Bonn und Frankonia/Bonn, die es ebenfalls abgelehnt hatten, sich von ihren betroffenen Angehörigen zu trennen. Zur Begründung schrieb die Alemannia/Bonn:

---

[48] Heß an Rust, 30.6.1934, in: BA Potsdam REM 906 Bl.73.

[49] Zit. in dem Schreiben des Corps Rhenania/Straßburg an Stäbel, 27.5.1934, Abschr. in: StA WÜ RSF/NSDStB I* 04 C 7/1.

[50] Zahlen nach: „Mitteilung des Kösener SC", in: Kreuz-Zeitung Nr.133, 10.6.1934. Es handelt sich um die Corps Borussia/Halle, Vandalia/Heidelberg, Rhenania/Straßburg Marburg, Suevia/München und Suevia/Tübingen.

[51] Die Bubenruthia/Erlangen war vor 1933 eine Hochburg der Nationalsozialisten gewesen. Vgl. Franze, Erlanger Studentenschaft, S.126.

„Es ist völlig ausgeschlossen, daß wir auch nur einem dieser Bundesbrüder einschließlich der zwei jüdisch Versippten die Treue brechen. Wir könnten einen derartigen Treubruch nicht mit unserem Grundsatz unbedingter Ehrenhaftigkeit in Einklang bringen und würden gegen unser Gewissen handeln ... Sollte man uns wegen dieser Haltung aus der DB ausstoßen oder gar auflösen wollen, so können wir diesem Verlangen nur mit der Erklärung begegnen, daß uns Ehre und Treue höher gelten als das Leben".[52]

Als die drei Burschenschaften nach längeren Verhandlungen weiter auf diesem Standpunkt beharrten, wurden auch sie im April 1934 aus der Deutschen Burschenschaft ausgeschlossen.[53]

Nach der Durchsetzung des Führerprinzips, der Ernennung nationalsozialistischer Verbandsführer und dem Ausschluß von „Nichtariern" bzw. von „nichtarisch Versippten" hofften viele Korporationen, den endgültigen Beweis für ihre politische Zuverlässigkeit geliefert zu haben und von nun an in der alten Weise weitermachen zu können. Der NSDStB und die DSt dachten jedoch gar nicht daran, die Verbindungen in Ruhe zu lassen, sondern stellten weitere, sich stetig verschärfende Ansprüche und Forderungen. Am 20. Januar 1934 erklärte Stäbel, ab sofort seien ihm sämtliche Verbände in seiner Eigenschaft als Reichsführer des NSDStB und der DSt unterstellt: „Die Leiter der Verbände werden von mir bestätigt und abberufen". Auch die einzelnen Korporationen seien von nun an den Führern der örtlichen Studentenschaft „in allen politischen und hochschulpolitischen Fragen unterstellt".[54]

Die politische Strategie, die sich hinter diesen Maßnahmen verbarg, erläuterte Stäbel in einer Denkschrift, die er Ende Juni 1934 Heß zuschickte. Über das Verhältnis der Verbindungen zum Nationalsozialismus bemerkte er: „Die Korporationen an und für sich haben schon früher, obwohl sie satzungsgemäß unpolitisch waren, dem Vordringen der nationalsozialistischen Bewegung in ihrer Mehrheit keine nennenswerten Schwierigkeiten bereitet". Soweit es Probleme gegeben habe, seien sie stets von den Führungen der studentischen Verbände, also von den überregionalen Dachorganisationen der Korporationen, ausgegangen. Während Stäbel über die Zukunft der Verbände keine Angaben machte, sprach er sich sehr entschieden für die weitere Existenz der Korporationen aus:

„Die studentische Korporation muß als Einzelzelle in unserem Erziehungsaufbau unbedingt erhalten bleiben, da Voraussetzung für jegliche Erziehungsarbeit in der Gemeinschaft ein gewisses Eigenleben und ein gewisses Traditionsbewußtsein ... ist".

Jetzt komme es darauf an, „die studentischen Korporationen in nationalsozialistische Erziehungsgemeinschaften umzuwandeln". Die Erfahrungen des

[52] Zit. in: Auszüge aus dem Geschichtskalender der Deutschen Burschenschaft (DB), in: BBl, 49. Jg., 1934/35, S.118.
[53] Vgl. ebd., S.121.
[54] Verfügung Stäbels, 20.1.1934, in: StA HH Hochschulwesen II Us 2/3 Bl.40. In der Praxis hatte diese Verfügung aber offenbar keine bedeutenden Auswirkungen.

vergangenen Jahres hätten gezeigt, „daß ungefähr 50 % dieser Korporationen sich so umgestellt haben, daß sie als nationalsozialistische Erziehungsgemeinschaft in Frage kommen".[55] Diese Überlegungen wurden von Heß in einem Brief an Rust ausdrücklich gebilligt.[56]

Das Ziel, die Korporationen in nationalsozialistische Erziehungsgemeinschaften zu verwandeln, sollte nach den Vorstellungen Stäbels und Feickerts vor allem durch die Umwandlung der Verbindungen in Wohnkameradschaften geschehen. Gegen diese Politik wehrten sich die Korporationen, nachdem der „Feickert-Erlaß" deutlich gemacht hatte, daß mit dem Kameradschaftshauskonzept ein weitgehender Verlust an Autonomie verbunden sein würde.[57] Vordergründig war dieser Widerstand erfolgreich. Mit dem Mißerfolg des Kameradschaftshauskonzeptes war aber zunächst einmal auch die Absicht gescheitert, die Korporationen als nationalsozialistische Erziehungsgemeinschaften zu integrieren. Tatsächlich stärkte das Fiasko des „Feickert-Planes" daher diejenigen, die eine Liquidierung der Korporationen anstrebten.

Korporationsfeindliche Kräfte innerhalb der Partei waren mancherorts schon kurz nach der „Machtergreifung" aufgetreten. Bereits im Mai 1933 hatte ein Königsberger SA-Student in einer lokalen Studentenzeitung die Frage gestellt: „Sind die Korporationen, nachdem sie in einer Zeit, in der es ums Letzte ging, versagten, überhaupt noch daseinsberechtigt?" Die Antwort des Autors, der selber einer Verbindung angehörte, fiel nicht eindeutig aus: „Die Korporationen werden im neuen Staate allein dann existenzberechtigt sein, wenn sie ihre Haltung von Grund auf ändern".[58] In Kiel kündigte der lokale Führer der Studentenschaft im Juli 1933 an, er werde im Wintersemester sämtliche Korporationen suspendieren und ihre Häuser für die Unterbringung der aus dem Arbeitsdienst kommenden Erstsemester nutzen. Nach heftigen Protesten der Kieler Korporationen und nach einer Intervention des DSt-Vorsitzenden Krüger mußte er diese Entscheidung allerdings wieder zurücknehmen und sein Amt zur Verfügung stellen.[59] Auch in anderen Universitätsstädten, z.B. in Marburg, zeigten Übergriffe lokaler NSDStB-Funktionäre, daß das Existenzrecht der Korporationen fragwürdig geworden war.[60]

Einzelaktionen dieser Art, die von untergeordneten Kräften ausgingen, waren zu diesem Zeitpunkt noch zum Scheitern verurteilt, weil die Korporationen durch ihre Alten Herren in den Ministerien weiterhin über beträchtlichen Rückhalt verfügten. Im August 1933 stellte der Reichsminister des Innern, dem damals auch die DSt unterstand, nachdrücklich fest, „daß

[55] Zitate aus: O. Stäbel, Denkschrift vom 25.6.1934, in: BA Potsdam REM 906 Bl.80-88.

[56] R. Heß an B. Rust, 30.6.1934, in: BA Potsdam REM 906 Bl.73.

[57] Vgl. S.268 ff.

[58] E. Horn, „Die Schicksalsstunde der Korporationen", in: Der Student der Ostmark, Nr.1, 5.5.1933, S.2 f. Zu Horn vgl. die Kurzbiographie im Anhang.

[59] Vgl. zu diesem Konflikt das Material in: StA WÜ RSF/NSDStB I* 04 φ 314.

[60] Vgl. O. Petersen u.a. an H. Meinshausen, Verbandsführer der Deutschen Landsmannschaft, 20.6.1933, Abschr. in: BA Koblenz NS 38/46 Bl.18 f.

der Fortbestand der Korporationen ... in keiner Weise gefährdet ist. Die Korporationen werden vielmehr auch in Zukunft zur Pflege ihrer Tradition und zur Heranbildung ihres eigenen Nachwuchses berufen sein".[61] Dennoch schufen diese Aktionen in den studentischen Verbindungen eine beträchtliche Verunsicherung. Schon im November 1933 hieß es in einer Verbandszeitschrift: „Im Korporationsstudententum herrscht Unsicherheit und Unruhe darüber, ob der neue Staat ihm Möglichkeiten zu weiteren Existenz gewähren wird".[62] Die eilfertige Anpassungspolitik der meisten Verbände muß auch vor diesem Hintergrund gesehen werden.

Im Frühjahr 1934 häuften sich dann die öffentlichen Attacken gegen die studentischen Verbindungen. In Berlin verbot der Kreisführer der DSt Ende März 1934 kurzerhand 47 Korporationen mit der Begründung, sie hätten das Winterhilfswerk und die Korporationsschulung sabotiert, die Annahme der DSt-Zeitschrift verweigert oder Pflichtveranstaltungen der DSt boykottiert. Das rigorose Vorgehen des Kreisführers erwies sich jedoch als voreilig. Nach einer Untersuchung des Vorfalls wurde das Verbot von der Reichsführung der DSt wieder zurückgenommen und der Kreisführer wegen „unverantwortlichen Vorgehens" seines Amtes enthoben.[63] Ähnlich erging es wenig später dem Leiter der Gießener Studentenschaft, nachdem er in einer Rede gegen die Korporationen und deren Alte Herren in den Ministerien polemisiert hatte.[64]

Eine neue Qualität erreichte das Vorgehen gegen die Korporationen im Juni 1934, als eine massive Kampagne der HJ gegen die Verbindungsstudenten einsetzte. Am 11. Juni kam es in Bonn zu Handgreiflichkeiten zwischen Hitlerjungen und Studenten, nachdem ein HJ-Redner den Korporationsstudenten auf einer Kundgebung „staats- und volksfeindliche Gesinnung" vorgeworfen hatte.[65] In Kiel wurden Studierende, die als Korporationsmitglieder erkennbar waren, auf offener Straße von HJ-Mitgliedern beschimpft.[66] In der HJ-Presse avancierte der Monokel tragende Korporationsstudent zu einer beliebten Witzfigur. Auch der NSDStB schloß sich an einigen Universitäten dem Vorgehen der HJ an. Ein SA-Blatt in Halle mochte da nicht zurückstehen und verkündete, jeder Versuch, die studentischen Verbindungen weiter

[61] Presseerklärung des RdI, 14.8.1933, in: GStAPK I Rep. 76 Va Sekt. 1 Tit. XII Nr.43 Bd.I Bl.27 (M).

[62] VC-Rundschau, 50. Jg., 1933/34, S. 165.

[63] Vgl. die Verfügung des Kreisführers III der DSt, H. Freudenberg, 29.3.1934; H. Zaeringer, DSt, an Staatssekretär Pfundtner, RdI, 4.4.1934 und 11.4.1934, in: BA Potsdam RdI 26896 Bl.40, 46 f., 175.

[64] Vgl. U. Jordan, Studenten des Führers. Studentenschaft nach 1933, in: Frontabschnitt Hochschule. Die Gießener Universität im Nationalsozialismus, Gießen 1982, S.85 f.

[65] Vgl. „Steigende Spannung in der deutschen Studentenschaft", in: Basler Nachrichten Nr.160, 15.6.1934. Zur Kampagne der HJ vgl. auch G.J. Giles, Die Verbändepolitik des Nationalsozialistischen Deutschen Studentenbundes, in: DuQ, 11. Bd., Heidelberg 1981, S.122 f.; E. Popp, Zur Geschichte des Königsberger Studententums, Würzburg 1955, S.167; Steinberg, Sabers and Brown Shirts, 1977, S. 163 f.

[66] Vgl. Rektor K.L. Wolf, Kiel, an Gauleiter H. Lohse und Kreisleiter Behrens, 26.6.1934, Abschr. in: GStAPK I Rep. 76 Va Sekt.1 Tit. XII Nr.35 Bd.III. Bl.443 f. (M).

am Leben zu erhalten, sei „Hochverrat am deutschen Volke".[67] In Göttingen provozierten NSDStB-Mitglieder am 10. Juni 1934 eine Massenschlägerei mit Verbindungsstudenten, bei der sie allerdings den kürzeren zogen.[68] An anderen Universitäten, vor allem in Süddeutschland, blieb die Situation dagegen entspannt. Noch im Frühjahr 1935 konnte der Beauftragte Süd des NSDStB-Führers, Ernst Wittmann, in einem internen Bericht festhalten, daß der NSDStB an den Universitäten Freiburg, Würzburg und Erlangen, sowie an den Technischen Hochschulen in Stuttgart und Karlsruhe durchgängig ein gutes Verhältnis zu den Korporationen habe.[69]

Trotz oder gerade wegen der zunehmenden Angriffe zeigten sich die Korporationen weiterhin bemüht, ihre Bereitschaft zur Eingliederung in das nationalsozialistische Deutschland unter Beweis zu stellen. Im Laufe der Auseinandersetzungen wurde aber auch deutlich, daß die Verbindungen keineswegs als geschlossener Block agierten. Vielmehr kristallisierte sich 1934 eine Gruppe von Verbänden heraus, die bemüht war, sich als besonders nationalsozialistisch zu profilieren und dadurch von der Mehrheit der übrigen Verbände abzusetzen. Zum Ausweis besonderer Gesinnungstüchtigkeit wurde insbesondere die Ablehnung von Ausnahmeregeln für „nichtarische" Alte Herren, wie die Bestimmungen des ADW sie in Anlehnung an das Berufsbeamtengesetz vorsahen. Ende Oktober 1934 traten mehrere Verbände aus dem ADW aus und gründeten Mitte Dezember den „Völkischen Waffenring".[70] In der Gründungserklärung hieß es, der Völkische Waffenring wolle nicht nur ein Bekenntnis zum Nationalsozialismus ablegen, sondern auch für die bedingungslose Verwirklichung nationalsozialistischer Grundsätze sorgen. Deshalb könnten dem Völkischen Waffenring nur Verbände angehören, die in ihren Reihen weder „Judenstämmlinge", noch „jüdisch Versippte" noch Logenangehörige duldeten.[71] Unter den sechs Mitgliedsverbänden ragte insbesondere die Deutsche Burschenschaft hervor, zahlenmäßig der größte studentische Verband, der wie kein anderer bemüht war, stets und überall seine politische Zuverlässigkeit unter Beweis zu stellen. Dieser burschenschaftliche Gesinnungseifer basierte nicht nur auf ideologischer Affinität, sondern offenbar auch auf taktischem Kalkül. Im Februar 1934 hatte der Verbandsführer der Deutschen Burschenschaft, Otto Schwab, in einem „streng vertraulichen" Rundschreiben die Hoffnung formuliert, daß „die Deutsche Burschenschaft in Zukunft innerhalb der Hochschule die gleiche Stellung und Haltung einnehmen kann, wie etwa die NSDAP im Staat".[72] An die Verwirklichung ei-

[67] Zit. (mit kritischem Kommentar des örtlichen Studentenführers) in: Hallische Hochschul-Blätter Nr.6, 9.7.1934, S.8.

[68] Vgl. Bernhardi, Göttinger Burschenschaft, S.214 f.

[69] Vgl. den Bericht des Beauftragten Süd des NSDStB-Führers über die Arbeit im WS 1934/35, o.D., in: StA WÜ RSF/NSDStB II* 108 α 52.

[70] Vgl. „Weshalb wir den Waffenring verlassen mußten", in: BBl, 49. Jg., 1934/35, S.32 ff.

[71] Gründungserklärung des Völkischen Waffenrings, 15.12.1934, in: BA Potsdam REM 906 Bl.102. Unterzeichner waren: Deutsche Burschenschaft, Verband der Turnerschaften, Deutsche Sängerschaft, Deutsche Wehrschaft, Naumburger Thing, Akademischer Fliegerring.

[72] Streng vertrauliche und persönliche Mitteilungen Nr.5, 12.2.1934, zit. in: Bernhardi, Göttinger Burschenschaft, S.216.

ner solchen Absicht, so naiv sie auch war, ließ sich nur denken, wenn es gelang, alle anderen Verbände über kurz oder lang auszuschalten. Dieses Ziel sollte offenbar durch eine Politik des vorauseilenden Gehorsams erreicht werden.

Die Gründung des Völkischen Waffenrings brachte die Mehrheit der Verbände in eine schwierige Lage, mußten sie doch befürchten, nunmehr in den Augen der NSDAP als politisch zweitrangig zu gelten. Als Gegenmaßnahme gründeten daraufhin 13 Verbände im Januar 1935 die „Gemeinschaft studentischer Verbände" (GStV). In ihrer Gründungserklärung bekannte sich die GStV zur „Erhaltung und Stärkung der Werte des deutschen Korporationsstudententums" und verpflichtete sich gleichzeitig, durch „stetige innere Erziehungsarbeit immer mehr in den nationalsozialistischen Staat hineinzuwachsen".[73] Hans Heinrich Lammers, der Chef der Reichskanzlei, wurde zum Führer der neuen Organisation ernannt. Trotz der eindeutigen Bekenntnisse zum Nationalsozialismus signalisierte die GStV, daß sie keineswegs eine vorbehaltlose Anpassung anstrebte. Anders als im Völkischen Waffenring wurden die Ausnahmeregelungen für „nichtarische" Alte Herren, wie sie 1933 vom ADW definiert worden waren, auch von der GStV unverändert übernommen.[74]

Tatsächlich gelang es der GStV noch einmal, bedingt vor allem durch das Prestige von Lammers, einem der engsten Mitarbeiter Hitlers, die korporationsfeindlichen Kräfte in der Partei und im NSDStB zurückzudrängen. Am 12. März 1935 wurde eine Vereinbarung veröffentlicht, die von Gerhard Wagner (als „Beauftragter des Stellvertreters des Führers für Hochschulfragen"), von Derichsweiler (für den NSDStB) und von Lammers (für die GStV) unterzeichnet worden war. Darin wurde die GStV von der NSDAP und vom NSDStB als „Gesamtvertretung der studentischen Korporationsverbände" anerkannt. Beide Seiten verpflichteten sich, künftig „jegliche Unstimmigkeit" zu vermeiden. Darüber hinaus wurde den Korporationen auch weiterhin eine eigenständige Existenzweise garantiert:

> „Die Partei und der NSDStB haben nicht die Absicht, sich mit denjenigen inneren Angelegenheiten der Korporationen und Verbände zu befassen, die außerhalb der staatlichen Interessen und außerhalb der nationalsozialistischen Weltanschauung stehen".[75]

Unmittelbare Folge der Vereinbarung war eine weitere Stärkung der GStV, der im Mai 1935 bereits 19 Verbände mit 900 Korporationen und etwa 180.000 Mitgliedern (Studenten und Alte Herren) angehörten.[76] Dagegen hatten die politischen Ambitionen des Völkischen Waffenrings durch das Abkommen einen schweren Schlag erlitten.

[73] Gründungsaufruf der Gemeinschaft studentischer Verbände, 12.1.1935, in: BA Koblenz R 128/12 Bl.6.
[74] Vgl. das Rundschreiben von Lammers, 23.4.1935, in: BA Koblenz R 128/12 Bl. 10.
[75] Vereinbarung vom 12.3.1935, in: BA Koblenz 43 II/938 Bl.7.
[76] Vgl. Stitz, CV, S.329.

Bereits am 11. April, vier Monate nach seiner Gründung, wurde er aufgelöst, und die ihm angeschlossenen Verbände traten in die GStV ein.[77]

3. Die Zerschlagung der Korporationen

Wie die Vereinbarung vom 12. März zustande gekommen war, läßt sich im einzelnen nicht mehr rekonstruieren. Deutlich erkennbar ist jedoch, daß sie in den Reihen des NSDStB von Anfang an mit beträchtlichem Widerwillen aufgenommen wurde. Auf einer Reichstagung des NSDStB im Mai 1935 konstatierte Derichsweiler, „viele Kameraden" hätten diese Vereinbarung als „Verrat am Nationalsozialismus betrachtet". Dadurch sei „die Existenz des gesamten Studentenbundes auf das Spiel gesetzt" worden. Dennoch sei die Vereinbarung „aus gewissen Situationen heraus erforderlich" gewesen. Gleichzeitig ließ Derichsweiler durchblicken, daß er sich in keiner Weise an das kurz zuvor mit der GStV geschlossene Abkommen gebunden fühlte. Er stellte klar,

> „daß ich die Verbände als solche ablehne, und daß wir dahin kommen müssen, daß die Korporationen, die wir für brauchbar halten, politische Erziehungszellen an den einzelnen Hochschulen bilden, unter der politischen Führung des Studentenbundes. Das ist unser Endziel".[78]

Noch eindeutiger waren die Zielvorstellungen, die der Gaustudentenführer von Ostpreußen, Ernst Horn, auf der gleichen Tagung formulierte: „Ich möchte gern, daß öffentlich gesagt wird: Schluß mit den Verbänden, alles wird dem Studentenbund angegliedert".[79]

Unter solchen Umständen erwiesen sich die Hoffnungen der Korporationen, mit der Vereinbarung vom 12. März endlich einen Modus vivendi zwischen Verbindungen und NSDStB gefunden zu haben, rasch als Illusion. Statt dessen gingen die Angriffe gegen die Verbände, aber auch gegen das Korporationswesen insgesamt, mit unverminderter Heftigkeit weiter. Anfang Juni erklärte der Gaustudentenführer von Thüringen, Rudolf Ortlepp, auf einer öffentlichen Veranstaltung in Anwesenheit Derichsweilers, der NSDStB werde nicht eher ruhen, „bis die letzte Korporationsfahne eingezogen ist und an ihrer Stelle die Hakenkreuzfahne aufgezogen sein wird".[80] Durchaus zu Recht beschwerte sich Lammers vier Wochen später bei Derichsweiler, daß „Ihre Unterführer gegen die Vereinbarung bei jeder sich bietenden Gelegenheit ... Sturm laufen und es als Ehrensache bezeichneten, die GStV, ihre Verbände und Korporationen zu bekämpfen und ihnen das Lebenslicht auszublasen".[81]

[77] Vgl. Stitz, CV, S.327 ff.

[78] Zitate aus: Prot. der Reichstagung des NSDStB in Frankfurt/M. am 11./12. Mai 1935, S.3-5, in: StA WÜ RSF/NSDStB II* ϕ 319.

[79] Ebd., S.7.

[80] Zit. in: Geschichte der Universität Jena. Festgabe zum vierhundertjährigen Universitätsjubiläum, Bd. 1, Jena 1958, S.658.

[81] Lammers (GStV) an Derichsweiler (NSDStB), 1.7.1935 (Abschr.), S.3, in: BA Koblenz Sammlung Schumacher 279 I Bl.26.

Unterdessen hatte die Reichsleitung des NSDStB mit einer systematischen Materialsammlung gegen die Korporationen begonnen.[82] Was dabei an Vorwürfen und Kritik zusammenkam, war jedoch zumeist eher dürftig.[83] Weltanschauliche Differenzen waren nur bei den christlich geprägten Verbänden erkennbar, die sich durch die zunehmend antikirchliche Propaganda der Partei abgestoßen fühlten. Neben den katholischen Verbänden (d.h. vor allem CV und KV) war dies insbesondere der protestantische Wingolfsbund und teilweise auch der ansonsten strikt völkisch ausgerichtete VDSt.[84] An den meisten anderen waffenstudentischen Verbindungen gab es politisch nicht viel auszusetzen. Noch 1935 hieß es in dem Bericht eines Kölner Gestapo-Spitzels, der sich sehr kritisch über die Gesinnung der katholischen Studenten äußerte:

> „Die waffenstudentischen Verbände, d.h. ihre Mitglieder, erkennen mit nur ganz wenigen Ausnahmen die nationalsozialistische Weltanschauung an, stehen zur Regierung und bejahen ihr Programm in jeder Hinsicht. Kritik an irgendwelchen Maßnahmen der Regierung findet man nicht. Politische Gespräche werden zwar oft mit Witzen gewürzt, die manchmal zwar derb und unschön, aber niemals gehässig sind. Unzufrieden ist man nur mit hochschulpolitischen Maßnahmen. Man bedauert es, daß die Stellung der Korporationen im Dritten Reich immer noch unklar und unsicher ist".[85]

Den meisten Verbindungen konnten die Nationalsozialisten eigentlich nur die banale Tatsache vorwerfen, daß sie primär keine politische Kampfverbände waren, sondern hauptsächlich der Geselligkeit, dem Bierkonsum und der Karrierevorbereitung dienten. So bemängelte der Gaustudentenführer von Franken: „Der Student wird in den Korporationen immer noch zu stark zu einem Gesellschaftsmenschen erzogen. Das kämpferische politische Moment tritt nur insofern in Erscheinung als es in den ‚gesellschaftlichen Rahmen' paßt".[86] Und der Gaustudenführer von Halle/Merseburg hob zwar den „guten Willen" der lokalen GStV hervor, klagte aber gleichzeitig bitter über die geringe Einsatzbereitschaft der Korporationsstudenten. Diese hatte sich ihm „schlaglichtartig" auf der Maikundgebung von 1935 offenbart:

[82] Vgl. Spitznagel, Studentenschaft, 1982, S.125.

[83] Vgl. den Bericht der Reichsamtsleitung des NSDStB über das Verhältnis des NSDStB zu den studentischen Vereinigungen, 27.5.1935, in: StA WÜ RSF/NSDStB II* ϕ 90.

[84] Bericht des Gaustudentenführers Köln-Aachen, M. Garben, über den Monat Juni 1935, S.4, in: StA WÜ RSF/NSDStB II* 109 α 53; J. Wotschke, VDSt, an A. Derichsweiler, 7.10.1935, Abschr. in: BA Potsdam Reichskanzlei 4232 Bl.40 ff.

[85] Bericht über die politische Einstellung der Kölner Studentenschaft, 31.5.1935, in: BA Potsdam REM 872 Bl.51 f. Von der Kölner Staatspolizei wurde dieser V-Mann ausdrücklich als „zuverlässig" beschrieben. Auch Gaustudentenführer Manfred Garben bezeichnete den Bericht als „grundsätzlich zutreffend". Vgl. Staatspolizeistelle Köln an das Geheime Staatspolizeiamt Berlin, 17.6.1935, in: ebd. Bl.48.

[86] Bericht des Gaustudentenführers Franken, T. Janzen, 4.7.1935, in: StA WÜ RSF/NSDStB II* 109 α 53.

„Während die NSDStB-Kameraden im schlechtesten Wetter zur Kundgebung marschierten, standen in einzelnen Korporationshäusern die jungen ‚Herren' morgens um 11 Uhr ungewaschen, ungekämmt, noch an den Folgen der überstandenen Maikneipe tragend, an den Fenstern und sahen sich den interessanten Zug an".

Der Gaustudentenführer sah darin „eine typische Zeiterscheinung, in der ein faules, arrogantes und sattes Bürgertum bereits wieder glaubt, sich der Idee des Nationalsozialismus verschließen zu können".[87]

Die nächste Runde der Auseinandersetzung begann, als Derichsweiler am 25. Juni 1935 Richtlinien für die studentischen Korporationen veröffentlichte. Diese Richtlinien verpflichteten alle Korporationen, drei studentische Mitglieder für ein mehrwöchiges Schulungslager des NSDStB anzumelden. Aus dem Kreis der Teilnehmer sollte dann der zuständige Hochschulgruppenführer des NSDStB für jede Korporation einen Schulungsleiter ernennen:

„Mit der Ernennung eines Schulungsleiters einer Korporation durch den Hochschulgruppenführer untersteht die betreffende Verbindung weltanschaulich-politisch ausschließlich der Führung des Hochschulgruppenführers oder der Dienststelle der Partei. Jede Einflußnahme von seiten der Altherrenschaften und Verbandsführungen auf die weltanschaulich-politische Erziehung dieser Korporationen hat zu unterbleiben".[88]

Vordergründig ging es in diesen Richtlinien um die politische Schulung der Korporationsstudenten. Im Kern zielten sie jedoch ganz eindeutig darauf, die studentischen Korporationsmitglieder vom Einfluß der Alten Herren und der Verbände loszulösen und sie in ein direktes Abhängigkeitsverhältnis vom NSDStB zu bringen. Zwar wurden die Verbindungen dem NSDStB offiziell nur „weltanschaulich-politisch" unterstellt. Da Derichsweiler aber die Auffassung vertrat, daß „die nationalsozialistische Erziehung den ganzen Menschen zu erfassen hat und die charakterliche und gesellschaftliche Erziehung sowie die Freizeitgestaltung ... Bestandteile dieser weltanschaulichen Erziehung" sein sollten[89], wäre die Akzeptanz seiner Richtlinien in der Praxis auf einen völligen Autonomieverlust hinausgelaufen. Auch die Tatsache, daß Derichsweilers Richtlinien der GStV erst übermittelt wurden, nachdem sie bereits der studentischen Presse übergeben worden waren, deutete darauf hin, daß der Führer des NSDStB nicht länger an Verhandlungen und Kompromissen interessiert war, sondern eine Unterwerfung erzwingen wollte. Derichsweiler selber hat einige Zeit später, in einer Rede vom August 1936, seine damalige Taktik in aller Offenheit erläutert:

[87] F. Nobel, Gaustudentenführer Halle/Merseburg, Lage- und Stimmungsbericht, o.D. [Mai 1935], in: StA WÜ RSF/NSDStB II* 109 α 53.
[88] Text der Richtlinien in: „Reichsappell des NSD-Studentenbundes", in: VB Nr.177, 26.6.1935.
[89] A. Derichsweiler, Die rechtsgeschichtliche Entwicklung des deutschen Studententums von seinen Anfängen bis zur Gegenwart, München, phil. Diss., 1938, S.84.

„Überall an den verschiedensten Stellen saßen damals noch die verschiedenen ‚Alten Herren', die natürlich für ihre Korporationen eintraten. Wir konnten deswegen nicht gleich kompromißlos und stur alles ablehnen, um nicht dadurch einen offenen Bruch herbeizuführen. Deshalb stellten wir die Forderung, ... daß die Korporationen in irgendeiner Weise eingebaut werden müßten. Es wäre damals nicht gut gewesen, gleich zu sagen, daß das nicht möglich sei. Unsere Aufgabe lag eben darin, das zu beweisen und die andere Seite ins Unrecht zu setzten. Wir wollten ihnen wenigstens den guten Willen zeigen, es stand aber für uns fest: Entweder nehmen sie unsere Richtlinien an, die wir ihnen geben, dann sind sie in einigen Semestern unsere Bestandteile, oder aber sie lehnen ab, dann beweisen sie nur, daß sie den Studentenbund nur als Vorhängeschild und Tarnung benutzen wollen. Dies letztere hat sich dann auch gezeigt".[90]

Lammers erkannte sofort, daß Derichsweilers Richtlinien „für die Korporationen völlige Abhängigkeit von dem NSDStB" zur Folge haben würden. Auf einer eilig einberufenen Krisensitzung beschlossen die Führer der 22 Verbände, die sich mittlerweile der GStV angeschlossen hatten, einmütig die Ablehnung der Richtlinien.[91] In einem ausführlichen Schreiben an Derichsweiler begründete Lammers diese Zurückweisung wenige Tage später. Darin begrüßte er zwar grundsätzlich die Schulungspläne des NSDStB, erklärte aber gleichzeitig sehr entschieden, er werde nicht dazu „die Hand bieten, daß die Verbände und Korporationen auf ‚kaltem' Wege allmählich zerschlagen werden, wie Sie es anscheinend erstreben".[92]

Damit verfügten Derichsweiler und Wagner, der den NSDStB in diesem Konflikt vollkommen unterstützte[93], endlich über den selbstfabrizierten „Beweis", daß die studentischen Verbände nicht bereit seien, sich in den nationalsozialistischen Staat einzugliedern. Jetzt fehlte nur noch ein möglichst spektakulärer Anlaß, um gegenüber den Korporationen erneut propagandistisch in die Offensive gehen zu können.

Da erinnerte man sich eines Vorfalls, der sechs Wochen zuvor in Heidelberg einen Sturm im Wasserglas verursacht hatte.[94] Am 21. Mai 1935 war im Radio eine außenpolitische Rede Hitlers übertragen worden. Kurz zuvor veranstaltete das dem Kösener SC angehörende Corps Saxoborussia eine „Receptionsfeier", bei der Sekt, Wein und Bowle in größeren Mengen getrunken wurden. Danach hörten sich die bereits angetrunkenen Corpsmitglieder Hitlers Rede an. Noch bevor dieser zu Ende gekommen war, brach die Mehrheit der Anwesenden in eine nahegelegene Gastwirtschaft auf, die

---

[90] A. Derichsweiler, Rede in der Ordensburg Crössinsee, August 1936, Ms., S.3 f., in: StA WÜ RSF/NSDStB II* 29 α 477.

[91] Vgl. Prot. der Verbändeführer-Sitzung der GStV vom 22.6.1935, in: BA Koblenz R 128/12 Bl.101 ff. Das Lammers-Zitat ebd. Bl.105.

[92] Lammers an Derichsweiler, 1.7.1935 (Abschr.), in: BA Koblenz Sammlung Schumacher 279 I Bl.27.

[93] Vgl. „Die Richtlinien der Hochschulpolitik werden von der Partei gegeben", in: VB Nr.186, 5.7.1935.

[94] Zur folgenden Darstellung vgl. das Urteil des Akademischen Disziplinargerichtes der Universität Heidelberg, 3.7.1935; Stellungnahme der Altherrenschaft des Corps Saxoborussia zu den Vorfällen am 21. und 26. Mai 1935 in Heidelberg, 18.7.1935. Beides in: BA Koblenz R 128/73.

sie wenig später in gehobener Stimmung betraten, wobei einer der Corpsangehörigen auf einer Sektflasche blies. Erst nachdem der Wirt sie darauf hingewiesen hatte, daß die Übertragung der Hitler-Rede noch nicht beendet war, ließen sie sich an einem Tisch nieder und verfolgten die Rede des „Führers“ bis zu deren Ende. Fünf Tage später saßen Angehörige desselben Corps in einer anderen Gastwirtschaft beim Spargelessen. Dabei entwickelte sich eine scherzhafte Auseinandersetzung über die richtige Art, Spargel zu essen, in deren Verlauf einer der Anwesenden mit lauter Stimme die Frage stellte, wie wohl „der Führer“ Spargel esse, ob „mit Messer, Gabel oder Pfoten“.

Ein unbefangener Beobachter konnte aus diesen harmlosen Ereignissen eigentlich nur zwei Dinge herauslesen: ein gewisses Desinteresse an der Rede Hitlers, das von den Betroffenen mit Störungen des Rundfunkempfangs begründet wurde, und einen Hang zur Respektlosigkeit bei einem einzelnen Corpsangehörigen gegenüber der Person des „Führers“, wie sie vor allem in der Wortwahl („Pfoten“) zum Ausdruck kam. Dennoch wurde die „Heidelberger Spargelesser-Affäre“ zum Ausgangspunkt einer massiven Kampagne der Parteipresse, die schließlich das Ende der Korporationen einleitete.

Freilich war es auch nicht ganz zufällig, daß gerade die Angehörigen dieses „vornehmsten und exklusivsten Heidelberger Corps“[95] nun ins Visier der nationalsozialistischen Propagandamaschinerie gerieten. Zum einen waren die Saxoborussen schon in der Weimarer Republik stärker als andere Korporationen gegenüber dem völkischen Radikalismus auf Distanz geblieben.[96] Zum anderen boten vor allem der luxuriöse Lebenstil der „Heidelberger Spargelesser“ und die soziale Zusammensetzung des Corps, das hauptsächlich aus Adeligen bestand[97], exzellenten Stoff für die NS-Presse. Der nun einsetzende Propagandafeldzug gegen das „staatsfeindliche Treiben der studentischen Feudalreaktion“[98] wurde denn auch mit fast klassenkämpferischen Tönen geführt: „Verlogene Alt-Heidelberg-Romantik und arbeiterfeindliches Feudalwesen sind die Ideale dieser sogenannten Korporationen“, hieß es in einem Befehl des Reichsjugendführers Baldur v. Schirach. Für Schirach boten die Heidelberger Ereignisse ein „furchtbares Bild der Verrohung und Zuchtlosigkeit, ja, abgrundtiefen Gemeinheit einer kleinen Clique von Korporationsstudenten, die lärmt und säuft, während Deutschland arbeitet“. In einem Befehl ordnete er an, daß künftig kein HJ-Mitglied mehr einer studentischen Verbindung angehören dürfe: „Wir ziehen ... den Trennungsstrich zwischen ihnen und uns, den Trennungsstrich zwischen Reaktion und Sozialismus“.[99]

[95] Carl Zuckmayer, Als wär's ein Stück von mir, Wien 1966, S.306.
[96] Vgl. Zuckmayer, ebd.; „Zur Lage“, in: BBl, 49. Jg., 1934/35, S.253.
[97] Von den fünf studentischen Angehörigen, die wegen der hier geschilderten Ereignisse vor dem Disziplinargericht der Universität Heidelberg erscheinen mußten, waren vier Adelige. Vgl. das Urteil des Akademischen Disziplinargerichts der Universität Heidelberg, 3.7.1935 (Anm. 91).
[98] So lautete die Überschrift im Artikel des VB Nr.187, vom 6.7.1935, mit dem die Kampagne eingeleitet wurde.
[99] „HJ oder Verbindungsstudent“, in: Hamburger Tageblatt Nr.182, 7.7.1935.

Damit hatten sich die Gegensätze zwischen Lammers und Teilen der Partei so weit zugespitzt, daß nur noch Hitler selber eine Entscheidung treffen konnte, die von allen Seiten als verbindlich akzeptiert werden würde. Hitlers Stellungnahme erfolgte am 15. Juli 1935 auf einer Besprechung, an der ein Großteil der Parteiprominenz teilnahm. In einem Monolog, der sich über zweieinhalb Stunden erstreckte, ließ Hitler erstmals eine grundsätzliche Abneigung gegen die Verbindungen erkennen. Gleichzeitig wandte er sich aber auch gegen ein Verbot der Korporationen. Vielmehr müsse man „Gelegenheit haben zu sehen, wes Geistes Kind die Einzelnen" seien. Den Korporationen sagte er einen „langsamen Tod" voraus.[100] Um Popularitätsverluste zu vermeiden, wurden die Anwesenden verpflichtet, Hitlers Ansichten über die Korporationen nicht nach außen dringen zu lassen.[101]

Aus dieser Entscheidung ergaben sich zwei Konsequenzen, die Gerhard Wagner einige Tage später verkündete. Erstens wurde offiziell das Ziel aufgegeben, die Korporationen in „nationalsozialistische Erziehungsgemeinschaften" umzuwandeln. Und zweitens erklärte Wagner nunmehr öffentlich, es werde in Zukunft keine Vereinbarungen mehr zwischen der Partei und der GStV geben.[102] Damit war die GStV eigentlich überflüssig geworden. Trotzdem versuchte sie, durch eine Politik der forcierten Anpassung zu retten, was noch zu retten war. Vor allem die Deutsche Burschenschaft drängte darauf, die politische Zuverlässigkeit der Korporationen durch die Beseitigung der noch bestehenden Ausnahmeregelungen für „nichtarische" Alte Herren unter Beweis zu stellen. Diese Forderung führte in einigen Verbänden zu heftigen Auseinandersetzungen, wurde aber schließlich doch von fast allen akzeptiert. Auf einer Verbändeführer-Sitzung der GStV am 24. Juli stellte sich heraus, daß von den 22 anwesenden Verbänden 11 bereits alle „Nichtarier" aus ihren Reihen entfernt hatten. Weitere acht Verbände kündigten an, sie wollten ihre Mitgliederlisten bis Anfang November „freiwillig bereinigen". Nur drei Verbände, der Kösener SC, der Wingolfsbund und der Wernigeroder Verband zeigten sich noch unschlüssig.[103]

Letzten Endes war es dann aber doch nur der Kösener SC, der sich querstellte. Mit dem Selbstbewußtsein eines Verbandes, aus dessen Reihen sich lange Zeit die Elite der preußischen Ministerialbürokratie rekrutiert hatte[104], erklärte die Führung des Kösener SC in einem Brief an Lammers, der Verband lehne es ab, seinen verbliebenen „nichtarischen" Alten Herren freiwil-

[100] Ein Prot. dieser Besprechung liegt nicht vor. Vgl. aber die Notizen über Derichsweilers Vortrag auf dem 20. Lehrgang an der Reichsschule in Bernau, 17.7.1935, in: BA NS 38/50; sowie: Giles, Students and National Socialism in Germany, Princeton 1985, S.181 f.; Steinberg, Sabers and Brown Shirts, 1977, S.167.

[101] Tatsächlich sprach sich Hitlers Einflußnahme aber bald herum. Vgl. H.J. Düning, Der SA-Student im Kampf um die Hochschule, Weimar 1936, S.105.

[102] G. Wagner, „Bewegung und Hochschule", in: VB Nr.206, 25.7.1935.

[103] Vgl. Niederschrift der Verbändeführer-Sitzung der GStV vom 24.7.1935, S.12 f., in: BA R 128/14 Bl.96 f.

[104] Vgl. K.H. Jarausch, Students, Society, and Politics in Imperial Germany, Princeton 1982, S.321 ff.; F. Schulze / P. Ssymank, Das deutsche Studententum von den ältesten Zeiten bis zur Gegenwart, München 1932[4], S.406 .

lig die Treue zu brechen. Der Kösener SC wolle sie nur dann ausschließen, wenn Lammers als Chef der Reichskanzlei und Führer der GStV eine entsprechende Anordnung erteile.[105] Gleichzeitig wurde betont, daß die zögerliche Haltung des Verbandes keineswegs als Ablehnung des Antisemitismus zu verstehen sei. Schließlich hatte der Kösener SC sich schon vor dem Ersten Weltkrieg zum Antisemitismus bekannt und bereits 1920 den Beschluß gefaßt, keine neuen Mitglieder mehr aufzunehmen, unter deren Großeltern sich ein Jude befand.[106] Lammers ließ sich jedoch auf diese Vorschläge nicht ein und schloß den Kösener SC am 5. September aus der GStV aus. Daraufhin beschloß der Kösener SC noch am selben Tag, wohl als letzter Korporationsverband, sich doch von seinen „nichtarischen" Verbandsmitgliedern zu trennen.[107]

Es läßt sich heute kaum noch nachvollziehen, wie niederschmetternd diese Nachricht auf die betroffenen Alten Herren wirkte. Für Willy Ritter Liebermann von Wahlendorf, einen jüdischen Kaufmann, der 1883 Corpsstudent geworden war und in seinen Erinnerungen bekannte, „daß mir nächst meiner engeren Familie das Corps bis Oktober 1935 wohl am allernächsten im Leben gestanden hat", zerstörte der Ausschluß aus seinem Corps auch sämtliche Bindungen an Deutschland: „In diesem Augenblick aber fühlte ich deutlich, daß eine tiefinnere Änderung mit mir vorging, daß eine Hülle von mir abglitt. Ich war kalt und gleichgültig geworden gegen alles, was sich heute deutsch nennt".[108]

Etwa zur selben Zeit entfernte Lammers auch die Deutsche Burschenschaft aus der GStV, nachdem deren Bundesführer Hans Glauning, ein „alter Kämpfer" der NSDAP und Mitbegründer des NSDStB, die GStV in einem provozierenden Artikel als das „unglücklichste Mißverständnis der deutschen Korporationen" bezeichnet hatte.[109] Damit war der Versuch, die studentischen Verbände zu einigen, endgültig gescheitert. Daraufhin trat Lammers, der seit Hitlers negativen Äußerungen über die Verbindungen wohl ohnehin die Hoffnung auf ein Überleben der Korporationen verloren hatte, als Führer der GStV zurück. Wenige Tage später löste sich die GStV auf.

Unterdessen ging in der NS-Presse die Kampagne gegen die Korporationen, die sich vor allem auf den Kösener SC konzentrierte, mit unveränderter Heftigkeit weiter. Nachdem der Stabschef der SA, Lutze, allen SA-Mitgliedern die Mitgliedschaft im Kösener SC verboten hatte, beschloß der Verband am 28. September seine Selbstauflösung. Wenige Tage später unter-

---

105 Vgl. die Abschriften der Schreiben von M. Blunck an Lammers vom 13.8.1935 und vom 28.8.1935, in: BA Koblenz R 128/24 Bl.34 ff. u. Bl.56 ff.

106 Vgl. M. Blunck, Kösener SC, an Lammers, GStV, 13.8.1935, Abschr. in: BA R 128/24 Bl.37 f. Siehe auch Bleuel/Klinnert, Studenten, S.148 f.

107 Vgl. das Telegramm von Heringhaus, Kösener SC, an Hitler, 26.9.1935, in: BA R 43 II 938 Bl.40.

108 W. Ritter Liebermann von Wahlendorf, Erinnerungen eines deutschen Juden 1863-1936, München/Zürich 1988, S.42 u. 264.

109 Vgl. H. Glauning, „Kritische Betrachtung der Lage", in: BBl, 49. Jg., 1934/35, S.281-284. Zu Glauning siehe Faust, Bd. 2, S.158.

zeichneten die Deutsche Burschenschaft und der NSDStB ein Abkommen, das die Auflösung der Deutschen Burschenschaft und die Umwandlung ihrer Korporationen in „Kameradschaften" des NSDStB vorsah. Gleichzeitig erklärte der NSDStB seine Bereitschaft, auch Korporationen anderer Verbände nach politischer Überprüfung als Kameradschaften zu übernehmen.[110] Daraufhin entschieden sich auch die meisten anderen studentischen Verbände im Laufe des Oktober 1935 für die Selbstauflösung. Die einzelnen Korporationen blieben jedoch in der Regel bestehen, ebenso die Altherrenverbände.

Derichsweilers Strategie lief ganz offensichtlich darauf hinaus, die politisch zuverlässigen Korporationen in den NSDStB einzugliedern und den nicht integrationsfähigen Rest langsam auszutrocknen. Zu diesem Zweck wurden die im Wintersemester 1935/36 neu immatrikulierten Studenten vor die Alternative gestellt, entweder in den NSDStB oder in eine Korporation einzutreten. Wenig später verbot Derichsweiler allen NSDStB-Mitgliedern die gleichzeitige Mitgliedschaft in einer Verbindung, beteuerte aber ausdrücklich, er wolle die weiterhin bestehenden „Korporationen an ihrem Eigenleben nicht behindern".[111] Jedoch trugen solche Maßnahmen kaum zu einer Stärkung des NSDStB bei. Die meisten Korporationen scheuten vor einer Eingliederung in den NSDStB zurück, zumal dieser als Voraussetzung die Übergabe der Korporationshäuser verlangte. Auch viele Burschenschaften waren mit der Entscheidung ihrer Führung nicht einverstanden und verweigerten den Anschluß an den NSDStB.[112] Einige Verbindungen entschlossen sich zur Auflösung oder zur Suspension, andere versuchten, den bisherigen Korporationsbetrieb weiter aufrechtzuerhalten.

In Tübingen beispielsweise waren die Korporationen zu Beginn des Wintersemesters 1935/36 weitgehend von der Bildfläche verschwunden. Nur die Burschenschaft Germania, die sich dem NSDStB nicht angeschlossen hatte, hielt den Korporationsbetrieb ostentativ aufrecht, als sei nichts geschehen. Nachdem sich herausgestellt hatte, daß nur fünf von 23 Verbindungen zu einer Umwandlung in Kameradschaften des NSDStB bereit waren[113], beschlossen auch die Tübinger Corps, erneut ihre Korporationsfahnen aufzuziehen und sich wieder mit Band und Mütze in der Öffentlichkeit zu zeigen. Diesem Vorgehen schlossen sich nach und nach alle übrigen noch bestehenden Tübinger Verbindungen an, darunter auch drei Burschenschaften. Ende November 1935 sah es so aus, als habe sich in Tübingen nur wenig verändert: „Das Bild in den Tübinger Straßen ist wieder beherrscht von den bunten

[110] Vgl. „Die Deutsche Burschenschaft löst sich auf", in: DAZ Nr. 471, 8.10.1935; „Umbruch studentischer Lebensformen", in: VB Nr.307, 3.11.1935. Die Eingliederung von Korporationen des katholischen CV in den NSDStB wurde von Derichsweiler, selber ein ehemaliges CV-Mitglied, ausdrücklich abgelehnt. Vgl. Stitz, CV, S.361.

[111] Beide Anordnungen in: Stitz, CV, S.362 f.

[112] Vgl. Fernschreiben der Stapo Königsberg an das Geheime Staatspolizeiamt Berlin, 18.2.1936 (Abschr.), in: BA Potsdam REM 872 Bl.212; R. Ortlepp, Fahrtbericht, o.D. [November 1935], S.1, in: StA WÜ RSF/NSDStB II* 109 α 53.

[113] Vgl. Stitz, CV, S.366.

Korporationsmützen", hieß es in einem SA-Bericht. Gleichzeitig häuften sich, wie aus derselben Quelle zu erfahren ist, „die Austritte aus dem NSDStB, denn der Korporationsstudent sagt, er erfülle seine Pflicht dem Nationalsozialismus gegenüber in der SA usw.".[114]

In anderen Städten zeigten sich ähnliche Tendenzen. Trotz der Anordnungen des NSDStB kam es im Laufe des Wintersemesters 1935/36 an einer Reihe von Universitäten zu einer Wiederbelebung des Verbindungsbetriebes, so u.a. in Bonn, Freiburg und Marburg.[115] Auch weisen die Quellen übereinstimmend darauf hin, daß der Zustrom neu immatrikulierter Studenten in den NSDStB überall äußerst schwach war. So entschlossen sich in Bonn nur etwa 10 % der Erstsemester zum Beitritt.[116] In Erlangen, einst eine Hochburg des NSDStB, trat zu Beginn des Wintersemesters nur ein Fünftel der männlichen Erstsemester dem NSDStB bei. Dabei handelte es sich meist um Studenten, die auf „Hörgeldermäßigungen, Stipendien, Freitische und dgl." angewiesen waren, wie ein Korporationsstudent registrierte.[117] Ein weiteres Fünftel schloß sich einer der Korporationen an, während die Mehrheit der neu immatrikulierten Studenten sich sowohl von den Verbindungen als auch vom NSDStB fernhielt.[118]

Viele Korporationsstudenten klammerten sich an die Hoffnung, daß nicht die NSDAP, sondern nur einzelne Parteigliederungen - der NSDStB und die HJ - für die korporationsfeindliche Politik verantwortlich seien:

> „Die Vertreter des Korporationsstudententums betonen immer wieder, daß sie von seiten der Partei oder von seiten des Staates eine klare Entscheidung wünschen. Die Politik des NSD-Studentenbundes wird von ihnen abgelehnt, da sie der Ansicht sind, daß sich diese nicht mit der Partei decke",

vermerkt ein Bericht der Gestapo Freiburg.[119] Zeitweise kursierte das Gerücht, Himmler und die SS seien bereit, sich für die Korporationen einzusetzen.[120]

Diese Illusionen schwanden jedoch spätestens, nachdem Hitler und Heß in ihren Reden zur Feier des 10. Gründungstages des NSDStB am 26. Januar 1936 keine Zweifel mehr daran ließen, daß sie die Korporationen als histo-

---

[114] Zitate aus: Bericht des SA-Sturmbanns V/125 an die SA-Standarte 125, Tübingen, 30.11.1935, Abschr. in: StA WÜ RSF/NSDStB II* 153 α 84.

[115] Vgl. den Bericht der Staatspolizeistelle für den Regierungsbezirk Köln an das Geheime Staatspolizeiamt, Berlin, 22.2.1936; Bericht der Gestapo Freiburg, 6.3.1936. Siehe auch den undatierten Bericht „Entwicklung der Korporationsfrage", der offenbar ebenfalls von der Gestapo stammt. Alle Berichte als Abschriften in: BA Potsdam REM 872 Bl.213 ff. Außerdem: L.A. Ricker, Freiburger Mensuren in der nationalsozialistischen Verbotszeit, in: Einst und Jetzt, 10. Jg., 1965, S.71 f.

[116] Vgl. den Bericht der Staatspolizeistelle für den Regierungsbezirk Köln 22.2.1936 (Anm. 115). Siehe auch J. Wotschke, VDSt, an Regierungsrat E. Nordmann, 11.12.1935, in: BA Potsdam Reichskanzlei 4232 Bl.88 f.

[117] Zit. in: Franze, Erlanger Studentenschaft, S.277.

[118] Vgl. ebd.

[119] Bericht der Gestapo Freiburg, 6.3.1936 (Abschr.), in: BA Potsdam REM 872 Bl.222.

[120] Vgl. den Bericht des Kulturamtes (im Sicherheitshauptamt) der SS an Himmler, 1.10.1935, in: BA Potsdam St 3/562.

risch überlebte Erscheinung ansahen, die dem „Neuen weichen" müsse.[121] Ähnlich äußerte sich auch Himmler.[122] Am 14. Mai verbot Heß schließlich allen Mitgliedern der Partei und allen Angehörigen von Parteigliederungen die Mitgliedschaft in studentischen Verbindungen.[123] Diese Verfügung markiert das Ende der studentischen Korporationen. Für Nationalsozialisten war damit die weitere Mitgliedschaft in einer Korporation undenkbar geworden. Charakteristisch für die Haltung dieser Studenten waren die Sätze, mit denen das Protokollbuch der Burschenschaft Frisia/Göttingen im Februar 1936 abgeschlossen wurde:

> „Späteren Generationen zum Verständnis unseres Wollens und unseres Geistes scheint mir dieses Buch geschrieben zu sein, und deshalb sollen sie auch erfahren, was wir bei unserer Auflösung dachten. Sie sollen einst nicht von uns denken, daß wir morsch an Leib und Seele waren, daß wir Reaktionäre, also Feinde des Vaterlandes, als die wir augenblicklich verschrieen sind, gewesen sind ... Wenn der Staat in uns heute eine Reaktion sieht, so ist das ... ein bedauerlicher Irrtum. Eine Korporation aber gegen den Willen des Führers können wir nicht aufrechterhalten, weil wir uns alle zu ihm bekennen".[124]

Aber auch jene Studenten, die sich nicht dem Nationalsozialismus verbunden fühlten, mußten befürchten, bei Aufrechterhaltung des Korporationsbetriebes bald endgültig als Staatsfeinde abgestempelt zu werden. Spätestens nach dem Heß-Erlaß vom Mai 1936 beschloß daher die Mehrheit der noch verbliebenen Korporationen ihre Auflösung bzw. Supension. Der Auflösungsbeschluß bezog sich in der Regel aber nur auf die Aktivitas, d.h. auf die studentischen Mitglieder. Die meisten Korporationen blieben als Altherrenvereine bestehen, ohne jedoch neue Mitglieder aufzunehmen.

Seit dem Sommersemester 1936 waren die studentischen Verbindungen weitgehend aus dem Universitätsleben verschwunden. Die Verbindungshäuser wurden vermietet, teilweise auch verkauft. Einige Verbindungen versuchten, trotz der veränderten Umstände den herkömmlichen Korporationsbetrieb intern aufrechtzuerhalten. Sie scheiterten aber zumeist am Nachwuchsmangel.[125] Nur sehr wenige Korporationen konnten das alte Verbindungsleben noch eine Zeitlang in der Halblegalität weiterführen. In der Münchener Studentenführung herrschte im April 1937 beträchtliche Aufregung, als bekannt wurde, daß ein örtliches Corps kurz zuvor 18 neue Mitglieder als „Füchse" aufgenommen hatte.[126] Das WSC-Corps Obotritia hielt den Verbindungsbetrieb an der TH Darmstadt noch bis zum Wintersemester 1937/38 aufrecht, mußte dann aber kapitulieren und sein Haus verkau-

---

[121] Vgl. Derichsweiler, Die rechtsgeschichtliche Entwicklung, S.87 f.

[122] Vgl. Himmler an den Führer des Verbandes der Turnerschaften, Vogelsang, 11.10.1935, in: BA Potsdam St 3/562 Bl.104.

[123] Anordnung 72/36 des StdF, 14.5.1936, in: BA Koblenz Sammlung Schumacher 279 I Bl.251.

[124] Zit. in: Bernhardi, Göttinger Burschenschaft, S.226.

[125] Vgl. den wahrscheinlich von der Gestapo verfaßten Bericht betr. Entwicklung der Korporationsfrage, o.D. [1936], in: BA Potsdam REM 872 Bl.236 ff. Siehe auch Bernhardi, Göttinger Burschenschaft, S.225 ff.; Stitz, CV, S.365 ff.

[126] Prot. der Aussage von F. Bernhardt, 16.6.1937, in: BAAZ Julius Doerfler.

fen.[127] In Köln fand 1937 sogar ein Mensurtag statt, an dem neben Alten Herren auch eine Reihe von Studenten teilnahmen. Zwei linientreue Mitglieder des NSDStB, die davon zufällig erfahren hatten, registrierten mit einiger Verwirrung, daß sich unter den Teilnehmern der Veranstaltung auch der Führer der Kölner Dozentenschaft befand, SS-Sturmführer Max de Crinis, geschmückt mit Band und Mütze seiner Korporation und dem SS-Zivilabzeichen an der Brust.[128]

David Schoenbaum hat vor einigen Jahren hervorgehoben, wie schwierig es war, im nationalsozialistischen Deutschland zuverlässige „Hinweise auf das objektive Oben und Unten“ zu erhalten: „Wie wichtig war ein Minister, ein Diplomat, ein Parteifunktionär der Arbeitsfront, ein Hitlerjugendführer, der Schüler einer Ordensburg? Diese Frage war nicht zu beantworten“.[129] Der Konflikt um die Korporationen unterstreicht diese Aussage. Innerhalb von zwei Jahren war es einigen nationalsozialistischen Studentenfunktionären mit Hilfe des Reichsärzteführers gelungen, sich gegen einen der einflußreichsten Politiker des nationalsozialistischen Staates, den Leiter der Reichskanzlei, durchzusetzen und dabei das wichtigste organisatorische Gefüge des deutschen Bildungsbürgertums zu zerschlagen. Dieser Erfolg des NSDStB war zum einen darauf zurückzuführen, daß Hitler im entscheidenden Augenblick die Position der NSDStB-Führung unterstützt hatte. Zum anderen ergab sich die destruktive Politik gegenüber den Korporationen mit einer gewissen Zwangsläufigkeit aus dem Totalitätsanspruch einer Partei, für die es auf Dauer unerträglich war, daß einflußreiche Organisationen wie die Korporationsverbände unabhängig weiterbestehen konnten.

Derichsweiler und der NSDStB hatten, so schien es, auf der ganzen Linie gesiegt. Aber schon bald zeigte sich, daß dieser Triumph alle Merkmale eines Pyrrhussieges aufwies. Kaum eine andere hochschulpolitische Maßnahme der Nationalsozialisten war so unpopulär wie die Zerschlagung der Korporationen.[130] Ihr Verschwinden führte daher auch nicht zu einer Stärkung des NSDStB, sondern hatte zur Folge, daß das Prestige der Organisation unter den Studenten einen absoluten Tiefpunkt erreichte. Selbst der Mitgliedergewinn durch jene Korporationen, die als Kameradschaften eingegliedert worden waren, erwies sich als ein Zuwachs von zweifelhaftem Nutzen:

> „Die übernommenen Korporationen, besonders die Burschenschaften, haben sich bisher nur äußerlich eingegliedert und weigern sich bei jeder noch so kleinen Gelegenheit, wirklich politisch mitzuarbeiten“,

[127] Vgl. H.W. Benscheidt, Das Darmstädter Corps Obotritia im Dritten Reich, in: F. Golücke (Hg.), Korporationen und Nationalsozialismus, Schernfeld o.J., S.115 ff.

[128] Vgl. den Bericht des Kölner Studentenführers Wachtmann an den Stabsleiter der RSF, E. Horn, 28.5.1937, Anlage, in: StA WÜ RSF/NSDStB II* 91 α 32. Siehe auch: Ricker, Freiburger Mensuren, S.72.

[129] D. Schoenbaum, Die braune Revolution. Eine Sozialgeschichte des Dritten Reiches, Köln 1980, S.342.

[130] Vgl. P.E. Kahle, Bonn University in Pre-Nazi and Nazi Times (1923-1939), London 1945, S.37.

Tab. 11: Mitglieder des NSDStB an 6 Universitäten (Sommersemester 1936)[131]

Universität	Eingeschriebene Studenten	Mitglieder des NSDStB abs.	in %
Berlin	6 656	1 404	21,1
Göttingen	1 862	567	30,5
Greifswald	913	302	33,1
Hamburg	2 100	514	24,5
Kiel	1 703	527	30,9
Rostock	1 020	264	25,9
Zusammen	14 254	3 578	25,1

berichtete der Hamburger Gaustudentenführer Wilhelm Dansmann im Dezember 1935.[132] Dies war offenbar keine untypische Erfahrung, denn schon im Januar 1936 ordnete Gerhard Wagner die Auflösung der in den NSDStB eingegliederten Korporationen an. Das vier Monate zuvor mit der Deutschen Burschenschaft abgeschlossene Abkommen war damit bereits wieder gebrochen.[133] Derichsweilers Hoffnung, daß die ehemaligen Korporationsstudenten sich nunmehr mangels Alternative dem NSDStB zuwenden würden, erwies sich spätestens zu diesem Zeitpunkt als Trugschluß. Angaben über die Mitgliederzahl des NSDStB im Sommer 1936 liegen für sechs Universitäten aus dem norddeutschen Raum vor. Sie sind in Tabelle 11 zusammengefaßt. Wenn diese Zahlen repräsentativ waren, erfaßte der NSDStB im Sommersemester 1936 ziemlich genau ein Viertel der Studentenschaft. Dabei ergibt sich das charakteristische Bild, daß die Organisation an Kleinstadtuniversitäten wie Greifswald vergleichsweise stark war, dagegen in Großstädten wie Berlin nur einen unterdurchschnittlichen Organisationsgrad aufweisen konnte. Noch geringer waren die Mitgliederzahlen der Kameradschaften, die Derichsweiler seit dem Herbst 1935 als Alternative zu den Korporationen aufzubauen versuchte. Im Wintersemester 1936/37 umfaßten sie gerade 14 % der männlichen Studenten.[134] Trotz Beseitigung der unliebsamen Konkurrenz verfügte der NSDStB auch weiterhin über sehr viel weniger Mitglieder, als die Korporationen in ihrer Glanzzeit gehabt hatten - ein deutlicher Hinweis auf die ablehnende Stimmung in der Studentenschaft. Die „Deutschland-Berichte" der Exil-SPD kamen sogar zu dem Schluß, die Korporationsstudenten seien „die entschiedensten Gegner der Nazis" geworden:

> „Denn gerade ihre alte Tradition will man treffen und beseitigen. Und in dem Kampf um die Erhaltung dieser Tradition sind sie derart fanatisch, daß sie, wenngleich auch reaktionär, es ablehnen, mit den Nazis irgend etwas zu tun zu haben".[135]

[131] Quellen: StA WÜ RSF/NSDStB II* φ 182; eigene Berechnungen.

[132] W. Dansmann, Bericht über die Arbeit des NSD-Studentenbundes, Gau Hamburg, 5.12.1935, in: StA WÜ RSF/NSDStB II* 109 α 53.

[133] Vgl. Bernhardi, Göttinger Burschenschaft, S.224 u. 227.

[134] Vgl. Giles, Verbändepolitik, S.144 f.

[135] Deutschland-Berichte der Sozialdemokratischen Partei Deutschlands (ND 1980), 3. Jg., 1936, S.1338.

Höchstwahrscheinlich übertrieb diese Einschätzung das reale Ausmaß der Konfrontation, zumal ein anderer Bericht aus derselben Quelle hervorhob, daß die Person Hitlers von der Ablehnung verschont blieb.[136] Trotzdem war die tiefe Verbitterung eines beträchtlichen Teils der männlichen Studentenschaft über die destruktive Politik des NSDStB ein unbestreitbares Faktum. Auch Derichsweiler selber mußte im August 1936 den Bankrott seiner Politik einräumen und konnte seine Hoffnungen nur noch auf die nachwachsende Generation richten: „Heute sind die älteren Semester für uns vollkommen verloren. Wir müssen aber versuchen, das, was jetzt nachkommt, fest in unsere Hand zu bekommen".[137]

Trotz der mehr als desolaten Lage des NSDStB zögerte Derichsweiler nicht, sich neue Feinde zu machen und intensivierte nach Zerschlagung der Korporationen den Kampf gegen die DSt. Diese war zwar seit Ende 1934 als Machtfaktor weitgehend in den Hintergrund gedrängt worden, verfügte aber durch die Zwangsbeiträge der Studenten weiterhin über beträchtliche Mittel und hatte versucht, sich neue Tätigkeitsfelder zu erschließen, vor allem den „Reichsberufswettkampf" und den „Landdienst".[138] Mit seinem erneuten Vorstoß gegen die DSt, der an einigen Universitäten zu heftigen Auseinandersetzungen unter den Studentenfunktionären führte, versuchte Derichsweiler offensichtlich, der DSt endgültig den Garaus zu machen, um künftig die Studentenpolitik allein dirigieren zu können.[139] Anfang April 1936 verbot die Reichsleitung des NSDStB allen Mitgliedern, ohne ausdrückliche Genehmigung Ämter außerhalb des NSDStB zu übernehmen, die sich „mit studentischen Fragen" befaßten.[140] Für die DSt, deren Funktionäre durchweg auch dem NSDStB angehörten, stellte sich damit die Frage, ob sie in Zukunft überhaupt noch in der Lage sein würde, die Ämter der lokalen Studentenführungen zu besetzen.[141] Auch einige Gauleiter schlossen sich dem verschärften Konfrontationskurs an und verboten Kundgebungen der DSt in ihrem Herrschaftsbereich, als ginge es gegen Staatsfeinde.[142] Der endgültige Triumph über die DSt schien nur noch eine Frage der Zeit zu sein. Während diese Auseinandersetzung noch im Gange war, entwarf Derichsweiler bereits neue Pläne zur Ausweitung seiner Machtposition. Im April 1936 kündigte der NSDStB-Führer an, ab dem Winter 1936/37 werde

---

[136] Vgl. Deutschland-Berichte der Sozialdemokratischen Partei Deutschlands, 3. Jg., 1936, S.215. Siehe auch: Bauer, Kameradschaften, S.6; Popp, Königsberger Studententum, S.168.

[137] A. Derichsweiler, Rede in der Ordensburg Crössinsee, August 1936, S.8, in: StA WÜ RSF/NSDStB II* 29 α 477.

[138] Zum Reichsberufswettkampf vgl. S.336 ff., zum Landdienst S.341 ff.

[139] Vgl. M. Franze, Die Erlanger Studentenschaft 1918-1945, Würzburg 1972, S.294 ff.; W. Müller, Stellungnahme zur Frage des studentischen Landdienstes, 18.3.1936, in: BA Potsdam REM 907 Bl.255 ff.; Prot. der Amtsleiterbesprechung der DSt vom 24.9.1936, in: StA WÜ RSF/NSDStB II* 29 α 477.

[140] Vgl. das Rundschreiben der Reichsleitung des NSDStB, 2.4.1936, in: StA WÜ RSF/NSDStB II* 29 α 477.

[141] Vgl. Franze, Erlanger Studentenschaft, S.304 f.

[142] Vgl. den Informationsdienst der Reichsstudentenbundführung der NSDAP 30/36, 8.6.1936, in: StA WÜ RSF/NSDStB II* 29 α 477.

die Mitgliedschaft in einer Kameradschaft für alle Studierenden der ersten drei Semester obligatorisch sein.[143]

Zu einer Verwirklichung dieser Absichten kam es jedoch nicht mehr. Denn mittlerweile hatte man sowohl im REM als auch im Stabe Heß erkannt, daß die „völlig unehrliche Politik"[144] des NSDStB-Führers an den Hochschulen und generell im akademisch gebildeten Bürgertum zu einer ernsthaften Belastung für das Prestige der Partei geworden war. Anfang November 1936 mußte Derichsweiler sein Amt niederlegen.

[143] Rundschreiben Derichsweilers vom 22.4.1936, in: BA Koblenz NS 38/36 Bl. 180.

[144] E. Heinrich, REM, an Rust, 7.2.1936, in: BA Potsdam REM 907 Bl.159. Vgl. auch das Gutachten des Reichssicherheitshauptamtes über Derichsweiler (Abschr.), o.D. [1944], in: BAAZ Albert Derichsweiler. Darin heißt es rückblickend: „Seine Tätigkeit als Führer des NSDStB führte in der Studentenschaft zu ... unhaltbaren Zuständen. Die studentische Jugend war damals in Gefahr, für den Nationalsozialismus verloren zu gehen, da sie in ihrer Opposition und Auflehnung ... Derichsweiler mit der NSDAP selbst identifizierte" .

VIII. Befriedung und Stabilisierung 1936-1939

Im November 1936 ernannten Heß und Rust den ehemaligen Heidelberger Studentenfunktionär und SS-Obersturmbannführer Gustav Adolf Scheel zum Reichsstudentenführer.[1] Scheel, der zweifellos über mehr taktisches Geschick verfügte als seine Vorgänger, erhielt die schwierige Aufgabe, den von Derichsweiler hinterlassenen Scherbenhaufen wieder zu kitten. Mit seinem Amtsantritt begann eine ruhigere Phase nationalsozialistischer Studentenpolitik.

1. Der Neuaufbau der Kameradschaften

Die hochschulpolitische Lage im Wintersemester 1936/37 hat Martin Fischer, damals Leiter des Studentenamtes der Bekennenden Kirche, in einem internen Reisebericht zutreffend skizziert:

> „Die überwiegende Stimmung der ... Studentenschaft (...) ist die einer völligen Lethargie. Ein solches Maß politischer Interesselosigkeit wird es unter Stud[enten] kaum je gegeben haben, wie es heute gang und gäbe ist. Studentische Führer klagen darüber, daß die Universität nicht nationalsozialistisch erreicht ist. Sie ist es auch nicht. Sie war es, mindestens unter den Studenten, aber sie ist es nicht mehr".[2]

Angesichts dieser „völlig verfahrene[n] Lage" (Scheel) konnte der neue Reichsstudentenführer es sich erlauben, die Annahme des Amtes an eine Reihe von Bedingungen zu knüpfen.[3] Vordringlich schien ihm insbesondere die Überwindung des Dualismus von NSDStB und DSt, hinter dem sich letztlich der Dualismus von Partei und Staat verbarg. Entsprechend seinen Forderungen einigten sich Rust und Heß darauf, das Funktionärskorps von NSDStB und DSt durch Personalunion in allen Ämtern zu vereinigen. Die lähmenden Kompetenzkämpfe zwischen NSDStB und DSt gehörten daher seit dem Amtsantritt Scheels der Vergangenheit an. Weiter setzte Scheel durch, daß im Dezember 1936 auch die Besucher von Fachschulen in die

---

[1] Kurzbiographie im Anhang.

[2] [M. Fischer,] Arbeitsbericht des Studentenamtes der V[orläufigen] L[eitung], Ms. (1936/37), S.13, in: EZA 50/491 Bl.69.

[3] Vgl. Scheel an Rust, 2.11.1936, in: BA Potsdam REM 894 Bl.83 ff.

DSt eingegliedert wurden.[4] Einschließlich des Verwaltungspersonals bestand die neue Reichsstudentenführung mit Scheel an der Spitze anfangs aus 90 Personen.[5] Als Amtsleiter wie auch als Gaustudentenführer wurden in der Regel bewußt Personen ausgewählt, die ihr Studium bereits beendet hatten. Scheel hoffte, dadurch Dilettantismus künftig verhindern zu können: „Der Typ des ewigen Studenten und des berufsmäßigen Studentenpolitikers ohne fachliche Leistung muß unter allen Umständen für immer verschwinden".[6]

Scheels Ernennung zum Reichsstudentenführer vollzog sich zu einem Zeitpunkt, als die hochschulpolitische Diskussion zunehmend durch zwei neue Themen beeinflußt wurde: 1. durch die sich abzeichnende Knappheit von akademischen Nachwuchskräften in einer Reihe von Fächern und 2. durch den wenige Wochen vorher verkündeten Vierjahresplan, der, wie abzusehen war, den Bedarf an Naturwissenschaftlern und Technikern noch weiter steigern würde. Vor diesem Hintergrund verkündete Reichserziehungsminister Rust einen Tag nach Scheels Amtsantritt in einer Rede zum Semesterbeginn den deutschen Studenten die „Parole: Wissenschaft". Wenngleich Rust ausdrücklich beteuerte, er wolle keineswegs eine „Entpolitisierung der Universitäten" propagieren, so war die Rede doch ein unmißverständlicher Appell, sich in Zukunft wieder verstärkt auf die fachliche Ausbildung der Studenten zu konzentrieren.[7]

Von den Studentenführern wurde diese Rede vielfach als Angriff auf ihre bisherige Tätigkeit verstanden und als Versuch, die Arbeit des NSDStB künftig zugunsten der wissenschaftlichen Ausbildung in den Hintergrund zu drängen. Dazu waren die NSDStB-Funktionäre aber offensichtlich nicht bereit. Der ehemalige Hamburger Studentenführer Wolff Heinrichsdorff machte denn auch unmißverständlich klar, daß die „Parole Wissenschaft" für die nationalsozialistischen Studenten „in keinem Falle Ruhe und reumütige Rückkehr in den Schoß der alles verzeihenden Alma mater" bedeuten werde.[8] Auch Scheel zeigte keine Bereitschaft, seine Ansprüche auf die politische Erziehung der Studentenschaft zu reduzieren. Zwar unterstand er in seiner Eigenschaft als Führer der DSt theoretisch weiterhin dem

[4] Die 1934 gegründete „Reichsschaft der Studierenden an den deutschen Hoch- und Fachschulen", der sowohl die DSt als auch die „Deutsche Fachschulschaft" angehört hatten, wurde dadurch wieder aufgelöst. Vgl. A. Derichsweiler, Die rechtsgeschichtliche Entwicklung des deutschen Studententums von seinen Anfängen bis zur Gegenwart, jur. Diss., München 1938, S.92.

[5] Vgl. Chef-Befehl 2/36 des RSF, o.D., in: StA WÜ RSF/NSDStB II* 57 α 12. Die Amtsleiter der neuen RSF werden mit Fotos vorgestellt in: Die Bewegung Nr.47, 18.11.1936. Die von G. Müller (Ernst Krieck und die nationalsozialistische Wissenschaftsreform, Weinheim/Basel 1978, S.124) aufgestellte Behauptung, die RSF habe „fast ausschließlich" aus ehemaligen Heidelberger Studentenfunktionären bestanden, ist stark übertrieben.

[6] G.A. Scheel, Die Neuordnung des deutschen Studententums, Denkschrift, 2.11.1936, S.2, in: BA Potsdam REM 894 Bl.86. Vgl. auch Scheel an Wacker, REM, 30.8.1938, in: BA Potsdam REM 869 Bl.94 ff.

[7] Vgl. „Die Parole heißt ‚Wissenschaft'. Die Rede des Reichserziehungsministers zum Semesterbeginn in Breslau", in: Der Heidelberger Student Nr.2, 16.11.1936, S.3. Vgl. auch: „Parole Wissenschaft", in: FZ Nr.576/77, 10.11.1936.

[8] W. Heinrichsdorff, „Studentische Rückkehr zur Wissenschaft?" in: Der Deutsche Student, 4. Jg., 1936, S.532.

Reichserziehungsminister, während er als Führer des NSDStB seine Befehle von Heß empfing. Aber in der Praxis ließ Scheel, der im engeren Kreise aus seiner Geringschätzung des Reichserziehungsministers keinen Hehl machte[9], wenig Zweifel daran, daß er sich allein den Anordnungen von Heß verpflichtet fühlte.

Einige Zeit später wandte er sich sogar in aller Schärfe gegen das „ebenso kurzsichtige wie verbrecherische Gerede", daß der Student

> „zwar intensiv arbeiten solle, um möglichst schnell in den Arbeitsprozeß des Vierjahresplans eingeschaltet zu werden, daß er aber eben deshalb in dieser Zeit sich politisch möglichst fernzuhalten habe. Man habe den unpolitischen Fachstudenten ... nicht jahrelang bekämpft, um ihn jetzt von neuem zu züchten ... Wichtiger als die wissenschaftliche Eignung sei bei der Besetzung führender Stellen in Staat und Partei die charakterliche Haltung, was freilich nicht bedeute, daß Wissen und Führungsfähigkeit sich ausschließen".[10]

Offensichtlich fühlte sich Scheel, gestützt auf das Wohlwollen seines Gönners Heß, stark genug, die Direktiven des Hauses Rust weitgehend zu ignorieren. Diese Haltung beruhte, wie sich zeigen sollte, auf einer durchaus realistischen Einschätzung der Machtverhältnisse. Tatsächlich hat die außerwissenschaftliche Belastung der Studenten seit 1936 keineswegs abgenommen.

In den ersten Jahren nach der Amtsübernahme widmete sich Scheel im wesentlichen zwei Zielen. Erstens bemühte er sich, die dahinsiechenden Kameradschaften zu effektiven Instrumenten für die politische Erziehung der Studenten auszubauen. Zweitens hatte er von Heß die Aufgabe erhalten, eine „Befriedung des Alt-Herrentums" der ehemaligen Korporationen in die Wege zu leiten.[11] Beide Ziele waren eng miteinander verknüpft. Sollte doch die Versöhnung mit den Alten Herren nicht nur die politisch unerwünschte Mißstimmung in akademischen Kreisen beseitigen. Darüber hinaus hoffte Scheel auch, daß die Alt-Herrenvereinigungen der ehemaligen Korporationen, einmal befriedet, bereit sein würden, den Kameradschaften die ehemaligen Korporationshäuser sowie finanzielle Unterstützung zur Verfügung zu stellen. Zu diesem Zweck hatte Heß bereits im Mai 1936 die NS-Studentenkampfhilfe gegründet[12], eine Organisation, die aber zunächst nur auf wenig Anklang gestoßen war. Bei Scheels Amtsantritt, im November 1936, hatten sich ihr erst 916 „Altakademiker" angeschlossen.[13] Nach allem was passiert war, konnte diese schwache Resonanz kaum überraschen. Auch Scheel mußte einräumen, daß „zahlreiche Alte Herren sich durch gebrochene Ver-

---

[9] Vgl. Die Tagebücher von J. Goebbels. Hg. von E. Fröhlich, Teil I, Bd.3, München 1987, S.64 (Notiz vom 3.3.1937).

[10] Zit. in: „Forderungen an den Studenten", in: DAZ Nr.251, 28.5.1939.

[11] Vgl. Rundschreiben Scheels, 21.12.1936, in: BA Koblenz NS 38/36 Bl.1.

[12] Vgl. das Eilrundschreiben Nr.36/36 des Reichsstudentenbundführers, 15.5.1936, in: BA Koblenz NS 38/36. Offiziell handelte es sich um die Reaktivierung einer Organisation, die Hitler im März 1931 gegründet hatte. Vgl. den Gründungsaufruf in: Die Bewegung, Nr. 12, 24.3.1931.

[13] Vgl. Scheel an Heß, 9.3.1937, S.4, Durchschr. in: StA WÜ RSF/NSDStB II* 114 α 58.

träge gegenüber der Bewegung nicht zu Unrecht verärgert fühlen".[14] Um sie zu „befrieden", reichte die Gründung einer neuen Organisation offensichtlich nicht aus.

Scheel und Heß entschlossen sich schließlich zu einer offiziellen Rehabilitierung der Korporationen, ohne jedoch deren Wiederbelebung ernsthaft in Erwägung zu ziehen. Im Mai 1937 verkündete der Reichsstudentenführer, als früheres Mitglied des VDSt selbst ehemaliger Korporationsstudent, auf einer Großkundgebung der NS-Studentenkampfhilfe in München erstmals die neue Linie, die auch selbstkritische Untertöne einschloß: Zwar sei die Auseinandersetzung zwischen dem NSDStB und den Verbindungen „politisch notwendig" gewesen, sie habe aber auf beiden Seiten „unerfreuliche Formen" angenommen. Den Korporationen, die einige Monate zuvor noch als Brutstätten der Reaktion verdammt worden waren, attestierte er nun, sie hätten in der Vergangenheit „an der Erhaltung des deutschen Volkes wertvollste Mitarbeit" geleistet:

> „Mannestum, Ehre, Freiheitsliebe, völkisches Wollen, Sinn für die Gemeinschaft waren nicht nur Begriffe, sondern Grundlagen einer guten Korporationserziehung. Heute im nationalsozialistischen Reich aber sind die alten Formen zu eng geworden".[15]

Zur gleichen Zeit äußerte auch Heß in einer offiziellen Verfügung seine „Anerkennung der erzieherischen und vaterländischen Arbeit vieler Korporationen und Verbände"[16] und stellte damit klar, daß Scheels „Ehrenerklärung" die offizielle Unterstützung der Parteiführung genoß. Daraufhin schwenkte auch die Parteipresse auf den neuen Kurs ein. Allein Julius Streichers „Stürmer" zeigte sich nicht anpassungswillig, sondern wetterte weiter im alten Stil gegen die früheren Korporationen.[17] Einen Monat später verkündete Scheel eine neue Ehrenordnung des NSDStB, die das Prinzip der „unbedingten Genugtuung mit der Waffe" enthielt.[18] Diese Entscheidung kam den Vorstellungen der ehemaligen Waffenstudenten entgegen, wirkte daneben aber auch als faktische Mitgliedersperre für kirchentreue Katholiken, denen die Teilnahme an Duellen und Mensuren grundsätzlich verboten war.[19]

Vielen ehemaligen Waffenstudenten erschienen diese Maßnahmen als Beweis, daß Scheel tatsächlich entschlossen war, mit der Politik seiner Vorgänger zu brechen. Obwohl der Reichsstudentenführer im August 1937 allen

[14] Scheel an SS-Sturmbannführer Uhlmann, 25.10.1937, Durchschr. in: BA Koblenz NS 38/9 Bl.72.

[15] Rede Scheels vom 13.5.1937, in: Dokumente der Deutschen Politik. Reihe: Das Reich Adolf Hitlers, Bd.5, Berlin 1942^5, S.406. Dazu Goebbels: „Scheel sucht in einer Münchener Rede die abgerissenen Fäden zur Altherrenschaft der Korporationen neu zu knüpfen. Das hätte man billiger haben können. Das hat Derichsweiler alles versaut". Die Tagebücher von J. Goebbels, Teil I, Bd.3, München 1987, S.145 (15.5.1937).

[16] Verfügung vom 12.5.1937, abgedruckt in: Die Bewegung, Nr. 20, 18.5.1937.

[17] Vgl. Scheel an Heß, 16.7.1937, Durchschr. in: StA WÜ RSF/NSDStB II* 114 α 58.

[18] Vgl. die Rede Scheels in: Die Bewegung, Nr.26, 29.6.1937, S.2.

[19] Katholiken, die diesem Verbot zuwiderhandelten, drohte die Exkommunikation, wie 1934 noch einmal ausdrücklich bekräftigt worden war. Vgl. die Bekanntmachung des Erzbischöflichen Generalvikariats der Erzdiözese Köln, 10.2.1934, Abschr. in: BA Potsdam RdI 26896 Bl.129 f.

Mitgliedern der DSt die Durchführung von Bestimmungsmensuren verbot[20], eine Maßnahme, die für Alte Herren von schlagenden Verbindungen sicher enttäuschend war, machte die NS-Studentenkampfhilfe seit der Münchener Kundgebung erstmals sichtbare Fortschritte. Im November 1937 zählte sie schon 15.664 Mitglieder. Verglichen mit den rund 175.000 Alten Herren, die einst den Korporationen angehört hatten, war dies aber immer noch eine recht bescheidene Ziffer.[21] Anfang 1938 entschloß sich Scheel daher, den Druck zu verstärken. In einem Ultimatum kündigte er an, daß jene Altherrenvereinigungen, die bis zum 15. Mai keine bindende Erklärung über ihre Bereitschaft zum Eintritt in die NS-Studentenkampfhilfe abgegeben hätten, danach nicht mehr für eine Mitarbeit in Frage kämen.[22] Wenige Wochen später folgte der Anschluß Österreichs, der die Popularität Hitlers auf einen neuen Höhepunkt hob. Daraufhin erklärten die Führer der wichtigsten waffenstudentischen Altherrenverbände Anfang Mai 1938 in einer gemeinsamen Erklärung, sie seien, unter „dem Eindruck der großen geschichtlichen Stunde" bereit, ihre Verbände aufzulösen und sich in die NS-Studentenkampfhilfe einzugliedern.[23]

Gleichzeitig wurde die NS-Studentenkampfhilfe von Heß in „NS-Altherrenbund der Deutschen Studenten" umbenannt und der Führung des Reichsstudentenführers unterstellt. Obwohl der NS-Altherrenbund nach eigenen Angaben im Juli 1939 (also einschließlich Österreichs) bereits 75.000 Mitglieder[24] zählte, hatten sich keineswegs alle noch bestehenden Altherrenvereinigungen angeschlossen. Vor allem die konfessionellen Verbände waren in der neuen Altherrenorganisation nicht vertreten und auch nicht erwünscht.[25] Vielmehr wurden im Juni 1938 sämtliche katholischen Verbände von Himmler mit der Begründung verboten, künftig sei „das Weiterbestehen von Studenten- und Altherrenverbänden außerhalb des NS-Studentenbundes und des NS-Altherrenbundes als den hierfür zuständigen Parteigliederungen politisch nicht tragbar".[26] Dies war eine deutliche Warnung auch an die nichtkatholischen Altherrenvereine, die bislang den Anschluß an den NS-Altherrenbund abgelehnt hatten. Einige Altherrenvereine, insbesondere aus den ehemaligen Corps, die gleichwohl standhaft blieben

[20] Vgl. Scheels Erlaß in: Die Bewegung Nr.35, 31.8.1937, S.2. Vgl. auch den RdErl. des REM, 16.11.1937, in: Die deutsche Hochschulverwaltung, Bd.2, Berlin 1943, S.352.

[21] Vgl. die Anordnung 18/37 des Amtes NS-Studentenkampfhilfe in der RSF, 18.11.1937, in: StA WÜ RSF/NSDStB II* 61 α 15. Zahl der Alten Herren nach: H. Weber, Die studentischen Korporationsverbände, in: Wende und Schau. Kösener Jahrbuch, 1. Jg., 1930, S.199.

[22] Text des Erlasses in: Die Bewegung Nr.10, 8.3.1938, S.1.

[23] Zit. in: „NS-Altherrenbund der Deutschen Studenten", in: DAZ Nr.209/210, 7.5.1938. Vgl. auch den Jahreslagebericht 1938 des Sicherheitshauptamtes der SS, in: Meldungen aus dem Reich, Herrsching 1984, Bd.2, S.140 f.

[24] Zahlen nach: FZ Nr.337, 5.7.1939.

[25] So betonte der Gaustudentenführer Mainfranken in einem internen Bericht, daß eine Zusammenarbeit mit den 22 katholischen Altherrenvereinigungen in Würzburg „nicht in Frage komme". Vgl. A. Hoos an Scheel, 1.2.1938, in: StA WÜ RSF/NSDStB II* 118 α 60a.

[26] Zit. in: „Der NS-Altherrenbund", in: FZ Nr.318/19, 25.6.1938. Vgl. auch Stitz, Der CV 1919-1938, München 1970, S.378 ff.

und versuchten, außerhalb des NS-Altherrenbundes ihr traditionelles Eigenleben weiterzuführen, wurden 1939 ebenfalls von der Gestapo aufgelöst und verboten.[27]

Um zu verhindern, daß die Alten Herren der ehemaligen Korporationen die Kameradschaften des NSDStB zu stark in ihrem Sinne beeinflußten, hatte die Reichsstudentenführung ursprünglich eine geschlossene Übernahme von Altherrenschaften in den NS-Altherrenbund ausdrücklich untersagt.[28] Doch wurde diese Anordnung schon ein paar Wochen später wieder zurückgezogen.[29] In der Regel schlossen sich zwei oder drei Altherrenvereine ehemaliger Korporationen zusammen, traten dem NS-Altherrenbund bei und erklärten sich bereit, ihr Haus kostenlos einer Kameradschaft zu überlassen.[30] In einem Vertrag mit dem NSDStB mußten sich die Altherrenvereine verpflichten, die laufenden Kosten für den Unterhalt des Hauses (Steuern, Gebühren, Versicherungen, Heizung, Strom, Gas usw.) sowie die Entlohnung des Hausmeisters zu übernehmen.[31]

Zweifellos verbesserten sich dadurch die Chancen, die Kameradschaften aus ihrer bisherigen Randexistenz herauszuholen. Freilich profitierten nicht alle Kameradschaften von der Befriedungsstrategie der Reichsstudentenführung. In Greifswald besaß der NSDStB im März 1938 noch kein einziges Kameradschaftshaus, weil die Altherrenvereine ihre Häuser bereits verkauft oder längerfristig verpachtet hatten. An der Universität Marburg stand dagegen bereits Ende 1937 für jede Kameradschaft ein eigenes Haus zur Verfügung. Insgesamt verfügten die 188 Kameradschaften, die im Wintersemester 1937/38 an den Universitäten bestanden, über 89 Häuser sowie über 56 Zimmer und 16 Stockwerke.[32]

Welche Aufgaben die Kameradschaften haben sollten, blieb zunächst allerdings weitgehend unklar. Werner Trumpf, einer der Amtsleiter der neuen Reichsstudentenführung, konstatierte im Sommer 1937: „Die Abende der Kameradschaften leiden daran, daß sie keinen Inhalt haben und in der Regel sehr schnell in eine allgemeine Fröhlichkeit ausarten".[33] Die „allgemeine Fröhlichkeit" zu fördern, war gewiß nicht das Ziel der Reichsstudentenführung, und so machte man sich daran, detaillierte „Richtlinien für die Kameradschaftserziehung" zu erarbeiten, die nach ihrer Fertigstellung 44

[27] Vgl. die Berichte in: VOBl. RSF Nr. 1, 22.1.1939, Nr.6, 10.3.1939, Nr.15, 10.7.1939.

[28] Vgl. die Anordnung des Amtes NS-Studentenkampfhilfe der RSF, 15.4.1937, in: StA WÜ RSF/NSDStB II* 61 α 15.

[29] Vgl. E. Bauer, Die Kameradschaften im Bereiche des Kösener SC in den Jahren 1937-1945, in: Einst und Jetzt, Bd.1, 1956, S.10.

[30] Vgl. den Lagebericht der RSF, 16.2.1938, in: StA WÜ RSF/NSDStB II* 14 α 58.

[31] Ein Exemplar des Vertrages in: UA München Senat 365/1.

[32] Vgl. G. Falk, Tätigkeitsbericht der Gaustudentenführung Pommern, 1.3.1938, in: StA WÜ RSF/NSDStB II* 118 α 60a; Bericht des kommissarischen Bereichsführers Rhein, H. Groß, an Scheel, 16.12.1937, in: StA WÜ RSF/NSDStB II* 97 α 37. Dazu die interne Statistik: Anzahl und Zusammensetzung der Kameradschaften an den deutschen Hoch- und Fachschulen (Stand: 15.2.1938), in: StA WÜ RSF/NSDStB II* 450 α 353.

[33] Prot. der Arbeitstagung der RSF in Stuttgart vom 11.-13.8.1937, S.2, in: StA WÜ RSF/NSDStB II* 83 α 25.

Druckseiten füllten.[34] Bei der Lektüre dieser Richtlinien erweisen sich die Kameradschaften als eine eigenartige Mischung aus Parteiformation und studentischer Verbindung. Aus der Korporationstradition wurde vor allem das „Lebensbundprinzip" übernommen, und damit auch die Figur des Alten Herrn, sowie die Unterteilung der Kameradschaftsangehörigen in „Jungkameraden" („Füchse" hießen sie in den Korporationen) und „Altkameraden" („Burschen"). „Jungkameraden" waren Studenten der ersten drei Semester. Um zu verhindern, daß diese sich dem Zugriff des NSDStB durch einen Wechsel der Universität entzogen, ordnete das REM 1937 auf Verlangen Scheels an, daß neu immatrikulierte Studenten künftig in den ersten drei Semestern an einer „Stammhochschule" verbleiben müßten.[35] Bei der Aufnahme in eine Kameradschaft mußten die Studenten sich zur „Genugtuung mit der blanken Waffe" verpflichten. Ab dem vierten Semester avancierten die Angehörigen einer Kameradschaft zu „Altkameraden". Von ihnen wurde eine stärkere Beteiligung an der Fachschaftsarbeit erwartet, daher sollten sie am Kameradschaftsleben nur noch eingeschränkt teilnehmen. In der Praxis scheinen sich die „Altkameraden" häufig schon ziemlich bald vom Kameradschaftsleben absentiert zu haben.[36]

Im Zentrum der Kameradschaftsaktivitäten sollten nach den Vorstellungen der Reichsstudentenführung der „politische Abend" und der gemeinschaftliche Sport stehen. Vorgesehen waren außerdem eine „Gemeinschaftsstunde", die die Studenten mit den „Leistungen deutscher Kultur" vertraut machen sollte, eine „Erziehungsstunde", die sich u.a. mit studentischer Geschichte und „Fragen des allgemeinen Verhaltens und Auftretens" beschäftigte, sowie Liederstunden und Kameradschaftsabende, zu denen auch die Alten Herren eingeladen wurden. Großen Wert legten die Verfasser der „Richtlinien" auf eine strikte Trennung der Geschlechter: „Veranstaltungen mit Damen sollen nicht mehr als zweimal im Semester stattfinden".[37]

Im Gegensatz zu früheren Plänen waren die Kameradschaften, selbst wenn sie über Häuser verfügten, nicht mehr als kasernierte Wohngemeinschaften angelegt.[38] Schon aus Raum- und Rentabilitätsgründen war es aber üblich, daß ein Teil der Kameradschaftsangehörigen die Häuser auch zum Wohnen nutzte, ähnlich wie es früher in den Korporationen an der Tagesordnung gewesen war.[39] Im Februar 1939 übermittelte Hitler, der weiterhin

[34] Vgl. Gesetze des Deutschen Studententums. Richtlinien für die Kameradschaftserziehung des NSD-Studentenbundes. Hg.: Der Reichsstudentenführer, Amt Politische Erziehung, Bayreuth o.J. [1937].

[35] Vgl. RdErl. des REM 22.2.1937, in: BA R 21/10850. Damit wurde eine der Bedingungen erfüllt, die Scheel vor seinem Amtsantritt gestellt hatte. Vgl. Scheels Denkschrift „Die Neuordnung des deutschen Studententums", S.7 [1936], in: BA Potsdam REM 894 Bl.91.

[36] Vgl. F. Golücke, Das Kameradschaftsleben in Würzburg von 1936 bis 1945, in: Studentenschaft und Korporationswesen an der Universität Würzburg, Würzburg 1982, S.162 f. u. 175.

[37] Gesetze des deutschen Studententums. Richtlinien für die Kameradschaftserziehung, S.26.

[38] Dies wird in der Literatur häufig übersehen, da der Unterschied zwischen Kameradschaftshäusern, Wohnkameradschaften und Kameradschaften einigen Autoren unklar ist. Vgl. etwa C.H. Meisiek: Evangelisches Theologiestudium im Dritten Reich, Frankfurt/M. 1993, S.150 ff.

[39] Vgl. H. Bernhardi, Die Göttinger Burschenschaft 1933 bis 1945, in: DuQ, Bd.1, Heidelberg 1957, S.207 u. 231.

von der Furcht vor Homosexualität geplagt wurde, der Reichsstudentenführung jedoch erneut seine grundsätzliche Abneigung gegen das gemeinschaftliche Wohnen in Kameradschaftshäusern.[40] Daraufhin ordnete die Reichsstudentenführung an, daß bei der Errichtung neuer Kameradschaftshäuser künftig keine Schlafräume mehr vorgesehen sein dürften. In den bereits bestehenden Kameradschaftshäusern seien Schlafräume grundsätzlich nur noch als Einzelzimmer zu nutzen.[41]

Insgesamt spricht vieles dafür, daß die Attraktivität des NSDStB und der Kameradschaften sich seit 1937 durch die Beseitigung interner Konflikte, die Übernahme ehemaliger Korporationshäuser und durch die finanzielle Unterstützung seitens der Alten Herren deutlich vergrößert hat. Die Stimmungsberichte der Studentenführer klangen jedenfalls 1938/39 viel optimistischer als drei Jahre zuvor. Wie Siegfried Engel, der Bereichsführer Nord des NSDStB, im März 1938 konstatierte, war „in jeder Beziehung ein allgemein großer Fortschritt auf allen Gebieten festzustellen, der parallel läuft mit dem merklichen Anwachsen des Ansehens der gesamten Studentenschaft".[42] Auch die lokalen Funktionäre, von deren Einsatzbereitschaft letztlich der Erfolg der NSDStB-Arbeit abhing, zeigten sich stärker motiviert als in früheren Jahren: „Die Müdigkeit und Entschlußlosigkeit, die noch bis in das Jahr 1937 die studentischen Unterführer beherrschte, ist einer Arbeitsfreude und Einsatzwilligkeit gewichen"[43], berichtete Gerhard Mähner, Leiter des Amtes für Politische Erziehung in der Reichsstudentenführung.

Eine deutliche Zunahme der Mitgliederzahlen schien solche Aussagen zu bestätigen. Scheel hatte die dem NSDStB einst von Heß verordnete Elitekonzeption, derzufolge nur etwa 5 % der Studierenden dem Studentenbund angehören sollten, schon bald nach seiner Amtsübernahme stillschweigend über Bord geworfen. Statt dessen wurde nunmehr das Ziel anvisiert, „etwa

Tab. 12: Mitglieder des NSDStB an den wissenschaftlichen Hochschulen 1937-1939 (in %)[44]

Semester	Männer	Frauen	zusammen
1937/38	38,6	44,9	40,2
1938	44,5	55,0	46,0
1938/39	46,0	66,0	–
1939	51,0	71,0	–

[40] Vgl. das Schreiben von Hitlers Leibarzt K. Brandt an F. Kubach, RSF, 11.2.1939, Abschr. in: BA Koblenz R 43 II 912 Bl.68.

[41] Vgl. Befehl 18/39 des RSF, 11.5.1939, in: StA WÜ RSF/NSDStB II* 60 α 41; Informationsdienst des RSF, 17.5.1939, in: StA WÜ RSF/NSDStB V* 2 α 568/3, Anordnung PE 61/39 der RSF, in: VOBl. RSF, Nr.13, 20.6.1939.

[42] S. Engel, Lage- und Tätigkeitsbericht für den Bereich Nord des RSF, 1.3.1938, in: BA Koblenz NS 38/6 Bl.118.

[43] G. Mähner, Monatsbericht des Amtes Politische Erziehung in der RSF, 10.11.1938, in: StA WÜ RSF/NSDStB II* 119 α 61.

[44] Quellen: Organisationshauptstelle der RSF an Scheel, 17.11.1938, in: StA WÜ RSF/NSDStB II* 45 α 353; Vertrauliches Rundschreiben des Stabsführers der RSF, 25.3.1943, in: HHStA Wiesbaden 483/11200.

80 % des deutschen Studententums zu erfassen".[45] Zwar konnte diese Absicht nie verwirklicht werden, aber beachtliche Fortschritte in der Entwicklung der Organisation waren dennoch unverkennbar. Wie Tabelle 12 zeigt, wuchs unter den männlichen Studenten der Anteil der NSDStB-Mitglieder von 38,6 % (im WS 1937/38) auf 51,0 % (im SS 1939). Noch spektakulärer war die Zunahme der weiblichen Mitglieder. Im Sommer 1939 waren bereits 71 % aller Studentinnen im NSDStB organisiert. Soweit von einzelnen Universitäten Zahlen vorliegen, bestätigen sie ebenfalls einen deutlichen Anstieg der Mitgliederzahlen des Studentenbundes. Wie aus Tabelle 30 (Anhang) hervorgeht, erfaßte der NSDStB im Sommersemester 1939 sowohl in Hamburg als auch Würzburg bereits etwa die Hälfte der Studentenschaft.

Die Mitgliederzahlen der Kameradschaften waren allerdings deutlich geringer als die des NSDStB. Im Wintersemester 1937/38 gehörten 32,7 % der männlichen Universitätsstudenten dem NSDStB an[46], aber nur knapp die Hälfte von ihnen (16,3 % aller an den Universitäten studierenden Männer) hatte sich auch einer Kameradschaft angeschlossen, wie Tabelle 29 (Anhang) zeigt. Auch viele Mitglieder des NSDStB konnten sich offensichtlich nicht für die Mitarbeit in einer Kameradschaft begeistern.[47] Um diesen Zustand zu beenden, ordnete die Reichsstudentenführung an, daß eine Aufnahme in den NSDStB ab Anfang 1938 nur noch für Studierende möglich sei, die zuvor mindestens zwei Semester lang Kameradschaftsdienst geleistet hatten.[48]

Aus Tabelle 29 (Anhang) geht weiter hervor, daß die Kameradschaften an den Technischen Hochschulen wesentlich mehr Studenten erfaßt hatten als an den Universitäten. Aber auch zwischen den einzelnen Universitäten gab es beträchtliche Unterschiede. Während in Königsberg mehr als die Hälfte aller Studenten einer Kameradschaft angehörte, hatten sich an anderen Universitäten noch nicht einmal 10 % der Studenten in Kameradschaften organisiert. Besonders schwach waren die Kameradschaften zum einen in den Universitäten der großen Städte, in Berlin, Hamburg und München. Hier wirkten sowohl die Anonymität der Großstadt als auch das vielfältige Freizeitangebot offensichtlich hemmend auf das Wachstum der Kameradschaften. Zum anderen zeigt die Tabelle 29 (Anhang), daß auch die Universitäten mit einer mehrheitlich katholischen Studentenpopulation (Münster, Freiburg, München, Bonn und Köln) durchweg über relativ schwache Kameradschaften verfügten. Hier schlugen sich in der Statistik offensichtlich auch weltanschauliche Differenzen zum Nationalsozialismus nieder. Vor allem das Prinzip der unbedingten Satisfaktion dürfte viele überzeugte Katholiken vom Eintritt in die Kameradschaften abgehalten haben. Von den sechs Universitäten mit einer überwiegend katholischen Studentenschaft hatte nur

---

[45] Scheel an H. Reich, 3.2.1939 (Abschr.), in: BAAZ Heinz Reich.

[46] Vgl. die Tabelle: Erfassung der Studenten der Universitäten und Technischen Hochschulen in den Gliederungen der NSDAP, WS 1937/38, in: StA WÜ RSF/NSDStB II* 450 α 353.

[47] Vgl. auch M. Grüttner, „Ein stetes Sorgenkind für Partei und Staat". Die Studentenschaft 1930 bis 1945, in: Hochschulalltag im „Dritten Reich". Hg. von E. Krause u.a., Berlin/Hamburg 1991, Teil I, S.220.

[48] Vgl. Anordnung FO 43/37 der RSF, 1.10.1937, in: StA WÜ RSF/NSDStB II* 62 α 16.

Würzburg Kameradschaften mit einer überdurchschnittlich hohen Mitgliederzahl. Wahrscheinlich wurde dort von den lokalen Studentenführern ein stärkerer Druck auf die Studenten ausgeübt. Der Gaustudentenführer vermutete denn auch, daß viele Studierende in Würzburg nur deshalb organisiert waren, „weil sie eben auf Förderung angewiesen sind oder auch sonstwie [sich] nicht getrauen, vollständig außerhalb der studentischen Erziehungsarbeit sich zu bewegen".[49]

Bei einer Bewertung der Kameradschaftsstatistik muß berücksichtigt werden, daß die Studierenden der ersten Semester zumeist weit überdurchschnittlich in den Kameradschaften organisiert waren. So gehörten im Wintersemester 1937/38 an den Universitäten 42,3 % aller männlichen Erstsemester einer Kameradschaft an, im Sommersemester 1938 waren es 41 %.[50] Manche Universitäten konnten noch deutlich höhere Zahlen vorweisen: In Halle, wo im WS 1937/38 27,3 % aller männlichen Studenten einer Kameradschaft angehörten, gelang es den Studentenführern, 123 von insgesamt 196 Studenten der ersten drei Semester (62,8 %) für die Kameradschaftsarbeit zu gewinnen. Der zuständige Gaustudentenführer ergänzte diese Zahlen mit dem Hinweis,

> „daß eine große Zahl der Nichterfaßten in anderen Formationen, vor allem in der HJ, voll eingesetzt sind oder aber wegen ihres zu hohen Alters für die Kameradschaften nicht mehr in Frage kommen. Hinzu kommen die ‚asozialen Elemente' in Höhe von etwa 10 %".[51]

Trotz der zunächst niedrigen Mitgliederzahlen sprach daher vieles dafür, daß es den Kameradschaften im Laufe der folgenden Semester gelingen würde, einen beträchtlichen Teil der Studenten in ihren Reihen zu organisieren. Im Januar 1938 äußerte Scheel sogar die etwas voreilige Erwartung, es sei nur noch „eine Frage der Zeit, daß der Typ des Freistudenten von Deutschlands hohen Schulen verschwindet".[52] Tatsächlich stieg die Zahl der Kameradschaften an den Universitäten von 188 (im WS 1937/38) auf 232 im Sommersemester 1939 an.[53] Über einen längeren Zeitraum liegen exakte Zahlen nur aus Hamburg vor. Obwohl die Kameradschaften dort anfangs besonders schwach gewesen waren, wie aus Tabelle 29 (Anhang) hervorgeht, zeigt das Zahlenmaterial eine geradlinig aufsteigende Tendenz zwischen 1937 und 1941. Gleichwohl blieb die Zahl der in Kameradschaften organisierten Studenten in Hamburg bis zum Beginn des Krieges stets unter der 30 %-Grenze.[54]

---

[49] A. Hoos, Gaustudentenführer Mainfranken, an Scheel, 1.2.1938, S.3, in: StA WÜ RSF/NSDStB II* 118 α 60a.

[50] Vgl. A. F. Kleinberger, Gab es eine nationalsozialistische Hochschulpolitik? in: M. Heinemann (Hg.), Erziehung und Schulung im Dritten Reich, Teil 2, Stuttgart 1980, S.23.

[51] Tätigkeitsbericht des Gaustudentenführers von Halle-Merseburg, W. Grimm, an Scheel, 3.2.1938, in: StA WÜ RSF/NSDStB II* 117 α 60.

[52] Zit. in: „Studentenschaft überwand den Zwiespalt", in: Hamburger Tageblatt, 29.1. 1938.

[53] Vgl. die Aufstellungen „Anzahl und Zusammensetzung der Kameradschaften an den deutschen Hoch- und Fachschulen" vom 15.2.1938 und „Gesamtaufstellung der Kameradschaften" (SS 1939), beide in: StA WÜ RSF/NSDStB II* 450 α 353. Die Angaben gelten nur für das „Altreich".

[54] Vgl. Grüttner, „Ein stetes Sorgenkind", S.220.

Aussagen, „daß nahezu jeder Studierende auch einer Kameradschaft angehörte“, und daß es für „Studienanfänger kaum möglich [war], eine Mitgliedschaft abzulehnen“, wie sie in der Literatur gelegentlich auftauchen[55], sind also nicht zutreffend. Unbestreitbar ist jedoch, daß streckenweise ein erheblicher Druck auf die Studenten der Anfangssemester ausgeübt wurde. Zwar legten die „Richtlinien für die Kameradschaftserziehung“ ausdrücklich fest, daß die Mitgliedschaft im NSDStB und in den Kameradschaften grundsätzlich freiwillig sein solle.[56] Die detaillierten Vorschriften über die Mitgliederwerbung der Kameradschaften machten diesen Grundsatz jedoch schnell wieder zur Farce. Sie sahen vor, daß alle Erstsemester sich vor ihrer Immatrikulation bei den lokalen Studentenführungen zu melden hatten. Danach sollten sie entweder in einem Lager oder auf einer Kundgebung „erfaßt“ und für eine der Kameradschaften geworben werden. Wer sich nicht zum Beitritt entschließen konnte, mußte die Ablehnung schriftlich begründen und sollte danach vom Studentenführer dienstlich vorgeladen werden: „Gelingt es nicht, den Mann von seiner Pflicht als Student zu überzeugen, so steht nichts im Wege, ihm unsere Auffassung über seine Einstellung zu erklären“.[57]

Es ist keineswegs sicher, ob diese arbeitsintensive Prozedur vor Ort, an den einzelnen Hochschulen, wirklich allgemein praktiziert worden ist.[58] Sofern die Vorschriften der Reichsstudentenführung aber von den Studentenführern ernsthaft befolgt wurden, benötigten die neu immatrikulierten Studenten schon ein beträchtliches Selbstbewußtsein, um sich den Erfassungsansprüchen der Kameradschaften zu entziehen. Die Behauptung, unter Scheel sei der „offensichtlich ernsthafte Versuch“ unternommen worden, „den Gedanken der Freiwilligkeit ... in den Vordergrund zu schieben“[59], läßt sich daher ebensowenig aufrechterhalten wie die These von der unvermeidbaren Zwangsmitgliedschaft.

Charakteristisch für die Ära Scheel war nicht der Zwang zur Mitgliedschaft im NSDStB, wohl aber ein mehr oder weniger energischer Druck, der es zumindest als problematisch erscheinen ließ, völlig außerhalb der nationalsozialistischen Organisationen zu bleiben. Welche Konsequenzen eine solche Entscheidung haben würde, war für Erstsemester nicht absehbar, doch konnten nachteilige Folgen während des Studiums oder später im Beruf jedenfalls nicht ausgeschlossen werden. Mit dieser ungewissen Perspektive vor Augen entschieden sich die meisten Erstsemester wohl ähnlich wie Gerhard Szczesny, der seit dem Wintersemester 1937/38 in Königsberg studierte. Dort führte der NSDStB offenbar ein besonders straffes Regiment,

[55] U.D. Adam, Hochschule und Nationalsozialismus, Tübingen 1977, S.103; Franze, Erlanger Studentenschaft, S.330.

[56] Vgl. Gesetze des Deutschen Studententums. Richtlinien für die Kameradschaftserziehung, S.7.

[57] Ebd., S.17 ff.

[58] So berichtet Szczesny in seinen Erinnerungen über eine relativ straffe Kontrolle der Studenten in Königsberg und Berlin. Dagegen habe sich an der Universität München niemand für seine Mitgliedschaft in einer NS-Organisation interessiert. Vgl. G. Szczesny, Als die Vergangenheit Gegenwart war, Berlin 1990, S. 111.

[59] Golücke, Kameradschaftswesen, S. 156. Vgl. auch ebd., S. 160 f.

wie die ungewöhnlich hohen Mitgliederzahlen der Königsberger Kameradschaften (Tabelle 29 im Anhang) vermuten lassen. Für Szczesny war der Eintritt in den NSDStB nicht eine Frage der politischen Überzeugung, sondern der Zweckmäßigkeit, wie er in seinen Erinnerungen schreibt:

> „Mit Studienbeginn stand ich vor der Frage des Eintritts in den Nationalsozialistischen Deutschen Studentenbund (NSDStB). Da es sich um eine Art Berufsverband handelte und der politische Druck in Königsberg auf die Erstsemester stark war, schien der Beitritt, wenn nicht unerläßlich für einen erfolgreichen Verlauf des Studiums, so doch erwägenswert. Ich erinnere mich nicht, daß irgend jemand meiner Freunde die Entscheidung dieser Frage für ein moralisches Problem gehalten hätte ... Da man sich sowohl in der NS-Partei selbst wie in vielen ihrer Unterorganisationen mit der Teilnahme an Mitgliederversammlungen, Schulungskursen und sozialen Diensten begnügen konnte und – wenn man vom Zwang zur Heuchelei absah – dort nichts Unmoralisches gefordert wurde, war die Zugehörigkeit zu einer NS-Gliederung eine Frage der Zweckmäßigkeit".[60]

Unter solchen Umständen kann die Mitgliederentwicklung des NSDStB und der Kameradschaften nur sehr begrenzt als Gradmesser politischer Loyalität verwendet werden. Hohe Mitgliederzahlen waren häufig eher das Ergebnis von Druck und indirektem Zwang als von politischer Überzeugung. Andererseits dürfen aber auch niedrige Mitgliederziffern keineswegs umstandslos als Indiz für eine Ablehnung des Nationalsozialismus gewertet werden. Denn viele Studierende, die dem NSDStB fernblieben, gehörten der SA, der NSDAP oder der SS an, wie eine statistische Untersuchung gezeigt hat.[61] Unter den Studenten der Hamburger Universität war die Zahl der Parteigenossen zeitweise (SS 1938) sogar höher als die der NSDStB-Mitglieder[62], wie aus Tabelle 30 (Anhang) hervorgeht.

Die Tatsache, daß viele Studenten nicht wirklich aus freiem Willen in die Kameradschaften gegangen waren, förderte eine Atmosphäre der Lustlosigkeit und Gleichgültigkeit, die das innere Leben der Kameradschaften stark beeinträchtigte. Gerade an Universitäten, wo die Kameradschaften vordergründig besonders erfolgreich waren, weil sie einen überproportional hohen Organisationsgrad vorzuweisen hatten, so in Königsberg und Leipzig (Tabelle 29 im Anhang), zeigte sich dieses Problem besonders deutlich. Im April 1938 konstatierte der Studentenführer der Universität Königsberg,

---

60 Szczesny, Vergangenheit, S.108. Szczesny berichtet, daß er später aus dem NSDStB ausgeschlossen wurde (ebd., S.111).

61 Vgl. G. Arminger, Involvement of German Students in NS Organisations, in: Historical Social Research, Nr.30, 1984, S.3 ff. Aus einem Sample von 566 Studierenden, die zwischen 1933 und 1945 ein Stipendium des Reichsstudentenwerks erhielten, gehörten 186 (32,9 %) dem NSDStB bzw. der ANSt an. Von den verbliebenen 380 Studenten waren 270 Mitglieder anderer NS-Organisationen (vor allem der NSDAP, der SA oder der SS). Nur 110 Studenten (19,4 %) gehörten keiner NS-Organisation an.

62 Die Behauptung, eine Mitgliedschaft in der NSDAP sei Voraussetzung für den Eintritt in den NSDStB gewesen (so J. Stephenson, Women in Nazi Society, London 1975, S.141), ist also nicht korrekt. Solches war zwar gelegentlich gefordert worden, konnte aber in der Praxis nie durchgesetzt werden.

Hugo Schulz, „daß zwar sämtliche Veranstaltungen ordentlich und sauber durchgeführt worden sind, daß aber die Dienstbeteiligung in den Kameradschaften sowie die Dienstfreudigkeit noch zu wünschen übrig lassen".[63] Wesentlich drastischer äußerte sich der Leipziger Rektor Artur Knick, Mitglied der NSDAP seit 1931, auf der Rektorenkonferenz im Dezember 1937:

> „Die bisherige Kameradschaftserziehung hatte noch wenig Anziehendes, zumal wenn der Führer im Alter zurückstand, und wirkte öfters abschreckend wegen der etwas krampfhaften, eintönigen und freudlosen Art und wegen des vielen Zwanges, der ihr noch anhaftete. Das konnte man immer wieder von den jungen Studenten hören, insbesondere von denjenigen, die schon durch HJ, Arbeitsdienst und Wehrmacht gegangen waren".[64]

Besonders schwierig war die Situation an einer Universität wie Würzburg, wo die Kameradschaften zahlenmäßig relativ stark waren (Tabelle 29 im Anhang), obwohl die mehrheitlich katholische Studentenschaft eigentlich keinen günstigen Nährboden für die Akzeptanz der nationalsozialistischen Weltanschauung bildete. Der zuständige Gaustudentenführer machte in einem Bericht an Scheel keinen Hehl aus seiner Frustration über die Folgen dieser Konstellation:

> „... was immer und immer wieder betrüblich ist, ist die Feststellung, daß in den Kameradschaften zum Teil Menschen vorhanden sind, die auch durch den besten Betrieb und durch die begeisterndsten Reden nicht aus ihrer Interesselosigkeit geweckt werden können. Sie kommen immer zum Dienst, sitzen still und brav am Tisch, sind aber in keiner Weise in der Lage, sich auch nur mit den primitivsten geistigen Dingen einmal auseinanderzusetzen. Ich glaube, daß diese Feststellung auch von anderen Studentenführern getroffen werden kann. Es gibt heute an der Hochschule sehr wenig pol[itisch] fanatische Menschen. Sie sind entweder abgebrüht oder übersättigt".[65]

Nach den Richtlinien der Reichsstudentenführung sollte der „politische Abend", d.h. die politische Schulung, zur „wichtigsten Einrichtung" des Kameradschaftslebens werden.[66] Tatsächlich blieb die Schulung aber, wie viele Berichte deutlich zeigen, unter den jungen Studenten auch weiterhin unbeliebt. So registrierte der Referent für Kameradschaftserziehung in der Hamburger Gaustudentenführung 1937 eine allgemeine

> „Ermüdung gegen jede Art politischer Schulung ... Es wird nur noch für allgemeine Themen Interesse gezeigt, und es ist manchmal schon schwierig, diesen Themen einen weltanschaulichen Charakter zu geben, eine Aufgabe, die ganz der Geschicklichkeit der Kameradschaftsführer überlassen bleibt. Leider verfügen nur wenige Kameradschaftsführer über diese Geschicklichkeit".[67]

---

[63] H. Schulz, Monatsbericht der Studentenführung der Universität Königsberg, April 1938, S.2 f., in: StA WÜ RSF/NSDStB II* 118 α 60a.

[64] Niederschrift über die Rektorenkonferenz am 15.12.1937, in: BA Potsdam REM 708 Bl.93.

[65] A. Hoos, Gaustudentenführer Mainfranken, an Scheel, 1.2.1938, S.6 f., in: StA WÜ RSF/NSDStB II* 118 α 60a.

[66] Vgl. Gesetze des deutschen Studententums. Richtlinien für die Kameradschaftserziehung, S.26.

[67] H. Killer, Tätigkeitsbericht des Amtes für polit. Erziehung der Gaustudentenführung Hamburg, 28.5.1937, in: StA WÜ RSF/NSDStB V* 2 α 539.

Unter solchen Umständen entwickelte sich die kontinuierliche Organisation von Schulungsabenden auch für die Kameradschaftsführer zu einer peinvollen Aufgabe, die meist nur unwillig erledigt wurde. Der Bereichsführer Rhein der Reichsstudentenführung, Herbert Groß, schob die Schuld an dem geringen Interesse für Schulungsabende daher kurzerhand den Kameradschaftsführern zu. Hatte er doch festgestellt, „daß ein großer Teil der Kameradschaftsführer zwar nach den Vorschriften der Reichsstudentenführung die politische Erziehung durchführt, dies aber mit einem Widerstreben tut und deshalb selbstverständlich nicht in der Lage ist, die jungen Kameraden zu begeistern“.[68] Zwei Würzburger Kameradschaftsführer machten 1937 sogar den Vorschlag, die politische Schulung gänzlich abzuschaffen:

> „Der Gedanke, die Mannschaft durch den Kameradschaftsführer politisch ‚schulen‘ zu lassen, muß in Zukunft vollkommen wegfallen. Der Student beherrscht jetzt das nötige Wissen über Rassenlehre und Geschichte der Bewegung von der Schule her, so daß ihm ein vom Kameradschaftsführer gehaltener Vortrag selten etwas Neues bieten kann. An Stelle dieser alten Schulung, die direkt verboten werden muß, haben Gespräche zu treten, die der Kameradschaftsführer auf dem Weg zum Kolleg oder abends bei einem Glase Bier ‚provozieren‘ kann“.[69]

Da solche Vorschläge selbstverständlich keine Realisierungschancen hatten, verblieben die Kameradschaftsführer in einem echten Dilemma. Falls sie die politische Indoktrination tatsächlich, wie gefordert, zum Schwerpunkt der Kameradschaftsarbeit machten, dann mußten sie befürchten, daß die Studenten sich gelangweilt zurückzogen. Wenn sie die Schulung zugunsten attraktiverer Tätigkeiten vernachlässigten, war der Hauptzweck des gesamten Kameradschaftsprogramms in Frage gestellt. Zumeist wurde offenbar – stillschweigend – der zweite Weg gewählt. Der Jahreslagebericht 1938 des Sicherheitshauptamtes meldete:

> „Von Seiten der Studentenführung wird darüber geklagt, daß für die Kameradschaften die Geselligkeit nun schon zu weit im Vordergrund stehe. Die politische Schulung und der aktive Einsatz werden daher bereits als Belastung des Einzelnen und der Kameradschaft empfunden. Es zeigen sich auch korporationsähnliche Tendenzen“.[70]

In der Tat war die Tendenz zur Entpolitisierung vielfach mit einer Wiederbelebung der längst tot geglaubten Korporationen verbunden, meist „infolge zu begeisterter Mitwirkung der Alten Herren“, wie ein Gaustudentenführer mißmutig feststellte.[71] Immer häufiger tauchten traditionelle

---

[68] H. Groß, Monatsbericht für Monat April [1938] des Bereichsführers Rhein der RSF, S.3, in: BA Koblenz NS 38/6 Bl.36.

[69] G. Hunger u. F. Berwein, Bericht über die Stamm-Mannschaft [Würzburg], WS 1936/37, S.3, in: StA WÜ RSF/NSDStB IV 2*1 60/2. Vgl. auch Golücke, Kameradschaftswesen, S. 166 f.

[70] Jahreslagebericht 1938 des Sicherheitshauptamtes, in: Meldungen aus dem Reich, Bd.2, S.141.

[71] Monatsbericht des Gaustudentenführers Württemberg-Hohenzollern, 8.2.1938, in: StA WÜ RSF/NSDStB II* 118 α 60a. Vgl. auch Adam, Hochschule, S.102; Franze, Erlanger Studentenschaft, S.335 ff.; Bernhardi, Göttinger Burschenschaft, S.231 ff.

Accessoires der Korporationen wie Bierzipfel oder Verbandsnadeln in Kameradschaftshäusern auf. Einige Kameradschaften führten Conventsverfassungen ein, die im Widerspruch zum Führerprinzip standen, andere gingen vereinzelt dazu über, trotz Verbots scharfe Mensuren zu schlagen.[72] Gelegentlich lehnten Studenten sogar den Eintritt in eine Kameradschaft ab, weil diese ihnen nicht nationalsozialistisch genug war. Ein Marburger Student lieferte 1939 in einem Brief an den lokalen Studentenführer folgende Begründung für seine ablehnende Haltung gegenüber den Kameradschaften:

> „Die Erfahrungen, die ich ... als Gast der Freiburger Kameradschaft ‚Lützow' machte und die Beobachtungen während zweier Studiensemester in Freiburg ergaben, daß in den Kameradschaften des NSDStB im wesentlichen nur die Lebensformen der ehemaligen studentischen Verbindungen weitergepflegt werden, trotz aller Erklärungen in der Öffentlichkeit, die anderes besagen ... Die Pflege des Bierkomments und gewisser gesellschaftlicher Formen kann ich nicht als nationalsozialistische Erziehungsaufgabe ansehen ... Wenn erklärt wird, daß in den Kameradschaften eine Erziehung zu kämpferischer Haltung erfolge, so sind nach meinen Erfahrungen die Angehörigen des NSDStB in erster Linie Vorkämpfer für Lambeth Walk und ähnliche Vergnügungen gewesen".[73]

Wenngleich die Quellenlage es nicht erlaubt, derartige Schilderungen als repräsentativ für das Kameradschaftsleben anzusehen, deutete sich hier doch an, daß der von Scheel eingeschlagene Versöhnungskurs seine Kehrseite hatte und Probleme hervorbrachte, die der Reichsstudentenführung auch in den folgenden Jahren noch zu schaffen machen sollten.

2. Fachschaften und Reichsberufswettkampf

Während die Kameradschaften in erster Linie die politische Erziehung der jüngeren Semester gewährleisten sollten, wurde von den fortgeschrittenen Studenten eine Beteiligung an den Fachschaften erwartet. Fachschaften und Fachgruppen hatten bereits in der Weimarer Republik bestanden, wenngleich sie in den 1920er Jahren zumeist ein eher „schattenhaftes Dasein" führten.[74] Das REM wies den Fachschaften die Aufgabe zu, eine Art nationalsozialistisches Begleitstudium zu organisieren: „Im Rahmen der Fachschaftsarbeit soll sich der Student mit den wechselseitigen Beziehungen seiner Wissenschaft und der Politik befassen", hieß es 1935 in einem Erlaß.[75]

[72] Vgl. Golücke, Kameradschaftswesen, S.185 ff.; Bernhardi, Göttinger Burschenschaft, S.231 f.

[73] Rolf M. an den Studentenführer der Universität Marburg, 21.11.1939, in: StA WÜ RSF/NSDStB II* 359 α 265. Der Lambeth Walk, damals ein populärer englischer Gesellschaftstanz, war im Februar 1939 für Veranstaltungen des NSDStB verboten worden. Vgl. Anordnung PE 8/39, in: VOBl. RSF, 10.2.1939: „Besonders gefährlich ist der Lambeth Walk, weil er in geschickter Weise gemeinschaftsbildende Formen mit niggerhaften Verrenkungen und Gebärden verbindet".

[74] So eine Formulierung Prof. Hedemanns von 1924, abgedruckt in: Jahrbuch 1966/67 des Stifterverbandes für die Deutsche Wissenschaft, S.158.

[75] RdErl. des REM, 15.5.1935, in: Deutsche Hochschulverwaltung, Bd.2, S.349 f.

Sehr viel aggressiver klang die Aufgabenbeschreibung seitens der Studentenfunktionäre. Franz Alfred Six charakterisierte die Fachschaften 1935 als „Stoßtrupps der Deutschen Studentenschaft gegen die alte Wissenschaft".[76] Ähnlich äußerte sich 1938 Reichsstudentenführer Scheel: „Gegen alle noch herrschenden weltanschaulich gegnerischen Strömungen soll durch die studentische Wissenschaftsarbeit der Stoßtrupp für eine neue deutsche Wissenschaft gebildet werden".[77]

Derart eingestimmt, beschäftigten sich Arbeitsgemeinschaften der Juristischen Fachschaft an der Universität Frankfurt mit der „Kritik des Nationalsozialismus am bürgerlichen Rechtsstaat", mit dem „Rechtskampf gegen den Bolschewismus", mit „Bauernrecht" oder mit den „Verfassungsproblemen des Ständestaates". In der Philosophischen Fachschaft bestanden Arbeitsgemeinschaften über „Die Germanische Wissenschaft", über den „Nationalcharakter der deutschen Märchen" und über den „Einfluß des Judentums in der Literatur des 19. Jahrhundert". Die Naturwissenschaftliche Fachschaft organisierte u.a. Arbeitsgemeinschaften zu folgenden Themen: „Die chemischen Rohstoffe", „Weltanschauliche Probleme in der Physik" und „Wehrchemie". In der Medizinischen Fachschaft standen dagegen Themen wie „Luftfahrtmedizin", „Heilpflanzen, ihre Wirkung und Beschaffung" oder „Untersuchungen über Arbeitsschädigungen, ihre Abwendung und Steigerung der Arbeitsleistung" auf der Tagesordnung. Arbeitsgemeinschaften der Wirtschaftswissenschaftlichen Fachschaft behandelten Themen wie „Das Führerproblem in der Wirtschaft", „Deutscher Sozialismus" oder „Leistungssteigerung in der Hausgehilfinnenfrage". Letztere war „nur für Mädel" vorgesehen.[78] In der Regel standen die Arbeitsgemeinschaften aber für Studenten beider Geschlechter offen.

Dirigiert und beaufsichtigt wurde die Tätigkeit von zehn „Reichsfachgruppenleitern", die hauptberuflich im Amt Wissenschaft und Facherziehung der Reichsstudentenführung tätig waren. Deren Arbeit erwies sich jedoch als zunehmend schwierig. Da die Anfangssemester, wenn sie überhaupt aktiv wurden, in den Kameradschaften mitarbeiteten, während die älteren Studenten sich oft schon auf das Examen vorbereiteten, war das Potential jener Studenten, die für eine aktive Mitarbeit in Frage kamen, ohnehin begrenzt. Als das REM im Mai 1935 erklärte, die Fachschaftsarbeit müsse grundsätzlich freiwillig sein[79], stellte sich schon bald die Frage, ob die Fachschaften überhaupt weiter lebensfähig bleiben würden. Denn die Zahl jener Studenten, die aus freien Stücken mitarbeiteten, war bemerkenswert

[76] F.A. Six, Geschichte und Aufgaben der Deutschen Studentenschaft, in: Der Deutsche Hochschulführer, 17. Ausgabe, Berlin 1935, S. 13. Six war damals Hauptamtsleiter in der Reichsführung der DSt.

[77] G.A. Scheel, Die Reichsstudentenführung, Berlin 1938, S.18.

[78] Vgl. G. Stuchlik, Goethe im Braunhemd, Frankfurt/Main 1984, S.128.

[79] Vgl. den RdErl. des REM, 15.5.1935, in: UA Jena C Nr.1131 Bl.177. Nur auf die Jurastudenten wurde weiter ein gewisser Druck ausgeübt. In der Justizausbildungsordnung vom 22.7.1934 (RGBl. 1934 I S.728) hieß es: „Empfohlen wird der Nachweis tätiger Teilnahme an mindestens einer Arbeitsgemeinschaft" (§ 3 Abs. 2).

klein. Im Dezember 1935 konstatierte der Leiter der Medizinischen Fachschaft in Göttingen:

> „Voraussetzen muß man bei der übergroßen Mehrzahl aller Mediziner eine völlige Uninteressiertheit und Gleichgültigkeit, damit muß gerechnet werden. Es kommt also darauf an, den kleinen arbeitswilligen Gruppen Aufgaben zu stellen ... Über die Interesselosigkeit täuscht auch keine noch so schöne Kartei hinweg".[80]

Auch die Medizinische Fachschaft in Rostock berichtete im Februar 1936, „daß nur ein sehr geringer Teil der Medizinstudenten zur Mitarbeit in den Arbeitsgemeinschaften der Fachschaft bereit" war.[81] Um einen völligen Zerfall der Fachschaftsarbeit zu verhindern, wandte sich im Juli 1935 der Führer der Studentenschaft an der Berliner Universität, Herbert Gutjahr, an das REM und bat darum, den Druck auf die Studierenden wieder zu verstärken.[82] Gemäß den von Gutjahr präsentierten Vorschlägen verfügte daraufhin ein neuer Erlaß des Ministeriums am 12. Februar 1936, daß künftig alle Mitglieder der DSt bei der Meldung zur Abschlußprüfung „möglichst 2 Teilnahmescheine über die Beteiligung an der Fachschaftsarbeit" vorweisen sollten. Sofern diese Scheine nicht vorlägen, sollten „die Prüfer nach dem Grund des Fehlens forschen".[83]

In den folgenden Semestern kam es tatsächlich zu einer Wiederbelebung der Fachschaftsarbeit. Hendrik van den Bussche vermutet daher, die Jahre 1937 und 1938 seien die „Erfolgsjahre der organisierten Fachschaftsarbeit" gewesen.[84] Orientiert man sich an den – nur sporadisch vorliegenden – Teilnehmerzahlen, dann ist diese Annahme sicher richtig. Wie aus einer internen Statistik der Reichsstudentenführung hervorgeht, nahmen im Sommersemester 1937 immerhin 1.120 von 4.213 Jurastudenten (26,6 %) an der Fachschaftsarbeit teil.[85] Wenn man die Studenten der ersten drei Semester unberücksichtigt läßt, von denen erwartet wurde, daß sie sich der Kameradschaftsarbeit widmeten, dann ergibt sich ein Beteiligungsgrad von 36,1 %.

Diese auf den ersten Blick recht beachtliche Teilnehmerquote war jedoch in erster Linie ein Ergebnis des REM-Erlasses vom 12. Februar 1936. Trotz der bewußt vage gehaltenen Formulierungen hatte der Erlaß offenbar für erheblichen Druck gesorgt. Doch sollten die Fachschaften über den unerwar-

[80] Der Jungarzt, H.14, Dezember 1935, zit. in: H. van den Bussche, Im Dienste der „Volksgemeinschaft", Berlin/Hamburg 1989, S.90.

[81] Der Jungarzt, H. 16, Februar 1936, zit. in: ebd.

[82] Vgl. H. Gutjahr an das REM, 17.7.1935, Durchschr. in: UA der HUB Rektor und Senat 419 Bl. 144-147.

[83] RdErl. des REM, 12.2.1936, in: Deutsche Hochschulverwaltung, Bd.2, S.449. Nicht korrekt ist daher die Behauptung, die Fachschaftsarbeit sei „völlig freiwillig" gewesen. So J.R. Pauwels, Women, Nazis and Universities, Westport, Conn. / London 1984, S.76.

[84] Vgl. H. van den Bussche, Im Dienste, S.97.

[85] Dem NSDStB gehörten im Sommer 1937 1.505 Jurastudenten an (35,7 %). Zahlen nach: Bericht der Reichsfachgruppe Rechtswissenschaft, SS 1937, 26.8.1937, in: StA WÜ RSF/NSDStB II* 198 α 125. Zwei Universitäten, die keine Angaben gemacht hatten (Bonn, Breslau) blieben unberücksichtigt.

teten Andrang nicht recht froh werden. Das Zentralorgan des NSDStB, „Die Bewegung“, klagte im Juni 1937, nach Veröffentlichung des REM-Erlasses hätten „Scheinjäger“ die Arbeitsgemeinschaften überschwemmt und dadurch eine konzentrierte Arbeit verhindert:

> „Und nicht nur die Erhöhung der Teilnehmerzahlen war es, die die Arbeit erschwerte, sondern eben die teilnahmslose stumme Anwesenheit jener, die ihre Scheine ‚ersaßen‘, sich vielleicht zu einem belanglosen Referat bequemten, aber die Diskussion, den eigentlichen Mittelpunkt einer Arbeitsgemeinschaft, lähmten“.[86]

Trotz eindrucksvoller Teilnahmestatistiken blieb die Zahl jener Studenten, die bereit waren, in den Fachschaften freiwillig und enthusiastisch für eine neue, nationalsozialistische Wissenschaft zu arbeiten, offenkundig so gering wie zuvor: „Die Suche nach gern mitarbeitenden Kameraden ist sehr schwierig, obwohl wir etwas zu bieten haben“, seufzte der Fachgruppenleiter Rechtswissenschaft an der Universität Heidelberg.[87]

Außerdem litten die Fachschaften daran, daß sie zunehmend in den Schatten der Kameradschaften gerieten und deshalb von den Studentenführern als Einrichtungen von zweitrangiger Relevanz behandelt wurden. Arnold Brügmann, Reichsfachgruppenleiter Kulturwissenschaft in der Reichsstudentenführung, registrierte 1937:

> „Der größte Mangel einer produktiven Facharbeit liegt darin, daß kaum ein Studentenführer ehrlich bemüht ist, einen ausgezeichneten Mann als Fachgruppenleiter zu gewinnen. Solange diese personelle Frage nicht eindeutig geklärt ist, wird die Produktivität der Fachgruppenarbeit in den Anfängen steckenbleiben“.[88]

Nach Brügmanns Ansicht waren „65 % der örtlichen Fachgruppenleiter ... nicht in der Lage, neue wissenschaftliche Probleme zu sehen bzw. ihre Bearbeitung in Angriff zu nehmen“.[89]

Die Fachgruppenleiter suchten die Schuld bei den lokalen Studentenführern, von denen sie sich vernachlässigt glaubten: „Wir haben kein Geld, auch keine Aussicht, von der Studentenschaft mehr zu bekommen, da alles für die Kameradschaften ausgegeben wird“.[90] Unter solchen Umständen war es kaum verwunderlich, daß die Suche nach „gern mitarbeitenden Kameraden“ sich so schwierig gestaltete. Die Folgen dieser Konstellation für die Fachschaftsarbeit beschrieb der Leipziger Rektor Artur Knick im Dezember 1937:

> „Im ganzen haben diese Versuche bei den Studenten trotz entsprechender Verordnungen wenig Anklang gefunden, zum Teil weil sie zu inhaltsleer waren oder zu öden Lerngemeinschaften mit eintönigen weltanschaulichen Wiederholungen entarteten ... Auch die Fachschaftslager fanden nicht besonderen Widerhall und waren im Ergebnis mager. Nur bei den Theologen hat die Fachschafts-

---

[86] „Fachschaftsarbeit - verordnet oder freiwillig?“ in: Die Bewegung, Nr.22, 1.6.1937, S.3.
[87] Bericht des Fachgruppenleiters Steiner über das WS 1937/38, 10.3.1938, in: StA WÜ RSF/NSDStB II* 198 α 125.
[88] Bericht des Reichsfachgruppenleiters A. Brügmann, 29.9.1937, S.2 f., in: StA WÜ RSF/NSDStB II* 179 α 107.
[89] Brügmann an Kubach, 24.4.1937, in: StA WÜ RSF/NSDStB II* 175 α 103.
[90] Bericht des Fachgruppenleiters Steiner, 10.3.1938 (Anm. 87).

> arbeit einschließlich der veranstalteten Lager bis heute lebhafte Teilnahme und Zufriedenheit gefunden ... Bei den anderen Fakultäten, insbesondere auch bei den Medizinern, ist die Fachschaftsarbeit immer mehr zurückgegangen und hat sich teilweise totgelaufen, weil sie als zu unvollkommene, frustrane und obendrein sehr zeitraubende Betätigung empfunden wird".[91]

Rektor Knick schien diese Entwicklung nicht übermäßig zu bedauern, war doch gleichzeitig, wie er zufrieden feststellte, „der Besuch der Seminare viel reger und die Arbeit in den Seminaren viel erfreulicher und fruchtbarer geworden".[92]

Um unter diesen schwierigen Bedingungen überleben zu können, sahen sich die Fachschaften gezwungen, eine Verständigung mit den Dozenten oder zumindest mit dem nationalsozialistischen Teil der Dozentenschaft zu suchen. Schon im Mai 1934 hatte der nationalsozialistische Jurist Carl Schmitt konstatiert, die Fachschaften seien „fast durchweg gescheitert, soweit sie aus Mißtrauen gegenüber den Dozenten zunächst versucht haben, die Fachschaftsarbeit ohne Mitwirkung von Dozenten durchzuführen".[93] Das ursprüngliche Konzept, die Fachschaften als studentische Gegenveranstaltung zum offiziellen Lehrbetrieb auszubauen, wurde dadurch weitgehend zu Makulatur. Die meisten Fachschaften machten ähnliche Erfahrungen wie die Juristische Fachgruppe an der Universität Tübingen, deren Leiter im Juni 1937 berichtete:

> „Die bisherigen Arbeitsgemeinschaften litten an dem Mangel, daß die studentischen Leiter trotz besten Willens einfach nicht die notwendige Stoffbeherrschung haben konnten, weil sie eben überhaupt ein Student nicht haben kann. Ich gewann daher für jede Arbeitsgemeinschaft einen Assistenten oder Dozenten als wissenschaftlichen Leiter neben dem studentischen Leiter, und ich darf auch hier feststellen, daß sich dies voll bewährt hat".[94]

Bis 1937/38 hatte sich die Einbeziehung von Dozenten in die Fachschaftsarbeit offenbar an fast allen Universitäten durchgesetzt, und manchmal schien es fast so, als seien die Fachschaften zu einem Teil des normalen Lehrbetriebes geworden.

Obwohl viele Assistenten und Hochschullehrer sich bereitwillig für eine Zusammenarbeit zur Verfügung stellten, kränkelten die Fachschaften auch in den folgenden Jahren weiter vor sich hin. Im März 1939 konstatierte der Leiter der Fachgruppe Rechtswissenschaft an der Universität Halle, daß nur

---

91 Niederschrift über die Rektorenkonferenz am 15.12.1937 in Marburg, in: BA Potsdam REM 708 Bl.93. Ähnlich negative Urteile auch in der Literatur: Stuchlik, Goethe, S.128 f.; G.J. Giles, Students and National Socialism in Germany, Princeton 1985, S.253; Pauwels, Women, S.74 f.

92 Niederschrift über die Rektorenkonferenz am 15.12.1937 (Anm.91), Bl.93.

93 C. Schmitt, Bericht über die Entwicklung der Reichsfachgruppe Hochschullehrer im BNSDJ und über die Verhältnisse an den rechts- und wirtschaftswissenschaftlichen Fakultäten während des Wintersemesters 1933/34, 1.5.1934, S.4, in: StA HH Hochschulwesen II Aa 38/2 Bl.8.

94 Fachgruppenleiter Hagmann an die Reichsfachgruppe Rechtswissenschaft in der RSF, 29.6.1937, in: StA WÜ RSF/NSDStB II* 198 α 125. Ähnlich die Berichte der Fachgruppenleiter aus Frankfurt, Münster und Gießen in derselben Akte. Siehe auch den Bericht des Gaustudentenführers Mainfranken, A. Hoos, an Scheel, 3.5.1938, in: StA WÜ RSF/NSDStB II* 118 α 60a.

„einige wenige Kameraden" sich aus eigenem Antrieb aktiv an der Arbeit der Fachgruppe beteiligten:

> „Dieser hoffnungslosen Minderheit steht die große Zahl derjenigen gegenüber, die sich vollkommen negativ verhalten. Es ist erschütternd, wenn man am Ende seines Einsatzes und all der aufgewandten Arbeit und Mühe ohne Schönmalerei und Erfolgsbericht das Fazit zieht und feststellen muß, alle Pläne und Vorhaben sind, soweit sie nicht von den paar Männern getragen wurden, die ich bereits erwähnte, elendiglich gescheitert, ... weil die Mehrzahl der Männer in der Fachgruppe sich aus Charakteren zusammensetzt, die sich einfach vorsätzlich allem freiwilligem Einsatz gegenüber ablehnend verhalten".[95]

Seit 1935/36 wurde die Tätigkeit der Fachschaften zunehmend in den Dienst des Reichsberufswettkampfes gestellt.[96] Ein „Reichsberufswettkampf der deutschen Jugend" (ursprünglich: Reichsleistungskampf) war Ende 1933 von der DAF und von der Reichsjugendführung geschaffen worden. Die Aufforderung zum Wettbewerb richtete sich zunächst an junge Arbeiter, Lehrlinge und Angestellte, die aus ihren Berufsgebieten eigene Arbeiten vorlegen sollten, welche von einer Jury bewertet und prämiiert wurden. Die „Reichssieger" wurden in einer feierlichen Zeremonie unter Anwesenheit hoher Parteiführer ausgezeichnet. Von 1935/36 bis 1938/39 organisierte auch die DSt bzw. (seit 1936) die Reichsstudentenführung vier Jahre lang einen eigenen „Reichsberufswettkampf der deutschen Studenten". Geleitet wurde das Unternehmen von zwei ehemaligen Amtsleitern der Heidelberger Studentenführung: zunächst von Franz Alfred Six, der es später bis zum Amtsleiter im Reichssicherheitshauptamt und nebenbei auch noch zum Ordinarius an der Berliner Universität bringen sollte, danach von Fritz Kubach[97], dem Amtsleiter für Wissenschaft und Facherziehung in der Reichsstudentenführung.

Von den studentischen Teilnehmern wurde verlangt, kein beliebiges Untersuchungsthema auszuwählen, sondern Fragen zu behandeln, „die mit unserer heutigen völkischen und politischen Existenz gegeben sind, und deren Lösung einen Beitrag liefert zum Aufbau und zur Gestaltung unseres völkischen Lebens".[98] Die eingereichten Arbeiten wurden in 16 Sparten gegliedert und umfaßten ein weites Themenspektrum, das durch einige Beispiele aus dem 3. Reichsberufswettkampf von 1937/38 illustriert werden soll.[99] In der Sparte Erziehung gewann eine Studentengruppe der Hamburger Hochschule für Lehrerbildung, die eine Arbeit über „Stellung und Aufgabe der deutschen Schule im Volkstumskampf in Nordschleswig" vorgelegt hatte. In der

---

[95] Bericht des Fachgrupppenleiters Rechtswissenschaft an der Universität Halle, W. Kunze, 12.3.1939, in: StA WÜ RSF/NSDStB II* 198 α 125.

[96] Zum Reichsberufswettkampf der Studenten vgl. M.H. Kater, The Reich Vocational Contest and Students of Higher Learning in Nazi Germany, in: Central European History, 7, 1974, S.225-261; Giles, Students and National Socialism, S.254 ff.; Pauwels, Women, S.76 ff.

[97] Vgl. die Kurzbiographie im Anhang.

[98] Scheel, Reichsstudentenführung, S.19.

[99] Die folgenden Angaben nach: Studenten bauen auf! Der 3. Reichsberufswettkampf der deutschen Studenten 1937/38. Hg. von F. Kubach, Berlin o.J., S.21 ff.

Sparte Volkstumsforschung wurde eine Arbeitsgruppe der Universität Tübingen zum Reichssieger erklärt, die sich mit dem Thema „Papsttum und Germanenwelt im frühen Mittelalter" beschäftigt hatte. Eine Gruppe von Studenten der Universität Königsberg wurde für ihre Untersuchung über „Kopernikus als Begründer unserer neuen Weltanschauung" ausgezeichnet. Etwas weniger ideologieträchtig waren die von einer Arbeitsgruppe aus Halle vorgelegten und ebenfalls prämiierten „Untersuchungen über die Frühinvalidität der Arbeiter in mitteldeutschen Betrieben, gezeigt an der Cröllwitzer Papierfabrik". Dasselbe gilt für die Untersuchung über „Verkehrsregelung in Wuppertal-Barmen", mit der eine Studentengruppe der Höheren Technischen Lehranstalt für Hoch-und Tiefbau in Wuppertal-Barmen zum Reichssieger in der Sparte „Der deutsche Verkehr" avancierte. Für Studentinnen war, sofern sie sich nicht an einer gemischten Gruppe beteiligten, eine eigene Sparte eingerichtet worden, in der 1937/38 eine Gruppe aus Würzburg für ihre „Säuglingsuntersuchungen der Rhön" zum Reichssieger erklärt wurde.

Beurteilt wurden die Arbeiten sowohl von Mitarbeitern der Reichsstudentenführung und anderer Parteistellen als auch von ausgewählten Hochschullehrern und anderen politisch „zuverlässigen" Wissenschaftlern.[100] Gleichwohl sahen auch manche nationalsozialistische Professoren den Reichsberufswettkampf eher als Ablenkung vom eigentlichen Studium an, und der Leipziger Rektor Knick kritisierte, viele Beiträge seien „primitiv" und „dilettantisch" gemacht.[101]

Bei der Durchsicht eines Samples von studentischen Arbeiten, die im Rahmen des Reichsberufswettkampfes entstanden sind, kam Michael Kater vor einigen Jahren zu dem Ergebnis, daß ein großer Teil dieser Arbeiten deutlich durch die nationalsozialistische Weltanschauung geprägt war.[102] Jedoch ist es problematisch, aus diesem, sicherlich korrekten, Befund generalisierende Schlußfolgerungen über „a high degree of ideological infection within the student body" zu ziehen, wie Kater dies tut.[103] Hatten doch die Veranstalter des studentischen Reichsberufswettkampfes von vornherein unmißverständlich festgelegt, daß eine „klare politische und weltanschauliche Fragestellung" das entscheidende Kriterium für eine positive Beurteilung der eingereichten Arbeiten sein würde.[104] Da die Teilnahme freiwillig war, ist anzunehmen, daß eine Beteiligung angesichts solcher Vorgaben nur für überzeugte Nationalsozialisten in Frage kam. Rückschlüsse auf das politische Weltbild der Studierenden insgesamt wären deshalb nur dann möglich, wenn sich ein hoher Prozentsatz von ihnen an dem Wettbewerb beteiligt hätte.

---

100 Vgl. Kater, Reich Vocational Contest, S.254 ff.

101 Vgl. die Äußerungen A. Knicks in: Niederschrift über die Rektorenkonferenz am 15.12.1937 in Marburg, in: BA Potsdam REM 708 Bl.96.

102 Vgl. Kater, Reich Vocational Contest, S.236 ff.

103 Kater, Reich Vocational Contest, S.237. Vgl. auch die treffende Kritik von Giles, Students and National Socialism, S.257 f.

104 Studenten bauen auf! Der 2. Reichsberufswettkampf der deutschen Studenten 1936/37. Hg. von F. Kubach, Berlin o.J., S.33.

Glaubt man den Propagandaschriften der Reichsstudentenführung, dann war dies tatsächlich der Fall. So sollen am 2. Reichsberufswettkampf 1936/37 nach Angaben der Organisatoren 35 % der deutschen Studenten teilgenommen haben.[105] Diversen Veröffentlichungen der Reichsstudentenführung und anderen Materialien lassen sich die folgenden Teilnehmerzahlen[106] entnehmen:

1935/36	ca. 11.000 Teilnehmer
1936/37	14.497 Teilnehmer
1937/38	14.593 Teilnehmer
1938/39	14.200 Teilnehmer

Vertraut man diesen Angaben, dann stieg die Zahl der Teilnehmer in den ersten drei Jahren kontinuierlich an, während 1938/39 die Beteiligung der Studierenden offenbar rückgängig war, obwohl erstmals auch Studenten aus Österreich mitmachten.[107] Allerdings sagen diese Zahlen, selbst wenn sie korrekt wären, nur wenig über die Beteiligung an den Universitäten aus. Die große Mehrheit der Teilnehmer des Reichsberufswettkampfes kam nämlich, wie die Rechenschaftsberichte zeigen, nicht von den Universitäten, sondern vor allem aus Fachschulen, von Hochschulen für Lehrerbildung[108] und anderen kleinen Hochschulen. Insbesondere die Fachschüler beteiligten sich in großer Zahl. 1935/36 sollen sie bereits 6.000 von insgesamt rund 11.000 Teilnehmern (55 %) gestellt haben. Ein Jahr später trat die Dominanz der Fachschüler noch eindeutiger zutage. Unter den insgesamt 14.497 Teilnehmern des 2. Reichsberufswettkampfes von 1936/37 kamen nach Mitteilung eines Funktionärs der Reichsstudentenführung etwa 9.000 aus Fachschulen (62 %).[109]

Detailliertes Zahlenmaterial über die Beteiligung an den einzelnen Hochschulen wurde nur einmal, nach dem 1. Reichsberufswettkampf (1935/36) veröffentlicht, an dem etwa 11.000 Studenten und Fachschüler teilgenommen haben sollen. Dem offiziellen Rechenschaftsbericht zufolge sollen unter den Teilnehmern 5.000 Hochschulstudenten gewesen sein. Aus einer detaillierten Auflistung der Teilnehmerzahlen aller Hochschulen, die ebenfalls in dem Rechenschaftsbericht veröffentlicht wurde, ergibt

[105] Der 3. Reichsberufswettkampf der deutschen Studenten. Hg. von der RSF, Reichswettkampfleitung, München o.J. [1937], S.25.

[106] Zahlen nach: Kater, Reich Vocational Contest, S.229 f. Die Zahlen für 1935/36 nach: Studenten bauen auf! Der 1. Reichsleistungskampf 1935/36. Hg. von F.A. Six, Marburg/Berlin o.J., S.III.

[107] Dies konstatierte auch der Lagebericht des Sicherheitshauptamtes. Vgl. Meldungen aus dem Reich, Bd.2, S.284.

[108] Auf künftige Volksschullehrer, die an einer Hochschule für Lehrerbildung studierten, wurde in der Studienordnung erheblicher Druck ausgeübt, sich am Reichsberufswettkampf zu beteiligen. Vgl. die Studienordnung für das Lehramt an Volksschulen vom 26.10.1938, in: DWEV 1938, S.492.

[109] Zahl der Fachschüler nach: Wille und Weg der nationalsozialistischen Studenten. Bericht von der ersten Reichsarbeitstagung des NSD-Studentenbundes und der Deutschen Studentenschaft. Heidelberg, 22. bis 25. Juni 1937, Marburg o.J., S.101.

Tab. 13: Die Beteiligung von Universitätsstudenten am 1. Reichsberufswettkampf der deutschen Studenten 1935/36[110]

Universität	Zahl der Studierenden im WS 1935/36	Zahl der Teilnehmer abs.	in %
Berlin	7426	291	3,9
Bonn	3415	91	2,7
Breslau	3725	91	2,4
Erlangen	1338	31	2,3
Frankfurt	1814	76	4,2
Freiburg	3028	74	2,4
Gießen	1010	108	10,7
Göttingen	1983	109	5,5
Greifswald	948	58	6,1
Halle	1366	130	9,5
Hamburg	2235	152	6,8
Heidelberg	2455	83	3,4
Jena	1921	113	5,9
Kiel	1296	33	2,5
Köln	2968	140	4,7
Königsberg	2089	107	5,1
Leipzig	3058	144	4,7
Marburg	1702	42	2,5
München	4724	100	2,1
Münster	2896	26	0,9
Rostock	1046	30	2,9
Tübingen	2191	56	2,6
Würzburg	2180	88	4,0
Zusammen	56814	2173	3,8

sich jedoch ein anderes Resultat. Addiert man diese Zahlen, dann zeigt sich, daß 1935/36 tatsächlich nur 3.728 Hochschulstudenten am Reichsberufswettkampf teilgenommen haben[111], unter ihnen 2.173 Universitätsstudenten (3,8 %) wie Tabelle 13 genauer zeigt. Die offiziellen Teilnahmezahlen waren also offensichtlich aus propagandistischen Gründen stark übertrieben.[112]

Deutlich über dem Durchschnitt lag die Beteiligung vor allem in kleinen Universitäten wie Gießen, Halle oder Greifswald (Tabelle 13), wo die Studentenführer stets besonders rigoros auftreten konnten. Am niedrigsten war die Teilnahme im katholischen Münster. Für die folgenden drei Wettkämpfe liegt kein entsprechendes Zahlenmaterial vor. Jedoch läßt sich aus den veröf-

[110] Quellen: F.A. Six (Hg.), Studenten bauen auf! Der 1. Reichsleistungskampf 1935/36. Ein Rechenschaftsbericht, Marburg/Berlin o.J., S.163-168; eigene Berechnungen (Rechenfehler in der Quelle wurden korrigiert).

[111] Errechnet nach: Studenten bauen auf! Der 1. Reichsleistungskampf 1935/36, Berlin o.J., S.III, 163-168.

[112] Vgl. auch Giles, Students and National Socialism, S.256.

fentlichten Rechenschaftsberichten[113] errechnen, wie viele Beiträge von Universitätsstudenten eingereicht wurden:

1935/36	253 eingereichte Arbeiten
1936/37	220 eingereichte Arbeiten
1937/38	189 eingereichte Arbeiten
1938/39	151 eingereichte Arbeiten

Die Anzahl der von Universitätsstudenten präsentierten Arbeiten ist also um 40 % zurückgegangen, während sich gleichzeitig die Zahl der an den Universitäten immatrikulierten Studenten nur um 31 % verringerte.[114] Da die eingereichten Arbeiten durchgängig nicht von einzelnen Studenten, sondern von studentischen Gruppen verfertigt wurden, läßt sich aus diesen Angaben nicht ohne weiteres auf die Teilnehmerzahlen schließen. Dennoch erlauben sowohl der Rückgang der von Universitätsstudenten eingereichten Arbeiten als auch die starke Zunahme der teilnehmenden Fachschüler die begründete Vermutung, daß die Beteiligung von Universitätsstudenten am Reichsberufswettkampf eher ab- als zugenommen hat und wahrscheinlich stets unter 5 % lag. Aufgrund dieser schwachen Resonanz ist es, wie bereits angedeutet wurde, nicht möglich, aus den abgelieferten Arbeiten Rückschlüsse auf die ideologische Befindlichkeit der deutschen Studenten zu ziehen.

Festhalten läßt sich auch, daß der Reichsberufswettkampf an den Universitäten nicht dazu beigetragen hat, die Popularität der Fachschaftsarbeit zu vergrößern. Vielmehr stärkte er die Tendenz, die Masse der wenig motivierten Studenten links liegen zu lassen, um wettbewerbsfähige Ergebnisse vorweisen zu können: „Ein Massenprinzip ist für wissenschaftliche Arbeiten in jeder Weise undenkbar und unzweckmäßig", notierte der Reichsfachgruppenleiter Kulturwissenschaft 1937: „Wenn an einer Universität sechs einsatzwillige und befähigte Kameraden zur Verfügung stehen, ist es notwendig, daß diese sechs zusammen ein oder zwei Arbeiten liefern, anstatt in unfruchtbarem Bemühen andere zu aktivieren versuchen".[115]

Insgesamt läßt sich konstatieren, daß die Fachschaften noch weniger als die Kameradschaften in der Lage waren, für die Masse der Studenten ein attraktives Betätigungsfeld anzubieten. Als organisierte Herausforderung des traditionellen Wissenschaftsbetriebes sind sie im wesentlichen gescheitert. Im April 1940 konstatierte ein Berliner Hochschullehrer sogar, die Fachschaften hätten

[113] Vgl. die vier von F.A. Six und F. Kubach unter dem Titel „Studenten bauen auf!" veröffentlichten Rechenschaftsberichte der Reichsberufswettkämpfe von 1935/36 bis 1938/39 (Literaturverzeichnis).

[114] Errechnet aufgrund der Angaben in Tabelle 16 (Anhang).

[115] Bericht Reichsfachgruppenleiter Brügmann, 29.9.1937 (Anm. 88), S.2.

„vollkommen Schiffbruch gelitten; es hat nur niemand den Mut, es klar zu sagen. Sie werden als lästig und als unzureichende, ja lächerliche Kopie des wirklichen Unterrichts empfunden, und auch hier ist es oft der Professor, der einem Unternehmen, das im Grunde gegen ihn gerichtet ist, wieder auf die Beine hilft“.[116]

3. Der „studentische Einsatz“

Neben den Kameradschaften und der Fachschaftsarbeit bildete der „studentische Einsatz“ einen weiteren Schwerpunkt der Aktivitäten des Studentenbundes. Seit 1934 hatten sich drei verschiedene Einsatzformen herauskristallisiert: der Fabrikdienst, der Landdienst und die Erntehilfe.

Die 1937 erstmals eingeführte „Erntehilfe“ diente ausschließlich dazu, den Mangel an ländlichen Arbeitskräften auszugleichen, eine Folge der anhaltenden Landflucht, die sich bereits 1934 bemerkbar machte und zu ernsthaften Schwierigkeiten beim Einbringen der Ernte führte.[117] Demgegenüber hatten Fabrikdienst und Landdienst vor allem politisch-propagandistische Bedeutung.

Das Konzept des Fabrikdienstes sah vor, daß die beteiligten Studenten in den Semesterferien, meist zwei bis sechs Wochen lang, ohne Bezahlung in der Fabrik arbeiteten und in dieser Zeit einer Arbeiterin bzw. einem Arbeiter einen bezahlten Urlaub ermöglichten. Dieses Konzept, ein typisches Produkt der nationalsozialistischen Volksgemeinschaftsideologie, war im Frühjahr 1934 von der Arbeitsgemeinschaft Nationalsozialistischer Studentinnen (ANSt) entwickelt worden.[118] Auch in den folgenden Jahren blieb der Fabrikdienst, der in Zusammenarbeit mit der Deutschen Arbeitsfront (DAF) durchgeführt wurde, eine Domäne der Studentinnen.[119]

Der Landdienst war von der DSt aufgebaut worden und umfaßte landwirtschaftliche Arbeitseinsätze vor allem in Dörfern an der Ostgrenze des Reiches, in denen ein beträchtlicher Teil der Bevölkerung polnischer Herkunft war. Der Landdienst sollte deshalb in erster Linie „die an der Grenze bestehende ... Gefahr des Vordringens fremden Volkstums“ bekämpfen. Um den polnischen Einfluß in den Grenzregionen zu verringern, wurden die Landdienst leistenden Studenten angehalten, nicht nur auf dem Feld und auf dem Hof mitzuarbeiten, sondern auch als völkische Propagandisten tätig zu werden, „verschüttetes deutsches Volksgut und Brauchtum“ wiederzubeleben und beim „Aufbau der örtlichen nationalsozialistischen Jugendorgani-

[116] O. von Niedermayer, Stellungnahme zur Denkschrift Prof. W. Guertlers, 20.4.1940, in: BA Koblenz R 43 II 940b Bl.25. Niedermayer war Direktor des Wehrpolitischen Instituts der Universität Berlin und Oberst im Oberkommando der Wehrmacht (OKW). Seine Stellungnahme erfolgte im Auftrag des OKW.

[117] Vgl. T. Mason, Arbeiterklasse und Volksgemeinschaft, Opladen 1975, S.74 f.

[118] Zur Entstehung des Fabrikdienstes vgl. das Prot. der Reichstagung des NSDStB in Frankfurt am Main am 11./12.5.1935, Teil II, S.3, in: StA WÜ RSF/NSDStB II* ϕ 319.

[119] Vgl. das Interview von A. Dageförde mit der ehemaligen Gaufabrikdienstreferentin von München-Oberbayern, Ilse W., 4.12.1984, S.29, Transkription in: ProjA HH.

sationen“ mitzuhelfen.[120] Ziel war es, dem „nationalpolitisch indifferenten“ Bauern der Ostprovinzen „ein deutsches Volksbewußtsein zu geben, ihn so-weit zu bringen, daß er sich als Träger deutscher Kultur und deutscher Sitten fühlt“, wie ein vertrauliches Papier der DSt erläuterte.[121] 1934 fuhr erstmals eine größere Gruppe von nationalsozialistischen Studenten zum Landdienst in die Ostprovinzen – sehr zur Verblüffung der ansässigen Bauern, die erhebliche Schwierigkeiten hatten, die völkischen Motive ihrer neuen Hilfskräfte nachzuvollziehen, wie der Bericht eines teilnehmenden Studenten bezeugt:

> „Daß man freiwillig zu ihnen hinaus kommt, halten die Bauern für gänzlich ausgeschlossen. Die einen glauben, wir seien zur Erholung hier hergekommen, die anderen sogar, um Geld zu verdienen. Die allerschlauesten aber meinen, es sei für uns eine Strafe, weil wir im Examen durchgefallen seien“.[122]

Die Beteiligung am studentischen Einsatz war in den ersten Jahren weitgehend freiwillig. Wenn Fabrikdienst und Landdienst tatsächlich zur Stärkung der „Volksgemeinschaft“ führen sollten, dann bedurfte es politisch überzeugter Studenten, die ihren Einsatz ohne Widerwillen ableisteten. 1935 ordnete die Reichs-ANSt-Referentin Liselotte Machwirth sogar an, Studentinnen, die der ANSt nicht angehörten, dürften am Fabrikdienst „nur ausnahmsweise“ teilnehmen.[123] Jedoch zeigte sich rasch, daß die Zahl der opferbereiten Studenten, die freiwillig einen Teil ihrer Semesterferien in der Fabrik oder auf dem Bauernhof verbrachten, sehr viel kleiner war als die aufwendige Propaganda der NS-Presse suggerierte. Am Landdienst beteiligten sich im ersten Jahr (1934) nur 330 Studierende. In den folgenden Jahren stieg die Teilnehmerzahl auf 1.900 (1935), dann auf 2.500 Teilnehmer (1936). Noch geringer war die Beteiligung am Fabrikdienst: 1936 folgten nur 1.100 Studierende dem Aufruf zum unentgeltlichen Arbeitseinsatz in einer Fabrik.[124] Insgesamt hatten sich in diesem Jahr also 3.600 Personen am studentischen Einsatz beteiligt, rund 5 % von allen Studierenden der deutschen Hochschulen.

Aber auch diese Minderheit hatte sich keineswegs immer aus idealistischen Motiven zur Teilnahme am studentischen Einsatz entschlossen. In der Anfangsphase nahmen zahlreiche Studenten nur deshalb am Landdienst teil, weil er als Äquivalent für den nachträglich abzuleistenden Arbeitsdienst ge-

[120] Zitate aus: W. Müller, Stellungnahme zur Frage des studentischen Landdienstes, 18.3.1936, S.2, in: BA Potsdam REM 907 Bl. 256.

[121] Der Landdiensteinsatz deutscher Studenten in Ostpreußen. Bericht des Referenten für den Bauern- und Siedlerdienst in Ostpreußen, 14.1.1935, S.4, in: StA WÜ RSF/NSDStB I* 78 α 372/3.

[122] Zit. in: ebd., S.13.

[123] Rundschreiben der Reichs-ANSt-Referentin, 13.12.1935, in: StA WÜ RSF/NSDStB II* 499 α 401.

[124] Vgl. den Bericht der Abt. Studentischer Einsatz in der RSF [Januar 1937], in: StA WÜ RSF/NSDStB II* 299 α 212; RSF, Abt. Politischer Einsatz an die DAF, Sozialamt, 16.2.1937, in: StA WÜ RSF/NSDStB II* 332 α 245. Andere interne Quellen nennen noch niedrigere Zahlen. Siehe auch Pauwels, Women, S.84 mit Teilnehmerzahlen für 1938 und 1939.

wertet wurde.[125] Auch ging es manchen Studentinnen aus ärmlichen Verhältnissen, die sich am Fabrikdienst beteiligten, offensichtlich weniger darum, die Volksgemeinschaft zu stärken, sondern einige Wochen lang freie Unterkunft und Verpflegung zu erhalten.[126] Darüber hinaus gab es die Möglichkeit, sich den Fabrikdienst, in bestimmten Fällen auch den Landdienst, als Berufspraktikum anrechnen zu lassen.[127]

Wenn trotz dieser Vielfalt von Motiven die Beteiligung am studentischen Einsatz recht dürftig ausfiel, so lagen die Ursachen auf der Hand: Unter den Studenten bestand, wie ein Hamburger Funktionär des NSDStB in einem internen Bericht betrübt registrierte, nur eine „geringe Einsatzfreudigkeit ... Es fehlt den meisten der Wille, sich in den Ferien um einer Idee willen eine Last aufzubürden“.[128] Sogar in der studentischen Presse wurde manchmal recht offen über die mangelnde Attraktivität der Arbeitseinsätze räsoniert: „Es wird soviel über Landhilfe geredet, und vor allem hört man leider fast nur abfällige Urteile“, hieß es 1935 in einer Rostocker Studentenzeitung.[129]

Unter dem Eindruck dieser ernüchternden Erkenntnis entschloß sich die neue Reichsstudentenführung unter Scheel, stärkeren Druck auszuüben. Die 1937 veröffentlichten „Richtlinien für die Kameradschaftserziehung“ legten fest, daß Kameradschaftsmitglieder nur dann in den NSDStB aufgenommen werden durften, wenn sie zuvor „Bewährung im Einsatz“ gezeigt hatten.[130] Zwangsmaßnahmen gegenüber den Studenten der höheren Semester wurden dagegen von Heß ausdrücklich untersagt. Wohl unter dem Eindruck des akademischen Nachwuchsmangels ordnete der „Stellvertreter des Führers“ an, die älteren Studenten sollten von außeruniversitären Belastungen möglichst freigehalten werden, um sich auf die wissenschaftliche Arbeit zu konzentrieren.[131]

Vermutlich ist es auf den wachsenden Druck zurückzuführen, daß die Teilnehmerzahlen bereits 1937 deutlich in die Höhe gingen. Am Erntedienst sollen sich im Sommer 1937 nach offiziellen Angaben der Reichsstudentenführung etwa 9.000 Studenten beteiligt haben.[132] Freilich mußte der Reichsstudentenführer in einem Bericht an Heß einräumen, „daß die großen Universitäten verhältnismäßig schlecht abgeschnitten“ hatten.[133] Auch die

[125] Vgl. S. Vehlow, Arbeitsbericht der Kreisreferentin I (Ostland) für Studentinnen, SS 1934, 18.8.1934, S.2, in: StA WÜ RSF/NSDStB II* 526 α 425.

[126] Vgl. die Interviews von A. Dageförde mit Lina O., S.11 und mit Ilse W., S.48. Transkription in: ProjA HH.

[127] Vgl. Semesterbericht des Amtes Studentinnen, Universität Leipzig, SS 1938, o.D., S.21, in: StA WÜ RSF/NSDStB II* 536 α 435.

[128] W. Janke, Arbeitsbericht über den Fabrikdienst, 19.2.1937, in: StA WÜ RSF/NSDStB V* 2 α 537.

[129] E. Wiegandt, „Einiges zum Thema Landhilfe“, in: Der Student in Mecklenburg-Lübeck, Nr.7, 15.12.1935, S.6.

[130] Gesetze des Deutschen Studententums. Richtlinien für die Kameradschaftserziehung, S.7. Vgl. auch VOBl. RSF, Sondernummer vom 31.5.1938, S.88.

[131] Vgl. A. Leitgen, StdF, an Scheel, 28.7.1938, in: StA WÜ RSF/NSDStB II* 363 α 269.

[132] Vgl. Die Bewegung Nr.41, 12.10.1937, S.9.

[133] Scheel an Heß, 16.7.1937, Durchschr. in: StA WÜ RSF/NSDStB II* 114 α 58.

Berichte vom Landdienst zeigen, daß die Masse der Teilnehmer in der Tat nicht aus den Universitäten kam, sondern von den kleineren Hoch- oder Fachschulen. So waren unter den 78 Studenten, die im Sommer 1937 ihren Landdienst in Schlesien leisteten, nur 29 Universitätsstudenten (aus Göttingen, Freiburg und Breslau), während 46 Studierende aus den Hochschulen für Lehrerbildung in Hirschberg und Beuthen kamen. Unter den 191 Landdienstleistenden in Ostpreußen befanden sich 74 Studenten der Universitäten Tübingen und Königsberg gegenüber 93 Studierenden der Hochschulen für Lehrerbildung in Esslingen, Bonn und Dortmund. Ähnliche Zahlen lagen auch aus den Einsatzgebieten Pommern und Kurmark vor.[134] Die Studierenden der Hochschulen für Lehrer(innen)bildung standen politisch unter einem sehr viel stärkeren Druck als die Studenten anderer Hochschulen.[135] Außerdem studierten sie durchweg an kleinen Hochschulen mit nur etwa 200-400 immatrikulierten Studenten. In der Anonymität der Masse unterzutauchen, war hier viel schwieriger als an den großen Universitäten.

Im Sommer 1939 machte die Reichsstudentenführung dann erstmals einen Versuch, die deutschen Studenten geschlossen für den Arbeitseinsatz in der Landwirtschaft zu mobilisieren. Zuvor hatte die polnische Regierung unter dem Eindruck der zunehmenden deutsch-polnischen Spannungen entschieden, die früher vereinbarte Entsendung von 90.000 polnischen Saisonarbeitern zu untersagen, die in Deutschland als Hilfskräfte beim Einbringen der Ernte bereits fest eingeplant waren. Daraufhin bat Himmler den SS-Oberführer Scheel, 25.000 Studenten als Ersatz für die polnischen Arbeiter zur Verfügung zu stellen.[136] Scheel proklamierte unverzüglich eine allgemeine „Erntehilfspflicht für alle Mitglieder der Deutschen Studentenschaft", also für alle Studierenden, soweit sie nicht Ausländer oder „Nichtarier" waren.[137] Der Ernteeinsatz sollte bereits Mitte Juli beginnen, zwei Wochen vor dem Ende des Sommersemesters. Mit Himmler im Rücken fühlte Scheel sich stark genug, die Anordnung durch massive Drohungen zu unterstreichen. Eine Bekanntmachung der Reichsstudentenführung kündigte an, daß „im kommenden Semester eine Rückmeldung oder Neueinschreibung nicht möglich sein wird, wenn der Student nicht an der Erntehilfe teilgenommen bzw. einen Beurlaubungsschein erhalten hat".[138]

Mit dieser Ankündigung maßte sich die Reichsstudentenführung nun allerdings Kompetenzen an, die ihr schwerlich zustanden. Entsprechend gereizt reagierte das REM, das bemüht war, außeruniversitäre Belastungen der

[134] Vgl. die Schreiben der Hauptstelle Studentischer Einsatz in der RSF an die Gaustudentenführungen Schlesien, Ostpreußen, Pommern, Kurmark vom 18.6.1937. Durchschr. in: StA WÜ RSF/NSDStB II* 324 α 237. Zur Beteiligung im folgenden Jahr siehe Pauwels, Women, S.87.

[135] Dies kam auch in der Studienordnung für das Lehramt an Volksschulen vom 26.10.1938 (DWEV 1938, S.492) klar zum Ausdruck.

[136] Himmler an Scheel, 27.5.1939, in: StA WÜ RSF/NSDStB II* 363 α 269.

[137] Aufruf des Reichsstudentenführers, o.D. [Juni 1939], in: StA HH Universität I 0.10.2.

[138] Bekanntgabe PE 13/39 der RSF, 13.6.1939, in: StA WÜ RSF/NSDStB I* 50 γ 669.

Studentenschaft in Grenzen zu halten, um die akademische Nachwuchsknappheit nicht noch weiter zu vergrößern. In einem Erlaß des Ministeriums vom 6. Juni 1939 war zu lesen, für die Erntehilfe kämen „in der Hauptsache ... nur die jüngeren Semester in Betracht“. Deshalb sollten die Lehrveranstaltungen ordnungsgemäß bis zum Ende des Semesters weitergeführt werden.[139] Zehn Tage später erschien ein weiterer Erlaß mit der Ankündigung, das REM werde keine Zwangsmaßnahmen gegen jene Studierenden ergreifen, die versuchten, sich der Teilnahme an der Erntehilfe zu entziehen.[140] Charakteristisch für die halbherzige Vorgehensweise des REM war indes der Verzicht auf eine Veröffentlichung dieser Erlasse, so daß die meisten Studenten von ihrer Existenz nichts erfuhren. An einigen Universitäten war dies jedoch anders.

In Bonn, Freiburg und München kam es auf Veranstaltungen, die über die Erntehilfe informieren sollten, zu Störungen.[141] Am heftigsten war die Reaktion der Studierenden an der Universität Bonn.[142] Dort hatte Rektor Karl Schmidt den REM-Erlaß vom 6. Juni zur Kenntnisnahme an die Dozenten weitergereicht, und einige Hochschullehrer hatten ihn auch den Studierenden zugänglich gemacht. Dies führte zu einer explosiven Situation, denn die Bonner Studenten gewannen nun den Eindruck, daß sie von der Studentenführung entgegen den offiziellen Anordnungen zur Erntehilfe gezwungen werden sollten. Ohnehin war Bonn mit seiner mehrheitlich katholischen Studentenschaft für den NSDStB stets ein besonders schwieriges Pflaster gewesen. Schon im Frühjahr 1939 hatte sich dort eine Atmosphäre allgemeiner Unzufriedenheit bemerkbar gemacht, die sich insbesondere gegen die zeitraubenden Pflichtveranstaltungen der lokalen Studentenführung richtete. Bereits zu Beginn des Semesters war es zu öffentlichen Unmutsäußerungen gekommen, weil einige Vorlesungen wegen des Semestereröffnungsappells ausfielen. Auf einer Pflichtveranstaltung zum Luftschutz, die am 4. Mai durchgeführt wurde, herrschte schon vor Beginn der Vorträge „eine große Unruhe, hervorgerufen durch andauerndes Lärmen und Scharren, und man nahm offen Stellung gegen die Luftschutzvorlesung“. Die Redner vom Reichsluftschutzbund wurden „mit großem Gelächter, Scharren und Pfeifen empfangen“ und konnten sich erst nach einem Tumult, der mehrere Minuten andauerte, Gehör verschaffen. In dieser bereits aufgeheizten Stimmung sorgte die wenig später veröffentlichte Anordnung der Reichsstudentenführung über die allgemeine Erntehilfspflicht für zusätzlichen Sprengstoff. Die Plakate der Studentenführung wurden abgerissen,

[139] RdErl. des REM, 6.6.1939, in: UA München Senat 943. Vgl. auch Giles, Students and National Socialism, S.261.

[140] Vgl. den RdErl. des REM, 16.6.1939, in: UA München Senat 943.

[141] Vgl. den Bericht des Reichseinsatzreferenten der RSF, K. Kracke, 26.7.1939, in: StA WÜ RSF/NSDStB II* 366 α 272. Weitere Hinweise in: U. von Hassell, Die Hassell-Tagebücher 1938-1944, Berlin 1988, S.97.

[142] Zur folgenden Darstellung vgl. vor allem den Bericht des Studentenführers der Universität Bonn, W. Eitel, an Scheel, 28.6.1939, Durchschr. in: StA WÜ RSF/NSDStB I* 07 φ 321 Bl.136-144.

durchgestrichen, teilweise auch „in gemeinster Weise besudelt“ und mit abfälligen Kommentaren versehen: „Akademische Freiheit!?“, oder auch schlicht: „Leck mich am Arsch!“. In einigen Vorlesungen wurde schon gescharrt, wenn das Wort „Ostpreußen“ fiel, selbst wenn kein inhaltlicher Zusammenhang mit dem Ernteeinsatz vorhanden war. Zudem erhielt die Studentenführung nach eigenem Bekunden

> „ständig Meldungen unserer Kameraden, daß sie Äußerungen von gewissen Gruppen hörten, wie: ‚Erntehilfe kommt nicht in Frage, Scheel soll selbst gehen, Scheel will sich mit unserer Arbeitskraft einen Ministersessel erschleichen, man müßte ihn erschießen‘ u.a.m.“

Unter dem Eindruck solcher Hiobsbotschaften entschloß sich die Studentenführung „durch energische und exemplarische Maßnahmen diesem partei- und staatsfeindlichen Verhalten Einhalt zu gebieten“[143] und wandte sich nach Rücksprache mit der Kreisleitung der NSDAP an die Gestapo. Als es am 15. Juni auf einer weiteren Pflichtveranstaltung der Studentenführung erneut zu Tumulten kam, nachdem das Wort „Erntehilfe“ gefallen war, wurden elf Studenten von der Gestapo verhaftet.[144] Rektor Schmidt, der erst nachträglich über das Eingreifen der Gestapo informiert wurde, konnte nur noch hilflosen Protest artikulieren: „Die Zustände sind zwar schweinemäßig, aber ein Eingreifen der Staatspolizei in den Räumen der Universität ist völlig unmöglich“.[145] Danach kehrte in Bonn Ruhe ein.

In München hatte der Rektor die Mitglieder des Lehrkörpers ausdrücklich darum ersucht, die Erlasse des REM zur Erntehilfspflicht vor den Studenten geheimzuhalten.[146] Trotzdem kam es auch hier zu Protesten. Auf zwei großen Studentenversammlungen rebellierten die Studierenden so heftig gegen die Erntehilfspflicht, daß Gaustudentenführer Doerfler Mühe hatte, sich Gehör zu verschaffen.[147] Plakate der Studentenführung, die zum Ernteeinsatz riefen, wurden mit abfälligen Bemerkungen versehen, und auf einem handbemalten Zettel im Universitätsgebäude war zu lesen: „Schickt die Bonzen in die Erntehilfe!“. Im Treppenhaus der Chirurgischen Universitätsklinik wurde gar ein aufrührerisches Gedicht gefunden, mit dem ein unbekannter Student seinem Herzen Luft gemacht hatte:

---

[143] Alle Zitate aus: Schreiben des stellv. Studentenführers der Universität Bonn, Herrnbrodt, an die Gestapo Bonn, Abschr. o.D. [Juni 1939] in: StA WÜ RSF/NSDStB I* 07 φ 321 Bl. 156-158.

[144] Über ihr weiteres Schicksal ist nichts bekannt. U. von Hassell notierte in seinem Tagebuch, auch in München seien zehn Studenten wegen derartiger Proteste verhaftet und in das KZ Dachau eingeliefert worden. Vgl. die Hassell-Tagebücher, S.97. In der Akte des UA München über die Erntehilfe 1939 finden sich dazu aber keine Hinweise. Möglicherweise hat Hassell München mit Bonn verwechselt.

[145] Zit. in: Bericht Eitel an Scheel, 28.6.1939 (Anm. 142), S.1.

[146] Rundschreiben des Rektors, Ph. Broemser, an die Mitglieder des Lehrkörpers, 24.6.1939, in: UA München Senat 943.

[147] Vgl. J. Doerfler, Erinnerungen – Erlebnisse – Kämpfe in meinem Leben, unveröffentlichtes Ms., S.281 f.

Der Bauernsohn geht in die Stadt
Er hat das Kuhmistleben satt
SS-Verfügungstruppe! D a s
ist für ihn der richtge Spass
Zu hause reift die Ernte schon
Wer erntet für den Bauernsohn?
Natürlich selbstverständlich der Student
An dem gehts immer raus am End
...
Der Faustarbeiter sieht Madeira
Wir atmen so lang des Landdienstes Aera
Den andern ist der Urlaub frei
Nur der Student zahlt drauf dabei
...
Man weiss längst es: Der Stirnarbeiter
Ist N.S. Reichsmissliebt ja leider
Man will uns ohne Geist und Scham
Scheren über einen Kamm
Wir sollten immer nur verstehen
Und für andre Dienst versehen
Uns aber hilft kein Volksgenosse
Wir sind am End stets dumme Rosse
...
Doch macht nur in allen Volkesklassen
Weiter so
Dann wächst das Hassen[148]

Diese Verse sind sicher nicht wegen ihrer dichterischen Qualität bemerkenswert, auch nicht allein wegen der darin ausgedrückten Ablehnung der Erntehilfe. Interessant ist vor allem, daß die Position der Studenten und anderer „Stirnarbeiter“ im Dritten Reich von dem Verfasser, verglichen mit der Lage der Arbeiter, nicht mehr als privilegiert wahrgenommen wird. Im Gegenteil, das Gedicht vermittelt sogar den Eindruck, als befänden sich die Studenten gegenüber den Arbeitern und Bauernsöhnen in einer benachteiligten Situation.

Eine realistische Zustandsbeschreibung war dies sicher nicht: „Faustarbeiter“, die ihren Urlaub auf Madeira verbrachten, existierten mehr in der Propaganda als in der Realität des NS-Staates. Und verglichen mit den 6-12 Urlaubstagen, die einem durchschnittlichen Lohnempfänger pro Jahr zustanden[149], konnten sich die Studenten kaum über einen Mangel an Freizeit beklagen. Andererseits ist unbestreitbar, daß die propagandistische Erhöhung des „deutschen Arbeiters“[150] in den gleichgeschalteten Medien mit

[148] Das Gedicht, die mit Anmerkungen verzierten Plakate und der Zettel mit der zitierten Parole befinden sich in: UA München Senat 943.

[149] Vgl. H. Spode, „Der deutsche Arbeiter reist“. Massentourismus im Dritten Reich, in: G. Huck (Hg.), Sozialgeschichte der Freizeit, Wuppertal 1980, S.290. Dort (S.302) auch weitere Fakten zur Madeira-Legende.

[150] Vgl. D. Schoenbaum, Die braune Revolution, Köln 1980, S.110 ff.

einer schon fast routinemäßigen Abwertung der „Intellektuellen" gekoppelt war. In der Arbeiterschaft trug diese egalitäre Rhetorik vermutlich zur politischen Stabilisierung bei[151], an den Universitäten hatte sie offenbar eine gegenteilige Wirkung.

Wenngleich es nur an wenigen Hochschulen zu öffentlichen Protesten kam, so waren diese doch symptomatisch für den geringen Enthusiasmus, mit dem die Studenten 1939 auf die Verkündigung der Erntehilfspflicht reagierten. Zwar sollen nach offiziellen Angaben 45.435 Studierende, 54,5 % der deutschen Studentenschaft, 1939 an Erntehilfe und Landdienst teilgenommen haben.[152] Bei solchen Zahlen handelte es sich aber offenkundig um propagandistische Übertreibungen. Von den 40.716 Universitätsstudenten beteiligten sich nur 11.680 (28,7 %) an der Erntehilfe.[153] Typisch waren die Verhältnisse in Köln, wo etwa 50 % der Studenten sich wegen „wirtschaftlicher Notlage", Examen oder Wehrdienst beurlauben ließen, während 20 % auf die von der Studentenführung versandten Schreiben gar nicht erst reagierten.[154] Da die Studentenführer an den größeren Universitäten personell nicht in der Lage waren, die zahlreichen Beurlaubungsanträge zu überprüfen, verfügte die Masse der Studenten offensichtlich über genügend Schlupflöcher, um sich der Erntehilfspflicht auch ohne spektakuläre Proteste zu entziehen. Zwar leitete die Reichsstudentenführung eine Reihe von „Verfahren" gegen Studenten ein, die sich der Erntehilfspflicht ohne ausreichende Begründung entzogen hatten. Nachdem das REM jedoch in einem Erlaß Strafmaßnahmen ausdrücklich abgelehnt hatte[155], sah sich die Reichsstudentenführung genötigt, diese Verfahren „auf dem Gnadenwege einzustellen".[156]

4. Die ANSt auf Expansionskurs

In den ersten Semestern nach der nationalsozialistischen Machtübernahme hatte sich die Arbeitsgemeinschaft Nationalsozialistischer Studentinnen (ANSt) in einer extrem prekären Lage befunden, da die Zukunft des Frauenstudiums zunächst völlig ungewiß war. Seit 1935 deutete sich jedoch eine gewisse Normalisierung an. Die Belastung der Studentinnen durch außerfachliche Tätigkeiten war geringer geworden, die Angriffe auf das Frauenstudium wurden seltener. Damit verbesserten sich auch die Arbeits-

---

151 Vgl. T.W. Mason, Die Bändigung der Arbeiterklasse im nationalsozialistischen Deutschland, in: C. Sachse u.a., Angst, Belohnung, Zucht und Ordnung, Opladen 1982, S.38 f.

152 Vgl. Der Altherrenbund, 2. Jg. (1939/40), Nr.2.

153 Errechnet aufgrund der Teilnehmerzahlen in: StA WÜ RSF/NSDStB II* 366 α 272.

154 Vgl. das Schreiben des Einsatzreferenten der Kölner Studentenführung, Schürmann, an die RSF, 24.6.1939, in: StA WÜ RSF/NSDStB II* 364 α 270.

155 RdErl. des REM, 6.9.1939, in: UA Jena BA Nr.2095. Ausnahmen sollten nur gemacht werden, wenn die Teilnahme an der Erntehilfe aus „staatsfeindlichen" Gründen verweigert worden war.

156 K. Kracke, RSF, an den Studenten Paul M., 4.10.1939, Durchschr. in: StA WÜ RSF/NSDStB I* 00 γ 614.

möglichkeiten der ANSt. Nachdem schließlich 1937 die deutschen Akademikerinnenverbände aufgelöst worden waren[157], stand die Organisation den Studentinnen ohne jegliche Konkurrenz gegenüber.

Wie die Arbeit der ANSt sich im einzelnen gestaltete, soll hier anhand eines Arbeitsberichtes aus Würzburg vom Sommersemester 1937 dargestellt werden, ein Bericht der ausgewählt wurde, weil er relativ detailliert ist, und weil er charakteristisch erscheint für viele andere.[158] Die Würzburger ANSt verfügte zu diesem Zeitpunkt über zwei Kameradschaften, in denen sämtliche Mitglieder der drei Anfangssemester zusammengeschlossen waren. Die Arbeit der ANSt-Kameradschaft I begann im Sommersemester mit einer Vollversammlung, auf der die ANSt-Referentin über „Aufgaben und Pflichten einer Studentin im Dritten Reich" sprach. Danach hielt der Würzburger Studentenführer ein Referat über Bevölkerungspolitik. Am 9. Mai stellten sich die zur Kameradschaft gehörenden Studentinnen nach dem „Singen von einigen frohen Liedern" gegenseitig vor. Es folgte ein „Zeitungsbericht mit anschließender Aussprache", d.h. eine Studentin referierte über einen oder mehrere aktuelle Zeitungsartikel. Nach einigen Ermahnungen über die „dringende Notwendigkeit des studentischen Einsatzes" wurde der Abend mit dem Singen von Liedern beendet. Am 22. Mai unternahm die Würzburger ANSt eine gemeinsame Wanderung, auf der Lieder und Volkstänze eingeübt wurden. Zwei Tage später fand wiederum ein mit Liedern eingeleiteter Gruppenabend statt. Der Zeitungsbericht beschäftigte sich mit einer Zeppelinkatastrophe. Danach wurde zur Vorbereitung auf die Erntehilfe über die Gestaltung eines Dorfabends gesprochen. Der Abend endete mit einem Spaziergang am Main.

Eine Woche später lasen die Studentinnen einen Text des nationalsozialistischen Schriftstellers Hanns Johst („Mutter ohne Tod"). Der Zeitungsbericht war dem Thema „Deutschlands Recht auf eigene Kolonien" gewidmet. Zu Beginn und am Ende des Treffen wurde wiederum gesungen. Am 5. Juni machten die Studentinnen eine Wanderung, auf der sie Lieder sangen und Volkstänze übten. Schon zwei Tage später folgte erneut ein Gruppenabend. Nachdem die Anwesenden zunächst dem Zeitungsbericht zugehört hatten, wurden zwei Lieder („Drauß' ist alles so prächtig", „Der Jäger längs dem Weiher ging"), eingeübt und Volkstänze geprobt. An den beiden nächsten Abenden wurden wiederum Volkstänze für den geplanten Dorfgemeinschaftsabend einstudiert. Über die folgende Sitzung vom 19. Juni vermerkt der Bericht: „Einüben der Lieder für die Sonnwendfeier. Einteilung für die Wettkämpfe beim Sportfest. Singen von Liedern und Kanons". Das Hochschulsportfest fand zwei Tage später statt, kurz darauf auch die Sonnwendfeier, auf der die männlichen und weiblichen Mitglieder des NSDStB gemeinsam der Rede des Gaustudentenführers lauschen konnten.

---

[157] Vgl. A. Kottenhoff, Die Hochschulgemeinschaft Deutscher Frauen, in: Der Altherrenbund, 4. Jg. (1941/42), S.107.

[158] Vgl. den Arbeitsbericht des Amtes Studentinnen und der ANSt an der Universität Würzburg, 21.6.1937, in: StA WÜ RSF/NSDStB IV 1* 13.

Der Bericht der 2. Würzburger ANSt-Kameradschaft ist knapper gefaßt, läßt aber ähnliche Schwerpunkte erkennen. Ab dem vierten Studiensemester fand keine regelmäßige Gruppenarbeit der ANSt mehr statt, doch bestand die Möglichkeit, einen Säuglingspflegekurs zu besuchen, an dem 24 Studentinnen teilnahmen, und eine Reihe von fortgeschrittenen Studentinnen beteiligte sich an der Fachschaftsarbeit. Auch an Wanderungen, Kundgebungen und Feiern nahmen ältere Studentinnen teil. Die Zusammenarbeit mit der NSV, die an anderen Hochschulen zu den Schwerpunkten der ANSt-Arbeit gehörte, spielte in Würzburg nur eine geringe Rolle. Bemerkenswert ist schließlich, daß die Hinweise auf die Notwendigkeit des studentischen Einsatzes in diesem Semester relativ große Resonanz fanden. Von den 266 in Würzburg immatrikulierten Studentinnen nahmen in den Semesterferien 50 (18,8 %) an einem Einsatz teil, davon 47 in der Erntehilfe, drei im Fabrikdienst.

Aus den Würzburger Berichten geht hervor, daß vor allem kulturelle Aktivitäten (Tanz, Gesang) das Innenleben der ANSt-Gruppe stark prägten, während die politische Schulung sich im wesentlichen darauf beschränkte, Zeitungsartikel zu referieren und teilweise auch zu diskutieren.[159] Die kulturellen Aktivitäten waren keineswegs frei von politischen Implikationen. Schließlich ging es um die Verbreitung jener kulturellen Traditionen, die den Nationalsozialisten am Herzen lagen (deutsche Volkstänze und Volkslieder), während andere Musik und andere Tänze, die sich damals in allen europäischen Metropolen großer Beliebtheit erfreuten (Swing, Lambeth Walk u.a.) verpönt oder verboten waren. Auch war das Einüben von Volksliedern und Volkstänzen kein Selbstzweck. Vielmehr sollten die Studentinnen der ANSt dadurch auf ihren Einsatz im Landdienst oder in der Erntehilfe vorbereitet werden, wo sie als Vermittler „deutscher Kultur“ gegenüber „slawischen Einflüssen“ oder als Verkörperung praktizierter Volksgemeinschaft aufzutreten hatten.

Dennoch war der politische Gehalt der ANSt-Arbeit letztlich relativ gering. Diese etwas überraschende Tatsache läßt sich zum einen auf die Überzeugung der meisten Nationalsozialisten zurückführen, daß Frauen für die Politik nicht geeignet waren[160], zum anderen auf das weitverbreitete Desinteresse gegenüber politischer Schulung. Zwar gab es innerhalb der ANSt durchaus Bemühungen, die Schulung dem „Wesen der Frau“ anzupassen, beispielsweise in Kiel, wo die ANSt-Gruppe sich „in Form von regelrechtem Quellenstudium“ mit der „Judenfrage“ beschäftigte. Wie so etwas aussah, zeigt ein Tätigkeitsbericht:

> „Da fragt sich z.B. die Germanistin, ob dieses oder jenes Gedicht deutsch oder jüdisch empfunden wird. Hier wird sie als Frau gefühlsmäßig oft sicherer entscheiden können als der Mann, der die Dinge mehr verstandesgemäß zu erforschen sucht. Haben wir die jüdische Eigenart erfaßt, können wir entscheiden, welchen Einfluß diese auf das Wesen des Deutschen wie auf die Haltung des Mannes der Frau gegenüber gehabt hat“.[161]

[159] Vgl . auch Pauwels, Women, S.71 .

[160] Vgl. D. Winkler, Frauenarbeit im „Dritten Reich“, Hamburg 1977, S.30.

[161] Tätigkeitsbericht des HA VI der Kieler Studentenschaft, 13.12.1933, in: StA WÜ RSF/NSDStB II* 526 α 425.

Trotz solcher Experimente blieb die politische Schulung unter den Studentinnen mindestens genauso unbeliebt wie unter ihren männlichen Kommilitonen. Bereits im Sommer 1934 berichtete eine Kreisreferentin der ANSt, daß die pflichtmäßige Schulung für alle Studentinnen der Anfangssemester ein „Mißerfolg" gewesen sei. Dagegen habe die ebenfalls durchgeführte freiwillige Schulung „unter den Studentinnen starken Anklang" gefunden. Die ANSt-Funktionärin schloß daraus, daß in Zukunft „politische Schulung, nur wenn sie freiwillig ist, erfolgreich sein kann".[162] Derartige Positionen konnten sich jedoch offiziell nie durchsetzen, da eine freiwillige Schulung im Regelfall nur die bereits überzeugten Studentinnen angesprochen hätte. Probleme mit der Schulung blieben daher auch in den folgenden Semestern nicht aus. Im April 1938 klagte die ANSt-Referentin der Marburger Universität, viele Studentinnen sähen die Schulung als „Universitätsübel" an.[163]

Unter dem Eindruck solcher Stimmungen scheinen viele ANSt-Referentinnen und Gruppenleiterinnen die politische Schulung allmählich in den Hintergrund gedrängt zu haben. Mitunter wurden die Schulungsprogramme sogar kurzerhand über Bord geworfen, wenn sich die negativen Erfahrungen kumuliert hatten. Mancherorts wurde diese Konsequenz stillschweigend vollzogen, gelegentlich aber auch offen angekündigt, so z.B. in Leipzig, wo die „Schulung in den ANSt-Zellen ... ein lebhaftes Zusammenarbeiten aller Teilnehmerinnen vermissen" ließ, wie die ANSt-Referentin der Universität Leipzig 1936 meldete: „Die Zellenleiterinnen hatten oft größte Mühe, eine eingehende Stellungnahme der einzelnen zu erreichen". Die Funktionärin entschloß sich deshalb, dem lästigen Problem mit einer Radikalkur zu Leibe zu rücken: „Die Schulung soll wegfallen, da ... durch eine zu starke Betonung der Schulung die Gefahr eines rein intellektuellen Erfassen des Nationalsozialismus besonders groß ist".[164]

Offenbar stieß diese Entscheidung bei der Reichs-ANSt-Referentin nicht auf Widerspruch, zumal die Begründung sehr geschickt formuliert war. Schließlich gehörte es zu den offiziellen Grundwahrheiten der NS-Ideologie, daß „rein intellektuelle" Tätigkeiten nicht dem „Wesen der Frau" entsprächen, und daß der Nationalsozialismus letztlich nur mit dem Instinkt und nicht mit dem Intellekt zu erfassen sei. 1938 wurde ein erneuter Versuch unternommen, die Schulung wiederzubeleben. Aber das Resultat fiel nicht anders aus als zwei Jahre zuvor, wie die Gau-ANSt-Referentin von Sachsen lakonisch vermeldete:

> „In Leipzig wurde ein einmaliger Versuch gemacht, einen Kameradschaftsabend nach den Schulungsbriefen der Reichsstudentenführung, Thema ‚Weltkrieg', zu veranstalten. Es stieß aber auf Ablehnung von seiten der Kameradinnen".[165]

[162] L. Rauf, Bericht über die Studentinnenarbeit im Kreise V (Westdeutschland) im SS 1934, o.D., S.2, in: StA WÜ RSF/NSDStB II* 526 α 425.

[163] Prot. der Besprechung des Bereichsführers Rhein der RSF mit der Studentenführung Marburg, 21.4.1938, S.2, in: StA WÜ RSF/NSDStB II* 118 α 60a.

[164] Semesterbericht der ANSt, Universität Leipzig, WS 1935/36, o.D., S.4, in: StA WÜ RSF/NSDStB II* 538 α 437.

[165] U. Thieme, Semesterbericht des Amtes Studentinnen der Gaustudentenführung Sachsen, 4.4.1938, S.10, in: StA WÜ RSF/NSDStB II* 536 α 435.

Als Zwischenbilanz läßt sich festhalten, daß ein allgemeiner Prozeß der Entpolitisierung auch innerhalb der ANSt beobachtet werden konnte und dort vermutlich sogar weiter fortgeschritten war als bei den männlichen Mitgliedern des NSDStB.

Inwieweit gelang der ANSt die organisatorische Erfassung der Studentinnen? Konnte sie sich innerhalb der weiblichen Studentenschaft zu einem prägenden Faktor entwickeln? Zunächst ein Blick auf die Mitgliederstatistik. Im Februar 1934 hatten der ANSt, wie bereits gezeigt wurde, etwa 13 % der Studentinnen an den deutschen Hochschulen angehört.[166] Über die Entwicklung der Mitgliederzahlen in den folgenden Jahren finden sich in den Akten nur gelegentlich präzise Angaben. Die in der Literatur kursierenden Schätzungen sind oft zu hoch gegriffen. Nach Angaben von Jill Stephenson gehörten 1936 etwa 65 % aller Studentinnen der ANSt an, ein Jahr später sogar 75 %.[167] Die tatsächlichen Zahlen für diesen Zeitpunkt sind in Tabelle 28 (Anhang) zusammengefaßt, die sich auf interne Angaben der ANSt stützt. Sie zeigt, daß im Mai 1937 an den Universitäten nur 34,4 % der Studentinnen Mitglieder der ANSt waren. Die Tabelle verdeutlicht auch, daß zwischen den einzelnen Universitäten beträchtliche Unterschiede bestanden. In Berlin und Tübingen erfaßte die ANSt zu diesem Zeitpunkt mehr als die Hälfte der Studentinnen, während in den katholisch geprägten Universitätsstädten Bonn, Köln und Münster der Organisationsgrad deutlich niedriger war. Seit 1937 nahm der Prozentsatz der erfaßten Studentinnen dann allerdings rapide zu. Im Wintersemester 1937/38 waren an den wissenschaftlichen Hochschulen bereits 44,9 % aller Studentinnen in der ANSt d.h. im NSDStB organisiert, im Sommer 1939 sogar 71 %. Die organisatorische Erfassung der weiblichen Studenten war damit deutlich weiter fortgeschritten als die ihrer männlichen Kommilitonen, von denen im Sommersemester 1939 erst 51 % dem NSDStB angehörten.[168]

Wie läßt sich diese ungewöhnliche rasche Expansion der ANSt erklären? Spiegelte sich in diesen Zahlen eine massive Zuwendung der Studentinnen zum Nationalsozialismus? Merkwürdigerweise enthalten die noch vorhandenen Berichte der ANSt-Leiterinnen nur sehr dürftige Hinweise auf die politische Haltung der Studentinnen. Viel aufschlußreicher sind einige Berichte von Funktionärinnen des Bundes Deutscher Mädel (BDM) über Schulungslehrgänge mit Studentinnen aus zahlreichen Universitäten des Reiches, hauptsächlich Sportstudentinnen. Die Verfasserinnen, alle Leiterinnen von BDM-Führerinnenschulen, berichteten darin über drei Kurse, die im März 1937 an verschiedenen Orten stattfanden.[169] Obwohl die drei Be-

[166] Vgl. Tabelle 10 (S.277).
[167] Vgl. Stephenson, Women, S.142.
[168] Vgl. Tabelle 12 (S.324).
[169] Es handelt sich um Berichte über einen Lehrgang auf der Obergauschule Neuenburg (von K. Geyer), über einen Schulungskurs in der Obergauführerinnenschule Heiligenberg im März 1937 (von I. Dietrich) und über einen Lehrgang in der Obergauführerinnenschule Stuttgart-Berg (von E. Ehni). An den drei Kursen nahmen insgesamt etwa 90 Studentinnen teil. Abschriften der Berichte in: StA WÜ RSF/NSDStB II* 300 α 213. Daraus die folgenden Zitate.

richte unabhängig voneinander entstanden, ist der Tenor überraschend ähnlich. Diese Dokumente sind nicht nur wegen ihrer Offenheit besonders interessant, sondern auch, weil sie im Gegensatz zu den meisten anderen verfügbaren Quellen von Nationalsozialistinnen stammen, die selber nicht zum akademischen Milieu gehörten.

Alle Berichte betonten, es habe sich um besonders schwierige Kurse gehandelt. Eine Untergauführerin schrieb sogar: „Während meiner ganzen Tätigkeit als Schulleiterin habe ich keinen so merkwürdigen Kursus erlebt". Dies lag hauptsächlich wohl daran, daß die Lehrkräfte dieser Schulen es normalerweise mit einer anderen Klientel zu tun hatten. In der Regel erhielten hier BDM-Führerinnen, also überzeugte Nationalsozialistinnen, den letzten ideologischen Schliff. Demgegenüber waren die Studentinnen nicht freiwillig gekommen, sondern betrachteten den Kurs „als ein notwendiges Übel unter vielen anderen im Verlauf ihrer Berufsausbildung", wie aus einem dieser Berichte zu erfahren war. Ein beträchtlicher Teil der Studentinnen besuchte die Kurse daher mit einer „äußerst kritischen, wenn nicht negativen Haltung". Bei der Lektüre der Berichte fallen vor allem drei Dinge auf, die von den Verfasserinnen mehrfach, und zwar unabhängig voneinander, hervorgehoben wurden.

1. Ein größerer Teil der Studentinnen zeigte besonders in der Anfangsphase innerliche Vorbehalte gegenüber den BDM-Führerinnen, die wohl vor allem aus ihrem sozialen Status resultierten. Mehrfach wird in den Berichten die „blasierte" Haltung der Studentinnen erwähnt, die mit „alberner Überheblichkeit" an den Lehrgängen teilnahmen. Dahinter verbarg sich die Distanz junger Frauen aus dem Bürgertum gegenüber dem plebejischen Zuschnitt des BDM, wie eine Schulleiterin registrierte: „Untereinander unterhielten sie sich darüber, daß sie doch erstaunt wären, daß ‚diese Leute' im BDM soviel ‚Geist' hätten, – das beleuchtet jedenfalls ihre bisherige Einstellung zum BDM deutlich".

2. Mehrfach erwähnt wird ein weit verbreiteter Mangel an Interesse gegenüber politischen und weltanschaulichen Fragen. Einer Schulleiterin schien es „auffallend", daß die „allermeisten von ihnen durchaus unpolitisch erzogen waren und auch von sich selbst aus keinerlei Trieb hatten, sich in dieser Hinsicht selber zu erziehen". Eine andere BDM-Führerin klagte über eine „Mauer von Gleichgültigkeit, gegen die man nicht weiter kam". Charakteristisch für die Haltung der „Mädels" schien ihr der Brief einer Studentin aus Breslau, „die mir kurze Zeit nach dem Kurs schrieb, es sei ihr immer ein Erlebnis gewesen, wie wir, also die Referenten und ich selbst, begeistert und ergriffen wären von unserer Weltanschauung und an diese glaubten". Die Studentinnen hätten sich, so klagte diese BDM-Funktionärin, wie in einem Zirkus gefühlt, „in dessen Arena mehr oder weniger Interessantes aus dem Nationalsozialismus vorgeführt wird". Zwar hätten viele der Teilnehmerinnen sich am Ende zufrieden über den Lehrgang geäußert. Wenn die Schulleiterin jedoch versuchte, sie zu überzeugen, daß es in dem Kurs um Dinge gehe, „die sie ganz persönlich etwas angingen, nach denen sie ihr Leben einzurichten hätten, dann stieß ich immer wieder bei einem großen Teil,

mehr als der Hälfte, auf staunende Verständnislosigkeit". Fazit: Abgesehen von Minderheiten lebten diese Studentinnen „ganz am Nationalsozialismus vorbei". Über die ANSt vermerkte einer der Berichte lapidar, sie trete als „Erziehungsfaktor nicht in Erscheinung".

3. Soweit darüber hinaus weltanschauliche Differenzen zutage traten, wurden diese vor allem von christlich orientierten Studentinnen artikuliert. Als eine der Schulleiterinnen anfing, in der üblichen Manier von den „überstaatlichen Mächten" zu sprechen (als solche galten bei den Nationalsozialisten die Juden, die katholische Kirche, die Freimaurer, der Bolschewismus und die Hochfinanz), bekam sie „dauernd Einwände zu hören", die sich hauptsächlich gegen die Kritik am Katholizismus und an den Jesuiten richteten. Eine zweite Funktionärin berichtete über sehr offene, kontroverse Diskussionen, bei denen zwar „nur ein geringer Teil in der Opposition stand, dieser aber um so krasser", wie es in ihrem Bericht heißt. Zu dieser Gruppe gehörten sowohl überzeugte Katholikinnen als auch Sympathisantinnen der Bekennenden Kirche. Zwei namentlich genannte Studentinnen, Helga Hofmann aus Leipzig und Hedwig Hickel aus Marburg, wurden von ihr sogar als „fanatische Gegner unserer Weltanschauung" bezeichnet, die „liberalistische" und „kosmopolitische" Ideen vertreten hätten.

Derartige Einschätzungen machen es unwahrscheinlich, daß die rapide Zunahme an Mitgliedern, welche die ANSt 1937-1939 verzeichnen konnte, auf die gewachsene Attraktivität der Organisation zurückzuführen ist. Die Ursachen des Mitgliederwachstums müssen offensichtlich woanders gesucht werden. Als Katalysator wirkte vor allem wohl eine Vereinbarung zwischen dem BDM und der ANSt, die im Februar 1937 unterzeichnet wurde. Das Abkommen sah vor, daß alle Mitglieder des BDM bei Aufnahme eines Hochschulstudiums in die ANSt eintreten und während der ersten drei Studiensemester vom BDM-Dienst beurlaubt werden sollten. Ab dem vierten Semester mußten diese Studentinnen, soweit es sich nicht um Funktionärinnen der ANSt handelte, wieder „zur Dienstleistung im BDM" freigegeben werden.[170] Da etwa die Hälfte aller Studentinnen dem BDM angehörte[171], wurde seit 1937 ein großer Teil der weiblichen Erstsemester, sofern das Abkommen konsequent durchgesetzt werden konnte, automatisch in die ANSt eingegliedert. Andererseits endete der Anspruch der ANSt auf die politische Erziehung der Studentinnen nach Ablauf der ersten drei Studiensemester. Spätestens ab dem vierten Semester gehörten die meisten Studentinnen der ANSt wohl nur noch als Karteileichen an.[172]

170 Vereinbarung über die Zusammenarbeit zwischen dem BDM und der ANSt, 25.2.1937, abgedruckt in: Anordnung des Amtes Studentinnen der RSF, 15.3.1937, in: StA WÜ RSF/NSDStB II* 62 α 16.

171 Vgl. das vertrauliche Rundschreiben des Stabsführers der RSF, 25.3.1943, in: HHStA Wiesbaden 483/11200.

172 Die Meldebögen der RSF aus den Jahren 1938/39, die von den Universitäten Hamburg und Würzburg noch erhalten sind, zeigen dies deutlich. Vgl. StA WÜ RSF/NSDStB V* 2 α 560 und IV* 1-20/2. Im WS 1938/39 gehörten in Hamburg von 124 ANSt-Mitgliedern nur 64 einer ANSt-Gruppe an, in Würzburg waren es 47 von 86 Mitgliedern.

Da die ANSt, ebenso wie der männliche Teil des NSDStB, seit 1937 dazu überging, Studierende, die sich neu eingeschrieben hatten, systematisch anzusprechen, wurden viele Studentinnen bei Aufnahme des Studiums quasi automatisch in die ANSt aufgenommen. Wie dies in der Praxis vor sich ging, beschrieb beispielsweise ein ANSt-Bericht aus Leipzig:

> „Wie im WS 37/38 erfolgte die Erfassung der Studentinnen bei der Wieder- bzw. Neuimmatrikulation in den betr. Hörsälen. Während der ganzen Meldefrist war stets eine Beauftragte des Amtes Studentinnen in dem Hörsaal anwesend, in dem die Immatrikulation stattfand, um die Personalbogen ausfüllen zu lassen. Auf diese Art und Weise haben wir die Universitätsstudentinnen 100 % erfassen können".[173]

Zahlenmaterial von anderen Universitäten zeigt ebenfalls, daß eine fast vollständige Erfassung der weiblichen Erstsemester durch die ANSt seit 1937 vielfach an der Tagesordnung war. So waren an der Hamburger Universität im Sommersemester 1938 von den 47 Studentinnen der ersten drei Studiensemester 45 (96 %) Mitglieder der ANSt geworden. Ähnlich lagen die Dinge in Würzburg, wo zur selben Zeit 25 von 26 Studentinnen der ersten drei Semester (96 %) der ANSt angehörten. Die einzige nichtorganisierte Studentin kam, da sie „nicht rein arisch" war, für eine Mitgliedschaft in der ANSt nicht in Betracht.[174]

Mit einer derartigen Politik konnten, wie sich gezeigt hat, innerhalb kurzer Zeit eindrucksvolle Mitgliederzahlen erreicht werden. Für die ANSt-Arbeit an den einzelnen Hochschulen war dieser rigorose Expansionskurs aber keineswegs immer von Vorteil, weil die Bemühungen, aus der ANSt eine politisch homogene, einsatzfreudige Gruppierung zu machen, dadurch erheblich erschwert wurden. Dies gilt gerade für die Universität Würzburg, an der traditionell viele katholische Studentinnen immatrikuliert waren. Ein im Februar 1938 verfaßter Lagebericht des Gaustudentenführers von Mainfranken, Adam Hoos, fiel denn auch in jenen Passagen, in denen von der ANSt die Rede war, auffallend melancholisch aus:

> „Die ANSt in Würzburg bietet ein sehr bedauerliches Bild, da ein hoher Prozentsatz aus Missionsmedizinerinnen besteht und ein noch höherer Prozentsatz derartig ‚schwarz' ist, daß jegliche weltanschaulichen Erörterungen völlig ergebnislos sind ... Es liegt natürlich auch an den Führerinnen, und bei uns in Würzburg ist es furchtbar schwierig, geeignete Kameradinnen zur Mitarbeit herauszufinden. Die jetzige Gau-ANSt-Referentin ... ist nun beruflich tätig und dadurch so überlastet, daß sie nicht mehr den Anforderungen einer Amtsleiterin genügen kann. Trotz größter Bemühung war es bisher noch nicht möglich, eine Nachfolgerin zu finden".[175]

---

[173] Semesterbericht SS 1938 des Amtes Studentinnen, Universität Leipzig, S.2, o.D., in: StA WÜ RSF/NSDStB II* 536 α 435.

[174] Zahlen nach: Meldebogen der RSF, ausgefüllt vom Studentenführer der Universität Hamburg, W. Seiler, SS 1938, in: StA WÜ RSF/NSDStB V* 2 α 560; Arbeitsbericht des Amtes Studentinnen und der ANSt an der Universität Würzburg, 1.7.1938, S.3, in: StA WÜ RSF/NSDStB II* 536 α 435. Von anderen Universitäten liegen mir keine vergleichbaren Zahlen vor.

[175] A. Hoos, Monatsbericht an Scheel, 1.2.1938, in: StA WÜ RSF/NSDStB II* 118 α 60a.

Der weiterhin bestehende Mangel an Funktionärinnen, der in dieser Quelle besonders deutlich zutage tritt, unterstreicht noch den Eindruck, daß die meisten Studentinnen, die seit 1937 in die ANSt strömten, diesen Schritt nicht aus politischer Überzeugung taten. Vielmehr wurde die Zugehörigkeit zur ANSt offensichtlich als unvermeidbare Pflichtübung angesehen, welche die Studentinnen in der Praxis aber doch nur begrenzt beanspruchte, hauptsächlich während der ersten drei Semester.

5. Die hochschulpolitische Lage vor Ausbruch des Krieges

Eine politische Bilanz der Reichsstudentenführung kurz vor Beginn des Zweiten Weltkriegs wäre vermutlich zwiespältig ausgefallen. Zweifellos war es Scheel gelungen, die massive Loyalitätskrise von 1935/36 zu überwinden. Schon auf dem Reichsparteitag von 1937 hatte Rudolf Heß konstatiert, der NSDStB sei nicht mehr, wie in früheren Jahren, „das Sorgenkind" der Partei, sondern habe sich zu „einem gesunden Sproß unserer Bewegung" entwickelt.[176] Anders als seine Vorgänger saß Scheel, der auch bei seinen Unterführern große Autorität genoß[177], offenkundig fest im Sattel. In Anerkennung der geleisteten Arbeit erhielt die Reichsstudentenführung die Stellung eines Hauptamtes der NSDAP[178], ein erster deutlicher Hinweis auf den beginnenden Aufstieg Scheels innerhalb der Parteihierarchie.

Auch die Hochschullehrer und die Rektoren schienen mit dem Führungswechsel an der Spitze des NSDStB nicht unzufrieden. Hatte doch Scheel nach seiner Ernennung zum Reichsstudentenführer angeordnet, „den Kampf gegen die Professoren und die Universität als solche" einzustellen.[179] Wie die Professoren mit Genugtuung registrierten, waren in der Studentenpresse anstelle der früheren Pauschalurteile nun erstmals versöhnlichere Töne zu hören. Viele Hochschullehrer dürften schon zufrieden gewesen sein, als ein Studentenfunktionär Ende 1936 großmütig feststellte, es sei nicht angebracht, „schon in dem Titel Professor eine Abwertung zu sehen". Die „neue Wissenschaft" müsse „nicht gegen unsere Professoren, sondern in Zusammenarbeit mit ihnen geschafft [gemeint ist: geschaffen] werden".[180] Auf der Rektorenkonferenz im Dezember 1937 begrüßte es der Marburger Rektor Leopold Zimmerl ausdrücklich, daß „der Reichsstudentenführer mit der unerfreulichen Politik seiner Vorgänger Schluß gemacht hat, die Kluft zwischen Studentenführung und Rektor zu erweitern, und eine Zusammenarbeit zwischen Rektor und Reichsstudentenführung sucht".[181]

[176] Zit. in: Die Bewegung Nr.37, 14.9.1937, S.4.

[177] So der ehemalige Gaustudentenführer Dr. Julius Doerfler in einem Gespräch mit dem Verfasser am 20.7.1994.

[178] Vgl. die Anordnung Nr.8/37 des Reichsorganisationsleiters der NSDAP, R. Ley, 19.4.1937, in: BAAZ Research O. 279.

[179] Scheel an Rektor H. Hoffmann, Tübingen, 29.12.1937, in: StA WÜ RSF/NSDStB II* 91 α 32.

[180] W. Heinrichsdorff, „Studentische Rückkehr zur Wissenschaft?" in: Der Deutsche Student, 4. Jg., 1936, S.536.

[181] Niederschrift über die Rektorenkonferenz am 15.12.1937, S.11, in: BA Koblenz REM 708 Bl.40.

In der Tat vollzog sich nach Scheels Amtsantritt an den Hochschulen ein atmosphärischer Wandel, der das interne Konfliktpotential deutlich reduzierte. Während die Lageberichte der Studentenführer sich bis 1936 häufig auf die Mitteilung beschränkt hatten, daß „über das Verhältnis zu den Dozenten ... nichts Positives bekannt" sei[182], waren einige Jahre später immer häufiger Berichte zu lesen, die geradezu Harmonie ausstrahlten. Beispielsweise der Stimmungsbericht des Leiters der juristischen Fachgruppe an der Universität Münster vom März 1938, in dem zu lesen war:

> „Die Mitglieder der Fachgruppe treffen sich zweimal im Monat Dienstags mit ihren Professoren und Assistenten der Fakultät zu einem Stammtisch ... Es hat diese Einrichtung sowohl bei den Professoren als auch bei den Studenten sehr großen Anklang gefunden ... Im übrigen ist das Einvernehmen der Rechtsstudenten mit den Dozenten im allgemeinen gut".[183]

Kaum anders klingt der Semesterbericht eines Fachgruppenleiters aus Gießen, der das Verhältnis zu den Hochschullehrern ausdrücklich als „kameradschaftlich" und „einträchtig" charakterisierte. Die Professoren und deren Familien hätten „regen Anteil" am geselligen Leben der Fachgruppe.[184]

Andere Berichte deuten dagegen eher darauf hin, daß im Zuge der von Scheel betriebenen Entspannungspolitik hauptsächlich die alten inneruniversitären Hierarchien, die 1933/34 so gründlich durcheinandergerüttelt worden waren, wiederhergestellt wurden: „Die Professoren waren für mich ... absolut die Könige, die da in der Ferne thronten, und die man doch kaum anzusprechen wagte", so beschrieb eine Medizinstudentin, die 1939 Examen machte, ihr Verhältnis zum Lehrkörper.[185]

Trotz der unbestreitbaren Erfolge Scheels ließ sich nicht verbergen, daß die angestrebte Herausbildung eines neuen Studententypus, „der von einem früheren waschlappigen Intellektualismus durch eine Welt getrennt" sein sollte[186], bislang keineswegs erreicht worden war. Zwar hatte sich die offene Aggressivität gegenüber dem NSDStB, wie sie 1935/36 aufgetreten war, nach Scheels Amtsantritt weitgehend verflüchtigt. Dennoch war es der neuen Reichsstudentenführung bislang nicht gelungen, die Kameradschaften und Fachschaften oder gar den studentischen Arbeitseinsatz für die Masse der Studenten attraktiv zu machen. Wie ein Berliner Hochschullehrer im Frühjahr 1940 konstatierte, betrachteten die meisten Studierenden den durchschnittlichen Funktionär des NSDStB nicht „als Helfer und Freund, sondern als Feind, der ihnen immer drückendere Lasten auferlegt, wodurch psychologisch oft gerade das Gegenteil des Gewollten erreicht wird, nämlich eine *innerliche Entfremdung*".[187]

---

[182] Bericht des Beauftragten Süd des NSDStB-Führers, E. Wittmann, über die Arbeit im WS 1934/35, 14.5.1935, in: StA WÜ RSF/NSDStB II* 108 α 52.

[183] Bericht des Leiters der Fachgruppe Rechtswissenschaft an der Universität Münster, 12.3.1938, in: StA WÜ RSF/NSDStB II* 198 α 125.

[184] Bericht des Fachgruppenleiters Rechtswissenschaft der Universität Gießen, 8.3.1938, in: ebd.

[185] Interview von A. Dageförde mit Ursula S., o.D., S.12. Transkription in: ProjA HH.

[186] Zit. in: „Um die endgültige Form der Hochschule", in: FZ Nr. 127, 10.3.1939.

[187] Niedermayer, Stellungnahme, 20.4.1940 (Anm. 116), Bl.25. Hervorhebung im Original.

Auch auf Rektorenkonferenzen waren weiterhin Beschwerden über die Belastung der Studenten durch außerwissenschaftliche Pflichten zu hören.[188] Erwarteten die Studentenführer doch nicht nur, daß die Studenten Mitglieder einer Kameradschaft wurden, in einer der Fachschaften mitarbeiteten und in den Semesterferien am studentischen Einsatz teilnahmen. Hinzu kamen von der Studentenführung angesetzte Pflichtveranstaltungen sowie der von allen Studierenden zu absolvierende Pflichtsport. Darüber hinaus verlangte die Reichsstudentenführung von den Angehörigen der Kameradschaften auch die Mitgliedschaft in einer anderen Parteigliederung. Tatsächlich gehörten im Winter 1937/38 etwa 80-90 % der Kameradschaftsmitglieder zusätzlich noch einer weiteren NS-Formation an, meist der SA oder der HJ, seltener dem NSKK oder der SS.[189]

Die aus solchen Ansprüchen resultierenden Gegensätze führten jedoch in der Regel nicht zu offenen Konflikten, sondern äußerten sich in vielfältigen, manchmal durchaus erfolgreichen Versuchen der Studierenden, den Verhaltenszumutungen der Studentenfunktionäre möglichst unauffällig aus dem Weg zu gehen. Wie ein ehemaliger Student berichtete, ging es für ihn und seine Freunde vor allem darum,

> „uns allen vermeidbaren Anforderungen zu entziehen und inmitten des sich immer enger zusammenziehenden Netzes von politischen Forderungen und Kontrollen einen möglichst großen Freiraum für unsere privaten und beruflichen Interessen zu sichern ... wir wollten unbehelligt im Alhambra Café sitzen, am Schloßteich spazierengehen, mit der Freundin an die Ostsee fahren, Bücher (auch der verfemten Autoren) lesen und uns die Themen, die diskussionswürdig waren, nicht vorschreiben lassen; wir versuchten beharrlich, eine normale jugendliche Lebensführung ... mit allen Mitteln zu verteidigen“.[190]

Die ganze Frustration der Studentenführer über diese weit verbreitete Haltung wurde sehr offen in einem Redemanuskript thematisiert, das die Gaustudentenführung von Hessen-Nassau im Juni 1939 erarbeitet hat. Darin hieß es:

> „Schauen wir nur in die Studentenschaft. Politische Aufgaben, Zielsetzungen und Forderungen tut man mit einem Lächeln ab. Nationalsozialistische Grundbegriffe, die einem jungen Deutschen, der in der Zeit Adolf Hitlers lebt, unantastbar sein sollten, bewitzelt man ... Man sagt zwar grundsätzlich ‚Ja‘ zum Nationalsozialismus, man findet es aber nicht für notwendig, sein Bekenntnis zu den Idealen in die Tat umzusetzen. Man schwätzt viel, aber man tut nichts. Die Einstellung ist etwa die: Ich habe 2½ Jahre gedient mit Spaten und Gewehr, jetzt muß ich studieren, Examen machen, Geld verdienen ... Wenn es Krieg geben soll, werde ich selbstverständlich meine Pflicht tun. Aber jetzt ist ja Friede,

---

188 Vgl. die Äußerungen der Rektoren G.T. Baader (Gießen), A. Knick (Leipzig) und des REM-Referenten E. Heinrich in: Niederschrift über die Rektorenkonferenz am 15.12.1937, in: BA Potsdam REM 708 Bl. 83, 94, 100.

189 Tätigkeitsbericht des Amtes Politische Erziehung der RSF, 2.2.1938, S.5 f., in: StA WÜ RSF/NSDStB II* 119 α 61.

190 Szczesny, Vergangenheit, S.109 f.

> ich brauche meine Ruhe. Es gibt da zwar ein paar wenige, denen es nicht Recht ist, daß in Deutschland alles ruhig ist: die Nationalsozialisten, aus Unlust an einer anderen Beschäftigung".[191]

Bei diesem Manuskript handelte es sich um eine „Musterrede", die den Studentenführern aller Hoch- und Fachschulen des Gaus für den weiteren Gebrauch zugesandt wurde. Offensichtlich gingen die Verfasser davon aus, daß die skizzierten Probleme typisch für die gesamte Studentenschaft waren.

Es ist verblüffend, wie sehr diese Beurteilung einer Einschätzung ähnelte, die etwa zur gleichen Zeit, aus einer ganz anderen politischen Perspektive, in den „Deutschland-Berichten" der Exil-SPD, abgegeben wurde. Der offenbar von sozialdemokratischen Studenten aus Norddeutschland verfaßte Lagebericht betonte, die Haltung der Studentenschaft unterscheide sich „nicht wesentlich von jener des übrigen Volkes". Das Fazit dieses Berichtes lautete:

> „Der größte Teil der Studenten betreibt heute ein Brotstudium. Er kommt nicht auf die Universität, um seinen Wissensdrang zu stillen, sondern um so schnell wie möglich die Voraussetzung für eine einträgliche Stellung im Erwerbsleben zu schaffen. Man kann heute sagen, daß die große Masse der Studenten sich geradezu weigert nachzudenken. Sie wollen sich nicht aus der Ruhe bringen lassen und gehen deshalb allen Diskussionen aus dem Wege, noch mehr als die Arbeiter. Auch hier herrscht also die allgemeine Indifferenz und Entpolitisierung. Wenn in einzelnen Kreisen der Studentenschaft Unzufriedenheit herrscht, dann sind es häufig nicht allgemeine politische Anlässe, sondern rein egoistische".[192]

Beide Texte verrieten eine gewisse Enttäuschung. Die Verfasser kritisierten ein allgemeines Ruhebedürfnis der Studierenden, eine Gleichgültigkeit, die ihre Mobilisierung und Aktivierung als schwierig erscheinen ließ. Von politischem Aktivismus im Sinne des Nationalsozialismus war wenig zu verspüren, aber auch von Gegnerschaft zum Regime konnte keine Rede sein. Zwar schimmerte in beiden Berichten die Existenz eines gewissen oppositionellen Potentials durch – in dem nationalsozialistischen sogar noch stärker als in dem sozialdemokratischen. Jedoch herrschte Übereinstimmung darüber, daß dieses Potential, das sich etwa in Witzeleien äußerte, begrenzt war und keineswegs auf einer grundsätzlichen Ablehnung des Nationalsozialismus basierte. Die Beziehung der Studenten zum Studium wurde als instrumentelles Verhältnis beschrieben. Das Studium erschien nicht mehr als ein Lebensabschnitt, der durch besondere Freiräume gekennzeichnet war, auch nicht als Möglichkeit, den intellektuellen Horizont zu erweitern, sondern im wesentlichen nur noch als notwendige Voraussetzung für eine lukrative Karriere. Dieser Punkt wurde vor allem von den „Deutschland-Berichten" hervorgehoben, aber ein ganz

---

191 Rundschreiben der Gaustudentenführung Hessen-Nassau, 2.6.1939, in: StA WÜ RSF/NSDStB II* 375 α 281.

192 Deutschland-Berichte der Sozialdemokratischen Partei Deutschlands (ND), Frankfurt/M. 1980, 6. Jg., 1939, S.335.

ähnlicher Befund war auch in den SD-Meldungen des öfteren nachzulesen.[193]

Die Interpretation der offenen oder latenten Konflikte zwischen den Studenten und dem NSDStB wird damit auf ein realistisches Maß heruntergeschraubt. Die immer wieder aufbrechende Kluft zwischen den NSDStB-Führern und der Masse der Studenten basierte offensichtlich weniger auf erkennbaren politischen Differenzen, sondern war zuvorderst eine Kluft zwischen dem Aktivismus der Funktionäre und dem Ruhebedürfnis einer Studentenschaft, die versuchte, sich den Zeitraum, der für Studium und Privatleben zur Verfügung stand, nicht noch weiter einengen zu lassen. Eine grundsätzliche Zustimmung zum Nationalsozialismus war mit dieser Einstellung durchaus vereinbar.

[193] Vgl. Meldungen aus dem Reich, Bd.7, S.2509 (10.7.1941); Bericht des SD-Leitabschnittes Berlin, 14.6.1942, S.3, in: UA der HUB Rektor und Senat 57.

IX. Im Krieg

Bei Kriegsbeginn, am 1. September 1939, wurden zunächst alle deutschen Hochschulen geschlossen. Aber schon am 11. September nahmen auf dem Territorium des „Altreichs" die Universitäten Berlin, München, Leipzig und Jena erneut ihre Arbeit auf. Am 1. Oktober, als der Krieg gegen Polen im wesentlichen bereits abgeschlossen war, folgte die Wiedereröffnung der Universitäten in Königsberg, Breslau, Göttingen, Erlangen und Marburg. Wenig später öffnete auch die Universität Halle erneut ihre Tore. An den restlichen Universitäten begann der Vorlesungsbetrieb am 8. Januar.[1] Ein großer Teil der männlichen Studenten wurde sofort nach dem Beginn des Krieges eingezogen, einige meldeten sich auch freiwillig. Dadurch ergab sich ein drastischer Rückgang der Studentenzahlen in den ersten Kriegssemestern, wie aus Tabelle 16 (Anhang) hervorgeht. Erst seit 1941/42 nahm die Zahl der Studierenden wieder deutlich zu. Gleichzeitig veränderte sich die Zusammensetzung der Studentenschaft grundlegend.

1. Zwischen Hörsaal und Front: Eine neue Studentenschaft

Fünf verschiedene Studentengruppen prägten während des Krieges das Gesicht der deutschen Hochschulen: 1. jugendliche Anfangssemester, denen die Einberufung noch bevorstand, 2. eine rasch wachsende Zahl von Studentinnen, 3. zum Studium abkommandierte Studenten, zumeist Medizinstudenten, 4. Wehrmachtsangehörige, die kurzzeitig für eine Fortsetzung ihres Studiums beurlaubt worden waren, und 5. eine sich rasch vergrößernde Gruppe von Kriegsversehrten. Hinzu kamen noch einige Tausend wehruntaugliche Studenten.

Neben den Studentinnen, die in der Endphase des Dritten Reiches etwa die Hälfte der Studentenschaft bildeten, spielten vor allem die Medizinstudenten eine dominierende Rolle. Bereits im Sommersemester 1939 waren 48,9 % aller Universitätsstudenten des „Altreichs" an den Medizinischen Fakultäten immatrikuliert gewesen; nach Ausbruch des Krieges wuchs ihr

[1] Vgl. U.D. Adam, Hochschule und Nationalsozialismus, Tübingen 1977, S.188; RdErl. des REM, 8.12.1939, in: GStAPK I Rep. 76 Nr.168 Bl.48.

Anteil auf 61,5 % im 1. Trimester 1940, wie Tabelle 19 (Anhang) zeigt. Dieser deutliche Zuwachs lag vor allem daran, daß nach Beginn des Wintersemesters Wehrmachtsangehörige und Arbeitsdienstleistende, die Medizin studierten oder studieren wollten, auf Antrag zum Studium entlassen wurden.[2] Bis in die Endphase des Krieges verfügten die Medizinstudenten über eine Sonderstellung, die das Resultat einer chronischen Knappheit an Ärzten war.[3] Seit April 1941 wurden diese Studenten eingezogen und zum „nebendienstlichen Studium" abkommandiert. Sie unterstanden der Wehrmacht, wurden in sog. Studentenkompanien zusammengefaßt und erschienen in Uniform auf dem Campus.[4] Neben den Medizinern, die in den Studentenkompanien eindeutig die Mehrheit bildeten, kamen teilweise auch Studierende der Pharmazie, der Veterinärmedizin, Meteorologie sowie der technischen Wissenschaften (Ingenieuroffizier-Anwärter) in den Genuß dieser Regelung.[5]

Die zum „nebendienstlichen" Medizinstudium abkommandierten Soldatenstudenten wurden wie reguläre Offiziersanwärter besoldet, eine Regelung, die zwar den Protest des Finanzministers hervorrief[6], aber die Attraktivität der Studentenkompanien unter Abiturienten und Studenten erheblich steigerte. In der Regel schufen die verschiedenen Wehrmachtteile (hauptsächlich Heer und Luftwaffe) sich an den einzelnen Universitäten jeweils ihre eigenen Studentenkompanien. In einigen Universitätsstädten (beispielsweise in Frankfurt, Erlangen, München und Königsberg) waren sie zumindest zeitweise kaserniert. Oft wurden sie aber auch privat untergebracht, so in Jena, Würzburg und Berlin.[7] Neben dem eigentlichen Studium mußten die Angehörigen der Studentenkompanien regelmäßig an Appellen teilnehmen (in München achtmal wöchentlich[8]) und sich einer militärischen Ausbildung unterziehen, die in Berlin sechs Wochenstunden beanspruchte.[9] Wer zu einer Studentenkompanie gehörte, benötigte einen Urlaubsschein, um die Stadt zu verlassen, und durfte sich nach dem Zapfenstreich um 22 Uhr nicht mehr in der Öffentlichkeit sehen lassen. Ge-

---

[2] Vgl. Scheel an Heß, 16.12.1939, in: BA Koblenz R 43 II 940b Bl.91-93.

[3] Vgl. M.H. Kater, The Nazi Party, Cambridge/Mass. 1983, S.134 ff.

[4] Vgl. die Berichte des SD-Würzburg über „Kulturelle Gebiete" vom 31.3.1941 und vom 8.4.1941, in: StA WÜ SD-Hauptaußenstelle Würzburg 33. Für Luftwaffenmediziner war schon im Frühjahr 1940 eine ähnliche Regelung eingeführt worden. Vgl. die Bestimmung des Reichsluftfahrtministeriums vom 4.3.1940 sowie die Ergänzungen vom 14.3.1940 und vom 28.6.1940, in: BA Potsdam REM 897 Bl.306 f.

[5] Vgl. das Schreiben des OKW an den Reichsminister der Finanzen, 15.10.1942 (Abschr.), in: BA Koblenz R 21/10850.

[6] Vgl. Reichsminister der Finanzen an OKW, 31.3.1942 (Abschr.), in: BA Koblenz R 21/10850.

[7] Zu den Studentenkompanien vgl. M. Franze, Die Erlanger Studentenschaft 1918-1945, Würzburg 1972, S.369 ff.; Prot. der Tagung der Dekane der Medizinischen Fakultäten, 6.5.1941, S.7 ff., in: BAAZ Rudolf Mentzel; Rektor K. Astel, Jena, an das REM, 29.9.1943, in: BA Potsdam REM 797 Bl. 285; K.H. Jarausch, Deutsche Studenten 1800-1970, Frankfurt/M. 1984, S.204 f. geht zu Unrecht davon aus, daß alle Soldatenstudenten kaserniert waren.

[8] Wie Hans Scholl 1941 berichtete. Vgl. Hans Scholl und Sophie Scholl, Briefe und Aufzeichnungen. Hg. von I. Jens, Frankfurt/M. 1988, S.76.

[9] Vgl. das Schreiben eines Berliner Juristen (Unterschrift unleserlich) an den REM, 5.12.1942. Anlage, in: BA Potsdam REM 901 Bl.73 f.

legentlich kontrollierte der Hauptfeldwebel den regelmäßigen Besuch des Kollegs.[10]

Ohne Zweifel bildeten die Mitglieder der Studentenkompanien eine extrem privilegierte Gruppe, welche die Möglichkeit hatte, sich auf ihren späteren Beruf vorzubereiten, während ihre Altersgenossen sich überwiegend an der Front befanden. Dennoch konnten auch die Medizinstudenten keineswegs darauf hoffen, sich dem militärischen Geschehen vollständig zu entziehen. Vielmehr mußten alle Angehörigen einer Studentenkompanie noch während der Ausbildung für sechs Monate zur „Bewährung" an die Front. In den Semesterferien wurden sie zu Lehrgängen oder zum Sanitätsdienst an die Front bzw. in Lazarette geschickt.[11]

Die Zusammenlegung in Kasernen stieß an den Universitäten häufig auf Kritik, weil das gedrängte Zusammenleben die notwendige Konzentration auf die wissenschaftliche Arbeit erschwerte. Dennoch wurde die Kasernierung in einer Reihe von Universitätsstädten beibehalten, da die Studentenkompanien häufig die letzte Reservetruppe bildeten, die den Wehrkreiskommandos noch zur Verfügung stand.[12] Doch war der Dienst in den Studentenkompanien verglichen mit anderen Einheiten der Wehrmacht recht ungezwungen, die Dienstvorschriften wurden oftmals nicht sehr ernst genommen. In München beispielsweise verbrachte nur eine Minderheit die Nächte vorschriftsmäßig in der Kaserne. Die Mehrheit zog es vor, sich heimlich ein eigenes Zimmer zu mieten, wie Hans Scholl in einem Brief an seine Mutter berichtete: „Ich schlafe immer noch in meinem Zimmer, bis jetzt hat's noch niemand gemerkt. Ich glaube, in der Kaserne schläft höchstens noch der 3. Teil. Wenn das der Spieß wüßte, er könnte nachts nicht ruhig schlafen".[13]

In den Erinnerungen Hoimar von Ditfurths[14] wird sehr anschaulich geschildert, wie der Krieg für einen Medizinstudenten ausgesehen hat: Ditfurth wurde im Oktober 1939 aus dem Arbeitsdienst entlassen und für das Medizinstudium vom Heeresdienst zurückgestellt. Diese Schonphase endete jedoch bereits im März 1941, nachdem Ditfurth erfolgreich das erste Examen (Physikum) hinter sich gebracht hatte. Eine Woche nach dem letzten Prüfungstermin fand er sich als Rekrut in einer Kaserne wieder. Im August 1941 begann die für alle Medizinstudenten obligatorische sechsmonatige „Frontbewährung". Nach diesem Halbjahr, das er als Schütze einer Maschinengewehrkompanie an der Ostfront verbrachte, wurde Ditfurth für einige Monate an eine Sanitätsschule in Schlesien versetzt. Danach erhielt er

[10] Vgl. W. Krönig / K.D. Müller, Nachkriegssemester, Stuttgart 1990, S.25.

[11] Vgl. ebd.

[12] Vgl. Franze, Erlanger Studentenschaft, S.369; SD-Abschnitt Ffm.: Semesterzwischenbericht über die Universität Frankfurt, 10.1.1944, in: HHStA Wiesbaden 483/11282; Prot. der Besprechung über Änderungen der medizinischen Studienordnung, 7.9.1943, in: BA Potsdam REM 809 Bl.293 ff.

[13] Brief vom 8.5.1941, abgedruckt in: Hans Scholl und Sophie Scholl, Briefe und Aufzeichnungen, S.69. Vgl. auch: Chr. Petry, Studenten aufs Schafott, München 1968, S.34 f.

[14] Die folgenden Ausführungen nach: H. v. Ditfurth, Innenansichten eines Artgenossen, Düsseldorf 1989, S.142-203.

in Antwerpen eine Spezialausbildung als Narkotiseur. Vom Sommer 1942 bis Anfang 1943 arbeitete er als Anästhesist in einem Lazarett, das sich in der Sowjetunion einige Kilometer hinter der Front befand. Im Januar 1943 wurde er in eine Studentenkompanie an die Berliner Universität abkommandiert und konnte dort sein Studium fortsetzen. Daß er später, gegen seinen Willen, nach Hamburg versetzt wurde, rettete ihm möglicherweise das Leben, „denn die Berliner Studentenkompanien wurden in den letzten Kriegswochen schließlich doch noch eingesetzt und weitgehend aufgerieben".[15] Demgegenüber beschränkten sich die militärischen Aktivitäten Ditfurths in der Endphase des Krieges weitgehend darauf, zweimal in der Woche auf einem Sportplatz die „Ehrenbezeugung ohne Kopfbedeckung durch Vorbeigehen in gerader Haltung" zu üben. Als im April 1945 doch noch die Anordnung kam, Hamburg zu verlassen und sich für den Endkampf zur „Gruppe Dönitz" durchzuschlagen, zogen die meisten in Hamburg verbliebenen Angehörigen der Studentenkompanien es vor, diesen Befehl zu ignorieren und das Ende des Krieges zu Hause abzuwarten.

Neben den zum Studium abkommandierten Angehörigen von Studentenkompanien gab es noch eine zweite Gruppe von Soldatenstudenten: die zum Studium beurlaubten Soldaten.[16] Im Gegensatz zu den Mitgliedern der Studentenkompanien war das Studium während des Krieges für sie in der Regel „bestenfalls eine Unterbrechung des Kriegsdienstes", wie ein ehemaliger Hamburger Student berichtete.[17] Von den Urlaubsregelungen profitierten in der Anfangsphase des Krieges nur jene Studenten, die das Studium schon weitgehend abgeschlossen hatten und innerhalb von ein oder zwei Trimestern ihre Abschlußprüfung ablegen konnten.[18] Im 3. Trimester 1940 und im Trimester 1941 wurden vom Heer und von der Luftwaffe jedoch insgesamt nur 6.075 Studenten (darunter 4.089 Universitätsstudenten) für diesen Zweck beurlaubt.[19] Erst 1941, als sich abzeichnete, daß der Krieg länger dauern würde, konnten auch andere Studenten und sogar Abiturienten, die das Studium noch nicht aufgenommen hatten, in größerer Zahl Studienurlaub beanspruchen. Die Beurlaubung erfolgte unabhängig vom Studienfach. Jedoch mußten diese Soldaten in der Regel schon mindestens drei Jahre aktiven Wehrdienst geleistet haben.[20]

Im Wintersemester 1941/42 beurlaubte das Oberkommando des Heeres 15.367 Soldaten (darunter 4.055 Offiziere) für das Studium an einer wissenschaftlichen Hochschule, im Wintersemester 1942/43 sogar fast 19.000 Sol-

[15] Ditfurth, Innenansichten, S.198.

[16] Der Unterschied zwischen diesen beiden Gruppen wird in der Literatur durchgängig übersehen, so auch von Jarausch, Deutsche Studenten, S.204.

[17] H. Tietz, Studium mit Hindernissen, unveröffentlichtes Ms. (1984), S. 1 (im Besitz des Verfassers).

[18] Vgl. Schnellbrief des REM, 13.2.1940, in: BA Koblenz R 21/26 Bl.20; RdErl. des REM vom 21.9.1940, in: BA Potsdam REM 897 Bl.251 ff.

[19] Vgl. das Schreiben des REM an das OKH, 24.2.1941, in: BA Potsdam REM 898 Bl.250 f. Über Beurlaubungen seitens der Marine liegen mir keine Angaben vor.

[20] Vgl. die vertraulichen RdErle. des REM vom 21.10.1941, in: BA Koblenz R 21/26 Bl.337 ff. und vom 9.9.1942, in: BA Koblenz R 21/27 Bl.489 ff.

daten.[21] Da der Urlaub jeweils nur ein Semester dauerte, trugen diese Maßnahmen freilich kaum zur Verringerung des Nachwuchsmangels in den akademischen Berufen bei, sondern dienten vor allem dem Ziel, die Verbindung zwischen den Hochschulen und den eingezogenen Studenten oder Abiturienten nicht vollständig abreißen zu lassen. Dennoch wurde in den Erfahrungsberichten der Fakultäten durchgängig der Eifer gelobt, mit dem diese jungen Soldaten sich dem Studium widmeten: „Die Erfahrungen mit den beurlaubten Frontsoldaten ... sind im allgemeinen recht gute", berichtete beispielsweise ein Würzburger Dekan im März 1942:

> „Die betreffenden jungen Leute waren außerordentlich strebsam, und es war das allgemeine Urteil aller beteiligten Instanzen, daß die beurlaubten Studenten weitaus den Durchschnitt der anderen Studenten an Fleiß und Interesse überragten".[22]

Nach der Schlacht von Stalingrad war an eine Fortführung des Studienurlaubs in der bisherigen Größenordnung jedoch nicht mehr zu denken. Im Februar 1943 entschied das Oberkommando des Heeres, in Zukunft nur noch kriegsversehrten Soldaten Urlaub zu gewähren. Kurze Zeit danach verbot ein Geheimerlaß des Generalfeldmarschalls Keitel, der sich auf einen „Führerentscheid" berief, weitere Beurlaubungen von Soldatenstudenten.[23] Dennoch beurlaubte die Luftwaffe weiterhin Studierende technisch-naturwissenschaftlicher Disziplinen, sofern sie kurz vor dem Abschluß des Studiums standen, da Absolventen dieser Fächer in der Rüstungsindustrie und in der militärischen Forschung dringend benötigt wurden.[24] Insgesamt erhielten im Sommersemester 1943 aber nur noch 3.050 Studenten Studienurlaub.[25]

Gleichwohl bemühte sich das REM weiter intensiv um eine Beurlaubung der älteren Abiturientenjahrgänge, die teilweise bereits seit fünf oder sechs Jahren Wehrdienst leisteten.[26] Viele dieser Männer waren jedoch mittlerweile

---

[21] Vgl. die Mitteilungen des OKH vom 11.1.1942 und vom 11.2.1943, in: BA Potsdam REM 900 Bl.194 ff. und REM 901 Bl.333 f. Über Beurlaubungen seitens der Luftwaffe und der Marine liegen mir keine Zahlen vor.

[22] Bericht des Dekans der Medizinischen Fakultät an den Rektor der Universität Würzburg, 11.3.1942, in: BA Potsdam REM 901 Bl.500. So auch der Tenor der SD-Berichte: Meldungen aus dem Reich, Herrsching 1984, Bd.10, S.3792 f. (4.6.1942).

[23] Vgl. OKH an das REM, 11.2.1943, in: BA Potsdam REM 901 Bl.323. Keitels Erlaß vom 19.2.1943 wird erwähnt in dem Schreiben des Chefs der Reichskanzlei, Lammers, an Rust, 1.9.1943, in: BA Koblenz R 43 II 942b Bl.13. G. J. Giles, German Students and Higher Education Policy in the Second World War, in: Central European History, 17, 1984, S.334 übersieht den Unterschied zwischen beurlaubten und zum Studium abkommandierten Soldaten und vermittelt den falschen Eindruck, daß der Keitel-Erlaß sich vor allem auf die abkommandierten Medizinstudenten bezogen habe.

[24] Vgl. den RdErl. des REM, 16.4.1943, S.3 f., in: BA Potsdam R 21/28 Bl.143 ff.; W. Spengler, SD, an W. Osenberg, Reichsforschungsrat, 12.4.1944, in: BA Koblenz R 26 III 112 Bl.40 ff.

[25] Vgl. die Denkschrift von ORR Brandt, REM: Die akademische Nachwuchslage und die Zukunftsaussichten des Besuchs der deutschen wissenschaftlichen Hochschulen, 23.2.1944, in: BA Koblenz R 26 III 112 Bl.62.

[26] Vgl. Rust an Keitel, OKW, 3.8.1943, in: BA Koblenz R 43 II 942b Bl.3 f.

zu Offizieren avanciert und schon aus diesem Grunde für die Wehrmacht nur schwer entbehrlich. Erst nach monatelangem Tauziehen gelang es dem REM und dem Ministerium Speer, beim Oberkommando der Wehrmacht die Sonderaktionen „Studienurlaub Rüstung“ und „Studienurlaub Forschung“ durchzusetzen. Auf diese Weise konnten 1943/44 zusätzlich etwa 1.000-2.000 Studenten kriegswichtiger Studienfächer an die Hochschulen zurückkehren.[27]

Trotz der restriktiven Politik der Wehrmacht erreichten die Studentenzahlen im Wintersemester 1943/44 ihren höchsten Stand seit 1939. An den wissenschaftlichen Hochschulen „Großdeutschlands“ waren zu diesem Zeitpunkt insgesamt 84.691 Studenten immatrikuliert[28], darunter 35.831 Frauen (42,3 %). Unter den 48.860 Männern befanden sich etwa 24.000 zum Studium abkommandierte Wehrmachtsangehörige, überwiegend Medizinstudenten (28 % der Studentenschaft). Weitere 8.000 männliche Studenten waren zum Studium beurlaubte Wehrmachtsangehörige (9,5 %), meist verwundete Soldaten oder Studierende technisch-naturwissenschaftlicher Fächer. Nur etwa 11.000 männliche Zivilstudenten (12,7 %) unterstanden nicht bzw. nicht mehr der Wehrmacht. Mehr als die Hälfte von ihnen war kriegsversehrt von der Wehrmacht entlassen worden, bei den übrigen handelte es sich vorwiegend um „wehruntaugliche“ Studenten. Dazu kamen noch ca. 7.100 Ausländer (darunter etwa 1.500 Studentinnen) und rund 700 „nichtarische“ Studenten.

Genaue Zahlen über den Anteil der Soldatenstudenten (beurlaubte und abkommandierte Wehrmachtsangehörige) in der zweiten Kriegshälfte liefert Tabelle 14. Wie aus dieser Tabelle hervorgeht, waren unter den deutschen Studenten männlichen Geschlechts, die von 1941 (also seit Bildung der Studentenkompanien) bis 1944 an wissenschaftlichen Hochschulen studierten,

Tab. 14: Die Soldatenstudenten an den wissenschaftlichen Hochschulen des Deutschen Reiches (1942-1944)[29]

Semester	männl. Studenten insgesamt*	darunter Soldatenstudenten	
		abs.	in %
SS 1942	33.501	23.903	71,4
WS 1943/44	44.200	32.000	72,4
SS 1944	44.307	30.022	67,8

* Ohne Berücksichtigung von „Ausländern fremden Volkstums“.

[27] Vgl. R. Mentzel, REM, an OKW, 16.8.1944. Siehe auch das geheime Schreiben von General Reinecke an den REM, 2.10.1944, Abschr. beider Briefe in: BA Koblenz R 26 III 126.

[28] Zahlen nach: Statistisches Handbuch von Deutschland 1928-1944, München 1949, S.623 f.; ORR Brandt, Die quantitativen Möglichkeiten einer Steigerung des Studiums der Mathematik und Physik an den wiss. Hochschulen Großdeutschlands während des Krieges, 18.3.1944, in: BA Koblenz R 26 III 112 Bl.44 ff.

[29] Zahlen (teilweise errechnet) nach: ORR Brandt an Mentzel und Rottenburg (REM), 8.8.1942, in: BA Potsdam REM 727 Bl.16; Brandt, Die quantitativen Möglichkeiten (Anm. 28), S.1; Referat F. Kock auf der Dienstbesprechung der Rektoren am 14.12.1944, in: BA Koblenz R 21/29 Bl.331 f.

etwa 70 % Soldatenstudenten[30], die disziplinarisch und gerichtlich den Militärbehörden unterstanden. Daraus resultierte eine extrem hohe Fluktuation unter den männlichen Studenten, die dauernd zwischen Hochschule und Front pendelten. Dies galt vor allem für die beurlaubten Studenten, die meist nur für ein Semester an die Universität kamen und dort häufig erst geraume Zeit nach Beginn des Vorlesungsbetriebes eintrafen.[31] Andere Studenten wurden mitten im Semester eingezogen, manchmal sogar kurz vor Semesterende, weil die zuständigen Wehrmachtstellen oft keine Rücksicht auf den Rhythmus des Vorlesungsbetriebes nahmen.[32]

Neben den 48.860 eingeschriebenen männlichen Studenten, die im Wintersemester 1943/44 an einer deutschen Hochschule studierten, gab es zu diesem Zeitpunkt nach Schätzungen des REM noch weitere 45.000 Soldatenstudenten, die sich an der Front befanden, und etwa 78.000 studierwillige Soldaten, die nach dem Abitur noch keine Gelegenheit gehabt hatten, ein Studium aufzunehmen.[33] Angesichts der militärischen Lage konnten von diesen 123.000 Soldaten nur sehr wenige mit weiteren Beurlaubungen für das Studium rechnen.

Um ihre Entfremdung von den Hochschulen zu verhindern, bemühte sich das REM seit 1943 darum, eine Art Fernstudium für Frontsoldaten zu organisieren. Ansätze dazu hatte es schon seit dem Herbst 1941 in der Luftwaffe gegeben.[34] Diese Aktivitäten wurden nun auch auf die anderen Wehrmachtsteile ausgeweitet. Gleich nach der Reifeprüfung eingezogene Abiturienten erhielten im Januar 1943 die Möglichkeit, sich an einer wissenschaftlichen Hochschule einzuschreiben, auch wenn sie nicht zum Studium beurlaubt oder abkommandiert worden waren.[35] Wie ein Referent des REM erläuterte, sollte dadurch verhindert werden, daß diese Soldaten sich „noch als Schüler oder als standeslos bezeichnen mußten, während oft viel jüngere Kameraden noch die Möglichkeit gehabt hatten, sich nach der Reifeprüfung oder während eines Studienurlaubs an einer Hochschule einschreiben zu lassen".[36] Offensichtlich wurden mit dieser Regelung reale Bedürfnisse angesprochen, denn sie stieß in dem angesprochenen Personenkreis auf große Resonanz. Obwohl die Fernimmatrikulation, abgesehen von der Luftwaffe, zunächst nur symbolische Bedeutung hatte, machten in den ersten zehn

---

30 Noch höhere Angaben (ca. 80 %) für das WS 1942/43 in: A.F. Kleinberger, Gab es eine nationalsozialistische Hochschulpolitik? in: M. Heinemann (Hg.), Erziehung und Schulung im Dritten Reich, Teil 2, Stuttgart 1980, S.24.

31 Vgl. Dekan der Medizinischen Fakultät an den Rektor der Universität Würzburg, 11.3.1942, in: BA Potsdam REM 901 Bl.500.

32 Vgl. den undatierten Entwurf eines Berichtes der Gaustudentenführung Hessen-Nassau über die Zusammenarbeit des NSDStB mit der Wehrmacht im WS 1942/43, in: HHStA Wiesbaden 483/11200. Siehe auch Franze, Erlanger Studentenschaft, S.354 f. u. 372.

33 Vgl. Brandt, Die quantitativen Möglichkeiten (Anm. 28), Bl.44.

34 Vgl. Giles, German Students and Higher Education Policy, S.334 ff.

35 Vgl. den RdErl. des REM, 15.1.1943, in: DWEV 1943, S.31.

36 ORR Heitzer (REM), Betreuung der Kriegsteilnehmer während des Wehrdienstes und in der Kriegsgefangenschaft. Referat auf der Salzburger Rektorenkonferenz am 28.8.1943, in: BA Koblenz R 21/28 Bl.415.

Monaten des Jahres 1943 nicht weniger als 52.183 Soldaten von dieser Möglichkeit Gebrauch.[37]

Zusätzlich organisierte das REM seit Juni 1943 in Zusammenarbeit mit der Wehrmacht sog. „Wehrmachtskurse zur Berufsförderung".[38] Diese Kurse, die meist in den Semesterferien stattfanden, wurden von der Wehrmacht finanziert. Sie dauerten in der Regel drei bis neun Tage und bestanden aus einer Serie von Vorträgen verschiedener Professoren. Adressaten waren zumeist eingezogene Studenten, die nicht direkt an der Front standen, sondern in den von der Wehrmacht besetzten Gebieten stationiert waren. Erfahrungsberichte zeigen, daß die Wehrmachtshochschulkurse unter den Soldatenstudenten durchgängig auf große Resonanz stießen. Wie ein SD-Bericht konstatierte, waren „die Soldaten, von vereinzelten Ausnahmen abgesehen, geradezu hungrig auf jede geistige Anregung".[39] Daß derartige Vortragsreihen ein reguläres Studium ernsthaft ersetzen konnten, glaubte freilich niemand. Vielmehr sah die Wehrmacht darin vor allem eine Art Beschäftigungstherapie, wie ein Referent des REM zu berichten wußte:

> „Die Wehrmacht legt auf diese Kurse großen Wert, einerseits um die Soldaten ... geistig zu beschäftigen, ihnen dadurch Abwechslung zu bieten und die Bildung der durch Langeweile und teilweise abstumpfende Tätigkeit so leicht aufkommenden Mißstimmungsherde zu verhindern, andererseits aber, um besonders den Männern an der Front ... eine Ausspannung, geistige Auffrischung und neue Kraft zu bringen".[40]

Auch ein SD-Bericht, der die Erfahrungen der teilnehmenden Hochschullehrer wiedergab, betonte die Funktion der Wehrmachtskurse als Beitrag zur moralischen Aufrüstung der Soldaten:

> „Der wesentliche Wert dieser Hochschulwochen liege nicht in der Vermittlung von Kenntnissen, sondern in der psychologischen Wirkung, daß die angesprochenen Soldaten fühlen, es würde sich jemand um sie, um ihr weiteres Fortkommen und ihre Lebensaufgabe kümmern, wodurch die Soldaten wieder zufriedener und sich als nicht von der Heimat vergessen vorkommend ihren Dienst machten".[41]

Wirksamer für die fachliche Ausbildung der Studenten war die sog. „Studienbetreuung" (auch „Fernbetreuung" genannt). Sie diente dem Ziel, Soldatenstudenten, die sich an der Front befanden, mit Einführungsschriften in das Studium, Lehrbriefen und anderem Unterrichtsmaterial für das Fernstudium zu versorgen.[42] In den letzten Kriegsjahren wurde es jedoch für Hoch-

---

[37] ORR Brandt, Die quantitativen Möglichkeiten (Anm. 28), Bl.44.

[38] Vgl. den RdErl. des REM, 1.6.1943, in: DWEV 1943, S.196 ff.

[39] SD-Abschnitt Ffm.: Erfahrungen über Wehrmachtshochschulkurse in den besetzten Gebieten, 15.5.1944, S.1, in: HHStA Wiesbaden 483/11267. Vgl. auch Giles, German Students and Higher Education Policy, S.336.

[40] Heitzer, Betreuung der Kriegsteilnehmer (Anm. 36), Bl.416.

[41] SD-Abschnitt Ffm.: Erfahrungen über Wehrmachtshochschulkurse, 15.5.1944 (Anm. 39), S.1.

[42] Vgl. den RdErl. des REM, 23.7.1943, in: DWEV 1943, S.264 f. Siehe auch Krönig/Müller, Nachkriegssemester, S.28 ff.; C.H. Meisiek, Evangelisches Theologiestudium im Dritten Reich, Frankfurt/M. 1993, S.361 ff.

schullehrer und Studenten aufgrund der allgemeinen Papierknappheit und der Kriegszerstörungen immer schwieriger, wissenschaftliche Fachliteratur zu besorgen. Zwar bemühten sich das Oberkommando der Wehrmacht, das REM und die Reichsstudentenführung, durch die Veröffentlichung von Studienführern und durch die Herausgabe von „Soldatenbriefen“ für Studenten, diese Lücke zu schließen.[43] Mit der Publikation wurde jedoch erst Ende 1943 begonnen, und von den zahlreich angekündigten Bänden ist letztlich nur ein Bruchteil erschienen.[44]

Die Studienbetreuung erforderte daher von den Dozenten einen ungewöhnlich intensiven Aufwand, zu dem offensichtlich nur ein Teil der ohnehin stark überlasteten Hochschullehrer bereit oder fähig war. Viele Studenten, die sich mit der Bitte um Betreuung an einzelne Universitäten wandten, wurden unter Hinweis auf den Personalmangel abgewiesen oder erhielten lediglich Literaturlisten, die für sie keinen Nutzen hatten, weil die aufgeführten Bücher im Handel meist nicht mehr erhältlich waren.[45] Einige Fakultäten entwickelten jedoch sehr intensive Aktivitäten auf diesem Terrain. So versorgte die Wirtschafts- und Sozialwissenschaftliche Fakultät der Universität Frankfurt Anfang 1944 im Rahmen der Fernbetreuung insgesamt 644 Soldatenstudenten mit Lehrmaterial. Bis zu diesem Zeitpunkt hatte die Fakultät 12.057 Studienbriefe, 984 Bücher oder Broschüren sowie 2.135 sonstige Hilfsmittel verschickt und 1.250 Einzelauskünfte erteilt. Derart umfangreiche Aktivitäten waren aber eher die Ausnahme als die Regel. Alle anderen Fakultäten der Frankfurter Universität zeigten bei der Fernbetreuung jedenfalls eine sehr viel geringere Regsamkeit.[46]

Von einem wirklichen Fernstudium, das in der Lage gewesen wäre, den normalen Lehrbetrieb weitgehend zu ersetzen, läßt sich daher während des Zweiten Weltkriegs nicht sprechen. Im allgemeinen erfüllten die ergriffenen Maßnahmen wohl bestenfalls den Zweck, die Verbindung zwischen den Hochschulen und ihren (potentiellen) Studenten nicht völlig abreißen zu lassen, die „Studiumswilligkeit der Jungakademiker zu erhalten“ und vorhandenes Wissen aufzufrischen oder zu vertiefen.[47]

Für studierende Männer waren die Hochschulen während des Krieges, wie die Analyse gezeigt hat, oft nicht mehr als eine Durchgangsstation, an der nur flüchtig Halt gemacht werden konnte, aber sie waren auch ein Zufluchtsort, der zumindest zeitweise Schutz bot vor den Schrecken des Krieges.

---

[43] Vgl. F. Kubach, Soldat und Studium, hektographiertes Ms., o.D. [1943], in: BA Potsdam Dienststellen Reichsleiter Rosenberg 137/6 Bl.53.

[44] Bis Oktober 1944 erschienen 10 von 217 geplanten Studienführern und 4 von 80 geplanten „Soldatenbriefen“. Vgl. Mitteilungen und Bekanntgaben des Soldatendienstes des Reichsstudentenführers, Folge 3/44, Oktober 1944, S.7 ff. (UA München Senat 365/2).

[45] Vgl. Heitzer, Betreuung der Kriegsteilnehmer (Anm. 36), Bl.417.

[46] Zur Studienbetreuung an der Frankfurter Universität vgl. SD-Leitabschnitt Ffm.: Semesterzwischenbericht über das WS 1943/44, 10.1.1944, in: HHStA Wiesbaden 483/11282. Siehe auch Krönig/Müller, Nachkriegssemester, S.28 f.

[47] In diesem Sinne äußerte sich auch der zuständige Referent des REM: Heitzer, Betreuung der Kriegsteilnehmer (Anm. 36), Bl.415.

2. Niveauverlust und „studentischer Kriegseinsatz“

Schon 1939/40 hatte sich abgezeichnet, daß der Krieg wesentlich dazu beitragen würde, die Nachwuchskrise in den akademischen Berufen zu verschärfen. Die wachsende Zahl studierender Frauen konnte dieses Problem zwar lindern, aber nicht beseitigen. Um dieser Entwicklung entgegenzuwirken, bemühte sich das REM vor allem um eine Beschleunigung des Studiums. Schon vor Ausbruch des Krieges waren die meisten Studiengänge verkürzt worden, um dem Mangel an Nachwuchskräften zu begegnen.[48] Anfang 1940 erfolgte eine weitere Intensivierung durch die Aufteilung des Studiums in Trimester anstelle von Semestern.[49] Ein Studienjahr bestand nun nicht mehr aus zwei Semestern, sondern aus drei Trimestern. Von den Studenten wurde verlangt, in einem Trimester dieselben Leistungen zu erbringen wie zuvor in einem Semester.[50] Zumindest auf dem Papier mußten sie also nach Beginn des Krieges ihre Arbeitsleistung um 50 % steigern. In der Praxis führte diese Regelung zu einer Ausweitung des Lehrbetriebes auf Kosten der Semesterferien. Die Vorlesungszeit erhöhte sich von 7½ auf 10½ Monate im Jahr.[51] Nicht nur die Belastung der Studierenden wuchs dadurch in außerordentlicher Weise[52], auch die Zeitspanne, die den Dozenten für die Forschung zur Verfügung stand, verringerte sich durch die Trimesterregelung beträchtlich.

Daher stieß die neue Regelung auch unter den Professoren, die bereits einen Großteil ihrer Assistenten an die Wehrmacht verloren hatten, vielfach auf Unwillen. Im März 1940 wandte sich William Guertler, Ordinarius für Metallurgie an der TH Berlin, mit einer Eingabe an Hitler. Guertler, Mitglied der NSDAP seit Dezember 1931[53], wies darauf hin, daß die Studierenden schon seit Jahren durch die vielen zusätzlichen Pflichten stark überlastet gewesen seien. Die nach Kriegsbeginn getroffenen Maßnahmen hätten diesen Zustand noch in „verhängnisvoller“ Weise verschärft.

> „Trotzdem erhielten wir Lehrer Befehl, dafür zu sorgen, daß in einem Jahr die Studenten so viel lernten, wie früher in 1½ Jahren. Wir taten unser möglichstes. Es war ganz umsonst. Die Studenten waren schon längst vorher über ihr Aufnahmevermögen hinaus belastet. War schon vorher das Ausbildungsniveau nicht mehr zu halten gewesen, so sahen wir jetzt in allen Prüfungen ein katastrophales Absinken der erreichten Kenntnisse. Die studentische Jugend hatte längst auf alle früher so berühmten und so berechtigten Freuden auch der arbeitsamsten Studienjahre verzichtet. Sie quälte sich unerhört – es war über die Kraft“.

[48] Vgl. RdErl. des REM, 10.1.1940, in: BA Koblenz R 21/26 Bl.6. Vgl. auch Görings Anordnung zur Verkürzung des technischen Studiums und zur Förderung des Nachwuches, 14.12.1938, in: BA Koblenz R 2/12494.

[49] Vgl. RdErl. des REM, 23.11.1939, in: BA Koblenz R 43 II 940b Bl. 11.

[50] Vgl. RdErl. des REM, 8.5.1940, in: BA Koblenz R 43 II 940 Bl.28.

[51] Vgl. RStW, Kurzberichte aus der Arbeit des Kriegsjahres 1939, S.25.

[52] Vgl. H. van den Bussche, Im Dienste der „Volksgemeinschaft“, Berlin/Hamburg 1989, S. 150 f.

[53] BAAZ NSLB-Mitgliederkartei W. M. Guertler.

Die Eingabe gipfelte in einem Appell: „Mein Führer, ich beschwöre Sie, greifen Sie ein mit Ihrer starken Hand, und befreien Sie die studentische Jugend von jeder außerhalb des Studiums liegenden Belastung, die nicht im höheren Staatsinteresse unbedingt unvermeidlich ist“.[54]

Es gibt keine Hinweise, daß die Eingabe Hitler jemals vorgelegen hat. Jedoch nahm der Chef der Reichskanzlei, Hans Heinrich Lammers, das Schreiben so ernst, daß er Kopien an Göring, den Stab Heß, das Oberkommando der Wehrmacht und eine Reihe von Ministern mit der Bitte um Stellungnahme weiterleitete. Bemerkenswert an den eintreffenden Antworten war vor allem die Tatsache, daß kaum eine der angesprochenen Stellen die Klagen über das gesunkene Ausbildungsniveau und die Überbeanspruchung der Studenten ernsthaft bestritt. Insbesondere seitens der Wehrmacht wurden Guertlers Ausführungen nachdrücklich unterstrichen.[55] Auch in Kreisen der Hochschullehrer und der Wirtschaft redete man schon seit 1937 offen über das reduzierte Ausbildungsniveau und über verringerte Prüfungsleistungen. So hatte Walter Platzhoff, Rektor der Universität Frankfurt, bereits während der Rektorenkonferenz im Mai 1937 auf die „allerorts gemachte Erfahrung“ verwiesen, „daß das wissenschaftliche und geistige Niveau der Studierenden im letzten Jahrzehnt sehr gesunken ist“.[56] Und im November 1939 klagte eine von Berliner Hochschullehrern unter dem Titel „Schweigen hieße Verrat“ verfaßte Denkschrift:

> „Die Universität hat heute mit jungen Leuten zu rechnen, die, von den höheren Schulen kommend, dem Niveau, das die Universität voraussetzen muß, nicht mehr gewachsen sind. Diese ‚Studenten‘ verstehen heute eine normale Vorlesung vielfach nicht mehr, so daß die Universität Elementares nachholen muß“.[57]

Wenig später, im Dezember 1939, waren auch in den geheimen Lageberichten des Sicherheitsdienstes (SD) der SS ganz ähnliche Klagen zu lesen.[58]

Die Frage nach den Ursachen des Niveauverlustes wurde nicht einheitlich beantwortet. In der Tat war das verringerte Ausbildungsniveau wohl nicht monokausal zu erklären. Vielmehr kristallisieren sich bei der Analyse der Quellen sechs verschiedene Ursachenbündel heraus.

1. Die Einführung des Arbeitsdienstes und die Wiedereinführung der allgemeinen Wehrpflicht. Beides hatte dazu geführt, daß die männlichen Studenten zwischen Abitur und Immatrikulation eine Zwangspause von zwei-

---

[54] Zitate aus: W.M. Guertler an Hitler, 21.3.1940, in: BA Koblenz R 43 II 940b Bl.2 ff. Zur Reaktion auf die Eingabe vgl. ausführlich: H. Seier, Niveaukritik und partielle Opposition, in: Archiv für Kulturgeschichte, 58, 1976, S.227 ff.

[55] Vgl. Keitel, OKW, an Lammers, 3.5.1940; OKH an Lammers, 23.5.1940 und die im Auftrag des OKW von Prof. Oskar von Niedermayer verfaßte „Stellungnahme zur Denkschrift Prof. Dr. W. Guertlers“ vom 20.4.1940; alle drei Dokumente in: BA Koblenz R 43 II 940b Bl.23 ff. u. 46 ff.

[56] Prot. der Rektorenkonferenz vom 11. Mai 1937, in: BA Potsdam REM 707 Bl.236. Ähnlich auch der Rektor der TH Aachen, O. Gruber, ebd. Bl.242 u. 249. Vgl. auch C. Krauch, „Jugend an die Front“, in: Der Vierjahresplan, 1. Jg., 1937, S.456.

[57] Ein Exemplar der als „vertraulich“ deklarierten Denkschrift in: BA R 43 II 940b Bl.28 ff. Die Denkschrift stammt offenbar im wesentlichen von dem nationalsozialistischen Germanisten Franz Koch. Vgl. Seier, Niveaukritik, S.239.

[58] Meldungen aus dem Reich, Bd.3, S.525 f. (4.12.1939). Vgl. auch Bd.5, S.1765 f. (14.11.1940).

einhalb Jahren einlegen mußten, in der das Wissen, das sie in der Schule erworben hatten, teilweise wieder verlorenging.

2. Die außerfachlichen Belastungen während des Studiums. Dazu gehörten der Pflichtsport, die Fachschaftsarbeit, der studentische Einsatz in der Landwirtschaft und der Fabrik sowie der Dienst in den verschiedenen NS-Formationen, einschließlich des Kameradschaftsdienstes.

3. Die Verringerung des Ausbildungsniveaus in der Schule. Diese läßt sich auf die 1937 durchgeführte Verkürzung der Oberschulzeit von neun auf acht Jahre zurückführen, auf die Beeinträchtigung des Unterrichts durch die Hitlerjugend, die nach 1933 an den Schulen erhebliches Gewicht bekommen hatte[59], sowie auf den seit Kriegsbeginn herrschenden Lehrermangel.

4. Die veränderte Einstellung und verringerte Motivation der Studenten. Angesichts der Nachwuchskrise in den akademischen Berufen rechneten viele Studenten damit, auch ohne intensive Arbeitsleistung später in einem lukrativen Beruf unterzukommen. Die „Verächtlichmachung der Leistung und gediegenen Bildung" in der Parteipropaganda trug ebenfalls zu dieser veränderten Einstellung bei, wie sogar ein SD-Bericht unverblümt konstatierte.[60]

5. Die Beschleunigung des Studiums und die veränderten Studienbedingungen nach Kriegsausbruch. Neben der Verkürzung des Studiums, wie sie teilweise schon vor Kriegsbeginn erfolgt war, müssen hier die Trimestereinteilung, die ständige Fluktuation der männlichen Studenten zwischen Front und Hochschule, die Einziehung jüngerer Dozenten oder Assistenten zur Wehrmacht und andere Faktoren genannt werden.

6. Nicht angesprochen wurde in den Quellen ein anderer Faktor, dessen Bedeutung aber evident ist: die Personalpolitik an den Universitäten. Viele hochqualifizierte Wissenschaftler waren seit 1933 wegen ihrer jüdischen Herkunft oder aus politischen Gründen entlassen worden. Bei der Wiederbesetzung der Lehrstühle hatten politische Kriterien mitunter eine größere Rolle gespielt als fachliche.

Nachdem die von Lammers initiierte Rundfrage gezeigt hatte, daß Guertlers Kritik weitgehend der Realität entsprach, hing die Einleitung möglicher Gegenmaßnahmen vor allem von der Initiative des REM ab. Im Hause Rust räumte man auch sofort ein, es sei „tatsächlich ein erheblicher Rückgang der Leistungen in Studium und Prüfung eingetreten", der „bei einer Fortdauer katastrophale Folgen für die Leistungsfähigkeit im Beruf nach sich ziehen müßte".[61] Auch die Tatsache, „daß der heutige Student über ein erträgliches

[59] Zur Rolle der HJ an den Schulen vgl. P. D. Stachura, Das Dritte Reich und die Jugenderziehung: Die Rolle der Hitlerjugend 1933-1939, in: K.D. Bracher u.a. (Hg.), Nationalsozialistische Diktatur 1933-1945, Düsseldorf 1983, S.239 ff.

[60] Bericht des SD-Leitabschnittes Berlin vom 14.6.1942, in: Archiv der HUB Rektor und Senat 57 Bl.224. Hinter dem Verfasserkürzel Dr. Fis. verbarg sich Helmut Joachim Fischer, der damals beim Berliner SD für die Überwachung der Universitäten zuständig war. Vgl. H.J. Fischer, Erinnerungen I, Ingolstadt 1984. Ähnlich hatten bereits die Verfasser der Denkschrift „Schweigen hieße Verrat" (Anm. 57) argumentiert.

[61] Rust an Lammers, 24.4.1940, in: BA R 43 II 940b Bl.12 ff.

Maß hinaus mit außerberuflicher Nebentätigkeit belastet“ war[62], wurde im Ministerium nicht geleugnet. Unter den gegebenen Bedingungen waren die Möglichkeiten, diesen Zustand grundlegend zu ändern, freilich gering, da jeder Versuch, die außerfachliche Belastung der Studenten zu verringern, unweigerlich Konflikte mit der Reichsstudentenführung und anderen Parteistellen zur Folge haben mußte. In Anbetracht der schwachen Position des REM innerhalb des nationalsozialistischen Machtgefüges waren solche Auseinandersetzungen ohne Unterstützung von oben nicht sehr aussichtsreich. Rust, der selber offenbar keine Chance sah, zu seinem Führer persönlich vorzudringen, erbat deshalb von Lammers einen förmlichen Auftrag Hitlers, in dem der Reichserziehungsminister ermächtigt werden sollte, die „notwendigen Maßnahmen zu treffen“, damit die „Leistungen der deutschen Wissenschaft und der wissenschaftlichen Berufe ... auch im Kriege keine Einbuße erfahren“.[63] Lammers schien diesem Vorschlag nicht völlig abgeneigt, war aber nicht bereit, die Angelegenheit Hitler vorzulegen, ohne sich vorher mit Göring, dem zweiten Mann des Regimes, verständigt zu haben. Der Generalfeldmarschall ließ jedoch mitteilen, daß die vorhandenen Vollmachten des Reichserziehungsministers ihm durchaus hinreichend erschienen.[64] Da auch direkte Verhandlungen zwischen dem REM und Göring an dieser Haltung nichts änderten, mußte Rust die Forderung nach einem Führerauftrag fallenlassen und versuchen, auf eigene Faust zu handeln.

Aber schon die erste Initiative, die das REM eine Woche nach Ausbruch des Krieges unternommen hatte, erwies sich als ein glatter Fehlschlag: Am 8. September war vom Ministerium verkündet worden, die Arbeitsdienstpflicht für Studenten sei „bis auf weiteres“ aufgehoben.[65] Dieser bescheidene Versuch, die Ausbildung der Jungakademiker von unnötigem Ballast zu befreien, stieß jedoch sofort auf den entschiedenen Protest des Reichsarbeitsführers. Konstantin Hierl zeigte sich keineswegs geneigt, die zukünftigen Studenten aus seinem Machtbereich auszugliedern. Obwohl auch der Reichsstudentenführer die Maßnahme des REM billigte, fand Hierl bei Hitler Gehör.[66] Im Februar mußte der Reichserziehungsminister in einem neuen Runderlaß die Wiedereinführung der Arbeitsdienstpflicht für Studenten ankündigen.[67] Im Juli 1941 konnte Hierl sogar einen Führerlaß erwirken, der die Arbeitsdienst leistenden Mädchen verpflichtete, nach Beendigung der Arbeitsdienstzeit für weitere sechs Monate Kriegshilfsdienst zu

[62] Aktennotiz des Amtschefs Wissenschaft im REM, R. Mentzel, 19.4.1940, Abschr. in: BA Koblenz R 2/12494.

[63] So der vom REM vorgelegte Entwurf eines solchen Auftrags, in: BA Koblenz R 43 II 940b Bl.21. Seier behauptet irrtümlich, der Entwurf sei in den Akten nicht mehr enthalten. Vgl. Seier, Niveaukritik, S.236. Auch verkennt Seier die prekäre Position des REM wenn er schreibt: „Rust schob die Verantwortung damit der Partei, letztlich dem Führer zu.“ (ebd.).

[64] Beauftragter für den Vierjahresplan an Lammers, 6.6.1940, in: BA Koblenz R 43 II 940b Bl.83.

[65] RdErl. des REM, 8.9.1939, in: Die Deutsche Hochschulverwaltung, Bd.2, Berlin 1943, S.379.

[66] Vgl. die Mitt. des Stabsführers der RSF, W. Trumpf, an R. Thomas, RSF, 26.10.1939, Durchschr. in: BA Koblenz NS 38/8 Bl.334; Scheel an Heß, 16.12.1939, Abschr. in: BA R 43 II 940b Bl.92.

[67] RdErl. des REM, 8.2.1940, in: Die Deutsche Hochschulverwaltung, Bd.2, S.379 f.

leisten.[68] Vorgesehen war zunächst, daß der Kriegshilfsdienst in Verwaltungsstellen der Wehrmacht, bei Behörden, in Krankenhäusern, sozialen Einrichtungen oder bei hilfsbedürftigen Familien abgeleistet werden sollte. Tatsächlich wurde der Kriegshilfsdienst aber seit dem Sommer 1942 immer mehr in die Rüstungsindustrie verlagert. Seit dem Sommer 1941 konnten Abiturientinnen daher frühestens ein Jahr nach dem Abitur mit dem Studium beginnen.

Im Mai 1940 versuchte das REM, mit einem Erlaß die Konsequenzen aus den von Guertler benannten Problemen zu ziehen. Die Trimesterregelung wurde zum Sommer 1941 wieder zugunsten der traditionellen Semestereinteilung aufgehoben. Außerdem wies das REM die Hochschullehrer an, „einen strengen Maßstab bei der Durchführung der Prüfungen anzulegen" und eine Senkung der Anforderungen unter allen Umständen zu vermeiden. Schließlich kündigte der Erlaß an, die „außerberufliche Inanspruchnahme der Studenten" werde sich in Zukunft „auf Ausnahmefälle beschränken". Es war charakteristisch für die zaghafte Politik des REM, daß diese Ankündigung schon im folgenden Satz wieder weitgehend zurückgenommen wurde:

> „Dabei darf die Verpflichtung der Studierenden zur Teilnahme an der politischen Erziehungsarbeit innerhalb der Hochschule wie auch zu besonderen völkischen Aufgaben außerhalb der Hochschule nicht vernachlässigt werden".[69]

Mit der Aufhebung der Trimestereinteilung entsprach dieser Erlaß in einem wichtigen Punkt den Wünschen der Hochschullehrer und sicherlich auch der Studenten. Die Ankündigung, künftig die außerfachliche Überlastung der Studenten zu begrenzen, hatte freilich nur dann irgendeinen Wert, wenn sich auch die Reichsstudentenführung damit einverstanden erklärte. Scheel hatte jedoch schon in früheren Jahren gegenüber dem REM keinerlei Neigung gezeigt, den Zugriff auf die Studenten zu lockern. Auch diesmal zeigte er sich von den Hiobsbotschaften Guertlers ebensowenig beeindruckt wie von den Erlassen des REM. In einem Brief an Lammers schrieb der Reichsstudentenführer, falls es wirklich einen generellen Leistungsabfall gebe, sei dieser „einzig und allein" auf die Trimesterregelung und Ausbildungsmängel in den höheren Schulen zurückzuführen, also auf Faktoren, für die Scheel nicht verantwortlich war. Er konnte daher auch keinen Grund erkennen, warum die politische Erziehung der Studenten irgendwie eingeschränkt werden sollte:

[68] Erlaß über den weiteren Kriegseinsatz des Reichsarbeitsdienstes für die weibliche Jugend, 29.7.1941, in: RGBl. I 1941 S.463 f. Vgl. auch: D. Winkler, Frauenarbeit im „Dritten Reich", Hamburg 1977, S. 130 ff.

[69] Zitate aus: RdErl. des REM, 8.5.1940, in: BA Koblenz R 43 II 940 Bl. 28 f. Zu den Prüfungsanforderungen vgl. auch den Schnellbrief des REM, 18.1.1940, in: BA Koblenz R 21/26 Bl.9.

„Zu dem Schreiben des Herrn Professor Guertler ... muß ich als Führer der deutschen Studenten mit Nachdruck feststellen, daß wir uns mit allen Mitteln dagegen wehren, daß das deutsche Studententum bewußt oder unbewußt von der nationalsozialistischen Bewegung ferngehalten werden soll. Wir deutschen Studenten werden bis zum letzten dafür kämpfen, in der Bewegung zu stehen und für sie uns einzusetzen, denn wir wissen zu genau, daß eine Trennung von der Bewegung im Widerspruch zu allen Idealen stehen, ja sogar zum Selbstmord des Studententums führen würde“.[70]

Abgesehen von der Rücknahme der Trimestereinteilung waren damit alle Versuche gescheitert, die Überlastung der Studenten zu reduzieren. Tatsächlich nahm die Inanspruchnahme der Studierenden durch die Reichsstudentenführung sogar deutlich zu, nachdem die Studentenschaft 1940 dazu verpflichtet worden war, im Rahmen des „studentischen Kriegseinsatzes“ tätig zu werden.

Zu diesem Zweck hatte Scheel Anfang 1940 die „Dienstpflicht“ für alle deutschen Studenten verkündet.[71] In der Praxis betraf diese Regelung zunächst vor allem die Studenten der ersten drei Semester, die verpflichtet wurden, sich jeden Monat „mindestens 8 Stunden, jedoch nicht mehr als 6 Nachmittage im Monat“ für Arbeitseinsätze zur Verfügung zu stellen. Studenten höherer Semester sollten nur „bei ganz besonders dringenden Aufgaben“ eingesetzt werden.[72] Anders als beim studentischen Einsatz vor 1939 galt die Dienstpflicht ebenso für Mitglieder des NSDStB wie für unorganisierte Studenten. Letztere wurden auf Befehl der Reichsstudentenführung in sogenannten „Dienstgemeinschaften“ zusammengefaßt. Studenten, die trotz wiederholter Aufforderungen und Verwarnungen den Arbeitseinsatz im Rahmen der Dienstpflicht verweigerten, sollten der Staatspolizei übergeben werden. In „schweren Fällen“ wurde die Einlieferung ins Konzentrationslager angedroht.[73]

Gegen die Dienstgemeinschaften wurden allerdings schon früh politische Bedenken laut. So befürchtete Wilhelm Spengler, Leiter der Kulturabteilung im SD-Hauptamt, durch die organisatorische Zusammenfassung der unorganisierten Studenten könnten „oppositionell eingestellte Kräfte in ihrer gegnerischen Haltung“ bestärkt werden.[74] Vermutlich ist es auf diese Einwände zurückzuführen, daß die Dienstgemeinschaften im Laufe des Jahres stillschweigend wieder aufgelöst wurden. Die Verpflichtung zum Kriegseinsatz blieb jedoch, für unorganisierte ebenso wie für organisierte Studenten, weiterhin bestehen. Lediglich die organisatorische Trennung zwischen beiden Gruppen wurde aufgehoben.

Form und Intensität des studentischen Kriegseinsatzes variierten von Hochschule zu Hochschule. An manchen Universitäten kamen die Dienst-

[70] Scheel an Lammers, 3.6.1940, in: BA R 43 II 940b Bl.87 ff.

[71] Vgl. K-Befehl RSF 3/40 des Reichsstudentenführers, in: VOBl. RSF Nr.2, 5.2.1940.

[72] Dienstvorschrift für die Arbeit der Studentenführer im Kriege. Hg.: Der Reichsstudentenführer, Stabsamt, Juli 1940, S.22.

[73] Vgl. den geheimen K-Befehl RSF 15/40 vom 1.2.1940, in: StA WÜ RSF/NSDStB 50 γ 669.

[74] H. Franz, Aktennotiz über eine Besprechung mit dem SS-Sturmbannführer Spengler im SD-HA (vertraulich), 12.1.1940, in: BAAZ Wilhelm Spengler.

gemeinschaften im Winter und Frühjahr kaum zum Einsatz, so beispielsweise in Erlangen.[75] Dagegen wurde die Studentenschaft anderer Hochschulen während des Winters 1940 von den Arbeitsämtern zum Schneeschaufeln angefordert oder für die Versorgung der Bevölkerung mit Kohlen eingesetzt. In Halle, Leipzig, Münster und anderen Universitäten arbeiteten zahlreiche Studierende als Hilfsschaffner bei der Straßenbahn, während in Göttingen etwa 200 Studenten als Arbeitskräfte in einer Munitionsfabrik Verwendung fanden.[76] Das Entgelt für die geleistete Arbeit kam nicht den beteiligten Studenten zugute, sondern floß in die Kassen der DSt, also der Reichsstudentenführung.[77]

Neben solchen Einsätzen, bei denen es hauptsächlich darum ging, durch Einberufungen entstandene Personallücken zu stopfen, umfaßte der studentische Kriegseinsatz auch politisch relevantere Tätigkeiten. Dazu gehörten insbesondere der „Kriegspropagandaeinsatz“ und der studentische „Facheinsatz Ost“.

Der „Kriegspropagandaeinsatz“ (später auch „Kriegsleistungskampf“ genannt) war bereits im November 1939 von der Reichsstudentenführung initiiert worden und wurde im Februar 1940 durch Aufrufe von Goebbels und Rust unterstützt.[78] Den beteiligten Studenten wurde die Aufgabe gestellt, die „Geschichte und Kultur aller Völker ... zu durchforschen nach Argumenten gegen England“[79], die sich in der Presse propagandistisch verwerten ließen. Dabei wurden offenbar vor allem Anglistikstudenten eingesetzt, um gezielt englische Publikationen (Zeitungen, Parlamentsprotokolle, wissenschaftliche Veröffentlichungen usw.) nach brauchbarem Material durchzusehen. Gefragt waren insbesondere kritische Berichte über englische Armenviertel oder andere Elendsschilderungen[80], die geeignet schienen,

> „die Ausbeutung der britischen Unterschichten durch die plutokratische Oberschicht in Geschichte und Gegenwart darzustellen und in Vergleich zu setzen zur neuen sozialen Ordnung des deutschen Volkes auf der Grundlage des Prinzips der Volksgemeinschaft“,

wie ein „Grundbefehl“ der Reichsstudentenführung darlegte.[81] Die Resonanz in der Studentenschaft wird in den Quellen nicht einhellig beurteilt. In den SD-Berichten läßt sich nachlesen, daß der Kriegspropagandaeinsatz in der Studentenschaft „begeisterte Aufnahme gefunden“ habe. Auch von den Professoren würden die Arbeiten der Studenten „mit Rat und Tat unterstützt“.[82] Demgegenüber läßt der Bericht einer Studentenfunktionärin er-

[75] Vgl. Franze, Erlanger Studentenschaft, S.366.
[76] Vgl. G. Ott, „Studentischer Kriegseinsatz!“ in: Die Bewegung Nr.27, 2.7.1940, S.2.
[77] Vgl. die Anordnung des Leiter der Vermögensverwaltung der DSt, 6.2.1940, in: StA WÜ RSF/NSDStB I* 50 γ 669.
[78] Text in: VOBl. RSF Nr.2, 5.2.1940. Vgl. auch die Anordnung WF 4/40 der RSF, in: ebd.
[79] Studentischer Kriegspropagandaeinsatz. Grundbefehl. Hg. von der Reichsstudentenführung, o.O. o.J. [1939], S.6.
[80] Vgl. beispielsweise das Material in: Hansische Hochschul-Zeitung, Juni 1940, Sondernummer.
[81] Studentischer Kriegspropagandaeinsatz, S.9.
[82] Meldungen aus dem Reich, Bd. 3, S.700 (29.1.1940).

kennen, daß viele beteiligte Studentinnen diesen Einsatz wohl eher als stupide Tätigkeit empfanden: „An dem ewigen Bücherdurcharbeiten und Zusammentragen von Material haben die Mädel keine rechte Freude, weil sie ja nie zu Auswertungen kommen“, vermerkte die Gau-ANSt-Führerin von Berlin nicht ohne ein gewisses Mitgefühl.[83] Insgesamt sollen sich etwa 6.000 Studenten an der Propagandakampagne gegen England beteiligt haben. Das von ihnen zusammengesuchte Material ist 1940/41 in einer Reihe von Büchern, Broschüren und Zeitungsartikeln veröffentlicht worden.[84]

Im Rahmen des studentischen „Facheinsatzes Ost“ wurden Tausende von Studenten mobilisiert, um in den Semesterferien „volksdeutsche Siedler“ aus dem Baltikum, aus Wolhynien, der Bukowina und anderen Teilen Osteuropas zu betreuen. Diese Siedler wurden im „Wartheland“, d.h. im besetzten Westpolen, auf Bauernhöfen angesiedelt, deren polnische Besitzer zuvor von den deutschen Besatzern enteignet und vertrieben worden waren.[85] Bereits im Sommer 1940 reisten etwa 600 Studentinnen und Studenten aus zahlreichen Hoch- und Fachschulen in den „Warthegau“, wo sie bei der Betreuung erkrankter Siedler, bei der provisorischen Gründung deutscher Schulen, aber auch als Schreibkräfte oder als Kindergärtnerinnen eingesetzt wurden. In den folgenden Jahren lag die Zahl der Teilnehmer bei 1.500 (1941) bzw. bei 1.200 (1942) und erreichte 1943 mit 2.500 eingesetzten Studenten ihren Höhepunkt.[86]

Die stärkste Belastung ergab sich für die Masse der Studierenden aus den jährlichen Arbeitseinsätzen während der Semesterferien. Um eine möglichst restlose Erfassung zu gewährleisten, verließ sich die Reichsstudentenführung seit 1941 nicht mehr nur auf die eigene Autorität und den eigenen Apparat. Statt dessen erfolgte eine offizielle Dienstverpflichtung der Studierenden durch den Reichsarbeitsminister bzw. (seit 1942) durch den Generalbevollmächtigten für den Arbeitseinsatz. Die Dienstverpflichtung der einzelnen Studenten wurde von den Arbeitsämtern ausgesprochen, die auch kontrollierten, ob die Studierenden die Arbeit tatsächlich aufgenommen hatten.[87] Allen Teilnehmern wurden schriftliche Bescheinigungen über die geleistete Arbeit ausgestellt. Die Möglichkeiten der Studenten, sich den Arbeitseinsätzen zu entziehen, waren dadurch zweifellos geringer als 1939.

Jedoch gab es auch im Kriege wiederum eine Reihe von Ausnahmeregelungen, die einem Teil der Studierenden die Chance boten, dem Rüstungseinsatz zu entfliehen: Neben den Examenssemestern waren dies vor allem Studenten, deren Eltern einen eigenen Bauernhof besaßen, sowie Studieren-

---

83 Bericht über die ANSt-Arbeit des Gaues Berlin im II. Trimester 1940, 5.8.1940, S.3, in: StA WÜ RSF/NSDStB II* 533 α 432.

84 Vgl. den Überblick von H. Bähr, „Geistige Kriegsleistungen des deutschen Studententums“, in: Der Altherrenbund, 3.Jg., 1940/41, S.247 f.

85 Vgl. G. Aly / S. Heim, Vordenker der Vernichtung, Hamburg 1991, S.125 ff.

86 Vgl. W. Thormann, „Studentischer Facheinsatz Ost“, in: Die Bewegung Nr.35, 27.8.1940, S.1; „Bilanz des Kriegseinsatzes 1941“, in: Die Bewegung Nr.14, 11.7.1942, S.1; Meldungen aus dem Reich, Bd.16, S.6346 ff. (21.2.1944); Pauwels, Women, S.114 ff.

87 Vgl. das vertrauliche Rundschreiben der RSF vom 11.6.1941, in: StA WÜ RSF/NSDStB I* 00 γ 614.

de, die aus gesundheitlichen Gründen nicht zum Arbeitseinsatz fähig waren. Als entscheidendes Hindernis für eine vollständige Erfassung der Studierenden erwies sich jedoch die Tatsache, daß die Reichsstudentenführung keinen Zugriff auf die Soldatenstudenten hatte. Da die Mehrheit der männlichen Studenten seit Gründung der Studentenkompanien die Uniform der Wehrmacht trug, beschränkte sich die Einsatzpflicht seit 1941 im wesentlichen auf die Studentinnen.[88] Während die Arbeitseinsätze in den Vorkriegsjahren ohne Entgelt erfolgt waren, wurden die Semestereinsätze während des Krieges durchgängig entlohnt, zunächst eher kärglich, später entsprechend den offiziellen Tarifen.

Bereits in den Sommerferien 1940 verkündete die Reichsstudentenführung erneut, wie schon 1939, die Erntehilfspflicht für die Studierenden aller Hoch- und Fachschulen. Die Dauer des Einsatzes wurde auf einen Monat festgesetzt.[89] Die Reaktion der Studentenschaft fiel, glaubt man den internen Lageberichten, zwiespältig aus. Eine Kölner ANSt-Funktionärin schrieb fast überschwenglich: „Ich bin in der glücklichen Lage mit ehrlichem Gewissen berichten zu können, daß alle ANSt-Kameradinnen den Einsatz mit heller Begeisterung aufgenommen haben".[90] Die Kölner ANSt hatte nach eigenen Angaben unter den 366 Studentinnen 317 Mitglieder.[91] Dagegen registrierte etwa zur selben Zeit die Gau-ANSt-Referentin von Berlin die negative Einstellung vieler Studentinnen „zum pflichtgemäßen Einsatz in den Semesterferien, in den etwas reichlich viele nur gezwungenermaßen gehen".[92]

Nach Angaben der Reichsstudentenführung sollen 1940 insgesamt 47.000 Studierende aller Hoch- und Fachschulen am Ernteeinsatz teilgenommen haben, während 2.700 Studentinnen Fabrikdienst leisteten.[93] Wahrscheinlich sind diese Zahlen aber stark übertrieben, denn im 2. Trimester 1940 waren an allen wissenschaftlichen Hochschulen des Deutschen Reiches zusammen nur 50.300 Studenten immatrikuliert.[94] Realistischere Zahlen über die Mobilisierung der Studentenschaft zum Kriegseinsatz finden sich in den lokalen Rechenschaftsberichten der ANSt. Von den insgesamt 2271 Studentinnen der Berliner Hoch- und Fachschulen gingen 900-950 in den Einsatz, weitere 200 wurden in den Fabrikdienst geschickt. Insgesamt nahm also ziemlich genau die Hälfte der Berliner Studentinnen in den Semesterferien am Kriegseinsatz teil.[95] Ähnlich lagen die Verhältnisse in Rostock. Dort wurden

[88] Vgl. das Rundschreiben des Stabsführers der RSF, 7.4.1942, in: BA Koblenz R 21/10938 Bl.56.

[89] Vgl. VOBl. RSF, Sondernummer vom 23.5.1940.

[90] S. Pilz, Bericht über die Arbeit des Amtes Studentinnen im II. Trimester 1940, Universität Köln, o.D., in: StA WÜ RSF/NSDStB II* 533 α 432.

[91] Vgl. ebd. Zahl der Kölner Studentinnen nach: Zehnjahres-Statistik des Hochschulbesuches und der Abschlußprüfungen, I. Bd., Berlin 1943, S.127.

[92] Bericht über die ANSt-Arbeit des Gaues Berlin im II. Trimester 1940, 5.8.1940, S.2, in: StA WÜ RSF/NSDStB II* 533 α 432.

[93] „Kriegseinsatz der Studenten von Kriegsbeginn an bis 16.12.42", Ms., 17.12.1942 (ohne Angabe des Verfassers), in: BA Koblenz NS 26/375.

[94] Vgl. Zehnjahres-Statistik des Hochschulbesuches, I, S.127. Für die Fachschulen liegen keine Angaben vor.

[95] Bericht über die ANSt-Arbeit des Gaues Berlin, 5.8.1940 (Anm. 92), S.2.

in den Semesterferien von 113 an der Universität immatrikulierten Studentinnen 56 (49,6 %) für Arbeitseinsätze verschiedener Art mobilisiert.[96] Etwas höher war der Prozentsatz der erfaßten Studentinnen in Tübingen, wo 116 Studentinnen (62,0 %) während der Semesterferien in die Erntehilfe oder den Fabrikdienst geschickt wurden, ebenso in Königsberg, wo 161 Studentinnen (64,4 %) am Kriegseinsatz teilnahmen.[97] Eine besonders hohe Beteiligung wurde aus Köln gemeldet, wo etwa 70 % der weiblichen Studentenschaft in den Kriegseinsatz gingen.[98] Insgesamt haben demnach etwa 50-70 % der Studentinnen im Sommer 1940 am Kriegseinsatz teilgenommen. Die Mobilisierungsquote war also eindeutig höher als bei der Erntehilfe ein Jahr zuvor. Über die Beteiligung der männlichen Studenten liegen keine Informationen vor. Wegen des Ausfalls der Wehrmachtstudenten war sie aber sicher deutlich geringer als die der studierenden Frauen.

1941 und 1942 nahm der studentische Kriegseinsatz die Studierenden zeitlich sehr viel stärker in Anspruch. Im Juni 1941, kurz vor Beginn des „Unternehmens Barbarossa", wurden die männlichen Studenten für acht Wochen, die weiblichen sogar für zehn Wochen, zum Arbeitseinsatz in der Rüstungsindustrie verpflichtet, sofern sie nicht für andere kriegswichtige Tätigkeiten freigestellt worden waren.[99] Unter den Studenten, die vielfach bis zum Beginn des Rußlandfeldzuges geglaubt hatten, daß der Krieg weitgehend beendet sei, wurde diese Ankündigung mit sichtbarer Verärgerung aufgenommen. In den „Meldungen aus dem Reich" des SD hieß es:

> „Über die stimmungsmäßige Auswirkung des vorgesehenen Rüstungseinsatzes der Studenten und Studentinnen während der Semesterferien 1941 wird aus Breslau, Chemnitz, Leipzig, Stuttgart und Weimar übereinstimmend gemeldet, daß dieser Ferieneinsatz in der vorgesehenen Form allgemein nicht willig aufgenommen wird. Die Ferien können auch diesmal nicht zum Ausspannen und Nacharbeiten benutzt werden. Bemängelt wird vor allem, daß sich der Einsatz auf 8 Wochen und somit auf die gesamten Semesterferien erstrecken solle ... Nach Meldungen aus Weimar wird die Bestimmung über den zehnwöchigen Rüstungseinsatz der Studentinnen in Jenaer Universitätskreisen mit der Behauptung kritisiert, daß diese Art des Einsatzes ein ordnungsgemäßes Studium erschwere".[100]

Auch aus der Professorenschaft kamen vereinzelt Stimmen des Protestes. Der Tübinger Historiker Heinrich Dannenbauer, einer der ersten Nationalsozialisten im Lehrkörper der Universität, wandte sich im Juni 1941 an den Dekan seiner Fakultät und schlug ein gemeinsames Vorgehen gegen die

---

[96] Vgl. Semesterbericht der ANSt-Referentin in der Studentenführung Rostock, 20.7.1940, in: StA WÜ RSF/NSDStB II* 533 α 432.

[97] Errechnet nach: Semesterschlußbericht der Einsatzreferentin der ANSt Tübingen, 16.7.1940, in: StA WÜ RSF/NSDStB II* 300 α 213; Bericht über das 2. Trimester 1940 des Amtes Studentinnen in Ostpreußen, 27.7.1940, in: StA WÜ RSF/NSDStB II* 533 α 432.

[98] S. Pilz, Bericht über die Arbeit des Amtes Studentinnen (Anm. 90), S.2.

[99] Vgl. „Alle Kraft für den Sieg", in: Die Bewegung Nr.22/23, 14.6.1941, S.1.

[100] Meldungen aus dem Reich, Bd.7, S.2510 (10.7.1941).

Überlastung der Studierenden vor, die er als „plan- und sinnlose Vergeudung von Menschenkraft" charakterisierte: „Wenn sie zu ungezählten Tausenden unsere junge Generation zu Schanden wirtschaften, zumal die jungen Mädchen, so widerspricht das allen Grundsätzen von gesunder Politik, Volkshygiene, Erbgesundheit und anderem".[101] Die von Dannenbauer vorgeschlagenen Maßnahmen scheiterten jedoch bereits daran, daß der angesprochene Dekan das Schreiben nicht weiterleitete.

Viele Studierende lernten auf diese Weise im Krieg erstmals die Realität der Fabrik kennen, für viele offensichtlich ein deprimierendes, manchmal wohl auch schockierendes Erlebnis, wie noch Jahrzehnte später bei Befragungen deutlich zu erkennen ist:

> „Ich mußte also jeden Tag um sieben Uhr anfangen, und hab' ungefähr bis um sechs Uhr abends gearbeitet ... Seither weiß ich, was Fabriksarbeit heißt, es war vielleicht gar nicht schlecht; es ist trostlos, es ist ausgesprochen trostlos. Ich bin eingeteilt worden, das Innere von Klorollen zu falzen, muß man soundsoviel Stück machen am Laufband. Ich hab mir alle Gedichte vorg'sagt, es war furchtbar ... schon einmal das ganze Milieu, so deprimierend, die Witze, die dort erzählt worden sind, ich bin schließlich aus einem sehr wohlbehüteten Haus gekommen, also es war traurig".[102]

Nach der offiziellen Statistik der Reichsstudentenführung, die möglicherweise überhöhte Zahlen nannte, haben im Sommer 1941 insgesamt 19.400 Studierende den größten Teil ihrer Semesterferien im Rüstungseinsatz verbracht. Außerdem gingen 2.000 Studentinnen in den Fabrikdienst. Andere Studenten leisteten ihre Dienstpflicht bei der Organisation Todt, beim Roten Kreuz, bei der Reichsbahn und in verschiedenen anderen Einsatzorten. Insgesamt sind 1941, wenn man der offiziellen Bilanz Glauben schenken will, 33.985 Studierende im Kriegseinsatz tätig gewesen.[103] Prozentuale Angaben lassen sich daraus nicht errechnen, da die Teilnehmerzahl auch Fachschüler einschließt, deren genaue Anzahl nicht bekannt ist. Lediglich aus Frankfurt liegt Zahlenmaterial vor, aus dem sich schließen läßt, daß dort etwa 60 % der Studentinnen am Rüstungseinsatz teilnahmen, während 40 % beurlaubt wurden.[104] Dies entspricht etwa den aus dem Vorjahr bekannten Größenordnungen.

Auch 1942 gingen die sommerlichen Semesterferien weitgehend durch einen achtwöchigen Kriegseinsatz in der Rüstungsindustrie verloren, an dem nach Angaben der Reichsstudentenführung 29.000 Studierende teilnahmen.[105] Wie rigoros der NSDStB bei der Rekrutierung der studentischen Arbeitskräfte vorging, bezeugt ein Brief, den Sophie Scholl im Juni 1942 an ihre Familie richtete:

[101] Zit. in: Adam, Hochschule, S. 195 f.

[102] So die ehemalige Studentin „Frau G.", zit. in: M.A. Kohler, „Irgendwie windet man sich durch, mit großem Unbehagen". Dienste und Einsätze der Studentinnen an der Universität Wien 1938-1945, in: L. Gravenhorst / C. Tatschmurat (Hg.), Töchter-Fragen. NS-Frauen-Geschichte, Freiburg 1990, S.246.

[103] Vgl. „Bilanz des Kriegseinsatzes", in: Die Bewegung Nr.14, 11.7.1942, S.1.

[104] Vgl. Pauwels, Women, S.121.

[105] Vgl. Telegramm Scheel an Rust, 13.10.1942, Abschr. in: BA Koblenz R 21/10938.

> „Wegen des Rüstungseinsatzes war ich schon auf der Studentenführung, aber eine Befreiung ist aussichtslos. Selbst Studentinnen mit besten Beziehungen, Töchter von heute leitenden Männern, kommen nicht weg, ob der Grund dringend ist oder nicht, spielt gar keine Rolle".[106]

Die Bemühungen der Reichsstudentenführung um eine möglichst vollständige Erfassung aller Studenten wurden diesmal auch durch einen Runderlaß des REM unterstützt, der die Rektoren anwies, gegen „Drückeberger" mit disziplinarischen Mitteln vorzugehen: „In Fällen wirklicher, nachgewiesener Drückebergerei darf angesichts der Kriegsverhältnisse gegebenenfalls auch vor der schärfsten Strafe nicht zurückgeschreckt werden".[107]

Trotzdem war das REM weiterhin bemüht, „einen falschen Arbeitseinsatz" der Studenten zu vermeiden, damit diese „ihre ganze Kraft auf ihre Berufsausbildung" konzentrieren könnten.[108] Nachdem 1942 eine Reihe von Studierenden mitten im Semester durch örtliche Arbeitsämter dienstverpflichtet und damit zur Unterbrechung ihres Studiums gezwungen worden war, protestierte das Ministerium beim Generalbevollmächtigten für den Arbeitseinsatz und verlangte, in Zukunft müsse während des Semester „grundsätzlich jeder derartige Einsatz unterbleiben".[109] Auch der Chef der Reichskanzlei, Lammers, kritisierte 1943 die starke Belastung der Studenten und schlug vor, „in vollem Umfange auf eine anderweitige Inanspruchnahme der Studierenden mindestens vom dritten Semester" an zu verzichten:

> „Schon jetzt mehren sich die Fälle, in denen die Studierenden durch ihre anderweitige Inanspruchnahme körperlich zusammenbrechen oder nicht mehr in der Lage sind, mit der erforderlichen Leistungsfähigkeit ihre Studien zu betreiben. Der Fortfall des wirklichen Nutzeffekts, den der vorübergehende studentische Arbeitseinsatz bisher gehabt hat, dürfte gegenüber der allmählich lebensnotwendig gewordenen Wiederherstellung der Möglichkeit eines zwar zeitlich begrenzten, aber gleichwohl vertieften wissenschaftlichen Studiums auf allen Gebieten keine Rolle spielen".[110]

Doch standen Rust und Lammers 1942/43 schon zu weit außerhalb der wirklichen Machtzentren des Dritten Reiches, als daß sie solche Forderungen mit Aussicht auf Erfolg hätten durchsetzen können. Dagegen hatte Scheel durch seine guten Beziehungen zur Parteikanzlei und zur SS ständig an Einfluß gewonnen. Quasi als Bestätigung dieser Machtverschiebungen übertrug das REM im März 1943 die „Heranziehung der Studierenden zu einem Einsatz während des Studiums" auch offiziell der Reichsstudentenführung.[111]

---

[106] Schreiben vom 6.6.1942, in: Hans und Sophie Scholl, Briefe und Aufzeichnungen, S.257.

[107] Schnellbrief des REM, 22.6.1942, in: BA R 21/27 Bl.360.

[108] So der Leiter des Amtes Wissenschaft im REM, R. Mentzel. Zit. in dem Bericht über die Salzburger Rektorenkonferenz vom 25.-28.8.1943, in: StA HH Universität I C 10.8. Bd.III, S.1.

[109] REM an den Generalbevollmächtigten für den Arbeitseinsatz, 19.5.1942, in: BA Koblenz R 21/10938. Vgl. auch die ausweichende Antwort des Generalbevollmächtigten für den Arbeitseinsatz vom 12.6.1942, ebd.

[110] Lammers an Rust, 1.9.1943, in: BA Koblenz R 43 II 942b Bl.16 f.

[111] Schnellbrief des REM, 22.3.1943, in: BA Koblenz R 21/28 Bl.104.

So wurde der studentische Kriegseinsatz auch in den letzten Kriegsjahren fortgesetzt. Sowohl 1943 als auch 1944 mußten die Studierenden während der Semesterferien erneut neun Wochen (1943) bzw. acht Wochen (1944) in der Rüstungsindustrie, der Landwirtschaft oder in anderen Bereichen tätig werden.[112] Jedoch waren Studenten, die bereits zweimal während der Semesterferien am studentischen Kriegseinsatz teilgenommen hatten, von der Einsatzpflicht ausgenommen. Teilnehmerzahlen sind für diese beiden Jahre nicht mehr veröffentlicht worden.

Darüber hinaus ordnete die Reichsstudentenführung im Mai 1943 an, daß die Studierenden im Bedarfsfall auch während der Vorlesungszeit wieder bis zu zwölf Stunden wöchentlich eingesetzt werden könnten.[113] Aufgrund dieser Anweisung mußten in Heidelberg die meisten Studenten der jüngeren Semester während des Sommersemesters 1943 nebenbei für die NSV kinderreiche Familien betreuen und als Straßenbahnschaffner oder als Luftschutzhelfer tätig werden. Andere Studierende arbeiteten als Küchenhelfer für das Deutsche Rote Kreuz oder wurden in der Landwirtschaft beim „Kartoffelkäferabwehrdienst“ eingesetzt. Die letztere Tätigkeit war offenbar besonders unbeliebt, denn von den 72 eingeteilten Studentinnen erschien etwa die Hälfte nicht am Einsatzort.[114]

Eine derartige zusätzliche Belastung erschien jedoch sogar vielen Studentenführern übertrieben. In Kiel, wie auch an einigen anderen Universitäten, blieben die Studenten während des Semesters von außeruniversitären Arbeitseinsätzen verschont. Dort vertraten sowohl der Gaustudentenführer als auch der Studentenführer der Universität die Ansicht, „daß im Hinblick auf Gewährleistung eines konzentrierten wissenschaftlichen Studiums ein Einsatz während des Semesters nicht tragbar“ sei.[115] Dieser Standpunkt setzte sich schließlich auch in der Reichsstudentenführung durch. Im November 1943 verbot ein Rundschreiben für die Zukunft „jeden Arbeitseinsatz von Studenten und Studentinnen während der Vorlesungszeit“.[116] Manche Studentenführer, die sich schnell daran gewöhnt hatten, in ihrem Herrschaftsbereich mit der Souveränität absolutistischer Fürsten aufzutreten, ignorierten diese Anweisung jedoch schlichtweg. Wenn sie dabei, wie in Frankfurt, durch den Gauleiter unterstützt wurden, war dies ohne nachteilige Auswirkungen möglich. Dort mußten die Studierenden auch im Wintersemester 1943/44 wiederum als Schaffner bei der Straßenbahn arbeiten, wie einem SD-Bericht entnommen werden kann:

112 Vgl. die Richtlinien der RSF zum Kriegseinsatz 1943, in: BA Koblenz R 21/28 Bl.182-184; RdErl. des REM, 24.7.1944, in: GStAPK I Rep.76 Nr.175.

113 Vgl. die Richtlinien der RSF zum Kriegseinsatz 1943, in: BA Koblenz R 21/28 Bl.184.

114 Vgl. den Bericht des Studentenführers der Universität Heidelberg an den Heidelberger Rektor, 3.8.1943, in: BA Potsdam REM 927 Bl.427.

115 A. Predöhl, Rektor Kiel, an den REM, 23.7.1943, in: BA Potsdam REM 927 Bl.380.

116 Rundschreiben der RSF, 2.11.1943, in: HHStA Wiesbaden 483/11200.

„Zwar ist die Einsatzstundenzahl von 45 Stunden im Monat auf 17 Stunden herabgesetzt worden, aber dennoch hat der Einsatz als solcher allgemein wenig Anklang bei den Studierenden gefunden, wobei vorwiegend darauf hingewiesen wird, daß vom Reichsstudentenführer für dieses Semester solche Einsätze nicht mehr gefordert würden, jedoch auf Befehl des Gauleiters Sprenger, d.h. zweifellos auf Vorschlag der Gaustudentenführung, zur Durchführung gelangt“.[117]

Kollektive Proteste gegen den studentischen Arbeitseinsatz scheint es während des Krieges, anders als bei der Erntehilfe 1939, nicht gegeben zu haben. Dieser Befund läßt sich aber wohl kaum als Ausdruck gestiegener Einsatzbereitschaft interpretieren. Zustimmende Reaktionen sind hauptsächlich von Teilnehmern des „Facheinsatzes Ost“ bekannt geworden. So wurde vom SD berichtet, daß der „weitaus größte Teil der eingesetzten Studenten“ sich 1943 „über den Osteinsatz positiv geäußert“ habe. Unzufriedenheit sei dagegen von Studenten artikuliert worden, die sich nicht freiwillig gemeldet hätten, und von jenen Studierenden, die nicht entsprechend ihrer fachlichen Qualifikation eingesetzt worden seien, beispielsweise von Medizinstudentinnen, die als Aushilfsschreibkräfte arbeiten mußten.[118] Diejenigen Studenten, die sich freiwillig zum „Facheinsatz Ost“ gemeldet hatten und dabei positiv beeindruckt worden waren, gehörten mehrheitlich wohl zu jenem Typus des einsatzbereiten Nationalsozialisten, wie er von der gleichgeschalteten Presse in immer neuen Wendungen herausgestellt wurde. Innerhalb der Studentenschaft bildete dieser Studententypus aber ganz offensichtlich nur eine Minorität.[119] Dagegen überwog bei der Masse der Studierenden die Tendenz, sich durch individuelle Fluchtversuche den Einsatzverpflichtungen zu entziehen. Im Oktober 1943 berichtete ein Beamter des Arbeitsamtes Göttingen:

„Mir ist bei dem Kriegseinsatz der Studenten und Studentinnen im Laufe der Jahre immer wieder aufgefallen, daß diese, von wenigen Ausnahmen abgesehen, grundsätzlich nicht geneigt sind, im Rahmen des Kriegseinsatzes bereitwilligst mitzuwirken. Die vielen Hinderungsgründe, die den Einsatz nichtig machen oder zumindest einschränken sollen, sind unwürdig. Die geringe Einsicht und der geringe Wille der Studierenden zum Einsatz stehen im Gegensatz zu den von der Reichsstudentenführung in jedem Jahr gemachten Presseveröffentlichungen über die großen Leistungen der Studierenden im Kriegseinsatz. Obgleich in diesem Jahr der Einsatz der Studierenden im Rahmen der Meldepflichtverordnung erfolgte, mußte wiederum eine allgemein negative Haltung beobachtet werden“.[120]

Auch ein Rundschreiben der Reichsstudentenführung berichtete, „daß die Studenten die verschiedensten Mittel anwenden, um sich vom Einsatz drücken zu können, z.B. durch Beschaffung eines Bereitstellungsscheines,

[117] SD-Abschnitt Ffm.: Semesterzwischenbericht. WS 1943/44 der Universität Frankfurt/M., 10.1.1944, S.5, in: HHStA Wiesbaden 483/11282.

[118] Vgl. Meldungen aus dem Reich, Bd.16, S.6346 ff. (21.2.1944).

[119] Vgl. Pauwels, Women, S.116 f.

[120] Arbeitsamt Göttingen (Unterschrift unleserlich) an den Rektor der Universität Göttingen, 19.10.1943, in: BA Potsdam REM 927 Bl.455.

Exmatrikulation, Wohnungsänderung usw.".[121] Derartige Berichte bestätigen die Beobachtung eines Hochschullehrers, die Studentenschaft habe es in den Kriegsjahren „sehr gut gelernt, durch geschicktes Benehmen sich einer als übermäßige Belastung empfundenen Verpflichtung zu entziehen".[122] Jedoch darf dieser Befund nicht dazu verleiten, von einem „Scheitern" oder gar einem „Debakel" des studentischen Kriegseinsatzes zu sprechen, wie Jacques Pauwels dies tut.[123] Auch wenn eine vollständige Erfassung nicht gelungen ist und manche Studenten sich durch allerlei Tricks und Kniffe hin und wieder Luft verschaffen konnten, bleibt doch unbestreitbar, daß insgesamt die außeruniversitäre Belastung während des Krieges allen Mahnungen und Einsprüchen zum Trotz deutlich zugenommen hat.

Aussagen ehemaliger Studenten belegen dies ganz eindeutig: „Urlaub gab es praktisch nicht", schrieb beispielsweise ein früherer Medizinstudent über die ersten Kriegsjahre vor Gründung der Studentenkompanien: „Während der jährlich auf drei bis vier Wochen verkürzten Semesterferien wurden wir zur Hilfe bei der Erntearbeit aufs Land geschickt".[124] Aus mündlichen Befragungen[125] ergibt sich ein ähnliches Bild. Während in den Interviews ehemaliger Studentinnen, die vor Kriegsausbruch studiert haben, nur sehr selten von längeren Arbeitseinsätzen in den Semesterferien die Rede ist, erinnern sich fast alle Studentinnen, die ihr Studium erst nach Ausbruch des Krieges aufgenommen haben, an eine erhebliche Belastung durch außeruniversitäre Einsätze. Eine Studentin, die 1940 mit dem Studium der Volkswirtschaftslehre begann, erzählt: „Wenn wir zweimal im Jahr dürftige Semesterferien hatten, mußten wir noch einen Landeinsatz oder einen Fabrikeinsatz machen. Also, wir haben eigentlich in der Zeit nur hart gearbeitet".[126] Ähnliche Erfahrungen machte eine Medizinstudentin, die sich nach Ausbruch des Krieges in Göttingen immatrikulierte:

> „Im großen und ganzen war in den großen Semesterferien immer was. Fabrikdienst, später, daß man irgendwohin geschickt wurde als Medizinstudentin, daß man in einem Kinderheim auf die Kinder aufpaßte ... Ich weiß nur: Für alles kriegte man genau Dokumente, und die brauchte man dann, und die habe ich auch alle gehabt".[127]

Unter diesen Umständen erwiesen sich die zaghaften Versuche des REM, ein Absinken des Ausbildungsniveaus zu verhindern, als vollkommen ineffektiv. Vielmehr mußten die vom SD zusammengestellten „Meldungen aus dem Reich" im Oktober 1942 erneut feststellen:

---

121 Rundschreiben des Stabsführers der RSF, R. Thomas, 3.7.1941, in: StA WÜ RSF/NSDStB I* 00 γ614.

122 H. Behnke, Semesterberichte, Göttingen 1978, S.145.

123 Pauwels, Women, S. 122 f.

124 Ditfurth, Innenansichten, S. 171.

125 Die folgenden Ausführungen basieren auf der Lektüre von 23 Interviews, die Astrid Dageförde im Rahmen des Hamburger Universitätsprojekts geführt hat. Transkriptionen in: ProjA HH. Vgl. außerdem M. A. Kohler, „Irgendwie windet man sich durch ...", S.245 ff.

126 Interview von Astrid Dageförde mit Liselotte E., 31.1.1985, S.11, Transkription in: ProjA HH.

127 Zitate aus: Interview von Astrid Dageförde mit Eva von D., 5.12.1984, S.2 u. 12, Transkription in: ProjA HH.

> „Aus allen Hochschulstädten des Reiches wird übereinstimmend gemeldet, daß das Leistungsniveau der Studierenden ständig im Sinken begriffen sei. Die schriftlichen Arbeiten, die Beteiligung der Studierenden an Übungen und Kolloquien sowie die Prüfungsergebnisse hätten einen erheblichen Tiefstand erreicht (...). Viele Studenten würden nicht einmal über die einfachsten Elementarkenntnisse verfügen. Orthographische, grammatikalische und stilistische Fehler in Schriftsätzen seien immer häufiger anzutreffen".[128]

Zweifellos war diese Entwicklung nicht ausschließlich auf den studentischen Kriegseinsatz zurückzuführen. Mit Sicherheit wäre es auch ohne die Überlastung der Studenten mit fachfremden Aufgaben unter den Bedingungen des Krieges zu einem Rückgang des Leistungsniveaus gekommen. Doch haben die zahlreichen Arbeitseinsätze in der vorlesungsfreien Zeit und während des Semesters dieses Problem zumindest erheblich verschärft.

Auch die Anweisung des REM, trotz des gesunkenen Ausbildungsniveaus die Anforderungen an die Studenten in den Lehrveranstaltungen und in den Prüfungen nicht zu verringern[129], erwiesen sich angesichts der Nachwuchskrise in den akademischen Berufen als unrealistisch. Wie Joachim Werner, bis 1944 Professor in Straßburg, nach Kriegsende rückblickend feststellte, waren die Professoren „gezwungen, die Anforderungen zu senken, um überhaupt von den Studenten verstanden zu werden".[130] Bereits 1940 hatte der preußische Finanzminister Johannes Popitz, der als Honorarprofessor an der Berliner Universität wußte, wovon er sprach, konstatiert, viele Hochschullehrer wagten „es nicht mehr, die nötigen Prüfungsanforderungen zu stellen".[131] Ein Blick auf die Prüfungsstatistik unterstreicht diese Aussage.[132] Aus ihr geht hervor, daß der vielfach beklagte Rückgang der studentischen Leistungen keineswegs zu einer Reduzierung der Erfolgsquote bei den Hauptprüfungen führte. In verschiedenen Fachgebieten, vor allem in den Geisteswissenschaften und in einigen technischen Fächern, war der Prozentsatz der bestandenen Abschlußprüfungen sogar in die Höhe gegangen. Allein in den Medizinischen Fakultäten hatte nach Beginn des Krieges die Zahl der nicht bestandenen Hauptprüfungen zugenommen, wohl ein Reflex auf den starken Zuwachs an Medizinstudenten.

Diese Beobachtungen bestätigen die These, daß die Bewegungen der statistischen Erfolgsquote bei akademischen Prüfungen wenig aussagen über die studentische Leistungsfähigkeit, sondern hauptsächlich die zyklische Entwicklung der Studentenzahlen mit ihrem periodischen Wechsel von Überfüllung und Mangel widerspiegeln.[133] Der allseits beklagte Akademikermangel führte demnach zu einer stillschweigenden, teilweise sicher unbewußten,

---

[128] Meldungen aus dem Reich, Bd.11, S.4281 (5.10.1942).

[129] Vgl. den Schnellbrief des REM, 18.11.1940, in: BA Koblenz R 21/26 Bl.9.

[130] J. Werner, Zur Lage der Geisteswissenschaften in Hitler-Deutschland, in: Schweizerische Hochschulzeitung, 19. Jg., 1945/46, S.79.

[131] Popitz an Lammers, 31.5.1940, in: BA Koblenz R 43 II 940b Bl.78.

[132] Vgl. Zehnjahres-Statistik des Hochschulbesuchs und der Abschlußprüfungen, II. Bd., Berlin 1943, S.63; A. Nath, Die Studienratskarriere im Dritten Reich, Frankfurt/M. 1988, S.95 ff. u. S.321.

[133] Vgl. zu diesem Zusammenhang: Nath, Studienratskarriere, S.95 ff.

Reduzierung der Prüfungsanforderungen. Zu dieser Schlußfolgerung gelangte auch der SD, der 1942 meldete,

> „daß viele Hochschullehrer entweder in Verkennung der damit verbundenen Gefahren oder auch in dem Bestreben, den Forderungen des Staates nach Dekkung des akademischen Nachwuchsbedarfes gerecht zu werden, den Prüfungsmaßstab herabgesetzt und in Zweifelsfällen die Kandidaten sehr ‚wohlwollend' beurteilt haben".[134]

Während des Krieges kam ein weiterer Faktor hinzu, der diesen Effekt noch verstärkte: die Skrupel vieler Hochschullehrer, Soldatenstudenten durchfallen zu lassen, die oft unmittelbar nach der Prüfung wieder an die Front gingen. Kriegsteilnehmer konnten deshalb bei Prüfungen mit besonderer Nachsicht von seiten der Professoren rechnen.[135]

Zu dieser Entwicklung trug auch die Ministerialbürokratie selber durch eine ganze Reihe von Studien- und Prüfungserleichterungen bei. Bereits im September 1939 hatte das REM bei den Prüfungen für das Lehramt an höheren Schulen auf die Anfertigung der schriftlichen Hausarbeiten zugunsten einer drei- bis vierstündigen Klausur verzichtet. Als zusätzliche Prüfungserleichterung wurde den Studierenden 1944 auf Wunsch eines der beiden Beifächer erlassen. Für Medizinstudenten wurden der obligatorische Krankenpflegedienst und die Famulatur verkürzt. Arbeitseinsätze in der Rüstungsindustrie konnten auf den Krankenpflegedienst angerechnet werden. Außerdem wurde im Januar 1944 per Erlaß eine Reihe von medizinischen Prüfungsfächern gestrichen. Gleichzeitig erleichterte das Reichsinnenministerium die Wiederholung von medizinischen Prüfungen. Studenten der Wirtschaftswissenschaften erhielten die Möglichkeit, bereits nach fünf Semestern zur Diplomprüfung zugelassen zu werden, sofern sie Kriegsteilnehmer waren. Bereits unmittelbar nach Kriegsbeginn wurden die juristischen Staatsprüfungen für Studenten, die zur Wehrmacht einberufen worden waren, vereinfacht. Im November 1940 legte eine weitere Verordnung fest, daß Jurastudenten schon nach vier Semestern zur ersten Staatsprüfung zugelassen werden konnten, wenn sie während des Krieges mindestens ein halbes Jahr gedient hatten. Außerdem wurde den Jurastudenten bei der Zulassung zur großen Staatsprüfung der im Krieg geleistete Wehrdienst bis zu sechs Monaten auf den Vorbereitungsdienst angerechnet.[136]

---

[134] Meldungen aus dem Reich, Bd.11, S.4283 (5.10.1942).

[135] Zeitgenössische Äußerungen von Hochschullehrern in diesem Sinne finden sich bei: H. van den Bussche, Im Dienste, S.151; H. Hattenhauer (Hg.), Rechtswissenschaft im NS-Staat, Heidelberg 1987, S.163. Siehe auch: Meldungen aus dem Reich, Bd.11, S.4283 (5.10.1942).

[136] Vgl. RdErl. des REM, 11.9.1939, in: BA Koblenz R 21/457; Merkblatt über Vergünstigungen für Kriegsteilnehmer, 5.3.1941, in: DWEV 1941, S. 107; RdErl. des REM, 19.4.1944, in: DWEV 1944, S.106; VO über die Vereinfachung der juristischen Staatsprüfungen, 2.9.1939, in: RGBl. 1939 I S.1606; VO über die Anrechnung von Wehrdienst bei der Zulassung zu den vereinfachten juristischen Staatsprüfungen, 27.11.1940, in: RGBl. 1940 I S. 1530; H. van den Bussche, Im Dienste, S.16, 171. Siehe auch Meisiek, Theologiestudium, S.360 f.

3. Die politische Haltung der Studentenschaft

Ein erheblicher Teil der propagandistischen Anstrengungen des NSDStB war seit Jahren darauf gerichtet gewesen, die Studenten auf den Beginn eines Krieges vorzubereiten. Vor allem die Heldenlegende von Langemarck, der Mythos von den deutschen Studenten, die sich 1914 mit dem Deutschlandlied auf den Lippen in die feindlichen Maschinengewehrgarben gestürzt haben sollen[137], war in unzähligen Veranstaltungen und Veröffentlichungen systematisch dazu eingesetzt worden, um die Studenten in gefügige Werkzeuge der nationalsozialistischen Expansionspolitik zu verwandeln. „Deutscher Student, es ist nicht nötig, daß Du lebst, wohl aber, daß Du Deine Pflicht gegenüber Deinem Volk erfüllst", so lautete das erste von zehn „Gesetzen des deutschen Studenten", die der Reichsstudentenführer Scheel 1937 auf dem Reichsparteitag verkündet hatte.[138]

Von den Funktionären des NSDStB wurde daher nach dem Beginn des Krieges wie selbstverständlich erwartet, daß sie unverzüglich die Gelegenheit wahrnahmen, diese Wertvorstellungen in die Tat umzusetzen. Ein großer Teil der Funktionäre des NSDStB meldete sich auch sofort nach Kriegsausbruch freiwillig zur Front, sofern sie nicht ohnehin eingezogen wurden. Im März 1940 befanden sich 93 % aller Kameradschaftsführer des NSDStB bei der Wehrmacht.[139] Für die politische Atmosphäre an den Hochschulen hatte dieser Exodus weitreichende Folgen: Mit einem Schlag verschwand 1939 ein Großteil der fanatischen Nationalsozialisten von den Universitäten.

Da von der Wehrmacht hauptsächlich die älteren Studentenjahrgänge eingezogen worden waren, verblieben an den Universitäten, abgesehen von den Medizinstudenten und den studierenden Frauen, überwiegend junge Studenten der Jahrgänge ab 1919. Die vorübergehende Aufhebung der Arbeitsdienstpflicht für Studierende und die 1937 erfolgte Verkürzung der Gymnasialausbildung um ein Jahr trugen ebenfalls zu einer erheblichen Verjüngung der Studentenschaft bei.[140] Es kann daher nicht überraschen, daß in den internen Berichten des Regimes sich schon bald die Meldungen über das „unreife" und „unwürdige" Verhalten dieser jugendlichen Studenten häuften.

Aus Marburg berichtete der SD im November 1939, die Studenten versuchten, sich „weitgehend von den dienstlichen Verpflichtungen des NSDStB zu drücken". Bei einem Pflichtappell der Erstsemester sei der Studentenführer mit „einem regelrechten Pfeifkonzert" begrüßt worden.

[137] Zur Entstehung und zum Realitätsgehalt des Langemarck-Mythos vgl. K. Unruh, Langemarck. Legende und Wirklichkeit, Koblenz 1986.

[138] Gesetze des Deutschen Studententums. Richtlinien für die Kameradschaftserziehung des NSD-Studentenbundes, Bayreuth o.J., S.3.

[139] Diese durchaus glaubwürdigen Zahlen nach: Die Bewegung Nr.11, 12.3.1940, S.5. Ähnliche Angaben für Hamburg in: G. J. Giles, Students and National Socialism in Germany, Princeton 1985, S.267.

[140] Vgl. Meldungen aus dem Reich, Bd.3, S.493 (24.11.1939).

Gleichzeitig habe sich an der Marburger Universität „ein regelrechter Poussier- und Saufbetrieb herausgebildet". Auch schien es dem SD erwähnenswert, daß Göttinger Studenten Paperkügelchen an die Wandtafel geworfen und in medizinischen Vorlesungen auf die „Erläuterung von geschlechtlichen Dingen" mit „Kichern und albernen Bemerkungen" reagiert hätten. Eine von Göttinger Studenten publizierte Kleinanzeige, mit der „die Bekanntschaft netter junger Mädels" gesucht wurde, galt dem SD ebenfalls als Ausdruck „unwürdiger Haltung". Aus München wurde der übermäßige Besuch von Tanz- und Bierlokalen gerügt. Jedoch wies der SD-Bericht auch darauf hin, daß insgesamt nur etwa ein Drittel oder ein Viertel der Studierenden, hauptsächlich Erstsemester, ein derartiges Verhalten an den Tag legten.[141]

Bei den Empfängern der SD-Berichte riefen derartige Meldungen zwar eine gewisse Besorgnis hervor, aber politisch wurde das Verhalten der Studenten offensichtlich nicht besonders ernst genommen: „Die Kinder müßten eigentlich Prügel bekommen", notierte Goebbels halb verärgert, halb nachsichtig in seinem Tagebuch.[142] Nur die Reichsstudentenführung, die schon immer Schwierigkeiten gehabt hatte, sich gegenüber jugendlichem Übermut unbefangen oder gar verständnisvoll zu verhalten, dramatisierte die Angelegenheit und verkündete, das Verhalten der Erstsemester habe „das Ansehen der Studentenschaft und der Hochschule auf das schwerste gefährdet".[143] In einem Brief an Heß übermittelte Scheel zudem die alarmierende Nachricht, „daß bei Befragung derjenigen 1. Semester, die den Kameradschaften des NSD-Studentenbundes nicht beigetreten sind, in vielen Fällen eine Parteiarbeit aus ‚weltanschaulichen Gründen' abgelehnt wurde".[144]

Scheels Aussage basierte auf einer Aktion des Marburger Studentenführers, der im November 1939 alle Studenten der drei Anfangssemester, sofern sie keiner Kameradschaft beigetreten waren, öffentlich dazu aufgerufen hatte, ihr Fernbleiben schriftlich zu begründen. Auf diesen Aufruf reagierten 98 Studenten. Da deren Briefe in den Akten der Reichsstudentenführung erhalten geblieben sind, ist es möglich, Scheels Angaben zu überprüfen.[145] Ein größerer Teil dieser Studenten nannte Sachzwänge, bei denen es sich teilweise sicher um Ausflüchte handelte. Sie verwiesen auf ihren abgelegenen Wohnort, auf finanzielle oder gesundheitliche Probleme und auf die starke Belastung durch das Studium. Weitere sechs Studenten kamen als „Nichtarier" für eine Mitarbeit in den Kameradschaften nicht in Frage. Darüber hinaus lassen sich unter den Briefeschreibern zwei größere Gruppen identifizieren. 21 Studenten verwiesen auf religiöse oder weltanschauliche Gründe,

[141] Vgl. Meldungen aus dem Reich, Bd.3, S.493 f. (24.11.1939) und S.548 (8.12.1939); SD-Bericht vom 5.1.1940, in: BA Koblenz R 21/724 Bl.6 ff.

[142] Die Tagebücher von Josef Goebbels, Teil I, Bd.3, München 1987, S.674 (23.12.1939). Vgl. auch: Kriegspropaganda 1939-1941. Geheime Ministerkonferenzen im Reichspropagandaministerium, Stuttgart 1966, S.239 ff.

[143] Zit. in: SD-Bericht vom 5.1.1940, in: BA Koblenz R 21/724 Bl.8.

[144] Scheel an Heß, 16.12.1939 (Abschr.), in: BA Koblenz R 43 II 940b Bl.91. Vgl. auch den SD-Bericht vom 5.1.1940, in: BA Koblenz R 21/724 Bl.8 f.

[145] Vgl. StA WÜ RSF/NSDStB II* 359 α 65.

meist mit der Erklärung verbunden, sie könnten sich als gläubige Katholiken nicht, wie in den Kameradschaften üblich, zur unbedingten Satisfaktion verpflichten. Eine zweite, etwas größere Gruppe von 25 Studenten gab an, sie wollten nicht in eine Kameradschaft eintreten, weil sie bereits in anderen NS-Formationen (HJ, SS, SA, NSKK) mitarbeiteten. Da diese Studenten mit einer Überprüfung ihrer Angaben rechnen mußten, ist anzunehmen, daß sie in der Regel wahrheitsgemäß ausfielen.

Explizit „weltanschauliche Gründe" nannten nur neun der 98 Studierenden. Sieben von ihnen fügten hinzu, diese Formulierung bezöge sich auf das vom NSDStB vertretene Prinzip der „unbedingten Satisfaktion". Eigentlich konnte die Reichsstudentenführung von diesen Reaktionen nicht überrascht sein. Duelle oder Mensuren kamen für gläubige Katholiken schon seit dem Kaiserreich nicht mehr in Frage, weil sie einen Verstoß gegen die Gebote der Kirche bedeuteten. Zwar läßt sich vermuten, daß viele katholische Studenten, die gegenüber dem Studentenführer auf das Satisfaktionsverbot hinwiesen, darüber hinaus noch weitere, grundsätzlichere Motive für ihre ablehnende Haltung hatten, insbesondere die kirchenfeindliche Politik der Partei. Dennoch war es eine offenkundige Übertreibung, aus diesen Antworten einen weit verbreiteten weltanschaulichen Dissens in der Studentenschaft herauszulesen. Vermutlich dramatisierte Scheel in seinem Brief an Heß bewußt die Lage, um die von ihm erstrebten Vollmachten für eine „politische Auslese" der Studentenschaft zu erhalten.[146]

Demgegenüber waren einzelne Studentenführer durchaus bemüht, die Aufregung über das Verhalten der Studenten auf ein realistisches Maß herunterzuschrauben. So betonte ein vertraulicher Bericht des Hamburger Studentenführers Schulz im April 1941 sicher zu Recht, es wäre falsch, das Benehmen der Studierenden als Ausdruck politischer Opposition zu interpretieren:

> „Ein großer Teil der jungen Studenten kommt zwar pennälerhaft und unreif auf die Hochschule. Ihr Benehmen ist dann nicht ‚reaktionär' oder ‚intellektuell staatsfeindlich', sondern unwissend und ‚jungsmäßig dumm'. Werden sie im Laufe des Semesters angesprochen durch die wissenschaftliche Arbeit und durch das Beispiel der älteren Kameraden, so sind sie einsatzbereit, willig und voll politischem Ernst ... Ich bin davon überzeugt, daß diese Studenten dann, wenn sie eingezogen werden, ihren vollen Mann stehen".[147]

Gleichwohl ist es doch bemerkenswert, daß die jungen Studenten sich in einer Zeit, in der das NS-Regime seine größten militärischen Triumphe feierte, gegenüber dem NSDStB so gleichgültig und uninteressiert verhielten wie eh und je. Immerhin hatten diese Jugendlichen alle schon vor Studienbeginn das politische Erziehungssystem des nationalsozialistischen Staates durch-

---

[146] Vgl. S.243 f. Siehe auch Giles, Students and National Socialism, S.268 ff. Giles vermutet, daß auch die SD-Berichte von Scheel aus diesen Gründen manipuliert wurden. Diese These läßt sich jedoch nicht belegen. Siehe auch: H. Franz (RSF), Aktennotiz über eine Besprechung mit SS-Sturmbannführer Spengler im SD-HA, 12.1.1940, in: BAAZ Wilhelm Spengler.

[147] W. Schulz an den stellv. Gaustudentenführer A. Carstensen, 16.4.1941, S.3 („streng vertraulich"), in: StA WÜ RSF/NSDStB V* 2 α 560.

laufen. Doch vergrößerten diese Erfahrungen offensichtlich nicht ihre politische Einsatzbereitschaft im Sinne der Partei, sondern vor allem das Bedürfnis nach einer möglichst ungebundenen Existenzweise, wie Studentenführer Schulz ernüchtert feststellte:

> „Sie sind allgemein sehr jung und in ihrem Wesen knabenhaft. Die Zeit der Hitlerjugend und des Arbeitsdienstes empfinden sie als ein ‚Organisiertgewesensein', auf das sie nun mit ihrer Auffassung von ‚studentischer Freiheit' reagieren".[148]

In den internen Lageberichten des Regimes war 1941 zu lesen, die Haltung der Studenten habe sich insgesamt gebessert. Diese Veränderung ist wohl im wesentlichen darauf zurückzuführen, daß 1940 und 1941 die Jahrgänge von 1919 bis 1922 zur Wehrmacht einberufen wurden.[149] Ein großer Teil der jugendlichen Studenten, deren „unwürdiges" Verhalten so viel Ärger erregt hatte, verschwand dadurch von den Universitäten. An ihrer Stelle entwickelte sich nunmehr der Soldatenstudent zur dominierenden Gestalt unter den männlichen Studenten. Freilich: Auch wenn es an dem Auftreten der Studenten nun weniger zu bemängeln gab, an der allgemeinen Gleichgültigkeit gegenüber den Aktivitäten des Studentenbundes änderte sich nichts. Die „Meldungen aus dem Reich" berichteten im Juli 1941:

> „Die Haltung der Studenten wird im allgemeinen als gut bezeichnet. Fleiß und Strebsamkeit werden hervorgehoben, geklagt wird jedoch allgemein darüber, daß nur wenige Studenten über die Absicht hinaus, möglichst schnell Examen zu machen, geistige Interessen allgemeiner Art hätten ... In den Kameradschaften sei vielfach Interessenlosigkeit für den Dienst festzustellen. Ferner wird berichtet, daß sich unter den Studenten ein bedauerlich geringes Interesse für das politische Leben feststellen lasse".[150]

Wenig geistige Interessen, Lustlosigkeit beim Kameradschaftsdienst, Entpolitisierung, ein instrumentelles Verhältnis zum Studium – dieser Befund entspricht bis ins Detail den aus der Vorkriegszeit bekannten Zustandsbeschreibungen. Insbesondere die politische Schulung blieb auch in den folgenden Semestern unbeliebt. Ein Frankfurter SD-Bericht sprach sogar von einer „Aversion der Studenten ... gegen politisch-weltanschauliche Themen".[151] Vor allem die von der Wehrmacht beurlaubten Studenten, deren Fronturlaub in der Regel nur ein Semester dauerte, waren selten daran interessiert, ihre knapp bemessene Zeit mit politischen Aktivitäten zu verbringen. Im Februar 1942 hieß es in den Meldungen des SD:

[148] Ebd., S.2.

[149] Vgl. B.R. Kroener, Die personellen Ressourcen des Dritten Reiches im Spannungsfeld zwischen Wehrmacht, Bürokratie und Kriegswirtschaft 1939-1942, in: Das Deutsche Reich und der Zweite Weltkrieg, Bd. 5, I, Stuttgart 1988, S.727.

[150] Meldungen aus dem Reich, Bd.7, S.2509 f. (10.7.1941).

[151] SD-Abschnitt Ffm.: Weltanschaulich-politische Haltung der Studenten und ihre politische Erziehung durch den NSDStB, 17.1.1944, in: HHStA Wiesbaden 483/11282. Vgl. auch M.H. Kater, Professoren und Studenten im Dritten Reich, in: Archiv für Kulturgeschichte, 67, 1985, S.485.

> „Die von der Wehrmacht beurlaubten Studenten zeigen allgemein die Neigung, das private, freizügige Leben, das ihnen das Studium gegenüber dem Militärdienst bietet, richtig auszukosten. Für Dienstappelle, Parteiarbeit, politische Schulung, Arbeit in dem NSDStB, seien sie wenig zu haben ... Nach der langen Eingliederung in das soldatische und militärische Gemeinschaftsleben wollen sie nun wieder einmal etwas zu sich selber kommen, sich ihrem Studium widmen und die darüber hinaus verbleibende Zeit für sich selbst haben".[152]

Aus der allgemeinen Abneigung gegen Schulung und Parteiarbeit darf freilich nicht gefolgert werden, daß die allgegenwärtige politische Indoktrination an den Studenten spurlos vorübergegangen ist. So mancher Hochschullehrer wollte „an den heutigen Studenten wegen ihrer Verdummung infolge ‚politischer Schulung' verzweifeln", wie der Klassische Philologe Matthias Gelzer 1941 einem Kollegen mitteilte.[153] Und der Historiker Friedrich Meinecke klagte noch im November 1945, ein halbes Jahr nach dem Ende des Krieges:

> „Viel Sorge macht mir die Mentalität der aus dem Kriege in die Hörsäle jetzt flutenden akademischen Jugend, – das braune Gift sitzt noch immer in den Köpfen, die das eigene Denken längst verlernt, auch meist nie gelernt haben".[154]

Die distanzierte Haltung gegenüber dem NSDStB wurde durch die wachsende Zahl studierender Frauen noch weiter verstärkt. In den zur Verfügung stehenden Quellen wird durchgängig die größere Indifferenz der Studentinnen in politischen Fragen hervorgehoben. So klagte der Stabsführer der Reichsstudentenführung 1942 in einem Rundbrief, daß gerade „viele Studentinnen innerlich den eigentlichen Aufgaben" des NSDStB „unbeteiligt" gegenüber stünden.[155] In den „Meldungen aus dem Reich" findet sich 1943 in einem Bericht über Jurastudenten die knappe Bemerkung: „Die Studentinnen treten politisch kaum hervor".[156] Und ein Bericht des Frankfurter SD vom Januar 1944 schätzte die Zahl der „politisch Indifferenten" unter den studierenden Frauen auf rund 70 %, unter den männlichen Studenten auf etwa 30 %.[157]

Die Interpretation solcher Aussagen ist allerdings sehr schwierig. War diese Gleichgültigkeit nur das Resultat einer traditionellen weiblichen Sozialisation, derzufolge die Politik als Männersache betrachtet wurde? Oder verbarg sich hinter der nach außen gezeigten Indifferenz in vielen Fällen auch eine bewußte Distanz gegenüber dem NS-Regime? Zwar finden sich in den Quellen aus der Endphase des Krieges vereinzelt Andeutungen, daß gerade unter den Studentinnen die Bereitschaft zum Opponieren besonders ausgeprägt gewesen sei. Derartige Hinweise sind allerdings sehr spärlich und kön-

---

152 Meldungen aus dem Reich, Bd.9, S.3322 (16.2.1942).

153 M. Gelzer an H. Lietzmann, 24.7.1941, in: Glanz und Niedergang der deutschen Universität. Hg. von K. Aland, Berlin/New York 1979, S.1026.

154 F. Meinecke an W. Steffens, 22.11.1945, in: F. Meinecke, Ausgewählter Briefwechsel, Stuttgart 1962, S.240.

155 Rundbrief des Stabsführers der RSF, R. Thomas, 8.10.1942, S.2, in: BA Koblenz NS 26/375.

156 Meldungen aus dem Reich, Bd.14, S.5417 (1.7.1943).

157 SD-Abschnitt Ffm.: Weltanschaulich-politische Haltung, 17.1.1944 (Anm. 151), S.1.

nen bestenfalls zu vagen Vermutungen Anlaß geben.[158] Für die These, daß die größere „Indifferenz" der Studentinnen hauptsächlich auf einer traditionell unpolitischen Haltung beruhte, spricht die relativ geringe Beteiligung der Studentinnen an politischen und hochschulpolitischen Aktivitäten in der Weimarer Republik und in der Nachkriegszeit.[159] Befragungen von Akademikerinnen, die in der NS-Zeit studierten, vermitteln ebenfalls ein relativ unpolitisches Bild von den damaligen Studentinnen, die sich – so das Fazit einer Historikerin – für „das, was außerhalb ihrer Familie, ihres Bekanntenkreises und auch der Universität vor sich ging, eigentlich kaum interessierten".[160]

Insgesamt läßt sich festhalten, daß auch die militärischen Erfolge, die das Regime in den ersten Kriegsjahren erzielen konnte, keine politische Aktivierung der Studentenschaft bewirken konnten. Zwar haben die Siegesmeldungen von der Front sicher zu einer Festigung des Regimes geführt, aber sie erhöhten – in der Studentenschaft ebenso wie in der Gesamtbevölkerung – nicht die Anziehungskraft der Partei[161] bzw. des NSDStB, der gegenüber den Studierenden hauptsächlich als Organisator von obligatorischen Arbeitseinsätzen in Erscheinung trat. Da die meisten überzeugten Aktivisten sich schon zu Beginn des Krieges an die Front begeben hatten, läßt sich vielleicht sogar davon sprechen, daß die Entfremdung zwischen dem NSDStB und den Studierenden bereits in der ersten Kriegshälfte weiter zugenommen hat. Als spätestens seit 1943 auch die militärischen Erfolgsmeldungen ausblieben, sollte dieser Entfremdungsprozeß weiter zügig voranschreiten.

Die Universitäten waren während des Krieges also alles andere als nationalsozialistische Hochburgen. Waren sie aber auch ein Sammelpunkt von „Drückebergern", die hauptsächlich das Ziel verfolgten, der Front so lange wie möglich fern zu bleiben? In der Wehrmacht und der Partei war diese Ansicht weit verbreitet. Dort kursierten schon bald Klagen über die „mangelnde Wehrfreudigkeit eines erheblichen Teils der Studentenschaft".[162] Im Mai 1940 referierte das Oberkommando des Heeres in einem Bericht an die Reichskanzlei folgende Eindrücke seiner für Erziehungsfragen zuständigen Offiziere: „Von der allgemeinen Wehrbegeisterung des Jahres 1914 könne heute keine Rede sein. Viele Studenten würden neben dem Krieg herleben, als ginge er sie nichts an und als könnten sie an ihm vorbei ihr altes Leben

---

[158] Vgl. z.B. die anonyme Beschwerdeschrift „Verhalten der Studentinnen an der Universität Freiburg in der Öffentlichkeit", die 1943 an Goebbels geschickt wurde. Abschr. in: BA Potsdam REM 927 Bl.99. Dieser Bericht ist jedoch durch so starke Aversionen gegen das Frauenstudium geprägt, daß sein Wert als Quelle dadurch erheblich beeinträchtigt wird. Siehe aber auch: K. Reinhardt, Vermächtnis der Antike, Göttingen 1960, S.399.

[159] Vgl. die Angaben zur Beteiligung der Studentinnen an den AStA-Wahlen vor 1933 in: Tabelle 26 (Anhang). Für die Zeit nach 1945 vgl. Krönig/Müller, Nachkriegssemester, S.296.

[160] Vgl. M.A. Kohler, „Irgendwie windet man sich durch ...", S.251. Ähnlich äußerte sich der ehemalige Gaustudentenführer Dr. Julius Doerfler in einem Gespräch mit dem Verfasser am 20.7.1994.

[161] Vgl. dazu: I. Kershaw, Der Hitler-Mythos, Stuttgart 1980, S.142 ff.

[162] OKH an den Chef der Reichskanzlei, H.H. Lammers, 23.5.1940, in: BA Koblenz R 43 II 940b Bl.49.

weiterführen".[163] Ähnliche Eindrücke gewann der Rektor der Universität Münster, Walter Mevius, nach einem Gespräch mit Generalstabsoffizieren des Wehrkreises VI im März 1941. Wie er dem REM mitteilte, wurde von den Offizieren

> „bittere Klage darüber geführt, daß ein erheblicher Teil der Studierenden an den im Wehrkreis VI gelegenen Hochschulen versuche, sich vom Wehrdienst zu drücken. Überhaupt sei die Einsatzbereitschaft der großen Masse der deutschen Studenten in diesem Kriege überhaupt nicht mit der im Weltkrieg zu vergleichen".[164]

Während des Krieges durchkämmte die Wehrmacht daher beständig die Reihen der männlichen Studentenschaft auf der Suche nach Wehrpflichtigen, die nicht zum Studium berechtigt waren. Allein im Wintersemester 1941/42 mußten im Zuge derartiger Überprüfungsaktionen 743 Studenten ihr Hochschulstudium beenden.[165]

Mit ganz besonderem Mißtrauen wurden von der Wehrmacht und der Partei die Medizinstudenten beobachtet. Da das Studium der Medizin eine der wenigen Möglichkeiten bot, sich dem Fronteinsatz zu entziehen, äußerte Reichsstudentenführer Scheel bereits im Dezember 1939 den Verdacht, daß unter den Medizinstudenten „solche zu sein scheinen, die, um sich vom Wehr- und Kriegsdienst zu drücken, das Studium ergriffen haben".[166] Während Scheel diese Vermutung noch relativ vorsichtig artikulierte, machte Heinrich Himmler sich in einem Schreiben an Heydrich bereits Gedanken über Gegenmaßnahmen: „Offensichtliche Drückeberger, die man erwischt oder aus deren Äußerungen man weiß, daß sie nur aus diesem Grunde studieren wollen, müßten der Exekution zugeführt werden".[167] Vergleichsweise moderat reagierte Goebbels, der sich einige Tage später dafür einsetzte, die Befreiung der Medizinstudenten vom Kriegsdienst aufzuheben.[168]

Tatsächlich geschah überhaupt nichts. Weder kam es zur Exekution von studentischen „Drückebergern" noch wurde an dem Sonderstatus der Medizinstudenten gerüttelt. Gleichwohl sollten die Klagen über die Medizinstudenten auch in der Folgezeit nicht verstummen. 1942 übermittelte das Reichssicherheitshauptamt einem Referenten des REM den Bericht eines Arztes zu diesem Thema, in dem zu lesen war:

---

[163] Ebd.

[164] Mevius an ORR Huber, REM, 12.3.1941, in: BA Potsdam REM 898 Bl.314. Vgl. B. Vieten, Medizinstudenten in Münster, Köln 1982, S.234 f.; Giles, Students and National Socialism, S.267.

[165] Vgl. Verfügung des OKW, 26.5.1942, Anlage zum RdErl. des REM, 13.6.1942, in: BA Koblenz R 21/441 Bl.105.

[166] Scheel an R. Heß, 16.12.1939, Abschr. in: BA Koblenz R 43 II 940b Bl.92. Vgl. auch: OKH an Lammers, Reichskanzlei, 23.5.1940, in: ebd., Bl.50.

[167] H. Himmler an R. Heydrich, 9.12.1939, in: Reichsführer! ... Briefe an und von Himmler. Hg. von H. Heiber, Stuttgart 1968, S.69.

[168] Vgl. Kriegspropaganda 1939-1941, S.241. Siehe auch: J. Goebbels, Tagebücher aus den Jahren 1942-43. Hg. von L.P. Lochner, Zürich 1948, S.418.

„In den meisten Fällen erhält man als Antwort auf die Frage nach der Ursache des Medizinstudiums die stereotype Antwort: ‚Weil ich so ohne jede Unkosten, bei bezahltem Lebensunterhalt von seiten der Wehrmacht, mich am sichersten und bes. nachhaltigsten, für die Kriegsdauer von einem ernsten Soldatendienst, bes. aber von einem Fronteinsatz, drücken kann'. Diese Kenntnis wird nicht gedacht, sondern ist ganz offenes Bekenntnis in Hörsälen, Kaffeehäusern, Studentenzusammenkünften usf. ... Die Folgen davon sind: primärer Zustrom eines übergroßen Teils von Abiturienten zum Medizinstudium, dann aber auch von Studierenden anderer Fakultäten, denen Einberufung ‚droht' (bes. Juristen, die plötzlich alle Neigung und Begabung zur Medizin entdecken)".

Der ungenannt bleibende Verfasser schloß seinen Bericht mit dem Fazit, „daß der Massenzustrom zum Kriegsmedizinstudium dringlich einschränkender Maßnahmen und positiver Auslese" bedürfe, um den Krieg auch an der „Heimatfront" zu gewinnen.[169] Doch hatten solche Empfehlungen ebensowenig Aussicht auf Erfolg wie die Forderungen von Himmler oder Goebbels. Angesichts des allgemeinen Ärztemangels war eine wirksame Einschränkung des Zugangs zum Medizinstudium ohne negative Auswirkungen auf die militärische Schlagkraft und auf die Stimmung der Bevölkerung kaum denkbar. Der Empfänger des Berichtes, Max de Crinis, Referent

Tab. 15: Anteil der Medizinstudenten unter den männlichen Studienanfängern der wissenschaftlichen Hochschulen 1937-1944[170]

Semester		Erstimmatrikulierte insgesamt	davon Medizinstudenten absolut	in %
WS	1937/38	6877	1709	24,9
SS	1938	4879	1536	31,5
WS	1938/39	6789	1022	15,1
SS	1939	7004	2979	42,5
Trim.	1939	7532	3467	46,0
1.Trim.	1940	8299	3865	46,6
2.Trim.	1940	4577	1124	24,6
3.Trim.	1940	10147	3009	29,7
Trim.	1941	2476	494	20,0
SS	1941	3768	1088	28,9
WS	1941/42	15026	1967	13,1
SS	1942	6188	1898	30,7
WS	1942/43	12646	2588	20,5
SS	1943	4661	1663	35,7
WS	1943/44	7210	2235	31,0
SS	1944	6183	2202	35,6

Die Angaben beziehen sich bis zum 1. Trim. 1940 auf das „Altreich"; ab dem 2. Trim. 1940 gelten sie für „Großdeutschland", d.h. sie schließen auch die Hochschulen der eroberten Gebiete (Wien, Posen, Straßburg u.a.) ein.

169 Zitate aus: SS-Standartenführer H. Ehlich, RSHA, an M. de Crinis, REM, 13.5.1942, Anlage, in: BA R 21/484.

170 Quellen: Zehnjahresstatistik des Hochschulbesuches und der Abschlußprüfungen, Berlin 1943/44, Bd.I, S.328-330; Beilage, S.20-23.

für die Medizinischen Fakultäten im REM, erklärte denn auch in seinem knappen Antwortschreiben, daß die zitierten Ausführungen sich zwar mit seinen Erfahrungen deckten, eine Einschränkung des Medizinstudiums aber „gefährlich" sei, „da wir zu wenig Ärzte haben."[171] Daran änderte sich auch in den Folgezeit nichts. Während der letzten Kriegsjahre wurde in der Wehrmacht sogar darüber nachgedacht, Abiturienten zwangsweise zum Medizinstudium zu kommandieren, um die Kriegsverluste auszugleichen.[172]

Um den Realitätsgehalt der oben zitierten Klagen zu überprüfen, ist es sinnvoll, an dieser Stelle einen Blick auf die Immatrikulationsziffern zu werfen. Wenn viele Medizinstudenten dieses Fach nur gewählt haben, um dem Fronteinsatz zu entkommen, dann müßte der Anteil der Medizinstudenten unter den Erstsemestern während des Krieges erheblich zugenommen haben. Tabelle 15 zeigt, daß die Zahl der Medizinstudenten unter den männlichen Studienanfängern 1939/40 in der Tat relativ und absolut deutlich in die Höhe ging. Doch war dieser Anstieg nur kurzfristig. Zwischen dem 2. Trimester 1940 und dem Wintersemester 1942/43 ging der Anteil der Mediziner unter den Studienanfängern wieder zurück und lag fast durchgängig unter 30 %. Erst in der Endphase des Krieges, 1943/44 nahm der Prozentsatz der Medizinstudenten unter den männlichen Erstsemestern erneut zu, blieb aber noch unter dem im Sommersemester 1939 registrierten Stand.

Der Eindruck, während des Krieges habe ein spektakulärer Ansturm von „Drückebergern" auf das Medizinstudium stattgefunden, wird durch die zeitgenössische Statistik also nur partiell bestätigt. Wenig spricht dafür, daß ein größerer Teil derjenigen, die im Kriege Medizin studierten, das Fach aus diesen Gründen gewählt hat. Nur in der Anfangs- und in der Endphase des Krieges ging die Zahl der Medizinstudenten deutlich in die Höhe, und es ist sicher nicht abwegig, diese Entwicklung auch als Fluchtbewegung vor der Front zu interpretieren. Die Behauptung, daß die Kriegsbegeisterung in der Studentenschaft 1939 sehr viel geringer war als 1914, ist daher vermutlich korrekt. Doch unterschieden sich die Studenten in dieser Hinsicht keineswegs von der Mehrheit der Bevölkerung.[173] Als 1939/40 die ersten spektakulären Siegesmeldungen von der Front eintrafen, hat sich diese Stimmung aber offenbar vielfach verflüchtigt: „Nach dem Frankreichfeldzug hatten wir Pennäler ernsthaft Angst, zum Endsieg zu spät zu kommen", berichtete ein späterer Student rückblickend.[174] Erst nach der Kriegswende von 1942/43 (Stalingrad), als sich in der Bevölkerung allgemeine Ernüchterung breitmachte, wurde das Medizinstudium offenbar erneut zu einer Anlaufstelle für kriegsmüde Abiturienten.

Aber auch jene Studenten, die die Universitäten bewußt als Refugium sahen, taten dies in der großen Mehrheit sicher nicht aus bewußter Opposition gegen den Krieg oder gegen den Nationalsozialismus. Sehr auf-

[171] M. de Crinis an Ehlich, 15.5.1942 (Durchschr.), in: BA R 21/484.
[172] Vgl. H. van den Bussche, Im Dienste, S.172.
[173] Vgl. M.G. Steinert, Hitlers Krieg und die Deutschen, Düsseldorf/Wien 1970, S.91 ff.; Kershaw, Hitler-Mythos, S.125 ff.
[174] Zit. in: Krönig/Müller, Nachkriegssemester, S.21.

schlußreich sind in dieser Hinsicht wiederum die Erinnerungen von Hoimar von Ditfurth. Ditfurth hatte kurz nach Beginn des Krieges begonnen, in Berlin Medizin zu studieren und war deshalb bis zum Physikum vom Heeresdienst zurückgestellt worden. Wie es in seinen Erinnerungen heißt, bildete er sich „ein, kein Nazi zu sein". Aber er war auch kein Gegner des Nationalsozialismus, sondern charakterisierte sein Verhältnis zum Regime als „lauwarm distanziert". Erst Ende 1943 setzte sich bei ihm die Erkenntnis durch, „daß wir von Verbrechern regiert wurden, unter deren Führung wir in den von uns überfallenen Ländern Entsetzliches anrichteten".[175] Die offiziellen Propagandaformeln, mit denen 1939 der Ausbruch des Krieges begründet wurde, überzeugten Ditfurth nicht. Der Krieg selber erschien ihm jedoch durchaus gerechtfertigt:

> „In unseren Augen war er eine Reaktion der Siegermächte von 1918 auf das unerwünschte Wiedererstarken des Deutschen Reiches. Jawohl, wir hatten Polen angegriffen. Aber doch nur, weil die Polen es in böswilliger Uneinsichtigkeit abgelehnt hatten, unseren legitimen Anspruch auf die Wiederherstellung der vom ‚Versailler Diktat' unterbrochenen Landverbindung zu Ostpreußen anzuerkennen".[176]

Der Beginn des Feldzuges gegen die Sowjetunion elektrisierte ihn: „Bewunderung erfüllte mich für die Kühnheit der deutschen Heeresführung und Stolz über die Unwiderstehlichkeit der deutschen Wehrmacht. Jetzt würden wir es den Sowjetrussen zeigen".[177] Sein persönliches Verhältnis zum Krieg blieb dennoch durch einen tiefen inneren Zwiespalt geprägt. Er fürchtete sich vor einem Einsatz an der Front und war keineswegs daran interessiert, „früher als notwendig Soldat zu werden". Gleichwohl hatte Ditfurth, wie fast alle Angehörigen seiner Generation, das Leitbild des heroischen Mannes, das Nationalsozialisten und Konservative miteinander verband, so weit verinnerlicht, daß er diese Position vor sich selber und seiner engeren Umgebung nicht mit innerer Überzeugung vertreten konnte. Angst vor dem Krieg war „ehrenrührig" und durfte deshalb „um keinen Preis zugegeben" werden. Wenn er

> „ehemaligen Schulkameraden in Uniform begegnete, die womöglich noch verwundet waren und mit Orden geschmückt, überfiel mich jedesmal ein erdrückendes Minderwertigkeitsgefühl. Ihr Anblick löste bei mir unweigerlich ein schlechtes Gewissen aus – so sehr sich meine Einsicht dagegen sträubte ... Ich erinnere mich gut, wie peinlich es mir war, wenn Onkel oder Tanten, deren Söhne längst ‚im Felde' standen, sich ironisch bei mir erkundigten, wann denn auch ich an der Verteidigung des Vaterlandes teilzunehmen gedächte. Meine Kommilitonen kannten das Gefühl ebenfalls".[178]

Fazit: Zweifellos gab es eine Reihe von Studenten, die die Universität als Fluchtpunkt vor der Wehrmacht nutzten. Doch war diese Haltung keines-

[175] Zitate aus: H. v. Ditfurth, Innenansichten, S.170, 173 u. 223. Leider gibt es nur sehr wenige derart selbstkritische Autobiographien von ehemaligen Studenten.
[176] Ebd., S.170.
[177] Ebd., S.173.
[178] Zitate aus: ebd., S.143, 171.

wegs so weit verbreitet, wie zeitgenössische Hardliner vermuteten. Die Mehrheit der Studierenden hat, ebenso wie die Masse der Bevölkerung, die militärischen Erfolge der Wehrmacht in den ersten Kriegsjahren mit Jubel begrüßt.[179] Auch Studenten, die dem Nationalsozialismus mit Vorbehalten gegenüber standen, teilten im allgemeinen diese Auffassung. Für sie ging es in diesem Krieg nicht um den Fortbestand des Nationalsozialismus, sondern „um Deutschland“, um die „Pflicht dem Vaterland gegenüber“.[180] „Treue“, „Pflichterfüllung“ und „Vaterlandsliebe“ blieben auch in einer skeptisch gewordenen Studentenschaft die tragenden Werte.[181]

Daß der Nationalsozialismus die eine Sache war und der Krieg die andere, diese säuberliche Dichotomie bestimmte – nicht nur in der Studentenschaft – das Weltbild zahlreicher auch kritischer Deutscher, oft weit über das Kriegsende hinaus. Noch 1948 sah Gustav Radbruch das Hauptproblem der Studentenschaft darin, „daß auch die vielen, die dem Nationalsozialismus nicht hörig waren, dennoch mit Pflichtgefühl und Bewährungseifer Soldat waren“.[182] Manche verknüpften damit eine vage Hoffnung, die Dinge könnten nach einer siegreichen Beendigung des Krieges besser werden. Faktisch führte diese Haltung aber zu einer Stabilisierung des Regimes, denn sie war in aller Regel mit der Ansicht verknüpft, die inneren Gegensätze müßten bis Kriegsende in den Hintergrund treten.[183] Daß in der Realität zwischen „diesem Krieg und dem Nationalsozialismus ... gar nicht unterschieden werden konnte – weil er eben nichts anderes darstellte als ein aus nationalsozialistischer Weltanschauung geborenes räuberisches Abenteuer – war uns in keiner Weise einsichtig“, notierte ein ehemaliger Student selbstkritisch.[184] Anders formuliert: Auch viele Skeptiker und Kritiker standen dem nationalsozialistischen Regime näher, als ihnen selber bewußt war.

4. Der Niedergang des NSDStB

Die politische Arbeit des NSDStB an den Hochschulen wurde durch den Beginn des Krieges und seine Folgen erheblich beeinträchtigt. Im Grunde hat sich die Organisation von dem plötzlichen Ausscheiden eines Großteils der Funktionäre, die sich zur Front gemeldet hatten oder eingezogen worden waren, nicht wieder erholt. Viele dieser Funktionäre sollten niemals zurückkehren. Im Juni 1941 hatte die Reichsstudentenführung bereits sechs

---

[179] Vgl. O.B. Roegele, Student im Dritten Reich, in: Die deutsche Universität im Dritten Reich, München 1966, S.169; M. Grüttner, „Ein stetes Sorgenkind für Partei und Staat“. Die Studentenschaft 1930-1945, in: Hochschulalltag im „Dritten Reich“, Berlin/Hamburg 1991, Teil I, S.226.

[180] H. Tietz, Studium mit Hindernissen (Anm. 17), S.2; Ditfurth, S.169.

[181] Vgl. Krönig / Müller, Nachkriegssemester, S.69.

[182] Brief an Franz und Ulrike Blum, 11.1.1948, in: G. Radbruch, Briefe, Göttingen 1968, S.210. Radbruch war 1933 in Heidelberg als Sozialdemokrat entlassen worden und hatte nach Kriegsende seine Lehrtätigkeit wieder aufgenommen.

[183] Tietz, Studium mit Hindernissen (Anm. 17), S.2; Ditfurth, S.171.

[184] Ditfurth, Innenansichten, S. 170.

Abteilungsleiter durch den „Heldentod“ an der Front verloren.[185] Fortan herrschte wohl an allen Hochschulen Mangel an politisch zuverlässigen, einsatzbereiten Funktionären[186], der durch die Fluktuation der männlichen Studenten zwischen Hochschule und Wehrmacht noch erheblich verschärft wurde. In einer solchen Situation konnten die Studentenführer bei der Auswahl ihrer Mitarbeiter nicht besonders wählerisch sein, sondern waren froh, wenn es ihnen überhaupt gelang, die vorhandenen Posten zu besetzen: „In der gegenwärtigen Kriegszeit muß häufig studentische Ämter übernehmen, wer gerade greifbar ist. Die im Frieden übliche sorgfältige Auslese nach persönlicher Eignung und Lebensreife bleibt manchmal außer acht“, hieß es 1942 in einem Rundbrief der Reichsstudentenführung.[187]

Daraus ergaben sich in der Praxis die „abenteuerlichsten Besetzungen“, wie ein ehemaliger Hamburger Studentenführer, Achim Freiherr von Beust, rückblickend konstatierte.[188] Beust selber war ein gutes Beispiel dafür, denn die Reichsstudentenführung entdeckte einige Monate nach seiner Amtseinführung, daß er mit einer „Halbjüdin“ verlobt war, die ein Kind von ihm erwartete, außerdem enge Kontakte zu einer oppositionellen Jugend-Subkultur hatte, der „Swing-Jugend“, und zudem für seine anglophilen Neigungen bekannt war. Beusts Nachfolger in der Studentenführung konnte sich ebenfalls nur etwa einen Monat in seinem Amt halten, da sein persönlicher Lebenswandel nicht den Anforderungen entsprach, welche die Partei an Funktionäre unterhalb der Spitzenebene stellte.[189] Auch in Münster liefen die Dinge nicht so, wie die Reichsstudentenführung es sich vorstellte. Der lokale Studentenführer war, wie Gerd Tellenbach berichtet hat, „guter Katholik, verehrte den Bischof Clemens August Graf Galen und stand kritisch dem Nationalsozialismus gegenüber wie nur einer“.[190] Um derart peinliche Situationen in Zukunft zu vermeiden, beantragte die Reichsstudentenführung 1941 die u.k.-Stellung von 800 NSDStB-Funktionären, die als Soldaten in der Wehrmacht dienten. Der Antrag blieb aber ohne Erfolg.[191]

Der NSDStB bemühte sich, seine personelle Schwäche durch eine verstärkte Kontrolle der Studierenden auszugleichen. 1941 konnte die Reichsstudentenführung das REM zu einer Anordnung veranlassen, die alle Studenten verpflichtete, sich vor der Rückmeldung bzw. der Immatrikulation bei der örtlichen Studentenführung zu melden. Bei der Einschreibung muß-

185 Vgl. „Bekenntnis und Leistung. Der Einsatz des Studententums im Kriege“, in: Der Altherrenbund, 3.Jg. (1940/41), S.244. Nach dem Krieg behauptete Scheel, neun Zehntel der Studentenführer seien im Krieg gefallen. Vgl. G. Franz-Willing, „Bin ich schuldig?“, Leoni 1987, S.122. Dies war wohl stark übertrieben.

186 Vgl. Vieten, Medizinstudenten, S.234. Siehe auch: J. Doerfler, Erinnerungen – Erlebnisse – Kämpfe in meinem Leben, unveröffentlichtes Manuskript, S.323.

187 Rundbrief Nr.7 des Stabsführers der RSF, R. Thomas, 8.10.1942, S.5, in: BA Koblenz NS 26/375.

188 Zit. in: H. Bauer / G. Supplitt, Einige Aspekte zur Entwicklung der Hamburger Studentenschaft 1919-1969, in: Universität Hamburg 1919-1969, Hamburg o.J., S.318.

189 Vgl. Giles, Students and National Socialism, S.288 f.

190 G. Tellenbach, Aus erinnerter Zeitgeschichte, Freiburg 1981, S. 61.

191 Vertrauliches Rundschreiben des Stabsführers der RSF, R. Thomas, 29.11.1941, in: StA WÜ RSF/NSDStB V* 4 α 587.

ten die Studierenden durch einen Vermerk der Studentenführung nachweisen, daß die Meldung dort bereits erfolgt war.[192] Damit hatte die Reichsstudentenführung ein Ziel erreicht, das sie seit 1937 anstrebte[193] und das an vielen Hochschulen durch Absprachen mit dem Rektor auch schon vor 1941 realisiert worden war. Nun verfügten die Studentenführer nicht nur über eine bessere Ausgangsposition, um die Studierenden zum Eintritt in den NSDStB zu drängen, sondern sie konnten auch sehr viel effektiver kontrollieren, welche Studierenden sich dem studentischen Kriegseinsatz entzogen hatten: „Kein Einsatzdrückeberger darf uns durchschlüpfen", hieß es in einem Rundschreiben der Reichsstudentenführung über die Kontrolle der Neueinschreibungen.[194]

Damit noch nicht zufrieden, überschritten einige Studentenführer ihre neuen Kompetenzen und versuchten den Eindruck zu erwecken, daß die Zulassung zum Studium und die Wahl des Studienfaches von der Studentenführung genehmigt werden müßten. Manche Abiturienten, die vor der Immatrikulation standen, sahen daher dem obligatorischen Termin beim Studentenführer mit einiger Angst entgegen. Eine ehemalige Hamburger Studentin erinnert sich nach der Lektüre ihres Tagebuches: „Ich hatte größten Bammel, bei der Auslese nicht genommen zu werden. Und zwar sagte ich mir, so, was sagst du denen nun, was du werden willst, und warum du Lehrerin werden willst".[195] Derartige Praktiken scheinen nicht ganz selten gewesen zu sein, denn im Februar 1942 sah sich das REM veranlaßt, in einem Runderlaß ausdrücklich darauf hinzuweisen, daß die örtlichen Studentenführungen keineswegs berechtigt waren, „die Immatrikulation der Studierenden zu verhindern".[196]

Die erweiterten Kompetenzen der Studentenführer konnten allerdings nicht verhindern, daß es ihnen immer schwerer fiel, Erfolge vorzuweisen. Sowohl der NSDStB und seine Kameradschaften als auch die Fachschaften gerieten während des Krieges in eine Dauerkrise.

Die Fachschaften hatten sich in den Jahren vor Ausbruch des Krieges hauptsächlich dem Reichsberufswettkampf gewidmet, waren dabei aber mehr und mehr in den Schatten der Kameradschaften getreten, denen spätestens seit 1937 das Hauptaugenmerk der Reichsstudentenführung galt. Nachdem der Reichsberufswettkampf bei Beginn des Krieges abgebrochen worden war, hatten die Fachschaften sich auf Anweisung der Reichsstudentenführung zunächst fast gänzlich auf den „Kriegspropagandaeinsatz" kon-

---

192 RdErl. des REM, 19.11.1941, teilw. abgedruckt in: Vertrauliches Rundschreiben des Stabsführers der RSF, 29.11.1941, in: StA WÜ RSF/NSDStB V* 4 α 587.

193 Vgl. Anordnung F.O. 46/37 des Führungsamtes der RSF, 13.10.1937, in: StA WÜ RSF/NSDStB II* 62 α 16.

194 Rundbrief Nr.7 des Stabsführers der RSF, R. Thomas, 8.10.1942, in: BA Koblenz NS 26/375.

195 Interview von Astrid Dageförde mit Cornelia St., 26.11.1984, S. 15, Transkription in: ProjA HH. Vgl. auch die Auszüge aus dem Tagebuch dieser Studentin in: A. Dageförde, Frauen an der Hamburger Universität 1933-1945, vervielfältigtes Manuskript, Hamburg 1987, S.101.

196 RdErl. des REM, 25.2.1942, in: BA Koblenz R 21/27 Bl.139. Vgl. auch die Reaktion des REM auf Berichte über solche Praktiken in der Tagespresse: BA Potsdam REM 927 Bl.202 ff.

zentriert, also auf die Sammlung von Propagandamaterial hauptsächlich gegen England.[197] Jedoch scheint der Kriegspropagandaeinsatz gegen Ende des Jahres 1940 stillschweigend ausgelaufen zu sein, und seitdem war auch von den Fachschaften kaum noch etwas zu hören. Wie die Reichsstudentenführung im Dezember 1941 konstatierte, war die Arbeit der Fachgruppe Volksgesundheit noch „am besten ... aufrecht erhalten geblieben“[198], aber auch diese gab seit 1940 nur noch relativ schwache Lebenszeichen von sich.[199] Offenbar ist die Fachschaftsarbeit in den Kriegsjahren nur noch auf Sparflamme weitergeführt und mitunter wohl auch gänzlich eingestellt worden. Jedenfalls ist es bemerkenswert, daß von elf ehemaligen Studentinnen, die während des Krieges mit dem Studium begonnen haben, sich keine einzige daran erinnern konnte, an Fachschaftsarbeit teilgenommen zu haben.[200]

Die Mitgliedschaft der männlichen Studenten im NSDStB, die in den Jahren vor Ausbruch des Krieges ständig zugenommen hatte[201], ging im Kriege ebenfalls deutlich zurück. Während vor Kriegsbeginn an den Hochschulen etwa die Hälfte der männlichen Studenten im NSDStB organisiert gewesen war, gehörte im Sommersemester 1942 nur noch ein Drittel dem Studentenbund an. Zudem war dieser Abwärtstrend offensichtlich noch nicht an seinem Ende angelangt, denn von den männlichen Erstsemestern schloß sich 1942 nur noch jeder vierte dem NSDStB an.[202] Detailliertere Angaben zur Mitgliederentwicklung liegen leider nur aus Hamburg vor. Wie Tabelle 30 (Anhang) zeigt, erfolgte dort der Einbruch der Mitgliederzahlen im Jahre 1941. Hatten im Sommersemester 1941 noch 55,5 % der männlichen Studenten dem NSDStB angehört, waren es ein Semester später nur noch 23,2 %. Von diesem Rückschlag sollte sich der Hamburger NSDStB auch in den folgenden Jahren nicht mehr erholen, wie aus der Tabelle hervorgeht. Noch härter traf es die Kameradschaften. In Hamburg sank die Zahl der Kameradschaftsmitglieder innerhalb eines Semesters von 34,3 % (SS 1941) auf 10,3 % (WS 1941/42).[203]

Es war kein Zufall, daß der Mitgliederrückgang gerade 1941 einsetzte. Neben den bereits genannten Gründen haben vor allem zwei im Frühjahr 1941 eingeführte Neuerungen erheblich zur Schwächung des NSDStB beigetragen: die Gründung der Studentenkompanien und die Einführung der

[197] Vgl. Anordnung WF 9/40 über „Aufgabe und Arbeit der Ämter Wissenschaft und Facherziehung und der Fachgruppen im Kriege“, in: VOBl. RSF Nr.4, 20.4.1940; Bericht über die ANSt-Arbeit des Gaues Berlin, 5.8.1940 (Anm. 92), S.3. Vgl. oben S.376 f.

[198] Rundschreiben des Stabsführers der RSF, R. Thomas, 15.12.1941, S.6, in: StA WÜ RSF/NSDStB V* 4 α 587.

[199] Vgl. H. van den Bussche, Im Dienste, S. 157 ff.

[200] So das Ergebnis einer Durchsicht der von A. Dageförde mit ehemaligen Studentinnen geführten Interviews. Transkriptionen in: ProjA HH.

[201] Vgl. Tabelle 12 (S.324).

[202] Vgl. das vertrauliche Rundschreiben des Stabsführers der RSF, R. Thomas, 25.3.1943, in: HHStA Wiesbaden 483/11200. Demgegenüber nahm die Zahl der NSDStB-Mitglieder unter den Fachschülern weiter zu.

[203] Vgl. Grüttner, „Ein stetes Sorgenkind...“, S.220.

„Sonderförderung" für studierende Kriegsteilnehmer. Seit der Gründung der Studentenkompanien wurden die zuvor u.k. gestellten Medizinstudenten sowie Studenten einiger anderer kriegswichtiger Fächer regulär von der Wehrmacht besoldet. Außerdem unterstanden sie, ebenso wie die zum Studium beurlaubten Soldaten, der Disziplinargewalt der Wehrmacht, konnten also von der Reichsstudentenführung nicht disziplinarisch belangt werden.[204] Demgegenüber erhielten Studenten, die von der Wehrmacht zeitweise zum Studium beurlaubt worden waren, während der Beurlaubungszeit keinerlei Wehrsold. Um diese Benachteiligung auszugleichen und um den Nachwuchsmangel in den akademischen Berufen zu begrenzen, führte das REM im April 1941 die „Sonderförderung der Kriegsteilnehmer bei der Durchführung des Studiums an den wissenschaftlichen Hochschulen" ein.[205] Zum Studium beurlaubte Soldaten oder kriegsversehrte Studenten erhielten monatliche Unterhaltszuschüsse von 50 RM bzw. von 100 RM, wenn sie außerhalb ihres Heimatortes studierten. Außerdem wurde ihnen zumindest für einen Teil des Studiums die Zahlung von Studiengebühren, Unterrichtsgeldern u. a. Gebühren erlassen. Die Dauer der Gebührenbefreiung und der Zuschußzahlungen war abhängig von der Länge des abgeleisteten Wehrdienstes. Die Entscheidung über die Gewährung von Unterhaltszuschüssen und Gebührenbefreiung lag ausschließlich bei den Rektoren. Parteistellen waren daran nicht beteiligt. Auch wurde von den Bewerbern nicht die politische Betätigung in einer Parteiformation verlangt, nur der „Nachweis der Deutschblütigkeit" mußte erbracht werden. Die Sonderförderung für studierende Kriegsteilnehmer erwies sich als so attraktiv, daß zahlreiche Beamte oder Beamtenanwärter aus der Verwaltung ausschieden und ein Studium begannen – ein Nebeneffekt, der in der Ministerialbürokratie angesichts der schwierigen Nachwuchslage für einige Aufregung sorgte.[206]

Aufgrund dieser Maßnahmen hatten die Soldatenstudenten – und sie bildeten nun die Masse der männlichen Studierenden – seit 1941 in der Regel keine Geldprobleme mehr.[207] Sie waren nicht auf Stipendien oder andere Vergünstigungen angewiesen, die mit politischer Anpassung erkauft werden mußten, und sie konnten studieren, ohne den Direktiven der Studentenführer unterworfen zu sein. Damit entfielen zwei wichtige Gründe für einen Beitritt zum NSDStB.

Allein aus innerer Überzeugung zog es aber offensichtlich nur wenige Soldatenstudenten in den NSDStB. Mancherorts, so z.B. in Würzburg, war den Angehörigen der Studentenkompanien anfangs sogar die Betätigung in

[204] Dies wurde von der RSF auch ausdrücklich akzeptiert. Vgl. Anordnung PE 30/40 der RSF, in: VOBl. RSF, Nr.11, 15.11.1941.

[205] Vgl. den RdErl. des REM vom 20.4.1941, in: DWEV 1941, S.217 ff. und die Durchführungs- und Ergänzungserlasse vom 30.4.1942 (DWEV 1942, S. 253-266), vom 21.9.1942 (DWEV 1942, S.373 f.), vom 9.5.1944 (DWEV 1944, S.126) u. vom 1.7.1944 (DWEV 1944, S.158 ff.).

[206] Vgl. das Prot. der Besprechung über die Auswirkungen des Sonderförderungsprogramms vom 6.1.1942, in: BA Koblenz R 21/457.

[207] Vgl. Krönig/Müller, Nachkriegssemester, S.189. Es gab allerdings auch immer weniger Gelegenheiten, Geld auszugeben.

einer Parteiformation verboten worden.[208] Zwar hatte dann im Oktober 1941 ein Erlaß des Oberkommandos der Wehrmacht den Mitgliedern von Studentenkompanien ausdrücklich die Möglichkeit freigestellt, sich in Kameradschaften oder Fachschaften politisch zu betätigen und sogar Führungsaufgaben in der Studentenschaft zu übernehmen.[209] Aber die Resonanz hielt sich offensichtlich in Grenzen, wie die interne Statistik der Hamburger Studentenführung exemplarisch zeigt. Im Sommersemester 1943 studierten dort 811 Wehrmachtsangehörige (darunter 718 Angehörige von Studentenkompanien) und 319 männliche Zivilstudenten. Unter den studierenden Wehrmachtsangehörigen befanden sich 117 Mitglieder des NSDStB (14,4 %), während von den 319 Zivilstudenten 173 (54,2 %) im NSDStB organisiert waren.[210] Offensichtlich hatten es die Soldatenstudenten sehr viel leichter, sich dem Studentenbund zu entziehen. Schon aus diesem Grunde waren die Studentenkompanien dem NSDStB ein Dorn im Auge, und an einer Reihe von Hochschulen kam es zwischen beiden Seiten zu Spannungen.[211] Die Abneigung der Reichsstudentenführung gegen die Studentenkompanien wurde auch von dem Leiter der Parteikanzlei, Martin Bormann, geteilt.[212] Dennoch konnte sich die Partei in diesem Punkt gegenüber der Wehrmacht nicht durchsetzen.

Die im Zweiten Weltkrieg auftauchende Figur des Soldatenstudenten hat neben dem Mangel an politisch zuverlässigen und einsatzbereiten Funktionären entscheidend dazu beigetragen, den Zugriff des NSDStB auf die Mehrheit der männlichen Studenten zu lockern. Außerdem litten die Kameradschaften unter der kriegsbedingten Fluktuation der männlichen Studenten, die eine organisatorische Konsolidierung außerordentlich erschwerte.[213] Der sog. Stammhochschulerlaß, der alle Studierenden verpflichtete, zwecks besserer Erfassung die ersten drei Semester an derselben Hochschule zu verbringen, war schon unmittelbar nach Beginn des Krieges aufgehoben worden.[214]

Die chronische Funktionärsknappheit des Studentenbundes hatte zusätzlich den Effekt, daß die Kameradschaften[215] noch stärker als in den Vorkriegsjahren ein Eigenleben entwickelten, das von den stark überlasteten Studentenführern nicht mehr wirklich kontrolliert werden konnte. Wie ein

[208] Vgl. den Bericht des SD Würzburg, 29.4.1941, in: StA WÜ SD-Hauptaußenstelle Würzburg 33.

[209] Vgl. den Erlaß des OKW, 6.10.1941, Abschr. in: BA Koblenz R 21/10922.

[210] Vgl. Meldebogen der RSF, ausgefüllt vom Studentenführer der Hamburger Universität, G. Reinecke, 28.6.1943, StA WÜ RSF/NSDStB V* 2 α 560. Aus anderen Semestern liegen ähnlich differenzierte Mitgliederstatistiken nicht vor.

[211] Vgl. den Aktenvermerk von ORR F. Kock (REM), 1.6.1942, in: BA Koblenz R 21/10850; Rundschreiben des Referenten für Wehrmachtsfragen der RSF, Dingler, 22.2.1943, in: HHStA Wiesbaden 483/11200.

[212] Vgl. das Prot. der Besprechung über Änderungen der medizinischen Studienordnung, 7.9.1943, in: BA Potsdam REM 809 Bl.294.

[213] Vgl. Franze, Erlanger Studentenschaft, S.354 f.; G. Stuchlik, Goethe im Braunhemd, Frankfurt/M. 1984, S.204.

[214] Vgl. den RdErl. des REM, 9.9.1939, in: BA Koblenz R 21/25 Bl.127 und oben S.323.

[215] Eine Auflistung der während des Krieges bestehenden Kameradschaften (Stand: April 1942) in: VOBl. RSF, Nr.5, 15.5.1942.

Rundbrief des Stabsführers der Reichsstudentenführung, Rudolf Thomas, konstatierte, war „fast überall wenig davon zu spüren, daß die Studentenführer auf ihre Kameradschaften wirklichen Einfluß nehmen". Nicht ohne Verbitterung stellte Thomas die Frage: „Wie kann es kommen, daß Kameradschaftsführer mitteilen, sie hätten ihren Studentenführer oder Gaustudentenführer seit Semestern überhaupt nicht oder im Semester nur einmal gesehen?".[216]

Innerhalb der Kameradschaften begünstigte dieser Zugewinn an Autonomie den schon vor Kriegsbeginn erkennbaren Trend zur Entpolitisierung und zur Umwandlung der Kameradschaften in verkappte Korporationen. Vor allem besaßen die Kameradschaften nun erstmals genügend Spielraum, um sich der lästigen Schulungspläne weitgehend zu entledigen. Dieser Prozeß der Verdrängung des politischen Elements aus der Kameradschaftsarbeit erfolgte zwar unter der Hand, wurde aber dennoch von aufmerksamen Beobachtern registriert. So hieß es in einem SD-Bericht über die Universität Frankfurt im Januar 1944:

> „Hinsichtlich der Tätigkeit des NS-Studentenbundes bewegt sich die Arbeit der Kameradschaften nach wie vor auf dem üblichen, wenig politisch aktiven Geleise. Irgendwelche nachhaltige politisch-weltanschauliche Arbeit wird hier nicht geleistet, wenn auch die Gaustudentenführung sich immerhin bemüht, mit politischen Themen das Leben der Kameradschaften zu erfüllen. Jedoch ist interessant, daß gerade wegen dieser politischen Zielgerichtetheit der Gaustudentenführung die Kameradschaftsführer zum Teil und die meisten Kameradschaftsangehörigen überhaupt gegen die Gaustudentenführung Stellung nehmen".[217]

Wenn sich ein wachsender Teil der Kameradschaften aber nicht mehr, gemäß ihrem offiziellen Status, als Teil einer politischen Kampfgemeinschaft verstand, wie sollten sie sich dann definieren? Manche Kameradschaften entwickelten sich mehr und mehr zu Diskussionszirkeln, in denen hauptsächlich kulturelle und literarische Interessen gepflegt wurden.[218] Andere widmeten sich offenbar mit Vorliebe dem Konsum von Alkohol, zumindest solange dieser noch in größeren Mengen verfügbar war.[219] Vielerorts aber schlug nun die Stunde, auf die zahlreiche Alte Herren insgeheim gewartet hatten. Aus ihren wehmütigen Erinnerungen an die vergangene Korporationszeit wurde nun ein Angebot, wie das entstandene Vakuum gefüllt werden könnte. Und so war in internen Berichten des SD schon bald nachzulesen,

[216] Rundbrief Nr.12 des Stabsführers der RSF, R. Thomas, 27.5.1944, in: BA Koblenz NS 26/375.

[217] SD-Abschnitt Ffm.: Semesterzwischenbericht. WS 1943/44 der Universität Frankfurt, 10.1.1944, S.5, in: HHStA Wiesbaden 483/11282. Vgl. auch den Semesterbericht des Frankfurter SD über die Lage an der TH Darmstadt im WS 1943/44, 7.2.1944, S.12, in: ebd.

[218] Vgl. H. Hecker, Kolonialforschung und Studentenschaft an der „Hansischen Universität" im II. Weltkrieg, Baden-Baden 1986, S.40 ff.; SD-Abschnitt Ffm.: Weltanschaulich-politische Haltung der Studenten und ihre politische Erziehung durch den NSDStB, 17.1.1944, S.3, in: HHStA Wiesbaden 483/11282.

[219] Vgl. das Schreiben des Gaustudentenführers von Thüringen, K. Bach, an Rektor K. Astel, Jena, 7.2.1941, in: UAJ Jena BA Nr.2095.

„daß unter dem Einfluß der Altherrenschaften mehr und mehr von einem Vordrängen eines Korporationsflügels innerhalb der Studentenschaft ... gesprochen werden kann, was letztlich dazu führt, daß auf den Kameradschaftsabenden weniger aktuell-politische Fragen behandelt werden, als vielmehr über die Fragen ‚Bierzipfel oder nicht', ‚Traditionszimmer' oder ‚helle Gemeinschaftsräume', ‚Bestimmungen der Mensuren' und ähnliche Probleme im internen Kreise gesprochen wird".[220]

Kennzeichen einer Rückverwandlung von Kameradschaften in Korporationen waren 1. die Übernahme von Symbolen und Erkennungszeichen ehemaliger Korporationen (Bierzipfel, Bänder, Mützen), 2. die Einführung des Convents als zentrales Entscheidungsorgan einer Kameradschaft[221], also die faktische Überwindung des nationalsozialistischen Führerprinzips, und 3. das Schlagen scharfer Mensuren, das 1937 vom Reichsstudentenführer und später auch von der Wehrmacht ausdrücklich untersagt worden war. Einige Kameradschaften entschlossen sich sogar zur Wiedereinführung des Trinkzwanges, wie ein Tübinger Student 1941 beklagte:

„Meine Kameradschaft hat die Nachfolge von drei der ehemaligen Korps übernommen. Diese Korps waren sehr trinkfeste und fechtfrohe Vereinigungen. Es ist klar, daß das auf die heutige Kameradschaft abfärbt. Ich weiß aber nicht, ob es notwendig ist, daß der Bier-Comment heute noch in Kraft bleibt. Danach muß man an einem Abend zwischen 10 und 20 Glas Bier trinken! (Meiner Gesundheit bekam das nicht gut)".[222]

Die Reorientierung an den Gebräuchen der ehemaligen Korporationen war oft ein schleichender Prozeß, aber die Einführung einer Conventsverfassung oder das Austragen von Schlägermensuren bedurften eindeutiger Mehrheitsentscheidungen, die oft dazu führten, daß ein Teil der Mitglieder sich von der Kameradschaft trennte.[223]

Welche Ausmaße dieser Prozeß der Korporatisierung tatsächlich angenommen hat, läßt sich im nachhinein nicht präzise bestimmen. Schließlich war eine solche Umwandlung mit Risiken behaftet und vollzog sich daher nicht vor den Augen der Öffentlichkeit. Auch sind die Erinnerungen ehemaliger Kameradschaftsangehöriger oder die Korporationspublikationen, auf welche sich die Schilderung derartiger Entwicklungen in der Regel stützt, als Quelle nicht unproblematisch. Festhalten läßt sich aber, daß die Übernahme von Korporationstraditionen keineswegs an allen Hochschulen mit gleicher Intensität erfolgte.

Besonders häufig geschah die Umwandlung der Kameradschaften in verkappte Korporationen offenbar in Würzburg, Freiburg und Göttingen, wo

---

[220] SD-Abschnitt Ffm.: Weltanschaulich-politische Haltung der Studenten, 17.1.1944 (Anm. 151), S.3.

[221] Als Convent wird im studentischen Verbindungswesen die Versammlung aller Vollmitglieder einer Korporation bezeichnet.

[222] Horst A. an die Hauptschriftleitung, 28.8.1941, Abschr. in: BAAZ PK Alfred Detering.

[223] Vgl. F. Golücke, Das Kameradschaftswesen in Würzburg von 1936 bis 1945, in: Studentenschaft und Korporationswesen in Würzburg, Würzburg 1982, S.188 f.; H. Bernhardi, Die Göttinger Burschenschaft 1933 bis 1945, in: DuQ, 1. Bd., Heidelberg 1957, S.244.

mitunter auch die Studentenführer die Transformation deckten oder sogar aktiv vorantrieben.[224] So sollen sich in Göttingen bis Kriegsende sämtliche Kameradschaften, mit einer Ausnahme, wieder in Korporationen verwandelt haben. Nur die Kameradschaft „Siling" deren Altherrenverein vom örtlichen Kreisleiter der NSDAP geführt wurde, widersetzte sich diesem Trend bis zum Schluß.[225] Zur „Hochburg des Waffenstudententums" entwickelte sich während des Krieges die Universität Würzburg. Dort war das Prestige des NSDStB so gering, daß alle Initiativen der Studentenführung unter den Studierenden schon fast reflexmäßig auf Opposition stießen.[226] 1944 sollen in Würzburg unter den elf Kameradschaften neun Krypto-Korporationen gewesen sein. Schätzungen zufolge wurden in Würzburg zwischen 1941 und 1945 etwa 700 scharfe Mensuren geschlagen.[227] Aber auch in einer ganzen Reihe anderer Universitäten signalisierte das Wiederaufleben alter Korporationsbräuche die schleichende Erosion der alten Befehlsstrukturen, so in Münster, Bonn, Frankfurt, Erlangen, Leipzig, Marburg, München, Tübingen und anderswo.[228] Dagegen gab es in Hamburg oder Königsberg keine ernsthaften Anzeichen für ein Wiederaufleben des Korporationsbetriebes.[229]

Auffällig und irritierend an dieser Entwicklung ist vor allem die schwache Reaktion der Reichsstudentenführung, die den Umwandlungsprozeß innerhalb der Kameradschaften nur sehr halbherzig bekämpfte, teilweise sogar förderte. Zwar polemisierte die Reichsstudentenführung in ihren Anordnungen und Rundschreiben heftig gegen die „teuflische Parole von der Entpolitisierung der Studentenschaft"[230], aber in der Praxis mußte sie diesem Trend dennoch ihren Tribut zollen. Insbesondere die Abneigung der Studenten gegen die politische Schulung konnte nicht auf Dauer ignoriert werden. Ursprünglich hatten die 1937 veröffentlichten Richtlinien für die Kameradschaftserziehung vorgeschrieben, daß in jeder Woche ein zweistündiger „politischer Abend" veranstaltet werden sollte, der als „die wichtigste Einrichtung" des Kameradschaftslebens galt.[231] Diese zeitliche Vorgabe wurde während des Krieges kurzerhand halbiert. Die 1943 veröffentlichte

---

224 Vgl. E. Bauer, Die Kameradschaften im Bereiche des Kösener SC in den Jahren 1937-1945, in: Einst und Jetzt, Bd.1, 1956, S.18 ff.; L.A. Ricker, Freiburger Mensuren in der nationalsozialistischen Verbotszeit, in: Einst und Jetzt, Bd.10, 1965, S.70 ff.; Bernhardi, Göttinger Burschenschaft, S.245; SD-Abschnitt Ffm.: Semesterzwischenbericht WS 1943/44 – Ludwigsuniversität Gießen, 10.1.1944, in: HHStA Wiesbaden 483/11282.

225 Vgl. Bernhardi, Göttinger Burschenschaft, S.233 u. 238.

226 Vgl. W. Groß, Bericht über die Vortragsreihe des HA Wissenschaft [der Dienststelle Rosenberg] an deutschen Hochschulen im WS 1943/44, 1.3.1944, S.2 u. 5, in: BA Koblenz NS 8/241 Bl.154 u. 158.

227 Vgl. Bauer, Kameradschaften, S.35 ff.; Golücke, Kameradschaftswesen, S.188 f.

228 Vgl. Vieten, Medizinstudenten, S.234; Franze, Erlanger Studentenschaft, S.358 ff.; R.G.S. Weber, The German Student Corps in the Third Reich, London 1986, S.154 ff.; Bauer, Kameradschaften, S.18 ff.

229 Vgl. E. Popp, Zur Geschichte des Königsberger Studententums, Würzburg 1955, S.173; Grüttner, „Ein stetes Sorgenkind", S.224.

230 Vgl. die Anordnung der RSF vom 30.11.1943, in: StA WÜ RSF/NSDStB I* 01 φ 250.

231 Gesetze des Deutschen Studententums, S.25 f.

„Dienstanweisung für die Kameradschaft" sah vor, daß politische Abende in Zukunft nur noch „mindestens alle 14 Tage" stattzufinden hätten.[232]

Auch gegenüber den Korporatisierungstendenzen zeigte die Reichsstudentenführung eine überraschende Nachgiebigkeit. Als die Tübinger Studentenführung 1940 die Gestapo mobilisierte, weil einige Kameradschaftsangehörige sich „Bierzipfel" mit den Farben und Insignien einer Korporation hatten anfertigen lassen, erhielt der Studentenführer wegen seines rigorosen Vorgehens eine Rüge.[233] Im Herbst 1941 verfügte die Reichsstudentenführung im Einvernehmen mit der Parteikanzlei, daß die Mitglieder von Kameradschaften wieder als „Burschen" bezeichnet werden sollten.[234] „Jungburschen" konnten nach zwei Semestern, wenn sie sich erfolgreich einer „Burschenprobe" unterzogen hatten, zu „Burschen", d.h. zu ordentlichen Mitgliedern des NSDStB, ernannt werden, wie in den 1942 veröffentlichten „Grundsätzen der Kameradschaftsarbeit"[235] nachzulesen war. In der „Dienstanweisung" von 1943 wurde diese Politik der Anpassung an das Brauchtum der alten Korporationen weiter fortgesetzt. Die Kameradschaftshäuser durften nun wieder mit Fahnen und Wappen der Altherrenvereine geschmückt werden. Traditionelles Liedgut der Verbindungen („Burschen heraus") wurde ganz offiziell zum Bestandteil des Kameradschaftslebens. Auch der „Leibbursch" kam wieder zu Ehren. Andere Begriffe aus der Sprache der ehemaligen Verbindungen (Keilen, Füchse, Convent, Erstchargierter, Bierorgel u.a.) blieben dagegen ausdrücklich verpönt.[236]

Das Fechten mit scharfer Waffe, die Mensur, blieb ebenfalls verboten. Die Reichsstudentenführung stellte jedoch eine Aufhebung des Verbots in Aussicht, die aber erst nach Ende des Krieges erfolgen könne: „Wer heute Blut vergießen und seine Tapferkeit und Männlichkeit beweisen will, hat an den zahlreichen Fronten des deutschen Schicksalskampfes Gelegenheit genug", hieß es 1943 in einer Anordnung.[237] Diese Argumentation, die geschickt an gemeinsame Wertvorstellungen von Korporationen und Nationalsozialisten appellierte, wirkte offenbar auch auf einige der Krypto-Korporationen unter den Kameradschaften überzeugend. In Göttingen untersagten mehrere Kameradschaften ihren Mitgliedern das Mensurfechten während des Krieges, weil „als ehrenhaft heute bei uns allein die Wunden gelten, die der Feind schlug".[238] Andere Korporationskameradschaften ließen sich von Anordnungen des NSDStB nicht beeindrucken und schlugen weiter heimlich Mensuren oder veranstalteten Festkommerse. Selbst diese Kameradschaften stießen auf eine ungewohnt milde Reaktion in der Reichsstudentenführung.

---

232 Dienstanweisung für die Kameradschaft vom 20.4.1943. Hg. vom Amt politische Erziehung der RSF, München 1943, S.48.

233 Vgl. das Schreiben des Rechts- und Gerichtsamtes der RSF an den Gaustudentenführer Württemberg-Hohenzollern, 22.4.1940, Durchschr. in: BAAZ PK Eugen Steimle.

234 Vgl. „Unsere Meinung", in: DAZ Nr.519, 30.10.1941.

235 Grundsätze der Kameradschaftsarbeit des Nationalsozialistischen Deutschen Studentenbundes, Ausgabe Oktober 1942, München 1942, S.16 f.

236 Dienstanweisung für die Kameradschaft vom 20.4.1943, S.19, 61 f., 71 u. 75.

237 Vgl. die Anordnung der RSF vom 1.12.1943, in: StA WÜ RSF/NSDStB V* 4 α 587.

238 Zit. in: Bernhardi, Göttinger Burschenschaft, S.236.

Als die Gestapo in Würzburg eine Untersuchung wegen illegal ausgetragener Mensuren einleiten wollte, verhinderte der stellvertretende Leiter des NS-Altherrenbundes, Gerhard Pallmann, weitere Maßnahmen.[239] Zwar gab es durchaus Pläne, gegenüber den Altherrenvereinigungen eine härtere Gangart einzuschlagen. So kursierte 1943/44 in verschiedenen Parteistellen und Ministerien der Entwurf einer Verordnung, die es ermöglichen sollte, das Vermögen von Altherrenvereinigungen auf Scheels NS-Altherrenbund zu übertragen. Aber die Diskussion über den Entwurf zog sich so lange hin, bis die geplante Verordnung schließlich durch den Kriegsverlauf gegenstandslos geworden war.[240]

Insgesamt läßt sich festhalten, daß der NSDStB auf die Desintegrationstendenzen in den eigenen Reihen während des Krieges nur zögernd und nachsichtig reagierte, fast könnte man sagen: tolerant. Wie läßt sich diese Haltung erklären – in einer Zeit, in der der nationalsozialistische Terror anderswo so umbarmherzig wütete wie nie zuvor? Mehrere Ursachen lassen sich nennen: Seit 1941 agierte die Reichsstudentenführung, wie gezeigt werden konnte, aus einer Position der Schwäche. Aus verschiedenen Gründen war die Zahl der männlichen Kameradschaftsmitglieder deutlich zurückgegangen, und es fehlte die Möglichkeit, direkten oder indirekten Druck auszuüben. Eine rigorosere Politik der Reichsstudentenführung hätte daher vermutlich zu einem endgültigen Zusammenbruch der Kameradschaften geführt. Es kam hinzu, daß ein Großteil der potentiellen Mitglieder des NSDStB Soldatenstudenten waren, die bei Laune gehalten werden sollten, wenn sie, oft nur für ein Semester, Urlaub von der Front erhielten. Um unter den gegebenen Umständen zu retten, was noch zu retten war, schien es angebracht, aus der Not eine Tugend zu machen, und zumindest vorübergehend ein größeres Maß an Freizügigkeit zu gestatten.

Die Studentenführer wurden deshalb von Scheel ermahnt, sie sollten sich davor hüten, gegenüber den Studierenden „ein zu starkes Vorgesetztenverhältnis" zu entwickeln und statt dessen lieber ihr Vertrauen gewinnen.[241] Anfang 1943 konkretisierte der Stabsführer der Reichsstudentenführung, Rudolf Thomas, in einem Rundbrief unter dem Motto „wenn ich Studentenführer wäre" die neue Linie:

> „Gewiß würde ich es für richtig halten, wenn später einmal zwei Drittel der Studenten und Studentinnen ... erfaßt würden. Gegenwärtig aber müßte man wohl bescheidener sein. Auch sähe ich ja, wie an den meisten Hoch- und Fachschulorten das Kameradschaftsleben brach liegt ... Meine Kameradschaften und ANSt-Gruppen sollten im Rahmen der gegebenen Ordnung vor allem das treiben, was ihnen wirklich Freude macht, und was sie vorwärts bringt ... Wer wäre

[239] Vgl. Bernhardi, Göttinger Burschenschaft, S.233; Golücke, Kameradschaftswesen, S.189.

[240] Vgl. den 6. Entwurf der VO zur Neuordnung des NS-Altherrenbundes (1944), in: BA Koblenz R 2/12448.

[241] Rundbrief Scheel, 22.2.1943, in: HHStA Wiesbaden 483/11200. Vgl. auch die kritischen Bemerkungen über den „Befehls- und Feldwebelton" der NSDStB-Funktionäre, in: Bericht der SD-Außenstelle Würzburg, 1.4.1941, in: StA WÜ SD-Hauptaußenstelle Würzburg 23.

wohl so kleinmütig, von solcher Freiheit zu fürchten, daß sie immer beim Alkohol und bei der Zuchtlosigkeit landet?".[242]

Die moderate Reaktion der Reichsstudentenführung auf die Umwandlung zahlreicher Kameradschaften in schlagende Verbindungen resultierte darüber hinaus auch aus der Einschätzung, daß dieses Phänomen in aller Regel keineswegs Ausdruck einer „staatsfeindlichen" Haltung war.

Diese undramatische Sichtweise wird durch die nach 1945 aus Korporationskreisen veröffentlichten Zeitzeugenberichte noch nachträglich bestätigt. So beschrieb Erich Bauer (Kösener SC) 1956 die Entstehung von Korporationskameradschaften während des Krieges als Reaktion auf „schematische und bürokratische Vorschriften der Studentenführung", warnte aber ausdrücklich davor, diese Entwicklung als Akt politischer Auflehnung zu interpretieren. Über die Motive der Kameradschaftsangehörigen notierte er:

> „Schulungsabende waren ihnen verhaßt, von ‚Blut und Boden' hatten sie in den vergangenen Jahren schon mehr als genug gehört. Sie wünschten sich ein Gemeinschaftsleben nach eigenem Geschmack, in dem auch der Becher eine angemessene Rolle spielen sollte ... Aus der Frontstellung gegen die Studentenführung (nicht aus der Frontstellung gegen den Nationalsozialismus als solchen!) heraus gestalten sich die bisher mehr oder weniger losen Beziehungen zwischen den Mitgliedern der Kameradschaft zu einer engeren Gemeinschaft nach der Art früherer Korporationen um".[243]

In dem 1957 von Horst Bernhardi (Deutsche Burschenschaft) veröffentlichten Bericht über die Transformation der Göttinger Kameradschaften zu verkappten Korporationen findet sich eine ähnliche Interpretation:

> „Die Wandlung hatte ihren Grund weniger in einer ablehnenden Haltung der Kameradschaftsstudenten gegenüber dem Nationalsozialismus oder der NSDAP. Gewiß war man kritischer geworden und nahm an manchen Vorgängen und Persönlichkeiten Anstoß. Viel stärker aber machte sich bemerkbar, daß der Nationalsozialismus allmählich alle Lebensgebiete erfaßt hatte und man wenigstens in seinem persönlichen Bereich unabhängig sein wollte von der Politik und den durch sie geprägten Formen. Als Teil ihres Privatlebens betrachteten die meisten aber ihre Kameradschaft, auch wenn sie die äußere Form einer Parteigliederung tragen mußte".[244]

Es ist daher eine maßlose Übertreibung, wenn in einer neueren Arbeit das Wiederaufleben der studentischen Corps im Kameradschaftsgewand als Akt des Widerstandes gegen das NS-Regime gefeiert wird.[245] Sicher artikulierte sich in dieser Entwicklung ein gewisser Überdruß am traditionellen Kameradschaftsbetrieb, vielleicht auch die Freude am klandestinen Spiel mit dem

[242] Rundbrief Nr.9 des Stabsführers der RSF, R. Thomas, 9.2.1943, S.3 f., in: StA WÜ RSF/NSDStB I* 01 φ 250.

[243] Bauer, Kameradschaften, S.14.

[244] Bernhardi, Göttinger Burschenschaft, S.237.

[245] Vgl. Weber, Student Corps, S.162. Weber räumt aber immerhin ein, daß dieser „Widerstand" nicht die Proportionen des 20. Juli 1944 erreichte. Generell zeichnet sich diese Arbeit durch einen völligen Mangel an Quellenkritik aus.

Feuer, jedenfalls ein gewisser Oppositionsgeist. Doch darf diese Einstellung keineswegs mit einer grundsätzlichen Ablehnung des Nationalsozialismus oder gar mit einer Politik, die auf den Sturz des Regimes zielte, verwechselt werden. In der Reichsstudentenführung tröstete man sich mit der Erkenntnis, der Jugend sei nun mal von Natur aus eine gewisse Neigung zur Opposition eigen.[246] Schließlich hatte auch der NSDStB selber einst davon profitiert.

5. Die Entwicklung der ANSt: Spätblüte oder Scheinblüte?

Die bisherige Darstellung hat gezeigt, daß die Reichsstudentenführung den Schwächeerscheinungen und Verselbständigungstendenzen innerhalb der Kameradschaften letztlich weitgehend hilflos gegenüber stand. Dabei spielte der Soldatenstatus, den die meisten männlichen Studenten seit 1941 hatten, eine wesentliche Rolle. An diesem Punkt stellt sich nun die Frage, ob die Arbeitsgemeinschaft Nationalsozialistischer Studentinnen (ANSt), die weibliche Sektion des NSDStB, gegenüber den Studentinnen erfolgreicher war. Präzise Aussagen zu machen, ist allerdings schwierig, da Quellen zu diesem Thema nur sehr spärlich vorliegen.

In den Vorkriegsjahren hatte die ANSt ein Schattendasein geführt, das von der Reichsstudentenführung bestenfalls mit wohlwollendem Desinteresse registriert worden war. Während des Krieges änderte sich dies mit dem steigenden Anteil studierender Frauen. Angesichts der chronischen Knappheit an verfügbaren Funktionären mußte der NSDStB nun stärker auf weibliche Mitglieder zurückgreifen. Nun konnten auch Studentinnen Ämter in den Studentenführungen übernehmen, die bislang den männlichen Kommilitonen vorbehalten gewesen waren. Auch in der Reichsstudentenführung wurden mehrere Amtsleiter- und Mitarbeiterstellen erstmals mit Studentinnen besetzt.[247]

Die ANSt bemühte sich, ihre Arbeit stärker auf Kriegsbedürfnisse umzustellen. Neben die traditionellen Gruppenaktivitäten politischer, kultureller oder sozialpolitischer Art trat die Beteiligung an den obligatorischen Arbeitseinsätzen, am Kriegspropagandaeinsatz und am „Facheinsatz Ost“ sowie die Betreuung von Frontsoldaten. Dazu gehörte die Versendung von Feldpostpäckchen an Westwallarbeiter und Soldaten, ein Beitrag zur moralischen Aufrüstung der Front, den die ANSt-Studentinnen offenbar mit beträchtlichem Eifer leisteten: „Die Kameradinnen waren mit viel Freude dabei, und die Päckchen, die alle einen selbstgeschriebenen Brief enthielten, waren zum Teil recht ansehnlich und ‚schwerwiegend‘ geworden“,

[246] Rundbrief Nr.10 des Stabsführers der RSF, R. Thomas, 7.8.1943, S.4, in: HHStA Wiesbaden 483/11200.

[247] Vgl. „Bekenntnis und Leistung. Der Einsatz des Studententums im Kriege“, in: Der Altherrenbund, 3. Jg. (1940/41), S.244; Franze, Erlanger Studentenschaft, S.363; N. Giovannini, Zwischen Republik und Faschismus, Weinheim 1990, S.203.

hieß es in einem internen Bericht.[248] Insgesamt verschickten die ANSt-Gruppen 1940 nach einer Statistik der Reichsstudentenführung etwa 50.000 Päckchen an Soldaten oder Arbeiter.[249] In diesen Zusammenhang gehört auch der sogenannte Lazarettdienst, der planmäßige Besuch verwundeter Soldaten, die durch Geschenke, Musik und Gesang aufgemuntert werden sollten.[250]

Parallel dazu reorganisierte die Reichsstudentenführung 1940/41 auch den „Frauendienst". Schon seit längerem war der Frauendienst, so wie er ursprünglich konzipiert wurde, in den Hintergrund getreten, da zahlreiche Studentinnen bereits vor Aufnahme des Studiums Sanitäts- oder Luftschutzkurse im BDM oder im Arbeitsdienst absolviert hatten. Von der bisher üblichen Grundausbildung blieb seit 1940 nur noch die Pflicht, den Nachweis über die Teilnahme an einem Sanitätskurs von 20 Doppelstunden zu erbringen. Dafür wurden die Studentinnen zusätzlich verpflichtet, während der ersten drei Semester einen vierwöchigen Fabrikdiensteinsatz zu absolvieren.[251]

Innerhalb der ANSt bestanden ähnliche Probleme wie in den Kameradschaften. Mit den männlichen NSDStB-Mitgliedern teilten die ANSt-Studentinnen, wie schon vor 1939, eine intensive Abneigung gegen die politische Schulung. Und ähnlich wie schon in den Jahren vor Kriegsbeginn waren die ANSt-Leiterinnen gezwungen, dieser Aversion ihren Tribut zu zollen, sofern sie Interesse an einem funktionierenden Gruppenleben hatten. Sehr instruktiv ist hier der Bericht einer Studentenfunktionärin, die im Frühjahr 1940 nach Wiedereröffnung der Kieler Universität die Führung der lokalen ANSt-Gruppe übernommen hatte. Da „durch Zufall" keine der bisherigen Führungskräfte mehr in Kiel studierte, mußte diese Studentin, obwohl sie sich erst im 2. Semester befand, die Kieler ANSt quasi im Alleingang neu aufbauen. Da sie selber kaum Erfahrungen mit der ANSt-Arbeit hatte und nicht auf den Rat ihrer Vorgängerinnen zurückgreifen konnte, hielt sie sich bei der Gruppenarbeit strikt an die Anweisungen aus der Reichsstudentenführung und begann mit der Grundschulung der weiblichen Erstsemester. Die Resonanz war jedoch ausgesprochen enttäuschend:

---

[248] Bericht der Gau-ANSt-Referentin für Ostpreußen über das 2. Trimester 1940, 27.7.1940, S.3 f., in: StA WÜ RSF/NSDStB II* 533 α 432. Vgl. auch: Bericht der ANSt-Referentin der Universität Frankfurt, 29.7.1940, Abschr. in: ebd.

[249] Vgl. „Kriegseinsatz der Studenten von Kriegsbeginn an bis 16.12.1942", 17.12.1942, S.5 f., in: BA Koblenz NS 26/375.

[250] Vgl. Pauwels, Women, S.112.

[251] Vgl. R. Kalb, Die Arbeitsgemeinschaft nationalsozialistischer Studentinnen, in: Die Ärztin, 17, 1941, S.114; Anordnung Stn 1/40, in: VOBl. RSF Nr.2, 5.2.1940; K-Befehl RSF 31/40, in: VOBl. RSF Nr.5, 20.5.1940; K-Befehl RSF 6/41, in: VOBl. RSF Nr.3, 15.3.1941. Medizinstudentinnen waren von diesen Anordnungen ausgenommen, weil sie durch die Bestallungsordnung für Ärzte vom 17.7.1939 ohnehin zu einem sechswöchigen Fabrik- oder Landdienst verpflichtet waren. Vgl. RGBl. 1939 I S.1273 f.

„Sehr bald machte ich dabei die Erfahrung, daß an tatsächlicher weltanschaulicher ‚Bildung' eigentlich nichts da war, auch wenig Interesse, sich darum zu bemühen, und der zunächst ziemlich willkürlich zusammengekommene Kreis fand sich erst wirklich zusammen, als offen über die bestehenden Zustände, die diese Gleichgültigkeit veranlaßt hatten, gesprochen wurde".[252]

Nach diesem Fehlschlag beschloß die ANSt-Referentin, fortan in den Kieler ANSt-Gruppen „ein selbständiges, eigenes Leben sich entwickeln zu lassen". Ausgehend von der

„Erfahrung, daß die Studentin weit mehr Lebendigkeit auf den eigentümlich fraulichen und musischen Gebieten entwickelt, stellten wir nun das Singen, Musizieren, Lesen und Vortragen in den Vordergrund und sahen zunächst von der politischen Schulung auf Grund der Tagespolitik etwas mehr ab".[253]

Die Arbeit lief nun sehr viel erfolgreicher, obwohl der Kieler ANSt noch nicht einmal ein eigener Raum zur Verfügung stand. Als die Kieler ANSt-Funktionärin ihre Erfahrungen auf einer Tagung der Gau-ANSt-Referentinnen in Frankfurt zur Diskussion stellte, gewann sie die Erkenntnis, daß auch an anderen Universitäten ähnliche Erfahrungen gemacht worden waren. Der Trend zur Entpolitisierung, wie er sich in den Kameradschaften bemerkbar machte, hielt also, trotz der unterschiedlichen Ausgangsbedingungen, auch innerhalb der ANSt weiter an.

Trotz der Klagen über die Indifferenz der Studentinnen nahm die Zahl der ANSt-Mitglieder in der Anfangsphase des Krieges weiter zu. In Königsberg gehörten 1940 sämtliche Studentinnen der Universität und der Handelshochschule bis auf vier verheiratete Frauen der ANSt an.[254] Aus Köln verlautete etwa zur gleichen Zeit, „daß alle Studentinnen vom 1.-3. Trimester bis auf einen verschwindend geringen Prozentsatz in der ANSt erfaßt sind".[255] In Halle blieben von 98 immatrikulierten Studentinnen nur vier Theologinnen und eine „nichtarische" Studentin unorganisiert, und in Rostock hatten sich 98 von insgesamt 111 eingeschriebenen Studentinnen der ANSt angeschlossen.[256] An den elf Berliner Hochschulen waren im August 1940 sämtliche 1097 Studentinnen der drei Anfangstrimester in die ANSt eingetreten.[257]

Wie solche Mitgliederzahlen zustande kamen, zeigt der autobiographische Bericht einer Medizinstudentin, die sich 1941 in Hamburg immatrikulierte:

---

[252] Arbeits-Semester-Bericht des Amtes Studentinnen der Universität Kiel, 11.10.1940, S. 1, in: StA WÜ RSF/NSDStB II* 300 α 213.

[253] Ebd., S.2.

[254] Bericht der Gau-ANSt-Referentin von Ostpreußen für das 2. Trimester 1940, 27.7.1940, in: StA WÜ RSF/NSDStB II* 533 α 432.

[255] S. Pilz, Bericht über die Arbeit des Amtes Studentinnen im II. Trimester 1940, Universität Köln, o.D., S.1, in: ebd.

[256] Berichte der Gau-ANSt-Referentin von Halle-Merseburg vom 24.9.1940 und der ANSt-Referentin von Rostock vom 20.7.1940, beide in: ebd.

[257] Bericht über die ANSt-Arbeit des Gaues Berlin, 5.8.1940 (Anm. 92).

„Wir standen in Schlangen (....) vor der Quästur. Bevor wir den Schalter erreichten, wurden wir zwangsweise an einigen Tischen vorbeigelenkt. Am ersten mußte man nachweisen, welchen Gliederungen der NSDAP man angehörte, am zweiten wurde uns ein Eintrittsgesuch in den Nationalsozialistischen Deutschen Studentenbund unter die Nase gehalten. ‚Ohne Beitritt keine Einschreibung' hieß es. Am dritten Tisch wurde man in gleicher Weise gezwungen, eine nazistische Studentenzeitschrift zu abonnieren".[258]

Mit dieser rigorosen Prozedur folgten die örtlichen Studentenführungen einer internen Anweisung des Reichsstudentenführers, neu immatrikulierte Erstsemester lückenlos im NSDStB zu erfassen.[259] Dieser Befehl hatte keinerlei Rechtsgrundlage und ließ sich im Falle der männlichen Studenten auch nicht durchsetzen. Für die Studentinnen der Anfangssemester lief diese Anordnung jedoch auf eine faktische Zwangsmitgliedschaft im NSDStB bzw. in der ANSt hinaus.[260]

Zu einer vollständigen Eingliederung aller deutschen Studentinnen in die ANSt kam es allerdings nicht. Wie aus einem vertraulichen Rundschreiben der Reichsstudentenführung hervorgeht, waren im Sommersemester 1942 an den wissenschaftlichen Hochschulen zwei Drittel der Studentinnen in der ANSt organisiert.[261] Für die folgenden Semester liegen nur die internen Angaben des Hamburger NSDStB vor. Sie deuten darauf hin, daß die Zahl der weiblichen NSDStB-Mitglieder bis in die Endphase des Krieges hinein unverändert hoch blieb. Noch im Sommersemester 1943 verfügte die ANSt an der Hamburger Universität über 14 Gruppen[262] und umfaßte 71,1 % der Studentinnen, wie Tabelle 30 (Anhang) zeigt.

Etwa ein Drittel der Studentinnen konnte sich also auch während des Krieges den Eingliederungsversuchen der ANSt entziehen. Diese Erfassungslücke läßt sich zum einen dadurch erklären, daß auf Studentinnen, die durch Heirat, Berufstätigkeit oder andere Verpflichtungen zeitlich stark belastet waren, in der Regel kein Druck ausgeübt wurde, dem NSDStB beizutreten. Zum anderen, und dies war sicher wichtiger, verfügte die ANSt an vielen Hoch- und Fachschulen einfach nicht über genügend einsatzbereite Funktionärinnen, um zu Beginn jedes Semesters eine lückenlose Erfassung der Studentinnen kontinuierlich durchzuhalten. Dadurch blieb die Mitgliederentwicklung an manchen Hochschulen deutlich hinter dem Durchschnitt zurück. In den Gauen Köln-Aachen, Pommern (Universität Greifswald) und Thüringen

[258] H. Wallis, Medizinstudentin im Nationalsozialismus, in: U. Weisser (Hg.), 100 Jahre Universitäts-Krankenhaus Eppendorf 1889 - 1989, Tübingen 1989, S.401.

[259] Vgl. J. Doerfler (RSF) an E. Steimle (NS-Altherrenbund), 29.5.1940, Durchschr. in: BAAZ PK E. Steimle.

[260] Gegenteilige Aussagen bei Giles, Students and National Socialism, S.280 f. und bei Pauwels, Women, S.107 f., 173, denen die hier angeführten Quellen nicht bekannt waren.

[261] Vgl. das vertrauliche Rundschreiben des Stabsführers der RSF, R. Thomas, 25.3.1943, in: HHStA Wiesbaden 483/11200.

[262] Vgl. den Meldebogen der RSF, ausgefüllt vom Studentenführer der Universität Hamburg, G. Reinecke, SS 1943, in: StA WÜ RSF/NSDStB V* 2 α 560.

(Universität Jena) gehörte 1942 nicht einmal die Hälfte aller Studentinnen der ANSt an.[263]

Gleichwohl konnte die ANSt während des Krieges weit höhere Mitgliederzahlen vorweisen als ihr männlicher Gegenpart. Der Anteil der von der ANSt erfaßten Studentinnen blieb zwischen 1939 (71 %) und 1942 (66 %) fast unverändert, während im gleichen Zeitraum die Zahl der männlichen Mitglieder des NSDStB drastisch zurückging.[264] Die von der Universität Hamburg zur Verfügung stehenden Zahlen (Tabelle 30 im Anhang) deuten darauf hin, daß diese Kluft auch in den folgenden Semestern weiterbestand. In Hamburg, und vermutlich auch an den meisten anderen Universitäten, bestand der NSDStB seit dem Sommer 1942 mehrheitlich aus Frauen.[265] Offensichtlich wäre es falsch, aus diesen Zahlen eine größere Affinität der studierenden Frauen zum Nationalsozialismus herzuleiten. Vielmehr ist der hohe Prozentsatz von NSDStB-Mitgliedern unter den Studentinnen hauptsächlich darauf zurückzuführen, daß auf die studierenden Frauen ein stärkerer Druck ausgeübt werden konnte. Anders als die Soldatenstudenten, denen die Zugehörigkeit zur Wehrmacht eine gewisse Unabhängigkeit gegenüber der Partei garantierte, waren die studierenden Frauen den Zudringlichkeiten des NSDStB viel stärker ausgeliefert.

Nicht selten scheint die ANSt-Mitgliedschaft allerdings nur auf dem Papier existiert zu haben. Jedenfalls berichtete eine Reihe von Studentinnen bei späteren Befragungen, sie seien der ANSt zwar pflichtgemäß beigetreten, hätten aber nie oder nur sporadisch an der Gruppenarbeit teilgenommen.[266] Zwar sind solche Angaben für sich genommen nicht besonders aussagekräftig. Jedoch enthält auch die interne NSDStB-Statistik Hinweise, daß sich unter den zahlreichen ANSt-Mitgliedern viele Karteileichen befanden. So zählte der NSDStB an der Hamburger Universität im Sommersemester 1941 insgesamt 285 weibliche Mitglieder, darunter 170 Studentinnen in den ersten drei Studiensemestern. Insgesamt waren dies 85,3 % der Studentinnen, wie aus Tabelle 30 (Anhang) hervorgeht. Demgegenüber arbeiteten in den sieben bestehenden ANSt-Gruppen nur 95 Studentinnen aktiv mit, genau ein Drittel der eingeschriebenen Mitglieder.[267] Vor allem die sogenannten Altkameradinnen (ANSt-Mitglieder ab dem 4. Semester) zogen sich in der Regel sehr schnell von der Gruppenarbeit zurück – ähnlich wie schon vor Beginn des Krieges. 1940 berichtete die Leiterin des Amtes Studentinnen in der Tübinger Studentenführung:

---

263 Vgl. das vertrauliche Rundschreiben des Stabsführers der RSF, R. Thomas, 25.3.1943, in: HHStA Wiesbaden 483/11200.

264 Vgl. ebd.

265 Vgl. dazu die ausgefüllten Meldebögen der RSF, in: StA WÜ RSF/NSDStB V* 2 α 560. Im SS 1942 befanden sich unter den 447 Mitgliedern des NSDStB an der Universität Hamburg 319 Frauen (71,4 %).

266 Vgl. die Interviews von Astrid Dageforde mit: Gisela H., 16.1.1985, S.30, Traute H., 31.1.1985, S.35, Cornelia St., 26.11.1984, S.17, Gisela W., o.D., S. 17 f. Transkriptionen in: ProjA HH.

267 Meldebogen der RSF, ausgefüllt vom Studentenführer der Universität Hamburg, A. Frhr. von Beust, SS 1941, in: StA WÜ RSF/NSDStB V* 2 α 560.

„Die Beteiligung der Altkameradinnen an den Veranstaltungen der ANSt ist ... nicht besser geworden. Sie meldeten sich zu einer Gruppe als Altkameradinnen und sollten einmal im Monat zum Heimabend kommen. Soviel ich beobachten konnte, waren es nur wenige, die das regelmäßig durchführten. Wenn ja auch die meisten, besonders die Examenssemester, durch das Studium überbeansprucht waren, so wundert einen doch oft die geringe Anteilnahme der Älteren, die zum Teil selbst aktiv mitgearbeitet haben, an der Arbeit und Entwicklung der Jüngeren".[268]

Offenbar war es während des Krieges also vielfach möglich, sich einer aktiven Betätigung in der ANSt stillschweigend zu entziehen, ohne deshalb mit Sanktionen rechnen zu müssen. Dies lag nicht zuletzt daran, daß die ANSt, die in der Vorkriegszeit eine wenig beachtete Randexistenz geführt hatte, auf den 1939 einsetzenden Zustrom neuer Studentinnen überhaupt nicht vorbereitet war.

Vor allem räumlich fehlten alle Voraussetzungen, um die zahlreichen nach Kriegsbeginn an die Universitäten strömenden Abiturientinnen tatsächlich integrieren zu können. Während die Kameradschaften aufgrund der Zusammenarbeit mit den Altherrenvereinigungen der ehemaligen Verbindungen vielfach über eigene Häuser verfügten, hatte der weibliche Teil des NSDStB von der Versöhnungspolitik der Reichsstudentenführung gegenüber den Alten Herren überhaupt nicht profitiert. Um dieses Manko auszugleichen, versuchte die ANSt 1937 mit der Gründung der „Hochschulgemeinschaft deutscher Frauen" ein weibliches Pendant zum NS-Altherrenbund zu schaffen, doch gibt es keine Hinweise, daß diese Organisation jemals wirklich bedeutsame Aktivitäten entfaltet hat.[269] Verglichen mit den männlichen NSDStB-Mitgliedern blieb die räumliche Infrastruktur der ANSt daher extrem dürftig. So stand den ANSt-Gruppen von Göttingen und Breslau mit 250 bzw. 300 Mitgliedern im Sommer 1940 jeweils nur ein einziger Raum zur Verfügung.[270] Zwar zeigten sich die Kameradschaften gelegentlich bereit, der ANSt Räume für die Gruppenarbeit zu Verfügung zu stellen. Aber auch die Kameradschaften litten vielfach unter Raumproblemen, da ihre Häuser teilweise von der Wehrmacht beschlagnahmt wurden.[271] Unter solchen Umständen hatten die Gruppenleiterinnen der ANSt wenig Interesse daran, die Anwesenheit von offensichtlich uninteressierten Studentinnen zu erzwingen, deren passive Präsenz die Gruppenarbeit nur zusätzlich belastete.[272]

---

[268] Schlußbericht vom 1. Trimester 1940 der Leiterin des Amtes Studentinnen an der Universität Tübingen, 16.9.1940, S.4, in: StA WÜ RSF/NSDStB II* 300 α 213. Ähnlich auch: Bericht über die ANSt-Arbeit des Gaues Berlin, 5.8.1940 (Anm. 92), S.3.

[269] Vgl. A. Dageförde, Frauen an der Hamburger Universität, S. 141 f.; Pauwels, Women, S.29. Für die geringe Wirkungskraft spricht u.a. die Tatsache, daß 1942 eine Neugründung der Hochschulgemeinschaft erfolgte. Vgl. ebd., S.98.

[270] Vgl. die Berichte der ANSt-Referentinnen in Göttingen (15.7.1940) und Breslau (o.D.) über das II. Trimester 1940, in: StA WÜ RSF/NSDStB II* 300 α 213.

[271] Vgl. Meldungen aus dem Reich, Bd.7, S.2510 (10.7.1941).

[272] Vgl. den Bericht über die ANSt-Arbeit des Gaues Berlin, 5.8.1940 (Anm. 92).

6. Die Phase der Agonie 1943-1945

Nach der Schlacht von Stalingrad, als erstmals auch breiten Bevölkerungsschichten bewußt wurde, daß ein militärischer Sieg Deutschlands in weite Ferne gerückt war, versuchte das Regime noch einmal, durch erhöhte Kraftanstrengungen das Steuer herumzudrehen. Im Zuge der geplanten „totalen Mobilmachung" der Bevölkerung für die Erfordernisse des Krieges stand zeitweise auch die Fortführung des Hochschulstudiums zur Disposition. Die Entscheidung fiel am 16. März 1943 auf einer Sitzung des von Hitler im Januar 1943 eingesetzten „Dreierausschusses", bestehend aus dem Leiter der Parteikanzlei, Martin Bormann, dem Chef der Reichskanzlei, Hans Heinrich Lammers und dem Chef des Oberkommandos der Wehrmacht, Wilhelm Keitel.[273] Ihr Beschluß bezeichnete es als kriegswichtiges Ziel, den noch verfügbaren akademischen Nachwuchs „durch intensivste Ausbildung baldmöglichst vollberufseinsatzfähig" zu machen. Der außerordentliche Nachwuchsmangel in allen akademischen Berufen lasse es nicht zu, die Studierenden in den allgemeinen Arbeitseinsatz zu schicken. Alle Hochschulen wurden daher angewiesen, den Lehrbetrieb fortzusetzen, sofern die Dozenten weiterhin zur Verfügung stünden. Nur Studierende, die „nach Leistung und Haltung für ein Studium unter den erhöhten Anforderungen des Krieges nicht geeignet erscheinen", sollten zwangsweise beurlaubt und für den Arbeitseinsatz gemeldet werden.[274]

In der Partei stieß der Beschluß des Dreierausschusses vielfach auf Erstaunen und Unwillen, denn es war damit gerechnet worden, daß im Zuge der „totalen Mobilmachung" größere Teile der Studentenschaft – insbesondere Frauen, Erstsemester und Studierende geisteswissenschaftlicher Fächer – zum allgemeinen Arbeitseinsatz verpflichtet werden würden.[275] Manche Wissenschaftspolitiker der NSDAP vertraten sogar die Ansicht, „daß etwa 90 % der Studenten und besonders der Studentinnen in den Arbeitseinsatz überführt werden müßten".[276] Statt dessen war das Frauenstudium unangetastet geblieben, und selbst auf eine Unterscheidung zwischen kriegswichtigen und nicht kriegswichtigen Fächern hatte der Dreierausschuß verzichtet. Sogar Erstimmatrikulationen sollten in sämtlichen Fächern weiterhin statthaft sein.

Die Frage war nun, wie rigoros der Ausschluß von „ungeeigneten Studenten" betrieben werden würde. Diese Maßnahme sollte sich insbesondere gegen Studierende richten, die nicht an einem schnellen Studienabschluß und

---

[273] Zum „Dreierausschuß" vgl. D. Rebentisch, Führerstaat und Verwaltung im Zweiten Weltkrieg, Stuttgart 1989, S.478 ff.

[274] Vgl. den Text des Beschlusses in: Rundschreiben des RSF, 23.3.1943, in: HHStA Wiesbaden 483/11200.

[275] Vgl. Regierungsdirektor F. Kock (REM), Überprüfung der Studierenden, Meldung zum Arbeitseinsatz. Referat auf der Salzburger Rektorenkonferenz, 28.8.1943, S.1, in: BA Koblenz R 21/28 Bl.412.

[276] H. Härtle, Bericht über die Wissenschaftsbesprechung in der Partei-Kanzlei am 17.3.1944, S.4, in: BA Koblenz NS 8/241 Bl.168.

einer baldigen Berufsausübung interessiert waren, sondern das Studium vor allem nutzten, um einem Arbeitseinsatz in der Rüstungsindustrie zu entgehen.[277] Der Dreierausschuß hatte angeordnet, bei der Überprüfung der Studierenden einen „strengen Maßstab" anzulegen; gegenüber studierenden Frauen sollte dabei, wie das REM ergänzte, „mit besonderer Strenge und Gründlichkeit" vorgegangen werden.[278] An die Hochschullehrer und an die Studentenführer erging die Aufforderung, die Namen „ungeeigneter Studenten" mitzuteilen. Die endgültige Entscheidung, welche Studenten für den allgemeinen Arbeitseinsatz gemeldet werden sollten, wurde einem Ausschuß übertragen, dem der Rektor, der zuständige Dekan und der Gaustudentenführer angehörten.

Obwohl die Überprüfungsaktion von den Hochschullehrern allgemein begrüßt worden sein soll[279], war die Ausbeute überraschend dürftig. Von den insgesamt 43.115 Studierenden aller wissenschaftlichen Hochschulen (ohne Soldatenstudenten) wurden im Sommersemester 1943 nur 250 (0,6 %) den Arbeitsämtern zur Verfügung gestellt, davon allein 106 in Berlin. Vier Universitäten hatten überhaupt keine Meldungen gemacht, acht weitere meldeten jeweils nur einen oder zwei Studenten.[280] Wie der SD mitteilte, bestand allgemein der Eindruck,

> „daß die Professoren und Dozenten bei der Überprüfung und Auslese kaum den geforderten strengen Maßstab anlegten, sondern außerordentlich milde verfuhren. So habe z.B. der Dekan einer naturwissenschaftlichen Fakultät geäußert, daß zu seiner nicht geringen Verwunderung nicht ein einziger seiner Fachkollegen ungeeignete Studierende zur Meldung brachte, obgleich sich diese Hochschullehrer in den vergangenen Semestern häufig über die mangelhaften Leistungen ihrer Hörer beklagten".[281]

Zwar hatte die Überprüfungsaktion eine disziplinierende Wirkung auf die Studenten, da die drohende Meldung an das Arbeitsamt viele zu einem intensiveren Studium veranlaßte.[282] Davon abgesehen war das Resultat viel geringer als erwartet. Insgesamt läßt sich daher festhalten, daß die Hochschulen von der mit großem propagandistischen Aufwand angekündigten „totalen Mobilmachung" zunächst weitgehend unberührt geblieben sind.

Um so stärker trafen die alliierten Fliegerangriffe den Hochschulbetrieb. Im Juli 1944 hatten von den 61 Hochschulen des „Großdeutschen Reiches" 25 bereits mehr oder weniger starke Bombenschäden erlitten. An den Universitäten Berlin, Hamburg, Frankfurt, Köln, Leipzig, Münster und Kiel sowie an den Technischen Hochschulen in Aachen und Berlin waren die Schäden so groß gewesen, daß zunächst völlig unklar blieb, ob die Arbeit vor

[277] Vgl. RdErl. des REM, 22.3.1943, in: BA Koblenz R 21/28 Bl.103 f.
[278] RdErl. des REM, 20.7.1943, in: BA Koblenz R 21/28 Bl.306.
[279] Vgl. Meldungen aus dem Reich, Bd.16, S.6274 ff. (24.1.1944).
[280] Vgl. Kock, Überprüfung der Studierenden (Anm. 275), Bl.413.
[281] Meldungen aus dem Reich, Bd.16, S.6274 (24.1.1944). Ähnlich auch: Kock, Überprüfung der Studierenden (Anm. 275), Bl.413.
[282] Vgl. Meldungen aus dem Reich, Bd.16, S.6275 (24.1.1944).

Ort überhaupt weitergeführt werden konnte. An all diesen Hochschulen kam es zu längeren Unterbrechungen des Lehrbetriebes, weil neue Räume beschafft werden mußten und die Studierenden für Aufräumungsarbeiten eingesetzt wurden.[283] In den folgenden Monaten schritt der Zerstörungsprozeß weiter voran, so daß häufig auch die Ersatzräume bald nicht mehr benutzt werden konnten. Um das Ausmaß der Schäden zu begrenzen, wurden Studenten und Hochschullehrer verpflichtet, nachts die Hochschulgebäude zu bewachen, um sie gegen Brandbomben zu schützen. Manche Fakultäten befanden sich während der beiden letzten Kriegsjahre in einem ständigen Prozeß der Verlagerung, wie Karl Reinhardt aus Leipzig berichtete:

> „Seit der Zerstörung unserer reichen Institute und des üppigen Vorlesungsgebäudes im Dezember 1943 lasen wir erst in der Thomasschule, als auch die zerstört war im Bibliotheksgebäude, als auch das zerstört war in ein paar anderen Schulen, zuletzt in der ehemaligen königlichen Residenz".[284]

Bei Kriegsende waren nur die Universitäten in Erlangen, Göttingen, Halle, Heidelberg, Marburg und Tübingen weitgehend unversehrt geblieben. Von den 32 Hochschulen, die sich in den westlichen Besatzungszonen befanden, waren zwölf fast vollständig zerstört, weitere acht konnten nur noch 25-30 % ihrer früheren Räumlichkeiten benutzen, während sechs Hochschulen etwa zur Hälfte erhalten geblieben waren.[285]

Auch dort, wo sie keine unmittelbaren Schäden verursachten, bewirkten die ständigen Angriffe eine dauernde Störung des Unterrichtsbetriebes, weil die Lehrveranstaltungen vor allem in den größeren Städten immer wieder durch Bombenalarm unterbrochen wurden.[286] Nicht wenige Studenten wurden mitten in der Examensprüfung von Fliegerangriffen überrascht:

> „Examen war angesetzt für den ganzen Vormittag, und dann kam ein großer Alarm, mußten wir rüber, da war eine Ecke im Luftschutzraum für uns reserviert, und da konnten wir dann weiterschreiben, und dann fielen die Bomben. Also, der Bunker, der hat gebebt nach allen Seiten, und dann rieselte der Kalk oben von der Decke ... Dann kriegten wir hinterher gesagt, wir haben die Arbeit abgegeben, es stände uns frei, ob wir diese Arbeit anerkennen lassen wollen oder ob wir einen neuen Termin haben wollen. Aber ich hab's dann bei der Arbeit gelassen, weil ich mir gesagt hab', beim neuen Termin passiert dasselbe wieder, nicht, wir hatten ja ständig Angriffe".[287]

Zerbombte Häuser und Räume konnten in der Regel ersetzt werden, wie notdürftig auch immer. Dagegen bedeutete die Zerstörung der wissenschaft-

[283] Vgl. R. Mentzel, REM, Referat auf der Dienstbesprechung der Hochschulrektoren, 9.7.1944, S.1 f., in: BA Potsdam REM 703 Bl.272 f.

[284] Reinhardt, Vermächtnis, S.399.

[285] Vgl. D. Phillips, The Re-opening of Universities in the British Zone: The Problem of Nationalism and Student Admissions, in: ders. (Hg.), German Universities after the Surrender, Oxford 1983, S.4.

[286] Vgl. Behnke, Semesterberichte, S. 153. Siehe auch Reinhardt, Vermächtnis, S.399.

[287] Interview von Astrid Dageförde mit Traute H., 31.1.1985, S. 10 f., Transkription in: ProjA HH. Vgl. auch C. Eisfeld, Aus fünfzig Jahren, Göttingen 1973, S.151.

lichen Bibliotheken[288] eine massive Einschränkung der Studien- und Forschungsmöglichkeiten, die kurz- oder mittelfristig nicht beseitigt werden konnte, zumal auch der Leihverkehr zwischen den Bibliotheken seit 1943 weitgehend zum Erliegen kam.[289] Im August 1943 hatten die alliierten Angriffe nach amtlichen Schätzungen bereits zu einem Verlust von etwa drei Millionen Bänden wissenschaftlicher Literatur geführt.[290] Zu den Bibliotheken, deren Gebäude zwischen 1942 und 1945 durch Bombenangriffe weitgehend zerstört wurden, gehörten u.a. die Preußische Staatsbibliothek in Berlin, die Bayerische Staatsbibliothek in München sowie die Landesbibliotheken in Dresden, Stuttgart, Karlsruhe, Kassel, Darmstadt, Dortmund, Düsseldorf und Kiel. Ebenso fielen zahlreiche Universitätsbibliotheken den Bomben zum Opfer, insbesondere in Göttingen, München, Bonn, Hamburg, Frankfurt, Gießen, Breslau, Münster und Würzburg. Auch in Jena, Kiel und Leipzig wurden die Bibliotheksgebäude durch alliierte Bomben schwer beschädigt. Nur in sieben Städten (Tübingen, Heidelberg, Erlangen, Halle, Köln, Greifswald und Rostock) ging der Krieg an den Universitätsbibliotheken fast spurlos vorüber. Noch härter traf es die Bibliotheken der Technischen Hochschulen, die sich fast alle in Trümmerhaufen verwandelten, so in Berlin, München, Dresden, Hannover, Stuttgart, Karlsruhe und Darmstadt.

Nicht immer bedeutete die Zerstörung der Gebäude auch den Verlust der Bücher, da zahlreiche Bibliotheken spätestens im Herbst 1943 begonnen hatten, ihre Bestände auszulagern. Die hastige Verlagerung großer Mengen von Büchern in stillgelegte Bergwerke, Klöster oder Schlösser trug zweifellos dazu bei, das Ausmaß der Zerstörungen zu begrenzen. Allein die Preußische Staatsbibiliothek konnte auf diese Weise mehr als zwei Millionen Bände vor der Vernichtung bewahren. Jedoch hatten diese Rettungsaktionen den Nebeneffekt, daß auch die Bücher von noch intakten Bibliotheken für Benutzer bis zum Ende des Krieges kaum mehr zugänglich waren. Faktisch führten die eingeleiteten Sicherheitsmaßnahmen deshalb dazu, den schleichenden Zusammenbruch des Hochschulbetriebes in der Endphase des Krieges noch weiter zu beschleunigen.[291]

Es kam hinzu, daß der Kauf von wissenschaftlichen Fachbüchern und anderem Unterrichtsmaterial in den beiden letzten Kriegsjahren nur noch selten möglich war. Bei den Praktika der Chemiestudenten fehlte es an Chemikalien, weil für den Lehrbetrieb keine Dringlichkeitsstufe bewilligt worden war, während die Studierenden der Technischen Hochschulen sich oft vergeblich mühten, Rechenschieber oder Zeichengeräte aufzutreiben.[292]

---

[288] Vgl. dazu die Bestandsaufnahme von G. Leyh, Die Lage der deutschen wissenschaftlichen Bibliotheken nach dem Kriege, in: Europa-Archiv, 1. Jg., 1946/47, S.234 ff.

[289] Vgl. das Interview von Astrid Dageförde mit Ilse W., S.12 f., 4.12.1984, Transkription in: ProjA HH.

[290] Vgl. Meldungen aus dem Reich, Bd. 16, S.6254 (17.1.1944) .

[291] Vgl. Meldungen aus dem Reich, Bd.16, S.6255 (17.1.1944).

[292] Vgl. dazu den SD-Bericht über „Das Dilemma für den Lehrbetrieb in Naturwissenschaft und Technik“ [1944], in: Bundesarchiv Koblenz R 26 III 112 Bl.121-124.

Am gravierendsten aber wirkte sich, etwa seit 1941, die Knappheit an wissenschaftlicher Literatur im Buchhandel aus: „Der Mangel an den nötigen Fachbüchern ... stellt die erfolgreiche Durchführung eines Studiums überhaupt in Frage", hieß es 1943 in einem Schnellbrief des REM, der die Professoren und Assistenten aufforderte, die prekäre Situation durch Bücherspenden zu lindern.[293] Insbesondere medizinische Lehrbücher waren nur unter erheblichen Schwierigkeiten zu besorgen.[294] Die wenigen Neuerscheinungen oder Nachdrucke wurden den Buchhändlern aus den Händen gerissen und waren nach kurzer Zeit schon wieder vergriffen. Eine ehemalige Hamburger Studentin erinnert sich:

> „Ja, und wenn es mal so einen Leitfaden gab, das ging wie ein Lauffeuer dann durch die Hörsäle: ‚da und da gibt's das', Stephansplatz oder was weiß ich, dann rannte man da hin und kaufte sich das Buch für 2 Mark 80 oder was. Aber es waren ja keine wissenschaftlichen Bücher da, solche kamen ganz selten raus".[295]

Die unzureichende Versorgung der Studierenden mit wissenschaftlicher Fachliteratur läßt sich nicht nur auf die beschränkte Zuteilung von Papier an die Verleger und auf die kriegsbedingte Zerstörung von Verlagen und Druckereien zurückführen. Vielmehr war sie auch das Resultat von politisch gesetzten Prioritäten, die selbst unter NSDStB-Funktionären auf Unverständnis stießen. Die Studentenführung der TH Darmstadt kritisierte in einem internen Bericht:

> „Hunderttausende von politischen Büchern und Broschüren werden gedruckt, die nur wenige Volksgenossen mit Verstand und Überzeugung durchstudieren. Es wäre viel zweckmäßiger, nur wirklich ausgezeichnete politische Schriften zu drucken, dafür aber die Wissenschaft etwas weitgehender zu bedenken und unser gutes deutsches Geistesgut".[296]

Von einem normalen Studium konnte in der Endphase des Krieges also immer weniger die Rede sein. Die zunehmende Zerstörung der Hochschulgebäude, der Ausfall zahlreicher wissenschaftlicher Bibliotheken und die wachsende Beeinträchtigung der Vorlesungen und Prüfungen durch alliierte Bombenangriffe machten die Aufrechterhaltung eines regulären Lehrbetriebes von Tag zu Tag schwieriger. Die Überlastung der Professoren, die bei steigenden Studentenzahlen ihre eingezogenen Kollegen und Assistenten ersetzen mußten, verstärkte diesen Trend noch. Ein SD-Bericht sprach 1944 durchaus zu Recht von einem „Verfall" der Lehre.[297]

---

[293] Schnellbrief des REM, 19.6.1943, in: BA Koblenz R 21/28 Bl.250. Vgl. auch den RdErl. des REM, 26.10.1943, in: ebd., Bl.466.

[294] Vgl. Meldungen aus dem Reich, Bd.14, S.5503 ff. (19.7.1943). Siehe auch H. van den Bussche, Im Dienste, S.151.

[295] Interview von Astrid Dageförde mit Gisela W., o.D., S.23, Transkription in: ProjA HH.

[296] Zit. in: SD-Abschnitt Ffm.: Semesterbericht über die Lage an der TH Darmstadt im WS 1943/44, 7.2.1944, S.11, in: HHStA Wiesbaden 483/11282.

[297] Vgl. „Das Dilemma für den Lehrbetrieb in Naturwissenschaft und Technik" (Anm. 292), Bl.123.

Zu all diesen Schwierigkeiten gesellte sich noch ein weiteres Problem, die wachsende Wohnungsnot. Studentische Wohnungsnot machte sich relativ früh bemerkbar, schon bevor im Frühjahr 1942 die massierten Angriffe der anglo-amerikanischen Luftwaffe auf deutsche Städte einsetzten. Die Untervermietung von Zimmern wurde im Krieg zunehmend unattraktiv, vor allem wegen des reduzierten Konsumangebotes und wegen der relativ großzügigen staatlichen Unterstützung für Soldatenfamilien.[298] Gleichzeitig wuchs aber der Bedarf an Wohnraum, da der Neubau von Wohnungen nach Beginn des Krieges praktisch eingestellt worden war. Die Nachfrage nach möblierten Zimmern, dem klassischen Studentenquartier, vergrößerte sich besonders stark, weil auch viele ausländische Arbeitskräfte, die zur Arbeit in der deutschen Kriegswirtschaft herangezogen wurden, eine private Unterkunft außerhalb der Ausländerlager suchten.[299]

In Würzburg, wo die Lage offenbar besonders kritisch war, konstatierte der SD im April 1941, die Wohnungsfrage entwickele sich zur „Kardinalfrage des Studiums".[300] Um die Unterbringung der Studierenden zu sichern, wurden dort bereits im Sommer 1941 Zimmer beschlagnahmt. In anderen Hochschulstädten kam es trotz der offiziellen Preisstoppverordnungen zu einem beträchtlichen Anstieg der Zimmerpreise.[301] Während des Wintersemesters 1941/42 wurde aus verschiedenen Universitätsstädten (Königsberg, Köln, Würzburg u.a.) gemeldet, eine Reihe von zugereisten Studenten habe die Stadt wieder verlassen, weil es ihnen nicht gelungen sei, eine geeignete Unterkunft zu finden.[302]

All diese Schwierigkeiten verblaßten jedoch, als die alliierten Bomber seit 1942/43 ganze Städte in Schutt und Asche legten, und auch zahllose Studenten über Nacht obdachlos wurden. Nun sah sich die Reichsstudentenführung gezwungen, Hitlers Obsessionen in puncto Homosexualität stillschweigend zu ignorieren und alte Befehle über Bord zu werden. Eine 1943 publizierte „Dienstanweisung" ordnete ausdrücklich an, die noch vorhandenen Kameradschaftshäuser „im Hinblick auf die überaus knappe Wohnungslage so dicht wie möglich zu belegen". Später, in Friedenszeiten, solle dann jeder wieder sein eigenes Zimmer bekommen.[303]

Unter den Studenten, die sich als Soldaten an der Front befanden, fehlte es auch in dieser Zeit nicht an Versuchen, dem eigenen Tun noch einen Sinn abzugewinnen. Gleichwohl vergrößerte sich die Hoffnungslosigkeit und nicht selten breitete sich Verzweiflung aus. Der Frankfurter Student Klaus Löscher hatte sich 1940 freiwillig zur Wehrmacht gemeldet und nach dieser Ent-

[298] Vgl. K.C. Führer, Die Wohnungszwangswirtschaft in Deutschland 1914-1960, Habil.-Schrift, Oldenburg 1993, S.564 ff.

[299] Die meisten ausländischen Arbeitskräfte waren in Lagern untergebracht, aber eine nicht unbedeutende Minorität lebte privat als Untermieter. Vgl. U. Herbert, Fremdarbeiter, Berlin/Bonn 1985, S.199.

[300] Bericht der SD-Außenstelle Würzburg, 8.4.1941, in: StA WÜ SD-Hauptaußenstelle Würzburg 33.

[301] Vgl. Meldungen aus dem Reich, Bd.7, S.2510 (10.7.1941).

[302] Vgl. Meldungen aus dem Reich, Bd.9, S.3323 (16.2.1942).

[303] Dienstanweisung für die Kameradschaft vom 20.4.1943, S.75. Zu Hitlers Furcht, das enge Zusammenleben im Kameradschaftshaus könne die Homosexualität fördern, vgl. S.270 u. S.323 f.

scheidung frohgemut in seinem Tagebuch notiert: „Klapp die Bücher zu, Kriegsfreiwilliger Klaus! Die Stunde ist da! Die große Probe aufs Exempel! Jawohl: Kriegsfreiwilliger!“ Vier Jahre später, im März 1944, war von dieser Aufbruchsstimmung nichts mehr übrig geblieben, wie sich aus dem Tagebuch ergibt. Löscher notierte:

> „Es ist schon sehr schwer, vor einem dunklen Abgrund zu stehen und die Stimme zu hören: Spring zu und begrabe dich in ihm! Das ist deine Bestimmung, nichts anderes! Hat es jemals eine junge Generation gegeben, mit einer solchen ungewissen und schwarzen, mit einer so trostlosen Zukunft wie uns?!“

Hatte der Krieg für ihn den Sinn verloren? Nicht ganz. Löscher spricht in dem Tagebuch verachtungsvoll über die „Eintagsparolen der Politiker, die mit ihrem Atem die Welt verpesten und den Menschen zum Narren und unter das Vieh erniedrigen wollen“. Offensichtlich waren damit auch die Nationalsozialisten gemeint. „Für diese Scheinwelt“, so heißt es weiter, „lohnt es sich nicht zu kämpfen und zu sterben! Für Deutschland? Selbstverständlich – für das verborgene ewige Deutschland! Muß man denn darüber noch große Worte machen?“.[304]

Bei jenen Studenten, die ihre Tage weiterhin in den Hörsälen und Seminaren verbrachten, handelte es sich demgegenüber zweifellos um eine relativ privilegierte Gruppe. Sie durften sich mit dem „Tatenbericht des Augustus“, mit dem „Nibelungenlied“ oder mit „Kants Kritik der praktischen Vernunft“ beschäftigen[305], während ihre Altersgenossen an der Front kämpften oder in der Kriegswirtschaft dienstverpflichtet worden waren. Dennoch erlebten auch sie, bedingt durch die häufigen Luftangriffe, die Vielzahl der Verpflichtungen und die Arbeitseinsätze in den Semesterferien, einen Prozeß der physischen und psychischen Zermürbung, in dem der Wunsch, die bestehende Notlage heil zu überstehen, schließlich alle anderen Hoffnungen und Ziele in den Hintergrund schob. Eine ehemalige Studentin berichtet über diese letzten Jahre des Dritten Reiches:

> „Wir hatten fast jede Nacht Alarm ... Jeder hatte mit sich zu tun, Lebensmittel wurden schon knapp. Man mußte rausfahren und hamstern, man mußte seine Fenster wieder reparieren, alle Augenblicke waren wieder irgendwo Bomben gefallen, und man war dauernd müde“.[306]

Vor allem die permanente Störung der Nachtruhe bewirkte einen konstanten Erschöpfungszustand, so daß „der Anblick des Publikums im Hörsaal häufig besorgniserregend war“, wie ein Hochschullehrer in seinen Erinnerungen berichtet.[307]

---

[304] Zit. aus: W. Bähr / H.W. Bähr (Hg.), Kriegsbriefe gefallener Studenten 1939-1945, Tübingen/Stuttgart 1952, S.321, 327 f. Die Materialsammlung für dieses Buch war ursprünglich von der Reichsstudentenführung initiiert worden, der Walter Bähr (1943 gefallen) angehört hatte. Die Publikation erfolgte dann allerdings mit einer gänzlich veränderten Zielrichtung.

[305] Zitate von Vorlesungstiteln aus: Personal- und Vorlesungsverzeichnis der Friedrich-Schiller-Universität Jena, WS 1944/45, in: UAJ.

[306] Interview von Astrid Dageförde mit Liselotte E., 31.1.1985, S. 16, Transkription in: ProjA HH.

[307] Behnke, Semesterberichte, S.145.

Ebenso wie in der Gesamtbevölkerung kühlte auch in der Studentenschaft das Verhältnis zum Nationalsozialismus seit 1943 weiter deutlich ab. Politische Anspielungen in den Vorlesungen regimekritischer Professoren fanden stets ein aufnahmebereites Publikum und wurden häufig mit Beifall quittiert.[308] Der Freiburger Nationalökonom Constantin von Dietze, in der NS-Zeit zweimal aus politischen Gründen inhaftiert, erklärte später: „In den Vorlesungen mußten wir dahingehende Äußerungen allerdings vorsichtig dosieren; weniger aus Angst vor Spitzeln als aus der Befürchtung, daß der zu erwartende laute Applaus Gefahren heraufbeschwören würde".[309] Bei Fliegerangriffen, in der schützenden Anonymität des Luftschutzkellers oder im verdunkelten Hörsaal, konnte sich der wachsende Unmut ebenfalls in kollektiver Weise entladen.[310] Aus Hamburg berichtete ein oppositioneller Student im Sommer 1943, daß der „deutsche Gruß" unter Studenten und Professoren „schon lange nicht mehr üblich" war.[311]

Auch in den internen Lageberichten des Regimes spiegelt sich eine wachsende Entfremdung zwischen der Studentenschaft und der Partei. Im Juli 1943 klagten die „Meldungen aus dem Reich" über die Indifferenz und den Mangel an Begeisterungsfähigkeit unter den Jurastudenten: „Sie neigen dazu, jede Maßnahme und jedes Ereignis zunächst kritisch und übertrieben objektiv zu betrachten". Die wenigen politischen Aktivisten würden von den anderen oft „mitleidig über die Schulter angesehen". Jedoch gebe es keine Anzeichen dafür, daß dieser Zustand auf „gegnerische Tendenzen" zurückginge.[312]

Einen sehr differenzierten Bericht über die „weltanschaulich-politische Haltung der Studentenschaft" lieferte im Januar 1944 der SD-Abschnitt Frankfurt am Main.[313] Der Bericht gliederte die Studentenschaft in vier Gruppen: Erstens die politisch Indifferenten, die mit der Arbeit der Partei und der Politik nichts zu tun haben wollten, sondern sich ausschließlich auf das Studium konzentrierten. Dieser Gruppe wurde die überwiegende Mehrheit der Studentinnen zugerechnet. Glaubt man der Einschätzung des SD, dann folgte die Zurückhaltung dieser Studentengruppe gegenüber der Partei den gleichen opportunistischen Motiven, die bei der vorigen Studentenge-

[308] Vgl. I. Scholl, Die Weiße Rose, Frankfurt/M. 1982, S.205; K. Schwabe, Der Weg in die Opposition: Der Historiker Gerhard Ritter und der Freiburger Kreis, in: E. John u.a. (Hg.), Die Freiburger Universität in der Zeit des Nationalsozialismus, Freiburg/Würzburg 1991, S.196; F. Büchner, Pläne und Fügungen, München/Berlin 1965, S.71 ff.

[309] C. von Dietze, Die Universität Freiburg im Dritten Reich, in: Mitteilungen der List-Gesellschaft, 3, 1960/62, S.100.

[310] Vgl. J. Pascher, Das Dritte Reich, erlebt an drei deutschen Universitäten, in: Die deutsche Universität im Dritten Reich, München 1966, S.66; Reinhardt, Vermächtnis, S.397.

[311] Vgl. die Anklageschrift des Oberreichsanwaltes beim Volksgerichtshof gegen den Studenten J. Hansen, 14.1.1944, S.2, in: StA HH Universität I Di H.9. Der zunehmende Verzicht auf den „deutschen Gruß" war ein allgemeiner Trend in der Bevölkerung. Vgl. Meldungen aus dem Reich, Bd.14, S.5430 (2.7.1943) u. S.5461 (9.7.1943).

[312] Meldungen aus dem Reich, Bd.14, S.5417 f. (1.7.1943).

[313] SD-Abschnitt Ffm.: Weltanschaulich-politische Haltung der Studenten, 17.1.1944 (Anm. 151). Daraus die folgenden Zitate.

neration zu gegenteiligen Entschlüssen geführt hatten. Tatsächlich ist es durchaus glaubhaft, daß viele dieser Studenten so realistisch waren, einzukalkulieren,

> „daß man immerhin damit rechnen müsse, daß der Nationalsozialismus und auch das Reich untergehen könne, weshalb man keinerlei Bindung an Staat und Partei auch später im Beruf eingehen möchte, sondern vielmehr möglichst viel Wissen von der Hochschule mitzunehmen gedenkt, um nachher in einem freien Beruf unabhängig vom politischen Geschehen und etwaigen Umwälzungen dazustehen".[314]

Hier zeichnete sich in Umrissen bereits die Figur des Nachkriegsstudenten ab, der sich auf sein Studium konzentrierte und von politischem oder gesellschaftlichem Engagement nichts mehr wissen wollte.[315]

Eine zweite Gruppe von Studierenden wurde im dem SD-Bericht als „liberalistisch" etikettiert. Charakteristisch für diese Gruppierung schien dem SD die Tatsache, daß sie „dauernd von ihrer Freiheit, die angeblich bedroht werde, sprechen". Eine dritte Gruppe bildeten die Offiziersstudenten. Diese „lehnen alles ns-mäßige, d.h. alles, was von der Partei kommt, ab, betonen aber im gleichen Atemzug ihre deutsche und nationale Einstellung, die sie im Kriege als Offiziere bzw. als Offiziersanwärter bewiesen hätten". Unter den Offizieren sei ebenso wie unter den „Liberalisten" häufige Kritik „an dem Niveau der Parteiführerschaft" üblich. Eine vierte und letzte Gruppe bildeten die nationalsozialistischen Studenten, unter denen sich allerdings auch manche „Zweckidealisten" befänden, denen es vor allem darauf ankäme, mit Hilfe der Partei persönliche Vorteile zu erlangen. Durchgängig erweckt der Bericht den Eindruck, daß die große Mehrheit der Studierenden 1944 innerlich und oft auch äußerlich vom Nationalsozialismus abgerückt war, wenngleich es noch gemeinsame Wertvorstellungen gab, vor allem den Nationalismus, die weiterhin als Bindemittel dienten:

> „Insgesamt gesehen ist ... eine nicht günstig zu nennende Entwicklung hinsichtlich der weltanschaulich-politischen Einstellung bei den Studierenden vorhanden, die zwar nicht, bzw. noch nicht, defätistisch-staatsfeindlichen Charakter trägt, welche aber in eine Indifferenz, welche nur den Bezirk der persönlichen Freiheit als erstrebenswertes Ziel ansieht, abgleitet".[316]

Sehr wahrscheinlich enthielt dieser Bericht nicht nur eine regionale Lageschilderung, sondern beschrieb einen Zustand, der sich so oder ähnlich an fast allen Hochschulen finden ließ. Drei Monate später kamen führende Wissenschaftspolitiker der Partei auf einer Besprechung ebenfalls zu dem übereinstimmenden Ergebnis, daß „die bisherigen Maßnahmen des Dozentenbundes wie des Studentenbundes nicht ausgereicht haben, um einen weltanschaulich-politisch zuverlässigen studentischen Nachwuchs zu gewinnen".[317] Und Walter Groß, Leiter des Hauptamtes Wissenschaft in der

---

[314] Ebd, S. 1 f.

[315] Vgl. Krönig/Müller, Nachkriegssemester, S.215 ff.

[316] SD-Abschnitt Ffm.: Weltanschaulich-politische Haltung der Studenten, 17.1.1944 (Anm. 151), S.4.

[317] Härtle, Bericht über die Wissenschaftsbesprechung (Anm. 276), Bl. 167.

Dienststelle Rosenberg, beobachtete auf einer Vortragsreihe im Wintersemester 1943/44, bei der er sieben deutsche Universitäten besuchte, „daß in den Kreisen der Studierenden eine spürbare Reserve dem Studentenbund gegenüber zu beobachten ist, die stellenweise ... bis zur direkten Opposition und Demonstration ansteigt“.[318]

Zweifellos erreichte das Prestige der Partei und des NSDStB in dieser letzten Phase des Krieges unter den Studenten einen absoluten Tiefpunkt. Die Möglichkeiten, diesem kriegsbedingten Verlust an Autorität entgegenzutreten, waren gering, denn auch die NSDStB-Funktionäre selber blieben von nagenden Zweifeln an der dauerhaften Zukunft des „Großdeutschen Reiches“ nicht verschont. Beschwörend hieß es in einem Rundbrief der Reichsstudentenführung vom August 1943:

> „Was manchen unserer studentischen Führer so sehr fehlt, ist die stabile Überzeugung, daß wir Deutschen auf der Welt gar nicht untergehen können ... Wie kann man nur die tägliche Stimmung nach dem jeweiligen Wehrmachtsbericht schwanken lassen!“[319]

Durchhalteparolen dieses Typs konnten jedoch nicht verhindern, daß auch viele Studentenführer mehr und mehr in Resignation verfielen.[320] Die Rundbriefe, Appelle und Befehle, die die Reichsstudentenführung weiterhin in großer Anzahl verschickte, stießen zunehmend ins Leere und wurden auf der mittleren und unteren Führungsebene oft gar nicht mehr wahrgenommen. Als Fazit einer Rundreise in verschiedene Hochschulstädte konstatierte Rudolf Thomas, Stabsführer der Reichsstudentenführung, im Februar 1944, man habe die Erfahrung gemacht,

> „daß die Pläne und Arbeiten und das Wollen der Reichsstudentenführung, ihrer Ämter und Abteilungen weder vom unteren örtlichen Führerkorps, noch von den Kameradschaften, noch von den vielen einzelnen Studenten und Studentinnen recht gekannt, beurteilt und mitgemacht werden. Es ist nicht so, daß die Leistungen unserer studentischen Führung von breiten Kreisen des Studententums wirklich getragen würden“.[321]

Paradoxerweise gelang dem NSDStB dennoch gerade in dieser Zeit eine gewisse Konsolidierung. Dies lag vor allem daran, daß 1943/44 zahlreiche Studenten an die Universitäten kamen, die von der Wehrmacht als Kriegsversehrte beurlaubt oder entlassen worden waren. Für die etwa 10.-12.000 kriegsversehrten Studenten, die 1944 Schätzungen zufolge an den deutschen Hochschulen studierten[322], war es offensichtlich besonders schwer, den Gedanken zu ertragen, daß alle Opfer und Entbehrungen vergeblich gewesen

[318] W. Groß, Bericht über die Vortragsreihe des HA Wissenschaft, 1.3.1944 (Anm.226), Bl.158.

[319] Rundbrief Nr.10 des Stabsführers der RSF, R. Thomas, 7.8.1943, S.1, in: HHStA Wiesbaden 483/11200.

[320] Rundbrief Nr.12 des Stabsführers der RSF, R. Thomas, 27.5.1944, S.2, in: BA Koblenz NS 26/375.

[321] Rundbrief Nr.11 des Stabsführers der RSF, R. Thomas, 4.2.1944, S.1, in: BA Koblenz NS 26/375.

[322] Vgl. Scheel an Bormann, 16.5.1944, in: BA Koblenz NS 6/524 Bl.1. Andere Schätzungen nennen niedrigere Zahlen.

sein sollten. Sie bildeten daher vielerorts die letzte Reserve, die dem NSDStB in der Phase der Agonie zur Verfügung stand.[323] Manche Studentenführungen bestanden bald ausschließlich aus verwundeten Soldaten, eine Entwicklung, die von Scheel bewußt gefördert wurde, weil versehrte Soldaten in der Regel mit dem Respekt ihrer Kommilitonen rechnen konnten, und weil Kriegsversehrte, da sie nicht mehr mit Einberufungen rechnen mußten, auch zur Stabilisierung des NSDStB beitrugen.[324] Die Existenz dieser wachsenden Gruppe von kriegsversehrten Studenten erklärt hauptsächlich, warum der Studentenbund trotz seiner wachsenden Isolation an den meisten Universitäten bis Ende 1944 präsent blieb.

Am Ende des Sommers 1944 war die Schonfrist, die der nationalsozialistische Staat den Hochschulen wegen des akademischen Nachwuchsmangels eingeräumt hatte, endgültig abgelaufen. Nachdem Goebbels im Juli 1944 zum „Generalbevollmächtigten für den totalen Kriegseinsatz" ernannt worden war, beabsichtigte er zunächst sogar die völlige Schließung der Universitäten. Dieser Plan wurde jedoch vom Reichssicherheitshauptamt mit dem Hinweis auf die militärische Relevanz wissenschaftlicher Forschung vereitelt.[325] Im September 1944 erfaßte der „totale Kriegseinsatz" dann aber auch die Hochschulen. Von insgesamt 85.517 Studierenden des Sommersemesters 1944 (ohne Ausländer) wurden etwa 16.000 von der Wehrmacht eingezogen bzw. an die Front beordert, unter ihnen zahlreiche Angehörige der Studentenkompanien. Weitere 30.796 Studierende (darunter 26.403 Studentinnen) mußten die Hochschulen verlassen und wurden für den Arbeitseinsatz, hauptsächlich in der Rüstungsindustrie, zur Verfügung gestellt. Neben Ausländern, Examenssemestern und Versehrten konnten vornehmlich Studierende kriegswichtiger Fachrichtungen (Physik, Mathematik, Ballistik, Hochfrequenztechnik, Fernmeldetechnik) weiter die Hochschulen besuchen. Studierende anderer naturwissenschaftlich-technischer Fächer sowie Studenten der Forstwissenschaft, Zahnmedizin und Pharmazie durften ebenso wie Lehramtstudenten[326] ihr Studium nur dann fortsetzen, wenn sie schon mindestens drei Fachsemester absolviert hatten. Auch die Masse der Medizinstudenten mußte die Universitäten verlassen, sofern sie nicht bereits sechs Fachsemester studiert hatten oder kurz vor dem Physikum standen. Erstimmatrikulationen waren nur noch in Ausnahmefällen (Versehrte, „Kriegerwitwen") zulässig.[327]

---

[323] Vgl. SD-Abschnitt Ffm.: Weltanschaulich-politische Haltung der Studenten, 17.1.1944 (Anm.151), S.2; Meldungen aus dem Reich, Bd.14, S.5417 (1.7.1943).

[324] Vgl. RSF-Befehl 23/43, 1.11.1943, S.2, in: StA WÜ RSF/NSDStB I* 01 ϕ 250; Giles, Students and National Socialism, S.306.

[325] Vgl. H. J. Fischer, Erinnerungen, Teil II, vervielfältigtes Ms., Ingolstadt 1985, S.107 ff.

[326] Naths Behauptung, die Lehramtstudenten seien vom Kriegseinsatz vollkommen ausgenommen worden, entspricht nicht der Realität. Vgl. Nath, Studienratskarriere, S. 219.

[327] Vgl. dazu im Detail: RdErl. des REM, 1.9.1944, in: DWEV 1944, S.211 f.; RdErl. des REM, 14.9.1944, in: ebd., S.224 f.; RdErl. des REM, 24.10.1944, in: BA Koblenz R 21/29 Bl.253; RdErl. des REM, 25.11.1944, in: ebd. Bl.276. Außerdem: Regierungsdirektor F. Kock, REM, Die Maßnahmen zum totalen Kriegseinsatz im Bereich der wissenschaftlichen Hochschulen und die gegenwärtige Lage der Hochschulen. Referat auf der Dienstbesprechung der Rektoren am 14.12.1944 in Posen, in: ebd. Bl.329-336; H. van den Bussche, Im Dienste, S. 165 f.

Weitergehende Pläne, die darauf hinausliefen, zahlreiche Fakultäten ganz oder teilweise zu schließen, die freiwerdenden Lehrkräfte in den Arbeitseinsatz zu schicken und die davon betroffenen Studenten an anderen Hochschulen unterzubringen[328], mußten Anfang November aus organisatorischen Gründen wieder rückgängig gemacht werden. Aufgrund der oben skizzierten Maßnahmen verblieben im Wintersemester 1944/45, dem letzten in der Geschichte des Dritten Reiches, nur noch etwa 38.000 eingeschriebene Studenten (ohne Berücksichtigung der Ausländer) an den deutschen Hochschulen. Damit hatte sich die Zahl der Studierenden gegenüber dem Sommersemester um ca. 56 % reduziert. Tatsächlich konnten aber auch viele der noch immatrikulierten Studenten ihr Studium nicht weiter fortsetzen, da der Lehrbetrieb vielerorts durch den Vormarsch der Alliierten zum Stillstand kam, weil zahlreiche männliche Studenten in den letzten Monaten zum Volkssturm einberufen wurden oder weil die Vorlesungsgebäude wegen Bombenschäden und Kohlenmangel[329] nicht mehr benutzbar waren. Das Ende des Krieges führte dann an allen Hochschulen zur vollständigen Einstellung des Lehrbetriebes.

[328] Vgl. Schnellbrief des REM, 12.10.1944, in: BA Koblenz R 21/29 Bl. 230 ff.

[329] Dies war das Hauptproblem in der Universität Tübingen, einer der wenigen unversehrten Hochschulen. Vgl. F. Schmid, „Eine Insel des Friedens“: die Jahre 1943-1945, in: Im Dienst an Volk und Kirche. Theologiestudium im Nationalsozialismus. Hg. von S. Hermle u.a., Stuttgart 1988, S.121.

X. Opposition in der Studentenschaft

1. Widerstand und Dissens: Die Struktur studentischer Opposition

Die Beschäftigung mit Widerstand und Dissens in der Studentenschaft setzt zunächst eine präzise Definition dieser beiden Begriffe voraus.[1] Ich halte es nicht für sinnvoll, den Begriff des Widerstandes so weit auszudehnen, daß jede Art nonkonformen Verhaltens oder Denkens darunter fällt und benutze deshalb einen eng gefaßten Widerstandsbegriff. Als Widerstand gilt im folgenden jedes Handeln, welches auf einer grundsätzlichen Ablehnung des Nationalsozialismus basierte und darauf abzielte, zum Sturz des Regimes beizutragen – unabhängig davon, welche politischen Alternativen den Widerstandskämpfern vorschwebten. Widerstand im so definierten Sinne leisteten an den Universitäten die Weiße Rose in München, mehrere kommunistische Widerstandskreise, die vor allem in Berlin zeitweise sehr aktiv waren, und noch einige andere Studentengruppen, über deren Aktivitäten wir bisher sehr wenig wissen, abgesehen von vereinzelten Flugblättern, die sich mehr oder minder zufällig in den Archiven erhalten haben.

Demgegenüber soll der Begriff Dissens alle Verhaltensweisen und Meinungen umfassen, die im Gegensatz zur nationalsozialistischen Politik und Weltanschauung standen, ohne jedoch die Schwelle zum organisierten Widerstand zu überschreiten. Für den Dissens im Dritten Reich war in der Regel charakteristisch, daß er sich zumeist nur auf Teilbereiche der politischen und gesellschaftlichen Realität bezog, bei gleichzeitiger Übereinstimmung in anderen Fragen. Auch war der Dissens nicht immer politisch motiviert, jedenfalls nicht im landläufigen Sinne, sondern beschränkte sich oft darauf, gegenüber dem Totalitätsanspruch der NS-Diktatur traditionelle Freiräume zu sichern und Restbestände von Autonomie zu bewahren. Inhaltlich unterscheidet sich dieser Dissensbegriff nicht wesentlich von dem Begriff der Resistenz, wie ihn

[1] Über den Widerstandsbegriff gibt es in der wissenschaftlichen Literatur eine lange Debatte, die hier nicht fortgeführt werden soll. Zum Forschungsstand vgl. Widerstand gegen den Nationalsozialismus. Hg. von P. Steinbach u. J. Tuchel, Bonn 1994; Der Widerstand gegen den Nationalsozialismus. Hg. von J. Schmädeke u. P. Steinbach, München/Zürich 1985. Wichtig für die begrifflichen Ausführungen war vor allem der Beitrag von I. Kershaw, „Widerstand ohne Volk?". Dissens und Widerstand im Dritten Reich (ebd., S.779-798).

Martin Broszat vorgeschlagen hat.[2] Da dieser letztere Begriff aber extrem unglücklich gewählt ist[3], wird er hier grundsätzlich vermieden.

Im studentischen Milieu des Dritten Reiches lassen sich drei Formen von Dissens unterscheiden, die ich 1. als individuellen Dissens, 2. als sozialelitären Dissens und 3. als weltanschaulichen Dissens bezeichnen möchte.

1. Der *individuelle Dissens* war im Dritten Reich am weitestens verbreitet. Der Begriff bezeichnet hier das, was die Nationalsozialisten „Mangel an Einsatzbereitschaft" nannten. Diese Form von Dissens ist in den chronologischen Teilen dieser Arbeit immer wieder anhand von konkreten Beispielen dargestellt worden und kann deshalb an dieser Stelle knapp abgehandelt werden. Gemeint sind die Bemühungen zahlreicher – wahrscheinlich der meisten – Studenten, sich individuell den Verhaltenszumutungen des Regimes und seiner Repräsentanten, der Studentenführer, zu entziehen und sich ein möglichst großes Maß an individueller Freiheit für eigene Interessen, für das Privatleben oder für die fachliche Ausbildung zu bewahren. Der individuelle Dissens drückte sich beispielsweise in der Abneigung vieler Studenten gegen die kleinen Universitäten aus, weil die Funktionäre des NSDStB dort besser in der Lage waren, die Studenten zu erfassen und zu kontrollieren. Auch der in den Quellen erkennbare Widerwille vieler Studenten gegen die 1933/34 geplante Kasernierung der Anfangssemester in Kameradschaftshäusern läßt sich dem individuellen Dissens zuordnen. Zum individuellen Dissens gehörte weiter die geringe Bereitschaft, sich an Arbeitseinsätzen im Landdienst, in der Erntehilfe oder im Fabrikdienst zu beteiligen, ebenso wie der listenreiche Versuch, sich diesen Einsätzen zu entziehen, nachdem sie 1939 zur Pflicht erklärt worden waren. Eine von nationalsozialistischen Professoren verfaßte Denkschrift, die 1939 unter dem Titel „Schweigen hieße Verrat" in Parteikreisen zirkulierte, faßte diese Einstellung in folgenden Worten zusammen:

> „Fachschaft, Reichsberufswettkampf, weltanschauliche Schulung werden von den Studenten nurmehr als notwendiges Übel und Zeitvergeudung empfunden, die sie schimpfend und einem Zwange gehorchend mitmachen, nur um die notwendigen Bescheinigungen zu erwerben".[4]

2. Als *sozialelitären Dissens* bezeichne ich einen Habitus, der vornehmlich aus einer Position bürgerlicher Exklusivität erwuchs. Zwar hat sich die nationalsozialistische Propaganda stets bemüht, den Studenten ihr elitäres Selbstverständnis auszutreiben. Eine solche Haltung galt als unvereinbar mit

[2] Vgl. M. Broszat, Resistenz und Widerstand, in: Bayern in der NS-Zeit IV. Hg. von M. Broszat u.a., München/Wien 1981, S.697 ff.; ders., Zur Sozialgeschichte des deutschen Widerstandes, in: VfZ, 34, 1986, S.300.

[3] Die Beschäftigung mit dem Nationalsozialismus ist eine internationale Angelegenheit. Für Engländer, Franzosen, Italiener oder Spanier ist es jedoch aus sprachlichen Gründen unmöglich, zwischen Resistenz und Widerstand (resistance, résistance, resistenza, resistencia) zu unterscheiden.

[4] Eine Abschrift der Denkschrift in: BA Koblenz R 43 II 940 b Bl.28 ff. Zur Urheberschaft vgl. H. Seier, Niveaukritik und partielle Opposition. Zur Lage an den deutschen Hochschulen 1939/40, in: Archiv für Kulturgeschichte, Bd.58, 1976, S.239 f.

der Idee der nationalsozialistischen Volksgemeinschaft. Der nationalsozialistische Student sollte nicht mehr auf die Arbeiter herabblicken, sondern in ihnen den „Volksgenossen“ und „Kameraden“ sehen. Doch wurden solche Forderungen von vielen Studenten innerlich nicht akzeptiert: „Es gibt in Deutschland immer noch Leute, die glauben, daß Studenten einer exklusiven Gesellschaftsschicht angehören müßten. Sie haben äußerlich ‚umgelernt‘, aber innen, da steckt der alte Adam“, hieß es 1936 im Zentralorgan des NSDStB.[5]

Vor 1933 hatte diese Attitüde vor allem zur Abgrenzung gegenüber den Arbeiterparteien beigetragen. Im Dritten Reich richtete sie sich nunmehr gegen den „proletenhaften Stil des Regimes“[6] und gegen den plebejischen Habitus vieler Parteiführer.[7] Aus dieser Perspektive gesehen waren Nationalsozialisten Leute, die unterhalb des eigenen Niveaus standen. Viele Studenten brachten diese Einstellung bereits aus der Schule mit. Eine ehemalige Studentin, die 1934 in Marburg auf einer (wie sie es formulierte) „piekfeinen“ Schule („ein großer Teil der Mädchen waren Professorentöchter“) Abitur machte und während des Krieges zeitweise aus politischen Gründen inhaftiert war, erinnerte sich später:

> „Bei uns in der Klasse waren so ein paar Mädchen in der Oberprima, die gingen dann in den BDM, freiwillig, es war kein Zwang damals. Und das [waren] nun in der Klasse ausgerechnet [die], die so vom Lande kamen, wirklich so ein bißchen dümmlich, die Unbegabtesten, die also in der Klasse überhaupt keine Rolle spielten. Die wurden so etwas belächelt. Und wir haben uns sofort entschieden, so diejenigen, die in der Klasse tonangebend waren: Wir haben überhaupt damit nichts [zu tun]“.[8]

Ein ähnlicher Eindruck verfestigte sich auch bei Nicolaus Sombart, der in den 1930er Jahren ein Gymnasium im Berliner Grunewald besuchte. Die eifrigen HJ-Mitglieder, das waren nach seiner Wahrnehmung Jugendliche, die nicht aus dem Villenviertel kamen, sondern in den Mietwohnungen des Halensee-Viertels lebten: „Das Halenseer ‚Proletariat‘ war gut im Turnen und wurde später ‚Fähnleinführer‘. Sie kamen in der braunen Uniform zur Schule, was bei uns verpönt war“.[9]

Aus der scharfen Distanz gegenüber der „Masse“, die schon im Kaiserreich zum Selbstverständnis des akademischen Bürgertums gehört hatte, konnte sich unter diesen Umständen leicht eine Abgrenzung gegenüber dem Nationalsozialismus als Massenbewegung entwickeln. Die oppositionelle Einstellung vieler Studenten enthielt daher, wie eine ehemalige Studentin später reflektierte,

---

5 „Studenten zweiter Klasse“, in: Die Bewegung Nr.33, 12.8.1936, S.1.

6 O.B. Roegele, Student im Dritten Reich, in: Die Deutsche Universität im Dritten Reich, München 1966, S.169.

7 Vgl. die Hinweise auf die häufige Kritik am „Niveau der Parteiführerschaft“ in dem Bericht des SD-Abschnitts Ffm.. Weltanschaulich politische Haltung der Studenten und ihre Erziehung durch den NSDStB, 17.1.1944, S.2, in: HHStA Wiesbaden 483/11282.

8 Interview von A. Dageförde mit Ursula S., o.D., S.3, Transkription in: ProjA HH.

9 N. Sombart, Jugend in Berlin 1933-1943, München/Wien 1984, S.14.

> „in vielen Fällen auch ein Stück von exklusiver Abgrenzung gegenüber ‚der Masse', die schwitzend auf Kundgebungen der Bewegung marschierte, kollektiv den Reden des Führers im Radio zujubelte, alles, was in der Zeitung stand, zu glauben hatte. Dafür hielten wir uns für viel zu schlau und viel zu gut".[10]

Diese Haltung richtete sich insbesondere gegen die nivellierenden, pseudosozialistischen Elemente der nationalsozialistischen Politik, die vor allem im Arbeitsdienst, aber auch in der HJ besonders deutlich hervortraten.[11] Doch wurde auch die Politik des NSDStB, immerhin einer rein studentischen Organisation, häufig als „Vermassung" kritisiert, wie ein Funktionär der Reichsstudentenführung 1944 registrierte.[12]

Da eine solche Einstellung in der Regel nicht öffentlich artikuliert wurde, ist es kaum möglich festzustellen, wie weit sie verbreitet war. Nur selten finden sich Hinweise, die darauf hindeuten, daß die Kritik an dem „primitiven" Habitus der Nationalsozialisten offenbar von relativ vielen Studenten geteilt wurde. Eine in dieser Hinsicht aufschlußreiche Episode findet sich in den Erinnerungen des Philosophen Hans-Georg Gadamer:

> „Meine erste ‚Kriegs'-Vorlesung war ein Platon-Kolleg, und als ich bei der Behandlung der Chronologie der platonischen Schriften von der Sprachstatistik sagte – ganz ohne Hintergedanken, aber wer kennt seine Hintergedanken alle? –, diese Methode sei zwar primitiv, aber wie manches Primitive habe sie Erfolg gehabt, erhielt ich donnernden Beifall".[13]

3. Der *weltanschauliche Dissens* war in der Studentenschaft zumeist religiös motiviert. In diesem Punkt stimmten Anhänger und Kritiker des Regimes überein: Nirgendwo war das oppositionelle Potential der Studentenschaft so groß wie unter den Theologiestudenten. Diese Einschätzung findet sich nicht nur in den internen Lageberichten des SD[14], sondern auch beim politischen Gegner: „Die studentische Opposition ist besonders stark in den theologischen Fakultäten ... Viele Studenten verhalten sich dabei sehr mutig und setzen sogar ihre Stipendien aufs Spiel", hieß es 1935 in den „Deutschland-Berichten" der Exil-SPD.[15] Neuere Lokalstudien haben dieses Urteil weitgehend bestätigt.[16] Während die katholischen Studenten schon vor 1933 gegenüber der NSDAP Distanz gezeigt hatten, ergab sich für die evangeli-

---

[10] H. Wallis, Medizinstudentin im Nationalsozialismus, in: U. Weisser (Hg.), 100 Jahre Universitäts-Krankenhaus Eppendorf 1889-1989, Tübingen 1989, S.402.

[11] Vgl. D. Schoenbaum, Die braune Revolution, Köln 1980, S.97 ff.; A. Klönne, Jugend im Dritten Reich, Düsseldorf/Köln 1982, S.88 ff.

[12] Vgl. den Rundbrief Nr.11 des Stabsführers der RSF, R. Thomas, 4.2.1944, in: BA Koblenz NS 26/375.

[13] H.G. Gadamer, Philosophische Lehrjahre, Frankfurt/M. 1977, S.116.

[14] Vgl. den Jahreslagebericht 1938 des Sicherheitshauptamtes, in: Meldungen aus dem Reich. Hg. von H. Boberach, Herrsching 1984, S.83.

[15] Deutschland-Berichte der Sozialdemokratischen Partei Deutschlands (Sopade), 2. Jg., 1935 (ND Frankfurt/M. 1980), S.704.

[16] Vgl. U.D. Adam, Hochschule und Nationalsozialismus, Tübingen 1977, S.113 f. u. 202 f.; F. Golücke, Das Kameradschaftswesen in Würzburg von 1936 bis 1945, in: Studentenschaft und Korporationswesen an der Universität Würzburg, Würzburg 1982, S.167; G. Stuchlik, Goethe im Braunhemd, Frankfurt/M. 1984, S.141 ff.

schen Theologiestudenten nach 1933 eine völlig neue Situation, die nicht leicht zu verkraften war: Gerade sie hatten in der Weimarer Republik den aufkommenden Nationalsozialismus mit besonderem Enthusiasmus begrüßt, fanden sich nun aber in der Rolle des argwöhnisch beobachteten Außenseiters wieder. Der christlich motivierte Dissens, seine Ursachen, sein Ausmaß und seine Grenzen, bedürfen einer ausführlicheren Darstellung, weil sie nur im Zusammenhang mit der nationalsozialistischen Kirchenpolitik verstanden werden können.

2. Der christliche Dissens

Seit dem Frühjahr und Sommer 1933 polarisierte der Kirchenkampf auch den Lehrkörper und die Studentenschaft der Theologischen Fakultäten. In einigen Universitätsstädten stellte sich die Mehrheit der evangelischen Theologiestudenten zunächst hinter die Deutschen Christen (DC), so etwa in Göttingen oder Tübingen[17]; anderswo regte sich dagegen schon früh Widerspruch gegen die von den Deutschen Christen betriebene Gleichschaltung der evangelischen Kirche.

Als die Deutsche Studentenschaft (DSt) im Juni 1933 an allen Universitäten Propagandaveranstaltungen zugunsten des späteren Reichsbischofs Ludwig Müller und der Deutschen Christen organisierte, artikulierte sich dieser Widerspruch erstmals auch öffentlich. In Bonn unterzeichneten 114 Studenten eine Resolution, in der das Verhalten der DSt-Führung als „Eingriff in innerkirchliche Angelegenheiten“ verurteilt wurde. Nach Eröffnung der Veranstaltung durch den Bonner Studentenführer verließen etwa 100-120 Studenten demonstrativ den Saal. Organisiert waren diese Proteste von drei Bonner Theologiestudenten, die zum Kreis der Schüler und Mitarbeiter von Karl Barth gehörten: Helmut Gollwitzer, Hellmut Traub und Erhard Müller.[18] In Breslau kam es während der Veranstaltung zu handgreiflichen Auseinandersetzungen zwischen etwa 200 Studenten, welche die Kundgebung unter Protest verlassen wollten, und SA-Mitgliedern, die ihnen die Ausgänge versperrten.[19]

Seit dem Herbst 1933 war der Einfluß der Deutschen Christen auch an den Universitäten rückläufig. Viele Theologiestudenten, die sich im Sommer 1933 noch für die Ziele der Deutschen Christen begeistert hatten, standen ein Jahr später bereits im Lager der Bekennenden Kirche oder verhielten sich neutral.[20] 1934 schickten die Theologenschaften der Universitäten Rostock und Erlangen dem Reichsbischof ein Protestschreiben mit 610 Unter-

[17] Vgl. K. Kupisch, Studenten entdecken die Bibel. Die Geschichte der Deutschen Christlichen Studenten-Vereinigung (DCSV), Hamburg 1964, S.186 ff.; C.H. Meisiek, Evangelisches Theologiestudium im Dritten Reich, Frankfurt 1993, S.192.

[18] Vgl. das Material zu diesem Konflikt in: GStAPK I Rep. 76 Va Sekt. 1 Tit. XII Nr.35 Bd.III Bl.221 ff. (M).

[19] Vgl. Meisiek, Theologiestudium, S.202.

[20] Vgl. ebd., S.203.

schriften, in dem Müller zum Rücktritt aufgefordert wurde. Die Verfasser machten aber ausdrücklich deutlich, daß ihr Protest gegen Müller keineswegs gegen den Nationalsozialismus gerichtet war: „So sehr wir hinter dem Führer stehen, so wenig hinter Ihnen", hieß es in dem Schreiben.[21]

Auch beim NSDStB stieß die organisatorische Ausbreitung der Deutschen Christen auf Mißfallen. Als sich im Mai 1933 unter der Führung des Berliner Pfarrers Walter Hoff ein „Studentenkampfbund Deutsche Christen" konstitutierte[22], verbot der NSDStB-Führer Oskar Stäbel allen Angehörigen des Studentenbundes die Mitgliedschaft in der neuen Organisation.[23] Offenbar sah Stäbel in der Gründung einen Versuch, ureigenes Terrain des NSDStB zu besetzen. Damit war der Studentenkampfbund bereits gescheitert, bevor er überhaupt klare Konturen entwickeln konnte. Bereits ein halbes Jahr nach der Gründung wurde die Organisation wieder aufgelöst.[24] Zwar bildeten sich 1935 an einigen Hochschulen neue DC-Studentengruppen, beispielsweise in Berlin, Köln, Leipzig und Halle. Der Versuch, erneut einen überregionalen Zusammenschluß von DC-Studenten aufzubauen, scheiterte jedoch an persönlichen Querelen und konkurrierenden Machtansprüchen.[25]

Am stärksten war das oppositionelle Potential der Theologiestudenten zunächst in Bonn. Hier hatten die Deutschen Christen von Anfang an keine Chance gehabt, eine größere Gefolgschaft zu gewinnen. In Bonn lehrte Karl Barth, der theologische „Vater der Bekennenden Kirche", der einen starken Einfluß auf seine Hörer ausübte. Wie ein Funktionär der Bonner Studentenführung 1934 klagte, zog Barth

> „durch seine Persönlichkeit und seine Haltung einen immer größer werdenden Kreis solcher Studenten nach Bonn, die dem nat[ional]soz[ialistischen] Geschehen ablehnend oder doch mindestens mit einem abwartenden Mißtrauen gegenüberstehen. Dieses Mißtrauen hat bereits zu Austritten aus der SA geführt. Der wirklich nat[ional]soz[ialistische] Kreis unter den Studenten ist infolgedessen sehr eng".[26]

Die Evangelisch-Theologische Fakultät Bonn entwickelte sich daher schon bald zu einer Hochburg der Bekennenden Kirche (BK), die Ende 1934 in dieser Stadt bereits mehr als 200 studentische Mitglieder zählte.[27]

Die Aufsässigkeit der Bonner Theologiestudenten steigerte sich noch, als Karl Barth 1934 aus politischen Gründen seinen Lehrstuhl verlor.[28] Barth,

---

[21] Vgl. ebd., S.203 f.

[22] Vgl. zu dieser Organisation das Material in: EZA 50/631.

[23] Vgl. die Anordnung Nr.13 des NSDStB-Bundesführers, 1.8.1933, in: StA WÜ RSF/NSDStB II* 50.

[24] Vgl. Meisiek, Theologiestudium, S.189 ff.

[25] Vgl. das Material in: EZA 1/C4/25 und EZA 1/C4/26.

[26] Hauptamtsleiter W. Lang an Kirchenrat E. Mattiat (REM), 14.12.1934, Durchschr. in: StA WÜ RSF/NSDStB I* 07 φ 321.

[27] Vgl. H. Prolingheuer, Der Fall Karl Barth 1934-1935. Chronologie einer Vertreibung, Neukirchen-Vluyn 1977, S.82. Zu diesem Zeitpunkt waren in Bonn 309 evangelische Theologiestudenten immatrikuliert. Vgl. Deutsche Hochschulstatistik, Bd.14, Berlin 1935, S.88.

[28] Vgl. Prolingheuer, Barth; H. Heiber, Universität unterm Hakenkreuz, Teil 1, München 1991, S.157 ff.

als langjähriger Anhänger der Sozialdemokratie ohnehin politisch suspekt, hatte mehrfach in unmißverständlicher Weise seine Distanz gegenüber der NS-Diktatur zum Ausdruck gebracht. Der Konflikt begann mit Barths Weigerung, seine Lehrveranstaltungen vorschriftsmäßig mit dem „Deutschen Gruß" einzuleiten. Zur Begründung erklärte der Theologe in einem Brief an den Reichserziehungsminister, es sei „unsachgemäß", eine theologische Vorlesung mit einer symbolischen „Anerkennung des Totalitätsanspruches der Volkseinheit im Sinne des nationalsozialistischen Staates" zu beginnen.[29] Im November 1934 ging Barth noch einen Schritt weiter. Als nach dem Tode Hindenburgs ein neues Gesetz die Vereidigung aller deutschen Beamten auf Hitler anordnete, erklärte Barth dem Rektor der Universität Bonn, er könne den Eid auf Hitler nur mit einem relativierenden Zusatz („soweit ich es als evangelischer Christ verantworten kann") ablegen. Daraufhin wurde der Theologe zunächst von seinem Amt suspendiert und einige Monate später in den Ruhestand versetzt.

Während die Führung der Bekennenden Kirche Barth keine Unterstützung gewährte, weil sie befürchtete, deswegen als staatsfeindlich abgestempelt zu werden[30], solidarisierten sich die Bonner Theologiestudenten mit ihrem Lehrer. Als der Bonner Rektor im Dezember 1934 vor einem überfüllten Auditorium die Entscheidung des Reichserziehungsministeriums (REM) erläuterte und bekanntgab, daß Rust einen Anhänger der Deutschen Christen, den Studentenpfarrer Johann Wilhelm Schmidt-Japing, beauftragt habe, Barths Lehrveranstaltungen weiterzuführen, kam es zu lauten Mißfallensäußerungen. Ein Student erklärte unter dem Beifall seiner Kommilitonen, Barths theologische Arbeit könne von anderen Personen gar nicht adäquat weitergeführt werden; der „uns zugemutete Vertreter" sei für Barths Hörer nicht tragbar: „Wir wollen die Sache und kein Surrogat".[31] In den folgenden Tagen zirkulierte an der Universität eine Protesterklärung gegen die Weiterführung von Barths Vorlesungen durch Schmidt-Japing, die von 201 Personen, darunter 166 Studenten, unterzeichnet wurde.[32] Gleichzeitig riefen die Bonner BK-Studenten zum Boykott gegen Schmidt-Japing und andere Exponenten der Deutschen Christen auf.[33]

Obwohl der Boykottaufruf offenbar von einem Großteil der Studenten befolgt wurde, scheiterte die Aktion letztlich an der rigorosen Personalpolitik des Reichserziehungsministeriums (REM). Zwischen 1933 und 1936 wurden alle Angehörigen der Evangelisch-Theologischen Fakultät Bonn, soweit sie nicht als politisch zuverlässig galten, entlassen oder an andere Universitäten versetzt. An ihre Stelle traten durchweg linientreue Parteimit-

[29] Barth an Rust, 16.12.1933, abgedruckt in: Prolingheuer, Barth, S.240 f. Vgl. auch ebd., S.10 ff.
[30] Vgl. Prolingheuer, Barth, S.65 ff.
[31] Vgl. ebd., S.75 ff.
[32] Die Liste der Unterzeichner wurde von der DSt vervielfältigt und an die lokalen Studentenführungen mit der Aufforderung übermittelt, „das weitere Verhalten der in der Liste genannten Studenten genau zu überwachen". Vgl. das vertrauliche Rundschreiben der DSt, 14.3.1935, in: StA WÜ RSF/NSDStB I* 80 γ 511/1.
[33] Vgl. Prolingheuer, Barth, S.82, 126, 172 f.

glieder.[34] Bereits im Wintersemester 1935/36 bestand der Lehrkörper zu zwei Dritteln aus Anhängern der Deutschen Christen.[35] Der Rheinische Bruderrat der Bekennenden Kirche reagierte auf diese Entwicklung mit einem Aufruf zum Boykott der Bonner Fakultät. Daraufhin ging die Zahl der immatrikulierten Studenten von 216 (im Sommersemester 1935) auf 76 (im Wintersemester 1935/36) zurück.[36]

In den ersten zwei Jahren nach der nationalsozialistischen Machtübernahme ließen sich die Konflikte an den Theologischen Fakultäten noch als Auseinandersetzung zwischen zwei Flügeln der Evangelischen Kirche interpretieren, in der Partei und Staat offiziell eine neutrale Position einnahmen, obwohl sie faktisch die Deutschen Christen unterstützten. In der NSDAP stärkte die mißlungene Gleichschaltung der Kirchen jene Kräfte, die Nationalsozialismus und Christentum ohnehin für unvereinbar hielten und deshalb die Kirchen schon immer als feindliche Kraft angesehen hatten. Zu den Dokumenten, die diesen Wandel widerspiegeln, gehört der Bericht eines Theologiestudenten über „Weltanschauliche Schulung im NSDStB", der seit dem Herbst 1935 in christlichen Kreisen zirkulierte. Darin schilderte der namentlich nicht bekannte Verfasser seine Erlebnisse in einem Schulungslager des NSDStB, das 1935 in Darmstadt abgehalten worden war. Breiten Raum nahm vor allem ein Vortrag des Gauschulungsreferenten ein, aus dem der Bericht einige zentrale Passagen zitierte:

> „Es gibt heute drei Weltanschauungen in Deutschland: die christliche, die marxistische und die nationalsozialistische. Eine schließt die andere kompromißlos aus. Die christliche und die marxistische sind beide liberalistisch, weil individualistisch ... Wir lehnen nicht nur die 100 verschiedenen Christentümer, sondern das Christentum an sich ab ... Auch die Christen, die den ehrlichen Willen haben, dem Volke zu dienen – und solche gibt es – müssen bekämpft werden, denn ihr Irrtum ist schädlich für die Volksgemeinschaft und unnatürlich, da fremdrassiger Herkunft".[37]

Nachdem der Schulungsreferent ausdrücklich betont hatte, das Referat gebe nicht seine Privatmeinung wieder, sondern die „offizielle Einstellung der Partei und des Führers", entschlossen sich der entsetzte Verfasser des Berichtes und ein weiterer Theologiestudent aus Frankfurt, das Lager zu verlassen. Gleichzeitig kündigten sie ihren Austritt aus der SA an. Auch der inzwischen eingetroffene Reichsführer des NSDStB, Albert Derichsweiler, vermochte sie nicht umzustimmen:

---

[34] Vgl. E. Bizer, Zur Geschichte der Evangelisch-Theologischen Fakultät von 1919 bis 1945, in: Bonner Gelehrte. Beiträge zur Geschichte der Wissenschaften in Bonn: Evangelische Theologie, Bonn 1968, S.255 ff.

[35] Vgl. G. Besier, Zur Geschichte der Kirchlichen Hochschulen oder: Der Kampf um den theologischen Nachwuchs, in: Theologische Fakultäten im Nationalsozialismus. Hg. von L. Siegele-Wenschkewitz u. C. Nicolaisen, Göttingen 1993, S.270.

[36] Vgl. W. Scherffig, Junge Theologen im „Dritten Reich", Bd.2, Neukirchen-Vluyn 1990, S.85; Bizer, Geschichte, S.262.

[37] Weltanschauliche Schulung im NSDStB (Abschrift des Berichtes eines Theologiestudenten), Ludwigshafen, 2.9.1935, in: BA Potsdam Reichskanzlei 4232 Bl.53 f.

„Reichsamtsleiter Derichsweiler erklärte grundsätzlich zu unserem Fall, daß der Zeitpunkt komme, wo sich viele Pg's enttäuscht sehen würden, die geglaubt hätten, nur für die politische Bewegung gekämpft zu haben und nun sähen, daß sie für eine neue Weltanschauung gekämpft hätten und sich nun zu entscheiden hätten. Die römische Kirche hätte von vornherein erkannt, worum es gehe, gewisse Kreise der evangelischen Kirche hätten es heute noch nicht erkannt, fügte er lächelnd im Hinblick auf die DC zu".[38]

Die Veröffentlichung dieses Berichtes in einigen Kirchenblättern und seine weitere Verbreitung durch zahlreiche private Abschriften erregte in kirchlichen Kreisen erhebliche Unruhe. Die zuständigen Stellen der Partei registrierten diese Reaktion mit einer gewissen Nervosität. Eine öffentliche Kampfansage an das Christentum konnte und wollte sich das Regime zum damaligen Zeitpunkt politisch nicht erlauben. Die Gestapo ordnete daher an, den Bericht des Theologiestudenten „beim Auftauchen polizeilich zu beschlagnahmen und einzuziehen".[39] Da diese Maßnahme aber offensichtlich nicht ausreichte, die weitere Verbreitung und Diskussion des Berichtes zu stoppen, sah der Stab Heß sich schließlich zu einem offiziellen Dementi veranlaßt. Stabsleiter Bormann behauptete in einem Rundschreiben, die im Bericht zitierten Äußerungen der NSDStB-Funktionäre seien „tendenziös entstellt" oder „bewußt aus dem Zusammenhang gerissen" worden. In Wirklichkeit seien „herabsetzende Äußerungen über die christliche Kirche" in den Schulungslagern des NSDStB nicht gefallen.[40]

Kurzfristig mochten solche Erklärungen zur Beruhigung der Lage beitragen. Langfristig blieben sie jedoch ohne Erfolg, da die antichristlichen Tendenzen in der Partei auch an den Hochschulen immer unverhüllter zum Vorschein kamen, zum Beispiel an der Evangelisch-Theologischen Fakultät Greifswald. Dort entwickelte sich im Wintersemester 1936/37 eine „bis zum Zerreißen gespannte" Situation, nachdem Gaustudentenführer Hellmut Kreul beim Semesterantrittsappell der NSDStB-Hochschulgruppe erklärt hatte, bald werde eine Zeit kommen, in der die Studenten zwischen den Dogmen der Kirche und dem Nationalsozialismus eine Entscheidung treffen müßten.[41] Fassungslos über diese Äußerung zeigten sich naturgemäß vor allem die Parteigenossen unter den Theologiestudenten. Sowohl der Dekan der Theologischen Fakultät als auch die theologische Fachschaft protestierten energisch gegen die Äußerungen des Gaustudentenführers:

„Diese Erklärung, daß ein echter Christ kein echter Nationalsozialist sein könne, steht im glatten Widerspruch zum Parteiprogramm und zu den wiederholten Ausführungen des Führers. Es gibt unseres Wissens auch keine amtliche Verlautbarung einer Parteidienststelle, auf die sich Kreul mit seinen Aussagen berufen könnte. Wir können nicht glauben, daß diese Erklärung im Sinne der Reichsstudentenführung ist,"

---

[38] Ebd.

[39] Rundschreiben des Geheimen Staatspolizeiamtes Darmstadt, 27.11.1935, in: BA Koblenz Sammlung Schumacher 279 I Bl.241.

[40] Rundschreiben 10/36 des Stabsleiters StdF, 20.1.1936, in: BA Koblenz Sammlung Schumacher 279 I Bl.242.

[41] Der gesamte Vorgang in: StA WÜ RSF/NSDStB II* 178 α 106.

schrieben drei aufgebrachte Greifswalder Theologiestudenten in einem Eilbrief an den Reichsstudentenführer.[42] Doch blieben diese Proteste ohne greifbaren Erfolg. Weder Scheel noch ein anderer Parteiführer distanzierte sich von Kreuls Äußerungen. Der Gauleiter von Pommern stellte sich sogar ausdrücklich hinter den Gaustudentenführer.[43] Zwar erklärte Kreul, um die Lage zu beruhigen, er habe beim Semesterantrittsappell seine persönliche Meinung geäußert, fügte aber hinzu, seine Ansicht über das Christentum sei auch, „wie bekannt sein dürfte, die Ansicht zahlreicher führender Männer der nationalsozialistischen Partei".[44]

Derartige Vorfälle machten es immer schwieriger, sich gleichzeitig als Nationalsozialist und als Christ zu fühlen. Die Bemühungen, beide Weltanschauungen miteinander zu verschmelzen, wie sie vor allem von den Deutschen Christen unternommen wurden, stießen daher unter den evangelischen Theologiestudenten nur noch auf schwache Resonanz. Statt dessen näherte sich die Mehrheit der evangelischen Theologiestudenten immer stärker der Bekennenden Kirche. Der Berliner Vikar Martin Fischer, der in der Bekennenden Kirche die Studentenarbeit koordinierte[45], schätzte nach einer Rundreise durch zahlreiche Universitätsstädte im Wintersemester 1936/37, etwa 30 % der Theologiestudenten seien entschiedene Anhänger, weitere 10 % Sympathisanten der Bekennenden Kirche. 20 % neigten zu den Deutschen Christen; der Rest (40 %) verhalte sich neutral.[46] In den folgenden Semestern verschob sich das Kräfteverhältnis weiter zugunsten der BK-Studenten.[47] Von 1.330 Theologiestudenten, die im Sommersemester 1939 an den 17 Evangelisch-Theologischen Fakultäten studierten, zählten nach internen BK-Statistiken 816 (61,4 %) zur Bekennenden Kirche, während die Deutschen Christen gerade noch über 63 Anhänger (4,7 %) verfügten.[48] Nur an der Universität Jena, die für ihre straffe politische Ausrichtung bekannt war, hatten die Deutschen Christen noch die Mehrheit der Theologiestudenten hinter sich. Das REM beurteilte die Lage an den Evangelisch-Theologischen Fakultäten ganz ähnlich und schätzte den Einfluß der Bekennenden Kirche sogar noch höher ein. Der Studentenreferent des REM, Ernst Heinrich, schrieb im Juli 1937 an den Reichsstudentenführer:

---

[42] T. Schließ u.a. an Scheel, 11.12.1936, in: StA WÜ RSF/NSDStB II* 178 α 106.

[43] Gauleiter F. Schwede-Coburg an Gaustudentenführer Kreul, 7.12.1936, Abschr. in: ebd.

[44] Gaustudentenführer Kreul an den Dekan der Theologischen Fakultät Greifwald, 28.11.1936, in: ebd.

[45] Fischer war Leiter des Studentenamtes der (2.) Vorläufigen Kirchenleitung.

[46] Vgl. Arbeitsbericht des Studentenamtes der V[orläufigen] L[eitung], o.D., in: EZA 50/491 Bl.80.

[47] Zahlreiche Berichte über die BK-Studentengruppen an den einzelnen Universitäten in: BA Potsdam REM 872.

[48] Errechnet nach: M. Blankenburg, Bericht über die Arbeit des Studentenpfarramtes der Bekennenden Kirche Berlin [1939], S.8, in: EZA 50/941 Bl.107; Zehnjahres-Statistik des Hochschulbesuchs und der Abschlußprüfungen, Bd.I, Berlin 1943, S.154. Aus Blankenburgs Bericht geht nicht hervor, wann die statistische Erhebung stattgefunden hat. Seine Angaben über die Zahl der Theologiestudenten beziehen sich aber eindeutig auf das Sommersemester 1939.

„Die Bekennende Kirche hat zur Zeit etwa 70-80 % aller Studenten der Theologie für sich eingenommen, und es besteht die Gefahr, daß, wenn kein Widerstand geleistet wird, alle evangelischen Theologiestudierenden in das Lager der Bekennenden Kirche abwandern".[49]

Über die adäquate politische Beurteilung dieser Entwicklung waren sich die Zeitgenossen allerdings uneins. Von manchen Trägern des Regimes wurden die Theologiestudenten bald pauschal als Staatsfeinde angesehen. Dieses war beispielsweise die Ansicht der Breslauer Gestapo, die 1936 nach Berlin meldete: „Der größte Teil der Theologiestudenten muß als gegen den NS-Staat eingestellt angesehen werden".[50] Vertreter der Deutschen Christen waren mit solchen Beurteilungen ebenfalls schnell bei der Hand. So denunzierte der Leiter der Fachschaft Religiöse Erziehung an der Universität Jena in einem Schreiben an den Reichserziehungsminister „das volksverräterische und zersetzende Treiben aller derjenigen Kreise, die sich in der sog. Bekenntnisfront zusammengeschlossen haben".[51] Doch gab es auch differenziertere Äußerungen. Gustav Adolf Walz, Rektor der Universität Breslau, berichtete 1937 in einem vertraulichen Schreiben an das REM über die Lage an der Theologischen Fakultät, deren Lehrkörper von den Deutschen Christen beherrscht wurde:

„Nur eine sehr kleine Gruppe von Studenten wird als radikal bezeichnet ... Weitaus der größte Teil, auch soweit er innerlich der Bekenntnisfront nahesteht, ist der Fakultät gegenüber voll aufgeschlossen und hat ebenfalls nach den mir vorliegenden Berichten den guten Willen, die neue nationalsozialistische Ordnung innerlich anzuerkennen und ihre [!] kirchliche Auffassung hiermit in Übereinstimmung zu bringen".[52]

Eine ähnliche Tendenz findet sich auch in einem Bericht der Fachschaft Evangelische Theologie an der Universität Leipzig über die dortige Studentengruppe der Bekennenden Kirche. Fachschaftsleiter Johannes Päutz konnte seinem Rektor sogar die Mitteilung machen, daß

„innerhalb dieser Gruppe eine Säuberung im Gange ist; und zwar werden Elemente, die einen Unterschlupf zur Wühlarbeit gegen den Staat gesucht haben, von der hiesigen Bekenntnisgruppe ausgeschieden ... Ich möchte noch hinzufügen, daß sich die Bekenntnisgruppe in zwei Lager spaltet. Einerseits ist bei 40 % wirklich ehrliches Wollen da, diese bemühen sich, Nationalsozialisten zu werden und stehen voll und ganz hinter dem Führer; dazu gehören 50 % Mitläufer, die keinen wirklich inneren Zusammenhang mit den Zielen dieser Gruppe haben. Mit ihnen kann man auch gut arbeiten. Der Rest ist nun andererseits eine uneinige (d.h. untereinander), meist politisch reaktionäre Clique. Ihre Antwort auf den Gruß ‚Heil Hitler!' ist stets ‚Grüß Gott!', was ich zur Charakteristik erwähne".[53]

---

[49] E. Heinrich an Scheel, 27.7.1937, in: BA Koblenz NS 38/21 Bl.90.

[50] Gestapo Breslau an das Geheime Staatspolizeiamt Berlin, 14.3.1936, Abschr. in: BA Potsdam REM 872 Bl.223.

[51] H. Voß an den REM, 19.6.1937, in: BA Potsdam REM 871 Bl.181.

[52] Rektor G.A. Walz an den REM, 19.6.1937 („streng vertraulich"), in: BA Potsdam REM 871 Bl.183.

[53] J. Päutz, Bericht über ‚Bekenntnisstudentengruppen', 29.12.1935, in: BA Potsdam REM 872 Bl. 162.

Solche Berichte weisen darauf hin, daß eine pauschale Etikettierung der BK-Studenten als „Staatsfeinde" wohl kaum der Realität entsprach. Offenbar gab es um 1936 noch viele evangelische Theologiestudenten, die dem NS-Staat weiterhin loyal gegenüberstanden oder zumindest anpassungsbereit genug waren, um diesen Eindruck nach außen zu vermitteln. Andererseits konnte die Politik von Partei und Staat gegenüber den Theologischen Fakultäten nur den Effekt haben, die Vorbehalte dieser Studenten gegenüber der NSDAP weiter zu vergrößern.

Verschärft wurde die angespannte Lage an den Theologischen Fakultäten durch eine Personalpolitik des Ministeriums und der Partei, die eindeutig gegen die Exponenten der Bekennenden Kirche ausgerichtet war. BK-Theologen hatten kaum Chancen, auf einen Lehrstuhl berufen zu werden und mußten, sofern sie sich kirchenpolitisch stark engagierten, mit Repressalien bis zur Entlassung rechnen.[54] Die Bekennende Kirche reagierte auf ihrer Augsburger Synode im Juni 1935 mit einem kaum verschleierten Aufruf zum Boykott der DC-Professoren[55], ein Beschluß, der offenbar weithin befolgt wurde und manchen deutschchristlichen Hochschullehrer in tiefe Depressionen stürzen sollte.[56]

Aufgrund der einseitigen Zusammensetzung des Lehrkörpers war an vielen Evangelisch-Theologischen Fakultäten schon 1935 ein Theologiestudium im Sinne der Bekennenden Kirche nicht mehr möglich. Die Augsburger Bekenntnissynode forderte deshalb dazu auf, den BK-Studenten in solchen Fällen Ersatzveranstaltungen außerhalb der staatlichen Fakultäten anzubieten.[57] Als die Bekennende Kirche daraufhin in einer Reihe von Universitätsstädten für ihre Theologiestudenten Ferienkurse, Vorlesungsreihen oder Arbeitsgemeinschaften einrichtete, und schließlich sogar zwei Kirchliche Hochschulen gründete, reagierte das REM am 17.11.1936 mit einem Erlaß, der allen evangelischen Theologiestudenten den Besuch solcher Veranstaltungen untersagte.[58] Obwohl der Erlaß bei Zuwiderhandlung mit dem dauernden Ausschluß vom Studium an allen deutschen Hochschulen drohte, ließen sich zahlreiche Theologiestudenten nicht davon abhalten, weiter die Ersatzveranstaltungen der Bekennenden Kirche zu besuchen. Der NS-Staat zog nun die Repressionsschraube weiter an. 1937 wurden in Berlin 29 Theologiestudenten relegiert, weil sie trotz des ausdrücklichen Verbotes an Kursen der Bekennenden Kirche teilgenommen hatten. Mit einer Ausnahme erhielten aber alle betroffenen Studenten die Möglichkeit, ihr Studium an einer anderen Hochschule fortzu-

[54] Vgl. E. Wolgast, Nationalsozialistische Hochschulpolitik und die evangelisch-theologischen Fakultäten, in: Theologische Fakultäten im Nationalsozialismus, S.64.

[55] Der Beschluß ist abgedruckt in: W. Niemöller, Die Evangelische Kirche im Dritten Reich, Bielefeld 1956, S.336.

[56] Vgl. S. Pauli, Geschichte der theologischen Institute an der Universität Rostock, in: Wissenschaftliche Zeitschrift der Universität Rostock. Gesellschafts- und sprachwissenschaftliche Reihe, 17. Jg., 1966, S.352 ff.

[57] Vgl. Niemöller, Kirche, S.336.

[58] RdErl. des REM, 17.11.1936, in: StA HH Hochschulwesen II U s 2/2 (auch abgedruckt bei Scherffig, Junge Theologen, Bd.2, S.149).

setzen.[59] Auch in Halle wurden etwa zur gleichen Zeit 13 BK-Studenten relegiert.[60]

Im August 1937 verbot ein Erlaß Himmlers alle von „der sogenannten Bekennenden Kirche errichteten Ersatzhochschulen, Arbeitsgemeinschaften und die Lehr-, Studenten- und Prüfungsämter".[61] Zwei Monate später ordnete der Reichserziehungsminister auf Wunsch des Reichskirchenministeriums ein Verbot der Deutschen Christlichen Studentenvereinigung (DCSV) an, weil diese sich zu einem Sammelbecken der BK-Studenten entwickelt hatte.[62] Damit war die von der Bekennenden Kirche an den Universitäten aufgebaute Infrastruktur zerschlagen oder in die Illegalität abgedrängt worden. Größere Versammlungen von BK-Studenten mußten von nun an vermieden werden. Die Studentenarbeit der BK wurde fortan in „Kleinkreisen" fortgesetzt, deren Tätigkeit von der Gestapo nur schwer kontrolliert werden konnte.[63] Trotz aller Repressalien[64] änderte sich an der Einstellung der meisten evangelischen Theologiestudenten aber offensichtlich nichts. 1938 konstatierte das Sicherheitshauptamt in seinem Jahreslagebericht: „Im Gegensatz zu den nationalsozialistischen Dozenten verfügen die BK-Dozenten über eine große Hörerzahl in ihren Vorlesungen und Übungen".[65]

Die katholischen Studenten einschließlich der katholischen Theologiestudenten waren nur relativ selten in offene Konflikte politischer oder hochschulpolitischer Art involviert. Dieser zumindest nach außen relativ friedliche Eindruck läßt sich zum einen durch die innere und äußere Geschlossenheit des deutschen Katholizismus erklären, zum anderen durch das ostentative Bemühen der katholischen Studenten, in der Öffentlichkeit keinen Anlaß zu politischer Kritik zu liefern. Bei offiziellen Pflichtveranstaltungen konnten Rektoren und Studentenführer stets mit einer nahezu vollständigen Präsenz der katholischen Theologiestudenten rechnen, während die übrigen Studierenden es mit derartigen Pflichten meist weniger genau nahmen.[66]

Trotz dieser äußeren Anpassung war aber auch hier ein Prozeß der inneren Entfremdung und Distanzierung vom NS-Regime unübersehbar. Die Kampagne der Partei gegen den „politischen Katholizismus" und

---

[59] Vgl. H. Ludwig, Theologiestudium in Berlin 1937: Die Relegierung von 29 Theologiestudierenden von der Berliner Universität, in: Theologische Fakultäten im Nationalsozialismus, S.303 ff. Die REM-Akten dazu in: BA Potsdam REM 1582.

[60] Vgl. Scherffig, Junge Theologen, Bd.2, S.255 ff.

[61] Erlaß vom 29.8.1937, Text in: H. Aschermann / W. Schneider, Studium im Auftrag der Kirche, Köln 1985, S.215.

[62] Vgl. den RdErl. des REM, 9.10.1937, in: StA HH Hochschulwesen II U s 2/2. Siehe auch die Niederschrift über die Rektorenkonferenz vom 15.12.1937, in: BA Potsdam REM 708 Bl.186 f. u. 192 f.

[63] Vgl. Scherffig, Junge Theologen, Bd.2, S.310.

[64] Vgl. auch Meisiek, Theologiestudium, S.289 ff.

[65] Jahreslagebericht 1938 des Sicherheitshauptamtes, in: Meldungen aus dem Reich, Bd.2, S.83.

[66] Vgl. die Ausführungen des Rektors der Universität Münster, W. Mevius, in: Niederschrift über die Rektorenkonferenz am 15.12.1937, in: BA Potsdam REM 708 Bl.105 f.; P. Spitznagel, Studentenschaft und Nationalsozialismus in Würzburg 1927-1933, Würzburg, phil. Diss., 1974, S.322; Meldungen aus dem Reich, Bd.6, S.2169 (31.3.1941).

die Prozeßwelle gegen katholische Geistliche hatten zur Folge, daß viele katholische Studenten, auch wenn sie die „nationale Erhebung" anfangs begrüßt hatten, schon 1934/35 wieder auf Distanz zur NS-Ideologie gingen. Im Mai 1935 berichtete ein V-Mann der Gestapo über die Mitglieder der katholischen Verbindungen an der Kölner Universität:

> „Für die Mitglieder dieser Verbände gibt es nur eine, nämlich die katholische Weltanschauung. Der Nationalsozialismus ist in ihren Augen keine Weltanschauung. Überzeugte Nationalsozialisten finden sich unter ihnen nicht ... Überall spricht man von einem Kulturkampf, der mit großer Härte und Leidenschaft geführt werde, aber der Nationalsozialismus werde sein Ziel nicht erreichen, und Hitler werde genau wie Bismarck im Kampf mit der katholischen Kirche unterliegen ... In diesen Kreisen wird eine Kritik an allem und jedem geübt, doch nur, wenn man sich sicher fühlt. Sonst ist man SA- oder SS-Mann und ruft laut ‚Heil Hitler!', am Zivilanzug trägt man aber kein Parteiabzeichen, und man sagt dann ‚Guten Tag'. Ein Referendar, der SS-Mann ist, sagte mir: ‚Ich bin nur in der SS, damit ich später weiterkomme, aber ich bin froh, wenn ich diese widerliche Uniform nicht mehr anzuziehen brauche'. So denken sehr viele, wenn nicht alle".[67]

Vermutlich übertrieb dieser Bericht, der von starken antikatholischen Affekten getragen war, die „negativen Tendenzen" in der katholischen Studentenschaft. Auch unter den gläubigen Katholiken gab es vielfach das Phänomen der doppelten Loyalität, also den Versuch, die Treue zur katholischen Kirche und das aktive Bekenntnis zum Nationalsozialismus miteinander in Einklang zu bringen: „Selbst langjährige SS-Angehörige scheuen nicht davor zurück, den Katholizismus bis zum letzten zu vertreten, jeden Sonntag in die Kirche zu gehen, Hirtenbriefe gutzuheißen", hieß es 1937 im Tätigkeitsbericht des Führers einer Würzburger Kameradschaft.[68] Die politische Schulung stoße an diesem Punkt auf unüberwindbare Hindernisse, betonte der Kameradschaftsführer. Man könne

> „wohl den Kameraden irgendwelche Erkenntnisse z.B. auf dem Gebiet der Rassenpflege klarmachen und zwar auch so, daß sie diese bejahen, man kann sie aber dann nicht so weit bringen, daß sie diese Erkenntnisse in bezug auf ihre eigene konfessionelle Bindung zur Konsequenz bringen".[69]

Die Würzburger ANSt-Führerin hatte mit den in der ANSt organisierten Studentinnen ähnliche Probleme. Mußte sie doch mit einer gewissen Ratlosigkeit feststellen,

---

[67] Bericht über die politische Einstellung der Kölner Studentenschaft, 31.5.1935, in: BA Potsdam REM 872 Bl.51 f. Von der Kölner Staatspolizei wurde dieser V-Mann ausdrücklich als „zuverlässig" beschrieben. Auch der Gaustudentenführer habe den Bericht als „grundsätzlich zutreffend" bezeichnet. Vgl. Staatspolizeistelle Köln an das Geheime Staatspolizeiamt Berlin, 17.6.1935, in: ebd. Bl.48.

[68] F. Michaelis, Tätigkeitsbericht der SS-Kameradschaft für WS 1936/37, 18.2.1937, in: StA WÜ RSF/NSDStB IV 2* 60/2.

[69] Ebd.

„daß Mädels, die bei uns recht tüchtig waren, sich auch für den Einsatz gemeldet haben und jederzeit zur Mitarbeit bereit waren, andererseits auch der katholischen Kirche sehr viel Interesse schenkten und sogar bei der Fronleichnamsprozession mitmachten. Gerade die Missionsmedizinerinnen sind in den Schulungsabenden recht aktiv, melden sich sofort zu Referaten und machen die meisten Vorschläge und führen häufig die Aussprache ganz alleine".[70]

Dennoch besteht kein Zweifel, daß an den Universitäten mit einer mehrheitlich katholischen Studentenschaft auch nach 1933 die Distanz gegenüber dem Nationalsozialismus größer war als an anderen Hochschulen. Darauf verweist nicht zuletzt die Mitgliederstatistik des NSDStB.[71] In sichtbarer Weise trat dieses Potential allerdings nur dann in Erscheinung, wenn Vertreter des Regimes offen die katholische Kirche kritisierten.

Solche Angriffe stießen stets auf energischen Protest. So wurden in Bonn mehrfach Zeitungsausschnitte aus dem „Stürmer" mit Angriffen gegen die katholische Kirche heimlich vom schwarzen Brett des NSDStB entfernt oder durch anonyme Protesterklärungen katholischer Studenten ersetzt.[72] In Würzburg sorgte 1935 eine Vortragsveranstaltung des NSDStB über das Thema „Jesuitismus, eine Staatsgefahr" für Unruhe in der Studentenschaft, wie Gaustudentenführer Rolf Schenk der Reichsführung des NSDStB meldete. Sein Bericht ist auch deshalb aufschlußreich, weil er ausdrücklich auf die Breite des katholischen Protestpotentials hinwies, das sich keineswegs allein auf Theologiestudenten beschränkte:

„Der Hochschulgruppenführer wurde beim Verlassen des Rektorats ... mit ‚Pfui-Rufen' begrüßt. Bei dem Vortrag selbst war die Opposition in ziemlicher Stärke vertreten, aber zum Wort hat sich niemand gemeldet, und wie üblich tat man anonym sein Mißfallen durch Scharren kund. Dieses Verhalten, welches in ähnlicher Art durchaus nicht nur von Theologiestudenten, sondern auch von einer großen Zahl aus den übrigen Fakultäten an den Tag gelegt wird, zeigt recht deutlich, daß gerade an der Universität Würzburg die schwarze Opposition einen unheimlichen Umfang hat. Allen offenen Auseinandersetzungen wird natürlich aus dem Weg gegangen, und es ist uns bisher nicht gelungen, diese Kreise auf solche eindeutige Sabotagearbeit hin tatsächlich überführen zu können".[73]

Die Suche nach Oppositionszentren in der katholischen Studentenschaft verlief in der Regel wenig erfolgreich. Besonders mißtrauisch beobachteten die Nationalsozialisten den Bund „Neudeutschland" – ursprünglich eine von Geistlichen geführte Organisation katholischer Gymnasiasten, die stark durch die Jugendbewegung geprägt war.[74] Für Mitglieder, welche die Schul-

---

[70] G. Brix, Arbeitsbericht des Amtes Studentinnen und der ANSt an der Universität Würzburg, 1.7.1938 (unpaginiert), in: StA WÜ RSF/NSDStB II* 536 α 435.

[71] Vgl. S.246 u. S.325 f.

[72] Vgl. den Bericht einer ANSt-Studentin über diese Vorfälle: „Episode an einer deutschen Universität, anno 1935", in: StA WÜ RSF/NSDStB II* 534 α 433. Siehe auch: „Sie haben sich entlarvt!" in: Deutsche Studenten-Zeitung Nr.15, 6.6.1935, S.1.

[73] R. Schenk, Monatsbericht an die Reichsführung des NSDStB, 30.6.1935, S.1, in: StA WÜ RSF/NSDStB II* 109 α 53.

[74] Vgl. R. Warloski, Neudeutschland. German Catholic Students, 1919-1939, Den Haag 1970; R. Eilers (Hg.), Löscht den Geist nicht aus. Der Bund Neudeutschland im Dritten Reich, Mainz 1985.

zeit bereits hinter sich hatten, war 1923 der „Neudeutschland-Älterenbund" gegründet worden. Ende 1932 hatte der Älterenbund 1.313 Mitglieder, darunter 882 Studenten.[75] Nach einer Phase der politischen Anpassung (1933/34), in der versucht worden war, die Gemeinsamkeiten von Nationalsozialismus und Katholizismus zu betonen, führte der Bund in den folgenden Jahren eine betont unauffällige Existenz. Man beschränkte sich weitgehend auf religiöse Themen und versuchte, Konflikte mit der Obrigkeit zu vermeiden. Unter den Mitgliedern dominierten offenbar die Theologiestudenten, die in einer „Reichstheologengemeinschaft" zusammengefaßt waren. Nach Angaben der DSt sollen der Reichstheologengemeinschaft Anfang 1934 etwa 750 katholische Theologiestudenten angehört haben.[76] Von der Gestapo wurden die Aktivitäten des Bundes aufmerksam observiert, doch fand sich lange Zeit kein Grund zum Eingreifen. 1936 meldete die preußische Gestapo dem Reichserziehungsministerium etwas ratlos:

> „Inwieweit sich staatsfeindliche Elemente unter der Reichstheologengemeinschaft befinden, konnte trotz eingehender Erhebungen noch nicht festgestellt werden. Ein Verbot dieser Gemeinschaft wegen staatsfeindlicher Betätigung ist daher von hier aus z. Zt. noch nicht möglich".[77]

Erst kurz vor Beginn des Zweiten Weltkrieges, im Juni 1939 wurde der Bund Neudeutschland verboten, doch gab es einzelne Gruppen, die in getarnter Form auch weiterhin zusammenkamen.[78]

Die Dissoziation von Nationalsozialismus und christlicher Studentenschaft war ein langsamer und für manche Studenten überaus schmerzvoller Prozeß. Wesentlich vorangetrieben wurde er durch die Verdrängung der Theologiestudenten aus den Gliederungen der NSDAP.[79] Die SS hatte bereits 1934/35 alle Theologen und Theologiestudenten aus ihren Reihen entfernt. 1937 folgten die SA, die HJ und andere NS-Formationen diesem Beispiel. Vor allem für die überzeugten Nationalsozialisten unter den Theologiestudenten war diese Entwicklung ein schwerer Schlag[80], zumal die Parteigliederungen zwischen Anhängern der DC und der BK keine Unterschiede machten. Darüber hinaus konnte die Ausgrenzung aus den NS-Formationen auch die Fortsetzung des Studiums erschweren, weil materielle Vergünstigungen (Stipendien, Kolleggeldermäßigung usw.) in der Regel nur für Mitglieder nationalsozialistischer Organisationen zur Verfügung standen.[81]

---

[75] Vgl. Warloski, Neudeutschland, S.134.

[76] Vgl. K.-H. Goldmann (DSt) an die Gestapo, 19.6.1935, in: BA Potsdam REM 872 Bl. 185.

[77] W. Best an den REM, Januar 1936, in: BA Potsdam REM 872 Bl.188.

[78] Vgl. K. Rawer, Neudeutschland-Älterenbund im Dritten Reich, in: Eilers (Hg.), Löscht den Geist nicht aus, S.45.

[79] Vgl. Meisiek, Theologiestudium, S.301 ff.

[80] Vgl. etwa das erbitterte Protestschreiben der Fachschaft Religiöse Erziehung Jena an den REM, 19.6.1937, in: BA Potsdam REM 871 Bl.181 f.

[81] Vgl. die Niederschrift über die Rektorenkonferenz am 15.12.1937, in: BA Potsdam REM 708 Bl.108 ff. Siehe auch den RdErl. des REM, 19.5.1938, Abschr. in: UA München Senat 368/5 I.

Auch im NSDStB gab es schon 1935 immer wieder einzelne Studentenführer, die den Theologiestudenten deutlich machten, daß sie im Studentenbund nicht erwünscht waren.[82] Für überzeugte Katholiken kam der Eintritt in den Studentenbund ab Juni 1937 nicht mehr in Frage, da seitdem alle Kameradschaftsmitglieder zur „unbedingten Genugtuung mit der Waffe" verpflichtet wurden.[83] Gegenüber den evangelischen Theologen zeigte sich der Pastorensohn Scheel, der selbst einmal Theologie studiert hatte, aber zunächst vergleichsweise moderat. Im Oktober 1937 ordnete er ausdrücklich an, die Kameradschaften weiter für evangelische Theologiestudenten offen zu halten: „Die Praxis hat erwiesen, daß zahlreiche Theologen, welche in den Kameradschaften stehen, zum Teil wertvollste Kräfte, umsatteln oder sich zumindest dem Nationalsozialismus in erster Linie verschreiben".[84] Ende 1937 war der NSDStB, wie Scheel konstatierte, „die einzige Gliederung" der Partei, die für Theologen noch offenstand.[85]

Als sich jedoch 1938 abzeichnete, daß der Stab Heß, das REM und die SS eine schrittweise Aufhebung der Theologischen Fakultäten ansteuerten, beschloß der Reichsstudentenführer, seine bisherige Zurückhaltung aufzugeben, um durch „rechtzeitige Initiative in der Vorhand" zu bleiben. Scheel ordnete daher an, künftig keine Theologen mehr in die Kameradschaften des NSDStB aufzunehmen.[86] Die Entscheidung fiel um so leichter, weil es zu diesem Zeitpunkt ohnehin kaum noch einen zukünftigen Theologen in den NSDStB zog. Im Sommersemester 1938 hatten von insgesamt 3.765 Theologiestudenten gerade noch 61 (1,6 %) ein Mitgliedsbuch des Studentenbundes in der Tasche.[87]

Tatsächlich begannen bereits Ende November 1938 Verhandlungen zwischen dem Amt Wissenschaft im REM und dem Stab Heß über eine allmähliche Beseitigung der Theologischen Fakultäten.[88] Im Frühsommer 1939 herrschte bereits weitgehende Einigkeit über den einzuschlagenden Weg. Der Beginn des Zweiten Weltkrieges einige Monate später warf diese Planung jedoch wieder über den Haufen. Die Nationalsozialisten waren nun mehr denn je auf die Loyalität der Bevölkerung angewiesen und mußten deshalb spektakuläre Maßnahmen vermeiden, die den christlichen Teil der Bevölkerung vor den Kopf gestoßen hätten. Um eine spätere Beseitigung

---

[82] Vgl. beispielsweise die Beschwerde des Dekans der Evangelisch-Theologischen Fakultät Bonn, E. Pfennigsdorf, an den REM, 23.11.1935, in: BA Potsdam REM 907.

[83] Vgl. S.320.

[84] Scheel an den Leiter des Amtes Politische Erziehung der RSF, G. Mähner, 25.10.1937, Durchschr. in: BA Koblenz NS 38/9 Bl.78.

[85] Vgl. Scheel an J. Wotschke, 29.11.1937, in: BA Koblenz NS 38/10 Bl.5.

[86] Vgl. H. Reich, Aktennotiz über die Besprechung beim Reichsstudentenführer, 15.11.1938, S.2 f., in: StA WÜ RSF/NSDStB II* 451 α 354. Siehe auch die Anordnung der RSF vom 30.11.1938, in der dieser Beschluß offiziell verkündet wurde. Abschr. in: BA Potsdam REM 908 Bl. 11.

[87] Vgl. die Auflistung in: StA WÜ RSF/NSDStB II* 450 α 353. Zahl der Theologiestudenten nach: Zehnjahres-Statistik des Hochschulbesuchs und der Abschlußprüfungen, Bd.I, Berlin 1943, S. 154.

[88] Der gesamte Vorgang in: BA Koblenz R 21/460. Vgl. auch Wolgast, Nationalsozialistische Hochschulpolitik, S.66 ff.

der Theologischen Fakultäten zu erleichtern, wurde aber beschlossen, freiwerdende Lehrstühle an diesen Fakultäten nicht wieder zu besetzen und keine neuen Lehraufträge mehr zu erteilen.[89] Die Theologischen Fakultäten blieben daher – von einigen Ausnahmen abgesehen[90] – zwar erhalten, wurden aber durch Stellenstreichungen langsam ausgetrocknet. Von einem regulären Lehrbetrieb konnte bald an vielen dieser Fakultäten nicht mehr die Rede sein. So waren an der Evangelisch-Theologischen Fakultät Rostock bei Kriegsende vier von fünf Ordinariaten unbesetzt.[91]

Für alle, die ihre Augen nicht vor der Wirklichkeit verschlossen, konnte es seit 1938 keine Zweifel mehr über die Unvereinbarkeit von Nationalsozialismus und Christentum geben. Es ist daher kaum anzunehmen, daß es unter den Studenten, die sich eng mit der katholischen oder evangelischen Kirche verbunden fühlten, noch viele gab, die sich weiterhin als Nationalsozialisten verstanden. Dennoch erwies sich das oppositionelle Potential dieser Studenten in zweifacher Hinsicht als begrenzt:

Erstens führte der rapide Rückgang der Theologiestudenten seit 1938/39[92] dazu, daß der religiös motivierte Dissens an den Hochschulen immer mehr an Bedeutung verlor. Zwar bestanden auch während des Krieges noch an einigen Hochschulen Zusammenschlüsse evangelischer und katholischer Studenten.[93] Doch bewegten sich solche Gruppen oft am Rande der Legalität, da sie von der Partei als Zusammenschluß potentieller Staatsfeinde äußerst mißtrauisch beobachtet wurden. Als die Reichsstudentenführung 1941 erfuhr, daß sich an einigen Hochschulen eine Organisation von evangelischen Studentinnen herauszubilden begann, wurde die Angelegenheit sofort der Gestapo übergeben.[94]

Zweitens läßt sich festhalten, daß der weltanschauliche Dissens im christlichen Lager, so mutig und entschlossen er vielfach war, auch inhaltlich begrenzt blieb. Proteste christlicher Studenten richteten sich in der Regel nur gegen die Angriffe von Parteifunktionären auf die christliche Lehre sowie gegen Eingriffe des Staates in die inneren Angelegenheiten der Kirche. Darüber hinaus wurde der Herrschaftsanspruch des NS-Staates nicht grundsätzlich in Frage gestellt: „Wir ... achten ... das Amt weltlicher Obrigkeit, der wir alle Macht einräumen wollen, nur nicht die Macht über Gott und den Glauben“, so faßte 1936 ein „Studentenbrief“ der Bekennenden Kirche diese Position zusammen.[95]

---

[89] Vgl. das geheime Schreiben M. Bormanns an den REM, 26.4.1940, in: BA Koblenz R 21/460 Bl. 165 ff.

[90] Aufgelöst wurden 1938/39 noch vor Beginn des Krieges die katholischen Fakultäten in München, Innsbruck, Salzburg und Graz. Vgl. das Schreiben des REM an den StdF, 6.4.1939, in: BA Koblenz R 21/460 Bl.104.

[91] Vgl. Pauli, Geschichte, S.354.

[92] Vgl. S. 130 ff. und Tabelle 19 (Anhang).

[93] Vgl. Meisiek, Theologiestudium, S.353 f. Siehe auch den Bericht des SD Würzburg, 1.4.1941, S.3 f., in: StA WÜ SD-Hauptaußenstelle Würzburg 23.

[94] Vgl. das vertrauliche Rundschreiben des Stabsführers der RSF, R. Thomas, 9.5.1941, in: StA WÜ RSF/NSDStB I* γ 614.

[95] Studentenbrief der Bekennenden Kirche. Hg. vom Studentenamt der Deutschen Evangelischen Kirche, 9.11.1936, in: EZA 50/491 Bl.185.

Eine Kritik an der Entlassung zahlreicher Hochschullehrer, an der Vertreibung oppositioneller und jüdischer Studenten, an den Maßnahmen zur Einschränkung der Freiheit von Forschung und Lehre ist daher von dieser Seite nicht überliefert. Auch vertrug sich die Absage an die nationalsozialistische Weltanschauung durchaus mit dem pflichtbewußten Dienst als Soldat in der Wehrmacht, zumal wenn es gegen den „gottlosen Bolschewismus" ging. Friedrich Schmid, der 1943-1945 als schwer verwundeter Soldat in Tübingen evangelische Theologie studierte, hat diese Konstellation in einer autobiographischen Skizze nüchtern und selbstkritisch beschrieben:

> „In politischen Fragen brauchte man sich vor den Kommilitonen ... keinen Zwang anzutun. Die Distanz zum herrschenden Regime war allgemein und offenkundig. Nachrichten aus der Bekennenden Kirche wurden ausgetauscht und besprochen. In vielen Köpfen, den meisten, steckte jedoch noch ... jene deutschnational-christliche Ideologie, die wir teils von den Elternhäusern, teils von der Kirche ... mitbekommen hatten. Ich kennzeichne sie kurz einmal mit der uns in Fleisch und Blut geimpften Trias: ein ernster Christ – ein guter Deutscher – ein vorbildlicher Soldat (möglichst Offizier). Man wollte sich in Sachen ‚Einsatz für das Vaterland' nichts nachsagen lassen".[96]

Dieser nationalistische Grundkonsens blieb bis in die Endphase des Krieges hinein erhalten und kettete den christlich motivierten Dissens weit stärker an das Regime, als es den Zeitgenossen (in beiden Lagern) bewußt war. Nur in Einzelfällen entwickelte sich daher aus dem christlichen Dissens ein Widerstand im engeren Sinne, ein aktiver Kampf gegen die NS-Diktatur. Die Weiße Rose in München ist ein eindrucksvolles, aber auch einsames Beispiel einer solchen Entwicklung.

3. Widerstand in der Vorkriegszeit

In den ersten Jahren nach der „Machtergreifung" haben vor allem die kommunistischen Studenten versucht, organisierten Widerstand gegen die NS-Diktatur zu leisten. Seit Anfang der 1920er Jahre hatten sich der KPD nahestehende Studenten an verschiedenen Hochschulen unter der Bezeichnung Kommunistische Studentenfraktion (Kostufra) zusammengeschlossen. Außerdem wurden seit 1929 zur Erweiterung des kommunistischen Einflußbereiches „Rote Studentengruppen" gegründet, die auch für unorganisierte Studenten offenstanden.[97] Die Ausgangslage des kommunistischen Widerstandes war allerdings außerordentlich schwierig. Schon vor 1933 hatten es die der KPD nahestehenden Studentengruppen an kaum einer Universität geschafft, sich aus der politischen Isolation zu befreien. Nach dem

[96] F. Schmid, „Eine Insel des Friedens", in: Im Dienst an Volk und Kirche. Theologiestudium im Nationalsozialismus. Hg. von S. Hermle u.a., Stuttgart 1988, S.117 f.

[97] Vgl. dazu die Lokalstudien: C. Dorner u.a., Die braune Machtergreifung. Universität Frankfurt 1930-1945, Frankfurt/M. o.J., S.63 ff.; W. Mehls, Angehörige der Berliner Universität im antifaschistischen Widerstandskampf, Berlin/DDR, phil. Diss., 1987, S.1 ff.

Verbot der kommunistischen Studentengruppen im Frühjahr 1933 und der Relegation aller namentlich bekannten Mitglieder in den folgenden Monaten war die Anhängerschaft der KPD an den Hochschulen auf einige versprengte Überreste zusammengeschmolzen.

Dennoch bildeten sich seit dem Frühjahr 1933 an verschiedenen Hochschulen kleine illegale Gruppen von kommunistischen Studenten. Allerdings gab es in diesen Kreisen sehr unterschiedliche Meinungen darüber, ob ein aktiver Widerstand zum damaligen Zeitpunkt sinnvoll war.[98] Bei einigen dieser Gruppen handelte es sich eher um illegale Diskussionszirkel als um Widerstandsgruppen, und nicht alle standen hinter der offiziellen Parteilinie. Wolf Zuelzer, ein Berliner Medizinstudent, der kurz nach dem 30. Januar 1933 Mitglied einer solchen „Zelle" geworden war, erinnert sich:

> „Wir waren zu fünft, kannten einander nur beim Vornamen und trafen uns in abgelegenen Stadtteilen. Aber statt praktische Möglichkeiten aktiven Widerstands zu besprechen, drehte sich die Diskussion um marxistische Dialektik: War der Nationalsozialismus eine notwendige Phase der Weltgeschichte? War es richtig gewesen, daß die Kommunisten den Nazis im Reichstag Hilfestellung geleistet hatten bei der Zerstörung der Weimarer Republik? War das kapitalistische System am Ende seiner Kräfte? ... und so weiter. Für derlei Spekulationen wollte ich meine Haut nicht zu Markte tragen. Nach etwa drei Monaten trat ich aus".[99]

Der Verzicht auf risikoreiche Außenaktivitäten hatte freilich den Vorteil, daß illegale Diskussionskreise dieses Typs oft unentdeckt blieben. Einige dieser Gruppen entwickelten offenbar eine gewisse Stabilität und konnten sich längere Zeit halten. Noch im Herbst 1936 meldeten die Deutschland-Berichte der Exil-SPD: „Hier und da trifft man auch politische Zirkel. Selbst an den kleinen Universitäten. Sie sind als wissenschaftliche oder gesellige Zirkel getarnt und haben fast durchweg kommunistische, sogar trotzkistische Tendenz".[100]

Organisierten Widerstand im eigentlichen Sinne gab es nur an wenigen Hochschulen. Mancherorts wurden schon die Ansätze zu einer Reorganisation sofort zerschlagen: In Marburg versuchten einige Studenten im Frühjahr 1933, die Tätigkeit der kommunistischen Studentengruppe in der Illegalität weiterzuführen. Diese Versuche scheiterten aber schon Ende Mai 1933, nachdem drei kommunistische Studenten verhaftet und später zu Gefängnisstrafen von 1-2 Jahren verurteilt worden waren. Weitere Widerstandsaktionen von studentischer Seite sind seitdem in Marburg nicht bekannt geworden.[101] Ähnlich lagen die Dinge in Frankfurt, vor 1933 eine Hochburg

---

[98] Vgl. dazu die autobiographischen Erinnerungen von H. Taleikis, Aktion Funkausstellung. Berliner Studenten im antifaschistischen Widerstand, Berlin/DDR 1988, S.33 f. u. S.40 ff. Siehe zu diesem Buch auch die kritische Rezension von J. Tuchel in: IWK, 27, 1991, S.407 ff.

[99] W. Zuelzer, Keine Zukunft als „Nicht-Arier" im Dritten Reich. Erinnerungen eines Ausgewanderten, in: W.H. Pehle (Hg.), Der Judenpogrom 1938, Frankfurt/M. 1988, S.156.

[100] Deutschland-Berichte der Sozialdemokratischen Partei Deutschlands, 3. Jg., 1936, S.1339.

[101] Vgl. U. Schneider, Widerstand und Verfolgung an der Marburger Universität 1933-1945, in: Universität und demokratische Bewegung. Hg. von D. Kramer u. C. Vanja, Marburg 1977, S.230 ff.

der sozialistischen und kommunistischen Studenten. Auch hier gab es Mitglieder der Roten Studentengruppe, die nach dem 30. Januar bemüht waren, durch die Verteilung von Flugblättern und durch die Veröffentlichung einer hektographierten Zeitung ihre politische Arbeit im Untergrund fortzusetzen. Die Verhaftung einiger oppositioneller Studenten und die Relegation zahlreicher Mitglieder der Roten Studentengruppe beendeten diese Aktivitäten aber offenbar schon im Sommer 1933.[102]

Eine weitere Hochburg der linken Studenten war vor 1933 die Universität Hamburg gewesen. Bei den letzten AStA-Wahlen im Februar 1933 hatten die der KPD nahestehenden „Revolutionären Sozialisten" hier fast 10 % der Stimmen erhalten[103], mehr als an jeder anderen deutschen Universität. Dennoch sind Widerstandsaktivitäten von Hamburger Studenten nach der nationalsozialistischen Machtübernahme nicht bekannt geworden. Erst 1935 erschienen mindestens drei Ausgaben einer hektographierten Untergrundzeitschrift mit dem Titel „Hochschulblätter". Nach Angaben der Verfasser war diese Zeitung von „revolutionären Studenten Hamburgs" in Zusammenarbeit mit dänischen Studenten erstellt worden. Neben Berichten über die wirtschaftliche Lage in NS-Deutschland, über die Kriegsvorbereitungen von Wehrmacht und Rüstungsindustrie, über die Kulturpolitik der Partei enthielten die „Hochschulblätter" auch Beiträge über die veränderte Studiensituation nach 1933, über die Folgen der Massenentlassungen und über die gewachsene Belastung der Studenten:

> „Durch die Entlassung einer großen Reihe bedeutender Professoren, weil sie ‚Nichtarier' oder ‚liberalistisch' waren und die Einsetzung national-sozialistischer Privatdozenten an ihre Stelle, deren einzige Qualifikation in ihrem Parteibuch bestand, ist das wissenschaftliche Niveau der deutschen Hochschulen erheblich gesunken. Andererseits werden die Studenten immer mehr aus der Hochschule herausgezogen. Das Ziel, das man ihnen steckt ist: ‚politischer Soldat' sein, d.h. eine Garde bilden, die im Interesse der Auftraggeber des Nationalsozialismus durch Feuer und Wasser geht, die bereit ist, blindlings ins Trommelfeuer zu stürzen".[104]

Es überwog die Tendenz, die Lage der Studenten als verzweifelt und aussichtslos darzustellen. In der ersten Ausgabe der Hochschulblätter, die im Mai 1935 erschien, war zu lesen:

> „Hitler hat nichts für die studierende Jugend geleistet. Die Lage ist so, daß gegenwärtig von 40 Tausend Abiturienten nur 9000 zur Hochschule zugelassen werden. Der Rest liegt auf der Straße. Und auch die Studenten, die die Hochschule mit Diplomen verlassen, sehen sich dem furchtbarsten Elend ausgesetzt".[105]

[102] Vgl. Dorner u.a., Die braune Machtergreifung, S.79 ff.; G. Freund, Memoiren des Auges, Frankfurt 1977, S.10-13.

[103] Vgl. M. Grüttner, „Ein stetes Sorgenkind für Partei und Staat". Die Studentenschaft 1930 bis 1945, in: Hochschulalltag im „Dritten Reich". Die Hamburger Universität 1933-1945. Hg. von E. Krause u.a., Berlin/Hamburg 1991, Teil I, S.205.

[104] Hochschulblätter, Nr.2, Juli 1935, verkleinert abgedruckt in: Zur Geschichte des antifaschistischen Widerstandes und der Arbeiterbewegung in Hamburg 1932-1948. Erstellt von W.A. Schneider-Bernem u.a., Hamburg 1977, S.24.

[105] Hochschulblätter, Nr. 1, Mai 1935, verkleinert abgedruckt in: ebd., S.26.

Diese Zustandsbeschreibung traf freilich zum damaligen Zeitpunkt schon nicht mehr die reale Situation der Studenten. Der Numerus clausus war mittlerweile wieder aufgehoben, und auch der Hinweis auf das Elend der Hochschulabgänger wirkte angesichts der sich rapide verbessernden Berufsaussichten etwas hilflos. Bereits ein, zwei Jahre später gingen solche Aussagen völlig an der studentischen Realität vorbei. Genauere Angaben über die Herkunft und über die Verbreitung der Zeitung liegen nicht vor. Da die „Hochschulblätter" kaum auf die konkrete Situation an der Universität Hamburg eingingen, ist es denkbar, daß die Zeitung von ehemaligen Hamburger Studenten in der Emigration hergestellt wurde, die selber keinen unmittelbaren Kontakt mehr zur Hochschule hatten. Offenbar wurde das Erscheinen der Hochschulblätter bereits 1935 oder 1936 eingestellt. Jedenfalls sind weitere Ausgaben nicht bekannt geworden.

An der Universität Bonn bildete sich 1934 eine studentische Widerstandsgruppe.[106] Zu ihrem Kern gehörten der gerade promovierte Historiker Walter Markov, der Geschichtsstudent Günther Meschke, der evangelische Theologiestudent Harald Schadow, Anthony Toynbee, ein Sohn des Historikers Arnold Toynbee, und ein weiterer Student namens Hans Schmidt. Obwohl diese Studenten mit marxistisch-kommunistischen Ideen sympathisierten, war – mit Ausnahme von Schmidt, der vor 1933 der KPD angehört hatte – keiner von ihnen vor der nationalsozialistischen Machtübernahme politisch organisiert gewesen. Ihre Immunität gegenüber der nationalsozialistischen Phraseologie erklärt sich auch aus der Tatsache, daß die Mehrheit der Gruppe aus Ausländern bestand: Markov war Jugoslawe, Toynbee Engländer, während Schadow die polnische Staatsangehörigkeit besaß. Wie Markov später berichtete, wurde die oppositionelle Einstellung dieser Studenten – nicht ihre kommunistische Orientierung – von einem Teil des Lehrkörpers durchaus mit Sympathie registriert. Markov nennt in diesem Zusammenhang den liberalen Historiker Fritz Kern[107], den konservativen Orientalisten Paul Ernst Kahle, den Geographen Leo Waibel, den katholischen Theologen Wilhelm Neuss und noch einige andere Namen.[108]

Im September 1934 begann die Gruppe mit der Erstellung eines hektographierten Mitteilungsblattes für Sympathisanten, das später den Titel „Sozialistische Republik" erhielt. Die Gruppe suchte und fand den Kontakt zur illegalen KPD, und im Herbst 1934 verwandelte sich der zunächst eher lockere Freundeskreis in eine kommunistische Parteizelle. Deren Tätigkeit wurde indes schon im Februar 1935 durch den Zugriff der Gestapo beendet[109] – aufgrund einer Denunziation, der im wesentlichen persönliche Motive zugrunde lagen. Während die beteiligten Studenten relativ

[106] Vgl. die Akten des Oberreichsanwaltes: BA Potsdam (ZDH) ZC 11937 Bd.1-5. Außerdem: BA Potsdam (ZDH) ZC 12480; W. Markov, Zwiesprache mit dem Jahrhundert, Köln 1990, S.43 ff.

[107] Kern, Markovs Doktorvater, setzte sich für seinen Schüler auch nach dessen Verhaftung weiter ein. Vgl. Markov, Zwiesprache, S.100 ff.

[108] Vgl. Markov, Zwiesprache, S.47 ff.

[109] Vgl. den Lagebericht der Staatspolizeistelle für den Regierungsbezirk Köln, 4.3.1935, S. 14 f., in: BA Potsdam St 3/863.

glimpflich davonkamen, wurde der als Rädelsführer identifizierte Markov 1936 zu 12 Jahren Zuchthaus verurteilt. Er blieb bis zum Ende des Krieges in Haft.[110]

Nur wenig ist bekannt über eine hauptsächlich aus Studenten bestehende Widerstandsgruppe, die von 1934 bis 1936 in Leipzig wirkte. Wie der führende Kopf dieser Gruppe, Gerhard Mehnert, ein Japanologiestudent, später berichtete, bestand der Kern dieser Gruppe aus Studenten, die ihr Studium erst nach der nationalsozialistischen Machtübernahme aufgenommen hatten.[111] Die meisten von ihnen waren vor 1933 in der Jugendbewegung aktiv gewesen, vor allem in der dj. 1.11., einer bündischen Organisation mit ausgeprägtem Eliteanspruch, die 1929 von Eberhard Köbel („tusk") gegründet worden war, der prominentesten Führerpersönlichkeit, welche die Jugendbewegung der Weimarer Republik hervorgebracht hat.[112] Nachdem Köbel sich 1931/32 dem Kommunismus zugewandt hatte, folgten auch einige seiner Leipziger Anhänger diesem Schritt, unter ihnen Mehnert, der 1932 Mitglied eines kommunistischen Schülerbundes wurde.

Die Leipziger Gruppe, zu der neben den Studenten auch einige Schüler und Lehrlinge gehörten, stand daher zum einen unter dem Einfluß der Jugendbewegung, deren Traditionen auch nach der „Machtergreifung", teilweise in der Illegalität, weiter fortgeführt wurden[113], zum anderen verfügten mehrere Mitglieder über enge Kontakte zu illegalen Kadern der KPD und des Kommunistischen Jugendverbandes (KJVD).[114] Regelmäßige Treffen fanden hauptsächlich im Japanischen Institut statt, dessen Leiter, Prof. Johannes Ueberschaar, trotz Parteimitgliedschaft für seine oppositionelle Einstellung bekannt war. Neben der Diskussion und Verbreitung von Schriften der Jugendbewegung und kommunistischem Propagandamaterial produzierte die Gruppe nach Mehnerts Angaben auch eigenes Propagandamaterial, „was ein Eingehen auf spezifische Universitätsdinge ermöglichte".[115] Nachdem es schon im Sommer 1935 zu ersten Verhaftungen gekommen war, wurde die Leipziger Gruppe im Dezember 1936 von der Polizei zerschlagen.

Am aktivsten zeigte sich der kommunistische Widerstand an der Berliner Universität. Zwar hatten auch in Berlin nur wenige kommunistische Studenten die Relegationswelle von 1933 überstanden[116], doch formierten sich

---

[110] Markov wurde später ein bekannter DDR-Historiker.

[111] Vgl. G. Mehnert, Im Widerstand gegen die Faschisierung der Universität, in: Karl-Marx-Universität Leipzig 1409-1959. Beiträge zur Universitätsgeschichte, Bd.2, Leipzig 1959, S.331 ff.

[112] Vgl. S. Klein / B. Stelmaszyk, Eberhard Köbel, ‚tusk'. Ein biographisches Porträt über die Jahre 1907 bis 1945, in: W. Breyvogel (Hg.), Piraten, Swings und Junge Garde. Jugendwiderstand im Nationalsozialismus, Bonn 1991, S.102-137.

[113] Vgl. den Bericht des Oberstaatsanwaltes beim Landgericht Leipzig an den Oberreichsanwalt, Berlin, 14.11.1935, in: BA Potsdam (ZDH) ORA/VGH 8 J 410/35 Bl.2 ff.

[114] Vgl. Mehnert, Widerstand, S.333 f. Siehe auch die Anklageschrift des Generalstaatsanwaltes beim OLG Dresden gegen Gerhard Mehnert, 11.3.1938, in: BA Potsdam (ZDH) NJ 14554 Bl.16-20.

[115] Mehnert, Widerstand, S.335. In den von der Verfolgerseite überlieferten Quellen finden sich keine Hinweise auf solche Publikationen.

[116] Vgl. den Bericht von D. Müller-Hegemann, in: J. Köhler, Klettern in der Großstadt, Berlin 1979, S.129.

im Sommersemester 1933 erneut kleine Gruppen im Untergrund, die offenbar weitgehend unabhängig voneinander agierten und teilweise wieder dazu übergingen, regelmäßig Flugblätter zu verteilen.[117] Von einem organisatorischen Neuaufbau der kommunistischen Studentenorganisation läßt sich jedoch erst seit dem Herbst 1933 sprechen.[118] Zur Führung der Organisation gehörten der ehemalige Jurastudent Gerhard Fuchs, der 1933 von der Berliner Universität relegiert worden war, die Studentin der Staatswissenschaften Käthe Busemann (später: Käthe Fuchs), der Funktionär des Kommunistischen Jugendverbandes Erich Lodemann[119], früher Student an der Berliner Handelshochschule, der Student der Volkswirtschaftslehre Klaus Gysi und der ehemalige Student Wilhelm Girnus, der im März 1934 aus dem KZ entlassen worden war und sich danach sofort wieder in die Illegalität begeben hatte.[120]

Diese Gruppe entwickelte 1934/35 eine geradezu fieberhafte Aktivität. Neben diversen Flugblättern erschienen in dieser Zeit mehr oder weniger regelmäßig verschiedene hektographierte Zeitungen wie die „Antifaschistische Korrespondenz", „Der Rote Student", „Der Sozialist".[121] Diese Flugschriften hatten jeweils eine Auflage von 200-300 Stück und wurden in Hörsälen, Telefonzellen, auf Bänken ausgelegt oder mit der Post verschickt.[122] Außerdem organisierten die kommunistischen Studenten 1934 einige spektakuläre Aktionen, die bei Freund und Feind beträchtliches Aufsehen erregten. Dem Jurastudenten Horst Taleikis gelang es im Sommer 1934, einen mit Zeitzünder versehenen Papierböller zu konstruieren, der bei der Explosion einen Stapel von kleinen Flugzetteln in die Luft schleuderte.[123] Die erste dieser Papierbomben explodierte am 1. August 1934, 20 Jahre nach dem Beginn des Ersten Weltkriegs, im Lesesaal der Berliner Universitätsbibliothek und wirbelte ein Häuflein von kleinen Zetteln in die Luft, auf denen zu lesen war: „Heute wie 1914: Brandstifter am Werk! Kameraden, Nur Rätedeutschland bringt uns Freiheit, Frieden, Brot!".[124] Am 26. August folgte eine ähnliche Aktion, diesmal auf der Internationalen Funkausstellung. Durch die Explosion wurden in der Ausstellungshalle sternförmig ausgeschnittene Zettel zerstreut, welche die Aufschrift trugen: „Achtung! Rot-Funk u. Rote Studenten schalten um auf

[117] Vgl. den Bericht des Rektors der Berliner Universität an den preußischen KM, 5.8.1933, in: GStAPK I Rep. 76 Va Sekt.1 Tit. XII Nr.42 Bd.I (M). Siehe auch: Mehls, Angehörige, S.61 ff.; H. Heiber, Universität unterm Hakenkreuz, Teil II Bd.2, München 1994, S.427 f.

[118] Vgl. zum Folgenden die polizeilichen Ermittlungsakten in: BA Potsdam St 3/636-652 und die Akten des Oberreichsanwaltes in: BA Potsdam (ZDH) NJ 2784 Bd.1-11. Außerdem: Mehls, Angehörige, S.63 ff.

[119] Zu Lodemann und dessen Aktivitäten vgl. die unveröffentlichten Erinnerungen von Herbert Ansbach (1963), S.18 ff., in: SAPMO EA 1224.

[120] Vgl. den Lebenslauf von Girnus in: SAPMO VVN V 278/6/499.

[121] Die Zeitungen sind offenbar weitgehend verschollen. Vgl. aber als Kopie: Der Sozialist. Hg. von den Roten Studenten der Universität Berlin, Nr.4, SS 1934, in: BA Potsdam St 3/648 Bl.20.

[122] Vgl. Mehls, Angehörige, S.72.

[123] Vgl. dazu den autobiographischen Bericht von Taleikis, Aktion Funkausstellung, S.49 ff.

[124] Einige Originalexemplare in: BA Potsdam St 3/637 Bl. 71 u. 76.

Moskau".[125] Zum 7. November 1934, dem Jahrestag der Oktoberrevolution, konstruierten Taleikis und einige Helfer erneut mehrere Papierböller, von denen aber nur zwei explodierten, der eine im großen Lesesaal der Staatsbibliothek, der andere im Treppenhaus der Hochschule für Politik.[126]

Diese Aktionen waren spektakulär genug, um auch ausländische Medien auf den studentischen Widerstand in Berlin aufmerksam zu machen. Für die Polizei entwickelte sich die Suche nach den Initiatoren der Papierböller dadurch zu einer Prestigefrage. Nachdem die zweite Papierbombe auf der Funkausstellung explodiert war, wurde im Berliner Polizeipräsidium eine Sonderkommission gebildet, der es schließlich 1935 gelang, die Widerstandsgruppe zu zerschlagen. Einige der Beteiligten konnten ins Ausland fliehen, unter ihnen Gerhard Fuchs und Horst Taleikis. Dagegen wurden Wilhelm Girnus[127], Käthe Fuchs, Fritz Opel und andere Gruppenmitglieder 1934/35 verhaftet und 1937 zu Gefängnis- und Zuchthausstrafen zwischen 1½ und 5 Jahren verurteilt.[128] Erich Lodemann blieb zunächst unentdeckt, wurde aber später wegen anderer Aktivitäten verhaftet und 1944 hingerichtet.[129]

So phantasievoll und mutig die Aktionen der kommunistischen Studenten in Berlin waren, so wenig überzeugend fiel häufig die Botschaft aus, die in ihren Flugblättern übermittelt wurde. Dies verdeutlicht besonders die dritte und letzte Bölleraktion vom 7. November 1934, die zur Verbreitung eines Flugblattes mit folgendem Text diente:

> „Heute, am Jahrestag der russ. Revolution, marschieren Millionen russischer Arbeiter, bereit zur Verteidigung der sozialistischen Revolution.
> In ihren Händen die Betriebe
> In ihren Händen der Boden
> In ihren Händen die Waffen!
> Kameraden! Auch wir wollen die Waffen tragen für ein freies
> *sozialistisches Vaterland*
> Vereinigen wir uns deshalb zum Sturze Hitlers!
> *Alles für den Sieg der sozialistischen Revolution!*"[130]

Derartige Flugblätter eigneten sich kaum dazu, durchschnittliche – also nichtkommunistische, in der Regel antikommunistische – Studenten nachdenklich zu machen. Letztlich richteten sich Aufrufe dieser Art in erster Linie an die eigenen Genossen, auch wenn dies den Verfassern vielleicht nicht bewußt war. Nur für überzeugte Kommunisten konnte das Bild von Millionen marschierenden Arbeitern in der fernen Sowjetunion (das auf die mei-

---

[125] Einige Exemplare in: BA Potsdam St 3/638 Bl.2.

[126] Vgl. BA Potsdam St 3/641 u. St 3/642.

[127] Girnus erhielt fünf Jahre Zuchthaus und blieb bis zum Ende des Krieges in KZ-Haft. Zu seiner Nachkriegskarriere in der DDR vgl. Wer war wer – DDR. Ein biographisches Lexikon. Hg. von J. Cerny, Berlin 1992, S.136 f.

[128] Vgl. das Urteil des Volksgerichtshofes gegen Heinz Kirchgatter u.a. vom 12.2.1937 in: BA Potsdam (ZDH) NJ 2784 Bd.1 Bl.4-26.

[129] Vgl. Mehls, Angehörige, S.82.

[130] BA Potsdam St 3/638 Bl.4. Hervorhebungen im Original.

sten Studenten in Deutschland wohl eher abschreckend wirkte) Hoffnung und Ermutigung bedeuten. Die Vision eines bewaffneten Aufstandes für den Sozialismus, die am Ende des Flugblatts erkennbar wird, zeigt zudem, in welch unrealistischen Vorstellungen der kommunistische Widerstand befangen war. Offensichtlich konnten und wollten viele Widerstandskämpfer die wachsende Stabilität der NS-Diktatur nicht wahrhaben.

Überhaupt hatten die kommunistischen Studenten große Schwierigkeiten, die Entwicklung an den Hochschulen angemessen zu analysieren. Unbeirrt von der Kampagne des NSDStB und der HJ gegen die Korporationen kam die Leitung der kommunistischen Studentengruppe an der TH Berlin noch im Januar 1935 zu dem Ergebnis, die Korporationen seien „infolge ihrer sozialen Zusammensetzung ... die verläßlichste Stütze der faschistischen Diktatur an den Hochschulen". Der NSDStB leiste lediglich „Handlangerdienste" für die Korporationen. Diese Analyse, die den realen Sachverhalt schlichtweg nicht zur Kenntnis nahm, gipfelte in der Forderung nach „Auflösung der reaktionären Korporationen und ihrer faschistischen Handlanger, der DSt und des NSDStB".[131]

Solche Aktivitäten und Parolen waren kaum dazu geeignet, die Studierenden dem Einfluß des Nationalsozialismus zu entfremden. Im Grunde diente die Untergrundarbeit der kommunistischen Studenten allein dem Zweck, der Öffentlichkeit zu demonstrieren, daß die Kommunisten weiter aktiv waren und als politische Alternative zur NS-Diktatur bereit standen. Es gibt jedoch keine Anzeichen, daß diese Botschaft für die überwiegende Mehrheit der Studenten Grund zur Hoffnung bot. Trotz aller Opferbereitschaft stieß der kommunistische Widerstand an den Hochschulen letztlich ins Leere.

Nach den Verhaftungen von 1934/35 konnte nur noch eine Gruppe von kommunistischen Studenten in Berlin ihre Widerstandstätigkeit unentdeckt fortsetzen. Diese Gruppe sammelte sich im „Nationalpolitischen Arbeitskreis", einer schon vor 1933 gegründeten Tarnorganisation der Roten Studentengruppe, die mit der Absicht geschaffen worden war, unzufriedene Studenten aus dem rechten Spektrum zu gewinnen. Leiter des Nationalpolitischen Arbeitskreises war seit Anfang 1933 der Medizinstudent Dietfried Müller-Hegemann, Adoptivsohn eines Ministerialdirigenten im Reichsverkehrsministerium und Mitglied der KPD seit 1931. Zum aktiven Kern der Gruppe gehörten Karl Hofmann, ein kommunistischer Student der Volkswirtschaftslehre[132], Arnold Bauer, Werner Ziegenfuß, Friedrich Kopp, die Mediziner Georg Andrae und Karl Müller-Touraine, seit 1934 auch der Volkswirtschaftsstudent Gerhard Hardel. Hardel war über den „linken" Nationalsozialismus Otto Strassers zum Kommunismus gekommen und hatte persönliche Verbindungen zu einflußreichen Berliner NSDStB-Funk-

[131] Zitate aus einer unveröffentlichten „Entschließung" der „Leitung der TH" vom 14.1.1935, die von der Gestapo bei einer Hausdurchsuchung beschlagnahmt worden war, in: BA Potsdam St 3/638.

[132] Vgl. den Bericht von K. Hofmann an das Zentralsekretariat der SED, 13.3.1949, in: SAPMO Politbüro der KPD I 2/3/111.

tionären.[133] Da die Tarnung des Nationalpolitischen Arbeitskreises auch nach der nationalsozialistischen Machtübernahme nicht aufflog, wurde er im Herbst 1933 in den NSDStB eingegliedert. Die kommunistischen Mitglieder der Gruppe blieben jedoch weiter in Verbindung mit der illegalen KPD.[134] Allerdings waren die politischen Informationen, welche die Gruppe vom Parteiapparat erhielt, „wenig befriedigend, zum Teil falsch", wie Müller-Hegemann rückblickend resümierte.[135]

Nach Eingliederung des Nationalpolitischen Arbeitskreises in den NSDStB führten die oppositionellen Studenten eine prekäre Doppelexistenz. Einerseits gelang es ihnen, über einen längeren Zeitraum illegales Propagandamaterial und selbstgefertige Flugblätter unter den Berliner Studenten zu verbreiten:

> „Da wir immer größeren Widerständen begegneten, sie von Hand zu Hand weiterzugeben, gingen wir dazu über, sie fast ausschließlich durch die Post zu verschicken. Die Besorgung einer ausreichenden Menge von Adressen wurde damit eine der wichtigsten Aufgaben, um einige hundert Exemplare zur Verteilung zu bringen".

Andererseits arbeiteten Müller-Hegemann und Hofmann gleichzeitig aus Gründen der Tarnung als Schulungsreferenten im Studentenbund und in der HJ, eine Tätigkeit, die sich sehr „unerfreulich" gestaltete, wie Müller-Hegemann später berichtete, „da es sich um ein Wiederkäuen des genau vorgeschriebenen Schulungsmaterials handelte".[136] Es ergab sich die paradoxe Situation, daß kommunistische Studenten nachts an der Verbreitung oppositioneller Flugblätter zur Bekämpfung des Nationalsozialismus arbeiteten und tagsüber mit politischer Indoktrination im Sinne des Regimes beschäftigt waren: „Das war bitter, weil man bis zum Erbrechen heucheln mußte".[137]

Diese Doppelexistenz trug dazu bei, daß der Kreis um Müller-Hegemann und Hardel zu den wenigen kommunistischen Widerstandsgruppen gehörte, die nicht von der Gestapo zerschlagen wurden. Gerade deshalb offenbaren die Erfahrungen der Gruppe aber auch besonders deutlich die Grenzen des kommunistischen Widerstandes. Wie Müller-Hegemanns nüchterne Berichte aus der Nachkriegszeit deutlich machen, wurde es seit 1935 immer schwieriger, mit der politischen Opposition sympathisierende Studenten, die der Nationalpolitische Arbeitskreis in verschiedenen Arbeitsgruppen und Diskussionszirkeln um sich geschart hatte, bei der Stange zu halten:

[133] Vgl. auch G. Hardel, Bericht über meine antifaschistische Tätigkeit, 20.2.1949, in: SAPMO Politbüro der KPD I 2/3/111.

[134] Vgl. M. Schmidt, Bericht über meine illegale Tätigkeit in den Jahren 1934/35, o.D., in: SAPMO Politbüro der KPD I 2/3/117.

[135] Vgl. Müller-Hegemanns Bericht in: Köhler, Klettern, S. 124.

[136] Zitate aus: D. Müller-Hegemann, Bericht über meine illegale antifaschistische Arbeit, 23.11.1948, in: SAPMO Politbüro der KPD I 2/3/117 Bl.34 f.

[137] Müller-Hegemann, zit. in: Köhler, Klettern, S.124.

„Sie schienen im Laufe des Jahres 1934 noch beeinflußbar, gaben im einen oder anderen Falle auch Flugblätter weiter, stets aber mit einem inneren Widerstreben in Anbetracht des zunehmenden Terrors. Von 1935 an mußten wir dann feststellen, daß uns diese Leute immer mehr aus den Händen glitten. Wir konnten noch von Glück sagen, daß wir in keinem Falle von diesen Elementen denunziert wurden".[138]

Es war jedoch nicht nur die Angst vor dem Gestapoterror, die den Widerstand innerhalb und außerhalb der Universität zunehmend paralysierte, sondern auch die wachsende Stabilität des NS-Regimes und die damit verbundene Reduzierung des systemkritischen Potentials in der Studentenschaft. Müller-Hegemann hat diese bittere Erfahrung im Rückblick illusionslos mitgeteilt:

„Von grundsätzlicher Bedeutung für eine illegale Arbeit war der Stimmungsumschwung in der deutschen Bevölkerung zugunsten Hitlers, etwa seit der Saarland-Abstimmung 1935 und den Olympischen Spielen 1936. Er kam auch darin zum Vorschein, daß sich die Mitglieder des ‚Nationalpolitischen Arbeitskreises' nicht mehr für Zusammenkünfte interessierten. Einige sagten: ‚Hitler hat doch mehr Format, als wir annahmen'".[139]

In den Flugblättern und illegalen Zeitungen der Gruppe um Müller-Hegemann präsentierten die Verfasser sich als ehemalige Nationalsozialisten, die aus Enttäuschung über die Politik der NSDAP in die Opposition gegangen waren.[140] Neben kritischen Analysen der deutschen Außenpolitik, der Kriegsvorbereitungen und der nationalsozialistischen Rassenideologie enthielten diese Publikationen vielfach Material aus dem Innenleben des Berliner NSDStB. Ihre satirische Schilderung des studentischen Führungspersonals, der Korruptionsskandale und internen Cliquenkämpfe des NSDStB machten diese Flugschriften auch für Studenten, die den marxistischen Überzeugungen der Verfasser fern standen, zu einer reizvollen Lektüre:

„Jeder Amtsträger im Studentenbund hatte 2 Aufgaben: Er sah seinen Vorgesetzten als seinen natürlichen Feind an, den es zu verdrängen galt, u. er achtete darauf, daß keiner seiner Mitarbeiter gerissener u. klüger war als er selbst ... Es fraß im NSDStB einer den anderen auf. Und nach 5 Jahren ‚politischen Kampfes' zeigte sich das Ergebnis, die Ehrgeizigen und Gerissenen hatten sich gegenseitig totgemacht, sie waren in andere Parteistellen übergewandert, u. übriggeblieben waren die, die keiner beachtet hatte, die ruhigen Beamten und die Dummen, denen man dieses oder jenes kleine Amt gegeben hatte ... Die Studentenschaft hat momentan die Ehre von dem Studentenführer Scherrer geführt zu werden. Ein Mann, langsam und dick, der die schwere Aufgabe hat, jedes Se-

[138] Müller-Hegemann, Bericht über meine illegale antifaschistische Arbeit (Anm. 136), Bl.35.

[139] Müller-Hegemann, in: Köhler, Klettern, S.124.

[140] 1934/35 produzierte die Gruppe eine hektographierte Untergrundzeitung mit dem Titel „Die Sozialistische Revolution". Ein Exemplar in: BA Potsdam REM 872 Bl.80-82. 1936 veröffentlichte sie als „Kameradschaft revolutionärer SA-Studenten" eine sechsseitige Flugschrift (BA Potsdam R 58/2234 Bl.91-93). 1937 erschien eine weitere Flugschrift, in der die Verfasser sich als Zusammenschluß von „revolutionären SA-Studenten" und „Roten Studenten" darstellten (BA Potsdam R 58/2395a Bl.85-86).

> mester 12000 RM, bezahlt aus den allgemeinen Gebühren der Studenten, zu verwirtschaften, was ihm mit Hilfe von 4 Stenotypistinnen auch gelingt. Er macht den Eindruck, als wundere er sich täglich von neuem darüber, wie er zu seinem Amt kam".[141]

Die Bereitschaft, die Erfolge des NS-Regimes zur Kenntnis zu nehmen, war auch in dieser Widerstandsgruppe nur gering ausgeprägt. Dies ist psychologisch verständlich, führte aber auch zu offenkundigen Fehleinschätzungen: So wurden noch in der eben zitierten Flugschrift (vom Februar 1937) die „trüben" Berufsaussichten der Studenten angeprangert[142], obwohl sich zu diesem Zeitpunkt in manchen akademischen Berufen bereits Nachwuchsknappheit bemerkbar machte.

Da einige Angehörige des Kreises Berlin 1936 verließen, bestand die Gruppe schließlich nur noch aus Müller-Hegemann, Hardel und dessen Frau, Lilo Hardel, die nicht an der Universität tätig war. Nachdem Müller-Hegemann und Hardel ihr Studium abgeschlossen hatten[143], kam der kommunistische Widerstand an der Berliner Universität 1937 weitgehend zum Erliegen.

In den folgenden Jahren finden sich nur noch vereinzelte Hinweise auf die Tätigkeit oppositioneller Studentengruppen. So tauchte 1938 in Freiburg ein Rundbrief auf, für den eine Gruppe verantwortlich zeichnete, die sich „Opposition der Deutschen Studentenschaft" nannte. Der Rundbrief enthielt auf 14 Seiten Beiträge über den „größenwahnsinnigen Führer" und dessen „totale Kriegsvorbereitung", über die „Hölle der Ausbildungslager" für den juristischen Nachwuchs, über die „Knechtsarbeit" des Landdienstes, aber auch über Repressalien gegen Theologiestudenten und gegen Mitglieder der Bekennenden Kirche. Wie es scheint, war dieser Rundbrief Teil einer Serie von Flugschriften, die hauptsächlich im süddeutschen Raum zirkulierten.[144] Leider liegen weder über die Verfasser noch über die Resonanz des Rundbriefs in der Studentenschaft Informationen vor.

Wiederum in Berlin meldete sich 1939 eine illegale Gruppe zu Wort, nachdem der Reichsstudentenführer die Erntehilfspflicht für alle deutschen Studenten proklamiert hatte. Das Flugblatt mit der Unterschrift „Revolutionäre Studenten Berlin" verknüpfte in geschickter Weise die Abneigung vieler Studenten gegen den Ernteeinsatz[145] mit einer allgemeinen Kritik an der NS-Diktatur:

---

[141] Flugschrift vom Februar 1937 (ohne Titel und Unterschrift) in: BA Potsdam R 58/2395a Bl.85a. Zu diesem Flugblatt auch: Müller-Hegemann, Bericht über meine illegale antifaschistische Arbeit (Anm. 136), Bl.35.

[142] BA Potsdam R 58/2395a Bl.85.

[143] Müller-Hegemann, nach dem Studium Arzt an der Berliner Charité, siedelte 1972 nach Konflikten mit der SED in die Bundesrepublik über.

[144] Laut Überschrift handelte es sich bereits um den 3. Rundbrief der „Opposition der Deutschen Studentenschaft". Vgl. G.J. Giles, „Die Fahne hoch, die Reihen dicht geschlossen". Die Studenten als Verfechter einer völkischen Universität? in: Die Freiburger Universität in der Zeit des Nationalsozialismus. Hg. von E. John u.a., Freiburg/Würzburg 1991, S.52.

[145] Vgl. auch S.344 ff.

„Die Berliner Studenten haben bereits in großer Anzahl ihre Befreiung von der Erntehilfspflicht beantragt. Lasst Euch nicht einschüchtern! Unsere Zeit ist genug vertrödelt durch die albernen, uns vor aller Welt lächerlich machenden Feiern und den Dienst im Studentenbund und in den anderen Zwangsorganisationen. Wir Studenten lassen uns nicht als willenloses Werkzeug von den Nazis gebrauchen. Die Herren glauben, uns für die schmutzigen Zwecke ihrer Kriegsvorbereitung benutzen zu können. Sie sind dabei, aus den Hochschulen Zwangsanstalten zu machen, dazu bestimmt, Formeln für Giftgase und Pläne für Bombenflugzeuge zu liefern. Die Studenten möchten sie gerne zu Propagandisten der sogenannten nationalsozialistischen Weltanschauung drillen. Um dieses erhabenen Zieles willen wurde die akademische Freiheit niedergetrampelt, wurde die freie Forschung und Lehre unterdrückt".[146]

Schließlich gab es eine größere Anzahl von meist sozialistischen und kommunistischen Studenten (oft auch ehemaligen Studenten), die sich einzeln oder in kleinen Gruppen an Widerstandsaktivitäten außerhalb der Universität beteiligten. Relativ viele kommunistische Studenten waren nach der nationalsozialistischen Machtübernahme im Kommunistischen Jugendverband oder in den Bezirksgruppen der KPD tätig, oft als Redakteure der illegalen Presse.[147] Manche Studierende engagierten sich in einer der kleineren linkssozialistischen Organisationen.[148] In Berlin wurden Ende 1933 mehrere Studenten verhaftet, die im Untergrund für die Sozialistische Arbeiterpartei (SAP) tätig gewesen waren. Andere regimefeindliche Studenten gehörten zu der Organisation „Neu Beginnen", einer Gruppe von oppositionellen Sozialdemokraten. Unter ihnen befand sich die Studentin Lisel Paxmann, die 1935 in Dresden verhaftet wurde und wenige Tage später im Gefängnis starb, nach Angaben der Polizei durch Selbstmord. Über ihr Schicksal informierte ein „Antifaschistisches Studentenblatt", das im Januar 1936 unter dem Tarntitel „Merkblatt für Künstler" erschien.[149]

Eine zentrale Rolle haben Studenten nur in einer größeren Widerstandsorganisation gespielt. Diese Gruppe nannte sich „Roter Stoßtrupp"[150]; ihren Kern bildete eine Reihe von Berliner Studenten und Intellektuellen, die vor 1933 in den Sozialistischen Studentengruppen aktiv gewesen waren. Zu ihnen gehörten Rudolf Küstermeier, Karl Zinn, Heinrich Spliedt, Karl König und Willi Strinz.[151] Im Laufe des Jahres 1933 gelang es ihnen, eine klandestine Organisation von sozialistischen Arbeitern und Intellektuellen aufzubauen, der wohl einige Hundert Mitglieder angehörten. Die Aktivitä-

146 Abschr. des Flugblattes in: StA WÜ RSF/NSDStB I 00 ϕ 38.

147 Vgl. die Hinweise in: Mehls, Angehörige, S.84 ff.; Bayern in der NS-Zeit, Bd.I. Hg. von M. Broszat u.a., München/Wien 1977, S.233; Schneider, Widerstand, S.232.

148 Vgl. zum Folgenden: Mehls, Angehörige, S.97 ff.

149 Vgl. B. Mausbach-Bromberger, Arbeiterwiderstand in Frankfurt am Main, Frankfurt/M. 1976, S.85 f.

150 Vgl. R. Küstermeier, Der Rote Stoßtrupp, Berlin 1972; Mehls, Angehörige, S.95 ff.; H.J. Reichhardt, Möglichkeiten und Grenzen des Widerstandes der Arbeiterbewegung, in: Der deutsche Widerstand gegen Hitler. Hg. von W. Schmitthenner u. H. Buchheim, Köln/Berlin 1966, S.178 ff.

151 Biographische Hinweise bei: Küstermeier, Der Rote Stoßtrupp, S.4 ff. u. 44; Mehls, Angehörige, Anhang.

ten der Organisation konzentrierten sich vor allem auf die Herstellung, Verbreitung und Diskussion der Zeitschrift „Roter Stoßtrupp“, die seit dem April 1933 alle 1-2 Wochen erschien.[152] Außerdem wurden zur Wahl im November 1933 Flugblätter verteilt, die dazu aufforderten, gegen die Liste der NSDAP zu stimmen. Nach polizeilichen Schätzungen wurden insgesamt „etwa 30.000 bis 40.000 Exemplare illegaler Schriften“ verbreitet.[153]

Obwohl die meisten Angehörigen des „Roten Stoßtrupps“ vor 1933 der SPD angehört hatten, erhielten sie vom Parteiapparat in Berlin und Prag keine Unterstützung. Der „Rote Stoßtrupp“ verstand seine Untergrundtätigkeit auch ganz bewußt nicht als Fortsetzung früherer Parteiarbeit. Vielmehr zogen die führenden Köpfe der Organisation aus dem Scheitern von SPD und KPD den Schluß, die Arbeiterbewegung brauche „eine völlige Neubesinnung auf revolutionärer Grundlage. Diese Neubesinnung zu fördern und der Sozialistischen Aktion den Weg der Zukunft zu bereiten, ist die Aufgabe des Roten Stoßtrupps“.[154] Die Hoffnung, durch eine politische und organisatorische Erneuerung des revolutionären Sozialismus zum Sturz des NS-Regimes beitragen zu können, zerschlug sich jedoch bereits Ende 1933, als es der Polizei innerhalb weniger Wochen gelang, die Organisation durch eine Welle von Verhaftungen zu zerschlagen. Insgesamt wurden 240 Personen in ganz Deutschland verhaftet, darunter auch die gesamte Führungsgruppe.[155]

4. Widerstand und Dissens im Krieg: Die Weiße Rose

Der Widerstand im Krieg unterschied sich in zweifacher Hinsicht vom Widerstand der Vorkriegsjahre: Erstens wurden die Widerstandsaktivitäten während des Krieges von Angehörigen einer neuen Generation getragen, die das Ende der Weimarer Republik meist nicht mehr bewußt miterlebt hatte. Manche dieser Studenten waren ursprünglich voller Begeisterung in die Hitlerjugend eingetreten und hatten sich erst nach vielfältigen Enttäuschungen vom Nationalsozialismus getrennt.[156] Zweitens sahen sich die Widerstandskämpfer während des Krieges mit einem Verfolgungsapparat konfrontiert, der mittlerweile alle Hemmungen abgeschüttelt hatte. „Delikte“, die in der Anfangsphase der NS-Diktatur noch mit ein paar Jahren Zuchthaus bestraft worden waren, kosteten nunmehr den Kopf.

[152] Einige Exemplare dieser Zeitschrift in: BA Potsdam R 58/2120.

[153] Vgl. die Anklageschrift des Generalstaatsanwaltes beim Kammergericht gegen Bruno Senftleben u.a., 12.2.1934, abgedruckt in: Küstermeier, Der Rote Stoßtrupp, S.27.

[154] Roter Stoßtrupp, Nr.8, 7.6.1933, zit. in: ebd., S.24.

[155] Vgl. Küstermeier, Roter Stoßtrupp, S.16 ff.

[156] Zu ihnen gehörten auch Hans und Sophie Scholl. Vgl. I. Scholl, Die Weiße Rose. Erweiterte Neuausgabe, Frankfurt/M. 1982, S.15 ff.

Die wichtigste studentische Widerstandsgruppe der Kriegsjahre war unzweifelhaft die „Weiße Rose“[157] in München – keine Untergrundorganisation mit Mitgliedern und konspirativen Treffs, sondern zunächst nur ein Freundeskreis, der sich aufgrund gemeinsamer Interessen, persönlicher Sympathie und übereinstimmender politischer Ansichten zusammengefunden hatte. Die Existenz solcher Freundes- und Diskussionszirkel war an sich nichts Ungewöhnliches. Vermutlich hat es, vor allem in der zweiten Hälfte des Krieges, an den meisten Hochschulen kleine informelle Zirkel von Studenten gegeben, die mit den bestehenden Verhältnissen unzufrieden waren, ein größeres Maß an individueller Freiheit herbeisehnten, „Feindsender“ hörten, vielleicht auch verbotene Bücher lasen und diskutierten. Solche Gruppierungen sind beispielsweise aus Freiburg oder Berlin bekannt[158], und vieles spricht dafür, daß sie auch anderen Universitäten zu finden waren: „An den meisten Hoch- und Fachschulen gibt es kleine Gruppen von Miesmachern“, konstatierte 1943 ein vertrauliches Rundschreiben der Reichsstudentenführung.[159] Von diesen Gruppen, die sich meist „mehr theoretisch als aktiv mit politischer und kultureller Opposition“ befaßten, wie ein ehemaliger Student aus Freiburg es rückblickend ausdrückte[160], unterschied sich die Weiße Rose in München vor allem durch den Willen zur Aktion und durch die Bereitschaft, beträchtliche Risiken einzugehen.

Da die Weiße Rose nicht über die Strukturen einer Organisation verfügte, läßt sich auch nicht eindeutig sagen, wer dazugehörte und wer nicht. Doch existierte unzweifelhaft eine Kerngruppe von fünf Münchener Studenten, die alle 1943 hingerichtet worden sind: Hans und Sophie Scholl, Alexander Schmorell, Christoph Probst und Willi Graf. Zur Weißen Rose im weiteren Sinne lassen sich etwa ein Dutzend Studenten, Schüler, Künstler und Intellektuelle rechnen, die Anteil hatten an dem Formierungsprozeß der Gruppe und teilweise auch in die illegale Arbeit einbezogen wurden. Beides gilt für den Musikwissenschaftler Kurt Huber, der als außerplanmäßiger Professor an der Universität München lehrte. Huber, dessen Vorlesungen zu einem Treffpunkt der oppositionellen Studenten geworden waren, beteiligte sich nicht nur an politischen Diskussionsabenden, sondern übernahm als Verfasser des letzten Flugblattes der Weißen Rose auch eine aktive Rolle im Widerstand.

---

[157] Zur Geschichte der Weißen Rose vgl.: C. Petry, Studenten aufs Schafott. Die Weiße Rose und ihr Scheitern, München 1968; Scholl, Weiße Rose; J. Gerhards, Bedingungen und Chancen der Widerstandsgruppe „Weiße Rose“, in: F. Neidhardt (Hg.), Gruppensoziologie. Perspektiven und Materialien, Opladen 1983, S.343-359; I. Jens, Über die „Weiße Rose“, in: Neue Rundschau, 95, 1984, H. 1/2, S.193-213; C. Moll, Die Weiße Rose, in: Steinbach/Tuchel (Hg.), Widerstand, S.443-467; sowie die Beiträge von W. Breyvogel und A. Knoop-Graf in: Breyvogel (Hg.), Piraten, Swings und Junge Garde. Siehe auch die Akten des Oberreichsanwaltes beim Volksgerichtshof (mit den Verhörprotokollen): BA Potsdam (ZDH) NJ 1704 Bd.1-33 und ZC 13267 Bd. 1-16.

[158] Vgl. E. Seidler, Die Medizinische Fakultät der Albert-Ludwigs-Universität Freiburg im Breisgau, Berlin 1991, S.369; E. Behrend-Rosenfeld, Ich stand nicht allein, Frankfurt/M. 1963², S.245; Mehls, Angehörige, S.123 f.; M. Jander, Theo Pirker über „Pirker“, Marburg 1988, S.47 f.

[159] Vertrauliches Rundschreiben des Stabsführers der RSF, R. Thomas, 21.4.1943, in: HHStA Wiesbaden 483/11200.

[160] Zit in: Seidler, Medizinische Fakultät, S.369.

Woher kamen diese Studenten, und was brachte sie in Konflikt mit der NS-Diktatur? Obwohl den Studenten der Weißen Rose eine antibürgerliche Einstellung keineswegs fremd war[161], kamen sie durchweg aus bürgerlichen Elternhäusern, die dem Nationalsozialismus kritisch oder ablehnend gegenüberstanden.[162] Der Vater der Geschwister Scholl war zunächst Bürgermeister in zwei schwäbischen Ortschaften gewesen und arbeitete später als Wirtschaftsberater in Ulm. Er wurde 1942 von einem Sondergericht zu vier Monaten Gefängnis verurteilt, weil er Hitler als „große Gottesgeißel“ bezeichnet hatte. Willi Graf stammte aus einer Familie, die stark durch das katholische Milieu geprägt war; sein Vater arbeitete als Geschäftsführer einer Aktiengesellschaft für Weingroßhandel. Christoph Probsts Vater, der aus einer wohlhabenden Kaufmannsfamilie stammte und das Leben eines Privatgelehrten führte, hatte in engem Kontakt gestanden zu expressionistischen Malern wie Paul Klee oder Emil Nolde, die im Dritten Reich als „entartete“ Künstler gebrandmarkt wurden. Er war in zweiter Ehe mit einer Jüdin verheiratet. Alexander Schmorell wuchs als Sohn eines Münchener Arztes auf; seine Mutter war Russin.

Alle fünf Studenten waren mehr oder weniger stark durch das Christentum geprägt. Willi Graf brachte seine religiöse Einstellung bereits aus dem Elternhaus mit: „Früh wurde ich mit den Gebräuchen und dem Leben der kathol. Kirche vertraut gemacht, und die einzelnen Jahreszeiten waren erfüllt vom Geiste religiöser Vorstellungen, und auch das tägliche Leben richtete sich [nach] den Gebräuchen der Kirche“, schrieb er in einem während seiner Haftzeit verfaßten Lebenslauf.[163] Hans Scholls entschiedene Hinwendung zum Christentum erfolgte erst während des Studiums, nachdem er im Herbst 1941 Carl Muth kennengelernt hatte, einen oppositionellen Denker aus dem katholischen Lager, der großen Einfluß auf ihn ausübte. Wie wichtig der christliche Glaube für Hans Scholl wurde, bezeugt eine Tagebuchnotiz vom August 1942: „Wenn Christus nicht gelebt hätte und nicht gestorben wäre, gäbe es wirklich gar keinen Ausweg. Dann müßte alles Weinen grauenhaft sinnlos sein. Dann müßte man mit dem Kopf gegen die nächste Mauer rennen und sich den Schädel zertrümmern“.[164] Sophies Scholls intensive Religiosität läßt sich ebenfalls aus ihrem Tagebuch erschließen.[165] Alexander Schmorell übermittelte seinen Eltern kurz vor der Hinrichtung als letzte Botschaft den Satz „Vergeßt Gott nicht!“, und sogar der konfessionslos aufgewachsene Christoph Probst schrieb kurz vor dem Tode, sein Leben sei ein „einziger Weg zu Gott“ gewesen.[166]

[161] „Der Geschmack, den ein Konzertabend heute an sich hat, ist der fade, laue Geschmack der Bürgerlichkeit“, schrieb Sophie Scholl 1942. Vgl. Hans Scholl und Sophie Scholl, Briefe und Aufzeichnungen. Hg. von I. Jens, Frankfurt/M. 1988, S.252.

[162] Vgl. zum folgenden: Petry, Studenten, S.15 ff.

[163] W. Graf, Lebenslauf vom 8.3.1943, in: BA Potsdam (ZDH) NJ 1704 Bd.8 Bl.40.

[164] Notiz vom 28.8.1942, in: Hans Scholl und Sophie Scholl, Briefe, S.128. Vgl. auch Scholl, Weiße Rose, S.131.

[165] Hans Scholl und Sophie Scholl, Briefe, S.260 f.

[166] Vgl. Petry, Studenten, S.128, 133 f.

Es ist weiter bemerkenswert, daß zwei der fünf Studenten zeitweise sehr aktiv in der Jugendbewegung mitgemacht haben[167] und deswegen schon früh in Konflikt mit dem NS-Regime gerieten. Hans Scholl gehörte bis 1937 zu einer illegalen Gruppe der dj. 1.11.[168] Willi Graf schloß sich mit elf Jahren dem katholischen Bund „Neudeutschland" an und wurde später Mitglied des „Grauen Orden", einer illegalen Gruppe, die Stilelemente der bündischen Jugendbewegung und der katholischen Jugendvereine miteinander verknüpfte.[169] Beide, Scholl und Graf, wurden 1937 wegen „bündischer Umtriebe" verhaftet und einige Wochen lang inhaftiert. Für die Geschwister Scholl waren diese Verhaftungen offenbar ein Schlüsselerlebnis. Sophie Scholl gab später gegenüber der Gestapo an, mit der Verhaftung ihrer Geschwister[170] habe ihre „weltanschauliche Entfremdung" vom Nationalsozialismus begonnen.[171]

Weitere Gemeinsamkeiten ergaben sich aus dem Studienfach: Schmorell, Graf, Probst und Hans Scholl studierten Medizin und gehörten einer Münchener Studentenkompanie an. Sie kamen dadurch nicht nur in den Genuß von Freiräumen, die anderen Studenten verschlossen waren, sondern blieben auch vom NSDStB und anderen Parteigliederungen unbehelligt.[172] Da die Wehrmacht gegenüber der Partei eine gewisse Autonomie beanspruchen konnte, gab die Zugehörigkeit zur Studentenkompanie den vier Studenten möglicherweise ein trügerisches Gefühl der Sicherheit, welches sie über die Risiken der Untergrundtätigkeit hinwegtäuschte.[173]

Schließlich: Alle Studenten der Weißen Rose hatten, wie die veröffentlichten Briefe und Tagebücher eindrucksvoll zeigen, stark ausgeprägte Interessen im literarisch-musischen Bereich. Es waren diese Interessen, die auf den Diskussionsabenden des Freundeskreises im Vordergrund standen, nicht die politischen Ereignisse. Die eng mit Hans Scholl befreundete Medizinstudentin Traute Lafrenz berichtete nach dem Krieg:

> „Die Abende waren durchweg literarisch, ohne feste Zielsetzung. Vielleicht mit einem betonten Geschichtsinteresse. Nur zum Schluß wurden meistens kurz die politische Lage, die Ausweglosigkeit und Trostlosigkeit, mit der alles dem Untergang blind entgegentrieb, sowie evt. Nachrichten über den Rückzug der Wehrmacht besprochen. (Dabei fällt mir ein, daß das, was uns als Einzelne während dieser Zeit am tiefsten anging, nämlich wie jeder von uns ein aufrichti-

---

[167] Dagegen scheint es mir nicht sinnvoll, Schmorells Mitgliedschaft in konservativen Jugendorganisationen wie „Scharnhorst" oder „Jungbayern" als Zugehörigkeit zur Jugendbewegung zu interpretieren, wie dies in der Literatur manchmal getan wird.

[168] Vgl. Petry, Studenten, S.27.

[169] Vgl. A. Knoop-Graf, „Jeder Einzelne trägt die ganze Verantwortung". Widerstand am Beispiel Willi Graf, in: Breyvogel (Hg.), Piraten, Swings und Junge Garde, S.223 ff.

[170] Neben Hans Scholl wurden auch seine Schwester Inge und sein Bruder Werner verhaftet.

[171] Verhörprotokoll vom 18.2.1943, in: BA Potsdam (ZDH) ZC 13267 Bd.3 Bl.3.

[172] „Sämtliche Verurteilten haben eindeutig ausgesagt, daß sie während ihrer Zugehörigkeit zu den Mediziner-Kompanien niemals etwas mit dem Studentenbund ... oder irgend welchen studentischen Dienststellen zu tun hatten", berichtete ein vertrauliches Rundschreiben des Stabsführers der RSF vom 23.2.1943, in: HHStA Wiesbaden 483/11200.

[173] Vgl. Petry, Studenten, S. 105.

ges Verhältnis zum Christentum zu bekommen anfing, selten oder nie besprochen wurde.) Besonders Hans knüpfte immer wieder Beziehungen an zu Menschen, von denen er annehmen konnte, daß sie geistig und politisch unserer Richtung entsprechen mußten. So bekam man das Gefühl, als existiere ein breitgespanntes, vielmaschiges Netz Gleichdenkender ... und da wir immer nur mit diesen und nicht mit den vielen Andersdenkenden in Verbindung waren, negierte man die Vielen und baute auf die Wenigen und glaubte sich stark".[174]

Offensichtlich war es den Studenten der Weißen Rose relativ erfolgreich gelungen, sich im Dritten Reich eine Nischenexistenz zu schaffen, in die der Nationalsozialismus nicht wirklich eindringen konnte. Sowohl das Elternhaus als auch der Freundeskreis, die Jugendbewegung ebenso wie die Studentenkompanie ermöglichten eine Lebensweise, die dem Totalitätsanspruch des Regimes Grenzen setzte. Wer heute die Briefe und Tagebücher von Hans und Sophie Scholl oder von Willi Graf liest, stößt dort auf eine erstaunliche Eigenständigkeit der Urteilsbildung, auf die geistige Unabhängigkeit von Menschen, die in ihrer eigenen Welt mit eigenen Wertvorstellungen lebten, ohne sich vom Zeitgeist beeinflussen zu lassen. Selbst die nationalistische Grundstimmung dieser Jahre, die auch bürgerliche Hitlergegner selten unberührt ließ, prallte von diesen Studenten fast wirkungslos ab: „Ich verstehe die Menschen nicht mehr", schrieb Hans Scholl am 14. März 1938, einen Tag nach dem Anschluß Österreichs. „Wenn ich durch den Rundfunk diese namenlose Begeisterung höre, möchte ich hinausgehen auf eine große einsame Ebene und dort allein sein".[175] Auf den deutschen Sieg über Frankreich, der die Bevölkerung in allgemeine Begeisterung versetzte[176], reagierte Sophie Scholl mit einer Kritik an dem mangelnden Widerstandswillen der französischen Armee: „Es hätte mir mehr imponiert, sie hätten Paris verteidigt bis zum letzten Schuß", schrieb sie im Juni 1940 an ihren Freund Fritz Hartnagel, einen Berufsoffizier.[177]

In den Flugblättern der Weißen Rose[178] spiegelte sich die intensive Beschäftigung dieser Studenten mit der christlich-abendländischen Geistesgeschichte. Sie lieferte zweifellos die moralischen Fundamente, aus denen die Ablehnung des Nationalsozialismus erwuchs. Die ersten Flugblätter verweisen allerdings auch auf die andere Seite dieser Nischenexistenz: Das bildungsbürgerlich-pastorale Pathos dieser Texte, das schon für Zeitgenossen eigenartig geklungen haben muß, offenbart auch eine gewisse Weltfremdheit. Hier war eine Gruppe von Menschen, die das Leben bislang vor allem aus Büchern kennengelernt hatte, und sich entschlossen zeigte, das ernstzunehmen, was sie dabei gelernt hatte. Und so schrieb die Weiße Rose mit ausgesuchten Zitaten von Goethe und Schiller, von Novalis, Aristoteles oder Lao-tse gegen eine der blutigsten Diktaturen der Menschheitsgeschichte an.

174 T. Lafrenz, Bericht vom 21.2. [1946?], auszugsweise in: Scholl, Weiße Rose, S.169 f.

175 Hans Scholl und Sophie Scholl, Briefe, S.21.

176 Vgl. I. Kershaw, Der Hitler-Mythos, Stuttgart 1980, S.136 ff.

177 S. Scholl an F. Hartnagel, 28.6.1940, in: Hans Scholl u. Sophie Scholl, Briefe, S.185.

178 Die sechs Flugblätter der Weißen Rose sind in der Literatur mehrfach dokumentiert, u.a. bei Scholl, Weiße Rose, S.96 ff. und bei Petry, Studenten, S.153 ff.

Der Nationalsozialismus wurde als „dämonische Macht" interpretiert und in ein Weltbild eingeordnet, das ebenso ahistorisch wie manichäisch war:

> „Wer ... heute noch an der realen Existenz der dämonischen Mächte zweifelt, hat den metaphysischen Hintergrund dieses Krieges bei weitem nicht begriffen. Hinter dem Konkreten, hinter dem sinnlich Wahrnehmbaren, hinter allen sachlichen, logischen Überlegungen steht das Irrationale, d.i. der Kampf wider den Dämon, wider den Boten des Antichrists. Überall und zu allen Zeiten haben die Dämonen im Dunkeln gelauert auf die Stunde, da der Mensch schwach wird, da er seine ihm von Gott auf Freiheit gegründete Stellung im ordo eigenmächtig verläßt, da er dem Druck des Bösen nachgibt, sich von den Mächten höherer Ordnung loslöst und so, nachdem er den ersten Schritt freiwillig getan, zum zweiten und dritten und immer mehr getrieben wird mit rasend steigender Geschwindigkeit – überall und zu allen Zeiten der höchsten Not sind Menschen aufgestanden, Propheten, Heilige, die ihre Freiheit gewahrt hatten, die auf den Einzigen Gott hinwiesen und mit seiner Hilfe das Volk zur Umkehr mahnten".[179]

Neben solchen Interpretationsversuchen finden sich aber auch andere Passagen, etwa Informationen über Greueltaten der Nationalsozialisten im besetzten Polen oder detaillierte Aufrufe zum passiven Widerstand. Außerdem dokumentieren die Aufrufe der Weißen Rose einen Lernprozeß, der auf dem Einfluß von Angehörigen der älteren Generation (Kurt Huber, Falk Harnack) beruhte, vielleicht auch auf den Erfahrungen, die Scholl, Schmorell und Graf im Sommer 1942 während ihrer „Frontfamulatur" in Rußland machten. Jedenfalls zeigen die beiden letzten Flugblätter einen bemerkenswerten Zuwachs an Realitätssinn. Unter Verzicht auf philosophisch-theologische Exkurse formulierten sie in einer Sprache, die weiterhin leidenschaftlich, zugleich aber nüchtern-analytisch war, Lehren aus der nationalsozialistischen Katastrophe, die in die Zukunft wiesen:

> „Jedes Volk, jeder einzelne hat ein Recht auf die Güter der Welt! Freiheit der Rede, Freiheit des Bekenntnisses, Schutz des einzelnen Bürgers vor der Willkür verbrecherischer Gewaltstaaten, das sind die Grundlagen des neuen Europa".[180]

Der moralische Rigorismus dieser Studenten entbehrte vielleicht nicht einer gewissen Naivität, aber er bewahrte sie auch vor manchen Halbheiten und Zweideutigkeiten, die dem nationalkonservativen Widerstand eigen waren.[181] Tatsächlich hat die Weiße Rose viel radikaler als andere Widerstandsgruppen aus bürgerlichem oder adeligem Milieu nicht nur mit dem Nationalsozialismus gebrochen, sondern auch mit älteren Traditionen der deutschen Geschichte, die den Triumph der NSDAP erleichtert hatten:

---

179 4. Flugblatt der Weißen Rose, abgedruckt in: Scholl, Weiße Rose, S.112.

180 5. Flugblatt der Weißen Rose, abgedruckt in: ebd., S.118.

181 Vgl. H. Mommsen, Gesellschaftsbild und Verfassungspläne des deutschen Widerstandes, in: ders., Der Nationalsozialismus und die deutsche Gesellschaft, Reinbek/Hbg. 1991, S.233 ff.

„Der imperialistische Machtgedanke muß, von welcher Seite er auch kommen möge, für alle Zeit unschädlich gemacht werden. Ein einseitiger preußischer Militarismus darf nie mehr zur Macht gelangen. Nur in großzügiger Zusammenarbeit der europäischen Völker kann der Boden geschaffen werden, auf welchem ein neuer Aufbau möglich sein wird",

verkündete das fünfte Flugblatt der Gruppe.[182] Während viele Kritiker des Regimes (innerhalb und außerhalb der Studentenschaft) trotz aller Abscheu vor den Methoden der Nationalsozialisten weiterhin auf einen militärischen Sieg Deutschlands hofften, hieß es im dritten Flugblatt der Weißen Rose mit kompromißloser Eindeutigkeit:

„Ein Sieg des faschistischen Deutschland in diesem Krieg hätte unabsehbare fürchterliche Folgen. Nicht der militärische Sieg über den Bolschewismus darf die erste Sorge für jeden Deutschen sein, sondern die Niederlage der Nationalsozialisten".[183]

Die Zerschlagung der Weißen Rose offenbarte freilich auch, daß die Münchener Studenten den Kampf mit einem Gegner aufgenommen hatten, dem sie nicht gewachsen waren. Hans und Sophie Scholl wurden am 18. Februar 1943 verhaftet, nachdem sie ihr letztes Flugblatt im Hauptgebäude der Universität verteilt hatten.[184] Schon das – quasi halböffentliche – Verteilen großer Mengen von Flugblättern war extrem risikoreich. Noch unverständlicher erscheint die Leichtfertigkeit, mit der die Geschwister Scholl bei dieser Aktion auch das Leben ihrer Freunde aufs Spiel setzten. Christoph Probst wurde einen Tag später inhaftiert und drei Tage später zum Tode verurteilt, weil Hans Scholl bei seiner Verhaftung einen von Probst verfaßten handschriftlichen Flugblattentwurf bei sich trug.[185] Bei der Durchsuchung von Scholls Wohnung fiel der Gestapo weiteres Material in die Hände, darunter mehrere Hundert Briefmarken. Als der von stundenlangen Verhören zermürbte Hans Scholl mit diesem Beweismaterial konfrontiert wurde, legte er schließlich – um 4 Uhr nachts – ein Teilgeständnis ab.[186] Die weiteren Ermittlungen waren für die Gestapo nur noch Routinesache.

Mit der Zerschlagung der Weißen Rose war die Wirkungsgeschichte der Gruppe noch nicht beendet. Bereits im März 1943 kursierten in verschiedenen Teilen des Reiches Gerüchte über die Münchener Ereignisse.[187] Abschriften der Flugblatter gingen in oppositionellen Kreisen – auch außerhalb von München – noch Monate nach der Hinrichtung ihrer Verfasser von

[182] 5. Flugblatt der Weißen Rose, abgedruckt in: Scholl, Weiße Rose, S.117.
[183] 3. Flugblatt der Weißen Rose, abgedruckt in: ebd., S.108.
[184] Vgl. Petry, Studenten, S.110 ff.
[185] Vgl. die Rekonstruktion des Textes in: BA Potsdam (ZDH) ZC 13267 Bd.4 Bl.7.
[186] Vgl. das Verhörprotokoll vom 18.2.1943, in: BA Potsdam (ZDH) ZC 13267 Bd.2 Bl.12. Siehe auch die Aktennotiz der Gestapo „Betr. Flugzettel-Streuaktion in der Universität am 18. Februar 1943", in: BA Potsdam (ZDH) ZC 13267 Bd.1 Bl.61.
[187] Vgl. Meldungen aus dem Reich, Bd.13, S.4944 (15.3.1943). Siehe auch das vertrauliche Schreiben des Dekans der Medizinischen Fakultät Berlin, P. Rostock, an den Rektor der Berliner Universität, 3.3.1943, in: BA Koblenz R 21/10922.

Hand zu Hand.[188] Die Atomisierung[189] der Studentenschaft erlaubte freilich keinen offenen Meinungsaustausch über den Inhalt der Flugblätter. Als Ursula von Kardorff sich 1943 darüber wunderte, daß das Schicksal der Geschwister Scholl an der Berliner Universität kein Gesprächsthema war, erklärte ihr ein oppositionell eingestellter Student, „das Mißtrauen unter den Studenten sei so groß, daß keiner offen rede. Kaum trauten die Freunde einander, ausgeschlossen, in einem größeren Kreis ein solches Thema auch nur andeutungsweise zu behandeln".[190]

In einigen Fällen führte die Erschütterung über das Schicksal der Münchener Studenten dennoch zu einer Aktivierung oppositioneller Energien. Im Herbst 1943 geriet der Frankfurter Gestapo ein „Rundbrief" in die Hände, in dem eine „Aktion Scholl" dazu aufrief, sich im Sinne der hingerichteten Münchener Studenten „für den Frieden und für die Geistesfreiheit" einzusetzen. Das Flugblatt, das die Geschwister Scholl als „Vorbild für das gesamte oppositionelle Deutschland" würdigte, rief dazu auf, mit den Mitteln „der Aufklärung und des passiven Widerstandes" gegen die NS-Herrschaft anzugehen.[191] Die Verfasser sind bislang unbekannt.

Die größte Resonanz fanden die Münchener Ereignisse in Hamburger Studenten- und Akademikerkreisen, die als „Hamburger Zweig der Weißen Rose" in die Widerstandsgeschichte eingegangen sind.[192] Dabei handelt es sich um einen erst nach 1945 entstandenen Sammelbegriff für verschiedene Diskussionszirkel und Freundeskreise, die sich unabhängig voneinander herausgebildet hatten und nur durch Einzelkontakte miteinander verknüpft waren.

Die wichtigste dieser Gruppen war ein Kreis von (ehemaligen) Schülern der Hamburger Lichtwarkschule, einer Reformoberschule, die sich um ein partnerschaftliches Verhältnis zwischen Schülern und Lehrern bemühte. Als erste höhere Schule war sie in Hamburg zur Koedukation übergegangen und bemühte sich besonders um die Förderung kultureller und künstlerischer Interessen. Vor 1933 hatte ein nicht geringer Teil des Lehrkörpers mit marxistischen oder pazifistischen Positionen sympathisiert.[193] Wenngleich einige dieser Lehrer 1933 entlassen wurden, konnte die Lichtwarkschule gegenüber dem Nationalsozialismus eine gewisse geistige Unabhängigkeit be-

188 Vgl. Köhler, Klettern, S.198; U. von Kardorff, Berliner Aufzeichnungen aus den Jahren 1942 bis 1945, München 1962, S.46 ff.

189 Zur Atomisierung des Alltagslebens im Dritten Reich vgl. D. Peukert, Volksgenossen und Gemeinschaftsfremde, Köln 1982, S.280 ff.

190 Kardorff, Berliner Aufzeichnungen, S.49.

191 Rundbrief Nr.1 der Aktion Scholl, München, April 1943, Abschr. in: BA Koblenz R 21/10922.

192 Der Begriff ist erst nach 1945 entstanden. Zur Hamburger Gruppe vgl. Petry, Studenten, S.77-82, 138-145; U. Hochmuth / G. Meyer, Streiflichter aus dem Hamburger Widerstand 1933-1945, Frankfurt/M. 1969, S.387-421; H.-H. Müller / J. Schöberl, Karl Ludwig Schneider und die Hamburger „Weiße Rose", in: Hochschulalltag im „Dritten Reich", Teil I, S.423 ff.; T. Tielsch, Lügner par Existence. Maurice Sachs, letzte Anmerkungen zur Weißen Rose, in: Transatlantik, Nr.2/1985, S.59-68.

193 Vgl. Die Lichtwarkschule. Idee und Gestalt. Hg. vom Arbeitskreis Lichtwarkschule, Hamburg 1979.

wahren.[194] Zu jenen Lehrkräften, die versuchten, dem Nationalsozialismus keine Konzessionen zu machen, gehörte die Studienassessorin Erna Stahl, die 1935 aus politischen Gründen strafversetzt wurde. Um die Kontakte zu ihren Schülern nicht zu verlieren, organisierte sie fortan regelmäßige Leseabende, wo neben Werken von Shakespeare, Nietzsche oder Rilke auch zahlreiche Autoren gelesen und diskutiert wurden, die im Dritten Reich verpönt waren. Eine spätere Anklageschrift nennt u.a. die Namen von Maxim Gorki, Thomas Mann, Romain Rolland, Franz Werfel, Arnold Zweig, Henri Barbusse und Ernst Toller.[195] In diesem Lesekreis fand sich eine Reihe von Schülern zusammen, die später während des Studiums eine aktive Rolle in der Hamburger Weißen Rose spielen sollten: Heinz Kucharski, Margaretha Rothe, Traute Lafrenz u.a.

Ein zweiter Kreis, das sog. „Musenkabinett", traf sich seit 1940 zu regelmäßigen Lesungen, Diskussionen und Vorträgen über griechische Philosophie, moderne Malerei, Lyrik und Literatur. Das „Musenkabinett" bestand im wesentlichen aus Studenten und Schauspielschülern und verfügte über gute Kontakte zu liberal eingestellten Professoren der Hamburger Universität wie Wilhelm Flitner oder Bruno Snell. Zu den regelmäßigen Teilnehmern der Treffen gehörten u.a. der Medizinstudent Albert Suhr sowie die Brüder Hermann und Rudolf Degkwitz. Alle drei kamen aus Familien, die dem Nationalsozialismus ablehnend gegenüberstanden. Der Vater der Degkwitz-Brüder war Ordinarius für Kinderheilkunde an der Universität und wurde 1944 wegen staatsfeindlicher Äußerungen vom Volksgerichtshof zu sieben Jahren Zuchthaus verurteilt.[196] Suhr war ebenfalls schon mit dem Repressionsapparat des Regimes in Berührung gekommen, da sein Bruder und seine Mutter zeitweise aus politischen Gründen im Gefängnis gesessen hatten. Suhr verfügte auch über Kontakte zu einer Gruppe von oppositionellen Assistenzärzten und Medizinstudenten am Universitätskrankenhaus Eppendorf, die 1943 ebenfalls verhaftet wurden. Unter dem Einfluß dieser Studenten gerieten die Gespräche im „Musenkabinett" mehr und mehr in ein regimekritisches Fahrwasser.[197]

Eine dritte Gruppe von Regimegegnern sammelte sich seit 1940 um Hans Leipelt und seine Familie. Leipelt, Sohn eines Fabrikdirektors und ehemaligen Offiziers sowie einer jüdischen Mutter, hatte ursprünglich die Absicht gehabt, die Offizierslaufbahn einzuschlagen. Dieser Plan zerschlug sich, weil Leipelt im August 1940, nachdem er den Polen- und Frankreichfeldzug mitgemacht hatte, als „Halbjude" von der Wehrmacht entlassen wurde.[198]

[194] Vgl. auch die Erinnerungen der beiden ehemaligen Lichtwarkschüler Hannelore und Helmut Schmidt, in: H. Schmidt u.a., Kindheit und Jugend unter Hitler, Berlin 1992, S.25 ff. u. 196 ff.

[195] Vgl. die Anklageschrift des Oberreichsanwaltes beim Volksgerichtshof gegen H. Kucharski u.a., 23.2.1945, S.14 ff., in: BA Potsdam (ZDH) NJ 6736.

[196] Vgl. A. Bottin / H. van den Bussche, Opposition und Widerstand, in: H. van den Bussche (Hg.), Medizinische Wissenschaft im „Dritten Reich", Berlin/Hamburg 1989, S.400 ff.

[197] Vgl. A. Suhrs Bericht über das Musenkabinett an Thorsten Müller, 15.6.1985 (Kopie im Besitz des Verfassers).

[198] Vgl. Hochmuth/Meyer, Streiflichter, S.392.

Daraufhin begann er 1940, in Hamburg und München Chemie zu studieren. Leipelts Abneigung gegen den Nationalsozialismus verwandelte sich während des Krieges in erbitterten Haß, zumal auch Angehörige seiner Familie der nationalsozialistischen Rassenpolitik zum Opfer fielen: 1942 wurde seine jüdische Großmutter nach Theresienstadt deportiert. Zu seinem Freundeskreis, der Leipelts politische Einstellung weitgehend teilte, gehörten unter anderem die Studenten Karl Ludwig Schneider und Howard Beinhof (beide ebenfalls ehemalige Lichtwarkschüler) sowie die Musikstudentin Dorle Zill. 1943 kam Leipelt auch in Kontakt mit drei Hamburger Schülern (Bruno Himpkamp, Gerd Spitzbart und Thorsten Müller), die der „Swing-Jugend" angehörten und ihre Bereitschaft erklärten, sich an Aktionen gegen die Diktatur zu beteiligen.[199] Die Swing-Jugend war eine oppositionelle Subkultur bürgerlicher Herkunft, die durch ihre Vorliebe für Jazzmusik und ein für damalige Verhältnisse extravagantes Äußeres auffiel, aber auch durch eine ausgeprägt anglophile Haltung und eine nicht minder ausgeprägte Abneigung gegen die Einschränkung ihrer persönlichen Freiheit durch den NS-Staat.[200]

1942/43 entstanden zwischen diesen Kreisen intensivere Querverbindungen. Zu den bevorzugten Treffpunkten der intellektuellen Opposition gehörten einige Buchhandlungen, deren Inhaber dafür bekannt waren, daß sie vertrauenswürdigen Kunden auch politisch unerwünschte Bücher zur Verfügung stellten. Vor allem die evangelische „Buchhandlung der Agentur des Rauhen Hauses" entwickelte sich unter ihrem Juniorchef Reinhold Meyer zu einem Zentrum von intellektuellen Gegnern des Regimes. Im Keller der Buchhandlung traf sich 1943 die Kerngruppe der „Hamburger Weißen Rose" zu regelmäßigen Diskussionsabenden. Auch in den Seminaren des Pädagogen Prof. Wilhelm Flitner[201], den die Studenten rasch als Gegner des NS-Regimes identifiziert hatten, fand sich eine Reihe von Studenten ein, die zu den Aktiven der „Hamburger Weißen Rose" zählten.

Da zwei Personen aus dem Hamburger Kreis, Traute Lafrenz und Hans Leipelt, zeitweise an der Universität München studierten, waren die Hamburger Studenten gut über die Münchener Ereignisse informiert. Über Lafrenz und Leipelt gelangten auch einige der Münchener Flugblätter nach Hamburg. Die Nachricht über die Hinrichtung der Münchener Studenten löste daher in Hamburg tiefe Erschütterung aus und steigerte die „oppositionelle Erregung" unter den studentischen Hitlergegnern, wie aus einem Bericht von Heinz Kucharski hervorgeht. Auf den Treffen in der „Agentur des Rauhen Hauses" wurden Diskussionen „über die ethische Zulässigkeit der Anwendung revolutionärer Gewalt gegen das Hitlerregime mit stark philosophisch-abstraktem Charakter" geführt, so berichtete später Kucharski.[202]

[199] Vgl. die Anklageschrift des Oberreichsanwaltes beim Volksgerichtshof gegen Bruno Himpkamp u.a., 23.2.1945, in: BA Potsdam (ZDH) NJ 6439.

[200] Zur Swing-Jugend vgl. Peukert, Volksgenossen, S. 197 ff.

[201] Zu Flitner vgl. K. Saul, Lehrerbildung in Demokratie und Diktatur, in: Hochschulalltag im „Dritten Reich", Teil I, S.390 ff.

[202] Undatierter Bericht von Heinz Kucharski, zit. nach: Hochmuth/Meyer, Streiflichter, S.405 f.

Über den Sinn eines aktiven Kampfes gegen den Nationalsozialismus gab es durchaus unterschiedliche Ansichten. Unter den Besuchern des Musenkabinetts dominierte die Auffassung, ein aktiver Widerstand von innen könne zu einer Neuauflage der Dolchstoßlegende führen. Deshalb müsse der Sturz des Regimes von außen erfolgen, durch einen militärischen Sieg der Alliierten.[203] Im Gegensatz zu ihrem Münchener Pendant läßt sich die Hamburger Weiße Rose daher nicht als Widerstandsgruppe im engeren Sinne definieren. Doch gab es auch in den Hamburger Gruppen einige Studenten und Schüler, die entschlossen waren, den Schritt vom bildungsbürgerlichen Dissens zum Widerstand zu wagen.

Zu ihnen gehörten insbesondere die Studenten Heinz Kucharski, Hans Leipelt, Margaretha Rothe und Albert Suhr. Heinz Kucharski und Margaretha Rothe verbreiteten mit Flugblättern und selbst hergestellten Stempeln die Sendezeiten und die Wellenlänge des oppositionellen „Deutschen Freiheitssenders". Leipelt, Suhr und die Buchhändlerin Hannelore Willbrandt vervielfältigten Flugblätter der Münchener Weißen Rose auf der Schreibmaschine und verteilten sie in ihrem Bekanntenkreis. Kucharski gelang es, eines der Münchener Flugblätter und anderes Material über eine Angestellte des Schweizer Konsulats ins Ausland zu schaffen. Hans Leipelt organisierte zusammen mit zwei Freunden in Hamburg und München eine Geldsammlung für die Witwe von Prof. Huber, die nach der Hinrichtung ihres Mannes in finanzielle Not geraten war.[204] Weitergehende Pläne, einen Geheimsender zu bauen oder eine Eisenbahnbrücke zu sprengen, um Transporte der Wehrmacht zu sabotieren, blieben im Diskussionsstadium stecken und überstiegen wohl auch die realen Möglichkeiten der Gruppe.

Anders als in München spielten religiöse Motive in der Hamburger Weißen Rose keine wesentliche Rolle. Zwar gab es auch unter den Hamburgern einige Studenten mit starken religiösen Bindungen, vor allem Frederick Geussenhainer und Reinhold Meyer. Im aktiven Kern des Hamburger Kreises dominierten jedoch weltanschauliche Vorstellungen anderer Art: Heinz Kucharski, Margaretha Rothe und Hans Leipelt sympathisierten mit dem Kommunismus, während Albert Suhr sich als Anarchist verstand.[205] Wollte man versuchen, einen Minimalkonsens zu definieren, dann war dies wahrscheinlich die Überzeugung, „daß die gegenwärtigen politischen Verhältnisse geändert und dem Einzelnen möglichst viel persönliche Freiheit, insbesondere die der Meinungsäußerung gegeben werden müsse", wie es später in einer Anklageschrift hieß.[206]

Da die Diskussionsabende der Hamburger Studenten offen waren für interessierte Zuhörer, sofern diese einen politisch vertrauenswürdigen Ein-

[203] Vgl. Hochmuth/Meyer, Streiflichter, S.411.

[204] Vgl. die Anklageschrift des Oberreichsanwaltes beim Volksgerichtshof gegen Hans Leipelt u.a., 22.7.1944, in: BA Potsdam (ZDH) NJ 5053 Bd.1.

[205] Mitteilung von Dr. Albert Suhr an den Verfasser.

[206] Anklageschrift gegen Kucharski u.a., 23.2.1945 (Anm.195), S.5.

druck machten[207], fiel es der Gestapo nicht schwer, die Gruppe im Sommer 1943 zu infiltrieren. Insgesamt wurden 1943 etwa 30 Personen wegen „Vorbereitung zum Hochverrat", „Feindbegünstigung", „Wehrkraftzersetzung" und wegen „Rundfunkverbrechen" (gemeint war das Abhören von „Feindsendern") verhaftet. Acht von ihnen starben im Gefängnis, wurden hingerichtet oder begingen in der Haft Selbstmord – unter ihnen die Studenten Reinhold Meyer, Hans Leipelt, Margaretha Rothe und Frederick Geussenhainer.[208] Nur der Zusammenbruch des NS-Regimes verhinderte die Vollstreckung weiterer Todesurteile.

Auch im Krieg gab es immer wieder Studenten, die sich außerhalb der Hochschulen einzeln oder in kleinen Gruppen am Widerstand gegen den Nationalsozialismus beteiligten. Stellvertretend für andere, über deren Schicksal wir wenig oder gar nichts wissen, sei hier der Student der Volkswirtschaftslehre Carl Wilhelm Meyer-Albrand genannt, der 1943 wegen „Zersetzung der Wehrkraft" zum Tode verurteilt wurde.[209] Einige Studenten schlossen sich während des Krieges der Widerstandsorganisation um Harro Schulze-Boysen und Arvid Harnack an, die unter der Bezeichnung „Rote Kapelle" bekannt geworden ist. Die meisten von ihnen studierten an der Auslandswissenschaftlichen Fakultät der Berliner Universität[210], so Horst Heilmann, Ursula Goetze und Herbert Gollnow, als Gasthörer auch Harro Schulze-Boysen. Arvid Harnack und seine Frau Mildred Harnack-Fish waren ebenfalls an der Auslandswissenschaftlichen Fakultät als Lehrbeauftragte tätig. Sie alle wurden 1942/43 hingerichtet.[211]

Ein zusammenfassender Überblick über die bislang bekannten Widerstandsaktivitäten von studentischer Seite, wie er hier versucht worden ist, erzeugt einen Bündelungseffekt, aus dem sich leicht ein falscher Eindruck über das Ausmaß des Widerstandes an den Hochschulen ergeben könnte. Tatsächlich standen nur wenige studentische Gruppen im aktiven Kampf gegen die NS-Diktatur. Die übergroße Mehrheit der Studierenden ist nie mit solchen Aktivitäten in Berührung gekommen, hat vermutlich nicht einmal von ihnen erfahren. Größeres Aufsehen erregte – schon aufgrund der spektakulären Verhaftungen – nur die Weiße Rose.

Die Frage, welche Resonanz der Widerstand unter den Studenten gefunden hat, läßt sich schwer beantworten. Die kommunistischen Studentengruppen agierten schon vor 1933 getrennt von der Masse der Studenten, und nichts spricht dafür, daß es ihnen in der Illegalität gelungen ist, diese Isolation zu überwinden. Da in bürgerlichen und kleinbürgerlichen Kreisen

[207] Kucharski schrieb später über die Diskussionsabende in der „Agentur des Rauhen Hauses": „Man traf sich hier im größeren Kreise, laufend kamen neue, ebenfalls oppositionell gestimmte Menschen hinzu ..."(Zit. in: Hochmuth/Meyer, Streiflichter, S.405). Unter solchen Umständen war die Zerschlagung der „Hamburger Weißen Rose" wohl nur eine Frage der Zeit.

[208] Die Namen der Verhafteten und Toten in: Hochmuth/Meyer, Streiflichter, S.414, 421.

[209] Vgl. Mehls, Angehörige, S.128 ff. u. S.134 f.

[210] Zu dieser Fakultät, die als Domäne der SS galt, vgl. E. Haiger, Politikwissenschaft und Auslandswissenschaft im „Dritten Reich", in: Kontinuitäten und Brüche in der deutschen Politikwissenschaft. Hg. von G. Göhler u. B. Zeuner, Baden-Baden 1991, S.116 ff.

[211] Vgl. Mehls, Angehörige, S.127 ff.

gerade die hypertrophe Furcht vor dem Bolschewismus viele Menschen in die Arme der Nationalsozialisten getrieben hatte, ist es sogar möglich, daß die Untergrundaktivitäten der Kommunisten die Bindung der Studenten an das Regime noch verstärkt haben. Aber dies sind Spekulationen.

Über die Reaktion der Münchener Studenten auf die Weiße Rose und ihr dramatisches Ende gibt es genauere Informationen. Unzweifelhaft lagen die politischen Ideale der Weißen Rose dem Weltbild der meisten Studenten näher als die vom kommunistischen Widerstand angebotenen Alternativen. Dennoch blieben auch die Geschwister Scholl und ihre Freunde isoliert von der Mehrheit der Studenten. Schon bei der Verhaftung von Hans und Sophie Scholl, die vor zahlreichen Augenzeugen erfolgte, offenbarte sich die distanzierte Haltung der Münchener Studenten. Ein Student, der die Verhaftung zufällig im Hauptgebäude der Universität miterlebte, berichtete später:

> „Eine Menge von Studenten sammelte sich am Hauptausgang zur Ludwigstraße, vor dem bereits die Wagen der SS und Gestapo standen. Man tuschelte untereinander, aber sonst geschah nichts, auch nicht als ein junges Mädchen von zwei Gestapobeamten, deren Beruf schon an ihren Visagen erkenntlich war, durch die Menge hindurch abgeführt wurde. Ich kochte vor Wut, Zorn und Haß, war ... aber auch erschüttert über die trostlose Passivität der anwesenden Studenten, die schweigend und wartend herumstanden und die unbegreifliche Blödheit hatten, den kurz darauf erscheinenden Rektor, der eine aufklärende Ansprache hielt und etwas von Hochverrätern usw. faselte, zu betrampeln".[212]

Der Rektor, SS-Oberführer Walther Wüst, konnte zufrieden sein und sparte in einer vertraulichen Meldung an das REM nicht mit Lob über die Haltung der Studenten: „Nach Bekundigung aller beteiligten Stellen haben sich bei der Durchführung der polizeilichen Aktion die Studenten in ausgezeichneter Weise verhalten".[213]

In den folgenden Tagen ließen vor allem kriegsversehrte Studenten ihren Aggressionen gegen die Widerstandskämpfer der Weißen Rose freien Lauf. Der damalige Gaustudentenführer von München-Oberbayern, Julius Doerfler, berichtet über die Tage nach der Verhaftung von Hans und Sophie Scholl:

> „Was aber war nach dem 18. Februar auf meiner Dienststelle los? Ständig kamen versehrte Studenten mit Armprothesen, Beinprothesen, Ritterkreuz, Deutschem Kreuz in Gold, EK I ..., verlangten mich zu sprechen und forderten kategorisch, Scholl und Genossen müßten vor der Universität oder vor der Feldherrenhalle aufgehängt werden, und sie würden sich bereit erklären, dieses durchzuführen, mit diesen Schweinen müsse Schluß gemacht werden".[214]

---

[212] Bericht vom 23.10.1953, auszugsweise abgedruckt in: I. Scholl, Weiße Rose, S.211. Es gehörte zum studentischen Brauch, durch Trampeln Zustimmung auszudrücken.

[213] Rektor Wüst an das REM, 19.2.1943, in: BA Koblenz R 21/10922.

[214] J. Doerfler, Erinnerungen – Erlebnisse – Kämpfe in meinem Leben, unveröffentlichtes Ms., S.337.

Wie isoliert die Weiße Rose in Wirklichkeit dastand, enthüllte eine große Studentenversammlung, die am 22. Februar, vier Tage nach der Verhaftung und wenige Stunden nach der Hinrichtung von Hans und Sophie Scholl, in der Münchener Universität stattfand. Obwohl sie kurzfristig anberaumt war, sollen an der Veranstaltung etwa 3.000 Personen teilgenommen haben, vermutlich die Mehrheit der Münchener Studentenschaft.[215] Über den Verlauf der Veranstaltung meldete Rektor Wüst dem Ministerium:

> „In dieser Kundgebung, in der zunächst ein schwerversehrter, mit dem Deutschen Kreuz in Gold ausgezeichneter Student, dann Gaustudentenführer Doerfler sprach, brachte die Münchener Studentenschaft in einer ungewöhnlich eindrucksvollen, ja geradezu ergreifenden Weise zunächst ihre Verachtung gegen diese Machenschaften jener vier Hochverräter[216], dann aber ihren entschlossenen Kampf- und Siegeswillen, ihre unerschütterliche Treue und Hingabebereitschaft für Führer und Volk zum Ausdruck".[217]

Nicht minder enthusiastisch äußerte sich die Reichsstudentenführung in einem Rundbrief an die Gaustudentenführer über den Verlauf der Versammlung. Die Kundgebung habe

> „durch überwältigende Begeisterung und stürmischen Beifall, der die Redner ... nach fast jedem ihrer Sätze unterbrach, bewiesen, daß die verbrecherische Handlungsweise der vier Verurteilten keinerlei Verallgemeinerung zuläßt. Die Münchener Studentenschaft steht wie immer und in alle Zukunft geschlossen hinter dem Führer".[218]

Man könnte diese Berichte als propagandistische Übertreibungen abtun. Da es sich aber um vertrauliche Mitteilungen handelte, die nicht für die Öffentlichkeit bestimmt waren, sondern zur Unterrichtung des REM und der Spitzenfunktionäre des NSDStB dienten, ist dies sehr unwahrscheinlich. Im Kern wird die Aussage dieser Dokumente zudem durch andere Quellen bestätigt.[219] Eine damals anwesende Studentin erinnerte sich noch Jahre später vor allem an den triumphalen Auftritt des Hörsaaldieners, der vier Tage vorher für die Verhaftung der Geschwister Scholl gesorgt hatte:

> „Die Kundgebung im Auditorium Maximum gehört zu den schauerlichsten Erinnerungen, die mir aus jenen Tagen geblieben sind. Hunderte von Studenten johlten und trampelten dem Denunzianten und Pedell der Uni Beifall, und dieser nahm ihn stehend und mit ausgestrecktem Arm entgegen".[220]

---

[215] Von 3.000 Teilnehmern sprach die Reichsstudentenführung, während Rektor Wüst sogar 4.000 Versammlungsteilnehmer zählte. Erfahrungsgemäß liegen die niedrigeren Zahlen näher bei der Wahrheit. Leider ist die genaue Zahl der im WS 1942/43 an der Münchener Universität immatrikulierten Studenten nicht bekannt (Mitt. des UA München an den Verfasser, 11.5.1993).

[216] Gemeint sind Hans und Sophie Scholl, Alexander Schmorell und Christoph Probst.

[217] Rektor Wüst an das REM, 23.2.1943, in: BA Koblenz R 21/10922.

[218] Vertrauliches Rundschreiben des Stabsführers der RSF, R. Thomas, 23.2.1943, in: HHStA Wiesbaden 483/11200.

[219] Vgl. auch Doerfler, Erinnerungen, S.340.

[220] L. Magold, Leserbrief in: Süddeutsche Zeitung, 18./19.12.1965, zit. in: Petry, Studenten, S.122.

Alle verfügbaren Quellen weisen also eindeutig auf eine Ablehnung der Weißen Rose durch die Mehrheit der Münchener Studenten hin. Sophie Scholls (nach ihrer Verhaftung geäußerte) Hoffnung, ihr Tod werde zu einer Revolte in der Studentenschaft führen[221], erwies sich als Illusion.

War das Verhalten der Münchener Studenten repräsentativ für die gesamte deutsche Studentenschaft? Hätten die Studenten anderer Hochschulen anders reagiert? Dies ist sehr unwahrscheinlich. Gerade die Universität München – als relativ anonyme Großstadtuniversität mit einem hohen Katholikenanteil – war für den NSDStB stets ein besonders schwieriges Pflaster gewesen. Schon die Münchener Studentenrevolte von 1934 hatte erstmals enthüllt, welche Kluft nach der „Machtergreifung" zwischen den studentischen Funktionären und der Majorität der Studierenden entstanden war.[222] Auch in den folgenden Jahren hatte sich das politische Klima nicht grundlegend verbessert. Als der NSDStB 1938 eine Reihe von Veranstaltungen zur „Aufklärung" der Münchener Studenten über die Ziele des Studentenbundes durchführte, mußten die Organisatoren feststellen, daß ein „Großteil von Studenten" den Aktivitäten des NSDStB weiterhin ablehnend gegenüberstand. Vor allem die Medizinstudenten brachten ihre „Abneigung gegen die Arbeit des Studentenbundes dem Redner gegenüber ziemlich unverhohlen zum Ausdruck", wie in einer internen Auswertung der Reichsstudentenführung zu lesen war. Unter solchen Umständen mußten die Veranstalter schon damit zufrieden sein, „daß es durchwegs den Rednern gelungen ist, sich so weit durchzusetzen, daß die Hörerschaft ernstlich zuhörte".[223] Noch im Januar 1943, wenige Wochen vor der Verhaftung der Geschwister Scholl, war es auf einer Studentenversammlung zu spontanen Protesten und Tumulten gekommen, nachdem Gauleiter Paul Giesler sich in seiner Rede zu heftigen Ausfällen gegen die studierenden Frauen hatte hinreißen lassen.[224] Mit anderen Worten: Die Münchener Studentenschaft ließ sich keineswegs als besonders parteifromm charakterisieren, sondern zeichnete sich eher durch eine ausgeprägte Neigung zur Aufsässigkeit aus. Nichts spricht daher für die Annahme, daß Widerstandsaktionen wie die der Weißen Rose an anderen Hochschulen auf größere Resonanz gestoßen wären.

Als Fazit bleibt deshalb festzuhalten: Die Schwäche des studentischen Widerstandes läßt sich nicht nur auf die – durchaus berechtigte – Furcht vor dem Terror der Nationalsozialisten zurückführen, sondern auch auf die politische Isolation der Widerstandskämpfer, deren Überzeugungen und Wertvorstellungen von der Mehrheit der Studenten nicht geteilt wurden. Um so größeren Respekt verdienen jene, die allen widrigen Umständen zum Trotz den Weg in den Widerstand gegangen sind.

---

221 Vgl. Petry, Studenten, S. 121.

222 Vgl. S.255 ff.

223 Zitate aus: Aktenvermerk von K. Kracke u. H. Reich, 1.2.1938, S.2, in: StA WÜ RSF/NSDStB II* 451 α 354.

224 Vgl. S.123 f.

Schlußüberlegungen

Sowohl im Geschichtsbewußtsein der Deutschen als auch in einem großen Teil der wissenschaftlichen Literatur wird das nationalsozialistische Deutschland meist als eine von einem allmächtigen Apparat gleichgeschaltete Gesellschaft wahrgenommen, in der die Bevölkerung nur als mehr oder weniger passives Objekt totaler Herrschaft auftritt. Dieses Bild, dessen Verbreitung nach 1945 durch die Dominanz der Totalitarismustheorie gefördert wurde, ist in mehrfacher Hinsicht problematisch.

Zum einen haben neuere Untersuchungen gezeigt, wie sehr der Repressionsapparat des Regimes Unterstützung aus der Bevölkerung benötigte. Die Gestapo, die zahlenmäßig relativ schwach besetzt war, verdankte ihre Durchschlagskraft nicht einem allgegenwärtigen Heer von Geheimpolizisten und Spitzeln, das mehr in der Phantasie der Menschen als in der Realität existierte. Vielmehr arbeitete der Gestapoapparat vor allem deshalb so effizient, weil er sich auf vielfältige Mithilfe von außen – meist in Form von Denunziationen – stützen konnte.[1]

Noch wichtiger ist jedoch ein anderer Punkt: Die Vorstellung, die deutsche Bevölkerung sei nur ein passives Objekt in den Händen der nationalsozialistischen Machthaber gewesen, verkennt, daß die Nationalsozialisten zur Verwirklichung ihrer Expansionspläne auf Massenloyalität angewiesen waren. Das NS-Regime war keine jener Operettendiktaturen, deren blutrünstige und sadistische Herrscher die Bevölkerung willkürlich quälen und schikanieren. Neben dem unbarmherzigen, sich schrittweise radikalisierenden Terror gegen politische Gegner und gegen ausgegrenzte Minderheiten gab es stets intensive Bemühungen, die Masse der deutschen Bevölkerung für die Ziele des Regimes zu gewinnen. Dafür sorgte nicht zuletzt die traumatische Erinnerung an das schmähliche Ende des Kaiserreiches, den angeblichen „Dolchstoß“ von 1918.[2] Intensiv umworben wurde vor allem die Arbeiterschaft; aber selbstverständlich sollte auch der Rest der Bevölkerung bei der Stange gehalten werden. Mit Propaganda allein konnte dieses Ziel nicht

---

[1] Vgl. R. Gellately, Die Gestapo und die deutsche Gesellschaft, Paderborn 1993; K.-M. Mallmann / G. Paul, Herrschaft und Alltag. Ein Industrierevier im Dritten Reich, Bonn 1991 (Widerstand und Verweigerung im Saarland 1935-1945, Bd.2), S.164 ff.

[2] Vgl. T.W. Mason, Arbeiterklasse und Volksgemeinschaft, Opladen 1975, S.1 ff.

erreicht werden. Extrem unpopuläre Maßnahmen mußten daher nach Möglichkeit vermieden, verschwiegen oder korrigiert werden.[3]

Dies ist in der vorliegenden Untersuchung mehrfach deutlich geworden. In Phasen, in denen sich unter den Studierenden massive Unzufriedenheit artikulierte, reagierten die Nationalsozialisten sofort mit Veränderungen des hochschulpolitischen Kurses. Drei herausragende Beispiele mögen genügen, um diesen Zusammenhang noch einmal zu vergegenwärtigen:

1. Im Sommer 1934 führte die Münchener Studentenrevolte zum Eingreifen von Rudolf Heß, der sich mit einem ganzen Bündel von Maßnahmen um eine Befriedung der Studentenschaft bemühte. Die Belastung der Studenten durch außerfachliche Verpflichtungen wurde erheblich reduziert, die SA mußte sich aus den Hochschulen zurückziehen, der NS-Studentenbund (NSDStB) wurde reorganisiert und erhielt eine neue Leitung. Schließlich räumte Heß sogar in einer öffentlichen Rede ein, daß in der Vergangenheit schwerwiegende Fehler gemacht worden waren.

2. Die von den nationalsozialistischen Studentenfunktionären geplante Kasernierung der Anfangssemester in Kameradschaftshäusern sorgte 1933/34 ebenfalls für beträchtlichen Aufruhr unter den Studenten. Vor allem der im September 1934 veröffentlichte „Feickert-Plan", der die Kasernierungspläne mit gravierenden Eingriffen in das Korporationsleben verband, stieß auf so massiven Widerspruch, daß er schon fünf Wochen nach seiner Präsentation öffentlich zurückgezogen werden mußte.

3. Als die Nationalsozialisten sich 1935/36 nach längeren Konflikten zur Zerschlagung der Korporationen entschlossen, führte dieser extrem unpopuläre Schritt den NSDStB in die völlige Isolation. Um diesen Zustand zu überwinden, sah sich die Reichsstudentenführung schließlich zu einem Kompromiß mit den Altherrenverbänden gezwungen. Die damit verknüpften Zugeständnisse führten während des Krieges zu einem Wiederaufleben der Korporationen – eine Entwicklung, die vom NSDStB zwar nicht gebilligt wurde, aber doch zähneknirschend geduldet werden mußte.

Daraus ergab sich die Schlußfolgerung: Nationalsozialistische Hochschulpolitik einerseits sowie das Handeln und Denken der Studierenden andererseits lassen sich nicht getrennt voneinander darstellen. Die geläufige Vorstellung von den agierenden Nationalsozialisten und der reagierenden Bevölkerung wird der komplexen Wirklichkeit nicht gerecht. Vielmehr haben wir es mit einem Interaktionsprozeß zu tun, in dem beide Seiten sowohl als agierendes wie auch als reagierendes Element auftraten.

Der häufige hochschulpolitische Kurswechsel in den Jahren nach der nationalsozialistischen Machtübernahme zeigte auch, daß die Nationalsozialisten 1933 keineswegs über ein tragfähiges hochschulpolitisches Konzept verfügten. Einige Maßnahmen – die Liquidierung demokratischer Struktu-

[3] Ein spektakuläres Beispiel einer solchen Korrektur ist die Rücknahme der Lohnkürzungen und anderer materieller Einschränkungen, die der Arbeiterschaft nach Beginn des Krieges zugemutet worden waren. Vgl. R. Hachtmann, Industriearbeit im „Dritten Reich", Göttingen 1989, S.128 ff.; U. Herbert, Arbeiterschaft im „Dritten Reich", in: Geschichte und Gesellschaft, 15. Jg., 1989, S.345 ff.

ren, die Durchsetzung des Führerprinzips, die Vertreibung oppositioneller und jüdischer Studenten – waren durch die allgemeine Politik der NS-Diktatur gleichsam vorgegeben. Doch darüber hinaus herrschte konzeptionelle Unsicherheit, überwog die Improvisation.

Bei den neuen nationalsozialistischen Kultusministern handelte es es sich überwiegend um ehemalige Lehrer und Studienräte, die mit dem inneren Leben der Universitäten nur wenig vertraut waren. Sie benötigten daher politisch zuverlässige Ratgeber an den Hochschulen. Da ein nationalsozialistischer Dozentenbund erst relativ spät gegründet wurde, fiel diese Rolle fast zwangsläufig dem NSDStB zu, der 1933/34 erheblichen Einfluß auf die Hochschulpolitik gewinnen konnte. An vielen Hochschulen nahm die Phase der „Machtergreifung“ Züge eines Generationskonfliktes an und entwickelte sich zu einer Revolte der Studenten gegen das überlieferte Selbstverständnis der Hochschulen und gegen die bislang übermächtige Gestalt des deutschen Ordinarius. Auch nationalkonservative Professoren, die den Untergang der Weimarer Republik begrüßt hatten, wurden vom NSDStB nicht als Bündnispartner angesehen, sondern als „Reaktionäre“ abgestempelt. Vielfach wirkten die NS-Studenten aktiv an der Entlassung von Hochschullehrern mit, indem sie „Schwarze Listen“ erstellten oder den Boykott von Lehrveranstaltungen organisierten. Nicht selten sorgten die nationalsozialistischen Studentenfunktionäre dafür, daß Hochschullehrer, die eng mit ihnen zusammenarbeiteten, in Führungspositionen einrücken konnten, beispielsweise als Rektoren. Auch spektakuläre Aktionen wie die Bücherverbrennungen wurden im wesentlichen von den nationalsozialistischen Studenten getragen. Mancherorts schien es, als seien die Studentenfunktionäre 1933/34 zum eigentlichen Machtzentrum der Hochschulen geworden. Dabei agierten die NS-Studenten keineswegs als Befehlsempfänger, sondern als weitgehend autonomer, von übergeordneten Instanzen kaum kontrollierter Machtfaktor.

Die von den NS-Studenten erhoffte Institutionalisierung dieser neuen Machtstellung erfolgte jedoch nicht. Weder erhielten sie ein Vetorecht bei Berufungen noch ein Mitspracherecht bei der Errichtung neuer Lehrstühle, und auch die Forderung nach studentischer Beteiligung an der Hochschulverwaltung blieb im wesentlichen unerfüllt. Als die hochschulpolitische Lage sich nach der Gründung des Reichserziehungsministeriums (REM) 1934 langsam beruhigte, verlor der NSDStB an Einfluß. Die Ministerialbürokratie hatte nicht die Absicht, ihren neuen Aufgabenbereich den Studenten zu überlassen, und sie war auch nicht geneigt, einen Zustand ständiger Unruhe an den Hochschulen zu dulden. Die Unterordnung des NSDStB unter den Stab Heß im Sommer 1934 erbrachte einen weiteren Verlust des bisherigen Handlungsspielraumes. Gleichwohl blieben die Studentenführer und insbesondere die Gaustudentenführer auch in den folgenden Jahren ein Machtfaktor, mit dem die Hochschullehrer zu rechnen hatten, vor allem dann, wenn die NSDStB-Funktionäre gute Beziehungen zum Gauleiter hatten.

Unter den verschiedenen Staats- und Parteistellen, die im Dritten Reich vorrangig mit der Hochschulpolitik zu tun hatten – REM, NS-Dozentenbund, NSDStB, Deutsche Studentenschaft (DSt), Kultusministerien der Länder u.a. – befand sich keine wirklich machtvolle Institution, die im Kompetenzendschungel des Dritten Reiches über dominierenden Einfluß verfügte. Keine dieser Stellen war daher imstande, die Hochschulpolitik allein nach ihren Vorstellungen zu gestalten. Aus dieser Konstellation erwuchsen vor allem in den ersten Jahren nach der nationalsozialistischen Machtübernahme zahlreiche Kompetenzstreitigkeiten. Teilweise handelte es sich dabei um reine Machtkämpfe, mitunter aber auch um Auseinandersetzungen über inhaltliche Probleme. So steckte hinter den Spannungen zwischen dem REM und der Reichsstudentenführung streckenweise auch der Konflikt zwischen politischen und fachlichen Ausbildungszielen. Im Gegensatz zur Reichsstudentenführung, die sich fast ausschließlich für die politisch-ideologischen Aspekte der Erziehung interessierte, betonte das Ministerium sehr viel stärker die Notwendigkeit, an den Hochschulen einen fachlich qualifizierten Nachwuchs auszubilden. Keine der beiden Seiten konnte sich vollständig durchsetzen: Während der NSDStB mit seinem Versuch scheiterte, eine rigorose politische „Auslese" der Studentenschaft zu institutionalisieren, versuchte das REM während des Krieges vergeblich, eine Entlastung der Studenten von außerfachlichen Pflichten zu erreichen.

Die polykratischen Strukturen im Ausbildungssektor machten eine zielstrebige Hochschulpolitik nahezu unmöglich. Völlig zu Recht entstand daher bei vielen Zeitgenossen der Eindruck allgemeiner Konfusion und konzeptioneller Unklarheit. Erst mit dem Aufstieg des Reichsstudentenführers Scheel seit Anfang der 1940er Jahre deutete sich ein grundlegender Wandel an. Scheels Werdegang zum führenden Hochschulpolitiker der NSDAP kam jedoch zu spät, um die Dinge noch wirksam beeinflussen zu können. Als er im Juni 1944 die Führung des NS-Dozentenbundes übernahm, standen die Hochschulen bereits kurz vor dem Zusammenbruch, und seine Ernennung zum Reichserziehungsminister in Hitlers „Politischem Testament" von 1945 hatte nicht einmal mehr symbolische Relevanz.

Hitler selber hat der nationalsozialistischen Hochschulpolitik keine wesentlichen Perspektiven eröffnet. Die wenigen verstreuten Bemerkungen in „Mein Kampf" waren kaum dazu geeignet, klare Prioritäten oder richtungweisende Leitlinien zu übermitteln. Lediglich die dort ausgedrückte Geringschätzung wissenschaftlicher Ausbildung hat in der Hochschulpolitik deutliche Spuren hinterlassen. Dagegen wurde Hitlers Forderung, die Hochschulen stärker für begabte Jugendliche aus den Unterschichten zu öffnen, von der Ministerialbürokratie lange Zeit weitgehend ignoriert. Erst während des Krieges zeichnete sich ein Wandel ab, der aber nicht auf Hitlers Direktiven zurückgeführt werden kann.

In den ersten Jahren nach der nationalsozialistischen Machtübernahme trat Hitler nur dann in Erscheinung, wenn unterschiedliche Staats- und Parteistellen sich bei internen Auseinandersetzungen festgebissen hatten und nicht in der Lage waren, aus eigener Kraft einen Ausweg zu finden. Seit 1936, als die Universitäten wieder in ruhigeres Fahrwasser gerieten, hat Hitler die Hochschulpolitik vollständig vernachlässigt.

Manchmal erwies es sich schlicht als unmöglich, eine Entscheidung Hitlers zu drängenden Problemen herbeizuführen. Es ist bezeichnend, daß die Entlassung des allgemein als unfähig angesehenen Reichserziehungsministers Rust zwar seit 1937 immer wieder erwogen wurde, aber letztlich doch unterblieb. Hitlers Weigerung, dem Parteiideologen Rosenberg besondere Vollmachten auf dem Wissenschaftssektor einzuräumen, gehört ebenfalls in diesen Zusammenhang. Als Rust 1940 versuchte, Sondervollmachten zu erhalten, um die Leistungsfähigkeit der Hochschulen zu steigern, gelang es ihm noch nicht einmal, mit diesem Anliegen bis zu seinem „Führer" vorzudringen.

Ein „intentionalistischer" Ansatz, der die Entwicklung des NS-Regimes überwiegend aus der Persönlichkeit Hitlers erklärt, ist deshalb für die Analyse der nationalsozialistischen Hochschulpolitik von sehr geringem Nutzen, so sinnvoll er für die Untersuchung anderer Politikbereiche (Außenpolitik, Kriegführung u.a.) auch sein mag. Hitlers Inaktivität in Fragen der Hochschulpolitik stützt aber auch nicht die These, er sei ein „schwacher Diktator" gewesen.[4] In den wenigen Fällen, in denen der „Führer" in hochschulpolitische Angelegenheiten eingriff, beispielsweise in den Konflikten um die Kameradschaftshäuser (1934) oder um die Korporationen (1935), erwiesen sich seine Entscheidungen stets als definitiv und wurden von allen Beteiligten widerspruchslos akzeptiert. Hitlers geringe Bedeutung für die Entwicklung der nationalsozialistischen Hochschulpolitik war kein Zeichen von Schwäche, sondern von Desinteresse.

Das Studium und das Alltagsleben der Studenten haben sich nach 1933 teilweise grundlegend verändert. Diese Veränderungen können in sechs Punkten zusammengefaßt werden:

1. Durch die Veränderung der Studienordnungen, die Selbstgleichschaltung von Teilen der Dozentenschaft und die Einrichtung neuer Lehrstühle erfolgte eine partielle Nazifizierung der Lehre.

2. Neben die akademische Ausbildung trat – zeitweise fast gleichrangig – die Belastung der Studenten durch außerfachliche Ansprüche: Pflichtsport, Kameradschaftsarbeit, Arbeitseinsätze in der Landwirtschaft und in der Fabrik, die politische Schulung, der „Frauendienst" u.a.

3. Die Entlassung zahlreicher unliebsamer Dozenten (vor allem der „Nichtarier"), die Aufhebung der Lehrfreiheit, die Überlastung der Studentenschaft durch fachfremde Ansprüche und noch einige andere Faktoren führten zu einem Niveauverlust in der fachlichen Ausbildung, der auch von nationalsozialistischer Seite nicht geleugnet wurde.

4. Die politische „Säuberung" der Studentenschaft richtete sich im wesentlichen gegen Juden und Kommunisten, an einigen Hochschulen auch gegen sozialdemokratische und republikanische Studenten. Von diesen Maßnahmen waren etwa 5 % der 1933 immatrikulierten Studenten betroffen, ein relativ geringer Prozentsatz verglichen mit den gleichzeitig stattfin-

[4] Zur Diskussion über diese These vgl. I. Kershaw, Der NS-Staat, Reinbek bei Hamburg 1988, S. 125 ff.

denden Massenentlassungen von Hochschullehrern, denen rund 20 % des Lehrkörpers zum Opfer fielen.

5. Die Zerschlagung aller unabhängigen Studentenorganisationen zwischen 1933 und 1937 zerstörte die traditionelle Vielfalt studentischen Lebens. Das soziale Leben der Studenten reduzierte sich dadurch zum einen auf private Freundeskreise, zum anderen auf die von der Partei und ihren Gliederungen angebotenen Alternativen.

6. Die Abwertung der intellektuellen Berufe durch die Repräsentanten des Regimes und die propagandistische Aufwertung von Arbeiterschaft und Bauerntum hatten zur Folge, daß das Sozialprestige der Studenten (und der Akademiker) sich nach 1933 erkennbar verringerte.

Dennoch wäre es falsch, von einer generellen Verschlechterung der Lage der Studenten im Dritten Reich zu sprechen. Einem solchen Urteil stünde vor allem ein zentraler Faktor entgegen: die relativ schnelle Verbesserung der Berufs- und Karrierechancen in fast allen Disziplinen, die den Studenten ein beruhigendes, wenn auch trügerisches, Gefühl existentieller Sicherheit vermittelte. Erstmals seit langer Zeit bestand scheinbar wieder die Möglichkeit einer relativ gesicherten Lebensplanung. Voraussetzung war allerdings in der Regel die politische Anpassung durch den Eintritt in eine der Parteiformationen.

Die Sozialstruktur der Studentenschaft hat sich nach 1933 nicht grundlegend verändert: Im Gegensatz zu den erklärten Zielen Hitlers, im Gegensatz auch zu neueren Theorien über die „Modernisierung“ der deutschen Gesellschaft im NS-Staat[5] konnte von einer sozialen Öffnung der Hochschulen im Dritten Reich keine Rede sein. Zumindest in der Vorkriegszeit machte sich sogar die gegenteilige Entwicklung bemerkbar, eine klare Tendenz zur Verbürgerlichung der Studentenschaft. Erklären läßt sich dieser überraschende Befund zum einen durch die prekäre Lage des akademischen Arbeitsmarktes, die auf soziale Aufsteiger besonders abschreckend wirkte, zum anderen durch die Politik der Ministerialbürokratie, die bis 1938 keine ernsthaften Anstalten machte, den Zugang zu den Hochschulen für Jugendliche aus minderbemittelten Familien zu erleichtern. Erst seit 1938/39 fand unter dem Eindruck des akademischen Nachwuchsmangels ein hochschulpolitischer Kurswechsel statt, dessen Auswirkungen aber nicht überschätzt werden dürfen.

Anfängliche Pläne, die auf eine drastische Reduzierung des Frauenstudiums hinausliefen, waren in der NSDAP stets umstritten und wurden in der Praxis nie konsequent verwirklicht. Zwar verringerte sich der Anteil der Studentinnen an den Universitäten zwischen 1933 und 1939 von 18,2 % auf 14,2 %, aber während des Krieges nahm das Frauenstudium erneut einen stürmischen Aufschwung. Im Sommer 1944 stellten die Frauen an den wissenschaftlichen Hochschulen nahezu die Hälfte der Studentenschaft, an den Universitäten wahrscheinlich sogar die Mehrheit. Verglichen mit dem bereits 1931 erreichten Stand, handelte es sich aber weniger um eine absolute,

[5] Vgl. M. Prinz / R. Zitelmann (Hg.), Nationalsozialismus und Modernisierung, Darmstadt 1991.

sondern hauptsächlich um eine relative Zunahme, bedingt durch die Einberufung eines Großteils der männlichen Abiturienten und Studenten. Insofern ist der Begriff „Modernisierung" auch hier fehl am Platz. Mit einiger Verspätung und oft mit starkem Widerwillen mußten die Nationalsozialisten schließlich den historischen Durchbruch akzeptieren, den das Frauenstudium im ersten Drittel des Jahrhunderts erzielt hatte.

Trotz einiger grundlegender Veränderungen im Studienalltag befand sich die Studentenschaft nach 1933 keineswegs fest im Griff der Nationalsozialisten. Tatsächlich war die Unterwerfung der Studenten unter die Partei im Dritten Reich wohl schwächer ausgeprägt als in den stalinistischen und poststalinistischen Diktaturen Osteuropas. Neben dem bereits erwähnten Aspekt der Loyalitätssicherung wurde die Macht der NSDAP und ihrer Gliederungen an den Hochschulen hauptsächlich durch drei Faktoren eingeschränkt: die Nachwuchsknappheit, die Unfähigkeit der Partei, die akademische Lehre wirkungsvoll zu dirigieren, und schließlich die Aufweichung der bis 1939 geschaffenen Kontrollstrukturen während des Krieges.

Vor allem die akademische Nachwuchsknappheit entwickelte sich zu einem wesentlichen Hindernis für eine effiziente politische Kontrolle der Studentenschaft. Alle Pläne, die Studienanfänger einer rigorosen politischen „Auslese" zu unterziehen, scheiterten letztlich an diesem Problem. Aufgrund des Nachwuchsmangels sah sich das Ministerium außerdem zu einer Reihe von Maßnahmen gezwungen, die aus nationalsozialistischer Sicht eigentlich mehr als fragwürdig waren. Dazu gehörte, neben der energischen Förderung des Frauenstudiums etwa seit 1937, die Befreiung der Studien- und Prüfungsordnungen von manchem ideologischen Ballast während des Krieges. In dem Konflikt zwischen fachlichen und ideologischen Zielen der Hochschulausbildung setzten sich keineswegs immer die Ideologen durch, weil die Relevanz der vermeintlich unpolitischen Fachausbildung für den NS-Staat – wie für jeden anderen Industriestaat auch – zunehmend ins Bewußtsein trat.

Obwohl die meisten Hochschullehrer sich den neuen Machthabern in irgendeiner Weise angepaßt haben, gelang die Nazifizierung der Lehre nur partiell: Dafür war zum einen die politische Zurückhaltung eines Teils der Hochschullehrer verantwortlich, die mehrheitlich mit der Überzeugung aufgewachsen waren, daß Politik und Wissenschaft zwei grundsätzlich voneinander getrennte Bereiche bilden sollten. Zum anderen erwies sich die intellektuelle Dürftigkeit und innere Widersprüchlichkeit der NS-Ideologie als Hindernis für eine durchgreifende Ideologisierung der Lehre. Was die NSDAP an programmatischen Texten anzubieten hatte, reichte einfach nicht aus, um den Hochschullehrern der verschiedenen Disziplinen präzise Richtlinien für die Gestaltung ihrer Lehrveranstaltungen zu geben. Schließlich zeigte die Partei sich schlicht unfähig, die universitäre Lehre effizient zu dirigieren. Zwar formulierte das Regime eine Reihe von offiziellen Glaubenssätzen und Tabus, an denen nicht gerüttelt werden durfte, aber es verfügte nicht über eine Instanz, die in der Lage war, bestimmte Lehrmeinungen verbindlich zu machen.

Während des Krieges mußte der Zugriff des NSDStB auf die Studenten, insbesondere auf die männlichen Studenten, weiter gelockert werden. Vor allem der chronische Mangel an zuverlässigen Funktionären, die bei Beginn des Krieges zu einem großen Teil an die Front gegangen waren, sorgte dafür, daß die Studenten dem NSDStB mehr und mehr aus der Hand glitten. Nicht einmal die politische Zuverlässigkeit der Studentenführer war in dieser Zeit mehr gewährleistet. Die Kameradschaften des NSDStB entwickelten ein kaum noch kontrollierbares Eigenleben. Gleichzeitig sorgte die Unterstellung der meisten männlichen Studenten unter die Wehrmacht für eine Abschirmung dieser Studenten gegenüber den vom NSDStB ausgehenden Forderungen und Ansprüchen.

Welche Schlußfolgerungen lassen sich aus dem vorliegenden Material über die Einstellung der Studenten zum Nationalsozialismus ziehen? Wie die Darstellung gezeigt hat, bestand zwischen den Studenten und der für sie zuständigen Parteigliederung, dem NSDStB, ein spannungsgeladenes, streckenweise sogar ausgesprochen feindseliges Verhältnis. Der NSDStB erschien nicht mehr – wie in der Endphase der Weimarer Republik – als eine glaubwürdige Vertretung studentischer Interessen, sondern als übergeordnete Instanz, die ihre Hauptaufgabe anscheinend darin sah, den Studenten das Leben möglichst schwer zu machen. Unzufriedenheit und Dissens waren, wie aus zahlreichen Quellen hervorgeht, keineswegs nur ein Randphänomen, sondern weit verbreitet. Diese Unzufriedenheit richtete sich in erster Linie gegen die allgemeine Tendenz, die traditionell relativ ungebundene Existenzweise der Studenten durch Arbeitseinsätze, Fachschaftsarbeit und politische Pflichtübungen immer weiter einzuengen. Die Quellen verzeichnen weiter eine stille Rebellion gegen die plumpe politische Indoktrination in den Schulungsabenden und gegen den plebejischen Habitus vieler Parteifunktionäre. Dazu kam bei einem Teil der Studierenden, hauptsächlich bei den Theologiestudenten, eine zunehmende Abscheu vor der antikirchlichen Politik des Regimes, die mitunter sehr offen und mutig artikuliert wurde.

Wie weit ging dieser Dissens? Beschränkte er sich auf einige unpopuläre Aspekte der NS-Herrschaft oder kann er als Ausdruck einer grundsätzlichen Ablehnung des Regimes interpretiert werden? Die Frage, wie groß das oppositionelle Potential in der Studentenschaft tatsächlich war, läßt sich kaum exakt beantworten. Studenten, die das NS-Regime grundsätzlich ablehnten, hatten angesichts der massiven Repression gute Gründe, ihre politische Einstellung nicht öffentlich oder halböffentlich zum Ausdruck zu bringen. Es ist daher unwahrscheinlich, daß regimefeindliche Einstellungen in den zeitgenössischen Lageberichten des Regimes oder der Opposition angemessen berücksichtigt wurden. Durch dieses grundsätzliche methodische Problem jeder Art von „Meinungsforschung" in einer Diktatur wird ein differenziertes Urteil über die politische Haltung der Studenten im Dritten Reich stark erschwert.

Einen Ausweg aus diesen Schwierigkeiten bot die wirkungsgeschichtliche Analyse des studentischen Widerstandes. Sie führte zu dem Ergebnis, daß der Widerstand nicht nur relativ schwach war, sondern auch von der Mehrheit der Studenten isoliert blieb, weil die politischen Überzeugungen, auf denen die Widerstandsaktivitäten basierten, von den meisten Studierenden abgelehnt wurden. Dies galt nicht nur für die kommunistischen Widerstandsgruppen, die vor allem in der Vorkriegszeit aktiv waren, sondern auch für Widerstandsaktivitäten aus bürgerlich-christlichem Milieu. Noch im Februar 1943, drei Wochen, nachdem die Kapitulation in Stalingrad vor aller Augen die Brüchigkeit der NS-Herrschaft enthüllt hatte, gelang es der Münchener Studentenführung, große Teile der Studentenschaft für eine Massenveranstaltung gegen die Widerstandskämpfer der Weißen Rose zu mobilisieren.

Es wäre daher kurzschlüssig, die zahlreichen Hinweise auf Unzufriedenheit und Dissens als Ausdruck einer studentischen Fundamentalopposition zu interpretieren. Tatsächlich ließ sich die Abneigung der meisten Studierenden gegen den NSDStB und die Studentenführer in vielen Fällen durchaus mit einer grundsätzlichen Zustimmung zum Nationalsozialismus vereinbaren, wie auch die oppositionelle Exil-Presse 1938 registrierte.[6] Die geringe Bereitschaft der Studenten, in den Semesterferien an unbezahlten Arbeitseinsätzen teilzunehmen, deutet zwar auf eine schwache Opferbereitschaft hin, aber kaum auf eine Ablehnung des NS-Regimes. Auch die offenkundige Unlust, mit der viele Studenten die politischen Schulungsstunden absaßen, muß keineswegs ein Ausdruck von Feindseligkeit gegenüber dem Nationalsozialismus gewesen sein. Desinteresse an politischer Schulung war in allen Parteigliederungen an der Tagesordnung. Selbst in Himmlers SS wurden die Schulungsabende in der Regel schlecht besucht.[7] Vielleicht lag der Grund nur in der simplen Tatsache, daß die Anziehungskraft des Nationalsozialismus nicht intellektueller Natur war.

Trotz der weit verbreiteten Abneigung gegen die politische Schulung hat die nationalsozialistische Propaganda die Studenten aber keineswegs unberührt gelassen. Sie brachte jedoch nicht jenen neuen nationalsozialistischen Studententypus hervor, von dem die Funktionäre des NSDStB einst geträumt hatten. Vielmehr begünstigte die offizielle Zwangspolitisierung von oben einen Prozeß der Entpolitisierung von unten: „Politik war eine Pflichtübung und hat uns eigentlich wenig beschäftigt", berichtete eine ehemalige Studentin rückblickend.[8] Der unpolitische Studententypus der 1950er Jahre kündigte sich schon während der NS-Zeit an. Als Wiederholung der immergleichen Phrasen und Parolen war Politik uninteressant geworden, als offenes Gespräch über die reale politische Lage dagegen mit erheblichen Risiken befrachtet und höchstens im engsten Freundeskreis

[6] „Oft fühlen sich diese Studenten noch als Nationalsozialisten, obwohl sie bereits Widerstand gegen das hitlerische Hochschulsystem leisten", hieß es beispielsweise in der Deutschen Volkszeitung vom 6.2.1938 (abgedruckt in: W.A. Schmidt, Damit Deutschland lebe, Berlin/DDR 1958, S.198).

[7] Vgl. H. Höhne, Der Orden unter dem Totenkopf. Die Geschichte der SS, Gütersloh 1967, S.145 f.

[8] Interview von Astrid Dageförde mit Eva J., o.D., S.6, Transkription in: ProjA HH.

möglich. Das Ergebnis war eine Atomisierung der Studentenschaft und der deutschen Gesellschaft insgesamt.

Die studentische Abneigung gegen die Politik des NSDStB und andere Aspekte der NS-Herrschaft ist zweifellos bemerkenswert, streckenweise sogar überaus eindrucksvoll. Nicht minder bemerkenswert ist allerdings auch, welche Bereiche der nationalsozialistischen Politik weitgehend vom studentischen Dissens unberührt blieben. Kritik an der antisemitischen Politik des Regimes wird in den zugänglichen Quellen fast überhaupt nicht erwähnt. Offensichtlich hat der überwiegende Teil der Studierenden die antijüdischen Maßnahmen des Regimes mit Gleichgültigkeit oder Zustimmung aufgenommen. Auch die Massenentlassungen jüdischer Hochschullehrer nach der Machtübernahme der Nationalsozialisten wurden von studentischer Seite ohne erkennbares Unbehagen aufgenommen und oft sogar aktiv vorangetrieben. Erst als 1934/35 auch jene „nichtarischen" Hochschullehrer vertrieben wurden, die als Frontkämpfer des Ersten Weltkrieges nicht unter das Berufsbeamtengesetz fielen, kam es vereinzelt zu Solidaritätserklärungen aus der Studentenschaft.

Grundsätzliche Kritik am Krieg blieb ebenfalls aus. Die moralische Berechtigung Hitlers und seiner Gefolgsleute, diesen Krieg zu führen, wurde von der großen Mehrheit der Studenten nicht in Frage gestellt. Selbst Studenten, die sich eindeutig als Gegner der nationalsozialistischen Weltanschauung identifizieren lassen, legten häufig Wert darauf, keine Zweifel an ihrer Einsatzbereitschaft „für das Vaterland" aufkommen zu lassen. Die weit verbreitete Vorstellung, der Krieg (in dem es um das „Schicksal des Vaterlandes" ginge) und seine nationalsozialistischen Urheber seien zwei ganz unterschiedliche Dinge, spielte dabei eine wichtige Rolle. Zementiert wurde diese Einstellung durch die Identifikation mit den Familienangehörigen und Freunden, die an der Front standen, aber auch durch die Angst vor dem, was nach einer deutschen Niederlage kommen würde.

Die Behauptung, die Studenten seien zwischen 1933 und 1945 zu „Hitlers kompromißlosesten Gegnern" geworden[9], hält einer kritischen Überprüfung also nicht stand. Auch wenn sich die meisten Studenten, vielleicht von der Zeit unmittelbar nach der „Machtergreifung" abgesehen, nicht als überzeugte Nationalsozialisten im engeren Sinne kennzeichnen lassen, auch wenn die Distanz gegenüber der Partei während des Krieges noch weiter zunahm, blieb doch bis in die Endphase eine manchmal widerwillige Loyalität gegenüber dem Regime erhalten. Diese Einstellung entsprang einem Grundkonsens, der nicht so sehr aus der Zustimmung zur nationalsozialistischen Weltanschauung resultierte, sondern aus traditionell nationalkonservativen Vorstellungen: „Treue" gegenüber dem „Vaterland", „Gehorsam" gegenüber dem Staat, „Pflichterfüllung" gegenüber der Obrigkeit.

Für die Funktionäre des NSDStB war der weit verbreitete studentische Dissens zweifellos ein anhaltendes Ärgernis, eine Quelle ständiger Frustra-

[9] M.H. Kater, Professoren und Studenten im Dritten Reich, in: Archiv für Kulturgeschichte, 67. Bd., 1985, S.479.

tion. Für die Funktionsfähigkeit des Regimes bedeutete dieser Dissens aber letztlich keine Gefahr[10], solange zwischen den Machthabern und der Masse der Studenten Übereinstimmung darin bestand, daß der Krieg für Deutschland unbedingt gewonnen werden müßte, und solange die Studenten bereit waren, als Soldaten an der Front ihre „Pflicht" zu tun. Im Grunde blieben die Studenten daher das, was sie schon immer gewesen waren, ein besonders unruhiger und wohl auch besonders kritischer Teil der deutschen Bevölkerung. Aber sie waren kein Faktor, der den Bestand der NS-Diktatur ernsthaft in Frage gestellt hat.

In neueren Monographien zur Geschichte der Studentenschaft in der NS-Zeit wird die Haltung der Studenten häufig mit dem Begriff der „Apathie" charakterisiert.[11] Manche Historiker formulieren diesen Befund noch grundsätzlicher. So schreibt William Sheridan Allen, es sei charakteristisch für alle terroristischen Diktaturen, „daß sie ... eine schwächende Apathie in ihren Untertanen fördern".[12] Ob eine solche Lagebeschreibung tatsächlich die Realität des NS-Regimes trifft, scheint mir sehr fraglich. Ausländische Beobachter, die das nationalsozialistische Deutschland vor Ort erlebten, zeigten sich gerade umgekehrt beeindruckt von der Fähigkeit der Nationalsozialisten, die Massen zu begeistern und zu mobilisieren.[13] Ob es sinnvoll ist, von „Apathie" zu sprechen, hängt also sehr stark vom Maßstab des Betrachters ab. Wenn man die empirische Realität an den Erwartungen der nationalsozialistischen Studentenfunktionäre mißt, deren Berichte für die Historiker eine wichtige Quelle bilden, dann ergibt sich in der Tat das Bild einer weitgehend apathischen Studentenschaft. Die Studentenführer erstrebten eine vollständige politische Erfassung und Mobilisierung der Studenten, die dazu noch freiwillig und enthusiastisch sein sollte, verbunden mit der Bereitschaft, immer wieder persönliche Opfer zu bringen. Es erscheint mir aber nicht sinnvoll, die Ansprüche, welche die NSDStB-Funktionäre an die Studenten stellten, als Maßstab für die historische Analyse zu übernehmen, weil diese Ansprüche unrealistisch waren. Wer solche Ziele hatte, mußte zwangsläufig von der Wirklichkeit enttäuscht werden.

Auch erfolgreiche Massenbewegungen und politisch stabile Regime basieren stets auf den Aktivitäten von Minderheiten, die sich auf eine passive Akzeptanz der Mehrheit stützen können. Dies verdeutlichte nicht zuletzt der Rückblick auf die Wahlerfolge, die der NSDStB 1931/32 erzielen konnte. Selbst in dieser Zeit, als der Nationalsozialismus ganz unbestritten die führende politische Kraft in der Studentenschaft war, wirkten noch nicht

[10] Generell zur Analyse von Dissens unter diesem Aspekt vgl. I. Kershaw, „Widerstand ohne Volk?". Dissens und Widerstand im Dritten Reich, in: Der Widerstand gegen den Nationalsozialismus. Hg. von J. Schmädeke u. P. Steinbach, München/Zürich 1985, S.779-798.

[11] Vgl. G. J. Giles, Students and National Socialism in Germany, Princeton 1985, S.186 ff., 219 f., 326; J. R. Pauwels, Women, Nazis, and Universities, Westport, Conn. 1984, S.139.

[12] W. S. Allen, Die deutsche Öffentlichkeit und die „Reichskristallnacht", in: Die Reihen fast geschlossen. Beiträge zur Geschichte des Alltags unterm Nationalsozialismus. Hg. von D. Peukert u. J. Reulecke, Wuppertal 1981, S.410.

[13] Vgl. etwa W. L. Shirer, Berliner Tagebuch. Aufzeichnungen 1934-1941, Leipzig/Weimar 1991, S.22 ff.

einmal 5 % der Studenten aktiv in den Reihen des NSDStB mit. Die überwiegende Mehrheit der Studierenden blieb, auch wenn sie den NSDStB bei Wahlen unterstützte, passiv. Daher führt es nicht weiter, wenn man die Unfähigkeit des NSDStB, seine selbstgestecken Ziele zu erreichen, mit der „Apathie" der Studenten erklärt, weil das, was einige Historiker „Apathie" nennen, in Wirklichkeit ein durchaus normaler Dauerzustand ist. Vielmehr scheiterten die nationalsozialistischen Studentenführer letztlich an ihren eigenen totalitären Ambitionen.[14]

[14] Vgl. auch A. Klönne, Jugend im Dritten Reich, Düsseldorf/Köln 1982, S.128, der bei der Analyse der HJ-Politik zu ähnlichen Ergebnissen kommt.

Nachwort

Das vorliegende Buch ist die überarbeitete Fassung meiner Habilitationsschrift, die im Wintersemester 1993/94 dem Fachbereich Kommunikations- und Geschichtswissenschaften der Technischen Universität Berlin vorgelegen hat. Das Habilitationsverfahren wurde im März 1994 abgeschlossen. Den Gutachtern – Prof. Reinhard Rürup, Prof. Wolfgang Benz und Prof. Hans Mommsen – danke ich für Anregungen und Verbesserungsvorschläge, die, soweit sie mir einleuchteten, in die Druckfassung aufgenommen wurden. Dieser Dank richtet sich ganz besonders an Prof. Reinhard Rürup, von dem ich während meiner Berliner Assistentenjahre sowohl in fachlicher als auch in menschlicher Hinsicht viel gelernt habe. Dankbar bin ich auch Carmen Medina, die das Entstehen dieser Arbeit überwiegend mit Geduld verfolgt hat, sowie den Kollegen und Freunden, die das Manuskript gelesen und kritisch kommentiert haben: PD Dr. Karl Ditt (Münster), PD Dr. Christian Führer (Hamburg), Dr. Rüdiger Hachtmann (Berlin), Dr. Rainer Hering (Hamburg), Dr. Christian Jansen (Bochum) und Dr. Klaus Weinhauer (Hamburg).

ANHANG

Verzeichnis der Tabellen

Tabellen im Text

Tabellen im Anhang

Tabellen

Tab. 16: Die Studierenden an den wissenschaftlichen Hochschulen des Deutschen Reiches, 1914-1944[1]

Semester[2]	Hochschulen insg.	Universitäten	Techn. Hochschulen
1914	79 304	60 225	11 451
1920	114 752	86 624	19 507
1925	89 469	59 645	20 300
1930	132 090	99 577	22 032
1930/31	130 072	95 807	23 749
1931	138 010	103 912	22 275
1931/32	129 247	95 271	22 540
1932	129 606	98 852	20 474
1932/33	122 847	92 601	20 431
1933	115 722	88 930	17 745
1933/34	106 764	81 968	17 104
1934	95 830	71 889	14 291
1934/35	89 093	68 148	13 099
1935	77 535	57 001	11 364
1935/36	81 438	60 148	11 794
1936	–	52 581	10 747
1936/37	71 721	48 688	10 776
1937	-	44 467	9 347
1937/38	66 932	43 388	9 466
1938	–	41 069	10 308
1938/39	–	41 227	11 029
1939	–	40 716	12 287
1939/40	–	28 696	6 184
1940/1	52 189	38 317	6 929
1940/2	–	30 351	7 112
1940/3	54 243	39 640	7 866
1941/1	45 573	36 956	6 803
1941	40 968	33 970	5 609
1941/42	52 344	40 368	9 950
1942	49 153	40 408	7 090
1942/43	63 636	51 093	10 060
1943	61 066	52 346	6 675
1943/44	64 783	54 252	8 516

[1] Ohne Gasthörer und beurlaubte Studenten, einschließlich der Ausländer. Die Studentenzahlen der Jahre 1938-1944 beziehen sich nur auf das „Altreich". Die Hochschulen Österreichs und der später eroberten Territorien bleiben unberücksichtigt.

[2] 1939-1941 wurde die traditionelle Einteilung des Studienbetriebes in Semester durch die Einführung von „Trimestern" ersetzt.

Quellen: Datenhandbuch zur deutschen Bildungsgeschichte, Bd.I: Hochschulen, 1. Teil, Göttingen 1987, S.29 f. u. 33.

Tab. 17: Die Studierenden der Universitäten und Technischen Hochschulen nach der Geschlechtszugehörigkeit, 1914-1944[1]

Semester	Universitäten			Technische Hochschulen		
	männlich	weiblich		männlich	weiblich	
	abs.	abs.	in %	abs.	abs.	in %
1914	56 172	4 053	6,7	11 381	70	0,6
1920	78 630	7 994	9,2	19 274	233	1,2
1925	52 866	6 779	11,4	19 902	398	2,0
1930	82 122	17 455	17,5	21 252	780	3,5
1930/31	78 624	17 183	17,9	22 921	828	3,5
1931	84 518	19 394	18,7	21 366	909	4,1
1931/32	77 316	17 955	18,8	21 592	948	4,2
1932	80 536	18 316	18,5	19 530	944	4,6
1932/33	75 409	17 192	18,6	19 509	922	4,5
1933	72 720	16 210	18,2	16 957	788	4,4
1933/34	67 952	14 016	17,1	16 401	703	4,1
1934	60 022	11 867	16,5	13 791	500	3,5
1934/35	57 158	10 990	16,1	12 628	471	3,6
1935	47 356	9 645	16,9	10 985	379	3,3
1935/36	50 351	9 797	16,3	11 446	348	2,9
1936	44 205	8 376	15,9	10 449	298	2,8
1936/37	40 861	7 827	16,1	10 472	304	2,8
1937	37 526	6 941	15,6	9 164	183	2,0
1937/38	37 089	6 299	14,5	9 260	206	2,2
1938	35 149	5 920	14,4	10 111	197	1,9
1938/39	35 184	6 043	14,7	10 788	241	2,2
1939	34 939	5 777	14,2	12 045	242	2,0
1939/40	23 249	5 447	19,0	5 984	200	3,2
1940/1	31 398	6 919	18,1	6 632	297	4,3
1940/2	22 579	7 772	25,6	6 663	449	6,3
1940/3	27 969	11 671	29,4	7 176	690	8,8
1941/1	25 367	11 589	31,4	6 156	647	9,5
1941	21 029	12 941	38,1	4 895	714	12,7
1941/42	26 708	13 660	33,8	9 134	816	8,2
1942	23 025	17 383	43,0	6 011	1 079	15,2
1942/43	31 322	19 771	38,7	8 801	1 259	12,5
1943	27 337	25 009	47,8	5 138	1 537	23,0
1943/44	28 914	25 338	46,7	7 030	1 486	17,4

[1] Ohne Gasthörer und beurlaubte Studenten, einschließlich der Ausländer. Die Studentenzahlen der Jahre 1938-1944 beziehen sich nur auf das „Altreich“.

Quellen: Datenhandbuch zur deutschen Bildungsgeschichte, Bd.I: Hochschulen, 1. Teil, Göttingen 1987, S.33, 42 f., 46 f.

Tab. 18: Der Ausländeranteil unter den Studierenden der Universitäten und Technischen Hochschulen, 1911-1941[1]

Semester	Ausländer an Universitäten		Ausländer an Technischen Hochschulen	
	absolut	in %	absolut	in %
1911	4 277	7,7	–	–
1925	4 442	7,5	2 656	13,1
1932	4 209	4,3	1 728	8,4
1932/33	4 366	4,7	1 821	8,9
1933	3 460	3,9	1 576	8,9
1933/34	2 962	3,6	1 444	8,4
1934	2 785	3,9	1 216	8,5
1934/35	2 850	4,2	1 308	10,0
1935	2 646	4,6	1 175	10,3
1935/36	3 043	5,1	1 347	11,4
1936	2 865	5,4	1 348	12,5
1936/37	2 919	6,0	1 478	13,7
1937	2 848	6,4	1 374	14,7
1937/38	2 856	6,6	1 619	17,1
1938	2 463	6,0	1 616	15,7
1938/39	2 362	5,7	1 736	15,7
1939	2 065	5,1	1 911	15,6
1939/40	867	3,0	811	13,1
1940/1	903	2,4	993	14,3
1940/2	929	3,1	1 123	15,8
1040/3	1 120	2,8	1 199	15,2
1941/1	1 312	3,5	1 410	20,3

[1] Die Studentenzahlen der Jahre 1938-1941 beziehen sich nur auf das sog. „Altreich".

Quelle: Datenhandbuch zur deutschen Bildungsgeschichte, Bd.I, 1. Teil, Göttingen 1987, S.42 f. u. S.47.

Tab. 19: Die Studierenden an den deutschen Universitäten nach Fachbereichen, 1932-1944 (in %)

Semester	Theologie	Jura	Medizin[1]	Natur-wiss.	Kultur-wiss.[2]	Wirtschafts-wiss.	Sonst.[3]	Zusam.
				„Altreich"				
1932	9,5	18,6	33,4	12,3	18,9	5,5	1,7	100,0
1932/33	9,9	17,5	34,9	11,8	18,4	5,7	1,8	100,0
1933	10,3	17,0	37,4	11,0	17,1	5,4	1,8	100,0
1933/34	10,9	16,4	38,4	10,4	16,5	5,4	2,0	100,0
1934	11,3	15,7	41,4	9,5	14,8	5,2	2,2	100,0
1934/35	11,6	14,9	41,5	9,3	14,2	5,0	3,6	100,0
1935	11,5	13,0	44,8	8,4	13,9	5,0	3,4	100,0
1935/36	11,1	13,3	44,4	8,2	13,9	5,3	3,7	100,0
1936	10,5	12,5	46,5	7,9	13,2	5,3	4,0	100,0
1936/37	10,5	11,8	46,1	7,8	13,4	5,9	4,4	100,0
1937	9,2	10,6	49,3	7,4	12,2	6,6	4,7	100,0
1937/38	10,3	11,3	45,9	7,7	12,2	7,5	5,2	100,0
1938	9,2	10,4	48,7	7,5	11,7	7,5	5,1	100,0
1938/39	9,4	12,0	45,3	8,2	12,3	8,0	4,8	100,0
1939	8,1	11,2	48,9	7,7	11,3	8,0	4,8	100,0
1939/40	1,8	9,8	62,9	8,3	8,5	5,0	3,6	100,0
1940/1	3,2	8,2	61,5	8,1	11,0	5,4	2,5	100,0
1940/2	3,1	9,8	51,4	11,4	15,0	6,7	2,5	100,0
1940/3	3,1	9,1	51,3	10,8	16,0	7,3	2,4	100,0
1941/1	3,8	8,0	54,1	9,5	14,8	7,6	2,3	100,0
				„Großdeutschland"				
1939	7,5	12,3	49,2	7,8	12,3	6,9	4,0	100,0
1939/40	2,9	10,5	61,4	8,6	10,3	3,4	2,9	100,0
1940/1	3,4	8,7	61,1	8,3	12,0	4,5	2,0	100,0
1940/2	3,4	10,0	51,8	11,3	16,1	5,4	2,0	100,0
1940/3	3,2	9,5	52,0	10,8	16,9	5,8	1,9	100,0
1941/1	3,8	8,5	54,4	9,5	15,8	6,0	1,8	100,0
1941/2	1,5	6,1	60,3	9,1	16,2	5,5	1,3	100,0
1941/42	1,3	9,1	52,7	10,6	16,4	8,1	1,8	100,0
1942	1,0	5,7	59,4	9,0	17,2	6,4	1,2	100,0
1942/43	1,1	7,0	56,1	9,1	16,8	8,0	2,0	100,0
1943	0,8	4,7	61,6	8,7	16,4	6,3	1,5	100,0
1943/44	0,8	5,2	61,3	9,0	15,6	6,4	1,7	100,0

[1] Einschließlich Zahnheilkunde und Pharmazie.
[2] Germanistik, Sprachwiss., Geschichte, Musikwiss., Zeitungswiss., Leibeserziehung, Philosophie, Pädagogik, Kunst, Archäologie, Religionslehre u.a.
[3] Tierheilkunde, Landwirtschaft, Forstwirtschaft, Brauereiwesen, u.a.

Quellen: Zehnjahres-Statistik des Hochschulbesuchs und der Abschlußprüfungen. Bearbeitet von Charlotte Lorenz, Bd.I: Abschlußprüfungen, Berlin 1943, S.152-155; Beilage: Die Entwicklung des Fachstudiums während des Krieges, Berlin 1944, S.8-19; eigene Berechnungen.

Tab. 20: Der Frauenanteil unter den Studierenden der deutschen Universitäten nach Fachbereichen, 1932-1943 (in %)

Jahr[1]	1932	1933	1936	1939	1941	1943
Theologie	3,6	3,4	1,9	1,1	4,5	7,7
Jura	6,2	4,9	1,9	1,3	10,0	18,4
Medizin	20,4	20,9	18,2	16,6	29,8	38,4
Naturwiss.	22,3	22,0	19,1	12,5	52,9	68,5
Kulturwiss.	34,1	34,5	36,7	31,2	74,9	83,6
Ökonomie	17,8	16,1	11,1	16,1	40,6	54,8
Sonstige	2,7	2,2	1,6	1,2	9,3	15,4
Insgesamt	18,5	18,2	15,9	14,2	38,1	47,8

[1] Die Jahreszahlen beziehen sich jeweils auf das Sommersemester. Die Angaben bis 1939 gelten für das sog. „Altreich", während die Zahlen von 1941 und 1943 die Universitäten des „Großdeutschen Reiches" umfassen (einschl. Wien, Graz, Innsbruck, Posen, Straßburg, Prag).

Quellen: Zehnjahres-Statistik des Hochschulbesuchs und der Abschlußprüfungen, Bd.1, S.152-154; Beilage: Die Entwicklung des Fachstudiums während des Krieges, Berlin 1944, S.10-18; eigene Berechnungen.

Tab. 21: Die soziale Schichtung der deutschen Studenten an den wissenschaftlichen Hochschulen nach dem Beruf des Vaters, 1931-1941 (in %)

	1931	1933	1934	1934/35	1941
Besitzbürgertum[1]	7,6	5,5	4,8	5,0	5,3
Bildungsbürgertum[2]	20,0	21,2	20,6	21,3	26,9
Leitende Angestellte	6,4	6,0	5,7	5,9	5,3
Bürgertum insgesamt	34,0	32,7	31,1	32,3	37,5
Freie Berufe ohne Hochschulbildung	2,0	2,0	1,8	2,0	2,7
Mittlere Beamte	28,6	28,2	28,5	27,6	23,3
Untere Beamte	2,7	2,5	2,3	2,4	3,1
Nichtleitende Angestellte	6,4	7,8	7,8	7,9	9,8
Gewerblicher Mittelstand[3]	15,2	15,4	15,6	15,7	9,1
Mittelstand insgesamt	54,9	55,9	56,0	55,6	48,0
Offiziere	1,4	1,6	1,5	1,5	1,8
Landwirte	5,7	5,8	6,9	6,7	4,4
Arbeiter	3,2	3,0	3,6	3,3	2,5
Sonstige	0,8	1,0	0,8	0,6	5,8
Zusammen	100,0	100,0	100,0	100,0	100,0

[1] Besitzbürgertum: Besitzer von gewerblichen Großbetrieben, Großhandels- und Bankgeschäften, Direktoren.

[2] Bildungsbürgertum: Rechtsanwälte, Ärzte, Pfarrer, Lehrer mit Hochschulbildung, höhere Verwaltungsbeamte.

[3] gewerblicher Mittelstand: selbständige Handwerksmeister, Inhaber von Kleinhandelsgeschäften, selbständige Agenten, Vertreter usw.

Quellen: Deutsche Hochschulstatistik, Bd.7, Berlin 1931, S.*46 u. Bd.13, Berlin 1935, S.52 f.; Zehnjahres-Statistik des Hochschulbesuchs und der Abschlußprüfungen, I. Bd., Berlin 1943, S.89 u. S.362-371; eigene Berechnungen.

Tab. 22: Die soziale Schichtung der deutschen Studienanfänger an den wissenschaftlichen Hochschulen nach dem Beruf des Vaters, 1933-1941 (in %)

	1933	1934/35	1937/38	1938	1938/39	1939	1941
Besitzbürgertum[1]	5,2	4,6	7,3	7,6	8,6	8,4	5,8
Bildungsbürgertum[2]	22,1	22,3	25,0	26,7	23,3	28,2	26,3
Leitende Angestellte	6,0	6,7	4,3	5,2	5,1	3,6	5,2
Bürgertum insgesamt	33,3	33,6	36,6	39,5	37,0	40,2	37,3
Freie Berufe ohne Hochschulbildung	1,8	2,1	2,2	3,9	3,4	3,8	2,8
Mittlere Beamte	26,6	26,3	22,6	23,4	24,1	22,7	21,5
Untere Beamte	2,5	2,5	1,2	0,7	1,4	1,1	3,3
Nichtleitende Angestellte	6,9	8,6	9,5	10,6	9,0	11,3	10,9
Gewerblicher Mittelstand[3]	15,7	14,8	11,9	10,5	10,7	10,3	9,0
Mittelstand insgesamt	53,5	54,3	47,4	49,1	48,6	49,2	47,5
Offiziere	1,6	1,1	1,6	1,3	1,7	1,4	2,0
Landwirte	7,0	6,5	9,2	5,6	7,1	5,0	4,2
Arbeiter	3,9	3,8	3,6	2,9	4,3	3,2	3,0
Sonstige	0,8	0,6	1,5	1,7	1,2	0,9	6,1
Zusammen	100,0	100,0	100,0	100,0	100,0	100,0	100,0

[1] Besitzbürgertum: Besitzer von gewerblichen Großbetrieben, Großhandels- und Bankgeschäften, Direktoren.

[2] Bildungsbürgertum: Rechtsanwälte, Ärzte, Pfarrer, Lehrer mit Hochschulbildung, höhere Verwaltungsbeamte.

[3] gewerblicher Mittelstand: selbständige Handwerksmeister, Inhaber von Kleinhandelsgeschäften, selbständige Agenten, Vertreter usw.

Quellen: Zehnjahres-Statistik des Hochschulbesuchs und der Abschlußprüfungen, Bd. I, Berlin 1943, S.372; eigene Berechnungen.

Tab. 23: Die deutschen Studenten an den wissenschaftlichen Hochschulen nach sozialer Schichtung und Geschlecht, 1931-1941 (in %)

	1931		1934		1941	
	m	w	m	w	m	w
Besitzbürgertum[1]	7,3	8,9	4,6	6,2	4,7	6,7
Bildungsbürgertum[2]	18,3	29,1	19,0	30,6	23,8	34,1
Leitende Angestellte	6,5	6,1	5,7	6,3	4,9	6,4
Bürgertum insgesamt	32,1	44,1	29,3	43,1	33,4	47,2
Freie Berufe ohne Hochschulbildung	1,9	1,8	1,8	2,0	2,7	2,7
Mittlere Beamte	28,6	28,5	28,6	27,9	23,9	21,9
Untere Beamte	3,0	1,3	2,5	1,1	3,8	1,6
Nichtleitende Angestellte	6,7	5,1	8,2	5,7	10,6	8,1
Gewerblicher Mittelstand[3]	15,8	11,9	16,2	11,8	10,0	6,9
Mittelstand insgesamt	56,0	48,6	57,3	48,5	51,0	41,2
Offiziere	1,3	2,0	1,3	2,6	1,4	2,6
Landwirte	6,2	3,0	7,4	3,5	5,1	2,7
Arbeiter	3,5	1,5	4,0	1,6	3,3	0,8
Sonstige	0,9	0,8	0,8	0,6	5,9	5,6
Zusammen	100,0	100,0	100,0	100,0	100,0	100,0

[1] Besitzbürgertum: Besitzer von gewerblichen Großbetrieben, Großhandels- und Bankgeschäften, Direktoren.

[2] Bildungsbürgertum: Rechtsanwälte, Ärzte, Pfarrer, Lehrer mit Hochschulbildung, höhere Verwaltungsbeamte.

[3] gewerblicher Mittelstand: selbständige Handwerksmeister, Inhaber von Kleinhandelsgeschäften, selbständige Agenten, Vertreter usw.

Quellen: Deutsche Hochschulstatistik, Bd.7, Berlin 1931, S.*45 u. Bd.13, Berlin 1935, S.52; Zehnjahres-Statistik des Hochschulbesuchs und der Abschlußprüfungen, I.Bd., Berlin 1943, S.362 ff.

Tab. 24: Die Religionszugehörigkeit der Studenten an den Universitäten und Technischen Hochschulen, Sommersemester 1930

Hochschule	evangel.		kathol.		jüdisch		andere		zusammen	
	abs.	in %	abs.	in %	abs.	in %	abs.	in %	abs.	in %
					Universitäten					
Berlin	9443	72,0	1585	12,1	1401	10,7	691	5,3	13120	100
Bonn	2656	41,7	3430	53,9	191	3,0	92	1,4	6369	100
Breslau	2178	50,1	1838	42,3	292	6,7	39	0,9	4347	100
Erlangen	1284	72,5	427	24,1	33	1,9	28	1,6	1772	100
Frankfurt	2243	59,5	1033	27,4	364	9,6	132	3,5	3772	100
Freiburg	1962	48,6	1687	41,8	301	7,5	84	2,1	4034	100
Gießen	1454	79,2	305	16,6	46	2,5	32	1,7	1837	100
Göttingen	3647	86,3	436	10,3	48	1,1	94	2,2	4225	100
Greifswald	1740	88,6	202	10,3	5	0,3	17	0,9	1964	100
Halle	2289	92,8	125	5,1	30	1,2	23	0,9	2467	100
Hamburg	3067	83,0	191	5,2	170	4,6	268	7,3	3696	100
Heidelberg	2352	63,4	928	25,0	322	8,7	108	2,9	3710	100
Jena	2857	91,9	153	4,9	19	0,6	81	2,6	3110	100
Kiel	2571	83,4	432	14,0	23	0,7	56	1,8	3082	100
Köln	2113	36,3	3419	58,7	203	3,5	86	1,5	5821	100
Königsberg	3048	83,7	448	12,3	110	3,0	36	1,0	3642	100
Leipzig	5985	89,6	281	4,2	202	3,0	211	3,2	6679	100
Marburg	3401	86,8	440	11,2	36	0,9	41	1,1	3918	100
München	3939	45,1	4321	49,4	247	2,8	233	2,7	8740	100
Münster	1393	33,4	2754	66,0	19	0,5	9	0,2	4175	100
Rostock	1832	86,3	244	11,5	17	0,8	31	1,5	2124	100
Tübingen	2921	78,2	761	20,4	21	0,6	32	0,9	3735	100
Würzburg	1032	34,3	1784	59,3	146	4,8	48	1,6	3010	100
Zusammen	65407	65,8	27224	27,4	4246	4,3	2472	2,5	99349	100
					Technische Hochschulen					
Aachen		36,3		57,4		1,3		5,0		100
Berlin		74,9		11,6		6,1		7,4		100
Braunschweig		84,6		8,8		0,9		5,7		100
Breslau		64,0		28,1		3,3		4,6		100
Darmstadt		75,5		18,7		2,1		3,7		100
Dresden		88,6		5,9		1,3		4,2		100
Hannover		84,8		13,1		0,4		1,7		100
Karlsruhe		58,1		35,5		3,2		3,2		100
München		54,7		41,0		1,0		3,3		100
Stuttgart		77,6		18,9		1,1		2,4		100
Zusammen		72,5		20,7		2,4		4,4		100

Quellen: Deutsche Hochschulstatistik, Bd. 5: Sommerhalbjahr 1930, Berlin 1930, S.*76 u. *81; eigene Berechnungen.

Tab. 25: Der Stimmenanteil der Nationalsozialisten bei den AStA-Wahlen an den einzelnen Hochschulen (in % der abgegebenen gültigen Stimmen), 1928-1933

Hochschule	1928	1929	1930	1931	1932	1933
			Universitäten			
Berlin	14,6	19,3	–	–	65,4[1]	–
Bonn	–	–	8,2	19,1	26,2	22,0
Breslau	–	24,8[1]	70,2[1]	77,8[1]	45,7	–
Erlangen	32,8	54,8	75,1	63,8	68,2	–
Frankfurt[3]	–	44,9[2]	–	–	–	–
Freiburg	4,1	8,4	17,4	25,1	50,5[1]	–
Gießen	–	–	36,9	55,5	52,1	61,1
Göttingen	–	13,3[1]	29,0[1]	54,4	61,6	–
Greifswald	17,1	22,1	50,6	60,3	–	–
Halle	–	12,8	29,1	49,3	46,2[1,3]	–
Hamburg	–	–	19,0	39,5	42,2	44,9
Heidelberg	–	22,6	37,0[4]	–	–	46,7
Jena	–	14,8	29,6	62,2[5]	86,8[6]	49,3
Kiel	20,0[1]	–	39,1[1]	–	–	–
Köln[7]	–	–	–	–	47,8[2]	–
Königsberg	–	–	33,9	52,3	44,8	–
Leipzig	6,8	7,9[1]	25,7	49,3	54,6	47,8
Marburg[8]	–	–	–	50,2	63,4	–
München	10,0	16,8	32,9	37,8	32,5[9]	–
Rostock	–	35,0[1]	32,6[1]	52,1	56,1	32,9
Tübingen[10]	–	–	–	–	43,6	39,7
Würzburg	8,7	19,6	39,6	37,4	39,1[9]	–
Münster[11]	–	–	–	–	–	–
Zusammen	11,8	19,3	32,4	44,6	49,1	41,3
			Technische Hochschulen			
Aachen	–	–	–	–	26,6	25,0
Berlin	13,2	27,0	70,0	–	–	62,1
Braunschweig	–	13,3	26,4	46,8	43,2	33,5
Breslau	–	–	–	–	60,1	–
Darmstadt	–	–	–	45,9	46,9	35,8
Dresden[12]	–	–	–	–	–	–
Hannover	–	–	–	19,9	19,0	–
Karlsruhe	–	7,2	14,4	49,0	62,9	75,3
München	11,2	19,3	38,6	45,4	43,0[9]	–
Stuttgart[10]	–	–	–	–	26,4	–
Zusammen	12,0	20,2	44,7	43,0	41,2	49,1

Striche weisen darauf hin, daß in diesem Jahr entweder keine AStA-Wahl stattfand oder keine nationalsozialistische Liste kandidierte. Wahlen, bei denen die Nationalsozialisten unter anderer Bezeichnung kandidierten, so 1928/29 in Hamburg („Völkischer Ring"), 1929/30 in Hannover („Liste Nationalistischer Studenten") und 1928-1930 in Darmstadt („Völkische Studenten"), werden ebenfalls nicht aufgeführt. An einigen Hochschulen fanden zweimal im Jahr AStA-Wahlen statt. In solchen Fällen wurde bei der Erstellung der Tabelle stets die Wahl mit der höheren Beteiligung berücksichtigt.

[1] Bei geringer Wahlbeteiligung (30-50 %).
[2] Bei sehr geringer Wahlbeteiligung (unter 30 %).
[3] In Frankfurt fanden 1928-1933 nur einmal (1929) Wahlen statt.
[4] Errechnet aufgrund der Sitzverteilung. Genaue Angaben über die Verteilung der Stimmen liegen nicht vor.
[5] Als gemeinsame Liste mit dem Stahlhelm.
[6] Als gemeinsame Liste mit Korporationen und Stahlhelm.
[7] In Köln fanden 1928-1931 und 1933 keine AStA-Wahlen statt.
[8] In Marburg fanden 1928-1930 und 1933 keine AStA-Wahlen statt.
[9] Als gemeinsame Liste mit schlagenden Verbindungen.
[10] In Tübingen und Stuttgart bestand ein Personenwahlrecht. Erst 1932 wurde die Listenwahl eingeführt.
[11] In Münster fanden 1928-1933 keine AStA-Wahlen statt.
[12] Die Wahlordnung der TH Dresden erlaubte nur die Aufstellung von Fachschaftslisten. Politische oder hochschulpolitische Gruppen konnten deshalb nicht kandidieren.
[13] In Halle kandidierte der NSDStB 1932 im Wahlbündnis mit einigen Korporationen (Liste „Deutschland erwache"). Das Ergebnis wurde aufgrund der Sitzverteilung errechnet, weil zur Verteilung der Stimmen nur unvollständige Zahlen vorlagen.

Quellen: TH Aachen: Hochschularchiv der RWTH Aachen 297, Mitt. des Hochschularchivs der RWTH Aachen, 16.10.1992, Aachener Anzeiger Nr.35, 22.1.1932; Universität Berlin: DAZ Nr.267, 10.6.1928, S.1; Bonn: Der Bonner Student, Nr.6, 1.5.1931, Archiv der Rheinischen Friedrich-Wilhelms-Universität Kuratorium F 2, Mitt. des UA Bonn, 5.8.1992; TH Braunschweig: Braunschweiger Akademische Nachrichten, 3.-6. Jg. (1928-1931), Akademischer Beobachter, 1. Jg., 1929, S. 153; Universität und TH Breslau: Breslauer Hochschul-Rundschau 19.-24. Jg. (1928-1933); Darmstadt: Hessische Hochschulzeitung, 18.-22. Jg. (1929-1933); TH Dresden: Dresdner Hochschulblatt, 3.-9. Jg. (1927/28-1933/34); Erlangen: M. Franze, Die Erlanger Studentenschaft 1918-1945, Würzburg 1972, S.398 ff.; Frankfurt: P. Kluke, Die Stiftungsuniversität Frankfurt am Main 1914-1932, Frankfurt am Main 1972, S.574 f.; Freiburg: W. Kreutzberger, Studenten und Politik 1918-1933, Göttingen 1972, S.156, Freiburger Studentenzeitung, Nr.6, 24.7.1930, Breisgauer Zeitung Nr.163, 15.7.1932, UA Freiburg B1 XIV 1-6/1 u. B1 XIV 1/6, Mitt. des UA Freiburg, 8.4.1992; Gießen: Frontabschnitt Hochschule. Die Gießener Universität im Nationalsozialismus, Gießen 1982, S.67; Göttingen: Göttinger Hochschul-Zeitung Nr.12, 11./12.6.1931; Greifswald: Akademischer Beobachter, 1. Jg., 1929, S.53, Greifswalder Universitäts-Zeitung, Nr.6, 20.7.1928 u. Nr.3, April 1930, S.117 f.; Halle: Hallesche Universitäts-Zeitung, 1928-1933; Hamburg: M. Grüttner, „Ein stetes Sorgenkind für Partei und Staat". Die Studentenschaft 1930 bis 1945, in: E. Krause u.a. (Hg.), Hochschulalltag im „Dritten Reich". Die Hamburger Universität 1933-1945, Teil I, Berlin 1991, S.204 f.; Hannover: Hannoversche Hochschulblätter, 6.-16. Semesterfolge (1927/28-1932/33); Heidelberg: Der Heidelberger Student, 1930-1933, Heidelberger Neueste Nachrichten Nr.167, 20.7.1929, UA Heidelberg B 8305, Mitt. des UA Heidelberg, 17.3.1992; Jena: Die Jenaer Studentenschaft. Nachrichtenblatt der Studentenschaft der Universität Jena, 2.-7. Jg. (1927/28-1932/33), UA Jena BA 1862 u. 1863; Karlsruhe: (Karlsruher) Akademische Mitteilungen, Nr.2, 15.5.1930, S.20 u. Nr.1, 25.4.1931, S.8 f., Akademischer Beobachter, 1. Jg. 1929, S.53; Karlsruher Tageblatt Nr.40, 9.2.1933, S.5, Mitt. des UA Karlsruhe, 16.3.1993; Kiel: Schleswig-Holsteinische Hochschulblätter, 1928-1930, Klaus Bosholm, Der Weg der Kieler Universität ins Dritte Reich (1928-1933), Examensarbeit (MS), Kiel 1983, S.259 ff.; Köln 1932: Kölner Universitäts-Zeitung, Nr.14, 19.2.1932, S.17; Königsberg: Der Student der Ostmark, Nr.7, 28.7.1932, S.66; Leipzig: Die Leipziger Studentenschaft Nr.4, 21.2.1928, Leipziger Neueste Nachrichten, 22.2.1933; Marburg: R. Mann, Entstehen und Entwicklung der NSDAP in Marburg bis 1933, in: Hessisches Jahrbuch für Landesgeschichte, 22, 1972, S.286; Universität u. TH München: Bayerische Hochschulzeitung, 20.-28. Semester (1928/29-1932/33), UA München Senat 366c 2d; Rostock: Rostocker Universitäts-Zeitung, 1928-1932, Die Bewegung Nr.13, 29.7.1930; Stuttgart u. Tübingen: Württembergische Hochschulzeitung, WS 1927/28 -WS 1932/33; Würzburg: P. Spitznagel, Studentenschaft und Nationalsozialismus in Würzburg 1927-1937, Würzburg, Diss. phil., 1974, S.359 ff. Die restlichen Ergebnisse nach: Akademische Korrespondenz, 1.-6. Jg. (1928-1933); Der Student. Deutsche Akademische Rundschau, 10.-14. Jg. (1929-1933); RdI, Über den Nationalsozialistischen Deutschen Studentenbund, vervielfältigtes Ms., in: GStAPK I Rep. 76 Va Sekt.1 Tit. XII Nr.42 Bd.I Bl.156 f. (M); eigene Berechnungen.

Tab. 26: Ausgewählte Ergebnisse von AStA-Wahlen nach Geschlechtern getrennt, 1929-1932

Listen	Stimmenanteil männlich abs.	männlich in %	weiblich abs.	weiblich in %	zusammen abs.	zusammen in %
Universität Jena, Januar 1929						
Wahlbeteiligung: 59,9 %						
Wahlbeteiligung der Studentinnen: 49,9 %						
Großdeutsche Studentenschaft	865	69,3	56	32,2	921	64,7
Nationalsozialisten	184	14,7	27	15,5	211	14,8
Finkenschaft u. Jugendbewegung	106	8,5	47	27,0	153	10,8
Freie Hochschulliste	94	7,5	44	25,3	138	9,7
Zusammen	1249	100,0	174	100,0	1423	100,0
Universität Breslau, November 1929						
Wahlbeteiligung: 39,0 %						
Wahlbeteiligung der Studentinnen: 17,7 %						
Nationale Studenten	546	37,7	25	19,4	571	36,2
NS-Studentenbund	344	23,8	47	36,4	391	24,8
Christlich-Nationale Studenten	291	20,1	17	13,2	308	19,5
Nationale Finkenschaft	266	18,4	40	31,0	306	19,4
Zusammen	1447	100,0	129	100,0	1576	100,0
Universität Jena, Februar 1930						
Wahlbeteiligung: 78,4 %						
Wahlbeteiligung der Studentinnen: 74,3 %						
Großdeutsche Studentenschaft	776	43,6	76	23,2	852	40,5
NS-Studentenbund	575	32,3	48	14,7	623	29,6
Für sachliche Hochschularbeit	201	11,3	109	33,3	310	14,7
Deutscher Studentenverband	223	12,5	61	18,7	284	13,5
Ring nationaler Frauen	4	0,2	33	10,1	37	1,8
Zusammen	1779	100,0	327	100,0	2106	100,0
Universität Hamburg, Februar 1931						
Wahlbeteiligung: 62,6 %						
Wahlbeteiligung der Studentinnen: 51,6 %						
NS-Studentenbund	729	40,3	154	36,2	883	39,5
Widerstandsblock	460	25,4	65	15,3	525	23,5
Sozialistische Studentenschaft	397	21,9	103	24,2	500	22,4
Deutsche Finkenschaft	157	8,7	81	19,1	238	10,7
Revolutionäre Sozialisten	66	3,6	22	5,2	88	3,9
Zusammen	1809	100,0	425	100,0	2234	100,0

Listen	Stimmenanteil männlich abs.	in %	weiblich abs.	in %	zusammen abs.	in %
Universität Halle, Mai 1931						
Wahlbeteiligung: 75,0 %						
Wahlbeteiligung der Studentinnen: 72,9 %						
NS-Studentenbund	841	51,0	75	35,7	916	49,3
Deutsche Gruppe	238	14,4	110	52,4	348	18,7
Nationalisten	83	5,0	12	5,7	95	5,1
Deutsche Sängerschaft	101	6,1	1	0,5	102	5,5
Hochschulring Deutscher Art	385	23,4	12	5,7	397	21,4
Zusammen	1648	100,0	210	100,0	1858	100,0
Universität Hamburg, Februar 1932						
Wahlbeteiligung: 66,4 %						
Wahlbeteilung der Studentinnen: 61,9 %						
NS-Studentenbund	792	43,9	212	36,9	1004	42,2
Großdeutscher Ring	357	19,8	29	5,1	386	16,2
Sozialistische Studentenschaft	252	14,0	96	16,7	348	14,6
Nationaler Widerstandsblock	181	10,0	92	16,0	273	11,5
Demokratischer Studentenbund	114	6,3	75	13,1	189	7,9
Revolutionäre Sozialisten	107	5,9	25	4,4	132	5,5
Liste Studentinnen	3	0,2	45	7,8	48	2,0
Zusammen	1806	100,0	574	100,0	2380	100,0

Quellen: Breslauer Hochschul-Rundschau, 20. Jg., 1929, S.312; Die Jenaer Studentenschaft Nr.7, 15.2.1929, S.149 u. Nr.7, 25.2.1930, S.130; UA Jena BA 1862; StA HH Universität I O 10.4.1 und O 30.5.103; A Doherr, Wie wählen die Studentinnen? in: Die Frau, 39, 1931/32, S.365 ff.; Hallische Universitäts-Zeitung Nr.2, 15.5.1931; Statistisches Jahrbuch für das Deutsche Reich 1930, S.454 f. und 1931, S.430 f. und 1932, S.426 f.; eigene Berechnungen.

Tab. 27: Mitgliederzahlen des NSDStB und der ANSt an verschiedenen deutschen Hochschulen im Wintersemester 1932/33

Hochschule	Mitgliederzahlen		Zahl der Studenten[1]		Mitglieder in %		
	NSDStB	ANSt	männl.	weibl.	männl.	weibl.	zus.
			Universitäten				
Bonn	95	12	3871	983	2,5	1,2	2,2
Frankfurt	45	18	2582	614	1,7	2,9	2,0
Freiburg	153	21	2352	684	6,5	3,1	5,7
Gießen	90	–	1889	160	4,8	–	4,4
Hamburg	43	11	2557	890	1,7	1,2	1,6
Heidelberg	124	16	2435	606	5,1	2,6	4,6
Jena	61	21	2208	422	2,8	5,0	3,1
Köln	54	6	3753	999	1,4	0,6	1,3
Königsberg	119	22	2211	627	5,4	3,5	5,0
Marburg	132	15	2335	575	5,7	2,6	5,1
Münster	30	4	3272	808	0,9	0,5	0,8
Tübingen	265	19	2730	423	9,7	4,5	9,0
Würzburg	11[2]	5	2994	490	0,4	1,0	0,5
Zusammen	1222	170	35189	8281	3,5	2,1	3,2
			Technische Hochschulen				
Aachen	40	–	763	54	5,2	-	4,9
Darmstadt	175	5	1803	31	9,7	16,1	9,8
Karlsruhe	191	4	1034	24	18,5	16,7	18,4
Stuttgart	166	13	1594	57	10,4	22,8	10,8
Zusammen	572	22	5194	166	11,0	13,3	11,1
Insgesamt	1794	192	40383	8447	4,4	2,3	4,1

[1] Ohne ausländische Studenten, Gasthörer und beurlaubte Studenten.

[2] Nach einer Mitteilung des Hochschulgruppenführers vom 27. Januar 1933 hatte der Würzburger NSDStB etwa 10-12 Mitglieder. In früheren Semestern war die Mitgliederzahl deutlich höher gewesen.

Quellen: Stärkemeldungen der Kreise V und VI des NSDStB, 6.1.1933, in: StA WÜ RSF/NSDStB II* 65 γ 604; G. J. Giles, Students and National Socialism in Germany, Princeton 1985, S.329; P. Spitznagel, Studentenschaft und Nationalsozialismus in Würzburg 1927-1933, Würzburg, phil. Diss., 1974, S.169 u. S.260; Der Student der Ostmark, Nr.6, 17.6.1938, S.184; G. Fließ, Die politische Entwicklung der Jenaer Studentenschaft vom November 1918 bis zum Januar 1933, Jena, phil. Diss., 1959, S.719; Statistisches Jahrbuch für das Deutsche Reich 1933, S.522 f. u. S.525; eigene Berechnungen.

Tab. 28: Mitgliedschaft der Studentinnen in der ANSt (Mai 1937)

Universität	Studentinnen[1]	davon in der ANSt	in %
Berlin	911	500	54,9
Bonn	413	50	12,1
Breslau	444	165	37,2
Erlangen	89	39	43,8
Frankfurt/M.	236	73	30,9
Freiburg	510	140	27,5
Gießen	45	20	44,4
Göttingen	197	80	40,6
Greifswald	101	52	51,5
Halle	109	45	41,3
Hamburg	308	145	47,1
Heidelberg	446	127	28,5
Jena	308	103	33,4
Kiel	176	75	42,6
Köln	393	56	14,2
Königsberg	293	150	51,2
Leipzig	246	81	32,9
Marburg	291	95	32,6
München	843	250	29,7
Münster	360	52	14,4
Rostock	116	15	12,9
Tübingen	227	123	54,2
Würzburg	308	93	30,2
Zusammen	7370	2529	34,4

[1] Weibliche Mitglieder der Deutschen Studentenschaft im Wintersemester 1936/37, ohne Gasthörerinnen u. beurlaubte Studentinnen.

Quellen: Statistisches Jahrbuch für das Deutsche Reich 1937, S. 582; Inge Wolff, Amt Studentinnen der RSF, an das Amt Politische Schulung der RSF, 22.5.1937, in: StA WÜ II* RSF/NSDStB 359 α 265.

Tab. 29: Mitgliedschaft der männlichen Studenten in den Kameradschaften des NSDStB (1937/38)

Hochschulen	Wintersemester 1937/38 Stud. insg.	davon Mitglieder abs.	in %	Sommersemster 1938 Stud. insg.	davon Mitglieder abs.	in %
			Universitäten			
Berlin	5493	419	7,6	5331	691	13,0
Bonn	2319	358	15,4	2213	415	18,8
Breslau	2132	305	14,3	1872	673	36,0
Erlangen	902	127	14,1	826	186	22,5
Frankfurt	1327	254	19,1	1248	380	30,4
Freiburg	1844	176	9,5	1805	239	13,2
Gießen	570	154	27,0	515	173	33,6
Göttingen	1098	403	36,7	1025	466	45,5
Greifswald	497	97	19,5	501	96	19,2
Halle	799	218	27,3	688	144	20,9
Hamburg	1282	136	10,6	1280	207	16,2
Heidelberg	1333	297	22,3	1383	316	22,8
Jena	998	145	14,5	914	168	18,4
Kiel	712	144	20,2	776	176	22,7
Köln	2277	347	15,2	2084	364	17,5
Königsberg	1004	536	53,4	1137	649	57,1
Leipzig	1883	492	26,1	1715	553	32,2
Marburg	890	214	24,0	898	285	31,7
München	4131	421	10,2	3664	499	13,6
Münster	1955	171	8,7	1669	180	10,8
Rostock	545	97	17,8	706	111	15,7
Tübingen	1356	255	18,8	1287	362	28,1
Würzburg	1264	218	17,2	1125	294	26,1
zusammen	36611	5984	16,3	34662	7627	22,0
			Technische Hochschulen			
Aachen	661	252	38,1	782	346	44,2
Berlin	1960	373	19,0	2285	511	22,4
Braunschweig	362	101	27,9	382	130	34,0
Breslau	435	161	37,0	536	293	54,7
Darmstadt	1087	201	18,5	1136	368	32,4
Dresden	973	182	18,7	1009	292	28,9
Hannover	842	235	27,9	894	380	42,5
Karlsruhe	623	133	21,3	655	175	26,7
München	1587	348	21,9	1650	299	18,1
Stuttgart	730	231	31,6	782	382	48,8
zusammen	9260	2217	23,9	10111	3176	31,4

Quellen: Zehnjahresstatistik des Hochschulbesuches und der Abschlußprüfungen, Bd.I, Berlin 1943, S.124-126; Tabellen 15, 16, 31 u. 32 in: StA WÜ RSF/NSDStB II* 450 α 353; eigene Berechnungen.

Tab. 30: Mitgliedschaft von Studenten[1] der Universitäten Hamburg und Würzburg in der NSDAP und im NSDStB (in %)

Semester	Mitglieder der NSDAP			Mitglieder des NSDStB			Mitglieder der NSDAP und/oder des NSDStB[2]		
	m	w	zus.	m	w	zus.	m	w	zus.
				Universität Hamburg					
WS 1937/38	–	–	–	26,2	23,1	25,7	–	–	–
SS 1938	43,9	21,8	40,4	33,4	34,0	33,5	64,6	49,6	62,3
WS 1938/39	36,0	7,5	31,2	47,6	54,9	48,8	59,7	57,1	59,2
SS 1939	39,9	6,1	33,9	48,4	57,6	50,0	62,9	58,9	62,2
2.Trim.1940	33,1	23,5	30,6	44,2	49,4	45,5	61,9	59,6	61,3
SS 1941	49,0	–	–	55,5	85,3	66,4	–	–	–
WS 1941/42	60,6	32,8	52,8	23,2	77,7	38,4	73,0	87,0	77,1
SS 1942	4,3	6,3	5,1	17,7	62,8	36,3	21,4	67,5	40,4
WS 1942/43	11,8	10,6	11,4	20,1	58,8	34,3	25,3	63,5	39,3
SS 1943	14,5	22,9	18,0	25,8	71,1	45,0	32,1	84,8	54,5
				Universität Würzburg					
SS 1938	28,9	14,4	27,1	36,3	49,4	37,9	47,3	54,4	48,2
WS 1938/39	27,6	10,6	25,7	44,6	65,2	46,9	54,0	65,9	55,1
SS 1939	24,1	6,6	22,2	47,1	59,9	48,5	54,7	60,6	55,3

[1] Unberücksichtigt bleiben die „ausländischen Studenten fremder Volkszugehörigkeit“, die nicht Mitglied der NSDAP oder des NSDStB werden konnten.
[2] Unter Berücksichtigung von Doppelmitgliedschaften.

Quellen: Hamburg: Meldebögen der Studentenführer der Hamburger Universität, in: StA Würzburg RSF/NSDStB V* 2 α 560; Universität Hamburg 1919-1969, Hamburg o.J. [1970], S.324 ff.; Würzburg: StA Würzburg RSF/NSDStB IV – 1* 20/2; eigene Berechnungen.

Tab. 31: Die 1933/34 aus politischen Gründen vom Studium ausgeschlossenen Studenten[1]

Universitäten	Ausgeschlossene Studenten	Andere Hochschulen	Ausgeschlossene Studenten
Berlin	124	TH Aachen	8
Bonn	29	TH Berlin	22
Breslau	7	TH Braunschweig	–
Erlangen	–	TH Breslau	2
Frankfurt/M.	35	TH Darmstadt	6
Freiburg	43	TH Dresden	2
Gießen	6	TH Hannover	1
Göttingen	9	TH Karlsruhe	1
Greifswald	2	TH München	4
Halle	2	TH Stuttgart	7
Hamburg	30		
Heidelberg	49	Technische Hochschulen	
Jena	–	insgesamt	53
Kiel	4		
Köln	9	Handelshochschule Berlin	57
Königsberg	6	Handelshochschule Königsberg	1
Leipzig	8	Handelshochschule Leipzig	–
Marburg	7	Handelshochschule Mannheim	12
München	46		
Münster	2	Handelshochschulen insgesamt	70
Rostock	–		
Tübingen	–	Andere Hochschulen	2
Würzburg	5		
Universitäten insgesamt	423	Hochschulen insgesamt	548

[1] Unberücksichtigt bleiben Studierende, die nach 1-2 Semestern wieder zum Studium zugelassen wurden. Studenten, deren Namen auf den Listen mehrerer Hochschulen erschienen, wurden bei der Erstellung der Tabelle jeweils nur einmal gezählt.

Quellen: Archiv der HUB Universitätsrichter 3017/3018; UA München G XVI 37 Fasc.1; GStAPK I Rep. 76 Va Sekt.1 Tit. XII Nr.42 Bd.I (M).

Tab. 32: Kameradschaftshäuser in den deutschen Universitätsstädten (Sommersemester 1934)

Ort	Wohnkameradschaften der Korporationen Zahl	Plätze	Kameradschaftshäuser der Studentenschaften Zahl	Plätze	Studenten im 1.-3. Semester
Berlin[1]	98	1215	2	30[2]	2530
Bonn[3]	49	686	2	98	1190
Breslau[4]	42	448	1	148	1157
Erlangen	16	161	1	30	390
Frankfurt/M.	20	142[2]	1	106	427
Freiburg	24	206	3[5]	74	1000
Gießen	22	157	1	84	213
Göttingen	33	442	4	190	520
Greifswald	18	180	1	42	284
Hamburg	16	125	2	71	461
Halle	31	246	1	115	353
Heidelberg	28	292	3	103	750
Jena	26	–[6]	1	100	718
Kiel	21	185	3	121	374
Köln	24	283	1	140	795
Königsberg[7]	32	414	1	51	996
Leipzig[7]	46	628	1	158	1044
Marburg	34	405	2	90	683
München[4]	44	587	1	140	2527
Münster	18	161	–	–	951
Tübingen	36	407	3	101	734
Rostock	16	185	1	27	359
Würzburg	24	219	–	–	683
Zusammen	718	7774	36	2019	19139

[1] Einschließlich Studenten der TH, der Handelshochschule, der Landwirtschaftlichen Hochschule und der Tierärztlichen Hochschule.
[2] Angaben unvollständig.
[3] Einschließlich Studenten der Landwirtschaftlichen Hochschule.
[4] Einschließlich Studenten der TH.
[5] Darunter ein Haus im Besitz des NSDStB.
[6] Angaben fehlen.
[7] Einschließlich Studenten der Handelshochschule.

Quelle: Bericht über studentische Wohnkameradschaften, 10.11.1934, in: BA Potsdam REM 871, Bl.12 f.; Deutsche Hochschulstatistik, Bd.13: Sommerhalbjahr 1934, Berlin 1935, S.86 ff., eigene Berechnungen.

Kurzbiographien

Brettschneider, Gisela, geb. am 30.10.1908 in Kiel, studierte Theologie und Philosophie in Kiel, 1930 Gründerin der Kieler ANSt-Gruppe, von 1933 bis Oktober 1934 Reichsleiterin der ANSt, von September 1933 bis Oktober 1934 auch Leiterin des Hauptamtes VI (Studentinnen) in der Reichsleitung der DSt.

Derichsweiler, Albert, geb. am 6.7.1909 in Bad Niederbronn (Elsaß), Sohn eines Rechtsanwalts und Notars, besuchte das Realgymnasium in Essen-Werden, seit 1930 Mitglied der NSDAP, Abitur 1931, Jurastudium in Bonn, Münster und Köln, seit 1931 Mitglied des NSDStB und der SA, 1931-1935 Mitglied des Cartellverbandes der katholischen Studentenverbindungen (CV), 1933 Führer der Studentenschaft und Hochschulgruppenführer des NSDStB in Münster, 1933/34 Stabsleiter des CV, seit Oktober 1933 Kreisführer West des NSDStB, von August 1934 bis November 1936 Reichsführer des NSDStB, 1936 SA-Obersturmführer, seit 1936 Reichsredner der NSDAP, 1937 Promotion in Münster, seit 1938 stellv. Geschäftsführer des Zentralbüros der DAF, seit 1939 Gauobmann der DAF in Posen, 1943 Präsident der Gauarbeitskammer Warthegau, 1944/45 Mitglied der SS, SS-Obersturmführer, 1939/40 und 1943-1945 Kriegsteilnehmer, schwerkriegsbeschädigt, nach 1945 Kaufmann, seit 1951 Funktionär der Deutschen Partei (DP) in Hessen, 1952/53 Landesvorsitzender der DP in Hessen, 1953 Übertritt zur FDP, 1953 Stadtverordneter der FDP in Frankfurt, 1953 Angehöriger des sog. „Naumann-Kreises", 1955-1958 Mitglied des Hessischen Landtags, 1956 Austritt aus der FDP.

Detering, Alfred, geb. am 7.10.1909 in Nordhausen (Südharz), Apotheker, studierte seit 1930 Theologie und Volkskunde in Halle, seit 1930 Mitglied der NSDAP, der SA und des NSDStB, 1933/34 Hochschulgruppenführer des NSDStB und Führer der Studentenschaft an der Universität Halle, Leiter des Studentenwerks Halle, 1934/35 und 1938-1943 Gaustudentenführer von Halle-Merseburg, 1938 Promotion in Halle, seit Mai 1938 erneut Studentenführer der Universität Halle, seit 1941 geschäftsführender Leiter des Amtes Politische Erziehung in der Reichsstudentenführung, während des Krieges als Unteroffizier bei der Wehrmacht (mit Unterbrechungen), seit dem 21.10.1943 bei Nowo Losowatka (Sowjetunion) vermißt, sein weiterer Verbleib ist nicht bekannt.

Doerfler, Julius, geb. am 19.5.1910 in Amberg (Oberpfalz), Sohn eines Arztes, 1924 Mitglied des Jungnationalen Bundes, 1930-1935 Medizinstudium in Erlangen, Innsbruck und Königsberg, 1930 Mitglied der Burschenschaft Bubenruthia/Erlangen, seit 1931 Mitglied der NSDAP, des NSDStB und der SS, 1933/34 Führer der Studentenschaft und Hochschulgruppenführer des NSDStB in Erlangen, 1935 Promotion in Erlangen, 1936 Bestallung als Arzt, 1936-1938 Studentenführer der Universität

München, 1936-1945 Gaustudentenführer von München-Oberbayern, seit November 1936 Gebietsbeauftragter Süd des Reichsstudentenführers, 1936/37 Leiter des Amtes NS-Studentenkampfhilfe in der Reichsstudentenführung, 1940 geschäftsführender Leiter des Amtes politische Erziehung in der Reichsstudentenführung, 1940-1944 Sanitätsoffizier bei der Luftwaffe im besetzten Frankreich (mit Unterbrechungen), 1941 SS-Hauptsturmführer, seit Juni 1944 in Kriegsgefangenschaft, 1946/47 in Internierungshaft, seit 1949 niedergelassener Facharzt für Innere Medizin in Hamburg-Altona. Doerfler lebt heute in Hamburg.

Feickert, Andreas, geb. am 7.7.1910 in Hamburg, Studium der Geschichte und Volkswirtschaft in Berlin, Hamburg und Heidelberg, seit 1931 Mitglied der NSDAP, 1931 Hochschulgruppenführer des NSDStB in Hamburg, organisierte 1932 die ersten Arbeitslager der Hamburger Studentenschaft, 1932/33 Amtsleiter für Arbeitslager in der DSt, 1934 Kreisführer Kurmark-Nord der DSt, 1934 zeitweise Sekretär der Politischen Fachgemeinschaft der Fakultäten an der Hamburger Universität, von Juli 1934 bis Februar 1936 Reichsschaftsführer der Studierenden an den deutschen Hoch- und Fachschulen und Reichsführer der DSt, verursachte 1935 im betrunkenen Zustand mehrere Autounfälle, deshalb im Februar 1936 amtsenthoben und 1937 zu 7 Monaten Gefängnis verurteilt, lebte seit 1938 in Königsberg, während des Krieges als Unteroffizier in der Wehrmacht, nach 1945 Mitglied der SPD, in den 1960er und 1970er Jahren Leiter der Heimvolkshochschule Göhrde.

Fink, Rolf, geb. am 29.9.1913 in Schreckenstein bei Aussig (Böhmen), Sohn eines Oberingenieurs, 1932 Reifeprüfung am Realgymnasium in Kleve (Niederrhein), seit 1932 Mitglied der NSDAP und des NSDStB, 1932-1936 Studium der Erziehungswissenschaft, Zeitungswissenschaft, Musikwissenschaft und Kunstgeschichte in Heidelberg, 1936 Promotion in Heidelberg (bei Ernst Krieck), seit Dezember 1936 Leiter des Kulturamtes der Reichsstudentenführung, während des Krieges Oberleutnant in einem Infanterieregiment, seit dem 9.1.1943 bei Stalingrad vermißt. Fink wurde 1950 durch Beschluß des Amtsgerichts München für tot erklärt.

Franz, Heinz, geb. am 14.6.1910 in Mühlacker (Württemberg), Sohn eines Ingenieurs, 1929-1931 Banklehre in Pforzheim, seit 1930 Mitglied der SA und der NSDAP, 1931-1935 Studium der Wirtschaftswissenschaft an den Handelshochschulen Mannheim und Königsberg und an der Universität Heidelberg, 1933 Führer der Studentenschaft und Hochschulgruppenführer des NSDStB an der Handelshochschule Mannheim, 1934/35 stellv. Führer der Studentenschaft und stellv. Hochschulgruppenführer des NSDStB an der Universität Heidelberg, 1935 Promotion in Heidelberg, 1935 Übertritt von der SA zur SS, 1936 einige Monate lang Stabsführer im SD-Unterabschnitt Pfalz, seit 1936 Leiter des Wirtschafts- und Sozialamtes der Reichsstudentenführung, seit März 1938 Studentenreferent im REM, seit 1940 als Leutnant d.R. bei der Infanterie, 1941 SS-Sturmbannführer.

Gmelin, Ulrich, geb. am 6.10.1912 in Tübingen, Sohn eines Amtsgerichtsdirektors, studierte Geschichte, Germanistik und klassische Philologie in Tübingen und Berlin, 1931-1936 Mitglied der Burschenschaft Normannia in Tübingen, 1932/33 als Zugführer bei der Stahlhelm-Hochschulgruppe in Tübingen, seit 1933 Mitglied der SA, 1934-1939 Assistent an den Historischen Seminaren der Universitäten Berlin und Tübingen, 1937 Promotion in Berlin, seit 1937 Mitglied der NSDAP, seit September 1938 Leiter des Langemarckstudiums in der Reichsstudentenführung, seit April 1941 nebenamtlicher Referent im Amt Wissenschaft des REM, dort ebenfalls zuständig für die Organisation des Langemarckstudiums, seit Mai 1941 bevollmächtigter Vertreter des Reichsstudentenführers im Kriege, 1943 SA-Standartenführer, seit August 1943 bei der Wehrmacht, zuletzt als Oberfähnrich. Gmelin ist am 30.6.1944 bei Mogilew (Sowjetunion) gefallen.

Haupt, Joachim, geb. am 7.4.1900 in Frankfurt/Oder, seit 1922 Mitglied der NSDAP, Wiedereintritt 1927, 1926-1928 Hochschulgruppenführer des NSDStB in Kiel, 1927/28 Vorsitzender der Kieler Studentenschaft, 1927/28 Kreisleiter Nord der DSt, seit 1928 Lehrer und Erzieher in Kiel, Plön und Ratzeburg, 1931 wegen nationalsozialistischer Betätigung aus dem Staatsdienst entlassen, 1931-1933 Schriftleiter der „Niedersächsischen Tageszeitung" in Hannover, 1932/33 Abgeordneter der NSDAP im Preußischen Landtag, 1933 SA-Sturmbannführer, 1933-1935 Ministerialrat im Preußischen Kultusministerium und im REM sowie Inspekteur der Landesverwaltung der Nationalpolitischen Erziehungsanstalten in Preußen, 1933-1935 Leiter der Reichsfachschaft Hochschullehrer im NS-Lehrerbund, 1935 wegen des Vorwurfs der Homosexualität entlassen, 1938 deswegen aus NSDAP und SA ausgeschlossen.

Hauptmann, Walter, geb. am 25.3.1903 in Jauer (Schlesien), Sohn eines Gastwirtes, 1923 Reifeprüfung, studierte 1923-1930 Eisenhüttenkunde an der TH Breslau, seit 1929 Mitglied des NSDStB, seit 1930 Mitglied der NSDAP, 1930 Diplomingenieur, 1930-1932 Mitglied der SA, 1935-1938 Bürgermeister verschiedener Gemeinden und Kleinstädte in Schlesien und Pommern, 1938-1944 Gaustudentenführer Schlesien (seit 1942: Oberschlesien), seit 1938 Leiter des Studentenwerks Breslau, seit 1940 Mitglied der SS, seit März 1941 Kreisleiter der NSDAP in Beuthen (Oberschlesien), 1943 SS-Oberscharführer. Hauptmann ist am 13.3.1944 nach kurzem Fronteinsatz bei der Leibstandarte-SS „Adolf Hitler" an der Ostfront gefallen.

Hoos, Adam, geb. am 20.8.1911 in Gossmannsdorf am Main, Sohn eines Schneiders, 1933 Reifeprüfung, seit 1933 Mitglied der NSDAP und der SS, 1933-1938 Medizinstudium in Würzburg, seit 1935 Mitglied des NSDStB, seit April 1937 Studentenführer der Universität Würzburg, seit Mai 1937 bis zu seinem Tode Gaustudentenführer Mainfranken, 1938 Staatsexamen, 1939 SS-Untersturmführer, 1939 Kriegsfreiwilliger, in der Wehrmacht zunächst Kraftfahrer, später Sanitätsarzt. Hoos ist am 7.9.1941 an den Folgen einer Minenexplosion in der Sowjetunion gestorben.

Horn, Ernst, geb. am 15.3.1905 in Neumarkt (Schlesien), Lehre als Bankkaufmann, Studium der Rechts-, Staats- und Wirtschaftswissenschaften, Mitglied der Landsmannschaft Macaria in Breslau, seit 1930 Mitglied der NSDAP und der SA, 1933/34 Kreisführer I der DSt, 1934-1936 Kreisführer Ostdeutschland der DSt und Gaustudentenbundführer von Ostpreußen, seit 1936 Stabsführer der Reichsstudentenführung und ständiger Vertreter des Reichsstudentenführers, seit 1937 auch Leiter des Führungsamtes der Reichsstudentenführung, 1939-1945 bei der Wehrmacht, zuletzt als Oberleutnant, 1942 SA-Brigadeführer. Horn ist im April 1945 bei Neu Petershain (Kr. Calau) gefallen.

Kottenhoff, Anna, (später: A. Dammer), geb. am 24.11.1907 in Hagen-Haspe (Westfalen), Tochter eines Kaufmanns, 1932 Abitur in Dortmund, 1932-1935 Jurastudium in Innsbruck und Heidelberg, 1933-1935 juristische Fachschaftsreferentin und Referentin für Wissenschaft und Facherziehung im Hauptamt VI (Studentinnen) der Heidelberger Studentenführung, 1935 erste juristische Staatsprüfung, 1935/36 juristische Fachschaftsreferentin an der Berliner Universität, seit Januar 1936 Assistentin am Berliner Institut für Staatsforschung (bei Reinhard Höhn), seit November 1936 Referentin für Wissenschaft und Facherziehung im Amt Studentinnen der Reichsstudentenführung, seit 1937 Mitglied der NSDAP, 1937 Promotion in Berlin, von Januar 1938 bis Januar

1939 stellv. Reichs-ANSt-Referentin und Gau-ANSt-Referentin in Brandenburg, seit Januar 1939 Reichs-ANSt-Referentin und Leiterin des Amtes Studentinnen in der Reichsstudentenführung, seit 1942 Gaufrauenschaftsleiterin in Salzburg (unter Scheel).

Krüger, Gerhard, geb. am 6.12.1908 in Danzig, Sohn eines Oberwerftinspektors, als Gymnasiast Eintritt in den Bund Oberland, Studium der Geschichte, Germanistik und Zeitungskunde in Greifswald und Leipzig, 1927-1929 und 1933/34 Mitglied der Burschenschaft Arminia-Greifswald, seit 1927 Mitglied des NSDStB, 1927-1929 Mitbegründer und Hochschulgruppenführer des NSDStB in Greifswald, seit 1928 Mitglied der NSDAP, 1929/30 Hochschulgruppenführer des NSDStB in Leipzig, 1930/31 Kreisleiter IV (Mitteldeutschland) des NSDStB und der DSt, von Dezember 1931 bis September 1933 Vorsitzender der DSt, 1933-1936 Schriftleiter der Nationalsozialistischen Parteikorrespondenz, 1934 Promotion, 1936-1942 Amtsleiter in der Parteiamtlichen Prüfungskommission zum Schutze des NS-Schrifttums, 1937 Vortragender Legationsrat im Auswärtigen Amt, 1942 Kulturattaché an der deutschen Botschaft in Paris, wegen versuchter Vergewaltigung einer Sekretärin entlassen, 1943 Kreisleiter der NSDAP in Bendsburg (Oberschlesien) und Olpe (Westfalen-Süd). 1944 Gauschulungsleiter der NSDAP in Westfalen-Süd, nach Kriegsende Internierungshaft im britischen Lager Staumühle, Textilvertreter, 1949 Mitbegründer der rechtsradikalen Sozialistischen Reichspartei (SRP), Mitglied der Parteileitung und erster Geschäftsführer der SRP, nach dem Parteiverbot 1952 Gründung eines „Nationalen Bücherdienstes" und einer Buchgemeinschaft in Bisperode bei Hameln, später Mitglied der Deutschen Reichspartei (DRP), 1961-1965 Mitglied der Deutschen Freiheits-Partei, Buchhändler in Hannover.

Kubach, Fritz, geb. am 21.5.1912 in Heidelberg, 1931-1935 Mathematikstudium in Heidelberg, seit 1933 Mitglied der NSDAP und der SA, 1934-1936 Hauptamtsleiter für Wissenschaft in der Heidelberger Studentenschaft und stellv. Gaustudentenbundführer in Baden, 1935 Promotion, 1935/36 Assistent an der badischen Landessternwarte Heidelberg-Königstuhl, seit 1935 ehrenamtlicher Mitarbeiter des SD, 1936 Übertritt von der SA zur SS, seit 1936/37 Leiter des Amtes Wissenschaft und Facherziehung in der Reichsstudentenführung, 1940/41 bevollmächtigter Vertreter des Reichsstudentenführers, seit Mai 1941 bei der Wehrmacht, zuletzt als Leutnant, Herausgeber einer Kopernikus-Gesamtausgabe, 1944 SS-Sturmbannführer, 1944/45 Stabsführer des NSD-Dozentenbundes und stellv. Leiter des Nachwuchsamtes im Reichsforschungsrat, seit Januar 1945 vermißt. Kubach wurde 1957 für tot erklärt.

Kugelmann, Karlheinz, geb. am 2.7.1912 in Dresden, Sohn eines Ingenieurs, 1930 Reifeprüfung in Wiesbaden, 1930-1936 Studium der Mathematik, Physik und Chemie in Frankfurt, seit 1930 Mitglied der NSDAP, der SA und des NSDStB, Mitglied der Rhenania/Frankfurt (Deutsche Sängerschaft), 1937 Referendarexamen, von Dezember 1937 (zunächst kommissarisch) bis zu seinem Tode Gaustudentenführer von Hessen-Nassau, 1939 SA-Obersturmführer. Kugelmann starb am 31.12.1941 an den Folgen einer Kriegsverletzung an der Ostfront.

Lienau, Walter, geb. am 5.6.1906 in Hamburg, Sohn des Nervenarztes und langjährigen Hamburger DNVP-Landesvorsitzenden Arnold L., 1926-1930 Studium der Agrarwissenschaft in München, seit 1925 Mitglied der NSDAP, seit 1928 Mitglied der SS, 1929 Hochschulgruppenführer des NSDStB an der TH München, 1930 Diplomlandwirt, 1930/31 Kreisleiter VII (Bayern) der DSt und des NSDStB, hochschulpolitischer Referent in der Reichsleitung des NSDStB, von Juli bis Dezember 1931 Vorsitzender der DSt, zog sich im Februar 1932 nach Konflikten mit B. v. Schirach aus der Hochschulpolitik zurück, übernahm 1932 den väterlichen Hof in

Schleswig-Holstein, 1935 Abteilungsleiter im Rasse- und Siedlungshauptamt der SS, danach wieder als Bauer tätig, 1936 SS-Hauptsturmführer, seit 1938 Vorsitzender des Kreisgerichts Pinneberg der NSDAP, während des Krieges als Freiwilliger in der SS-Leibstandarte. Lienau ist am 12.4.1941 in Griechenland (Klidi-Paß) gefallen.

Machwirth, Liselotte, geb. am 6.12.1910 in Metz (Lothringen), 1930 Abitur in Münster, 1930-1933 Studium der Zahnmedizin in Münster und Graz, seit 1932 Mitglied der NSDAP und des NSDStB, im Sommer 1933 ANSt-Führerin an der Universität Münster, 1933 Approbation als Zahnärztin, 1933/34 Volontärärztin an der Kieferklinik des Landeskrankenhauses in Graz, von Dezember 1934 bis Februar 1936 Reichs-ANSt-Referentin im NSDStB, außerdem Leiterin des Hauptamtes VI (Studentinnen) in der Reichsführung der DSt, 1936 Promotion in München. L. Machwirth starb am 16.5.1937.

Mäckelmann, Peter, geb. am 29.6.1912 in Breklum (Kr. Husum), Sohn eines Hauptlehrers, seit 1930 Mitglied der NSDAP und der SA, 1930-1932 Gauführer Schleswig-Holstein des NS-Schülerbundes, 1931 Abitur in Husum, 1931 Übertritt von der SA zur SS, 1932-1934 Arbeitsdienstführer, 1934 SS-Untersturmführer, 1934-1938 Studium der Rechtswissenschaft in Königsberg, München und Kiel, 1937/38 Studentenführer der Universität Kiel, von Oktober 1937 bis zu seinem Tod Gaustudentenführer von Schleswig-Holstein, 1938-1942 Bereichsführer Nord des Reichsstudentenführers, 1939 Referendar, seit August 1939 bei der Wehrmacht, zuletzt als Leutnant und Ordonnanzoffizier. Mäckelmann ist am 4.1.1942 bei Butjukowa (Sowjetunion) gefallen.

Mähner, Gerhard, geb. am 3.4.1910 in Neustadt an der Saale (Mainfranken), Sohn eines Pfarrers, 1926/27 Mitglied des Bundes Oberland, Jurastudium in München und Erlangen, seit 1927 Mitglied der SA, seit 1928 Mitglied der NSDAP, seit 1929 Mitglied des NSDStB, 1929-1934 Mitglied des Münchener Wingolfs, 1930 Hochschulgruppenführer des NSDStB an der Universität München, 1931-1933 AStA-Vorsitzender in Erlangen, 1933 erste juristische Staatsprüfung in Erlangen, 1933-1937 Referendar, seit 1934 Leiter der Hauptstelle für politische Erziehung in der Reichsleitung des NSDStB, seit November 1936 Leiter des Amtes politische Erziehung in der Reichsstudentenführung und Beauftragter des Reichsstudentenführers für Disziplinar- und Ehrensachen, 1937 SA-Obertruppführer, von September 1940 bis Mai 1941 geschäftsführender Stabsführer der Reichsstudentenführung, seit 1941 als Leutnant bei der Wehrmacht, schwerkriegsbeschädigt, nach dem Krieg Rechtsanwalt in Nürnberg. Mähner starb am 8.8.1970.

Müller, Waldemar, geb. am 15.1.1909 in Reden (Reg.Bezirk Trier), Sohn eines saarländischen Fahrsteigers, 1928 Reifeprüfung an einer Frankfurter Oberrealschule, 1928-1930 Patentübersetzer bei der IG Farben, seit 1930 Mitglied der NSDAP, des NSDStB und der SA, seit 1930 Jurastudium in Wien, 1930/31 AStA-Mitglied an der Universität Wien, 1931-1935 Gauredner der NSDAP, 1933/34 Leiter des Studentenwerks und Vertrauensmann für die Kameradschaftshäuser in Marburg, 1935 erste juristische Staatsprüfung in Kassel, 1935 SA-Sturmhauptführer, 1935/36 Leiter des Amtes für Landdienst und des Grenzlandamtes in der Reichsführung der DSt, von Februar bis November 1936 stellv. Reichsführer der DSt, lebte seit 1941 in Pressburg (Slowakei), während des Krieges als Leutnant der Reserve bei der Wehrmacht, 1945 verwundet. Müller starb am 3.5.1982.

Ochsenius, Hans K., geb. am 25.10.1914 in Marburg/Lahn, Sohn eines Juristen und Offiziers, 1929 Mitglied des NS-Schülerbundes, 1934 Abitur am Wilhelm-Gymnasium in Hamburg, 1934 Arbeitsdienst, 1934-1938 Studium der Soziologie, Literaturwissenschaft, Philosophie und Geschichte in Hamburg, seit 1934 Mitglied der NSDAP und des NSDStB, 1934/35 Führer des Kameradschaftshauses des NSDStB in Hamburg, 1938/39 Wehrdienst, 1939 Promotion in Hamburg, 1938-1945 Gaustudentenführer in Hamburg, gleichzeitig mit Unterbrechungen Soldat in einer Propagandakompanie. Ochsenius beging am 13.5.1945 Selbstmord.

Reich, Heinz, geb. am 12.4.1913 in Königsberg, 1931-1937 Studium der Rechtswissenschaft in Königsberg, 1932/33 Mitglied der Stahlhelm-Hochschulgruppe in Königsberg, 1933/34 Mitglied der Burschenschaft Germania/Königsberg, seit 1933 Mitglied des NSDStB, seit 1937 Mitglied der NSDAP, 1937 erste juristische Staatsprüfung in Königsberg, seit 1937 Leiter der Hauptstelle Kameradschaftserziehung in der Reichsstudentenführung, führend am Aufbau der Kameradschaften beteiligt, 1939/40 Teilnahme am Polenfeldzug und am Angriff im Westen, zuletzt als Leutnant einer Panzerjägerabteilung. Reich ist am 27.5.1940 in Menin (Belgien) gefallen.

Rühle, Gerd, geb. am 23.3.1905 in Winnenden bei Stuttgart, Sohn eines Arztes, seit 1925 Mitglied der NSDAP (Nr. 694), 1924-1928 Jurastudium in München, Halle, Frankfurt/M., 1926/27 Mitglied der SS in Halle, 1927/28 Vorsitzender der Frankfurter Studentenschaft, 1928-1930 Gerichtsreferendar in Frankfurt/M., 1928-1930 Leiter der Rechtsabteilung der Gauleitung Hessen-Nassau-Süd, 1930/31 Kreisleiter V (Westdeutschland) des NSDStB, 1931/32 Reichsschulungsleiter des NSDStB, 1932/33 Landtagsabgeordneter in Preußen, 1931/32 Kreisleiter X des NSDStB, von Juli 1932 bis Februar 1933 Bundesführer des NSDStB, 1933-1935 Leiter der Reichsgruppe Referendare im BNSDJ, seit November 1933 Mitglied des Reichstages, 1933-1935 Regierungsrat im Oberpräsidium der Provinz Brandenburg, persönlicher Referent des Oberpräsidenten Wilhelm Kube und Pressereferent, 1936-1939 Landrat in Calau, 1937 Wiedereintritt in die SS, seit 1939 Gesandter und Leiter der Rundfunkpolitischen Abteilung des Auswärtigen Amtes, 1942 SS-Standartenführer.

Rust, Bernhard, geb. am 30.9.1883 in Hannover, Sohn eines Zimmermeisters, studierte Germanistik, Philosophie, klassische Philologie, Kunstgeschichte und Musik, 1909-1930 Studienrat und Oberlehrer in Hannover, 1914-1918 Kriegsteilnehmer, zuletzt als Oberleutnant d.R., schwer verwundet, seit 1922 in völkischen Gruppierungen aktiv, seit 1925 Mitglied der NSDAP und der SA, 1925-1928 Gauleiter der NSDAP in Hannover-Nord, 1928-1940 Gauleiter von Süd-Hannover-Braunschweig, seit 1930 Reichstagsabgeordneter der NSDAP, seit April 1933 preußischer Kultusminister, 1934-1945 Reichserziehungsminister, 1936 SA-Obergruppenführer. Rust, der als inkompetent und wenig durchsetzungsfähig galt, beging am 8.5.1945 in Berne (Oldenburg) Selbstmord.

Scheel, Gustav Adolf, geb. am 22.11.1907 in Rosenberg (Baden), Sohn eines evangelischen Pfarrers, studierte zunächst drei Semester Theologie, seit 1929 Medizin in Tübingen und Heidelberg, Mitglied des Vereins Deutscher Studenten, seit 1930 Mitglied der NSDAP und des NSDStB, 1930-1935 Hochschulgruppenführer des NSDStB in Heidelberg, 1931-1935 Vorsitzender (seit 1933: Führer) der Heidelberger Studentenschaft, 1933/34 Kreisleiter Südwestdeutschland der DSt, 1934 Promotion in Heidelberg, seit 1934 Mitglied der SS, 1934/35 Gaustudentenbundführer in Baden und Kreisführer der DSt in Süddeutschland, seit 1935 Leiter des SD-Oberabschnitts Süd-West, 1936-1945 Reichsstudentenführer, seit 1938 Vorsitzender des Reichsstudentenwerks und Führer des NS-Altherrenbundes der deutschen Studenten, 1940/41 Befehlshaber der Sicherheitspolizei und des SD im Elsaß, 1941 kurzzeitig Höherer SS- und Polizeiführer des SS-Oberabschnittes Alpenland, 1941-1945

Gauleiter und Reichsstatthalter in Salzburg, 1942 Reichsverteidigungskommissar, 1942-1945 Präsident des Deutschen Akademischen Austauschdienstes (DAAD), seit Juni 1944 Reichsdozentenführer, 1944 SS-Obergruppenführer, 1945 in Hitlers politischem Testament zum Reichserziehungsminister ernannt, 1945-1948 in Internierungshaft, seit 1949 Arzt in Hamburg, 1953 aus politischen Gründen mehrmonatige Untersuchungshaft („Naumann-Affäre"), Verfahren später eingestellt. Scheel starb am 25.3.1979 in Hamburg.

Schemm, Hans, geb. am 6.10.1891 in Bayreuth, Sohn eines Schuhmachermeisters, besuchte 1908-1910 das Lehrerseminar in Bayreuth, von 1910 bis 1920 (mit Unterbrechungen) Volksschullehrer in Neufang bei Wirsberg und in Bayreuth, 1914-1916 zum Sanitätsdienst eingezogen, 1919 Mitglied des Freikorps Epp, an der Niederschlagung der Münchener Räterepublik beteiligt, seit 1923 Mitglied der NSDAP, 1925 Ortsgruppenleiter der NSDAP in Bayreuth, 1928-1932 Gauleiter von Oberfranken, 1928 in den Bayerischen Landtag gewählt, 1929 Gründer und (bis zu seinem Tod) Leiter des NS-Lehrerbundes, 1929 Fraktionsführer der NSDAP im Bayreuther Stadtrat, seit 1930 Reichstagsabgeordneter der NSDAP, Kulturreferent der NSDAP-Fraktion im Reichstag, seit Dezember 1932 Gauleiter des Gaues Bayerische Ostmark (nach Zusammenlegung der Gaue Oberfranken und Oberpfalz-Niederbayern), von März 1933 bis 1935 Staatsminister für Unterricht und Kultus in Bayern. Schemm starb am 5.3.1935 bei einem Flugzeugabsturz.

Schirach, Baldur von, geb. am 9.5.1907 in Berlin, Sohn des Weimarer Theaterdirektors Friedrich Karl Sch., seit 1925 Mitglied der NSDAP, seit 1927 Studium der Germanistik und Kunstgeschichte in München, Hochschulgruppenführer des NSDStB an der Münchener Universität, verfügte schon früh über enge Kontakte zur NSDAP-Führung in München, von Juli 1928 bis Juli 1932 Bundesführer des NSDStB, seit November 1931 Reichsjugendführer der NSDAP, 1933-1940 Jugendführer des Deutschen Reiches, 1940-1945 Gauleiter und Reichsstatthalter in Wien, 1941 SA-Obergruppenführer, seit 1945 inhaftiert. Nach 1945 distanzierte Schirach sich öffentlich vom Nationalsozialismus und legte ein Schuldbekenntnis ab, 1946 wegen Verbrechen gegen die Menschlichkeit zu 20 Jahren Haft verurteilt, zusammen mit Rudolf Heß und Albert Speer im Kriegsverbrechergefängnis Berlin-Spandau inhaftiert, 1966 aus der Haft entlassen, lebte seitdem zurückgezogen in Südwestdeutschland. Schirach starb am 8.8.1974 in Kröv an der Mosel.

Stäbel, Oskar, geb. am 25.5.1901 in Wintersdorf (Baden), 1917/18 Kriegsfreiwilliger, 1919 Abitur, 1919-1926 Studium (Maschinenbau) an der TH Karlsruhe (mit Unterbrechungen), 1919-1921 Mitglied des Deutschvölkischen Schutz- und Trutzbundes, seit 1920 Mitglied der Landsmannschaft Suevia, 1921-1924 Selbstschutzführer in Oberschlesien, 1926-1928 als Ingenieur tätig, 1928-1932 Assistent an der TH Karlsruhe, seit 1928 Mitglied des NSDStB, seit 1929 Mitglied der NSDAP, 1928-1930 Hochschulgruppenführer des NSDStB in Karlsruhe, 1930-1933 Kreisführer VI (Südwestdeutschland) des NSDStB, 1930/31 Ortsgruppenleiter und Kreisleiter der NSDAP in Karlsruhe, 1930-1933 Stadtrat in Karlsruhe, 1931 Promotion in Karlsruhe, von Februar 1933 bis Juli 1934 Reichsführer des NSDStB, von September 1933 bis Mai 1934 Führer der DSt, 1933 Mitglied des Reichstages, seit 1934 Direktor des Vereins Deutscher Ingenieure und Reichsschulungsobmann des Nationalsozialistischen Bundes Deutscher Technik, seit 1936 Reichsredner der NSDAP, 1942 SA-Oberführer. Stäbel starb am 30.4.1977.

Steimle, Eugen, geb. am 8.12.1909 in Neubulach (Schwarzwald), Sohn eines Bauern, studierte 1929-1935 Germanistik und Geschichte in Tübingen und Berlin, seit 1932

Mitglied der NSDAP, der SA und des NSDStB, 1933/34 Hochschulgruppenführer des NSDStB und Führer der Studentenschaft an der Universität Tübingen, 1934-1936 Gaustudentenführer Württemberg-Hohenzollern, 1936 Studienassessor, 1936 Übertritt von der SA zur SS, seit 1936 Führer des SD-Unterabschnitts Württemberg, 1937-1941 Leiter des Amtes Altherrenbund in der Reichsstudentenführung, während des Feldzuges gegen die Sowjetunion führend an der Ermordung zahlreicher Juden beteiligt: von September bis Dezember 1941 Leiter des Sonderkommandos 7a der Einsatzgruppe B, von August 1942 bis Januar 1943 Leiter des Sonderkommandos 4a der Einsatzgruppe C, seit Februar 1943 Leiter der Gruppe VI B im Reichssicherheitshauptamt, 1944 SS-Standartenführer, 1948 im Einsatzgruppenprozeß von einem US-Militärgericht zum Tod durch Erhängen verurteilt, die Strafe wurde später vom Gnadenausschuß in 20 Jahre Haft umgewandelt.

Streit, Hanns, geb. am 3.7.1896 in Posen, 1914-1918 Kriegsfreiwilliger, zuletzt als Leutnant d.R., 1918-1920 in französischer Kriegsgefangenschaft, seit 1920 Studium der Staatswissenschaften, 1925 Leiter des Studentenwerks Berlin, 1931 Promotion in Berlin, seit Dezember 1931 Mitglied der NSDAP, 1931-1933 Wirtschaftsberater beim Deutschen Städtetag, 1933-1944 Leiter des Reichsstudentenwerks, seit 1938 Amtsleiter in der Reichsstudentenführung, seit Dezember 1939 Gaustudentenführer Wartheland, 1940-1945 (zunächst kommissarisch) Kurator der Reichsuniversität Posen, 1941 Regierungsdirektor, seit 1941 Gaudozentenführer Wartheland, seit April 1942 Ostbeauftragter des Reichsstudentenführers, 1942 SS-Standartenführer, seit Oktober 1943 Leiter des Volkspolitischen Amtes der Reichsstudentenführung, 1944/45 Mitglied des Führungskreises der Reichsdozentenführung, Streit lebte nach dem Krieg in Bad Niederbreisig.

Tempel, Wilhelm, geb. am 4.6.1905 in Lößnitz (Erzgebirge), Sohn eines Arbeiters, seit 1925 Mitglied der NSDAP, Jurastudium in München und Leipzig, im Februar 1926 Mitbegründer des NSDStB, 1926-1928 Reichsleiter des NSDStB, nach internen Konflikten Rücktritt im Juni 1928, seit 1929 Referendar in Sachsen, 1932 Promotion in Leipzig, danach Rechtsanwalt in Leipzig, nach 1933 Reichsführer eines „Nationalsozialistisch-faschistischen Kulturverbandes", seit 1936 Vizevorsteher des Ratsherrenkollegiums in Leipzig, während des Krieges Unteroffizier in einem Infanterieregiment. Tempel lebte nach dem Krieg als Rechtsanwalt in Münchberg (Oberfranken).

Trumpf, Werner, geb. am 7.5.1910 in Rostock, seit 1930 Studium der Geschichte an der Universität Rostock, seit 1932 Mitglied der NSDAP und der SA, 1932/33 Hochschulgruppenführer des NSDStB in Rostock, 1933 Führer der Rostocker Studentenschaft, seit Juli 1933 Kreisleiter Westdeutschland der DSt, 1933/34 Adjutant des Reichs-SA-Hochschulamtes in der Obersten SA-Führung, seit Januar 1936 Führer der SA-Standarte 207 (Bernau), seit 1936 Gebietsbeauftragter Berlin-Kurmark und Leiter des Verbindungsamtes Berlin der Reichsstudentenführung, seit 1937 Gaustudentenführer Kurmark, 1937 SA-Standartenführer, 1939/40 geschäftsführender Stabsführer der Reichsstudentenführung, während des Krieges Leutnant in einer Panzerdivision, nach dem Krieg Mitglied des „Bundes der Heimatvertriebenen und Entrechteten" (BHE), Angehöriger des „Naumann-Kreises".

Wacker, Otto, geb. am 6.8.1899 in Offenburg (Baden), Sohn eines Architekten und Stadtbaumeisters, 1917/18 Kriegsteilnehmer, 1919-1927 Studium der Architektur, der Philosophie, der Germanistik und der Kunstgeschichte, seit 1925 Mitglied der NSDAP, 1927 Promotion in Freiburg, 1928-1933 Hauptschriftleiter der badischen NS-Zeitung „Der Führer" und Leiter der Presseabteilung im Gau Baden der NSDAP, seit 1933 Mitglied der SS, 1933 zunächst Staatskommissar für das Kultusministerium und für das Justizministerium in Baden, von Mai 1933 bis Dezember 1934 Badischer Justizminister, 1933-1940 Badischer Kultusminister, 1936 SS-Oberführer, 1937-1939 kommissarischer Leiter des Amtes Wissenschaft im REM. Wacker starb am 14.2.1940 in Karlsruhe.

Wagner, Gerhard, geb. am 18.8.1888 in Neu-Heiduk (Oberschlesien), Sohn eines Chirurgieprofessors, 1914-1918 Kriegsteilnehmer als Arzt, seit 1919 niedergelassener Arzt in München, nach dem Krieg Mitglied des Freikorps Epp und des Freikorps Oberland, führend an den Oberschlesien-Kämpfen beteiligt, bis 1924 Leiter der Deutschtumsverbände in Oberschlesien, seit 1929 Mitglied der NSDAP, Mitbegründer und (seit 1932) Führer des NS-Ärztebundes, seit 1934 Reichsärzteführer und Sachbearbeiter für Volksgesundheit im Stab des Stellvertreters des Führers, seit 1934 Beauftragter des Stellvertreters des Führers für Hochschulfragen. Wagner starb am 25.3.1939 in München.

Wolff, Heinz, geb. am 30.3.1910 in Elberfeld, studierte Germanistik, Geschichte, Philosophie und Musik in Göttingen und Bonn, seit 1931 Mitglied der NSDAP und des NSDStB, 1932/33 Vorsitzender der Göttinger Studentenschaft, 1933-1935 Führer der Studentenschaft in Göttingen, vorübergehend Gaustudentenbundführer Thüringen und Kreisführer Mitte der DSt, 1934 Promotion in Göttingen, Hauptschriftleiter der Zeitung „Der deutsche Student“ und der Zeitschrift „Reichsplanung“, seit 1937 Leiter des Studentenwerks Göttingen, 1938/39 Kreisschulungsleiter der NSDAP in Göttingen, seit Februar 1939 Leiter des Amtes Presse und Propaganda der Reichsstudentenführung, 1939-1944 Hauptschriftleiter des NSDStB-Zentralorgans „Die Bewegung“, Gaupropagandaleiter in der Gauleitung von Salzburg (unter Scheel). Wolff starb am 5.12.1987.

Wolff, Inge, geb. am 1.4.1911 in Sulz (Oberelsaß), Studium der Kunstgeschichte, seit 1931 Mitglied der NSDAP, im WS 1931/32 Eintritt in den NSDStB, Wiedereintritt 1933, seit November 1933 Hauptamtsleiterin VI (Studentinnen) im Kreis Bayern der DSt und Kreis-ANSt-Leiterin in Bayern, seit November 1933 auch Leiterin des Hauptamtes VI (Studentinnen) in der Münchener Studentenführung, seit 1935 Gau-ANSt-Referentin in Berlin, 1935/36 stellv. Leiterin des Amtes Studentinnen in der Reichsleitung der DSt, von Juni bis November 1936 kommissarische Reichs-ANSt-Referentin, von November 1936 bis Ende 1938 Reichs-ANSt-Referentin und Leiterin des Amtes Studentinnen in der Reichsstudentenführung.

Verzeichnis der Abkürzungen

ADB	Allgemeiner Deutscher Burschenbund
ADW	Allgemeiner Deutscher Waffenring
ANSt	Arbeitsgemeinschaft Nationalsozialistischer Studentinnen
AStA	Allgemeiner Studentenausschuß
ATB	Akademischer Turnbund
AWA	Allgemeines Wissenschaftliches Arbeitsamt (Allgemeines Wehramt)
BA	Bundesarchiv
BAAZ	Bundesarchiv Außenstelle Berlin-Zehlendorf
BBG	Gesetz zur Wiederherstellung des Berufsbeamtentums
BBl	Burschenschaftliche Blätter
BDM	Bund Deutscher Mädel
BK	Bekennende Kirche
BNSDJ	Bund Nationalsozialistischer Deutscher Juristen
CV	Cartell-Verband der katholischen deutschen Studentenverbindungen
DAF	Deutsche Arbeitsfront
DAZ	Deutsche Allgemeine Zeitung
DB	Deutsche Burschenschaft
DC	Deutsche Christen
DSt	Deutsche Studentenschaft
DuQ	Darstellungen und Quellen zur Geschichte der deutschen Einheitsbewegung im neunzehnten und zwanzigsten Jahrhundert
DWEV	Deutsche Wissenschaft, Erziehung und Volksbildung. Amtsblatt des Reichserziehungsministeriums
EZA	Evangelisches Zentralarchiv
FZ	Frankfurter Zeitung
GStAPK	Geheimes Staatsarchiv Preußischer Kulturbesitz Berlin
GStV	Gemeinschaft Studentischer Verbände
HA	Hauptamt
Hg.	Herausgeber, Herausgegeben
HH	Hamburg
HHStA	Hessisches Hauptstaatsarchiv (Wiesbaden)
HJ	Hitlerjugend
Hogru	Hochschulgruppe (des NSDStB)
Hogruf	Hochschulgruppenführer (des NSDStB)
HUB	Humboldt-Universität zu Berlin
KH	Kameradschaftshaus
KM	Kultusminister(ium)

KV	Kartell-Verband katholischer deutscher Studentenvereine
Mitt.	Mitteilung
MS	Maschinenschrift
Ms.	Manuskript
ND	Nachdruck
NSDAP	Nationalsozialistische Deutsche Arbeiterpartei
NSDStB	Nationalsozialistischer Deutscher Studentenbund
NSLB	Nationalsozialistischer Lehrerbund
NSV	Nationalsozialistische Volkswohlfahrt
o.D.	ohne Datum
OKH	Oberkommando des Heeres
OKW	Oberkommando der Wehrmacht
ORA/VGH	Oberreichsanwalt beim Volksgerichtshof
ORR	Oberregierungsrat
ProjA HH	Archiv des Hamburger Universitätsprojekts
Prot.	Protokoll
RAD	Reichsarbeitsdienst
RdErl.	Runderlaß
RDH	Reichsverband der deutschen Hochschulen
RdI	Reichsminister(ium) des Innern
REM	Reichserziehungsminister(ium)
RGBl.	Reichsgesetzblatt
RM	Reichsmark
RSF	Reichsstudentenführer, Reichsstudentenführung
RStW	Reichsstudentenwerk
SA	Sturmabteilung der NSDAP
SAPMO	Stiftung Archiv der Parteien und Massenorganisationen der DDR im Bundesarchiv
SD	Sicherheitsdienst der SS
SS	Sommersemester
SS	Schutzstaffel der NSDAP
StA	Staatsarchiv
StA WÜ	Staatsarchiv Würzburg
StdF	Stellvertreter des Führers
UA	Universitätsarchiv
uk	unabkömmlich
Uschla	Untersuchungs- und Schlichtungsausschuß (der NSDAP)
VB	Völkischer Beobachter
VC	Verbandscartell der Turnerschaften
VfZ	Vierteljahrshefte für Zeitgeschichte
VO	Verordnung
VOBl RSF	Verordnungsblatt des Reichsstudentenführers
VSWG	Vierteljahrschrift für Sozial- und Wirtschaftsgeschichte
WS	Wintersemester
WSC	Weinheimer Senioren-Convent
WÜ	Würzburg
ZBl	Zentralblatt für die gesamte Unterrichts-Verwaltung in Preußen
ZDH	Zwischenarchiv Dahlwitz-Hoppegarten (Bundesarchiv Potsdam)

Quellen und Literatur

1. Unveröffentlichte Quellen

Bundesarchiv (BA) Koblenz
- Parteikanzlei der NSDAP (NS 6)
- Kanzlei Rosenberg (NS 8)
- Adjutantur des Führers (NS 10)
- Reichsorganisationsleiter der NSDAP (NS 22)
- Hauptarchiv der NSDAP (NS 26)
- Reichsstudentenführung/NSDStB (NS 38)
- Reichsfinanzministerium (R 2)
- Reichsministerium für Wissenschaft, Erziehung und Volksbildung (R 21)
- Reichsforschungsrat (R 26 III)
- Reichskanzlei (R 43 II)
- Gemeinschaft Studentischer Verbände (R 128)
- Deutsche Studentenschaft (R 129)
- Presseausschnittsammlung der Deutschen Studentenschaft (ZSg. 129)
- Sammlung Schumacher

Bundesarchiv (BA) Abteilungen Potsdam
- Reichsministerium für Wissenschaft, Erziehung und Volksbildung (REM)
- Dienststellen Reichsleiter Rosenberg
- Presseausschnittsammlung des Arbeitswissenschaftlichen Instituts der Deutschen Arbeitsfront
- Reichskanzlei
- Reichsministerium des Innern (RdI)
- Reichssicherheitshauptamt (St 3 und R 58)
- Reichsverband der Deutschen Hochschulen (RDH)

Bundesarchiv (BA) Potsdam Zwischenarchiv Dahlwitz-Hoppegarten (ZDH)
- Nazi-Justiz (NJ)
- Oberreichsanwalt beim Volksgerichtshof (ORA/VGH und ZC)

Bundesarchiv Außenstelle Berlin-Zehlendorf (BAAZ)
(ehemals Berlin Document Center)
- Parteikorrespondenz
- Mitgliederkartei der NSDAP
- Oberstes Parteigericht der NSDAP (OPG)
- SA
- SS-Führer (SSO)

– Research
– Personalakten des Reichserziehungsministeriums
– Rasse- und Siedlungshauptamt (RuSHA)

Stiftung Archiv der Parteien und Massenorganisationen der DDR im Bundesarchiv (SAPMO) Berlin
(ehemals Institut für Marxismus-Leninismus)
– Vereinigung der Verfolgten des Naziregimes (VVN)
– Politbüro der KPD
– Erinnerungsarchiv (EA)

Geheimes Staatsarchiv Preußischer Kulturbesitz (GStAPK) Berlin
– Preußisches Ministerium für Wissenschaft, Kunst und Volksbildung (Rep. 76)
– Preußisches Ministerium des Innern (Rep. 77)
– Preußisches Finanzministerium (Rep. 151 I C)

Evangelisches Zentralarchiv (EZA) Berlin
– Vorgängereinrichtungen der EKD (Bestand 1)
– Evangelischer Oberkirchenrat (Bestand 7)
– Archiv für die Geschichte des Kirchenkampfes (Bestand 50)

Hessisches Hauptstaatsarchiv Wiesbaden (HHStA)
– Gaustudentenführung Hessen-Nassau (Abt. 483)
– Inspekteur der Sicherheitspolizei und des SD (Abt. 483)

Staatsarchiv Hamburg (StA HH)
– Universität I
– Hochschulwesen II
– Fakultäten/Fachbereiche der Universität
– Staatliche Pressestelle I-IV

Staatsarchiv Würzburg (StA WÜ)
– Reichsstudentenführung/Nationalsozialistischer Deutscher Studentenbund (RSF/NSDStB):
  I. DSt und NSDStB
  II. NSDStB
  IV. Studentenschaft Würzburg
  V. Akten lokaler Studentenführungen
– Gestapostelle Würzburg
– SD-Hauptaußenstelle Würzburg

Archiv der Ludwig-Maximilians-Universität München (UAM)
– Senat

Archiv der Friedrich-Schiller-Universität Jena (UAJ)
– Rektorat (BA)
– Kurator (C)

Universitätsarchiv der Humboldt-Universität zu Berlin (UA HUB)
– Rektor und Senat
– Kurator
– Universitätsrichter

Unveröffentlichte Interviews und Erinnerungen
24 Interviews (transkribiert) von Astrid Dageförde mit ehemaligen Studentinnen und Dozentinnen (im Archiv des Hamburger Universitätsprojekts).

Interview des Verfassers mit dem ehemaligen Gaustudentenführer von München-Oberbayern, Dr. Julius Doerfler, 20.7.1994.
Doerfler, Julius: Erinnerungen – Erlebnisse – Kämpfe in meinem Leben, unveröffentlichtes Manuskript (im Privatbesitz)
Tietz, Horst: Studium mit Hindernissen, unveröffentlichtes Manuskript, März 1984 (im Besitz des Verfassers).

2. Periodika

Academia. Monatsschrift des CV deutscher Studenten-Verbindungen, 45.-46. Jg. (1932/33-1933/34).
Akademische Blätter. Zeitschrift des Kyffhäuserverbandes der Vereine Deutscher Studenten (VDSt), 47.-53. Jg. (1932/33-1938/39).
Akademische Korrespondenz,
seit Nr.12/1933: Die Deutsche Studentenschaft. Nachrichtendienst,
seit Nr.25/1934: DSt. Pressedienst,
seit Nr.4/1936: Wissen und Dienst.
Hg. von der Deutschen Studentenschaft, 1.-9. Jg. (1928-1936).
Akademische Mitteilungen,
seit November 1930: Karlsruher Akademische Mitteilungen,
Amtliches Mitteilungsblatt der Technischen Hochschule Fridericiana,
WS 1928/29 – SS 1933.
Akademische Turnbunds-Blätter. Zeitschrift des ATB, 45.- 47. Jg. (1932-1934).
Akademischer Beobachter. Kampfblatt des Nationalsozialistischen Deutschen Studentenbundes,
seit Mai 1930: Die Bewegung,
1.-3. Jg. (1929-1931).
Der Altherrenbund. Amtl. Organ des NS-Altherrenbundes der deutschen Studenten, 1.-4. Jg. (1938/39-1941/42).
Die ANSt-Gruppe. Hg. vom Amt Studentinnen in der Reichsstudentenführung, München 1938-1940.
Bayerische Hochschulzeitung. Wochenschrift für akademisches Leben und studentische Selbstverwaltung, herausgegeben vom Vorstand der Studentenschaft der Universität München, 20.-28. Semester (1928/29-1932/33).
Die Bewegung,
Nr.1/1933 – Nr.17/1935 unter dem Titel: Deutsche Studenten-Zeitung,
Zentralorgan des Nationalsozialistischen Deutschen Studentenbundes, 1.-13. Jg. (1933-1945).
Der Bonner Student. Hg. von der Allgemeinen Studentischen Arbeitsgemeinschaft (ASTAG), 1.-2. Jg. (1930/31-1931/32).
Braunschweiger Akademische Nachrichten. Amtliches Organ der Studentenschaft der Technischen Hochschule Braunschweig, 3.-6. Jg. (1928-1932).
Breslauer Hochschul-Rundschau. Zeitschrift zur Förderung der akademischen Belange in Schlesien und des bündischen Lebens an den Breslauer Hochschulen, 19.-25. Jg. (1928-1934).
Burschenschaftliche Blätter (BBl). Zeitschrift der Deutschen Burschenschaft, 45.-53. Jg. (1930/31-1938/39).

Corpsstudentische Blätter. Zeitschrift des Weinheimer Senioren-Convents, 41.-43. Jg. (1933-1935).
Deutsche Corpszeitung. Zeitschrift des Kösener SC-Verbandes, 49.-50. Jg. (1932/33-1933/34).
Der Deutsche Hochschulführer. Lebens- und Studienverhältnisse an den Hochschulen des deutschen Sprachgebietes. Hg. vom Reichsstudentenwerk u.a., 16.-24. Ausgabe (1934-1942).
Der Deutsche Student. Zeitschrift der Deutschen Studentenschaft, 1.-4. Jg. (1933-1936).
Deutsche Wissenschaft, Erziehung und Volksbildung (DWEV). Amtsblatt des Reichsministeriums für Wissenschaft, Erziehung und Volksbildung und der Unterrichtsverwaltungen der Länder, 1.-11. Jg. (1935-1945).
Die Deutsche Zukunft. Zentralorgan der nationalsozialistischen Jugend, 1. Jg. (1931/32).
Dresdner Hochschulblatt. Amtliches Mitteilungsblatt der Studentenschaft der Technischen Hochschule Dresden, 3.-10. Jg. (1927/28-1934/35).
Die Frau. Organ des Bundes Deutscher Frauenvereine, 39. Jg. (1931/32).
Freiburger Studentenzeitung. Hg. von der Freiburger Studentenschaft, mit den amtlichen Bekanntmachungen des Akademischen Senats und der Freiburger Studentenhilfe e.V., I.-IX. Semester (1930-1934).
Göttinger Hochschul-Zeitung,
seit Februar 1934: Niedersächsische Hochschul-Zeitung.
Hg. von der Deutschen Studentenschaft der Universität Göttingen, Wintersemester 1930/31 – Wintersemester 1934/35.
Greifswalder Universitäts-Zeitung,
1930-1933: Greifswalder Hochschulzeitung, Nachrichtenblatt der Studentenschaft der Universität Greifswald, 2.-8. Jg. (1927/28-1933/34).
Hallische Universitäts-Zeitung,
seit Juni 1933: Hallische Hochschul-Blätter,
Zeitschrift für Hallisches Universitätsleben, 1928-1934.
Hamburger Universitätszeitung. Akademisches Nachrichtenblatt für Groß-Hamburg,
seit 1935: Hansische Hochschulzeitung. Das Blatt der Hansischen Hochschulen, 1.-22. Jg. (1919-1941).
Hannoversche Hochschulblätter. Amtliches Organ der Deutschen Studentenschaften der Technischen und Tierärztlichen Hochschule, 6.-16. Semesterfolge (1927/28-1932/33).
Der Heidelberger Student. Hg. von der Heidelberger Studentenschaft,
seit 1935 auch: Kampfblatt des NSDStB Heidelberg, 1930-1936.
Hessische Hochschulzeitung. Amtliches Nachrichtenblatt der Studentenschaft der Technischen Hochschule Darmstadt, 18.-22. Jg. (1929-1933).
Die Jenaer Studentenschaft. Nachrichtenblatt der Studentenschaft der Universität Jena, 1.-8. Jg. (1925/26-1933/34).
Der Junge Revolutionär,
Nr.1-2 (1926/27) unter dem Titel: Nationalsozialistische Hochschulbriefe.
Organ des Nationalsozialistischen Deutschen Studentenbundes, Nr.1-9 (1926-1928).
Kölner Universitäts-Zeitung. Hg. von dem Verein Kölner Studentenburse e.V., 13.-14. Jg. (1931/32-1932/33).
Die Leipziger Studentenschaft. Nachrichtenblatt der Studentenschaften der Universität und der Handelshochschule, 7.-18. Halbjahr (1927/28-1933).

Mitteilungen des Verbandes der Deutschen Hochschulen, 10.-13. Jg. (1930-1933).
Reichsgesetzblatt (RGBl.), 1933-1945.
Reichsministerialblatt. Zentralblatt für das Deutsche Reich. Hg. vom Reichsministerium des Innern (RdI), 61.-64. Jg. (1933-1936).
Rostocker Universitäts-Zeitung. Hg. vom Vorstand der Rostocker Studentenschaft, 1928-1931/32.
Schleswig-Holsteinische Hochschulblätter. Hg. vom Vorstand der Freien Kieler Studentenschaft, 4.-6., 9.-10. Jg. (1928-1930, 1933/34-1934/35).
Der Student. Deutsche Akademische Rundschau,
1933: Deutsche Akademische Rundschau. Der Student,
Organ der Deutschen Studentenschaft, 10.-14. Jg. (1929-1933).
Der Student in Mecklenburg-Lübeck. Gau-Zeitung der Hoch- und Fachschulen, seit Nr.11/1936: Kampfblatt des Nationalsozialistischen Deutschen Studentenbundes, Gau Mecklenburg-Lübeck, Nr.1-16 (1934/35-1936/37).
Der Student der Ostmark, 1932-1940/41.
VC-Rundschau,
seit Dezember 1933: Der Turnerschafter,
Zeitschrift des Verbandes der Turnerschaften auf deutschen Hochschulen, 49.-52. Jg. (1932/33-1935).
Verordnungsblatt des Reichsstudentenführers (VOBl. RSF), 1936-1944.
Volk im Werden, 1.-11. Jg. (1933-1943).
Württembergische Hochschulzeitung. Hg. von dem Allgemeinen Studentenausschuß Hohenheim, Stuttgart, Tübingen, Nr.1-60 (1927/28-1933).
Zentralblatt für die gesamte Unterrichts-Verwaltung in Preußen (ZBl). Hg. in dem Ministerium für Wissenschaft, Kunst und Volksbildung, 75. u. 76. Jg. (1933/34).

3. Vorlesungsverzeichnisse

Ernst-Moritz-Arndt-Universität Greifswald. Personalverzeichnis und Vorlesungsverzeichnis für das Wintersemester 1933/34.
Friedrich-Schiller-Universität Jena. Personal- und Vorlesungsverzeichnisse für das Wintersemester 1937/38, Wintersemester 1941/42, Wintersemester 1944/45.
Friedrich-Wilhelms-Universität zu Berlin. Personal- und Vorlesungsverzeichnisse für das Wintersemester 1937/38, Wintersemester 1941/42.
Friedrich-Wilhelms-Universität zu Berlin. Vorlesungsverzeichnis für das Sommersemester 1934.
Thüringische Landesuniversität Jena. Vorlesungsverzeichnis, Sommerhalbjahr 1934.
Hessische Ludwigs-Universität Gießen. Personenbestand / Vorlesungsverzeichnis für das Wintersemester 1933/34.
Universität Leipzig. Verzeichnis der Vorlesungen, Sommer-Halbjahr 1934.
Universität Leipzig. Personal- und Vorlesungsverzeichnis für das Wintersemester 1937/38.
Universität Leipzig. Vorlesungsverzeichnis, Wintersemester 1941/42.

4. Statistisches Material, Nachschlagewerke, Inventare usw.

Sozialgeschichtliches Arbeitsbuch III. Materialien zur Statistik des Deutschen Reiches 1914-1945. Von Dietmar Petzina, Werner Abelshauser u. Anselm Faust, München 1978.

Datenhandbuch zur deutschen Bildungsgeschichte, Bd. I: Hochschulen, 1. Teil: Das Hochschulstudium in Preußen und Deutschland 1820-1944. Von Hartmut Titze, unter Mitarbeit von Hans-Georg Herrlitz, Volker Müller-Benedict u. Axel Nath, Göttingen 1987.

Drüll, Dagmar: Heidelberger Gelehrtenlexikon 1803-1932, Berlin 1986.

Falter, Jürgen u.a.: Wahlen und Abstimmungen in der Weimarer Republik, München 1986.

Das Deutsche Führerlexikon 1934/35, Berlin 1934.

Kürschners Gelehrtenkalender, 1.-16. Ausgabe, 1925-1992.

Statistisches Handbuch von Deutschland 1928-1944. Hg. vom Länderrat des Amerikanischen Besatzungsgebietes, München 1949.

Deutsche Hochschulstatistik. Bd. 1-11 (1928-1933), hg. von den Hochschulverwaltungen; Bd. 12-14 (1934/35), hg. vom Reichsminister für Wissenschaft, Erziehung und Volksbildung.

Inventar archivalischer Quellen des NS-Staates. Die Überlieferung von Behörden und Einrichtungen des Reichs, der Länder und der NSDAP. Teil 1: Reichszentralbehörden, regionale Behörden und wissenschaftliche Hochschulen für die zehn westdeutschen Länder sowie Berlin. Bearbeitet von Heinz Boberach u.a., München 1991.

Statistisches Jahrbuch für das Deutsche Reich. Hg. vom Statistischen Reichsamt, 47.-59. Jg., 1928-1942.

Das große Lexikon des Dritten Reiches. Hg. von Christian Zentner und Friedemann Bedürftig, München 1985.

Quetsch, Cäcilie: Die zahlenmäßige Entwicklung des Hochschulbesuchs in den letzten fünfzig Jahren, Berlin 1960.

Schröders Allgemeiner Deutscher Hochschul-Führer. Herausgegeben aufgrund amtlicher Quellen, Winterhalbjahr 1934/35 – Winterhalbjahr 1938/39.

Stockhorst, Erich: 5000 Köpfe. Wer war was im Dritten Reich, Velbert 1967.

Strätz, Hans-Wolfgang: Archiv der ehemaligen Reichsstudentenführung in Würzburg, in: Vierteljahrshefte für Zeitgeschichte, 15. Jg., 1967, S.106 f.

Verzeichnis der Hochschullehrer der TH Darmstadt. Teil 1: Kurzbiographien 1836-1945. Bearbeitet von Christa Wolf, Darmstadt 1977 (Darmstädter Archivschriften 3).

Weber, Heinrich: Die studentischen Korporationsverbände, in: Wende und Schau. Kösener Jahrbuch, 1. Jg., 1930, S.196-222.

Wer ist's. Zeitgenossenlexikon, 10. Ausgabe. Hg. von L. Degener, Berlin 1935.

Wistrich, Robert: Wer war wer im Dritten Reich, München 1983.

Zehnjahresstatistik des Hochschulbesuchs und der Abschlußprüfungen. Bearbeitet von Charlotte Lorenz. Bd. I: Hochschulbesuch, Berlin 1943; Bd. II: Abschlußprüfungen, Berlin 1943; Beilage: Die Entwicklung des Fachstudiums während des Krieges, Berlin 1944.

5. Publikationen der DSt, des NSDStB, der Reichsstudentenführung und des Reichsstudentenwerks

Dienstanweisung für die Kameradschaft vom 20.4.1943. Hg. vom Amt Politische Erziehung der Reichsstudentenführung, München 1943.

Dienstvorschrift für die Arbeit der Studentenführer im Kriege. Hg.: Der Reichsstudentenführer – Stabsamt, München 1940.

Gesetze des Deutschen Studententums. Richtlinien für die Kameradschaftserziehung des NSD-Studentenbundes. Hg.: Der Reichsstudentenführer, Amt Politische Erziehung, Bayreuth o.J. [1937].

Die Studentische Kameradschaft. Hg.: Der Reichsstudentenführer – Amt Politische Erziehung, Folge 1-14 (1937-1939).

Grundsätze der Kameradschaftsarbeit des Nationalsozialistischen Deutschen Studentenbundes, München 1942.

Der Kameradschaftsführer. Hg. von der Reichsstudentenführung, Amt Politische Erziehung, Kriegsfolgen, Nr.1-2, 1940/41.

Studentischer Kriegspropagandaeinsatz. Grundbefehl, hg. von der Reichsstudentenführung, o.O. o.J. [1939].

Der 3. Reichsberufswettkampf der deutschen Studenten. Hg.: Reichsstudentenführung, Reichswettkampfleitung, München o.J. [1937].

Reichsstudentenwerk. Kurzberichte aus der Arbeit des Jahres 1935-1939 (3.-7. Folge).

Reichsstudentenwerk. Bericht über die Arbeit im Kriege. 8. und 9. Folge der Kurzberichte aus der Arbeit des Reichsstudentenwerks. Hg. von Otto Reise, Berlin 1941.

Scheel, Gustav Adolf: Die Reichsstudentenführung. Arbeit und Organisation des deutschen Studententums, Berlin 1938.

Schirach, Baldur von: Wille und Weg des Nationalsozialistischen Deutschen Studentenbundes. Hg. von der Abteilung für Propaganda in der Reichsleitung des NSDStB, München 1929.

Studenten bauen auf! Der 1. Reichsleistungskampf 1935/36. Ein Rechenschaftsbericht. Hg. von F.A. Six, Marburg/Berlin o.J.

Studenten bauen auf! Der 2. Reichsberufswettkampf der deutschen Studenten 1936/37. Ein Rechenschaftsbericht. Hg. von F. Kubach, Berlin o.J.

Studenten bauen auf! Der 3. Reichsberufswettkampf der deutschen Studenten 1937/38. Ein Rechenschaftsbericht. Hg. von F. Kubach, Berlin o.J.

Studenten bauen auf! Der 4. Reichsberufswettkampf der deutschen Studenten 1938/39. Ein Rechenschaftsbericht. Hg. von F. Kubach, München o.J.

Deutsches Studentenwerk. Kurzberichte aus der Entwicklung seit der national-sozialistischen Revolution 1933/34. Sonderdrucke der Zeitschrift „Der Deutsche Student“, August 1933 bis Januar 1934.

Wille und Weg der nationalsozialistischen Studenten. Bericht von der 1. Reichsarbeitstagung des NSD-Studentenbundes und der Deutschen Studentenschaft. Heidelberg, 22. bis 25. Juni 1937. Hg. von Wilhelm Kaffl, Marburg o.J. [1937].

Wir tragen das Banner der Freiheit. 10 Jahre Kampf um eine Hochschule. Festschrift zur 10-Jahresfeier des NSD-Studentenbundes, Hochschulgruppe Bonn, 14. bis 16. Januar 1938, Bonn 1938.

6. Andere gedruckte Quellen und Quelleneditionen

Becker, Carl Heinrich: Gedanken zur Hochschulreform, Leipzig 1919.

Becker, Carl Heinrich: Vom Wesen der deutschen Universität, Leipzig 1925.

Berichte von deutschen Abiturientinnen über ihre Erfahrungen im freiwilligen Arbeitsdienst, in: Deutsche Mädchenbildung, 10. Jg., 1934, S.52-73.

Der Brief des deutschen Studenten, in: Der Stürmer, Nr.31, August 1934.

Derichsweiler, Albert: Die rechtsgeschichtliche Entwicklung des deutschen Studententums von seinen Anfängen bis zur Gegenwart, München, jur. Diss., 1938.
Das akademische Deutschland, 4 Bde. u. 1 Registerband. Hg. von Michael Doeberl u.a., Berlin 1930/31.
Das nationalsozialistische Deutschland und die Wissenschaft. Heidelberger Reden von Reichsminister Rust und Professor Ernst Krieck. Vorwort: Walter Frank, Hamburg 1936.
Deutschland-Berichte der Sozialdemokratischen Partei Deutschlands (Sopade), 1.-7. Jg. (1934-1940), 7 Bde., Frankfurt/M. 1980 (ND).
Dokumente der Deutschen Politik. Reihe: Das Reich Adolf Hitlers, 9 Bde., Berlin 1935-1944.
Dokumente der Deutschen Politik und Geschichte von 1848 bis zur Gegenwart. Hg. von Johannes Hohlfeld, Bd. IV u. V: Die Zeit der nationalsozialistischen Diktatur 1933-1945, München 1953.
Domarus, Max: Hitler. Reden und Proklamationen 1932-1945, 2 Bde., Wiesbaden 1973.
Düning, Hans Joachim: Der SA-Student im Kampf um die Hochschule (1925-1935). Ein Beitrag zur Geschichte der deutschen Universität im 20. Jahrhundert, Weimar 1936.
Eckhardt, Karl August: Das Studium der Rechtswissenschaft, Hamburg 1935 (2. neu bearb. Aufl.: Hamburg 1940).
Feickert, Andreas: Studenten greifen an. Nationalsozialistische Hochschulrevolution, Hamburg 1934.
Frank, Hans: Der Nationalsozialismus und die Wissenschaft der Wirtschaftslehre. Rede gehalten bei der Veranstaltung des Außenpolitischen Amtes der NSDAP und des Bundes Nationalsozialistischer Deutscher Juristen am 4. Oktober 1934, in: Schmollers Jahrbuch, 58, 1934, S.641-650.
Freisler, Roland: Zur neuen Justizausbildungsordnung, in: Deutsche Justiz, 101. Jg., 1939, S.116-119.
Zur Geschichte des antifaschistischen Widerstandes und der Arbeiterbewegung in Hamburg. Dokumentation, erstellt von Wolfgang A. Schneider-Bernem und Marianne Haustein unter Mitarbeit von Ulrike Knolle, Hamburg 1977.
Glanz und Niedergang der deutschen Universität. 50 Jahre deutscher Wissenschaftsgeschichte in Briefen an und von Hans Lietzmann. Mit einer einführenden Darstellung herausgegeben von Kurt Aland, Berlin/New York 1979.
Goebbels, Joseph: Die Tagebücher. Sämtliche Fragmente. Hg. von Elke Fröhlich. Teil I: Aufzeichnungen 1924-1941, 4 Bde., München 1987.
Goebbels, Joseph: Tagebücher aus den Jahren 1942-43. Mit anderen Dokumenten hg. von Louis P. Lochner, Zürich 1948.
Graf, Willi: Briefe und Aufzeichnungen. Hg. von Anneliese Knoop-Graf und Inge Jens. Einleitender Essay von Walter Jens, Frankfurt/M. 1988.
Gumbel, Emil Julius (Hg.): Freie Wissenschaft. Ein Sammelbuch aus der deutschen Emigration, Straßburg 1938.
Hassell, Ulrich von: Die Hassell-Tagebücher 1938-1944. Aufzeichnungen vom Andern Deutschland, revidierte und erweiterte Ausgabe, Berlin 1988.
Haupt, Joachim: Neuordnung im Schulwesen und Hochschulwesen, Berlin 1933 (Das Recht der nationalen Revolution, H.4).
Hierl, Konstantin: Ausgewählte Schriften und Reden. Hg. von Herbert Freiherr von Stetten-Erb, 2 Bde., 2. Aufl., München 1943.
Hitler, Adolf: Mein Kampf, 2 Bde. in einem Bd., München 1940.

Hitler, Adolf: Monologe im Führerhauptquartier 1941-1944. Die Aufzeichnungen Heinrich Heims. Hg. von Werner Jochmann, Hamburg 1980.

Hirche, Kurt: Der Faschismus der Studentenschaft, in: Die Hilfe, 37. Jg., 1931, S.105-109.

Hirche, Kurt: Nationalsozialistischer Hochschulsommer, in: Die Hilfe, 37. Jg., 1931, S.795-799.

Die deutschen Hochschulen, in: Europa-Archiv, 1. Jg., 1946/47, S.240-249, 307-316.

Die deutsche Hochschulverwaltung. Sammlung der das Hochschulwesen betreffenden Gesetze, Verordnungen und Erlasse. Hg. von Gerhard Kasper u.a., 2 Bde., Berlin 1942/43.

Huber, Hans: Der Aufbau des deutschen Hochschulwesens. Vortrag gehalten auf der dritten fachwissenschaftlichen Woche für Universitätsbeamte der Verwaltungsakademie, Berlin am 30. Januar 1939. Hg. von der Deutschen Forschungsgemeinschaft, Gräfenhainichen o. J.

Jonas, Martin: Die Justizausbildungsordnung vom 22. Juli 1934, in: Deutsche Justiz, 96. Jg., 1934, S.995-999.

Jordan, Pascual: Physikalisches Denken in der neuen Zeit, Hamburg 1935.

Die Justizausbildungsordnung des Reiches, nebst Durchführungsbestimmungen. Im amtlichen Auftrag erläutert von Otto Palandt u. Heinrich Richter. Mit einem Geleitwort von Roland Freisler, Berlin 1934.

Kalb, Renate: Die Arbeitsgemeinschaft nationalsozialistischer Studentinnen. Aufgaben und Ziele, in: Die Ärztin, 17. Jg., 1941, S.113-116.

Kardorff, Ursula von: Berliner Aufzeichnungen aus den Jahren 1942 bis 1945, München 1962.

Kersten, Ulrich: Das deutsche Studentenrecht, Berlin o. J. [1931].

Klassiker in finsteren Zeiten 1933-1945. Eine Ausstellung des Deutschen Literaturarchivs im Schiller-Nationalmuseum Marbach am Neckar, Bd. 1, Marbach 1983.

Knoblauch, Elisabeth: Zur Psychologie der studierenden Frau. Eine Untersuchung über die Einstellung zum Studium und zur späteren Berufstätigkeit bei Studentinnen, Leipzig 1930.

Köttgen, Arnold: Deutsches Universitätsrecht, Tübingen 1933.

Krauch, Carl: Jugend an die Front. Die Nachwuchsfrage in Wissenschaft und Technik, in: Der Vierjahresplan, 1. Jg., 1937, S.456-459.

Kriegsbriefe gefallener Studenten 1939-1945. Hg. von Walter Bähr u. Hans W. Bähr, Tübingen/Stuttgart 1952.

Kriegspropaganda 1939-1941. Geheime Ministerkonferenzen im Reichspropagandaministerium. Hg. und eingeleitet von Willi A. Boelcke, Stuttgart 1966.

Krüger, Gerhard: Wo steht die Wissenschaft? München 1937.

Leyh, Georg: Die Lage der deutschen wissenschaftlichen Bibliotheken nach dem Kriege, in: Europa-Archiv, 1. Jg., 1946/47, S.234-240.

Maetzel, Friedrich: Doktoren ohne Brot, in: Die Tat, 23. Jg., 1931/32, S. 1004-1011.

Meinecke, Friedrich: Ausgewählter Briefwechsel. Hg. und eingeleitet von Ludwig Dehio und Peter Classen, Stuttgart 1962.

Meldungen aus dem Reich. Die geheimen Lageberichte des Sicherheitsdienstes der SS 1938-1945. Hg. von Heinz Boberach, 17 Bde. u. 1 Registerband, Herrsching 1984/85.

Mulert, H.: Baumgarten und der Nationalsozialismus, Neumünster 1930.

Ochsenius, Hans: Die Studentenschaft der Hansischen Universität zu Hamburg bis 1939 unter besonderer Berücksichtigung der gesamten studentischen Entwicklung im Altreich, Hamburg, phil. Diss. (MS) 1941.

Ordnung der Prüfung für das Lehramt an Höheren Schulen im Deutschen Reich, Berlin 1940.
Picker, Henry: Hitlers Tischgespräche im Führerhauptquartier, 3. vollständig überarbeitete u. erweiterte Neuausgabe, Stuttgart 1976.
Poliakov, Léon / Wulf, Joseph: Das Dritte Reich und seine Denker. Dokumente und Berichte, Berlin 1959.
Der Prozeß gegen die Hauptkriegsverbrecher vor dem Internationalen Militärgerichtshof, 42 Bde., Nürnberg 1947-1949.
Radbruch, Gustav: Briefe. Hg. von Erik Wolf, Göttingen 1968.
Reichsführer! ... Briefe an und von H. Himmler. Hg. von Helmut Heiber, Stuttgart 1968.
Rosenberg, Alfred: Freiheit der Wissenschaft (1934), in: ders., Gestaltung der Idee. Reden und Aufsätze von 1933-1935 (Blut und Ehre, Bd. II), 2. Aufl., München 1936, S.197-218.
Rosenberg, Alfred: Das politische Tagebuch Alfred Rosenbergs aus den Jahren 1934 und 1939/40. Hg. von Hans-Günther Seraphim, Göttingen 1956.
Rothenberger, Curt: Nahziele der Ausbildungsreform, in: Deutsches Recht, 13. Jg., 1943, S.2-6.
Rust, Bernhard: Reichsuniversität und Wissenschaft. Zwei Reden, gehalten in Wien am 6. November 1940. Hg. von der Deutschen Forschungsgemeinschaft, Berlin 1940.
Schmidt, Walter A.: Damit Deutschland lebe. Ein Quellenwerk über den deutschen antifaschistischen Widerstandskampf 1933-1945, Berlin/DDR 1958.
Scholl, Hans und Scholl, Sophie: Briefe und Aufzeichnungen. Hg. von Inge Jens, durchgesehene Ausgabe, Frankfurt/M. 1988.
Shirer, William L.: Berliner Tagebuch. Aufzeichnungen 1934-1941, Leipzig/Weimar 1991.
Sielaff, Jürgen: Zur Geschichte des Studentenbundes in Königsberg, in: Der Student der Ostmark, Folge 6, 17.6.1938, S.174-184.
Smend, Rudolf: Hochschule und Parteien, in: Das Akademische Deutschland. Hg. von Michael Doeberl u.a., Bd. III, Berlin 1930, S.153-162.
Stuckart, Wilhelm: Nationalsozialistische Rechtserziehung, Frankfurt/Main 1935.
Studienpläne sowie Studien- und Prüfungsordnungen für die Ausbildung von Diplom- und Doktor-Ingenieuren an deutschen Technischen Hochschulen und Bergakademien. Eine Zusammenfassung der Bestimmungen des Reichsministeriums für Wissenschaft, Erziehung und Volksbildung. Hg. von H.A. Nipper, Berlin 1941.
Die Universität und ihre Studentenschaft. Versuch einer Dokumentation aus Gesetzen, Erlassen, Beschlüssen, Reden, Schriften und Briefen. Zusammengestellt von Wolfgang Kalischer, Essen 1966/67 (Jahrbuch 1966/67 des Stifterverbandes für die Deutsche Wissenschaft).
Wagner, Gerhard: Die NSDAP alleiniger Träger der gesamten studentischen Erziehung, in: Deutsches Ärzteblatt, Nr.47, 24.11.1934, S.1141-1142.
Walk, Joseph (Hg.): Das Sonderrecht für die Juden im NS-Staat. Eine Sammlung der gesetzlichen Maßnahmen und Richtlinien – Inhalt und Bedeutung, Heidelberg/Karlsruhe 1981.

7. Autobiographische Aufzeichnungen

Apffelstaedt, Otto: Wie lebte ein Münsteraner Franke in den Jahren 1923 bis 1925? Erlebnisbericht über eine Aktivenzeit als Burschenschafter in der Weimarer Republik, in: Darstellungen und Quellen zur Geschichte der deutschen Einheitsbewegung im neunzehnten und zwanzigsten Jahrhundert, Bd. 11, Heidelberg 1981, S.59-95.

Becker, Hellmut / Hager, Frithjof: Aufklärung als Beruf. Gespräche über Bildung und Politik, München/Zürich 1992.
Behnke, Heinrich: Semesterberichte. Ein Leben an deutschen Universitäten im Wandel der Zeit, Göttingen 1978.
Behrend-Rosenfeld, Else R.: Ich stand nicht allein. Erlebnisse einer Jüdin in Deutschland 1933-1944, 2. erw. Aufl., Frankfurt/M. 1963.
Benscheidt, Hans Wilhelm: Das Darmstädter Corps Obotritia im Dritten Reich, in: Friedhelm Golücke (Hg.), Korporationen und Nationalsozialismus, Schernfeld o.J. [1989], S.115-164.
Büchner, Franz: Pläne und Fügungen. Lebenserinnerungen eines deutschen Hochschullehrers, München/Berlin 1965.
Dietze, Constantin von: Die Universität Freiburg im Dritten Reich, in: Mitteilungen der List-Gesellschaft, 3, 1960/62, S.95-105.
Ditfurth, Hoimar von: Innenansichten eines Artgenossen, Düsseldorf 1989.
Eschenburg, Theodor: Aus dem Universitätsleben vor 1933, in: Andreas Flitner (Hg.), Deutsches Geistesleben und Nationalsozialismus, Tübingen 1965, S.24-46.
Eisfeld, Curt: Aus fünzig Jahren. Erinnerungen eines Betriebswirts 1902-1951, Göttingen 1973.
Fischer, Helmut Joachim: Erinnerungen, Teil I: Von der Wissenschaft zum SD, Teil II: Feuerwehr für die Forschung, vervielfältigtes Manuskript, Ingolstadt 1984/85 (Quellenstudien der Zeitgeschichtlichen Forschungsstelle Ingolstadt, 3/6).
Flitner, Wilhelm: Erinnerungen 1889-1945, Paderborn 1986.
Frank, Hans: Im Angesicht des Galgens. Deutung Hitlers und seiner Zeit auf Grund eigener Erlebnisse und Erkenntnisse, München 1953.
Freund, Gisèle: Memoiren des Auges, Frankfurt/Main 1977.
Gadamer, Hans-Georg: Philosophische Lehrjahre. Eine Rückschau, Frankfurt/M. 1977.
Gilbert, Felix: Lehrjahre im alten Europa. Erinnerungen 1905-1945, Berlin 1989.
Glum, Friedrich: Zwischen Wissenschaft, Wirtschaft und Politik. Erlebtes und Erdachtes in vier Reichen, Bonn 1964.
Goetz, Walter: Historiker in meiner Zeit. Gesammelte Aufsätze, Köln/Graz 1957.
Hecker, Hellmuth: Kolonialforschung und Studentenschaft an der „Hansischen Universität" im II. Weltkrieg, Baden-Baden 1986.
Jander, Martin: Theo Pirker über „Pirker". Ein Gespräch, Marburg 1988.
Kahle, Paul E.: Bonn University in Pre-Nazi and Nazi-Times (1923-1939). Experiences of a German Professor, London 1945.
Krebs, Albert: Tendenzen und Gestalten der NSDAP. Erinnerungen an die Frühzeit der Partei, Stuttgart 1959.
Küstermeier, Rudolf: Der Rote Stoßtrupp, Berlin 1972 (Beiträge zum Thema Widerstand 3).
Liebermann, Willy Ritter von Wahlendorf: Erinnerungen eines deutschen Juden 1863-1936. Hg. und mit einem Nachwort von Ernst Reinhard Piper, München/Zürich 1988.
Lösener, Bernhard: Als Rassereferent im Reichsministerium des Innern, in: Vierteljahrshefte für Zeitgeschichte, 9. Jg., 1961, S.264-313.
Löwith, Karl: Mein Leben in Deutschland vor und nach 1933, Stuttgart 1986.
Markov, Walter: Zwiesprache mit dem Jahrhundert. Dokumentiert von Thomas Grimm, Köln 1990.
Mehnert, Gerhard: Im Widerstand gegen die Faschisierung der Universität. Ein Erinnerungsbericht, in: Karl-Marx-Universität Leipzig 1409-1959. Beiträge zur Universitätsgeschichte, Bd. 2, Leipzig 1959, S.331-339.

Pascher, Joseph: Das Dritte Reich, erlebt an drei deutschen Universitäten, in: Die deutsche Universität im Dritten Reich. Eine Vortragsreihe der Universität München, München 1966, S.45-69.

Pringsheim, Fritz: Die Haltung der Freiburger Studenten in den Jahren 1933-1935, in: Die Sammlung, 15. Jg., 1960, S.532-538.

Reinhardt, Karl: Akademisches aus zwei Epochen, in: ders.: Vermächtnis der Antike. Gesammelte Essays zur Philosophie und Geschichtsschreibung, Göttingen 1960, S.380-401.

Röhrs, Hermann: Nationalsozialismus, Krieg, Neubeginn. Eine autobiographische Vergegenwärtigung aus pädagogischer Sicht, Frankfurt/M. 1990.

Schirach, Baldur von: Ich glaubte an Hitler, Hamburg 1967.

Schmid, Friedrich: „Eine Insel des Friedens": die Jahre 1943-1945, in: Im Dienst an Volk und Kirche. Theologiestudium im Nationalsozialismus. Hg. von Siegfried Hermle u.a., Stuttgart 1988, S.117-124.

Schmidt, Helmut u.a.: Kindheit und Jugend unter Hitler. Mit einer Einführung von Wolf Jobst Siedler, Berlin 1992.

Schmidt, Werner: Leben an Grenzen. Autobiographischer Bericht eines Mediziners aus dunkler Zeit, Zürich 1989.

Sombart, Nicolaus: Jugend in Berlin 1933-1943. Ein Bericht, München 1984.

Spranger, Eduard: Mein Konflikt mit der national-sozialistischen Regierung 1933, in: Universitas, 10. Jg., 1955, S.457-473.

Strauß, Franz Josef: Die Erinnerungen, Berlin 1989.

Szczesny, Gerhard: Als die Vergangenheit Gegenwart war. Lebensanlauf eines Ostpreußen, Berlin/Frankfurt am Main 1990.

Taleikis, Horst: Aktion Funkausstellung. Berliner Studenten 1934 im antifaschistischen Widerstand. Erinnerungen in der Neufassung von Wolfgang Teichmann. Mit einem Nachwort von Waltraud Mehls, Berlin/DDR 1988.

Tellenbach, Gerd: Aus erinnerter Zeitgeschichte, Freiburg 1981.

Wallis, Hedwig: Medizinstudentin im Nationalsozialismus, in: Ursula Weisser (Hg.), 100 Jahre Universitäts-Krankenhaus Eppendorf 1889-1989, Tübingen 1989, S.399-404.

Zuckmayer, Carl: Als wär's ein Stück von mir. Horen der Freundschaft, Wien 1966.

Zuelzer, Wolf: Keine Zukunft als „Nicht-Arier" im Dritten Reich. Erinnerungen eines Ausgewanderten, in: Walter H. Pehle (Hg.), Der Judenpogrom 1938. Von der „Reichskristallnacht" zum Völkermord, Frankfurt/M. 1988.

8. Literatur

Adam, Uwe Dietrich: Judenpolitik im Dritten Reich, Düsseldorf 1972.

Adam, Uwe Dietrich: Hochschule und Nationalsozialismus. Die Universität Tübingen im Dritten Reich, Tübingen 1977.

Aigner, Dietrich: Die Indizierung „schädlichen und unerwünschten Schrifttums" im Dritten Reich, in: Archiv für Geschichte des Buchwesens, 11. Jg., 1971, Sp.933-1034.

Albrecht, Helmuth: Hochschule und Politik. Die TH Braunschweig in der Weimarer Republik (1918-1933), in: Moderne Braunschweigische Geschichte. Hg. von Werner Pöls und Klaus Erich Pollmann, Hildesheim 1982, S.227-259.

Allen, William Sheridan: Die deutsche Öffentlichkeit und die „Reichskristallnacht". Konflikte zwischen Werthierarchie und Propaganda im Dritten Reich, in: Die Reihen fast geschlossen. Beiträge zur Geschichte des Alltags unterm Nationalsozialismus. Hg. von Detlev Peukert und Jürgen Reulecke, Wuppertal 1981, S.397-411.

Aly, Götz / Heim, Susanne: Vordenker der Vernichtung. Auschwitz und die deutschen Pläne für eine neue europäische Ordnung, Hamburg 1991.
Arminger, Gerhard: Involvement of German Students in NS Organisations. Based on the Archive of the Reichsstudentenwerk, in: Historical Social Research, Nr.30, 1984, S.3-34.
Arndt, Helmut: Die Universität von 1917 bis 1933 – Novemberrevolution und Weimarer Republik, in: Alma Mater Lipsiensis. Geschichte der Karl-Marx-Universität Leipzig. Hg. von Lothar Rathmann, Leipzig 1984, S.229-260.
Arndt, Helmut: Niedergang von Studium und Wissenschaft, 1933 bis 1945, in: Alma Mater Lipsiensis. Geschichte der Karl-Marx-Universität Leipzig. Hg. von Lothar Rathmann, Leipzig 1984, S.261-271.
Aschermann, Hartmut / Schneider, Wolfgang: Studium im Auftrag der Kirche. Die Anfänge der Kirchlichen Hochschule Wuppertal 1935 bis 1945, Köln 1985.

Bajohr, Stefan: Weiblicher Arbeitsdienst im „Dritten Reich“. Ein Konflikt zwischen Ideologie und Ökonomie, in: Vierteljahrshefte für Zeitgeschichte, 28. Jg., 1980, S.331-357.
Bajohr, Stefan / Rödiger-Bajohr, Kathrin: Die Diskriminierung der Juristin in Deutschland bis 1945, in: Kritische Justiz, 13. Jg., 1980, S.39-50.
Bauer, Erich: Die Kameradschaften im Bereiche des Kösener SC in den Jahren 1937-1945, in: Einst und Jetzt. Jahrbuch des Vereins für corpsstudentische Geschichtsforschung, Bd. 1, 1956, S.5-40.
Bauer, Helga / Supplitt, Gerlinde: Einige Aspekte zur Entwicklung der Hamburger Studentenschaft 1919-1969, in: Universität Hamburg 1919-1969, Hamburg o. J. [1970], S. 311-332.
Bausinger, Hermann: Volksideologie und Volksforschung. Zur nationalsozialistischen Volkskunde, in: Zeitschrift für Volkskunde, 61. Jg., 1965, S.177-204.
Bechstedt, Martin: „Gestalthafte Atomlehre“ – Zur „Deutschen Chemie“, in: Naturwissenschaft, Technik und NS-Ideologie. Hg. von Herbert Mehrtens u. Steffen Richter, Frankfurt/M. 1980, S.142-165.
Beck, Wolfgang / Krogoll, Johannes: Literaturwissenschaft im „Dritten Reich“. Das Literaturwissenschaftliche Seminar zwischen 1933 und 1945, in: Hochschulalltag im „Dritten Reich“. Die Hamburger Universität 1933-1945. Hg. von Eckart Krause u.a., Berlin/Hamburg 1991, Teil II, S.705-735.
Bendersky, Joseph W.: Carl Schmitt. Theorist for the Reich, Princeton 1983.
Bennathan, Esra: Die demographische und wirtschaftliche Struktur der Juden, in: Entscheidungsjahr 1932. Zur Judenfrage in der Endphase der Weimarer Republik. Hg. von Werner E. Mosse, Tübingen 1966².
Benz, Wolfgang: Vom freiwilligen Arbeitsdienst zur Arbeitsdienstpflicht, in: Vierteljahrshefte für Zeitgeschichte, 16. Jg., 1968, S.317-346.
Benz, Wolfgang: Emil J. Gumbel. Die Karriere eines deutschen Pazifisten, in: Ulrich Walberer (Hg.), 10. Mai 1933. Bücherverbrennung in Deutschland und die Folgen, Frankfurt/M. 1983, S.160-198.
Bernhardi, Horst: Die Göttinger Burschenschaft 1933 bis 1945. Ein Beitrag zur studentischen Geschichte in der nationalsozialistischen Zeit, in: Darstellungen und Quellen zur Geschichte der deutschen Einheitsbewegung im neunzehnten und zwanzigsten Jahrhundert, Bd. 1, Heidelberg 1957, S.205-247.
Besier, Gerhard: Zur Geschichte der Kirchlichen Hochschulen oder: Der Kampf um den theologischen Nachwuchs, in: Theologische Fakultäten im Nationalsozialismus. Hg. von Leonore Siegele-Wenschkewitz u. Carsten Nicolaisen, Göttingen 1993, S.251-275.

Beyerchen, Alan D.: Wissenschaftler unter Hitler. Physiker im Dritten Reich. Mit einem Vorwort von K. D. Bracher, Köln 1980.

Beyerchen, Alan D.: Der Kampf um die Besetzung der Lehrstühle für Physik im NS-Staat, in: Manfred Heinemann (Hg.), Erziehung und Schulung im Dritten Reich, Teil 2, Stuttgart 1980, S.77-86.

Bizer, Ernst: Zur Geschichte der Evangelisch-Theologischen Fakultät von 1919 bis 1945, in: Bonner Gelehrte. Beiträge zur Geschichte der Wissenschaften in Bonn, Evangelische Theologie, Bonn 1968, S.227-275.

Bleuel, Hans Peter / Klinnert, Ernst: Deutsche Studenten auf dem Weg ins Dritte Reich. Ideologie – Programme – Aktionen 1918-1935, Gütersloh 1967.

Bölling, Rainer: Sozialgeschichte der deutschen Lehrer. Ein Überblick von 1800 bis zur Gegenwart, Göttingen 1983.

Bollmus, Reinhard: Das Amt Rosenberg und seine Gegner. Studien zum Machtkampf im nationalsozialistischen Herrschaftssystem, Stuttgart 1970.

Bollmus, Reinhard: Zum Projekt einer nationalsozialistischen Alternativ-Universität: Alfred Rosenbergs „Hohe Schule“, in: Manfred Heinemann (Hg.), Erziehung und Schulung im Dritten Reich, Teil 2, Stuttgart 1980, S.125-152.

Borowsky, Peter: Geschichtswissenschaft an der Hamburger Universität 1933 bis 1945, in: Hochschulalltag im „Dritten Reich“. Die Hamburger Universität 1933-1945. Hg. von Eckart Krause u.a., Berlin/Hamburg 1991, Teil II, S.537-588.

Bracher, Karl Dietrich: Die Auflösung der Weimarer Republik. Eine Studie zum Problem des Machtverfalls in der Demokratie, 4. Aufl., Villingen 1964.

Bracher, Karl Dietrich: Die deutsche Diktatur. Entstehung, Struktur, Folgen des Nationalsozialismus, erw. Ausgabe, Köln 1980.

Brandt, Peter: Studentische Lebensreform und Nationalismus. Vor- und Frühgeschichte der Allgemeinen Deutschen Burschenschaft (1771-1819/23), Habil.-Schrift (MS), TU Berlin 1987.

Brednich, Rolf Wilhelm: Volkskunde – die völkische Wissenschaft von Blut und Boden, in: Die Universität Göttingen unter dem Nationalsozialismus. Hg. von Heinrich Becker u.a., München 1987, S.313-320.

Brenner, Hildegard: Die Kunstpolitik des Nationalsozialismus, Reinbek bei Hamburg 1963.

Breyvogel, Wilfried: Die Gruppe „Weiße Rose“. Anmerkungen zur Rezeptionsgeschichte und kritischen Rekonstruktion, in: ders. (Hg.), Piraten, Swings und Junge Garde. Jugendwiderstand im Nationalsozialismus, Bonn 1991, S.159-201.

Broszat, Martin: Der Staat Hitlers. Grundlegung und Entwicklung seiner inneren Verfassung, München 1969.

Broszat, Martin: Resistenz und Widerstand. Eine Zwischenbilanz des Forschungsprojekts, in: Bayern in der NS-Zeit. Herrschaft und Gesellschaft im Konflikt, Bd. IV. Hg. von Martin Broszat, Elke Fröhlich, Anton Grossmann, München/Wien 1981, S.691-709.

Broszat, Martin: Zur Sozialgeschichte des deutschen Widerstandes, in: Vierteljahrshefte für Zeitgeschichte, 34. Jg., 1986, S.293-309.

Buss, Wolfgang: Die Entwicklung des Deutschen Hochschulsports vom Beginn der Weimarer Republik bis zum Ende des NS-Staates – Umbruch und Neuanfang oder Kontinuität? Göttingen, phil. Diss., 1975.

Bussche, Hendrik van den (Hg.): Medizinische Wissenschaft im „Dritten Reich“. Kontinuität, Anpassung und Opposition an der Hamburger Medizinischen Fakultät, Berlin 1989.

Bussche, Hendrik van den: „Im Dienste der Volksgemeinschaft". Studienreform im Nationalsozialismus am Beispiel der ärztlichen Ausbildung, Berlin 1989.

Carlsen, Ruth: Der Kampf um die Verfassung der Rostocker Studentenschaft 1932/33, in: Wissenschaftliche Zeitschrift der Universität Rostock. Gesellschafts- und sprachwissenschaftliche Reihe, 13. Jg., 1964, S.251-269.

Carlsen, Ruth: Zum Prozeß der Faschisierung und zu den Auswirkungen der faschistischen Diktatur auf die Universität Rostock (1932-1935), Rostock, phil. Diss., 1965.

Chroust, Peter: Social Situation and Political Orientation – Students and Professors at Gießen University 1918-1949. Part I, in: Historical Social Research, Nr. 38, 1986, S.41-95.

Clephas-Möcker, Petra / Krallmann, Kristina: Akademische Bildung – eine Chance zur Selbstverwirklichung für Frauen? Lebensgeschichtlich orientierte Interviews mit Gymnasiallehrerinnen und Ärztinnen der Geburtsjahre 1909 bis 1923, Weinheim 1988.

Dageförde, Astrid: Frauen an der Hamburger Universität 1933-1945. Forschungsbericht, vorgelegt im Auftrag der Behörde für Wissenschaft und Forschung (MS), Hamburg 1987.

„Das war ein Vorspiel nur ..." Bücherverbrennung Deutschland 1933: Voraussetzungen und Folgen. Hg. von der Akademie der Künste, Berlin 1983.

Deutsches Studentenwerk 1921-1961. Festschrift zum vierzigjährigen Bestehen, Bonn 1961.

Im Dienst an Volk und Kirche. Theologiestudium im Nationalsozialismus. Erinnerungen, Darstellungen, Dokumente und Reflexionen zum Tübinger Stift 1930 bis 1950. Hg. von Siegfried Hermle, Rainer Lächele, Albrecht Nuding, Stuttgart 1988.

Ditt, Karl: Raum und Volkstum. Die Kulturpolitik des Provinzialverbandes Westfalen 1923-1945, Münster 1988.

Döhring, Erich: Geschichte der juristischen Fakultät 1665-1965, Neumünster 1965 (Geschichte der Christian-Albrechts-Universität Kiel 1665-1965, Bd. 3, Teil 1).

Döring, Herbert: Der Weimarer Kreis. Studien zum politischen Bewußtsein verfassungstreuer Hochschullehrer in der Weimarer Republik, Meisenheim 1975.

Dorner, Christoph, u.a.: Die braune Machtergreifung. Universität Frankfurt 1930-1945. Hg. vom AStA der Johann Wolfgang Goethe-Universität Frankfurt, Frankfurt/M. o. J. [1989].

Ebert, Hans: Die Technische Hochschule Berlin und der Nationalsozialismus: Politische „Gleichschaltung" und rassistische „Säuberungen", in: Reinhard Rürup (Hg.), Wissenschaft und Gesellschaft. Beiträge zur Geschichte der Technischen Universität Berlin 1879-1979, Berlin 1979, Bd.1, S.455-468.

Ebert, Hans / Rupieper, Hermann Josef: Technische Wissenschaft und nationalsozialistische Rüstungspolitik: Die Wehrtechnische Fakultät der Technischen Hochschule Berlin 1933-1945, in: Reinhard Rürup (Hg.), Wissenschaft und Gesellschaft. Beiträge zur Geschichte der Technischen Universität Berlin 1879-1979, Berlin 1979, Bd. 1, S.469-491.

Eilers, Rolf: Die nationalsozialistische Schulpolitik. Eine Studie zur Funktion der Erziehung im totalitären Staat, Köln/Opladen 1963.

Eilers, Rolf (Hg.): Löscht das Licht nicht aus. Der Bund Neudeutschland im Dritten Reich, Mainz 1985.

Erhart, Hannelore: Die Theologin im Kontext von Universität und Kirche zur Zeit der Weimarer Republik und des Nationalsozialismus, in: Theologische Fakultäten im Nationalsozialismus. Hg. von Leonore Siegele-Wenschkewitz u. Carsten Nicolaisen, Göttingen 1993, S.223-249.

Ericksen, Robert P.: Kontinuitäten konservativer Geschichtsschreibung am Seminar für Mittlere und Neuere Geschichte: Von der Weimarer Zeit über die nationalsozialistische Ära bis in die Bundesrepublik, in: Die Universität Göttingen unter dem Nationalsozialismus. Hg. von Heinrich Becker u.a., München 1987, S.219-245.

Theologische Fakultäten im Nationalsozialismus. Hg. von Leonore Siegele-Wenschkewitz u. Carsten Nicolaisen, Göttingen 1993.

Falter, Jürgen W.: Hitlers Wähler, München 1991.

Faust, Anselm: Der Nationalsozialistische Deutsche Studentenbund. Studenten und Nationalsozialismus in der Weimarer Republik, 2 Bde., Düsseldorf 1973.

Faust, Anselm: Die Hochschulen und der „undeutsche Geist". Die Bücherverbrennungen am 10. Mai 1933 und ihre Vorgeschichte, in: „Das war ein Vorspiel nur..." Bücherverbrennung Deutschland 1933: Voraussetzungen und Folgen, Berlin 1983, S.31-50.

Fieberg, Ralf: Die Durchsetzung des Nationalsozialismus in der Gießener Studentenschaft vor 1933, in: Frontabschnitt Hochschule. Die Gießener Universität im Nationalsozialismus, Gießen 1982, S.38-67.

Flexner, Abraham: Die Universitäten in Amerika, England, Deutschland, Berlin 1932.

Fließ, Gerhard: Die politische Entwicklung der Jenaer Studentenschaft vom November 1918 bis zum Januar 1933, Jena, phil. Diss. (MS), 1959.

Flitner, Andreas (Hg.): Deutsches Geistesleben und Nationalsozialismus. Eine Vortragsreihe der Universität Tübingen, Tübingen 1965.

Franze, Manfred: Die Erlanger Studentenschaft 1918-1945, Würzburg 1972.

Franz-Willing, Georg: „Bin ich schuldig?" Leben und Wirken des Reichsstudentenführers und Gauleiters Dr. Gustav Adolf Scheel 1907-1979. Eine Biographie, Leoni 1987.

Freise, Gerda: Das Selbstverständnis von Naturwissenschaftlern im Nationalsozialismus, in: 1933 in Gesellschaft und Wissenschaft, Teil 2: Wissenschaft. Hg. von der Pressestelle der Universität Hamburg, Hamburg 1984, S.103-132.

Frontabschnitt Hochschule. Die Gießener Universität im Nationalsozialismus. Mit Beiträgen von Hans-Jürgen Böhles, u.a., Gießen 1982.

Führer, Karl Christian: Die Wohnungszwangswirtschaft in Deutschland 1914-1960, Habil.-Schrift (MS), Oldenburg 1993.

Der „Führerstaat": Mythos und Realität. Studien zur Struktur und Politik des Dritten Reiches. Hg. von Gerhard Hirschfeld und Lothar Kettenacker. Mit einer Einleitung von Wolfgang J. Mommsen, Stuttgart 1981.

Gajek, Esther: Volkskunde an den Hochschulen im Dritten Reich. Eine vorläufige Datensammlung, vervielfältigtes Manuskript, München 1986.

Gay, Peter: Die Republik der Außenseiter. Geist und Kultur in der Weimarer Zeit 1918-1933, Neuausgabe, Frankfurt/M. 1987.

Gehler, Michael: Studenten und Politik. Der Kampf um die Vorherrschaft an der Universität Innsbruck 1918-1938, Innsbruck 1990.

Gellately, Robert: Die Gestapo und die deutsche Gesellschaft. Die Durchsetzung der Rassenpolitik 1933-1945, Paderborn 1993.

Gerhards, Jürgen: Bedingungen und Chancen der Widerstandsgruppe „Weiße Rose“, in: Friedhelm Neidhardt (Hg.), Gruppensoziologie. Perspektiven und Materialien, Opladen 1983, S.343-359.

Gerndt, Helge (Hg.): Volkskunde und Nationalsozialismus. Referate und Diskussionen einer Tagung, München 1987.

Geschichte der Universität Jena 1548/58-1958. Festgabe zum vierhundertjährigen Universitätsjubiläum. Hg. von Max Steinmetz u.a., 2 Bde., Jena 1958/1962.

Geschichte der Universität Rostock 1419-1969. Festschrift zur Fünfhundertfünfzig-Jahr-Feier der Universität. Hg. von der Forschungsgruppe Universitätsgeschichte unter der Leitung von Günter Heidorn u.a., 2 Bde., Berlin/DDR 1969.

Geuter, Ulfried: Die Professionalisierung der deutschen Psychologie im Nationalsozialismus, Frankfurt/M. 1984.

Giles, Geoffrey J.: University Government in Nazi Germany: Hamburg, in: Minerva, 16. Jg., 1978, S.196-221.

Giles, Geoffrey J.: Die Idee der politischen Universität. Hochschulreform nach der Machtergreifung, in: Manfred Heinemann (Hg.), Erziehung und Schulung im Dritten Reich, Teil 2, Stuttgart 1980, S.50-60.

Giles, Geoffrey J.: Die Verbändepolitik des Nationalsozialistischen Deutschen Studentenbundes, in: Darstellungen und Quellen zur Geschichte der deutschen Einheitsbewegung im neunzehnten und zwanzigsten Jahrhundert, Bd. 11, Heidelberg 1981, S.97-157.

Giles, Geoffrey J.: German Students and Higher Education Policy in the Second World War, in: Central European History, 17. Jg., 1984, S.330-354.

Giles, Geoffrey J.: Students and National Socialism in Germany, Princeton 1985.

Giles, Geoffrey J.: „Die Fahne hoch, die Reihen dicht geschlossen“. Die Studenten als Verfechter einer völkischen Universität? in: Die Freiburger Universität in der Zeit des Nationalsozialismus. Hg. von Eckhard John u.a., Freiburg/Würzburg 1991, S.43-56.

Giovannini, Norbert: „Wer sich nicht bewährt, wird fallen“. Maßnahmen und Grenzen nationalsozialistischer Studentenpolitik, in: Karin Buselmeier u.a. (Hg.), Auch eine Geschichte der Universität Heidelberg, Mannheim 1985, S. 293-303.

Giovannini, Norbert: Zwischen Republik und Faschismus. Heidelberger Studentinnen und Studenten 1918-1945, Weinheim 1990.

Götz von Olenhusen, Albrecht: Die „nichtarischen“ Studenten an den deutschen Hochschulen. Zur nationalsozialistischen Rassenpolitik 1933-1945, in: Vierteljahrshefte für Zeitgeschichte, 14. Jg., 1966, S.175-206.

Golczewski, Frank: Die „Gleichschaltung“ der Universität Köln im Frühjahr 1933, in: Aspekte der nationalsozialistischen Herrschaft in Köln und im Rheinland. Hg. von Leo Haupts u. Georg Mölich, Köln 1983, S.49-72.

Golczewski, Frank: Kölner Universitätslehrer und der Nationalsozialismus, Köln/Wien 1988.

Goldschmidt, Dietrich: Wie werden unsere Technischen Universitäten im Jahre 2000 aussehen? in: Neue Sammlung, 20 Jg., 1980, S.112-119.

Golücke, Friedhelm: Das Kameradschaftswesen in Würzburg von 1936 bis 1945, in: Studentenschaft und Korporationswesen an der Universität Würzburg. Hg. vom Institut für Hochschulkunde an der Universität Würzburg, Würzburg 1982, S.139-196.

Golücke, Friedhelm: Die Wohnkameradschaft Markomannia 1934/35 – ein erster Gleichschaltungsversuch, in: ders. (Hg.), Korporationen und Nationalsozialismus, Schernfeld o. J., S.87-114.

Golücke, Friedhelm (Hg.): Korporationen und Nationalsozialismus, Schernfeld o.J. [1989].

Greschat, Martin: Die Evangelisch-Theologische Fakultät in Gießen in der Zeit des Nationalsozialismus (1933-1945), in: Theologie im Kontext der Geschichte der Alma Mater Ludoviciana. Hg. von Bernhard Jendorff u.a., Gießen 1983, S.139-166.

Grieb-Lohwasser, Birgitt: Jüdische Studenten und Antisemitismus an der Universität Würzburg in der Weimarer Republik, in: Ein Streifzug durch Frankens Vergangenheit, Bad Neustadt an der Saale 1982, S.255-371.

Gruchmann, Lothar: Rechtssystem und nationalsozialistische Justizpolitik, in: Das Dritte Reich. Herrschaftsstruktur und Geschichte. Hg. von Martin Broszat und Horst Möller, München 1986², S.83-103.

Gruchmann, Lothar: Justiz im Dritten Reich 1933-1940. Anpassung und Unterwerfung in der Ära Gürtner, München 1988.

Grüner, Gustav: Berufsausbildung in Fachschulen, in: Handbuch der deutschen Bildungsgeschichte, Bd. V: 1918-1945. Die Weimarer Republik und die nationalsozialistische Diktatur. Hg. von Dieter Langewiesche u. Heinz-Elmar Tenorth, München 1989, S.299-306.

Grüttner, Michael: „Ein stetes Sorgenkind für Partei und Staat". Die Studentenschaft 1930 bis 1945, in: Hochschulalltag im „Dritten Reich". Die Hamburger Universität 1933-1945. Hg. von Eckart Krause u.a., Teil I, Berlin 1991, S.201-236.

Grunberger, Richard: Das zwölfjährige Reich. Der Deutschen Alltag unter Hitler, Wien/München/Zürich 1972.

Günther, Maria: Die Institutionalisierung der Rassenhygiene an den deutschen Hochschulen vor 1933, Mainz, med. Diss., 1982.

Hachtmann, Rüdiger: Industriearbeit im „Dritten Reich", Göttingen 1989.

Haiger, Ernst: Politikwissenschaft und Auslandswissenschaft im „Dritten Reich". (Deutsche) Hochschule für Politik 1933-1939 und Auslandswissenschaftliche Fakultät der Berliner Universität 1940-1945, in: Kontinuitäten und Brüche in der deutschen Politikwissenschaft. Hg. von Gerhard Göhler u. Bodo Zeuner, Baden-Baden 1991, S.94-136.

Halfmann, Frank: Eine „Pflanzstätte bester nationalsozialistischer Rechtsgelehrter": die juristische Abteilung der Rechts- und Staatswissenschaftlichen Fakultät, in: Die Universität Göttingen unter dem Nationalsozialismus. Hg. von Heinrich Becker, u.a., München 1987, S.88-141.

Hammerstein, Notker: Die Johann Wolfgang Goethe-Universität Frankfurt am Main. Von der Stiftungsuniversität zur staatlichen Hochschule, Bd. I: 1914-1950, Neuwied/Frankfurt 1989.

Hans, Jan: Die Bücherverbrennung in Hamburg, in: Hochschulalltag im „Dritten Reich". Die Hamburger Universität 1933-1945. Hg. von Eckart Krause u.a., Berlin/Hamburg 1991, Teil I, S.237-254.

Hattenhauer, Hans (Hg.): Rechtswissenschaft im NS-Staat. Der Fall Eugen Wohlhaupter, Heidelberg 1987.

Haug, Alfred: Der Lehrstuhl für Biologische Medizin in Jena, in: Fridolf Kudlien u.a., Ärzte im Nationalsozialismus, Köln 1985, S.130-138.

Heiber, Helmut: Walter Frank und sein Reichsinstitut für Geschichte des neuen Deutschlands, Stuttgart 1966.

Heiber, Helmut: Universität unterm Hakenkreuz. Teil 1: Der Professor im Dritten Reich. Bilder aus der akademischen Provinz, München 1991.

Heiber, Helmut: Universität unterm Hakenkreuz. Teil II: Die Kapitulation der Hohen Schulen. Das Jahr 1933 und seine Themen, 2 Bde., München 1992/94.

Heilen und Vernichten im Mustergau Hamburg. Bevölkerungs- und Gesundheitspolitik im Dritten Reich. Hg. von Angelika Ebbinghaus, Heidrun Kaupen-Haas, Karl Heinz Roth, Hamburg 1984.

Heimbüchel, Bernd / Pabst, Klaus: Das 19. und 20. Jahrhundert, Köln/Wien 1988 (Kölner Universitätsgeschichte, Bd. II).

Heinemann, Manfred (Hg.): Erziehung und Schulung im Dritten Reich, Teil 2: Hochschule, Erwachsenenbildung, Stuttgart 1980.

Herbert, Ulrich: Fremdarbeiter. Politik und Praxis des „Ausländer-Einsatzes" in der Kriegswirtschaft des Dritten Reiches, Berlin/Bonn 1985.

Herbert, Ulrich: Arbeiterschaft im „Dritten Reich". Zwischenbilanz und offene Fragen, in: Geschichte und Gesellschaft, 15. Jg., 1989, S.320-360.

Herbert, Ulrich: „Generation der Sachlichkeit". Die völkische Studentenbewegung der frühen zwanziger Jahre in Deutschland, in: Zivilisation und Barbarei. Die widersprüchlichen Potentiale der Moderne. Hg. von Frank Bajohr u.a., Hamburg 1991, S.115-144.

Hering, Rainer: Theologische Wissenschaft und „Drittes Reich", Pfaffenweiler 1990.

Hering, Rainer: Der „unpolitische" Professor? Parteimitgliedschaften Hamburger Hochschullehrer in der Weimarer Republik und im „Dritten Reich", in: Hochschulalltag im „Dritten Reich". Hg. von Eckart Krause u.a., Berlin 1991, Teil I, S.85-111.

Herzfeld, Hans: Der Nationalstaat und die deutsche Universität, in: Universitätstage 1966. Nationalsozialismus und die deutsche Universität, Berlin 1966, S.8-23.

Heuß, Alfred: Versagen und Verhängnis. Vom Ruin deutscher Geschichte und ihres Verständnisses, Berlin 1984.

Hilberg, Raul: Die Vernichtung der europäischen Juden. Die Gesamtgeschichte des Holocaust, Berlin 1982.

Hochmuth, Ursel / Meyer, Gertrud: Streiflichter aus dem Hamburger Widerstand 1933-1945. Berichte und Dokumente, Frankfurt/Main 1969.

Höhne, Heinz: Der Orden unter dem Totenkopf. Die Geschichte der SS, Gütersloh 1967.

Hoepke, Klaus-Peter: Die SS, der „Führer" und die Nöte der deutschen Wissenschaft. Ein Meinungsbild aus dem Senat der T. H. Karlsruhe vom April 1942, in: Zeitschrift für die Geschichte des Oberrheins, Bd. 135, 1987, S.407-418.

Hoepke, Klaus-Peter: Auswirkungen der nationalsozialistischen Rassenpolitik an der Technischen Hochschule Fridericiana Karlsruhe 1933-1945, in: Zeitschrift für die Geschichte des Oberrheins, Bd. 137, 1989, S.383-413.

Hofmann, Erich: Die Christian-Albrechts-Universität in preußischer Zeit, in: Geschichte der Christian-Albrechts-Universität Kiel 1665-1965, Bd. 1, Teil 2, Neumünster 1965, S.9-115.

Huerkamp, Claudia: Frauen, Universitäten und Bildungsbürgertum. Zur Lage studierender Frauen 1900-1930, in: Hannes Siegrist (Hg.), Bürgerliche Berufe. Zur Sozialgeschichte der freien und akademischen Berufe im internationalen Vergleich, Göttingen 1988, S.200-222.

Hüttenberger, Peter: Die Gauleiter. Studie zum Wandel des Machtgefüges in der NSDAP, Stuttgart 1969.

Jahnke, Karl Heinz: Über den Widerstandskampf Berliner Studenten gegen Faschismus und imperialistischen Krieg, in: Forschen und Wirken. Festschrift zur 150-Jahr-Feier der Humboldt-Universität zu Berlin 1810-1960, Bd. I, Berlin/DDR 1960, S.547-576.

Jakobi, Helga / Chroust, Peter / Hamann, Matthias: Aeskulap und Hakenkreuz. Zur Geschichte der Medizinischen Fakultät in Gießen zwischen 1933 und 1945, 2. Aufl., Frankfurt/M. 1989.

Jansen, Christian: Professoren und Politik. Politisches Denken und Handeln der Heidelberger Hochschullehrer 1914-1935, Göttingen 1992.

Jarausch, Konrad H.: Society and Politics in Imperial Germany. The Rise of Academic Illiberalism, Princeton 1982.

Jarausch, Konrad H.: Deutsche Studenten 1800-1970, Frankfurt/M. 1984.

Jeggle, Utz: Volkskunde im 20. Jahrhundert, in: Grundriß der Volkskunde. Hg. von Rolf W. Brednich, Berlin 1988, S.51-71.

Jens, Inge: Über die „Weiße Rose", in: Neue Rundschau, 95. Jg., 1984, H.1/2, S.193-213.

Jordan, Udo: „Studenten des Führers". Studentenschaft nach 1933, in: Frontabschnitt Hochschule. Die Gießener Universität im Nationalsozialismus, Gießen 1982, S.68-99.

Kampe, Norbert: Studenten und „Judenfrage" im Deutschen Kaiserreich, Göttingen 1988.

Kater, Michael H.: Krisis des Frauenstudiums in der Weimarer Republik, in: VSWG, Bd. 59, 1972, S.207-255.

Kater, Michael H.: Das „Ahnenerbe" der SS 1935-1945. Ein Beitrag zur Kulturpolitik des Dritten Reiches, Stuttgart 1974.

Kater, Michael H.: Der NS-Studentenbund von 1926 bis 1928: Randgruppe zwischen Hitler und Strasser, in: Vierteljahrshefte für Zeitgeschichte, 22. Jg., 1974, S.148-190.

Kater, Michael H.: The Reich Vocational Contest and Students of Higher Learning in Nazi Germany, in: Central European History, 7. Jg., 1974, S.225-261.

Kater, Michael H.: Studentenschaft und Rechtsradikalismus in Deutschland 1918-1933. Eine sozialgeschichtliche Studie zur Bildungskrise in der Weimarer Republik, Hamburg 1975.

Kater, Michael H.: The Nazi Party. A Social Profile of Members and Leaders 1919-1945, Cambridge/Mass. 1983.

Kater, Michael H.: Professoren und Studenten im Dritten Reich, in: Archiv für Kulturgeschichte, 67. Jg., 1985, S.465-487.

Kater, Michael H.: Medizinische Fakultäten und Medizinstudenten: Eine Skizze, in: Fridolf Kudlien u.a.: Ärzte im Nationalsozialismus, Köln 1985, S.82-104.

Kershaw, Ian: Der Hitler-Mythos. Volksmeinung und Propaganda im Dritten Reich. Mit einer Einführung von Martin Broszat, Stuttgart 1980.

Kershaw, Ian: Alltägliches und Außeralltägliches: ihre Bedeutung für die Volksmeinung 1933-1939, in: Detlev Peukert / Jürgen Reulecke (Hg.), Die Reihen fast geschlossen. Beiträge zur Geschichte des Alltags unterm Nationalsozialismus, Wuppertal 1981, S.273-292.

Kershaw, Ian: „Widerstand ohne Volk?". Dissens und Widerstand im Dritten Reich, in: Der Widerstand gegen den Nationalsozialismus. Hg. von Jürgen Schmädeke und Peter Steinbach, München 1985, S.779-798.

Kershaw, Ian: Der NS-Staat. Geschichtsinterpretationen und Kontroversen im Überblick, Reinbek bei Hamburg 1988.

Kleiber, Lore: „Wo ihr seid, da soll die Sonne scheinen!" – Der Frauenarbeitsdienst am Ende der Weimarer Republik und im Nationalsozialismus, in: Frauengruppe Faschismusforschung, Mutterkreuz und Arbeitsbuch. Zur Geschichte der Frauen in der Weimarer Republik und im Nationalsozialismus, Frankfurt/M. 1981, S.188-214.

Klein, Silvia / Stelmaszyk, Bernhard: Eberhard Köbel, 'tusk'. Ein biographisches Porträt über die Jahre 1907 bis 1945, in: Wilfried Breyvogel (Hg.), Piraten, Swings und Junge Garde. Jugendwiderstand im Nationalsozialismus, Bonn 1991, S.102-137.

Kleinberger, Aharon F.: Gab es eine nationalsozialistische Hochschulpolitik? in: Manfred Heinemann (Hg.), Erziehung und Schulung im Dritten Reich, Teil 2: Hochschule, Erwachsenenbildung, Stuttgart 1980, S.9-30.

Klöckner, Michael: Das katholische Bildungsdefizit in Deutschland, in: Geschichte in Wissenschaft und Unterricht, 32, 1981, S.79-98.

Klönne, Arno: Jugend im Dritten Reich. Die Hitler-Jugend und ihre Gegner. Dokumente und Analysen, Düsseldorf/Köln 1982.

Kluke, Paul: Die Stiftungsuniversität Frankfurt am Main 1914-1932, Frankfurt/M. 1972.

Knoop-Graf, Anneliese: „Jeder Einzelne trägt die ganze Verantwortung". Widerstand am Beispiel Willi Graf, in: Wilfried Breyvogel (Hg.), Piraten, Swings und Junge Garde. Jugendwiderstand im Nationalsozialismus, Bonn 1991, S.222-240.

Koch, Gerhard: Die Gesellschaft für Konstitutionsforschung. Anfang und Ende 1942-1965, Erlangen 1985.

Köhler, Henning: Arbeitsdienst in Deutschland. Pläne und Verwirklichungsformen bis zur Einführung der Arbeitsdienstpflicht im Jahre 1935, Berlin 1967.

Köhler, Jochen: Klettern in der Großstadt. Volkstümliche Geschichten vom Überleben in Berlin 1933-1945, Berlin 1979.

Kohler, Mathilde Anna: „Irgendwie windet man sich durch, mit großem Unbehagen". Dienste und Einsätze der Studentinnen an der Universität Wien 1938-1945, in: Töchter-Fragen. NS-Frauen-Geschichte. Hg. von Lerke Gravenhorst u. Carmen Tatschmurat, Freiburg 1990, S.237-251.

Kotowski, Georg: Nationalsozialistische Wissenschaftspolitik, in: Universitätstage 1966. Nationalsozialismus und die deutsche Universität, Berlin 1966, S.209-223.

Kreutzberger, Wolfgang: Studenten und Politik 1918-1933. Der Fall Freiburg im Breisgau, Göttingen 1972.

Kroener, Bernhard R.: Die personellen Ressourcen des Dritten Reiches im Spannungsfeld zwischen Wehrmacht, Bürokratie und Kriegswirtschaft 1939-1942, in: Das Deutsche Reich und der Zweite Weltkrieg. Hg. vom Militärgeschichtlichen Forschungsamt, Bd. 5, I, Stuttgart 1988, S.691-1001.

Krönig, Waldemar / Müller, Klaus-Dieter: Nachkriegssemester. Studium in Kriegs- und Nachkriegszeit, Stuttgart 1990.

Kuhn, Helmut: Die deutsche Universität am Vorabend der Machtergreifung, in: Die deutsche Universität im Dritten Reich. Eine Vortragsreihe der Universität München, München 1966, S.13-43.

Kunkel, Wolfgang: Der Professor im Dritten Reich, in: Die deutsche Universität im Dritten Reich. Eine Vortragsreihe der Universität München, München 1966, S.103-133.

Kupisch, Karl: Studenten entdecken die Bibel. Die Geschichte der Deutschen Christlichen Studentenvereinigung (DCSV), Hamburg 1964.

Lämmert, Eberhard u.a.: Germanistik – eine deutsche Wissenschaft, Frankfurt/M. 1967.

Laitenberger, Volkhard: Akademischer Austausch und auswärtige Kulturpolitik. Der Deutsche Akademische Austauschdienst (DAAD) 1923-1945, Göttingen 1976.

Leisen, Adolf: Die Ausbreitung des völkischen Gedankens in der Studentenschaft der Weimarer Republik, Daleiden/Eifel, phil. Diss., 1964.

Lenz, Walter: Eine ausgesprochen hansische Aufgabe: Meereskunde und Meteorologie, in: Hochschulalltag im „Dritten Reich“. Die Hamburger Universität 1933-1945. Hg. von Eckart Krause u.a., Berlin/Hamburg 1991, Teil III, S.1245-1256.

Die Lichtwarkschule. Idee und Gestalt. Hg. vom Arbeitskreis Lichtwarkschule, Hamburg 1979.

Lindner, Helmut: „Deutsche“ und „gegentypische“ Mathematik. Zur Begründung einer „arteigenen“ Mathematik im „Dritten Reich“ durch Ludwig Bieberbach, in: Naturwissenschaft, Technik und NS-Ideologie. Hg. von Herbert Mehrtens und Steffen Richter, Frankfurt 1980, S.88-115.

Longerich, Peter: Hitlers Stellvertreter. Führung der Partei und Kontrolle des Staatsapparates durch den Stab Heß und die Partei-Kanzlei Bormann, München 1992.

Losemann, Volker: Nationalsozialismus und Antike. Studien zur Entwicklung des Faches Alte Geschichte 1933-1945, Hamburg 1977.

Lüdtke, Alf: Vom Elend der Professoren. „Ständische“ Autonomie und Selbst-Gleichschaltung 1932/33 in Tübingen, in: Martin Doehlemann (Hg.), Wem gehört die Universität, Lahn-Gießen 1977, S.99-127.

Ludwig, Hartmut: Theologiestudium in Berlin 1937: Die Relegierung von 29 Theologiestudierenden von der Berliner Universität, in: Theologische Fakultäten im Nationalsozialismus. Hg. von Leonore Siegele-Wenschkewitz u. Carsten Nicolaisen, Göttingen 1993, S.303-315.

Ludwig, Karl-Heinz: Technik und Ingenieure im Dritten Reich, Düsseldorf 1974.

Mager, Inge: Göttinger theologische Promotionen 1933-1945, in: Theologische Fakultäten im Nationalsozialismus. Hg. von Leonore Siegele-Wenschkewitz u. Carsten Nicolaisen, Göttingen 1993, S.347-359.

Mallmann, Klaus-Michael / Paul, Gerhard: Herrschaft und Alltag. Ein Industrierevier im Dritten Reich, Bonn 1991 (Widerstand und Verweigerung im Saarland 1935-1945, Bd. 2).

Mann, Rosemarie: Entstehen und Entwicklung der NSDAP in Marburg bis 1933, in: Hessisches Jahrbuch für Landesgeschichte, 22. Jg., 1972, S.254-342.

Marshall, Barbara: Der Einfluß der Universität auf die politische Entwicklung der Stadt Göttingen 1918-1933, in: Niedersächsisches Jahrbuch für Landesgeschichte, 49, 1977, S.265-301.

Martin, Bernd (Hg.): Martin Heidegger und das „Dritte Reich“. Ein Kompendium, Darmstadt 1989.

Mason, Timothy W.: Arbeiterklasse und Volksgemeinschaft. Dokumente und Materialien zur deutschen Arbeiterpolitik 1936-1939, Opladen 1975.

Mason, Timothy W.: Die Bändigung der Arbeiterklasse im nationalsozialistischen Deutschland, in: Carola Sachse u.a., Angst, Belohnung, Zucht und Ordnung. Herrschaftsmechanismen im Nationalsozialismus, Opladen 1982, S.11-53.

Mausbach-Bromberger, Barbara: Arbeiterwiderstand in Frankfurt am Main gegen den Faschismus 1933-1945, Frankfurt/Main 1976.

Mehls, Waltraud: Angehörige der Berliner Universität im antifaschistischen Widerstandskampf, Berlin/DDR, phil. Diss. (MS), 1987.

Mehrtens, Herbert: Ludwig Bieberbach and „Deutsche Mathematik“, in: Esther R. Phillips (Hg.), Studies in the History of Mathematics, Washington, D.C. 1987, S.195-241.

Meisiek, Cornelius Heinrich: Evangelisches Theologiestudium im Dritten Reich, Frankfurt 1993 (Europäische Hochschulschriften, Reihe 23, Bd. 481).

Mersmann, Ingrid: Medizinische Ausbildung im Dritten Reich, München, med. Diss., 1978.
Mertens, Lothar: Vernachlässigte Töchter der Alma Mater. Ein sozialhistorischer und bildungssoziologischer Beitrag zur strukturellen Entwicklung des Frauenstudiums in Deutschland seit der Jahrhundertwende, Berlin 1991.
Moll, Christiane: Die Weiße Rose, in: Peter Steinbach / Johannes Tuchel (Hg.), Widerstand gegen den Nationalsozialismus, Bonn 1994, S.443-467.
Mommsen, Hans: Beamtentum im Dritten Reich. Mit ausgewählten Quellen zur nationalsozialistischen Beamtenpolitik, Stuttgart 1966.
Mommsen, Hans: Der Nationalsozialismus und die deutsche Gesellschaft. Ausgewählte Aufsätze. Hg. von Lutz Niethammer und Bernd Weisbrod, Reinbek bei Hamburg 1991.
Müller, Gerhard: Ernst Krieck und die nationalsozialistische Wissenschaftsreform. Motive und Tendenzen einer Wissenschaftslehre und Hochschulreform im Dritten Reich, Weinheim/Basel 1978.
Müller, Hans-Harald / Schöberl, Joachim: Karl Ludwig Schneider und die Hamburger „Weiße Rose". Ein Beitrag zum Widerstand von Studenten im „Dritten Reich", in: Hochschulalltag im „Dritten Reich". Die Hamburger Universität 1933-1945. Hg. von Eckart Krause u.a., Teil I, Berlin 1991, S.423-437.
Müller-Hill, Benno: Tödliche Wissenschaft. Die Aussonderung von Juden, Zigeunern und Geisteskranken 1933-1945, Reinbek bei Hamburg 1984.
Muller, Jerry Z.: Enttäuschung und Zweideutigkeit. Zur Geschichte rechter Sozialwissenschaftler im „Dritten Reich", in: Geschichte und Gesellschaft, 12. Jg., 1986, S.289-316.
Mußgnug, Dorothee: Die Universität Heidelberg zu Beginn der nationalsozialistischen Herrschaft, in: Semper Apertus. Sechshundert Jahre Ruprecht-Karls-Universität Heidelberg 1386-1986. Festschrift in sechs Bänden, Bd. III, Berlin/Heidelberg 1985, S.464-503.

Nath, Axel: Die Studienratskarriere im Dritten Reich. Systematische Entwicklung und politische Steuerung einer zyklischen „Überfüllungskrise" – 1930 bis 1944, Frankfurt/M. 1988.
Nationalsozialismus und Modernisierung. Hg. von Michael Prinz u. Rainer Zitelmann, Darmstadt 1991.
Naturwissenschaft, Technik und NS-Ideologie. Beiträge zur Wissenschaftsgeschichte des Dritten Reichs. Hg. von Herbert Mehrtens u. Steffen Richter, Frankfurt/M. 1980.
Nellessen, Bernd: Die verbotene Revolution. Aufstieg und Niedergang der Falange, Hamburg 1963.
Niemann, H. W.: Die TH im Spannungsfeld von Hochschulreform und Politisierung (1918-1945), in: Universität Hannover 1831-1981, Bd. 1, Stuttgart 1981, S.74-94.
Niemöller, Wilhelm: Die Evangelische Kirche im Dritten Reich. Handbuch des Kirchenkampfes, Bielefeld 1956.
Niethammer, Lutz (Hg.): „Die Jahre weiß man nicht, wo man die heute hinsetzen soll". Faschismuserfahrungen im Ruhrgebiet, Berlin/Bonn 1983.
Nolte, Ernst: Zur Typologie des Verhaltens der Hochschullehrer im Dritten Reich, in: ders., Marxismus, Faschismus, Kalter Krieg, Stuttgart 1977.
Norden, Günther van: Die Kirchliche Hochschule in Wuppertal, in: Theologische Fakultäten im Nationalsozialismus. Hg. von Leonore Siegele-Wenschkewitz u. Carsten Nicolaisen, Göttingen 1993, S.277-290.

Paech, Norman / Kampe, Ulrich: Die Rechts- und Staatswissenschaftliche Fakultät – Abteilung Rechtswissenschaft, in: Hochschulalltag im „Dritten Reich". Die Hamburger Universität 1933-1945. Hg. von Eckart Krause u.a., Teil II, Berlin/Hamburg 1991, S.867-912.

Pauli, Sabine: Geschichte der theologischen Institute an der Universität Rostock, in: Wissenschaftliche Zeitschrift der Universität Rostock. Gesellschafts- und sprachwissenschaftliche Reihe, 17. Jg., 1968, S.310-365.

Pauwels, Jacques R.: Women, Nazis, and Universities. Female University Students in the Third Reich, 1933-1945, London/Westport, Conn. 1984.

Payne, Stanley G.: Social Composition and Regional Strength of the Spanish Falange, in: Who were the Fascists. Social Roots of European Fascism. Hg. von Stein Ugelvik Larsen u.a., Bergen 1980, S.423-434.

Petersen, Jens: Wählerverhalten und soziale Basis das Faschismus in Italien zwischen 1919 und 1928, in: Wolfgang Schieder (Hg.), Faschismus als soziale Bewegung. Deutschland und Italien im Vergleich, Göttingen 1983[2], S.119-156.

Petry, Christian: Studenten aufs Schafott. Die Weiße Rose und ihr Scheitern, München 1968.

Peukert, Detlev: Volksgenossen und Gemeinschaftsfremde. Anpassung, Ausmerze und Aufbegehren unter dem Nationalsozialismus, Köln 1982.

Phillips, David: The Re-opening of Universities in the British Zone: The Problem of Nationalism and Student Admission, in: ders. (Hg.), German Universities after the Surrender. British Occupation Policy and the Control of Higher Education, Oxford 1983, S.4-19.

Popp, Emil: Zur Geschichte des Königsberger Studententums 1900-1945, Würzburg 1955 (Beihefte zum Jahrbuch der Albertus-Magnus-Universität Königsberg/Pr. XII).

Prolingheuer, Hans: Der Fall Karl Barth 1934-1935. Chronographie einer Vertreibung, Neukirchen-Vluyn 1977.

Rebentisch, Dieter: Führerstaat und Verwaltung im Zweiten Weltkrieg. Verfassungsentwicklung und Verwaltungspolitik 1939-1945, Stuttgart 1989.

Reichhardt, Hans J.: Möglichkeiten und Grenzen des Widerstandes der Arbeiterbewegung, in: Der deutsche Widerstand gegen Hitler. Vier historisch-kritische Studien. Hg. von Walter Schmitthenner u. Hans Buchheim, Köln/Berlin 1966, S.169-213.

Renneberg, Monika: Die Physik und die physikalischen Institute an der Hamburger Universität im „Dritten Reich", in: Hochschulalltag im „Dritten Reich". Hg. von Eckart Krause u.a., Berlin/Hamburg 1991, Teil III, S.1097-1118.

Ribhegge, Wilhelm: Geschichte der Universität Münster. Europa in Westfalen, Münster 1985.

Ricker, Leo Alexander: Freiburger Mensuren in der nationalsozialistischen Verbotszeit, in: Einst und Jetzt. Jahrbuch des Vereins für corpsstudentische Geschichtsforschung, 10, 1965, S.70-82.

Ringer, Fritz K.: Die Gelehrten. Der Niedergang der deutschen Mandarine 1890-1933, Stuttgart 1983.

Ritter, Gerhard: Der deutsche Professor im „Dritten Reich", in: Die Gegenwart, 1. Jg., 1945/46, S.23-26.

Ritter, Gerhard: Die Idee der Universität und das öffentliche Leben, in: ders., Lebendige Vergangenheit, München 1958, S.284-311.

Roegele, Otto B.: Student im Dritten Reich, in: Die Deutsche Universität im Dritten Reich. Eine Vortragsreihe der Universität München, München 1966, S.135-174.

Rosenow, Ulf: Die Göttinger Physik unter dem Nationalsozialismus, in: Die Universität Göttingen unter dem Nationalsozialismus. Hg. von Heinrich Becker u.a., München 1987, S.374-409.

Ruhnau, Frank: Chemisch-technologische Forschung im Nationalsozialismus am Beispiel der Technischen Hochschule Braunschweig, in: Hochschule und Nationalsozialismus. Referate beim Workshop zur Geschichte der Carolo-Wilhelmina am 5. und 6. Juli 1993, Braunschweig 1994, S.105-134.

Rürup, Reinhard (Hg.): Wissenschaft und Gesellschaft. Beiträge zur Geschichte der Technischen Universität Berlin 1879-1979, 2 Bde., Berlin 1979.

Rürup, Reinhard: Der Dualismus von technischer und humanistischer Bildung im Spiegel ihrer Institutionen, in: Bernfried Schlerath (Hg.), Wilhelm von Humboldt, Berlin/New York 1986, S.259-279.

Sauder, Gerhard (Hg.): Die Bücherverbrennung. Zum 10. Mai 1933, München/Wien 1983.

Saul, Klaus: Lehrerbildung in Demokratie und Diktatur. Zum Hamburger Reformmodell einer universitären Volksschullehrerausbildung, in: Hochschulalltag im „Dritten Reich". Hg. von E. Krause u.a., Berlin/Hamburg 1991, Teil I, S.367-408.

Schappacher, Norbert: Das Mathematische Institut der Universität Göttingen 1929-1950, in: Die Universität Göttingen unter dem Nationalsozialismus. Hg. von Heinrich Becker u.a., München 1987, S.345-373.

Scherer, Herbert: Die WSC-Corps in der Verbotszeit (1935-1945), in: Einst und Jetzt. Jahrbuch des Vereins für corpsstudentische Geschichtsschreibung, Bd. 5, 1960, S.82-93.

Scherffig, Wolfgang: Junge Theologen im „Dritten Reich". Dokumente, Briefe, Erfahrungen, 2 Bde., Neukirchen-Vluyn 1989/90.

Schlicht, Uwe: Vom Burschenschafter bis zum Sponti. Studentische Opposition gestern und heute, Berlin 1980.

Schlömer, Hans: Die Ära der Gleichschaltung, in: Deutsches Studentenwerk 1921-1961. Festschrift zum vierzigjährigen Bestehen, Bonn 1961, S.63-79.

Schlömer, Hans: Die Gleichschaltung des KV im Frühjahr 1933, in: Friedhelm Golücke (Hg.), Korporationen und Nationalsozialismus, Schernfeld o.J. [1989], S.13-71.

Schneider, Ulrich: Widerstand und Verfolgung an der Marburger Universität 1933-1945, in: Universität und demokratische Bewegung. Ein Lesebuch zur 450-Jahrfeier der Philipps-Universität Marburg. Hg. von Dieter Kramer und Christina Vanja, Marburg 1977, S.219-256.

Schoenbaum, David: Die braune Revolution. Eine Sozialgeschichte des Dritten Reiches. Mit einem Nachwort von Hans Mommsen, veränderte Aufl., Köln 1980.

Schönwälder, Karen: Historiker und Politik. Geschichtswissenschaft im Nationalsozialismus, Frankfurt am Main / New York 1992.

Scholder, Klaus: Die Kirchen und das Dritte Reich, Bd. 1: Vorgeschichte und Zeit der Illusionen, Frankfurt/Main 1977.

Scholl, Inge: Die Weiße Rose. Erweiterte Neuausgabe, Frankfurt/M. 1982.

Scholtz, Harald: Erziehung und Unterricht unterm Hakenkreuz, Göttingen 1985.

Schottlaender, Rudolf: Verfolgte Berliner Wissenschaft. Ein Gedenkwerk. Mit Vorworten von Wolfgang Scheffler, Kurt Pätzold und einem Nachwort von Götz Aly, Berlin 1988.

Schreiner, Klaus: Führertum, Rasse, Reich. Wissenschaft von der Geschichte nach der nationalsozialistischen Machtergreifung, in: Peter Lundgren (Hg.), Wissenschaft im Dritten Reich, Frankfurt/M. 1985, S.163-252.

Schulze, Friedrich / Ssymank, Paul: Das deutsche Studententum von den ältesten Zeiten bis zur Gegenwart, 4. völlig neu bearbeitete Auflage, München 1932.

Schwabe, Klaus: Der Weg in die Opposition: Der Historiker Gerhard Ritter und der Freiburger Kreis, in: Die Freiburger Universität in der Zeit des Nationalsozialismus. Hg. von Eckhard John u.a., Freiburg/Würzburg 1991, S.191-205.

Schwarz, Jürgen: Studenten in der Weimarer Republik. Die deutsche Studentenschaft in der Zeit von 1918 bis 1923 und ihre Stellung zur Politik, Berlin 1970.

Seidler, Eduard: Die Medizinische Fakultät der Albert-Ludwigs-Universität Freiburg im Breisgau. Grundlagen und Entwicklungen, Berlin 1991.

Seier, Hellmut: Der Rektor als Führer. Zur Hochschulpolitik des Reichserziehungsministeriums 1934-1945, in: Vierteljahrshefte für Zeitgeschichte, 12. Jg., 1964, S.105-146.

Seier, Hellmut: Niveaukritik und partielle Opposition. Zur Lage an den deutschen Hochschulen 1939/40, in: Archiv für Kulturgeschichte, Bd. 58, 1976, S.227-246.

Spitznagel, Peter: Studentenschaft und Nationalsozialismus in Würzburg 1927-1933, Würzburg, phil. Diss., 1974.

Spitznagel, Peter: Studentenschaft und Nationalsozialismus in Würzburg 1927-1936, in: Studentenschaft und Korporationswesen an der Universität Würzburg. Hg. vom Institut für Hochschulkunde an der Universität Würzburg, Würzburg 1982, S.89-138.

Spode, Hasso: „Der deutsche Arbeiter reist". Massentourismus im Dritten Reich, in: Gerhard Huck (Hg.), Sozialgeschichte der Freizeit. Untersuchungen zum Wandel der Alltagskultur in Deutschland, Wuppertal 1980, S.281-306.

Stachura, Peter D.: Das Dritte Reich und die Jugenderziehung: Die Rolle der Hitlerjugend 1933-1939, in: Nationalsozialistische Diktatur 1933-1945. Eine Bilanz. Hg. von Karl Dietrich Bracher u.a., Bonn 1983, S.224-244.

Steinberg, Michael Stephen: Sabres, Books, and Brown Shirts: The Radicalization of the German Student, 1918-1935, The Johns Hopkins University, Ph.D., Baltimore, Maryland 1971 (MS).

Steinberg, Michael Stephen: Sabers and Brown Shirts. The German Students' Path to National Socialism, 1918-1935, Chicago/London 1977.

Steinert, Marlis G.: Hitlers Krieg und die Deutschen. Stimmung und Haltung der deutschen Bevölkerung im Zweiten Weltkrieg, Düsseldorf/Wien 1970.

Stephenson, Jill: Women in Nazi Society, London 1975.

Stitz, Peter: Der CV 1919-1938. Der hochschulpolitische Weg des Cartellverbandes der katholischen deutschen Studentenverbindungen (CV) vom Ende des 1. Weltkrieges bis zur Vernichtung durch den Nationalsozialismus, München 1970.

Stolze, Elke: Die Martin-Luther Universität Halle-Wittenberg während der Herrschaft des Faschismus (1933 bis 1945), Halle, phil. Diss., 1982.

Strätz, Hans-Wolfgang: Die studentische „Aktion wider den undeutschen Geist" im Frühjahr 1933, in: Vierteljahrshefte für Zeitgeschichte, 16. Jg., 1968, S.347-372.

Stuchlik, Gerda: Goethe im Braunhemd. Universität Frankfurt 1933-1945, Frankfurt/M. 1984.

Stuchlik, Gerda: Funktionäre, Mitläufer, Außenseiter und Ausgestoßene. Studentenschaft im Nationalsozialismus, in: Hochschule und Nationalsozialismus. Wissenschaftsgeschichte und Wissenschaftsbetrieb als Thema der Zeitgeschichte. Hg. von Leonore Siegele-Wenschkewitz u. Gerda Stuchlik, Frankfurt/M. 1990, S.49-89.

Studentenschaft und Korporationswesen an der Universität Würzburg. Hg. vom Institut für Hochschulkunde an der Universität Würzburg, Würzburg 1982.

Thierfelder, Jörg: Ersatzveranstaltungen der Bekennenden Kirche, in: Theologische Fakultäten im Nationalsozialismus. Hg. von Leonore Siegele-Wenschkewitz u. Carsten Nicolaisen, Göttingen 1993, S.291-301.

Tielsch, Thomas: Lügner par Existence. Maurice Sachs, letzte Anmerkungen zur Weißen Rose, in: Transatlantik, Nr.2, 1985, S.59-68.

Titze, Hartmut: Die zyklische Überproduktion von Akademikern im 19. und 20. Jahrhundert, in: Geschichte und Gesellschaft, 10. Jg., 1984, S.92-121.

Titze, Hartmut: Hochschulen, in: Handbuch der deutschen Bildungsgeschichte, Bd. V: 1918-1945. Die Weimarer Republik und die nationalsozialistische Diktatur. Hg. von Dieter Langewiesche u. Heinz-Elmar Tenorth, München 1989, S.209-240.

Titze, Hartmut: Der Akademikerzyklus. Historische Untersuchungen über die Wiederkehr von Überfüllung und Mangel in akademischen Karrieren, Göttingen 1990.

„... treu und fest hinter dem Führer". Die Anfänge des Nationalsozialismus an der Universität Tübingen 1926-1934. Begleitheft zu einer Ausstellung des Universitätsarchivs Tübingen, Tübingen 1983.

Die deutsche Universität im Dritten Reich. Eine Vortragsreihe der Universität München, München 1966.

Die Freiburger Universität in der Zeit des Nationalsozialismus. Hg. von Eckhard John, Bernd Martin, Marc Mück u. Hugo Ott, Freiburg/Würzburg 1991.

Die Universität Göttingen unter dem Nationalsozialismus. Das verdrängte Kapitel ihrer 250jährigen Geschichte. Hg. von Heinrich Becker, Hans-Joachim Dahms, Cornelia Wegeler, München 1987.

Universität Greifswald 525 Jahre. Im Auftrage des Rektors verfaßt von Wolfgang Wilhelmus u.a., Berlin/DDR 1982.

Universität Hamburg 1919-1969, Hamburg o.J. [1970].

Universität Hannover 1831-1981. Festschrift zum 150jährigen Bestehen der Universität Hannover. Schriftleitung: Rita Seidel, Bd. 1, Stuttgart 1981.

Universitätstage 1966. Nationalsozialismus und die deutsche Universität. Veröffentlichung der Freien Universität Berlin, Berlin 1966.

Unruh, Karl: Langemarck. Legende und Wirklichkeit, Koblenz 1986.

Vézina, Birgit: „Die Gleichschaltung" der Universität Heidelberg im Zuge der nationalsozialistischen Machtergreifung, Heidelberg 1982.

Vieten, Bernward: Medizinstudenten in Münster. Universität, Studentenschaft und Medizin 1905 bis 1945, Köln 1982.

Vogel, Barbara: Anpassung und Widerstand. Das Verhältnis Hamburger Hochschullehrer zum Staat 1919 bis 1945, in: Hochschulalltag im „Dritten Reich". Die Hamburger Universität 1933-1945. Hg. von E. Krause u.a., Teil I, Berlin/Hamburg 1991, S.3-83.

Voigt, Johannes: Universität Stuttgart. Phasen ihrer Geschichte, Stuttgart 1981.

Voßkamp, Wilhelm: Kontinuität und Diskontinuität. Zur deutschen Literaturwissenschaft im Dritten Reich, in: Peter Lundgren (Hg.), Wissenschaft im Dritten Reich, Frankfurt/M. 1985, S.140-162.

Walberer, Ulrich (Hg.): 10. Mai 1933. Bücherverbrennung in Deutschland und die Folgen, Frankfurt/Main 1983.

Walker, Mark: Die Uranmaschine. Mythos und Wirklichkeit der deutschen Atombombe. Mit einem Vorwort von Robert Jungk, Berlin 1990.

Walter, Franz: Sozialistische Akademiker- und Intellektuellenorganisationen in der Weimarer Republik, Bonn 1990.
Warloski, Ronald: Neudeutschland. German, Catholic Students, 1919-1939, Den Haag 1970.
Weber, R.G.S.: The German Student Corps in the Third Reich, London 1986.
Weindling, Paul: Weimar Eugenics: The Kaiser Wilhelm Institute for Anthropology, Human Heredity and Eugenics in Social Context, in: Annals of Science, 42. Jg., 1985, S.303-318.
Weingart, Peter, u.a.: Rasse, Blut und Gene. Geschichte der Eugenik und Rassenhygiene in Deutschland, Frankfurt/M. 1988.
Weizsäcker, Carl Friedrich von: Bewußtseinswandel, München/Wien 1988.
Wende, Erich: C.H. Becker – Mensch und Politiker. Ein biographischer Beitrag zur Kulturgeschichte der Weimarer Republik, Stuttgart 1959.
Werner, J.: Zur Lage der Geisteswissenschaften in Hitler-Deutschland, in: Schweizerische Hochschulzeitung, 19. Jg., 1945/46, S.71-81.
Werner, Karl Ferdinand: Das NS-Geschichtsbild und die deutsche Geschichtswissenschaft, Stuttgart 1967.
Weyrather, Irmgard: Numerus Clausus für Frauen – Studentinnen im Nationalsozialismus, in: Frauengruppe Faschismusforschung, Mutterkreuz und Arbeitsbuch. Zur Geschichte der Frauen in der Weimarer Republik und im Nationalsozialismus, Frankfurt/M. 1981, S.131-162.
Der Widerstand gegen den Nationalsozialismus. Die deutsche Gesellschaft und der Widerstand gegen Hitler. Hg. von Jürgen Schmädeke und Peter Steinbach, München 1985.
Winkler, Dörte: Frauenarbeit im „Dritten Reich", Hamburg 1977.
Wippermann, Wolfgang: Europäischer Faschismus im Vergleich (1922-1982), Frankfurt/M. 1983.
Wittstadt, Klaus: Die Katholisch-Theologische Fakultät der Universität Würzburg während der Zeit des Dritten Reiches, in: Peter Baumgart (Hg.), Vierhundert Jahre Universität Würzburg. Eine Festschrift, Neustadt (Aisch) 1982, S.399-435.
Wolgast, Eike: Die Universität Heidelberg 1386-1986, Berlin/Heidelberg 1986.
Wolgast, Eike: Die Universität Heidelberg in der Zeit des Nationalsozialismus, in: Zeitschrift für die Geschichte des Oberrheins, Bd. 135, 1987, S.359-406.
Wolgast, Eike: Nationalsozialistische Hochschulpolitik und die evangelisch-theologischen Fakultäten, in: Theologische Fakultäten im Nationalsozialismus. Hg. von Leonore Siegele-Wenschkewitz u. Carsten Nicolaisen, Göttingen 1993, S.45-79.
Wortmann, Michael: Der Nationalsozialistische Deutsche Studentenbund an der Universität Köln (1927-1933), in: Geschichte in Köln, H.8, 1980, S.101-118.
Wróblewska, Teresa: Die Rolle und Aufgaben einer nationalsozialistischen Universität in den sogenannten östlichen Reichsgebieten am Beispiel der Reichsuniversität Posen 1941-1945, in: Pädagogische Rundschau, 32. Jg., 1978, S.173-189.

Zierold, Kurt: Forschungsförderung in drei Epochen. Deutsche Forschungsgemeinschaft. Geschichte, Arbeitsweise, Kommentar, Wiesbaden 1968.
Zitelmann, Rainer: Hitler. Selbstverständnis eines Revolutionärs, Hamburg 1987.
Zorn, Wolfgang: Die politische Entwicklung des deutschen Studententums 1918-1931, in: Darstellungen und Quellen zur Geschichte der deutschen Einheitsbewegung im neunzehnten und zwanzigsten Jahrhundert, Bd. 5, Heidelberg 1965, S.223-307.

Register

Zeitgeschichte

Christian Kind

Krieg auf dem Balkan

Der jugoslawische Bruderstreit:
Geschichte, Hintergründe, Motive
1994. 184 S. , kart., ISBN 3-506-74449-6

Robert W. Mühle

Frankreich und Hitler

Die französische Deutschland- und Außenpolitik 1933–1935
1995. 406 S., geb., ISBN 3-506-77494-8

Peter Steinbach

Widerstand im Widerstreit

Der Widerstand gegen den Nationalsozialismus in der Erinnerung der Deutschen
2., erweiterte Aufl. 1995.
348 S., kart., ISBN 3-506-78739-X

Eberhard Zeller

Oberst Claus Graf Stauffenberg

Ein Lebensbild
Mit einer Einführung von *Peter Steinbach*
2. Aufl. 1994. XVIII + 331 Seiten + 16 Seiten Bildteil,
Leinen mit Schutzumschlag, ISBN 3-506-79970-0

Klaus-Jürgen Müller/David N. Dilks (Hrsg.)

Großbritannien und der deutsche Widerstand 1933–1944

1994. 268 S., geb., ISBN 3-506-77490-5

Robert Gellately

Die Gestapo und die deutsche Gesellschaft

Die Durchsetzung der Rassenpolitik 1933–1945
2. Aufl. 1994. 324 S., geb., ISBN 3-506-77487-5

Karl-Heinz Füssl

Die Umerziehung der Deutschen

Jugend und Schule unter den Siegermächten des Zweiten Weltkrieges 1945–1955
2. Aufl. 1995. 389 S., geb., ISBN 3-506-77491-3

Schöningh
Ferdinand Schöningh GmbH · Postfach 2540 · D-33055 Paderborn